MR・超音波・眼底 基礎知識図解ノート

第2版 補訂版

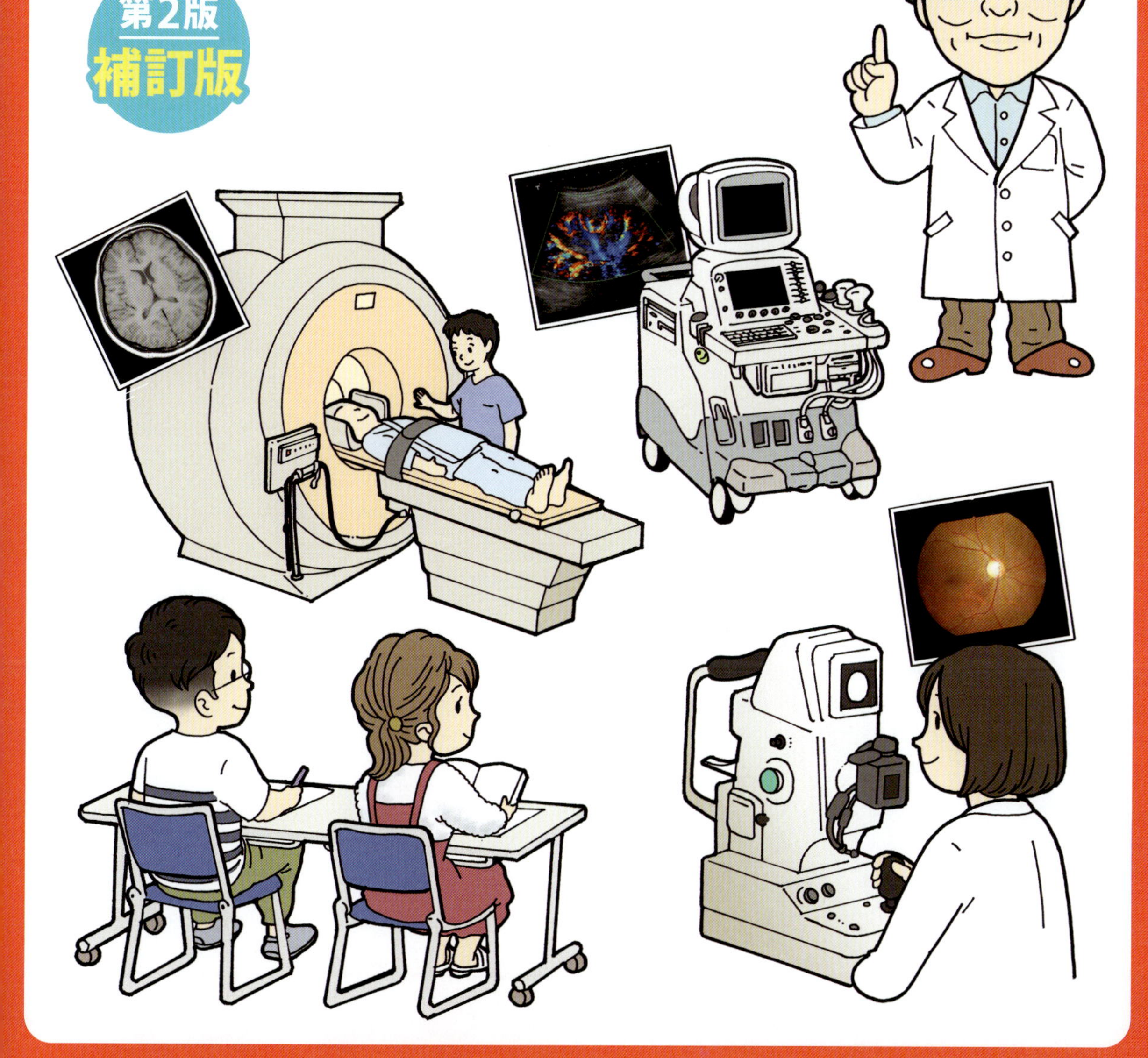

金原出版株式会社

第2版 編集の序

初版から6年の歳月が経ち，「MR・超音波・眼底 基礎知識図解ノート」を大幅リニューアルする運びとなった。MR・超音波・眼底は，侵襲性がきわめて低い検査であり，医療現場の中で，使いやすい必要不可欠な診断ツールとして位置づけられている。今回の改訂では，初版において一部不足していた内容に追記するとともに，検査機器や手法の進歩に伴い加筆・修正した。さらには，読者からいただいた貴重なご意見を取り入れ，これまで以上に読者目線での書籍を目指して編集作業にあたった。執筆者に関しては，「新たな視点を加える」という観点から，初版を執筆していただいた先生方の了承を得て，初版の原稿をベースとして新たに執筆者を加えて加筆・修正をお願いした。この試みは，これまでには例のない改訂方法である。そのためか，通常の改訂よりも紙面が増え，初版に約200頁を加えることとなった。質的に「新たな視点」が加わっただけでなく，量的にも大幅に増え，読者のみなさまにとって満足していただける改訂になったと考えている。

本書のコンセプトは大きく2つあり，初版から変わっていない。1つ目は，**難解な記述をできる限り排除し，“視覚的理解”をkey wordに図・表・画像をメインとし，それらに解説を付すといった表現法**の採用である。タイトル通り，**基礎知識のミニマムエッセンスを図で理解し，ノート的に直接書き込む方式**で利用してもらえる点を最大の特徴としている。これまでの書籍は，図・表・画像は少なく，冗長な文章を羅列したものが多く，読む教科書という印象を受けていた。視覚を利用した情報の取得が，読み手の効率的な理解を助長すると考え，この方式に至っている。2つ目は，臨床実習に臨む前の学生が，最低限必要な知識を身につける内容を網羅する点である。MR・超音波・眼底に関する書籍は多数存在し，それらの書籍は大きく「①：原理・機器など基礎が中心の内容」「②：検査法と診断あるいは画像といった臨床が中心の内容」「③：基礎が2割で臨床が8割の内容」の3つに分類できる。3つのうち，臨床実習中であるならば，②か③の書籍が必要であろう。では，臨床実習前はどうであろうか？　①の書籍と答える人もいるであろうが，それでは正しい選択肢ではない。**医療従事者を目指す者にとって，臨床に応用できる基礎知識の修得だけでなく，どのように臨床に応用するのかという視点が必要**だからである。そこで，**本書は，「基礎が7～8割で臨床が2～3割の内容」**という③の書籍とは逆のスタイルを目指して作成した。本書は，診療放射線技師養成校ならびに臨床検査技師養成校の学生諸氏を主な対象としている。また，現場経験の少ない新人技師にとっても使いやすく，必要にして十分な情報を盛り込んだ簡潔かつ簡便なテキストになったと自負している。

最後に，本書の刊行にあたり，編集に協力していただいた筑波大学附属病院 検査部 臨床検査副技師長 上牧 隆先生ならびに杏林大学 保健学部 助教 佐藤 英介先生，そして，監修の労を賜った埼玉医科大学 放射線科 教授 新津 守先生に感謝申し上げる。また，長期間にわたり編集にご尽力いただいた石黒大介氏をはじめとする金原出版 編集部のスタッフの方々に深甚の謝意を表したい。

2018年3月

筑波大学医学医療系
磯辺智範

監修のことば

知識のない実習は苦痛である。私も医学生時代，毎週ごとに異なる診療科（この毎週初めの挨拶も一つの重圧）で，熱意（悪意？）ある質問責めに閉口するとともに，自分の知識の無さを痛感したことを思い出す。そもそも医療現場で必要とされる医学知識を脳内にすべて蓄えることは無理であるが，実習の教員はそこを突いてくる。ましてや，卒業して医療現場でプロとして診療する者には，無尽蔵の知識が必要，と世間は要求し，また白衣の人は皆そのような聖人君子と見なす風潮も強い。

そこで医療従事者を目指す学生諸君はどうすべきか？ 答えはいかに効率良く知識を吸収，理解して自分のものとするかである。私が学生の頃の医学書はみな電話帳のように厚く，中身は文字だらけで，それを読破するのは何かの教典よりも苦行であった。現在はビジュアルに優れ，視覚的に理解しやすい本が容易に手に入る。ただし，ここで要注意！ 見やすい図表をただ暗記した「鵜呑み」の知識はすぐに忘れる。その原理を自分なりに筋道たてて理解した「納得型」知識は一生の財産となる。医療分野では解剖名など，どうしても暗記せねばならないことが多く，記憶力の善し悪しが学業成績に反映されることが多い。しかしその後の長い臨床生活では，成績の良かった学生が，業績を上げ皆からも信頼される医療者に必ずしも成長していない場合が多い。毎日の医療業務上，物事の本質を見極めその知識を自分なりに整理し自己のキャリア上に追加構築していくかどうかで，長い人生で大きな差がつくと思われる。ここで個人的成功うんぬんはともかく，生半可な知識で医療が行われたら，とにかく患者さんが大迷惑である。

本書で扱う画像医学の基礎はその大半が「納得型」知識で習得できる。判らない箇所を集中的に勉強することもできる。実習に追われる医療系学生と，毎日の時間のない医療従事者には，本書が良き相談相手となることが大いに期待される。

「智は力である」

2018年3月

新津　守

編集のことば

MR，超音波，眼底に関する書籍は多数存在するが，それらの書籍は，内容から「①：原理・機器など基礎が中心」「②：検査法と診断あるいは画像といった臨床が中心」「③：基礎が２割で臨床が８割」の３つに分類できる。以上３つのうち，学生諸氏が求めている書籍はどのようなものであるかを考えてみた。臨床実習中ならば，臨床に重きを置いた②か③の書籍であろう。では，10コマから15コマの系統だった講義で必要としているのはどれであろうか？　基礎に重きを置いた①の書籍と答える人もいるであろうが，それは正しい選択とは言えない。なぜなら，医療従事者を目指す者にとって，臨床に応用できる基礎知識の修得は必須であるが，①の書籍ではどのように臨床に応用するのかという視点が欠けているからである。もちろん，講義は基礎が中心で然るべきではあるが，基礎をもとにした臨床的内容も学ぶ必要がある。ここでいう臨床的内容とは，“臨床実習に臨む前に最低限必要な知識”を意図している。本書は，「基礎が８割で臨床が２割」とし，前述した③の書籍とは逆のスタイルを目指して作成した。

記載法に関して見てみると，これまでの書籍は，図・表・画像は少なく，冗長な文章を羅列したものが多く，読む教科書という印象を受ける。私は，文章をひたすら読むよりも視覚を利用した情報取得のほうが，読者の効率的な理解に役立つと考えている。そこで，本書では，難解な記述をできる限り排除し，“視覚的理解”をkey wordに図・表・画像をメインとし，それらに解説を付すといった表現法を採用した。タイトル通り，基礎知識のミニマムエッセンスを図で理解し，ノート的に利用してもらえる点が最大のセールスポイントである。

本書は，診療放射線技師養成校ならびに臨床検査技師養成校の学生諸氏を主な対象としている。また，臨床経験の少ない新人技師に対しても使いやすく，必要にして十分な情報を盛り込んだ簡潔かつ簡便なテキストになったと自負している。

最後に，本書籍の刊行にあたり，編集に協力していただいた筑波大学附属病院検査部 副技師長 上牧 隆先生ならびに北里大学医療衛生学部 助教 佐藤英介先生，そして，監修の労を賜った埼玉医科大学放射線科 教授 新津 守先生に感謝申し上げる。また，長期間にわたり編集にご尽力いただいた竹山基博氏，宇野和代氏をはじめとする金原出版編集部のスタッフの方々に深甚の謝意を表したい。

2012年9月

磯辺智範

監修

新津　守　埼玉医科大学 放射線科 教授

編集

磯辺智範　筑波大学 医学医療系 教授

編集協力

上牧　隆　筑波大学附属病院 検査部 前臨床検査副技師長
佐藤英介　順天堂大学 保健医療学部 准教授

執筆者一覧（執筆順）

Part 1 MR

磯辺智範　筑波大学 医学医療系 教授
青木郁男　キヤノンメディカルシステムズ
尾﨑正則　キヤノンメディカルシステムズ CTMR 事業統括部 MRI 開発部
原田邦明　柏葉脳神経外科病院 診療技術部長・放射線科長
佐藤英介　順天堂大学 保健医療学部 准教授
奥秋知幸　フィリップスジャパン MR ビジネスマーケティングマネージャー
鈴木由里子　C.J.Gorter Center for High Field MRI, Department of Radiology, Leiden University Medical Center
五月女康作　福島県立医科大学 保健科学部 准教授
桝田喜正　千葉大学医学部附属病院 放射線部 副部長・診療放射線技師長
只野喜一　杏林大学 保健学部 助教
安藤浩樹　千葉大学医学部附属病院 放射線部
松下　明　茨城県立医療大学 保健医療学部付属病院 神経リハビリテーション 講師
平野雄二　筑波大学附属病院 放射線部 診療放射線技師長
秦　博文　北里大学病院 放射線部 副技師長
佐藤広崇　草加市立病院 医療技術部 放射線科
高倉　有　取手北相馬保健医療センター医師会病院 放射線科
水上慎也　北里大学 医療衛生学部 診療放射線技術科学専攻 助教
坂井上之　東千葉メディカルセンター 放射線部 副技師長
小見正太郎　北里大学病院 放射線部 主任
井出仁勇　千葉中央メディカルセンター 診療技術部放射線課 主任

Part 2 超音波

磯辺智範　筑波大学 医学医療系 教授
髙田健太　群馬県立県民健康科学大学 診療放射線学部 准教授
中島英樹　筑波大学附属病院 検査部 主任臨床検査技師
飯田典子　筑波大学附属病院 検査部 臨床検査副技師長
藤代典子　元 筑波大学附属病院 検査部
上牧　隆　筑波大学附属病院 検査部 前臨床検査副技師長
中島真名美　筑波大学病院 検査部
高野千明　筑波大学病院 検査部
酒巻文子　つくばセントラル病院 診療技術部 生理機能検査科 技師長
武居秀行　量子科学技術研究開発機構 物理工学部 主任研究員

富田哲也　筑波大学附属病院 放射線部 副技師長
吉村洋祐　筑波大学附属病院 陽子線医学利用研究センター
森祐太郎　筑波大学 医学医療系 助教
押田夏海　筑波大学附属病院 検査部

Part 3　眼底写真撮影

磯辺智範　筑波大学 医学医療系 教授
森祐太郎　筑波大学 医学医療系 助教
南木　融　筑波大学附属病院 検査部 臨床検査技師長
永野幸一　北里大学病院 眼科 視能訓練士
市橋　直　（一社）日本眼科医療機器協会
水落昌晴　興和 医薬事業部 機器開発部 部長
半田知也　北里大学 医療衛生学部 視覚機能療法学専攻 教授

Part 1 contents

Part 2 contents

超音波

Part 3 contents 眼底写真撮影

Part 1

M　R

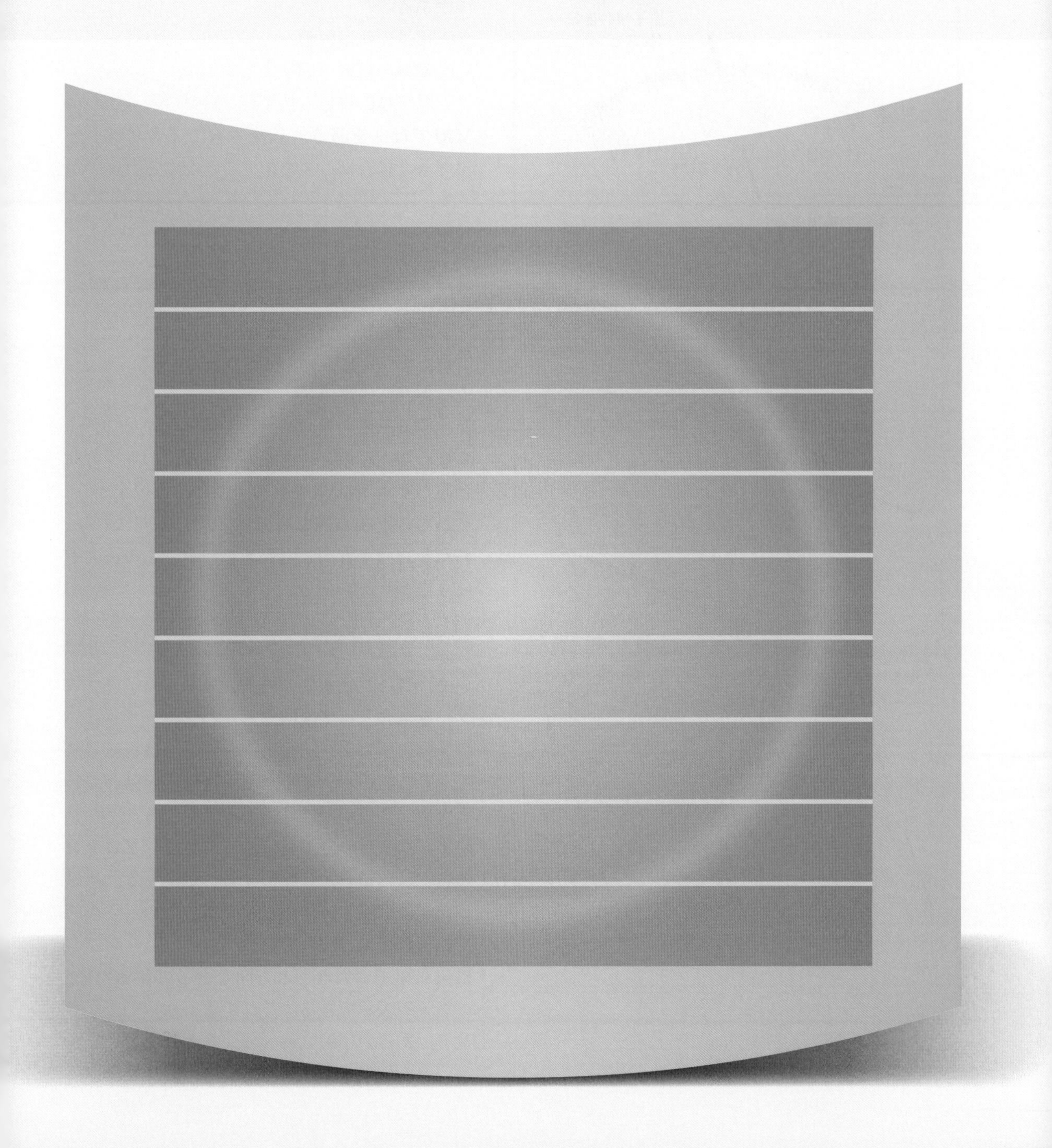

1章 MR画像の成り立ち

1 原子内に存在する荷電粒子の運動

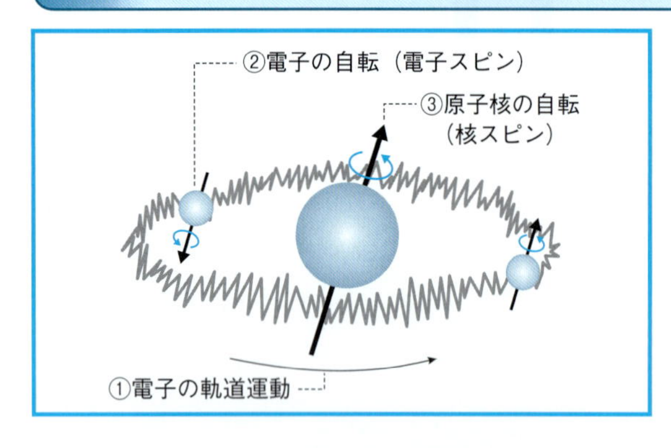

- 原子内に存在する荷電粒子の運動には以下の3つがある。
  - ①電子の軌道運動
  - ②電子の自転（電子スピン）
  - ③原子核の自転（核スピン）
- MRIでは③を扱う。以降本書で「スピン」と出てきた場合は，③を指すこととする。

2 電流と磁場

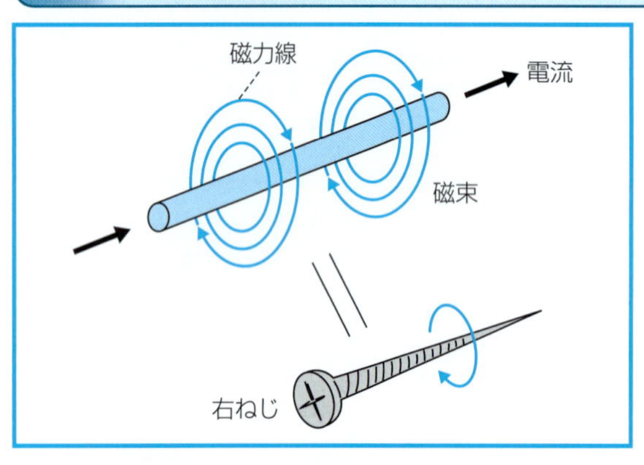

- 電流が流れる，すなわち**荷電粒子が運動すると，その周囲に磁場が発生**する。
- 発生する磁場の方向は**「右ねじの法則」**に従う。すなわち，右ねじの進む方向を電流の進行方向としたとき，右ねじを回す方向に磁力線が向く。右ねじの進む方向を磁力線の進行方向にとり，右ねじを回す方向を電流としても，この法則が成り立つ。

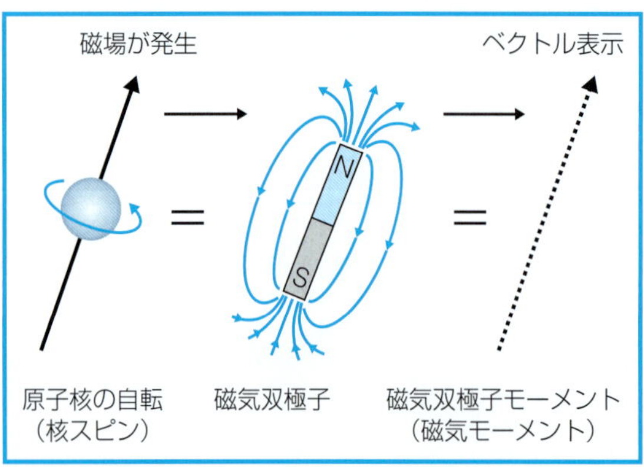

いま，ここでは水素の原子核である陽子（プロトン）を例にとって説明する。

- 生体内のプロトン（陽電荷をもつ）は自転（スピン）している。すなわち荷電粒子が動いているため，その周囲には磁場が発生する。
- 磁場があるということは，この時点でプロトンの自転は棒磁石として扱えることになる。棒磁石は常にS極とN極の双極であるため，学術的に磁気双極子と呼んでいる。
- 磁気双極子は大きさと方向をもっているため，ベクトル表示できる。これを**磁気双極子モーメント**，あるいは**磁気モーメント**と呼んでいる。

3 MRの対象原子核

【MRの対象となる原子核】
　＝磁石の性質をもつ核
　＝磁気モーメントをもつ核

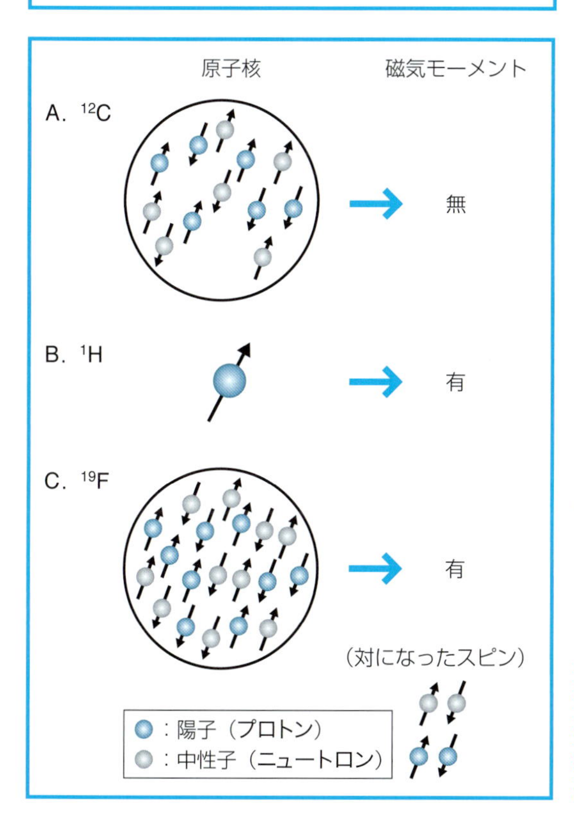

- MRの対象となる原子核は，磁石の性質をもつ核，すなわち磁気モーメントをもつ核である。このような核が磁気共鳴現象を起こしMR信号を放出する。
- プロトンも中性子（ニュートロン）もそれぞれ自転（スピン）しており，それぞれ磁石としての性質，すなわち磁気モーメントをもっている。

【陽子と中性子がそれぞれ偶数個の原子核の場合】

- 図A：繰り返しになるが，各々のスピンは磁気モーメントをもつ。しかし，対になった組み合わせ，すなわち「 と 」「 と 」は極性が逆になるため，磁気モーメントが相殺される。陽子と中性子がそれぞれ偶数個の原子核では，必ず対になった組み合わせができるため，原子核全体として磁気モーメントはもたない。

【陽子と中性子のどちらかあるいは両方とも奇数個の原子核の場合】

- 図B, C：対にならないスピンがあるため，核全体として磁気モーメントをもつ。

MRの対象原子核は，
　“陽子と中性子のどちらかあるいは両方とも奇数個の原子核”である。

コラム　中性子は電気的に中性なのになぜ磁気モーメントをもつのか？

中性子１個は電気的に中性だが，その内部は必ずしも均一ではなく不均一に電荷が分布している。そのため，回転することにより磁気モーメントが形成される。（参考文献：決定版MRI完全解説 第2版，秀潤社，p.21，2014年）

- 中性子の磁気モーメント μ_n …… 9.67×10^{-27} J/T
- 陽子の磁気モーメント μ_p ……… 1.41×10^{-26} J/T
- 電子の磁気モーメント μ_e ……… 9.28×10^{-24} J/T

コラム　磁気と電気の違い

- 電気は正負の電荷として分離することが可能であり，単極電荷を取り出すことができる。
- 磁石は，どこで区切っても必ずN極とS極が存在し（双極），単極で取り出すことはできない。

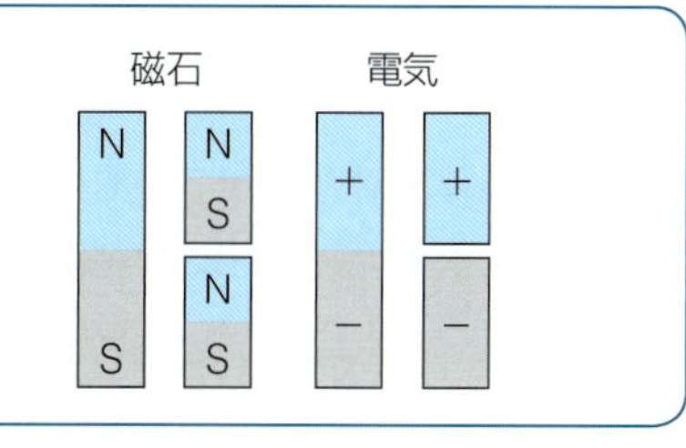

【代表的なMR対象原子核】

MRの対象となる原子核，すなわち磁気モーメントをもつ核は多数存在する。表にその一部を示した。

核種	γ（MHz/T）	相対感度	天然存在比（%）	天然存在比を考慮した感度	スピン
^{1}H	42.58	1	99.985	1	1/2
^{2}H	6.39	9.65×10^{-3}	1.5×10^{-2}	1.45×10^{-6}	1
^{3}H	45.43	1.21	0	0	1/2
^{11}B	13.66	1.65×10^{-1}	80.42	1.33×10^{-1}	3/2
^{13}C	10.71	1.59×10^{-2}	1.108	1.76×10^{-4}	1/2
^{14}N	3.08	1.01×10^{-3}	99.63	1.01×10^{-3}	1
^{19}F	40.05	8.33×10^{-1}	100	8.33×10^{-1}	1/2
^{23}Na	11.26	9.25×10^{-2}	100	9.25×10^{-2}	3/2
^{27}Al	11.09	2.06×10^{-1}	100	2.06×10^{-1}	5/2
^{31}P	17.24	6.63×10^{-2}	100	6.63×10^{-2}	1/2

この表では生体中にどの程度含まれているかが欠けている。生体中になければ生体においては感度が0ということになる（例：^{19}Fは高い絶対感度をもつが，生体中には存在しない）。

- γ：磁気回転比（gyromagnetic ratio）。実験的に得られた値であり，1Tあたりの周波数“MHz/T”の単位である。
- 相対感度：磁気モーメント，スピン，スピン量子数などによって決まり，次式で表現できる。
　この式より，同じスピンであれば，γが大きいほど相対感度が高くなることがわかる。

$$相対感度 = I(I+1)\mu^3 = I(I+1)\times(\gamma L)^3$$

I：スピン量子数，μ：磁気モーメント（$\mu=\gamma L$），γ：磁気回転比，L：スピン角運動量

- 天然存在比：同じ原子番号をもつ原子（元素）の天然における存在割合。例えば，^{1}Hは99.98%あり，^{3}Hは天然には存在しないということになる。また，^{31}Pの天然存在比が100%ということは，他に同位元素がないということである。
- 天然存在比を考慮した感度：相対感度と天然存在比の積。^{3}Hは^{1}Hよりも相対感度は高いが，天然存在比が0なので天然存在比を考慮した感度は0になってしまう。よって，^{3}Hは外部から投与しない限りMRの対象とはならない。

【臨床でのMR対象原子核】

- **MRIとして画像化される原子核の条件は，**
  ①十分強い信号を発する原子核
  ②人体に豊富に存在する原子核
- **画像診断として臨床的に有用な対象原子核**
  ➡ ^{1}Hの原子核（プロトン）

- 前述したMRの対象となる原子核すべてがMRIとして画像化されるというわけではない。①②の両条件が揃わなければ臨床的に使用されるMRIの対象とならない。
- ①の条件を満たす核として，^{19}Fは^{1}Hにほぼ匹敵する強さの信号強度を発生するが（絶対感度が高い），人体には本来存在しない原子核であるためMRの対象にはならない。
- ②の条件を満たす核として，^{23}Naは特に細胞外液に存在するが，信号の強さは^{1}Hの1/10以下で（絶対感度が低い），臨床上画像診断のために十分な画像を得ることはできない。
- ^{1}Hの原子核（プロトン）は，表にあるように絶対感度が高く（①十分強い信号を発する原子核），さらに，生体は60～70%が水（H_2O）で構成されているため，生体中には^{1}Hの原子核が多量にある（②人体に豊富に存在する原子核）。

4 MRIの成り立ち

【画像として描出できない^{1}H】
①生体内に存在する量が少ない
②MR信号の減衰が速すぎて検出できない
(T_2緩和時間が短い)

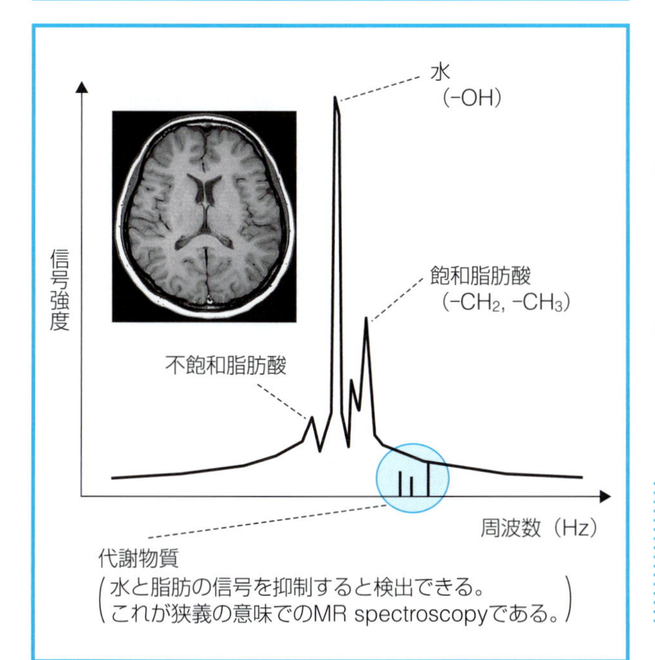

- 生体中の^{1}HはすべてMRIとして画像化されるのかというと，そうではない。信号を発生しているのに，画像として捉えられないものもある。
  - ▶ビタミンやホルモンなど絶対量が少ないものは画像化できない。
  - ▶T_2緩和時間の短い，蛋白質，リン脂質などの高分子は，信号が速く減衰するためMR信号が取得できず，画像化できない。
- 脳のMRIと脳全体からの広義の意味でのMR spectroscopy（正しい表現ではないが，ここではMRIを周波数解析したものとして捉えていただきたい）を示した。
- MR spectroscopyの横軸は周波数，縦軸は信号強度となっている。

MRIの信号源は，
体内にある水と脂肪に含まれている
^{1}Hの原子核！

5 画像の信号強度を決める因子

【信号強度を決める因子】
- 機械側因子：撮像パラメータ（TR，TE，FA，加算回数など）
- 組織側因子：プロトン密度，緩和時間，流速

- MRIの信号強度を決める因子は，機械側因子と組織側因子に分けられる。
- ここに示した因子以外に，拡散，磁性体・石灰化などの存在，磁化率効果（susceptibility），化学シフト（chemical shift），磁化移動（magnetization transfer），スピンの向き（マジックアングル効果）などの現象が信号に寄与する。
- 本項では組織側因子について以下に記載する。機械側因子に関しては「5章．撮像条件（パラメータ設定）」を参照のこと。

A プロトン密度について

- 信号を出すのはプロトンであるため，
  - プロトン密度が高いほど ➡ 信号量（多）
  - プロトン密度が低いほど ➡ 信号量（少）
- プロトンは生体では主に水と脂肪の中に存在 ➡ 水と脂肪の信号量（多）
- プロトン量の極めて少ない構造は低信号（ほぼ無信号）➡ 骨皮質，強い石灰化巣，空気（肺），靭帯などは無信号
- 石灰化巣は，通常，T_1・T_2強調画像ともに低信号であるが，表面効果によりT_1強調画像で高信号を呈することがある。
- プロトンは生体では蛋白質の中にも数多く存在するが，高分子のプロトンはT_2値が非常に短いため信号に寄与しない。

B 流速について（詳細は「9章．MRA」を参照）

- 血管内では水分子が血流に乗って動いているため，静止している組織とはまったく異なった信号強度となる。
- 血管内の信号強度は，流速や撮像シーケンスにより異なる。
  - スピンエコー（spin echo：SE）法 ➡ 流出効果（別称：flow void，high velocity signal loss）により低信号を呈し，流入効果（別称：in flow effect，flow related enhancement，paradoxical enhancement）により高信号を呈する
  - gradient echo（GRE）法 ➡ 生体内の血流信号は常に高信号

C 緩和時間について

1. 緩和の原因

- **双極子–双極子相互作用**
  (dipole-dipole interaction, dipolar interaction)
- **J-coupling**
  (spin-spin coupling, scalar coupling)
- **化学的交換** (chemical exchange)
- **交差緩和** (cross-relaxation)
- **拡　散** (diffusion)
- **化学シフト異方性** (chemical shift anisotrophy)
- **四極子相互作用**
  (quadrupole-electrical field interaction)
- **スピン–回転相互作用**
  (spin-rotation interaction)

- 緩和の原因は，左に挙げたものが考えられる。臨床におけるMRI対象である^{1}H原子核（プロトン）においては，**双極子–双極子相互作用**が主な原因である。
- **J-coupling**は高速スピンエコー法における脂肪組織の高信号やMRSにおける乳酸信号の分裂，**交差緩和**はMTCの基礎，**拡散**は拡散強調画像の基礎で重要となる。また**化学シフト異方性**は^{13}C，^{19}Fなど化学シフトが広い（数百～数千ppm）核，**四極子相互作用**は$I \geq 1$の核で重要，**スピン–回転相互作用**は気体で重要となる。

2. 双極子–双極子相互作用

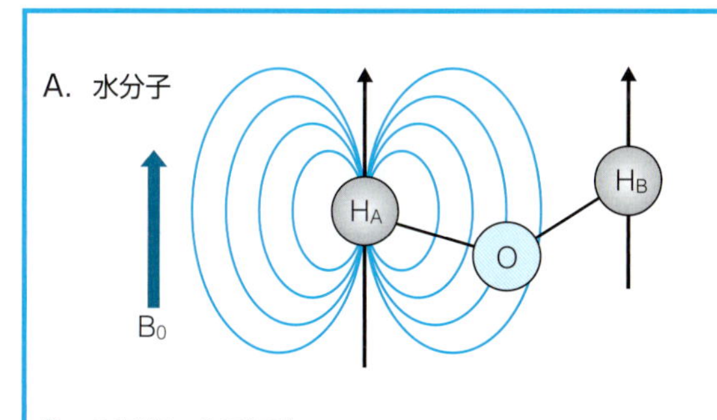

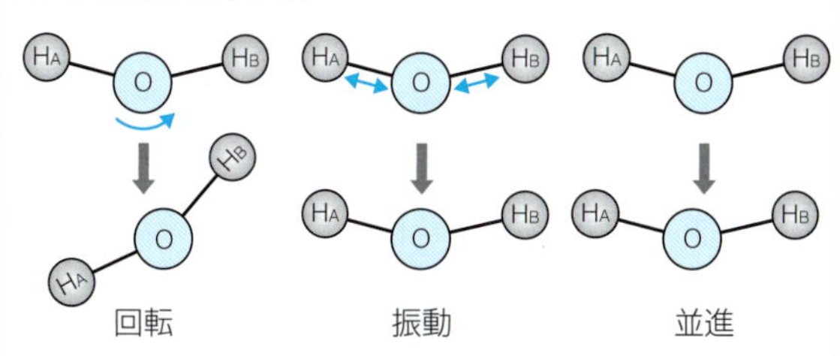

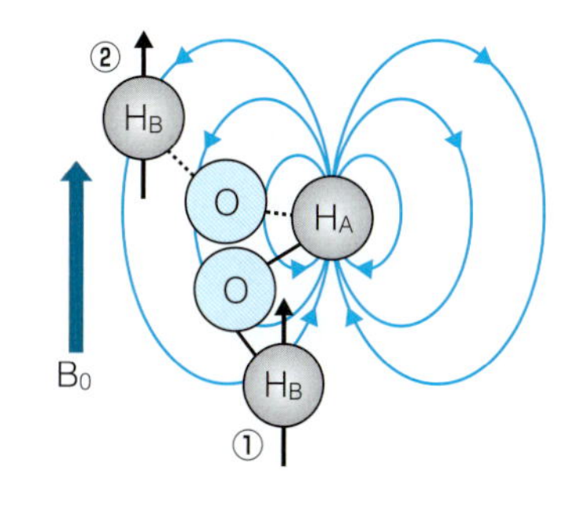

- ここでは，水分子を例に考える。酸素原子に結合した2つの水素原子に着目する。

A：H_AとH_Bはいずれも磁気モーメントμをもつ磁気双極子（すなわち，棒磁石）であるため，周囲に**局所磁場**を作り，互いに影響し合う。酸素は磁性をもたないので考える必要はない。

B：水分子は回転運動しており，H_AとH_Bの位置関係は時々刻々と変化している。この変化に伴い，H_AとH_Bの互いの影響の度合いも変化する。すなわち，局所の磁場は変化しているのである。これを**局所揺動磁場**という（水分子の2つの水素原子核により発生する局所揺動磁場は±0.7 mT程度）。

C：ある時点での水分子の回転運動を示している。

- ①の位置：H_BはB_0に加算される磁場をH_Aから受ける。
- ②の位置：H_BはB_0から減算される磁場をH_Aから受ける。

- 2つの磁石（H_AとH_B）が互いに動くため，互いに磁場を強めたり弱めたりする。これが「**双極子–双極子相互作用（dipole-dipole interaction：DDI）**」である。**DDIによる局所揺動磁場が緩和の主な原因**である。

3. DDIの大きさ

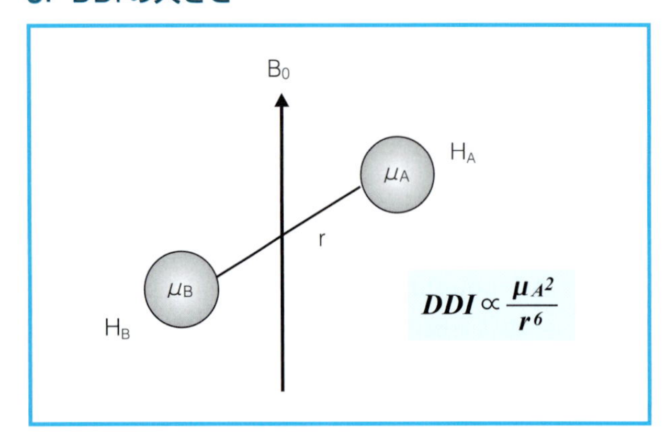

- 双極子-双極子相互作用（DDI）はお互いの距離が近ければ近いほど，与えあう影響は強くなる。
- 双極子間の距離をr，水素原子H_Aのもつ磁気モーメントをμ_Aとすると，H_BがH_Aから受ける作用は左式のようになる。すなわち，DDIは両者の距離の6乗に逆比例し，磁気モーメントの2乗に比例する。
- 双極子–双極子相互作用は，原理的には，他の分子との作用も考えられるが，距離がDDIの大きさを決める大きな要因となっているため，ほぼ同一分子内での作用と考えてよい。

4. 分子運動

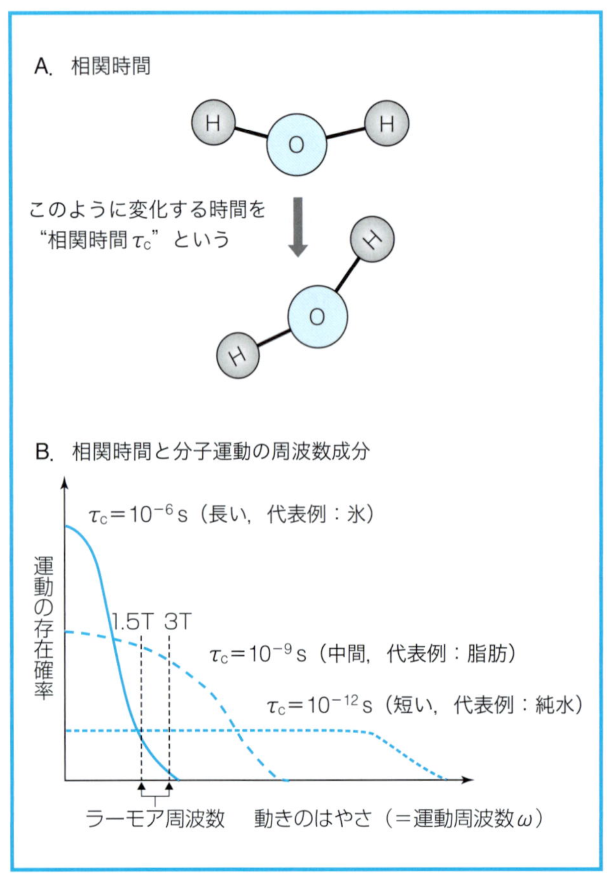

- 分子の運動は物質やその状態により異なる。前述した通り，局所揺動磁場（局所磁場の変動）は，分子の運動によりもたらされる。
  - ▶速い動き ➡ 高い周波数の局所揺動磁場が生まれる
  - ▶遅い動き ➡ 低い周波数の局所揺動磁場が生まれる
- 分子の動きは「相関時間τ_c」で表現する。相関時間とは，分子が1つの状態から次の状態に変化する平均的な時間を意味している（左図A）。分子の動きが速ければτ_cが短く，分子の動きが遅ければτ_cが長いということになる。
- 左図Bは分子の相関時間τ_cと周波数成分の関係を示す。縦軸は運動の存在確率である。繰り返しになるが，τ_cは"平均的な時間"である。すなわち，$\tau_c = 10^{-12}$sの純水は，常に10^{-12}s（周波数に直すと10^{12} Hz）というわけではない。"平均すると"ということであり，速い動きをするときもあれば，遅い動きをするときもある。
- 静磁場が高くなると（1.5T→3.0T）ラーモア周波数が高くなる。そうなると，グラフからわかるように，相関時間が長い氷と中間の脂肪においては，運動成分が減る。これが，磁場強度が上がるとT_1緩和が起こりにくくなる原因である（相関時間の短い純水はほぼ変化しない）。

5. 分子（格子）の運動と T_1 緩和時間・T_2 緩和時間

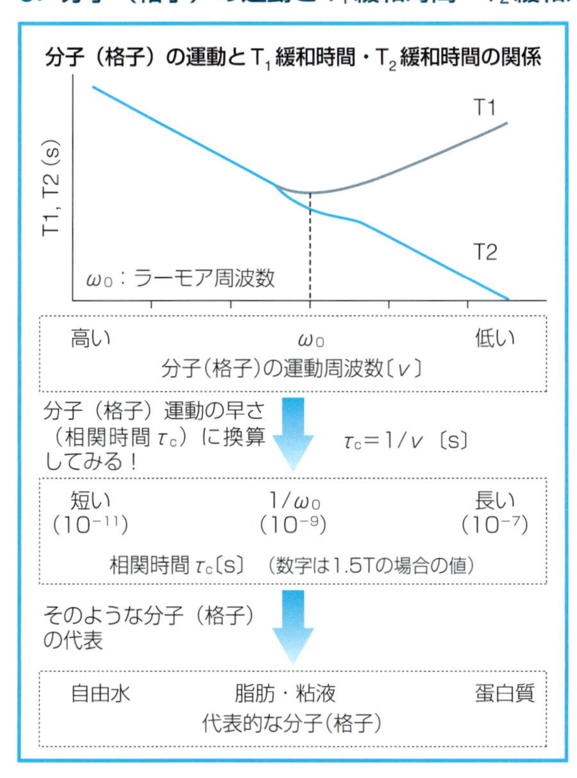

【T_1 緩和時間】（詳細は3章58～61頁参照）

- T_1 緩和（縦緩和）とは，スピンがエネルギーの高い状態から低い状態へ遷移（安定化）していく過程であり，周囲の分子（MRの世界ではこれを格子と呼ぶ）へエネルギーを受け渡し，安定化していく。
- 分子（格子）がどれくらいエネルギーを受け取りやすい状態にあるかが T_1 緩和時間を決める。格子の運動周波数がラーモア周波数（3章54頁参照）と一致した場合（脂肪・粘液が代表例）に最も効率的にエネルギーの授受が行われる。すなわち，T_1 緩和時間が最も短くなる。

【T_2 緩和時間】（詳細は3章58～61参照）

- T_2 緩和（横緩和）とは，位相がばらけて情報を失う過程である。
- 格子の運動周波数が低い（動きが悪い），すなわち相関時間が長いほど，T_2 緩和時間は短い。蛋白を含有した水溶液は，自由水よりも格子の動きが悪い（運動周波数が低い，相関時間が長い）ため，T_2 緩和時間が短い。

6. T_1 緩和，T_2 緩和，T_2*緩和

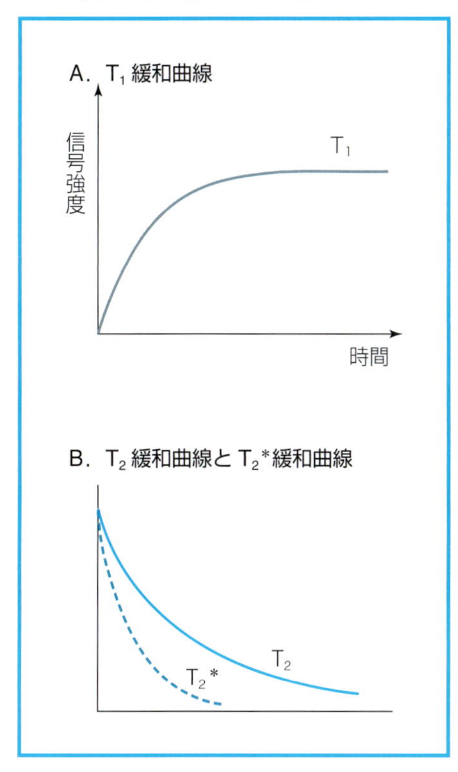

- 左図Aは T_1 緩和曲線，左図Bは T_2 緩和曲線と T_2*（T2スター）緩和曲線を示す。
- 緩和時間は「T_1 緩和＞T_2 緩和＞T_2*緩和」である。すなわち，T_2*緩和が最も速い。理由は緩和に寄与する分子運動と外部磁場の不均一による。
  - ▶ T_1 緩和：DDIによって発生する局所揺動磁場のうち，$\tau_c = 1/\omega_0$ の成分（分子運動）のみが緩和に寄与する。
  - ▶ T_2 緩和：DDIによって発生する局所揺動磁場（$\tau_c = 1/\omega_0$ を含む）の全てが緩和に寄与する（τ_c が長い成分ほど緩和が短い）。
  - ▶ T_2*緩和：DDIによって発生する局所揺動磁場に加えて，外部磁場の不均一も緩和に寄与する。
- T_2*緩和の原因（上記の補足）
  - ▶ 組織における双極子–双極子相互作用
  - ▶ 外部磁場による不均一（①と②が原因）
    - ①実際の装置で使用されている静磁場は，わずかではあるが不均一が存在する。
    - ②人体には磁化率の異なるものが存在し，この磁化率の影響で静磁場が不均一になる。たとえば，組織の境目（特に空気との境）や各種金属の存在などは影響が大きい。

装　置

1 システム構成

A 装置の概要

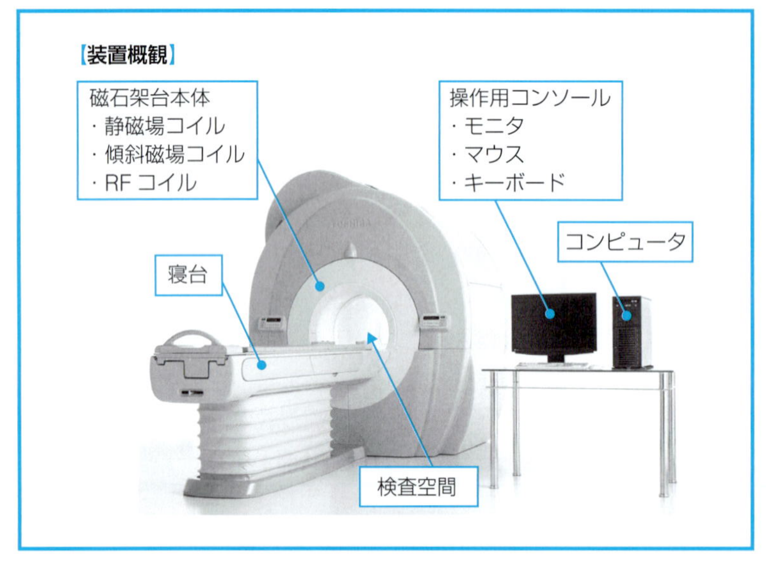

- MR室は撮像を行う**検査室**（撮影室），**操作室**および**機械室**から構成される。
- 検査室には，磁石架台本体と寝台がある。MR画像を得るためには，静磁場，高周波（RF：radio frequency）磁場，そして傾斜磁場という3つの磁場が不可欠であり，これらを生成するキーコンポーネントである静磁場コイル，RFコイル，傾斜磁場コイルがMR装置の磁石架台本体内に組み込まれている。
- 検査室は，特殊な電磁波の遮蔽が施されており，シールドルームとも呼ぶ。
- 機械室には，高周波送信・受信系，傾斜磁場電源および機構制御ユニットがあり，操作室には操作用コンソールとコンピュータが設置される。

補足：冷凍機とクライオスタット

冷凍機

- **高圧ガスを送る圧縮機（機械室に設置）**と**冷却部のコールドヘッド（MRI装置に設置）**に分けられる。
- 動作：ヘリウム圧縮機で圧縮されたヘリウムガスは，コールドヘッドに送られ，コールドヘッド内で断熱膨張される。この断熱膨張により，ヘリウムガスは気化状態から液化状態になる。こうすることで，液体ヘリウムの消費量を低減させる。

コールドヘッド
80K 熱シールド
20K 熱シールド
ヘリウム槽
クライオスタット
超電導体コイル
ヘリウム圧縮機

クライオスタット

- 超電導磁石の超電導状態を維持するために，コイルを液体ヘリウム温度に保つための容器。
- 超電導コイルを収納した液体ヘリウム容器，それを取り囲む複数の熱輻射シールド板などが真空容器の中に収められている。

B システムの構成図

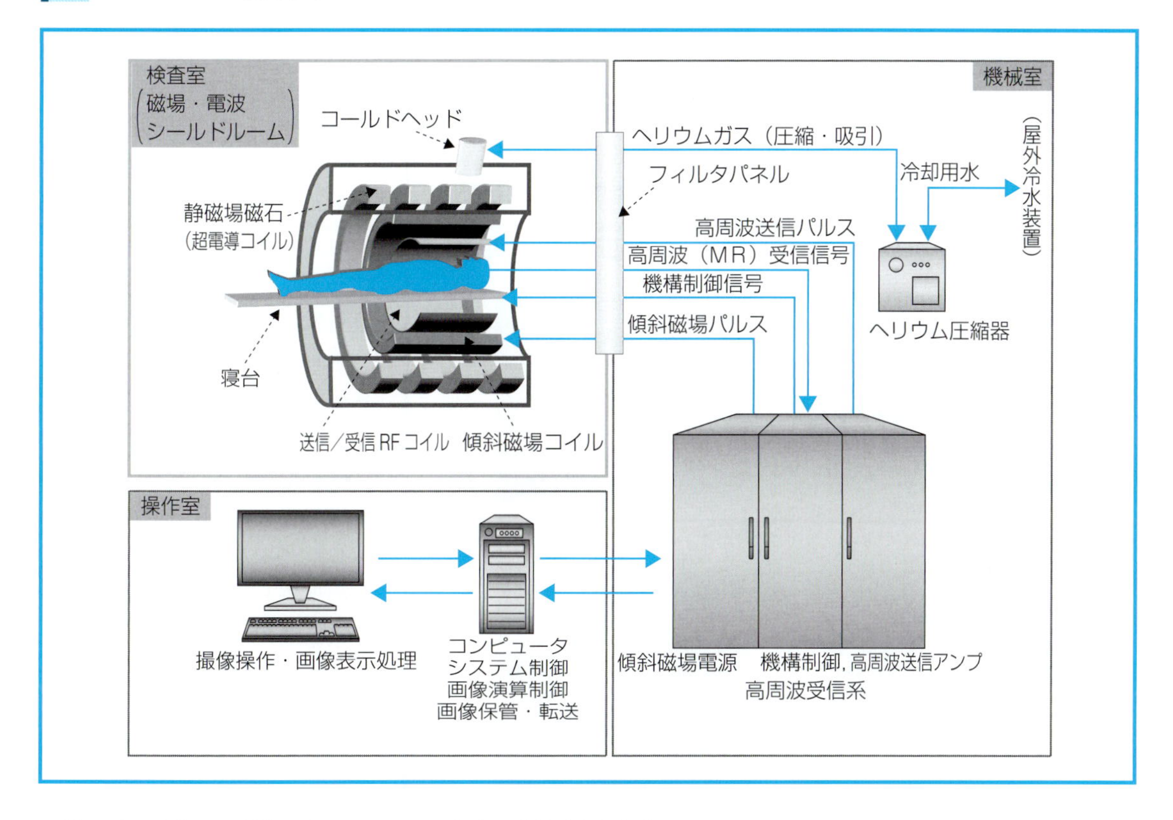

- 検査室と周囲の磁場の高いエリアは立入り制限区域とする。
- 操作用コンソールからの撮像指示は，コンピュータを経由して高周波系，傾斜磁場系回路の電磁波パルス信号となり，増幅出力され，架台中心に置かれた被検体に対してその周囲に配備された送信RFコイル，傾斜磁場コイルから照射される。
- 被検体からのMR信号は，受信RFコイルで検出，増幅後，受信回路を経て演算部でMR画像が作られてコンソール上に表示される。
- 超電導磁石装置では，**超電導コイルの冷却**が必要となる。
- 本体のコールドヘッドへ機械室のヘリウム圧縮器から冷却・圧縮されたヘリウムガスが送り込まれ，磁石内部で膨張させる際に気化熱を奪った温かいヘリウムガスがヘリウム圧縮器に戻る。
- ヘリウム圧縮器へは，屋外に設置された冷水装置から冷却用の水が循環している。

コラム 超伝導と超電導

- 学術用語としては“超伝導”という表記を使用する。しかし，産業界では“超電導”が用いられている。薬事関係法規では“超電導磁気共鳴イメージング装置”と記載されている。

2 静磁場コイル

A 磁石の種類

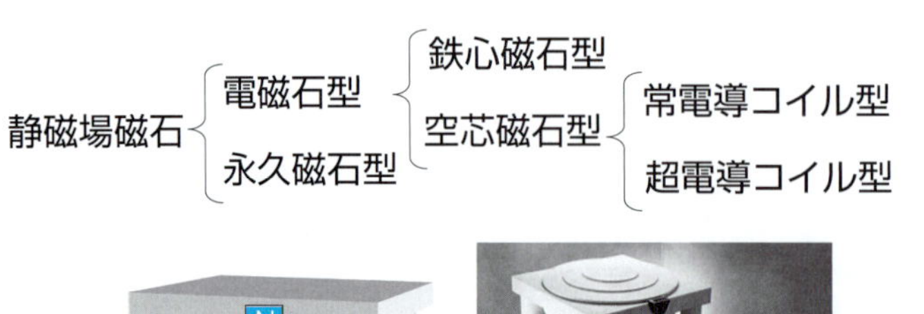

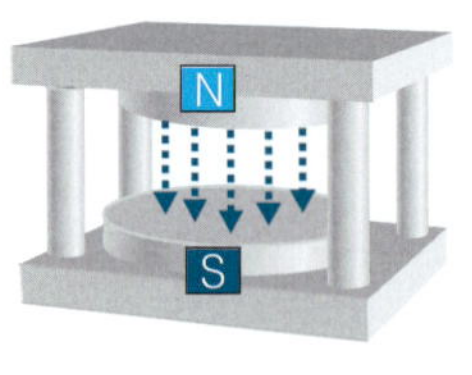

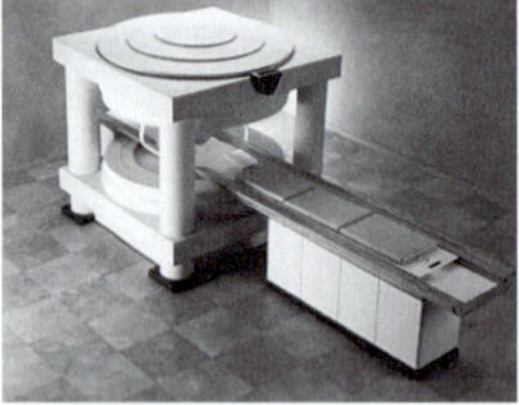

永久磁石型

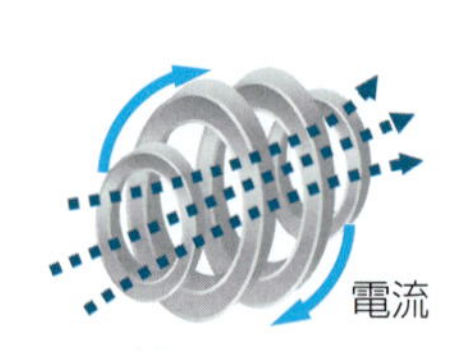

常電導コイル型

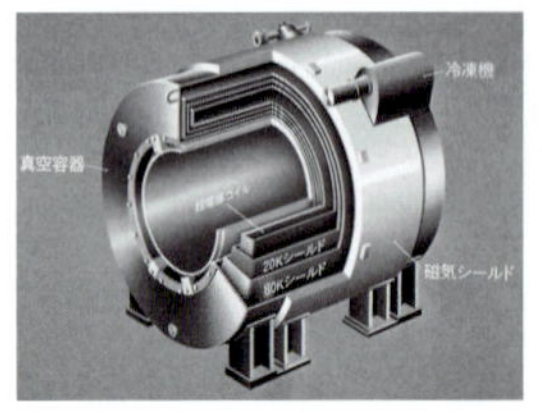

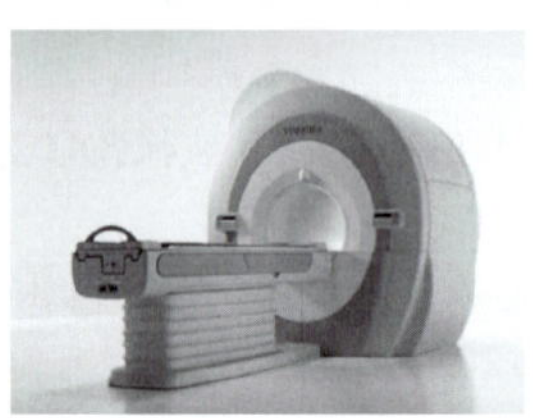

超電導コイル型

- 静磁場をつくる磁石（静磁場コイル）は，大別して電磁石型と永久磁石型があり，電磁石型はさらに鉄心磁石型と空芯磁石型に分けられ，空芯磁石型は常電導コイル型と超電導コイル型に区別される。
- 臨床装置として普及しているのは，超電導コイル型と永久磁石型である。
- 常電導コイル型は，静磁場を発生させるコイルへの大電流の供給と，その際の発熱を冷水循環によって抑えるという不経済性から，今日では臨床装置として姿を見せなくなった。

- **永久磁石型**は，上下に配置する磁石間が撮像空間であり，S・N極に走る磁束が縦方向，すなわち，被検者の体軸に対して垂直であるため垂直磁場方式と呼ぶ。
- **電磁石型**は，空芯コイル（またはソレノイドコイル）に流れる電流の向きに対して垂直に誘導される磁束が横方向，すなわち，被検者の体軸方向に沿うため水平磁場方式と呼ばれる。
- **超電導コイル型**は，クライオスタット（cryostat）と呼ぶステンレス製の真空断熱容器の中に納められている。内部の真空槽と熱シールドによって熱の侵入を断ち，最内側にある超電導コイル（ニオブチタン：Nb-Ti合金）は液体ヘリウムに浸され，絶対温度4 K（−269℃）に冷却することで，超電導状態を維持する。

B 現在使用されている磁石の特徴

	超電導磁石システム	永久磁石システム
磁石方式	・超電導材空芯ソレノイド型コイルの電磁石（ただし，励磁後は永久電流） ・ニオブ-チタン（Nb-Ti）合金	・上下対向に永久磁石を配置 ・鉄-ネオジウム（Fe-Nd）合金
磁束方向	・水平磁場	・垂直磁場
静磁場強度	・高磁場に適す ・0.3～3.0T（研究機はそれ以上）	・低磁場に適す ・0.2～0.4T程度
磁場特性	・磁場均一性，経時的安定性とも良好（安定した大電流を維持可能） ・均一性：数ppm	・温度に影響するため恒温機能を備える ・均一性：十～数十ppm
本体サイズ	・永久磁石に比較して大きい（最新装置はコンパクト化している）	・小さい
質　量	・4～8t以下	・8～15t前後 ・高磁場にすると重量が増す
撮像音（傾斜磁場の騒音）	・大きい（低減機構付きの装置あり）	・小さい
居住性（開放性）	・被検者は円筒構造の内側で撮像する（最新装置は開口径が広く，磁石も短軸化している）	・水平方向の開放性が高い ・Open性を活かし，interventional治療などに応用しやすい
経済性	・装置価格，維持費が高価 ・液体He補充，冷凍機メンテナンスが必要（最新4k冷凍機搭載機はHe消費がほぼ0）	・装置価格，維持費が安価 ・温度管理用空調機，恒温機能が必要

- 超電導磁石は，安定した大電流（永久電流）によって磁場均一性と時間的安定性に優れ，高磁場装置に適する。高いSNRを活かし，脳機能検査への応用などのメリットを生む一方，運用面では高周波の管理，撮像時の防音管理などを必要とする。超電導状態を維持するために，冷媒となる液体ヘリウムの補充，熱シールドを冷却するためのコールドヘッドのメンテナンスを必要とする。
- 永久磁石型は，運転にかかるコストが安価という利点をもつ。高磁場にするためには磁石サイズ，重量が増し，高額となり，設置条件（建屋の耐加重量）も悪化するため，低磁場装置に適する。
- 永久磁石は，低磁場であることから，高いSNRを必要とするfunctional MRIのような脳機能検査などには不向きとなるが，検査環境の開放性を活かしてinterventional治療への応用がしやすくなる。

C 静磁場の性能

【静磁場磁石の基本性能の例】

- **磁場強度** ：1.5T，3T（超電導システム例） 0.2T，0.4T（永久磁石システム例）
- **磁場均一性**：0.4 ppm/40 cmDSV（超電導システム例）
  3.0 ppm/35 cmDSV（永久磁石システム例）（DSV：diameter of spherical volume）
  Active シミング（電流シム），Passive シミング（鉄シム）

磁場均一領域は磁場中心より球状の空間に調整され，
画質の優劣と撮像領域の大きさを決める

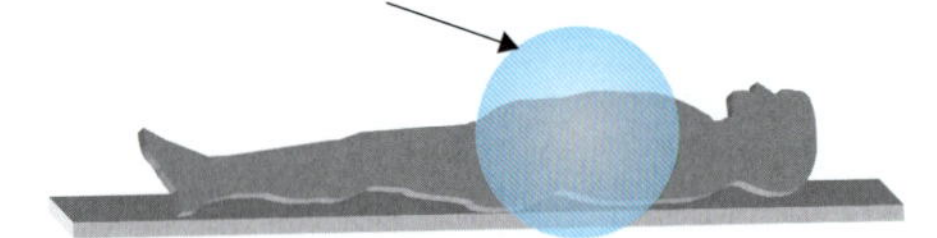

- **磁場安定性**：0.1 ppm/h（超電導システム例）
- **冷媒消費量**：0.1 ℓ/h（液体ヘリウム）（超電導システム例）
  ＊近年のシステムでは消費量がほぼ0に抑えられている。
- **漏洩磁場** ：5.0 m×3.0 m×2.0 m（0.5 mT）（磁石中心から各軸方向5G減弱距離）
- **質　量** ：4t～8t（超電導システム例） 8t～15t（永久磁石システム例）

- 静磁場の性能を表す主なパラメータには，磁場強度，磁場均一性および磁場安定性があり，いずれも高い精度が求められる。

【強 度】

- 磁場強度は，MR装置の性能を表す最も基本的なパラメータである。
- 単位は一般に，T（Tesla：テスラ），G（Gauss：ガウス）で表される。1 T＝10,000 G であり，地磁気が約 0.5 G（50 μT）であることから強大な磁場であることがうかがえる。
- 1.5 T の共鳴周波数は約 63.9 MHz であり，磁場強度によって送受信系における中心周波数が決まる。
- 磁場強度が高いほど，高い信号値（高 SNR）が得られる。

【均一性】

- 磁場均一性は，画質と撮像可能領域の大きさを制限する重要なパラメータであり，百万分率を意味する ppm（parts per million）で表すほどの精度が求められる。例えば，1 ppm とあれば 0.0001%の磁場強度（周波数）の差しかないことになる。
- このとき，どのくらい広いエリアで均一性が保たれているかが重要であり，1 ppm/400 mmDSV などと表される。DSV は diameter of spherical volume の略で，この場合 40 cm の球状の広さを示し，均一性が保たれたエリアの大きさが撮像可能領域を制限するため，重要な性能値となる。
- 磁場均一性が低いと，信号の低下や歪みを招く。磁場均一性は，超電導磁石が最も高い。
- 装置導入，運用面においては，本体重量や漏洩磁場の大きさ，および超電導磁石装置では冷媒の消費量も考慮材料となる。

コラム シミング

- 磁場の均一性を高める操作である。
- シミングの必要性
  ・超電導磁石は単体でも±100 ppmの範囲で均一ではあるが，画像を取得するためには不十分である。
  ・磁場均一性は，周囲の磁性体の影響や被検者が磁石に入ることで変動する。
- シミングを行うことで，磁場の均一性は向上する（±1～5 ppm程度）
- 超電導システムのシミング
  装置を設置する際，最初に受動型シミングを実行して，できるだけ均一な磁場を作り上げた後，能動型シミングを併用して必要な均一度を達成する。
  ・受動型シミング（passive shimming）
  強磁性体（鉄片など）を磁石内に貼り付けることで磁束密度やその方向を変更し，磁場の均一度を向上させる。
  ・能動型シミング（active shimming）
  磁石システムに組み込まれているシムコイル（電磁石）に流れる電流を調整することにより，磁場均一度を向上させる。

受動型シミング操作中の様子

3 高周波磁場コイル

A 概 略

1. 高周波磁場回路

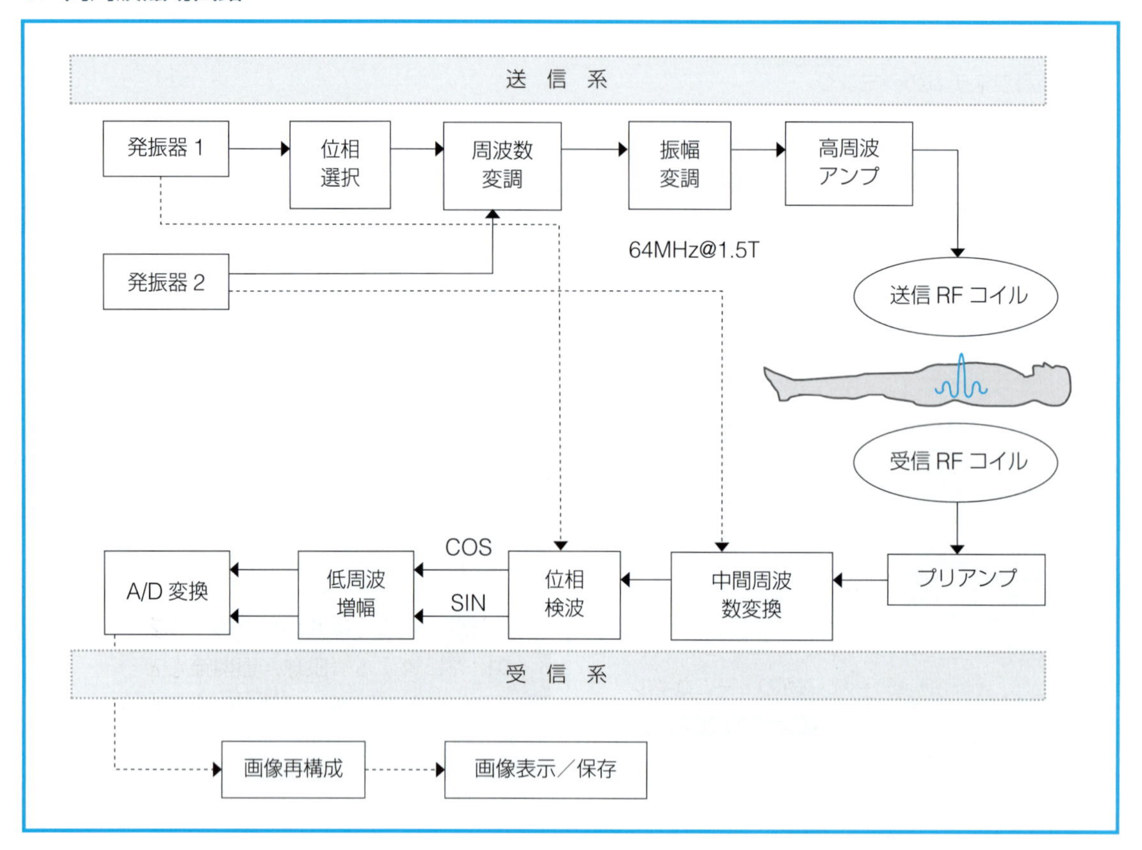

- 高周波磁場は，送信系と受信系回路からなる。扱う周波数がラジオ波の周波数帯に近いため，RF（radio frequency）磁場とも呼ぶ。
- 送信系は，静磁場強度に伴う共鳴周波数（ラーモア周波数）を搬送波とし，振幅変調された選択励起パルスを送信アンプで増幅し，送信用コイルへと出力する。
- 受信系は，緩和の過程で被検体からのMR信号を受信用コイルで検出し，増幅した後にラーモア周波数の参照信号による位相検波などを経て，デジタル信号へと処理が行われる。

2. 送信用RFコイル

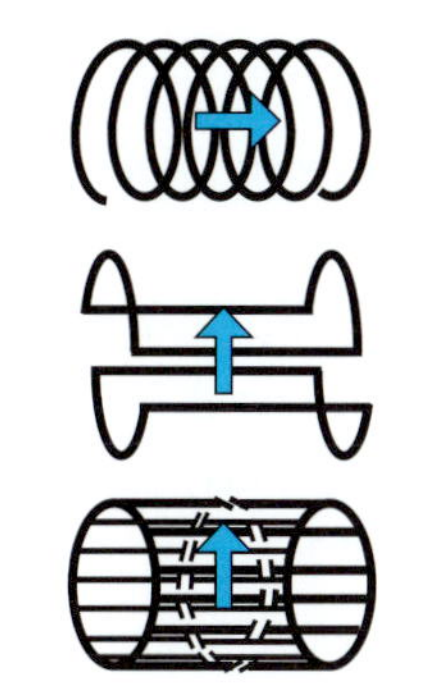

ソレノイドコイル
高周波磁場は軸方向

サドルコイル
高周波磁場は横断方向

バードケージコイル
高周波磁場は横断方向

- 送信用RFコイルは，被検体への選択励起用RFパルスや位相反転用RFパルスを照射する。撮像領域内の送信ムラを少なくするために，ボリューム型コイル（ソレノイドコイル，サドルコイル，バードケージコイルなど）が使われる。
- RFコイルは，静磁場の磁束の向きによって設計が異なり，ソレノイドコイルは静磁場が垂直磁場の装置で用いられる。サドルコイルとバードケージコイルは水平磁場装置用であり，送信効率の高いバードケージが主流である。

3. 受信用RFコイル

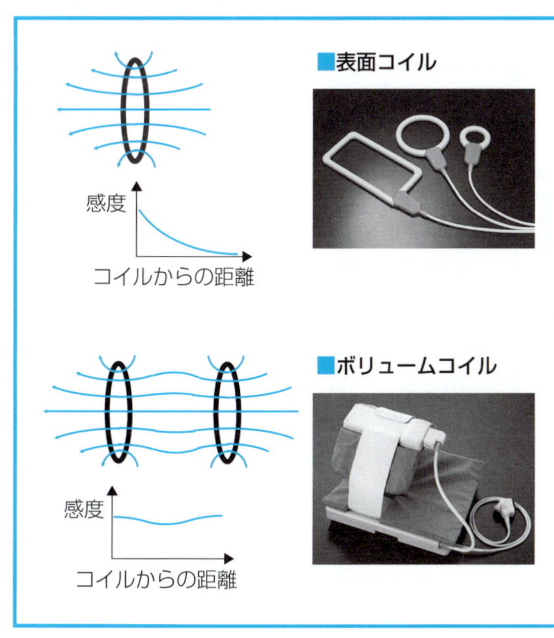

- 受信用RFコイルは，緩和の過程で被検体からのMR信号を検出する。MR信号は，数μW程度と微弱である。信号検出部位（撮像箇所）に密着させて効率を高めやすくするため，コイルには目的に応じた様々な形状がある。装着感の良さも重要となる。
- 表面コイル（surface coil）：コイルの近くは感度が高い（遠くは低い）ため，体表付近の組織の検査に適する（眼球，顎関節など）。
- ボリュームコイル：撮像部位全体を覆うタイプで，感度領域と均一性に優れ，体深部の組織の検査に適する（心臓，前立腺，体幹部全般）。

B コイルの性能

【コイルの主要性能】
- SNR
- **感度領域**
- **感度均一性**

- 同じ形式のコイル同士であれば，被検体に近い方が信号は高く，コイル径が小さい方がSNRは高い。
- 感度領域とSNRは，トレードオフの関係にある。コイルを大きくすれば感度領域と感度均一性は向上するが，SNRは低下する。よって，検査目的に適したコイル選択が肝要である。
- RFコイルのSNRは，コイルの形式によって異なる。コイルの原理上，信号検出の効率化と広範囲における高信号取得という二律背反する課題に対して様々な技術進歩がある。

C　コイルの種類

1．QDコイル

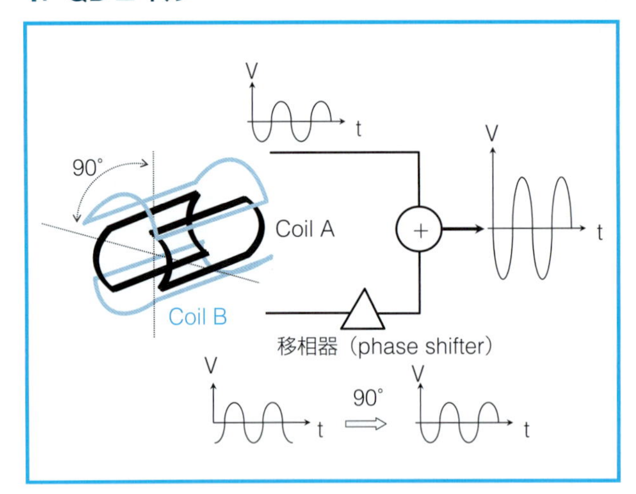

- QD（quadrature detection）コイルは，2つのコイルを直交に配置し，それぞれのコイルから取得した90°位相が異なる2つの信号の位相を揃えて足し合わせることにより信号を2倍にする。この時，ノイズは$\sqrt{2}$倍となるため，結果としてリニアコイル単独の受信に比べて
$\sqrt{2}$倍$\left(\dfrac{信号}{ノイズ}=\dfrac{2}{\sqrt{2}}=\sqrt{2}\right)$
のSNRとなる。

2．アレイコイル

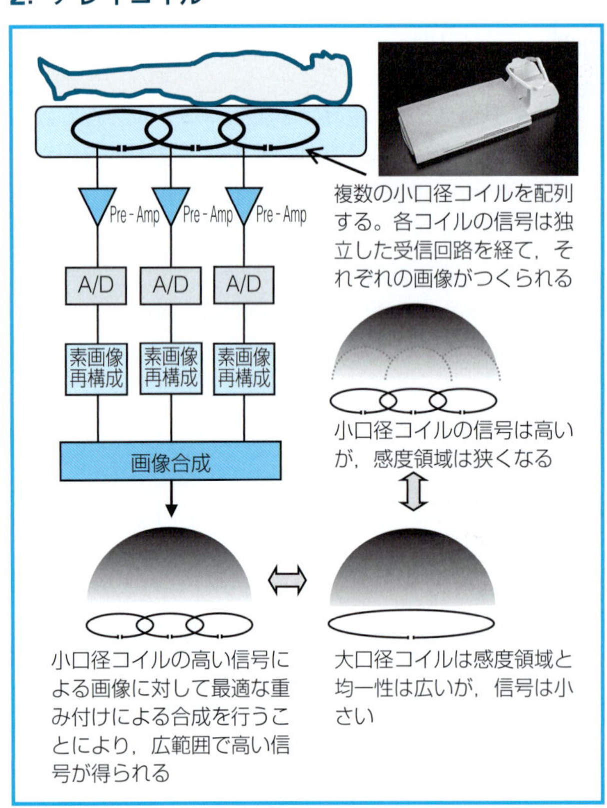

- アレイ（Array）コイルは，SNRの高い小口径コイルを複数配置する。各々のコイルが検出した信号は，独立した受信回路で増幅，画像化される。
- 各コイルから得られたそれぞれの画像に適切な重み付け加算を行うことで，広い視野に対して高い信号の画像が合成される。
- 同じ視野を撮像できる単独の大口径コイルによる画像と比較し，SNRの高い画像が得られるというメリットがある。デメリットは，回路が複雑化し高額なシステムとなること，およびエレメント数が増すことによる重量の増加が挙げられる。

3. マルチエレメントコイル

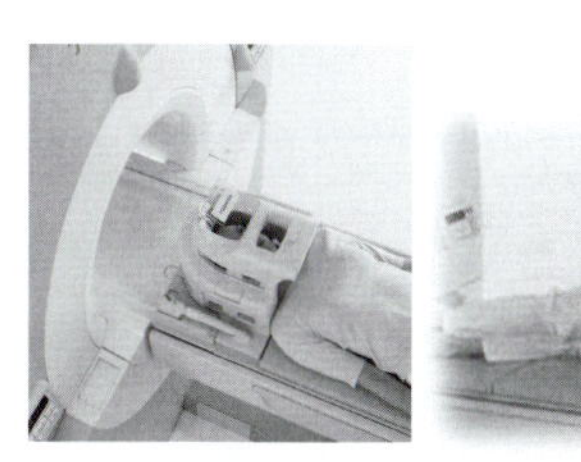
頭頸部用コイル

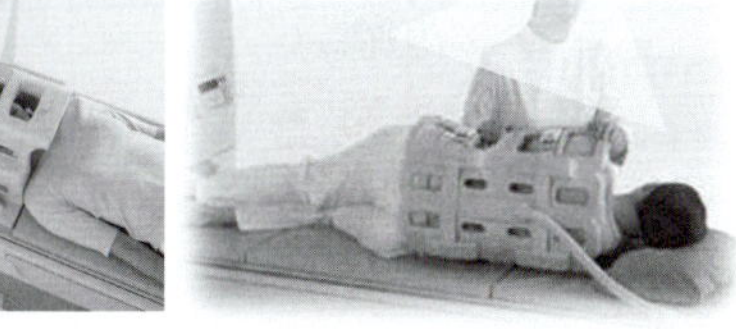
体幹部用コイル

パラレルイメージング用コイルの装着例

- 近年は，複数のコイル(マルチコイル)を用いた受信コイルの進歩が著しく，各撮像部位に適合するアレイコイルが増えている。
- アレイコイルを用いた技術革新の大きなものにパラレルイメージング（parallel imaging）がある。原理上，配列されたエレメントの数に比例して撮像時間の短縮が可能となる。
- また，エレメント数の増大を可能とするための工夫として，エレメント自体や電気回路の改良が行われており，軽量化や柔軟性の進歩もみられる。

4 傾斜磁場コイル

A 概 略

3軸（X, Y, Z）の各傾斜磁場コイル配置図

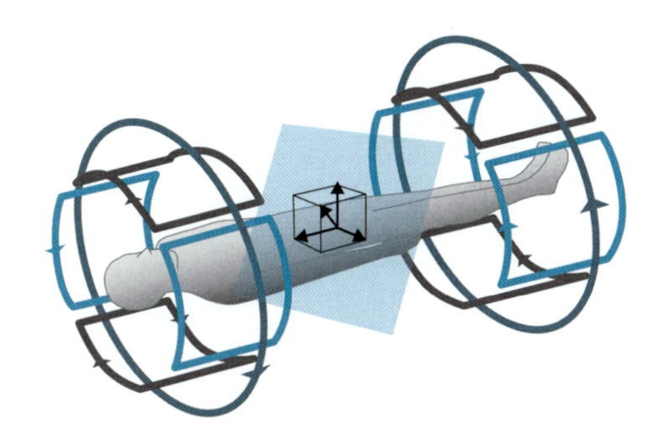

傾斜磁場分布の生成と空間位置の関係

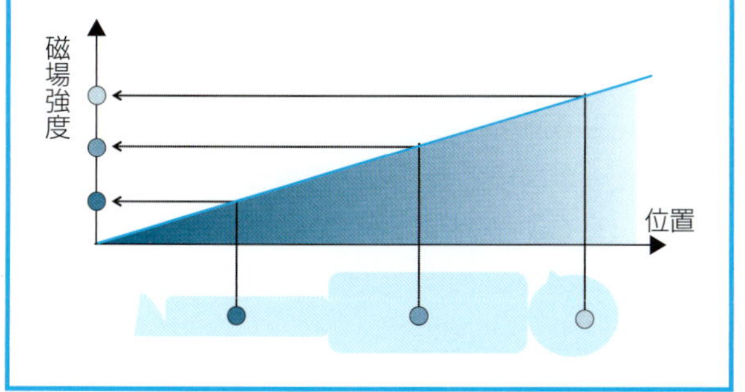

- 傾斜磁場とは，静磁場空間に直交3軸（X, Y, Z）に配置された各コイルに傾斜磁場電源から出力するパルス電流を流すことで，能動的に線形の傾きをもつ磁場分布を生成するものである。
- 傾斜磁場は，撮像においてスライス断面（選択励起パルスの位置や厚み）の決定，および撮像面内の空間分解能（位相エンコード量，周波数エンコード量）を変化させる役割をもつ。さらに，各種イメージングにおいて，信号の抑制（スポイリングやアーチファクト低減など）や強調（血流信号，拡散情報など）の役割ももつ。

B 性　能

1. 傾斜磁場の性能

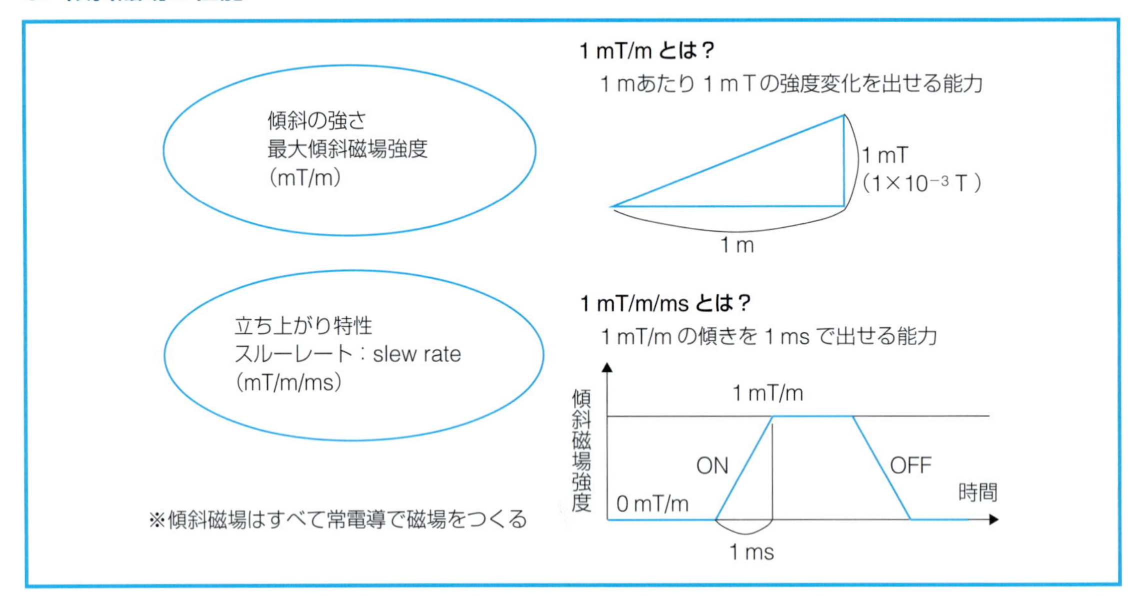

- 傾斜磁場の性能を示す重要なパラメータには，最大傾斜磁場強度とスルーレートがある。
- 上図に示すように**最大傾斜磁場強度**はそのパルスの高さ，つまり1 m離れた位置においてどれだけの磁場強度の変化を出せるかを意味し，**単位は mT/m** で表される。
- **スルーレート（slew rate：SR）**は，傾斜磁場の立ち上り時間特性を示し，単位は **mT/m/ms** で表される。

2. スルーレートの特性

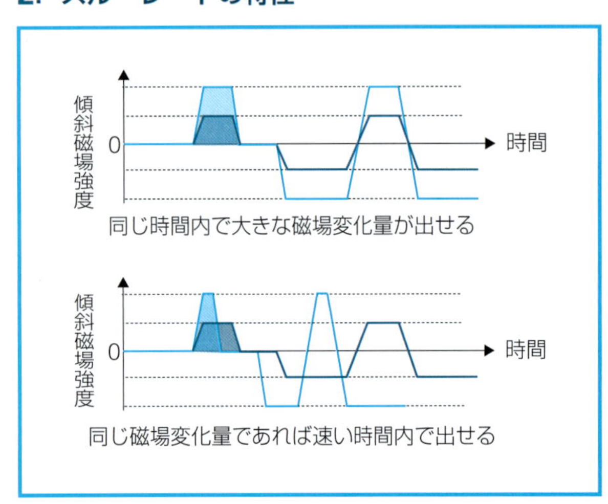

- イメージングにおいて，プロトンの位相変化量（左図の面積に相当）の決定は，傾斜磁場強度と印加する時間に比例する。したがって，スルーレートが高ければ，同じ時間内で大きな傾斜磁場変化（位相変化）を生み，一定の変化量であれば短時間に傾斜磁場変化を生み出すことになる。すなわち，**スルーレートが高いことで傾斜磁場のスイッチングが早くでき，高速撮像能力につながる**性能となる。

コラム Eddy Current（渦電流）の影響

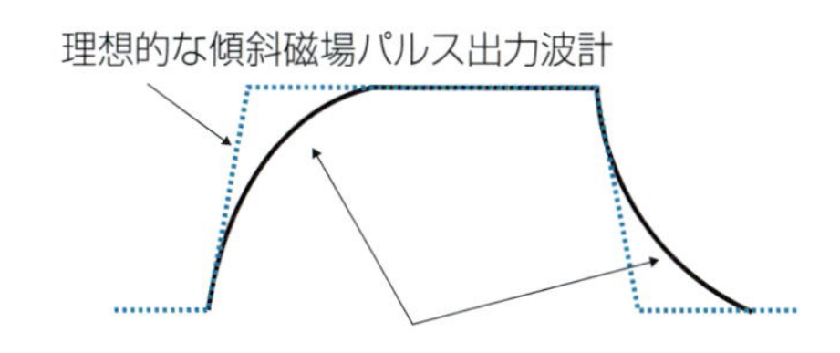

渦電流の影響で鈍った実際の波形

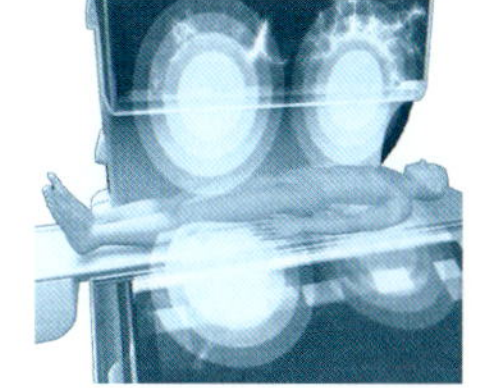

傾斜磁場が作る磁場が
磁石本体に影響する

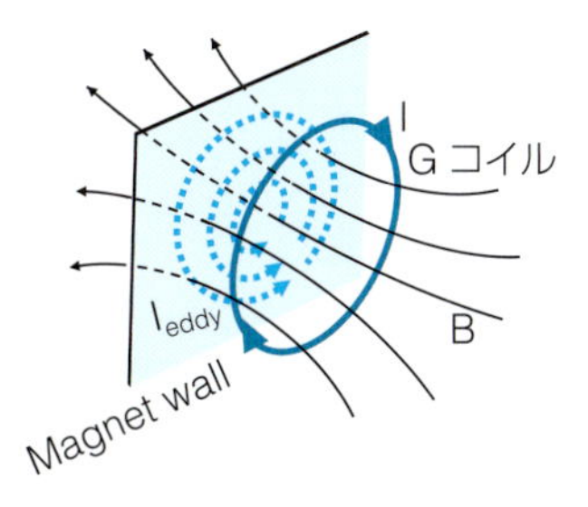

（渦電流の発生）
導電性のある物質を貫く磁束が時間的に変化すると，電磁誘導によって電流をつくる

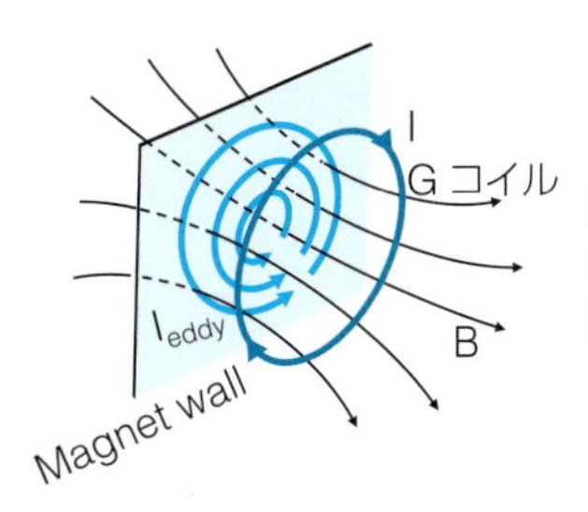

（渦電流による逆作用）
渦電流による磁界が作用して，様々な影響を出す

- 理想的な傾斜磁場パルスの立ち上がり特性を鈍らせる要因として，傾斜磁場コイル自体のインダクタンスと，磁石本体に発生する渦電流の影響がある。特に，渦電流は画質への影響が強く，画像のボケ，信号ムラ，エンコードゴーストなどの原因となる。
- 傾斜磁場コイルに流れる大電流が作る磁束（磁場）が，導電性をもつ磁石本体の表面を貫き，時間的に変化するために渦電流を誘発する。この渦電流が作る不均一な磁場が様々な影響を及ぼし，傾斜磁場パルスの立ち上がりを鈍らせる要因となる。

コラム MR 装置に関する法規

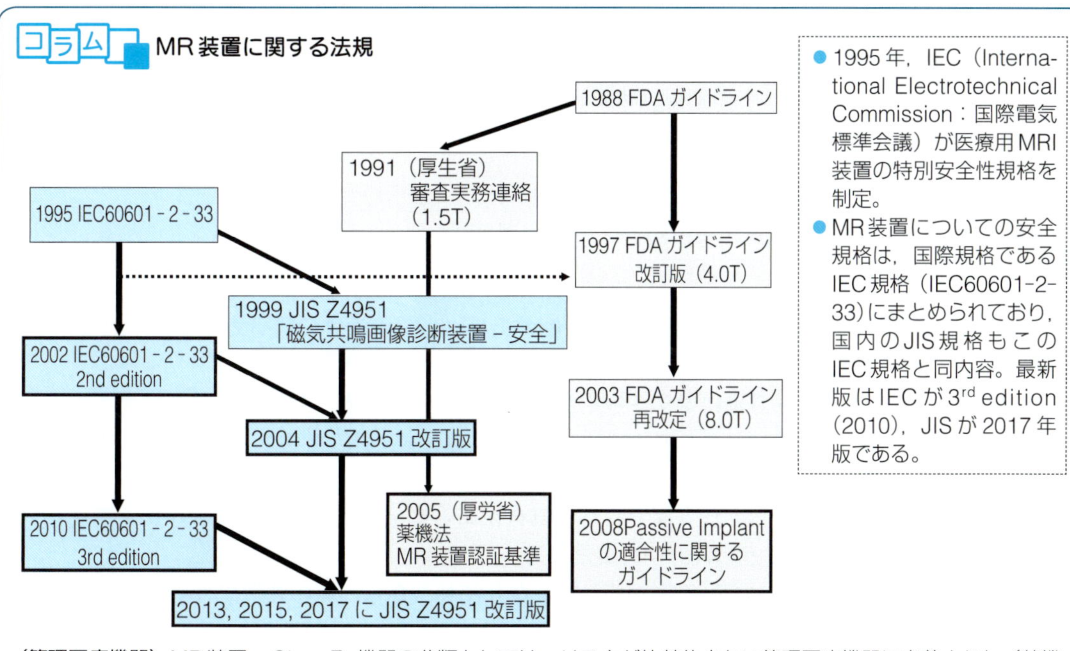

- 1995 年，IEC（International Electrotechnical Commission：国際電気標準会議）が医療用 MRI 装置の特別安全性規格を制定。
- MR 装置についての安全規格は，国際規格である IEC 規格（IEC60601-2-33）にまとめられており，国内の JIS 規格もこの IEC 規格と同内容。最新版は IEC が 3rd edition（2010），JIS が 2017 年版である。

〈管理医療機器〉MR 装置＝ClassⅡ。機器の分類としては，リスクが比較的少ない管理医療機器に定義された（薬機法による）。

5 高磁場（3.0T）装置

A 3.0Tの特徴

項 目	1.5Tとの比較	静磁場（B_0）との関係
SNR	2倍	B_0に比例
磁化率効果	2倍	B_0に比例
化学シフト	2倍	B_0に比例
T_1緩和時間	延長	$B_0^{1/3}$に比例
T_2緩和時間	軽度短縮	
T_2*緩和時間	短縮	
SAR	4倍	B_0^2に比例
RF磁場（B_1）	不均一増大	

- 静磁場強度が1.5T→3.0Tへと2倍になると，共鳴周波数は63.9 MHz→127.8 MHzとなる。この静磁場（B_0）とRF磁場（B_1）の相違が様々な違いを生む（表）。
- 理論上，SNRは静磁場（B_0）に比例し，3.0TのSNRは1.5Tの2倍となる（受信信号：$\propto B_0^2$，ノイズ$\propto B_0$）。静磁場（B_0）の増大により，撮像時間の短縮や空間分解能の向上が期待される。
- 一方，静磁場（B_0），RF磁場（B_1）の不均一は増大し，その影響で信号ムラが増加する。これを克服するため，撮像パラメータを変更することで，結果的にSNRを下げる結果につながる。
- SARは1.5Tの4倍となり，短時間にRFパルスを多用するパルスシーケンス（FSE法など）において，スライス枚数や撮像範囲の制限が出てしまう。
- 共鳴周波数が高くなることでRFの浸透力（RF penetration）の影響が増し，体幹部の深部の信号が低下する傾向がある。また，高周波数のRF波は，対象物中での透過，吸収，反射，共振が起こることによって縦磁化回復の差異が生じてRF磁場（B_1）が不均一となり，部位による信号ムラが出現する。
- その対策として，誘電体パッドの使用（体表に置いて余分なRFを吸収させて不均一を改善），RF送信技術の高性能化（人体の電気的な特性に起因するB_1不均一を改善）があげられる。

B 取り扱い上の注意点

- 安全管理面で特に留意すべきことは，静磁場強度の上昇による磁性体の吸引力の増大，RF磁場の高周波化による比吸収率（specific absorption rate：SAR）の増大である。
- 検査に際しての静磁場，RF磁場に対する運用注意点は同じであるが，3.0Tでは漏れ磁場を極力小さく（低減）するためのアクティブシールド効果のために，磁石本体付近で磁場強度が急激に高まる（11章222頁参照）。
- RFコイルのケーブルと被検体の体表面との接触具合によっては，電気回路的にループを形成し，発熱の原因となるため，いっそうの注意が必要となる。
- さらに，撮像中の傾斜磁場による騒音の増大はかなり深刻となる。3.0T装置では，被検者の聴覚保護に十分に留意する必要がある。

補足：1.5Tおよび3.0Tにおける人体内でのRFの挙動

- RF（を含む電磁波）は空気中で光の速さで伝播し，その波長は1.5Tでは4.7 m程度，3.0Tでは2.4 m程度である。RFが人体内に入ると，空気と人体の誘電率の違いにより波長が短縮し，1.5Tでは56 cm程度，3.0Tでは28 cm程度となる。3.0Tでは，その波長が体幹部の大きさと同程度となるため，RFの体表での入出射時に反射を起こす。これら入射波および反射派により定常波が合成されることで，体内におけるRFの分布が不均一となる。

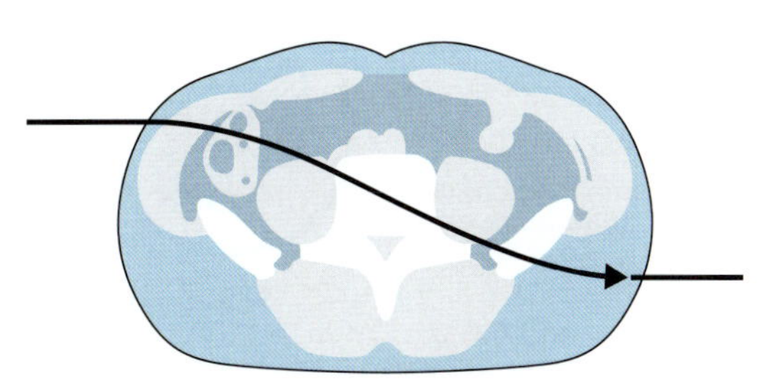

1.5Tにおける人体内でのRF波長（56 cm程度）

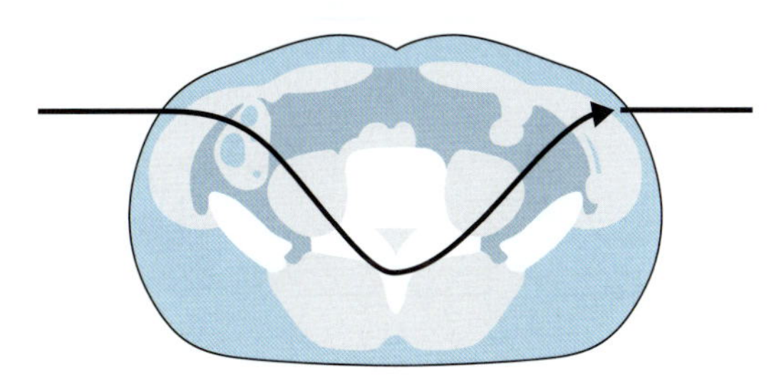

3.0Tにおける人体内でのRF波長（28 cm程度）

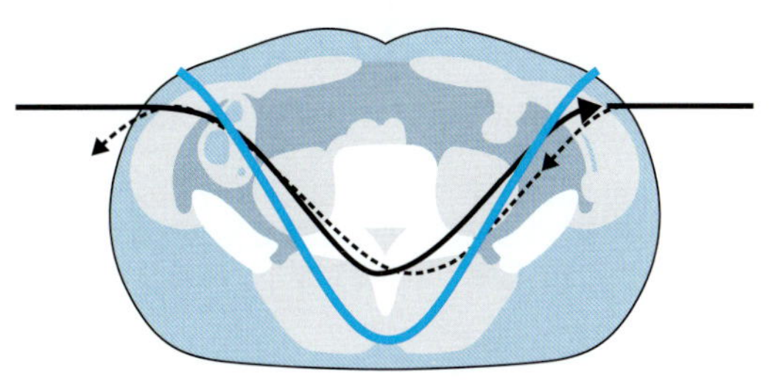

3.0Tにおける人体内でのRFの挙動（───：入射波，黒点線：反射波，───：入射波および反射波で合成された定常波）

コラム RF送信技術の進歩（multi transmit）

3.0T MRIで問題点となっていたRF磁場（B_1）の不均一を改善するために，独立したRFアンプや給電ポイントを増やすなど，RF送信技術の進歩がある。

- Quadrature送信は，RFパルス電流の供給源であるRFアンプから，位相を90°ずらしたsin波とcos波のRFパルス電流に分配され，コイルの2点の給電点に供給されることでRFパルスが送信される。

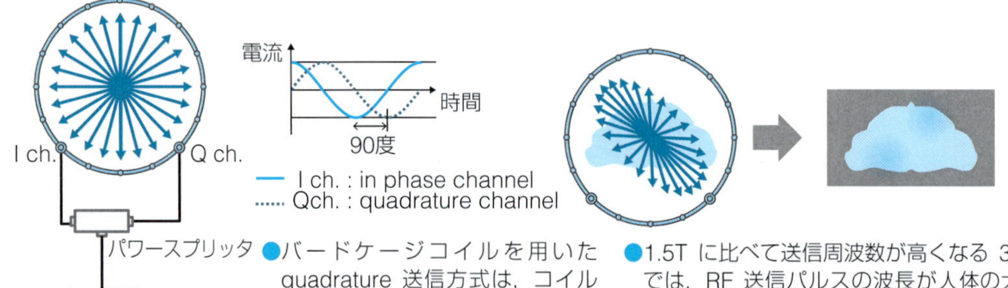

- バードケージコイルを用いたquadrature送信方式は，コイル領域内に生成されるRF磁場（B_1）の均一性が良好であり，送信効率も高いため，MRI装置のRF送信技術として多用される。
- 1.5Tに比べて送信周波数が高くなる3.0Tでは，RF送信パルスの波長が人体の大きさに対して無視できないほど短くなるために，体内で理想的なRFパルスの90度位相が保てなくなる。このため，体内におけるRF磁場の影響が不均一となり，画像の信号ムラが発生する。

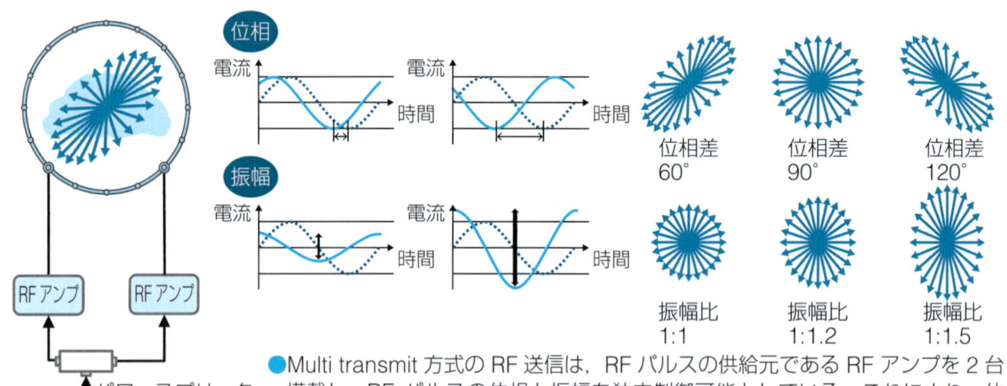

- Multi transmit方式のRF送信は，RFパルスの供給元であるRFアンプを2台搭載し，RFパルスの位相と振幅を独立制御可能としている。これにより，体内におけるRF磁場の影響を調整し，画像の信号ムラを低減する。

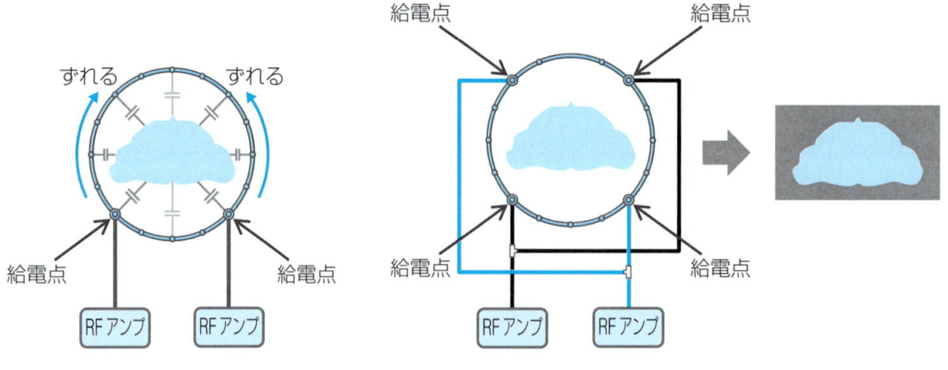

- 3.0Tの高い周波数によって，送信コイルと被検体間の電気的特性による影響が強くなるため，バードケージコイルのRFパルス電流を供給するポイント（給電点）から離れたエレメントでは電流分布が理想状態より劣化する。
- これを克服するために，最新のRF送信システムでは，バードケージコイルへの給電点を4つに増やすことで各エレメントの電流分布の劣化を解消させ，画像の信号ムラ低減効果をさらに高めている（Multi-phase Transmission技術）。

6 MR室の設計

A 概 略

1. 漏洩磁場の影響

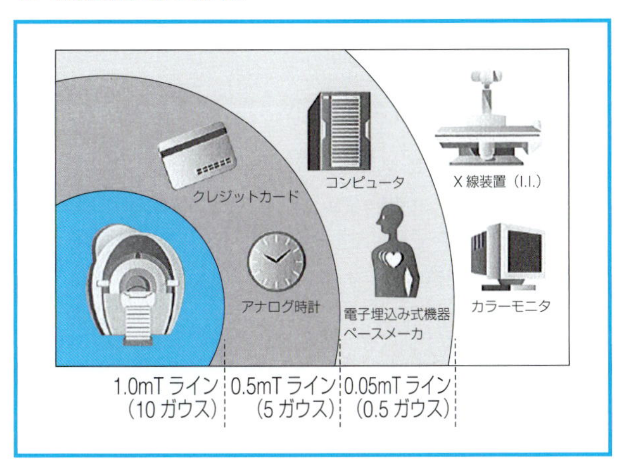

- MR検査室は，MR装置の強力な静磁場と高周波磁場の漏洩を低減し，MR画像の劣化を防ぐために周囲環境による磁場変動や電磁ノイズを遮蔽するよう設計されている。さらに，超電導磁石装置の場合はクエンチの際の安全性を考慮した設備がある。
- JIS Z4951 6.8.3では，漏洩磁場強度は0.5 mTを超えてはならないと定められており，ペースメーカーの誤作動など人体への影響を考慮し，**0.5mT以上の漏洩磁場環境は立入制限区域**とする。

2. 立入管理区域

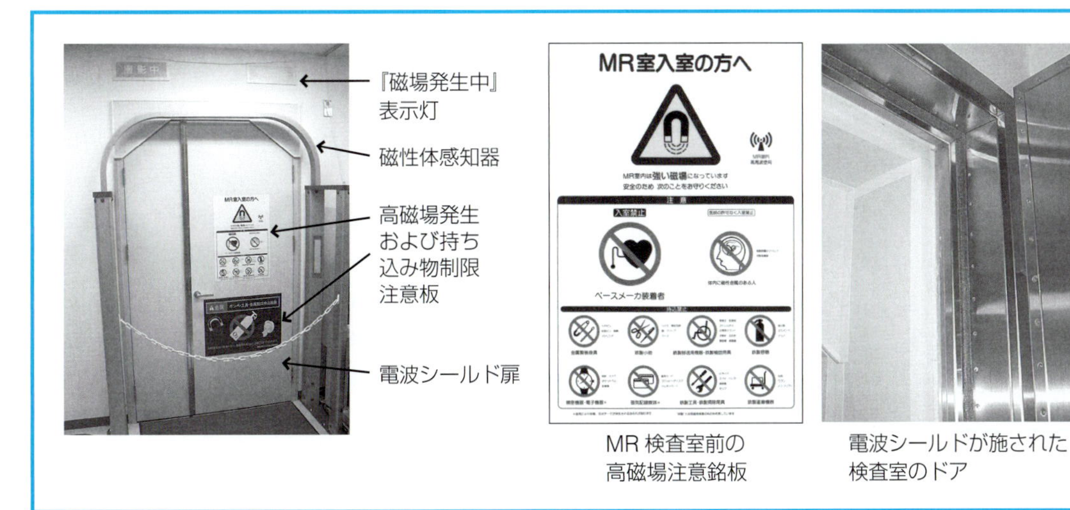

MR 検査室前の
高磁場注意銘板

電波シールドが施された
検査室のドア

- MR室のすべての出入口付近には，MR安全標識と患者または医療従事者用注意銘板を掲示する。

B RFシールド

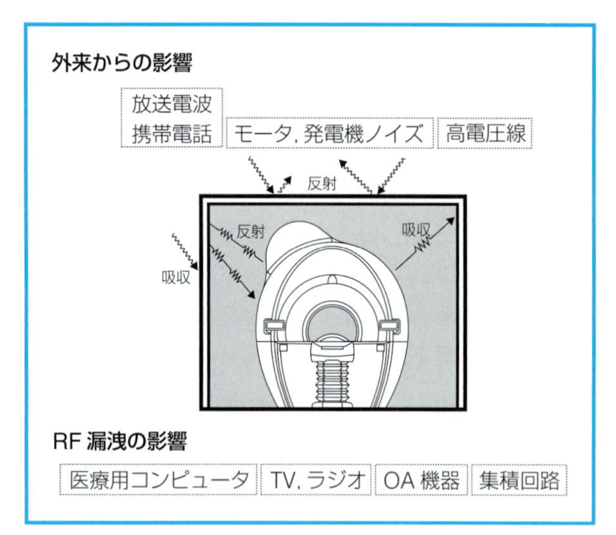

- MR装置が撮像時に生体から受信するMR信号は，数 μW 程度と微弱である。逆に，MR装置のRF送信出力は数kWにもなる。
- **電波シールド**は，MR検査室を高い導電性材料（銅箔，アルミ箔，ステンレス，亜鉛鋼板など）でシールドすることにより，電磁波を反射・吸収する。外来からの電磁波を遮蔽し，RF送信電波の漏洩を防ぐ。
- **電波法**では，**医療用設備は30mの距離において電界強度を100 μV/m以下とする**よう制定されている。強いRF出力に対して電波シールドは必須の設備である。

C 磁気シールド

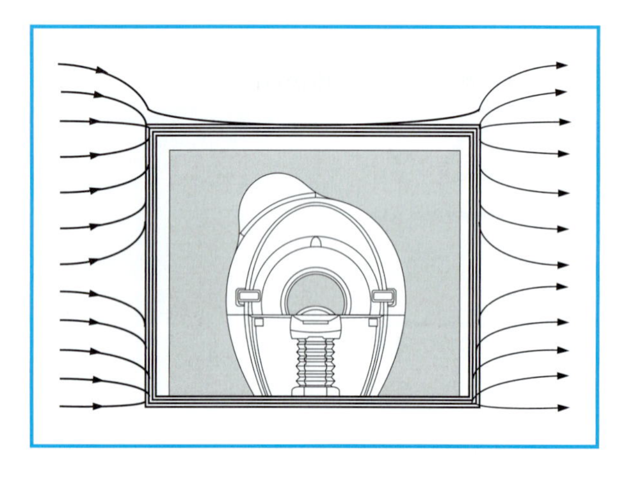

- **磁気シールド**は，MR検査室周囲を磁性材料（純鉄，ケイ素鋼板など）で囲み，磁力線をその中を通過させることで，外部への漏洩を遮蔽している。また，周囲の大きな磁性体（自動車，エレベータなど）や，磁場変動源（高圧送電線，電気室など）からの影響を低減する役割もある。
- なお，漏洩磁場の制限，および外部からの変動磁場や磁場均一性への影響が許容値内であれば磁気シールド設備は必須でない。

D クエンチ対策

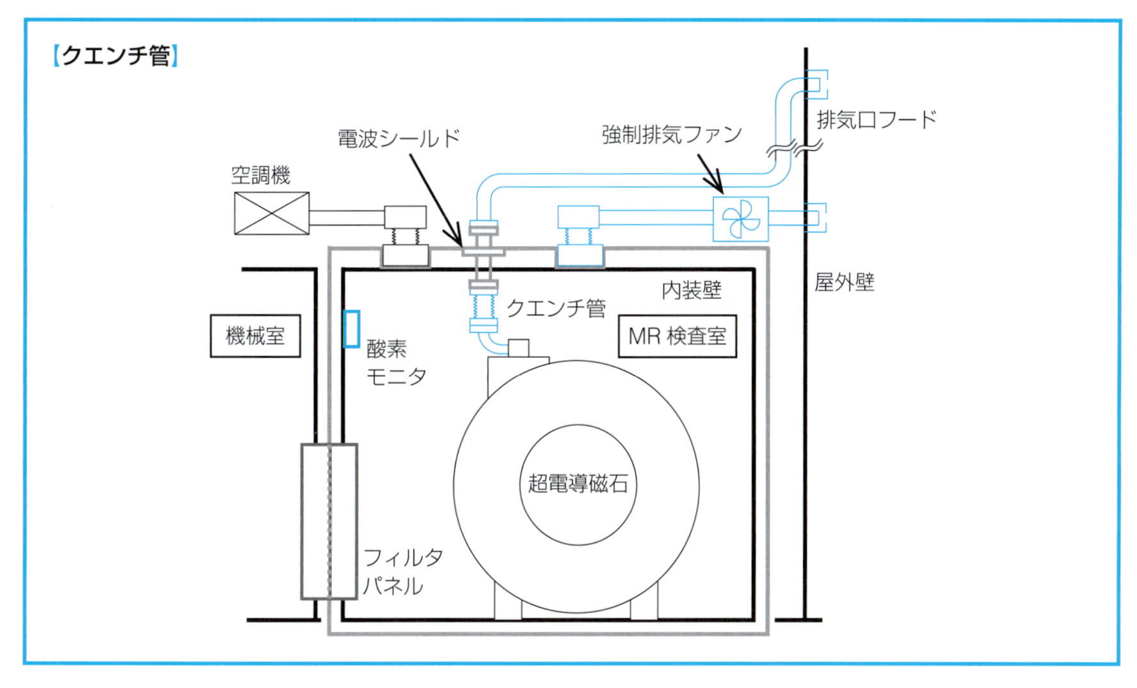

- 超電導磁石装置には，クエンチ（☞11章234頁参照）時に備えて磁石本体から直接屋外へ**ヘリウムガスを放出**する排気ダクト**（クエンチ管）**の設備が必須となっている。
- さらに，万一室内にヘリウムガスが漏れた際には，酸素濃度計の値の低下に連動する強制排気ファンを備えている。強制排気ファンは，手動スイッチでも稼動できる。
- 液体から**気化したヘリウムは，体積が約700倍**となる。クエンチ管接続部には普段は閉ざされている安全弁や破裂弁があり，磁石内圧の上昇によって開くことで，気化されたヘリウムはクエンチ管を通じて屋外に放出される。

7　性能評価

A　主な性能評価項目

- **均一性**
- **SNR**
- **スライス厚**
- **T_1, T_2 測定**
- **歪み　　　など**

- MR装置の精度管理のためには，いくつかの性能評価方法がある。仮にSNRの値が高くとも，それだけでは装置の状態が良いとはいえない。
- 毎回同じ条件で評価測定を行うことが肝要であり，精度管理の観点から，各測定値を記録，保存し，その推移に注意を払うことが重要である。
- 測定用ファントムは，メーカ付属・推奨品，もしくは診断用磁気共鳴装置用ファントム（JIS Z 4294 1995）などを用いる。

B　均一性

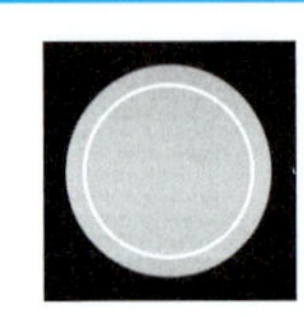

$$I=\left(1-\frac{M-m}{M+m}\right)\times 100\%$$

M：最大信号強度，m：最小信号強度
（ファントムの75％以上のROI面積を測る）

【画像が不均一になる原因】

- **静磁場，RF磁場の不均一**
- **傾斜磁場パルスの校正，または渦電流補償の不良**
- **RFコイルのジオメトリーやペネトレーション**
- **ファントムの位置決め不良**
- **画像処理法など**

- 均一性の測定は，均一な物質を撮像した場合の撮像領域全体からの同一信号応答能力を評価する目的をもつ。
- 均一な信号特性を有するファントムを撮像し，ファントムの75％以上の面積にROIを設定して求めた最大信号強度と最小信号強度から算出する。
- 均一性が劣化した場合，静磁場（B_0），RF磁場（B_1）の均一性の劣化，傾斜磁場パルスや渦電流補償の不良などの要因が疑われる。

C SNR

差分法

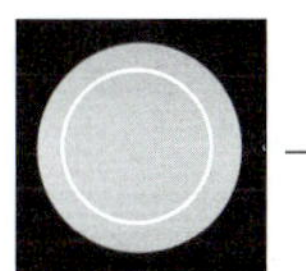 − 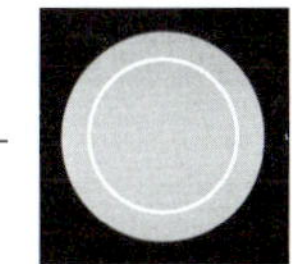 = 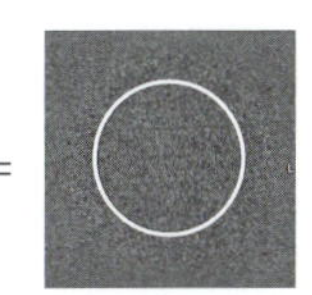

同一撮像条件の2つの画像から差分画像を作成

$$SNR=\sqrt{2}\times\frac{\text{ROI 内の信号強度の平均値}}{\text{差分画像 ROI 内の標準偏差}}$$

同一関心領域法

$$SNR=\frac{\text{信号強度平均値}}{\text{信号強度の標準偏差}}$$

空中雑音法

背景の信号を測定し，その標準偏差をノイズとする

$$SNR=\sqrt{2-\frac{\pi}{2}}\times\frac{\text{信号強度平均値}}{\text{背景信号の標準偏差}}$$

空中信号法

背景の信号を測定し，その平均値をノイズとする

$$SNR=\sqrt{\frac{\pi}{2}}\times\frac{\text{信号強度平均値}}{\text{背景信号の平均値}}$$

- **SNRの測定**は，そのノイズの定義によって様々な評価法がある。
- **差分法**は，同一のファントムを同一の条件で影像し，得られた2つの画像を減算処理して差分画像を作成のうえ，撮像した画像のファントム信号と差分画像の標準偏差から算出する。
- **同一関心領域法**は，信号強度の標準偏差をノイズとして算出する。
- **空中雑音法**は，背景信号の標準偏差をノイズとして算出する。
- **空中信号法**は，背景信号の平均値をノイズとして算出する。
- ファントム撮像では対象が動かないので差分法，臨床画像ではパラレルイメージや感度補正を用いることにより空中信号が修飾されるため，空中信号を用いない同一関心領域法を用いる。

D スライス厚

1. 概 要

【評価法の種類】
- **ウェッジ法**
- **傾斜板法**

- スライス厚は，画像面と垂直な方向に測定され，画像面上に投影された分析結果の測定値である。
- RFパルスの形状，シーケンス，均一性，スライス選択傾斜磁場などのパラメータに依存し，MR装置の画質や性能を把握する尺度になりうる。
- スライス厚は，**スライスプロファイルの半値幅（full width at half maximum：FWHM）**，つまり，最高値の1/2となる点を結んだ距離として規定されている。
- スライス厚の測定方法には，ウェッジ法と傾斜板法がある。

2. ウェッジ法

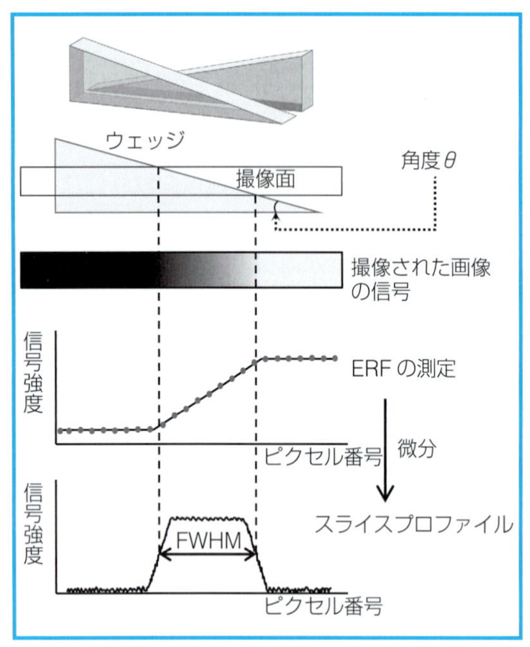

- 信号を出さない材質の2つのウェッジ（楔）が交差した形状のファントムを撮像する方法。
- 測定精度が高い利点をもつが，微分するプロセスがあるために測定が煩雑である。
- 第1のウェッジ平面は撮像面と角度 α をなし，第2のウェッジの平面は撮像面と α の補角（$180°-\alpha$）をなす。
- ERF（edge response function）を微分することによりスライスプロファイルが得られ，FWHMを取得する。

【スライス厚の計算】

真のスライス厚＝FWHM×分解能×tan θ

・FWHM（full width at half maximum，半値幅）
・分解能（FOV/マトリクス）

3. 傾斜板法

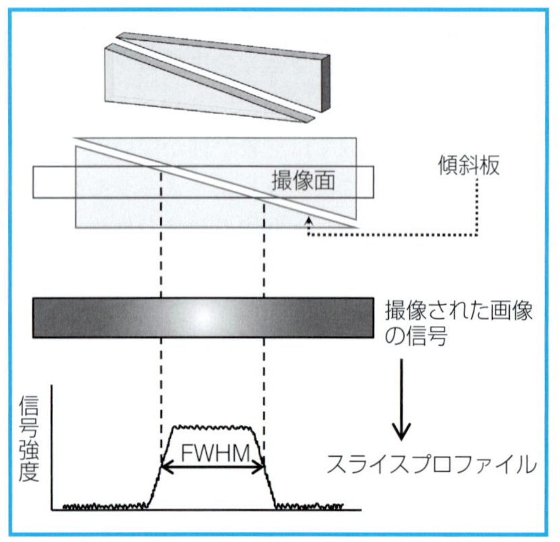

- 薄い高信号（または低信号）物質の傾斜スラブファントム，または信号をもつ溶液内に置かれた無信号物質の対向する傾斜板ファントムを撮像する方法。
- 撮像された画像から直接スライスプロファイルが得られるため，測定が簡便でSNRの影響が少ない。
- スラブファントムの厚みが均一でないと，誤差要因が大きくなるため，薄いスライス厚測定には不向きとなる。

コラム　回転誤差の補正

- ウェッジ①とウェッジ②で計測したFWHM（半値幅）に分解能をかけた値（真のFWHM）が同じであれば，回転補正の必要はない。値が異なれば，値が小さいものをL1として，回転角 α を次式で求める。

$$\frac{L1-L2}{L1+L2}=\frac{\sin 2\alpha}{\sin 2\theta}$$

α：回転角
θ：ウェッジの角度

$L1\times\tan(\theta-\alpha)$ または $L2\times\tan(\theta+\alpha)$

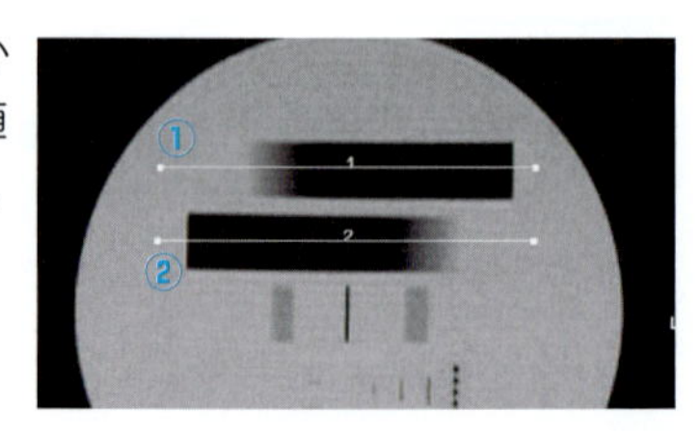

E T_1値測定

1. 測　定

- T_1値測定は，通常IR（inversion recovery）法を用いる。TI（inversion time）を変えながら撮像し（例：5000，3000，1000，500，300，100 ms），その各画像に対して信号値を測定する。

【注意事項】

- 縦磁化を十分に回復させるため，TR≧5×（予想されるT_1値）とする。
- RFコイルのreceiver gainを固定する。
- Filterなどの補正（信号処理，画像処理）をしない。
- ROIは，なるべく画像中心に置く。大きさ（面積）は，測定する断面に対し常に一定であれば，特に決まりはない。

2. データの扱い

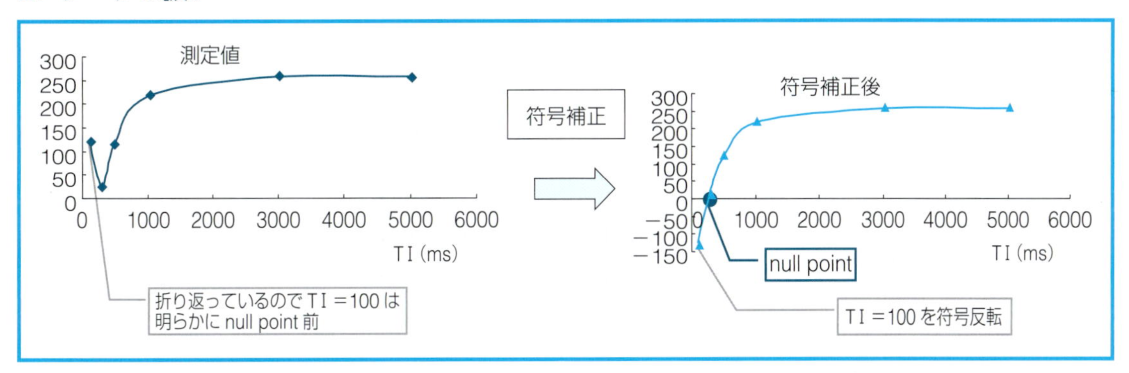

- 縦軸を信号強度，横軸をTIとして測定値をプロットする。
- 画像が絶対値表現になっている場合，短いTIの測定値は符号補正して正の値に反転する（グラフを見て判断）。

3. 計　算

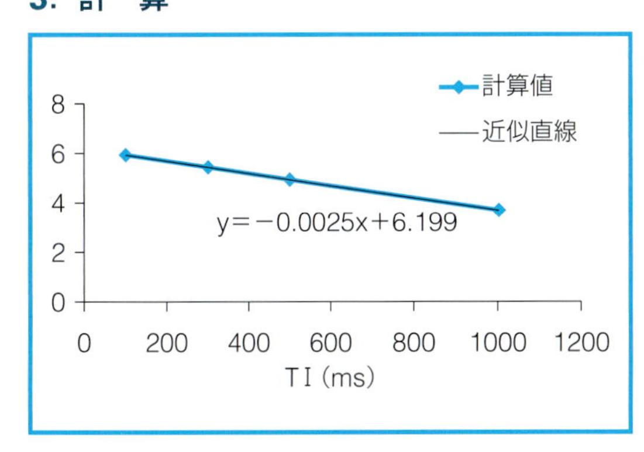

- 各符号補正後の信号値を下式に代入して計算値を算出する。

計算値
＝Ln（プラトーの信号値−各符号補正後の信号値）

- TIを横軸とし，上式で得られた計算値をプロットする。
- 測定結果が良いと，計算値のグラフは直線になる。
- 測定対象物のT_1値があまりにも短い場合，TIの長い部分でグラフが直線にならない。その場合は，TIの短い部分のみで直線になるようにプラトーの信号値を決定する。得られたグラフから，近似直線を求め，その傾きからT_1値を求める。

F　T_2値測定

1. 測　定

- T_2値測定には，通常**SE法**を用いる。TEを変えながら撮像し（例：30，60，120，250，500，1000 ms），その各画像に対して信号値を測定する。

【注意事項】

- ▶RFコイルのreceiver gainを固定すること。
- ▶Filterなどの補正（信号処理，画像処理）をしない。

2. データの扱い

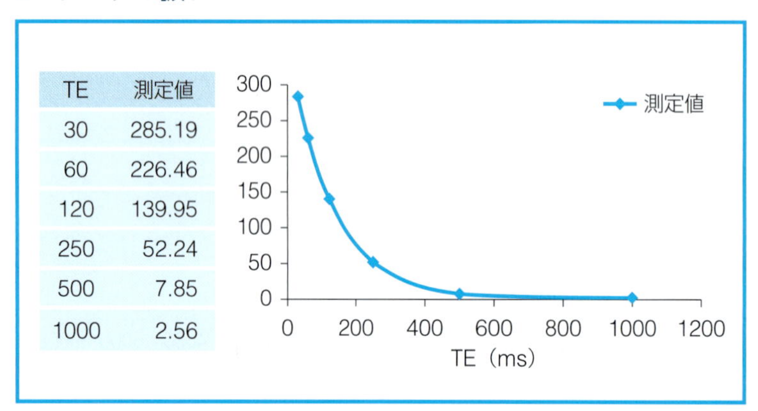

TE	測定値
30	285.19
60	226.46
120	139.95
250	52.24
500	7.85
1000	2.56

- 縦軸を信号強度，横軸をTEのグラフとして測定値をプロットする。

3. 計　算

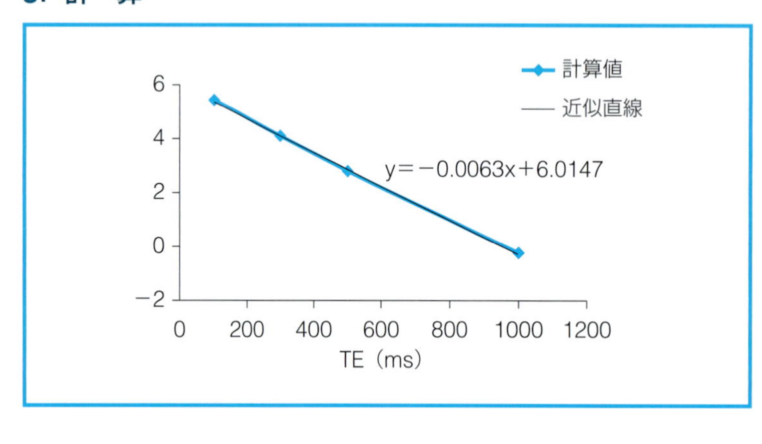

- それぞれの信号値を下式に代入して計算値を算出する。

計算値＝Ln（信号値）

- TEを横軸とし，上式で得られた計算値をプロットする。
- 測定結果が良いと，計算値のグラフは直線になる。
- 得られたグラフから近似直線を求め，その傾きからT_2値を求める。

8 ImageJの利用

ここでは，DICOM画像を扱う上で広く利用されているフリーソフトであるImageJ（開発：アメリカ国立衛生研究所）を用いたSNR，スライス厚，T_1値，T_2値の測定方法について解説する。

A ImageJの入手とインストール

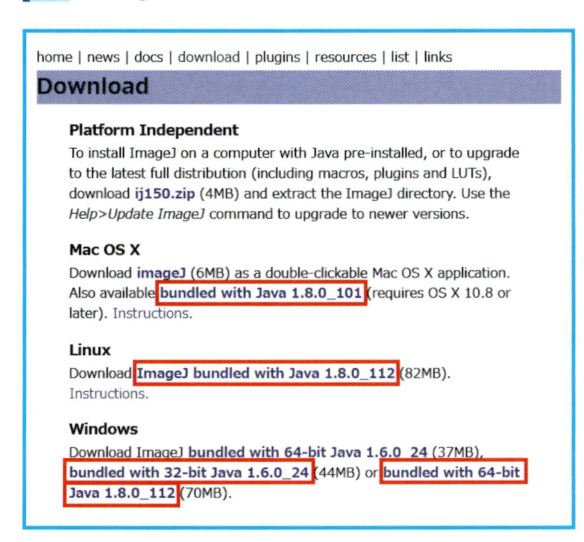

- ImageJを下記サイトからダウンロードする。
  https://imagej.nih.gov/ij/download.html
  （2018年1月現在）
- 使用するOSに合ったバージョンをダウンロードする。現在は，Mac OS X，Linux，Windows 32bitおよび64bit版が提供されている。
- ImageJは動作にJava環境を必要とするため，Javaがインストールされていない環境の場合には「bundled with Java」と書かれているものを選択する。
- これ以降の操作画面はWindows版のImageJで示すが，メニューや基本的な操作方法はどのバージョンでも同様である。

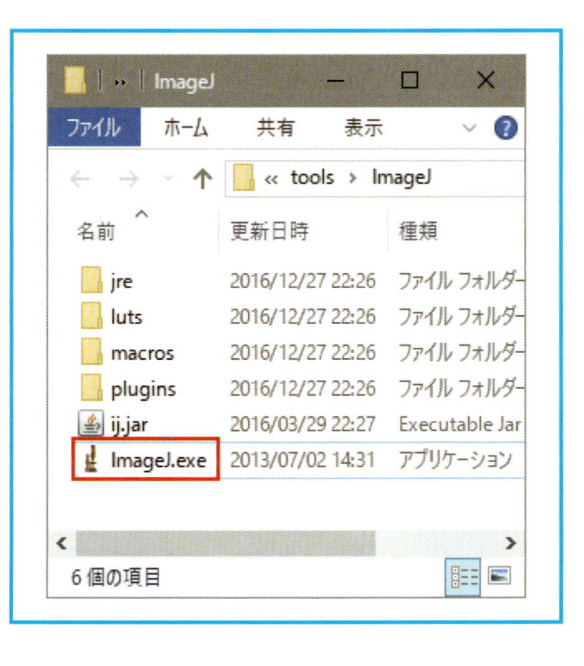

- ダウンロードしたファイルを解凍すると，左図のようなフォルダが生成される。
- ImageJ.exeを開くことで，ImageJを起動できる。

B　画像の読み込みとROIの設定

1. 計測結果の表示項目を設定する

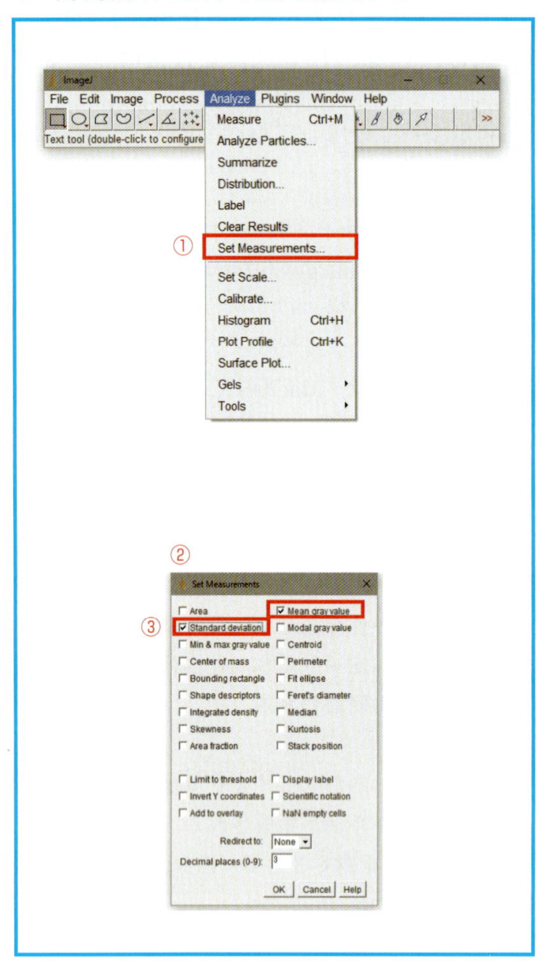

- ROIの計測結果を表示する際の表示項目を設定する。
  - ①［Analyze］→［Set Measurements…］を選択する。
  - ②［Set Measurements…］ウィンドウが表示される。
  - ③以下の項目にチェックを入れる。
    - ・Mean gray value（平均値）
    - ・Standard deviation（標準偏差）

Point!
今回は平均値と標準偏差を選択しているが，必要に応じて面積や中央値なども表示できる。

2. 画像の読み込みとROI計測方法

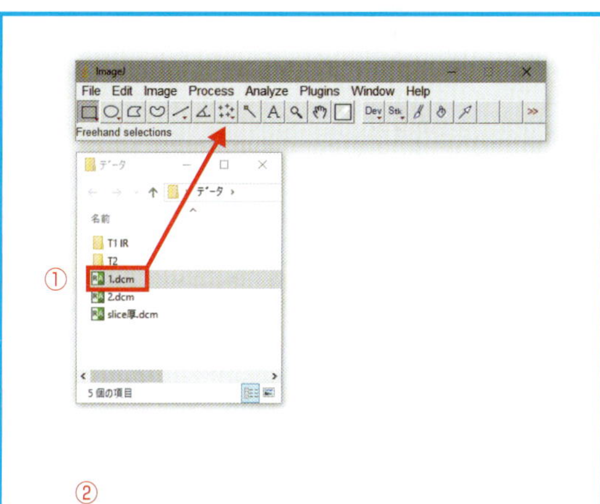

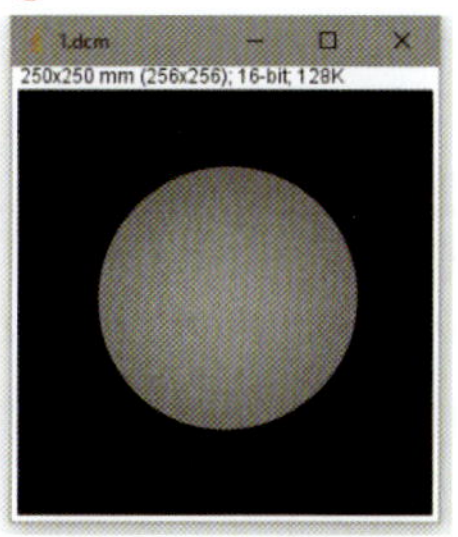

③

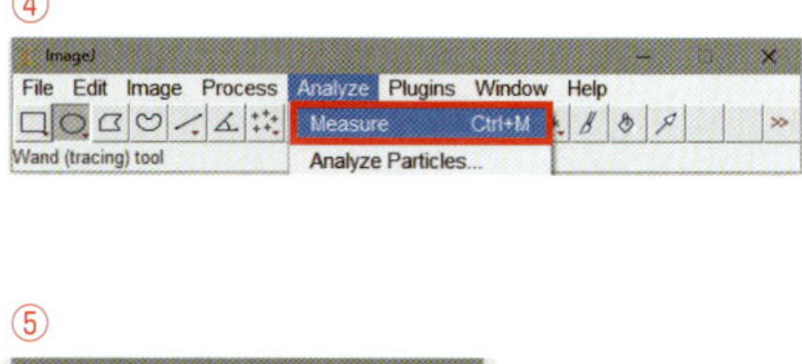

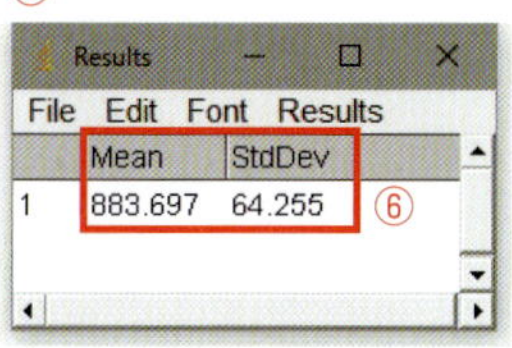

- ImageJでdicom画像（拡張子：dcm）を読み込む。ここでは，dicom画像名を“1.dcm”とした。
  ①読み込みたい画像をドラッグ＆ドロップする。
  ②“1.dcm”が表示される。
  ③楕円ボタンを選択し，ファントム内にROIを設定する。
- ROIの計測結果を表示する。
  ④ROIを設定した状態で[Analyze]→[Measure]を選択する。
  ⑤[Results]ウィンドウが表示される。
  ⑥[Mean]が平均値，[StdDev]が標準偏差を表す。

Point!
楕円ボタンの左右にあるツールを用いることで，長方形など任意の形状のROIを作成することができる。

- [Results]ウィンドウの内容は[File]→[Save as …]を選択するとExcel形式で保存することができる。

3. ROIの保存と呼び出し

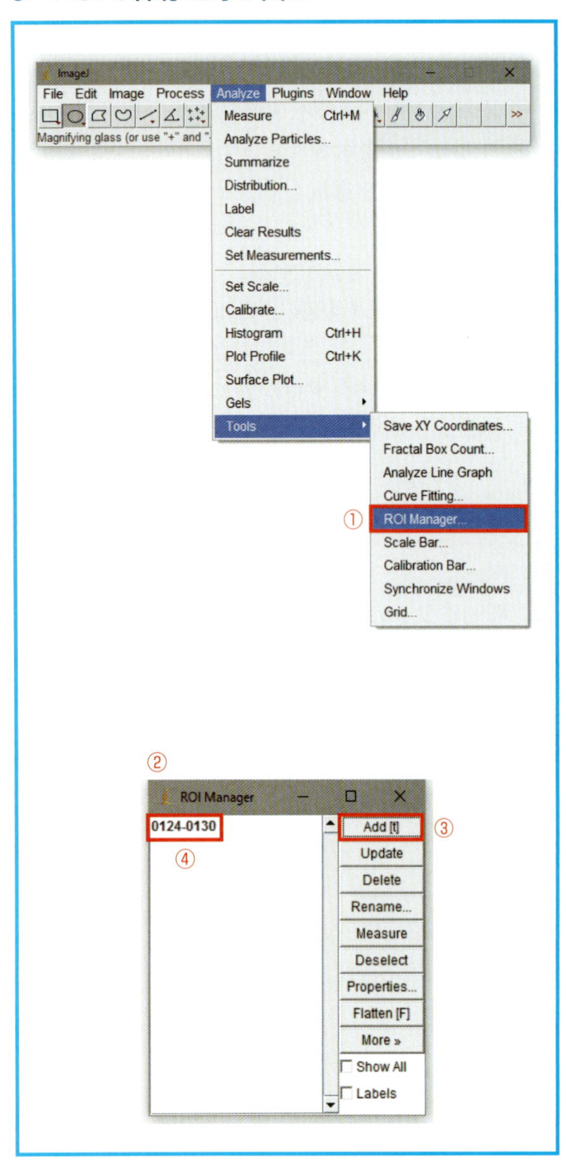

- ROIの位置情報を保存し，異なる画像の同一位置に同一形状のROIを設定する方法である。
  - ・ROIの保存方法
  - ①［Analyze］→［Tools］→［ROI Manager］を選択する。
  - ②［ROI Manager］ウィンドウが表示される。
  - ③［Add］ボタンでROIが保存される。
  - ・ROIの呼び出し
  - ④ROIを設定したい画像を選択し，［ROI Manager］ウィンドウの数字部分を選択する。

Point!
ROI名はデフォルトでは数字だが，［Rename］ボタンを使用することで任意の名称に変更することができる。

- ［More>>］→［Save…］を選択することでROIの位置情報を保存することができる。

C SNR測定

C-1 差分法

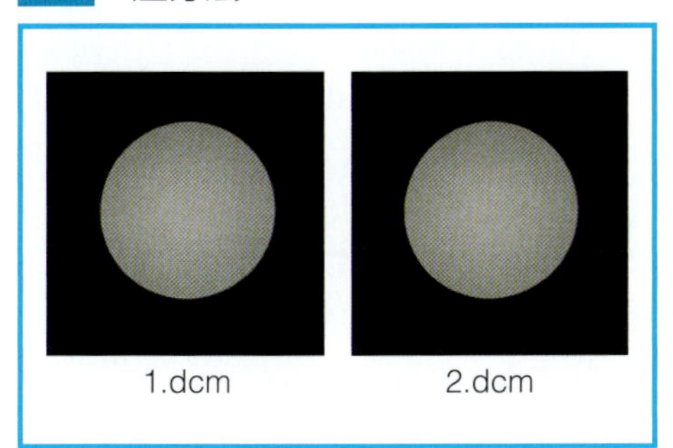

- 同一条件で撮像した2つの画像からSNRを測定する方法である。ここでは，1.dcmと2.dcmを用いて解説する。
- 解析の流れ
  1. ファントム画像（1.dcm）で平均値を計測する。
  2. 差分画像（1.dcm－2.dcm）で標準偏差を計測する。
  3. 差分法によるSNRの計算式に入力してSNRを求める。

1. ファントム画像の計測

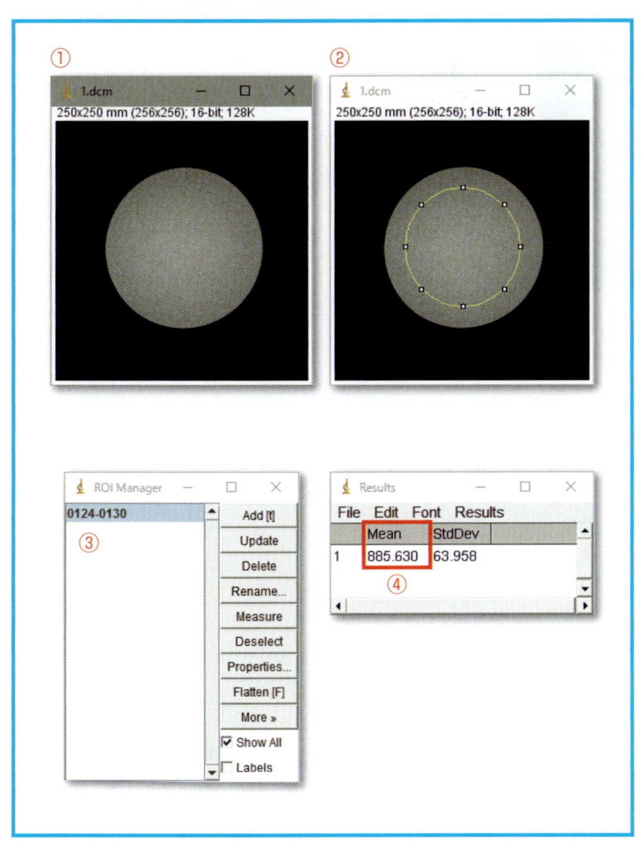

①ファントム画像（1.dcm）を開く。
②ファントム内にROIを設定する。
③ROI managerにROIを保存する。
④ROI内の信号強度（Mean）を計測する。

2. 差分画像の作成と計測

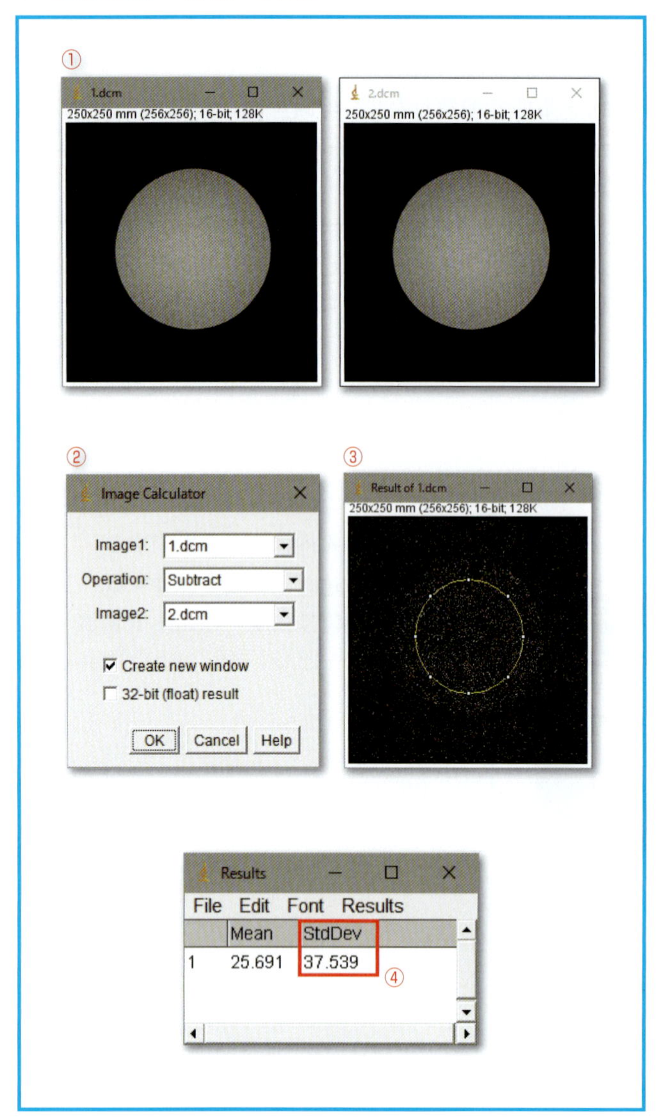

① 画像（1.dcm）と画像（2.dcm）を開く。

② [Process]→［Image Calculator］から［Image Calculator］ウィンドウを開く。［Image1］を[1.dcm]，［Image2］を［2.dcm］に選択し，［Operation］を[Subtract]に選択して［OK］をクリックする（差分画像が作成される）。

③ 差分画像に1-③で保存したROIを設定する。

④ 差分画像ROI内の標準偏差（StdDev）を計測する。

3. 差分法によるSNRの計算式

$$\mathrm{SNR} = \sqrt{2} \times \frac{\text{ROI内の信号強度}}{\text{差分画像ROI内の標準偏差}}$$

1-④と2-④の計測結果を式に代入してSNRを算出する。

$$\mathrm{SNR} = \sqrt{2} \times \frac{885.630}{37.539} = 33.36$$

C-2 同一関心領域法

- 1つの画像からSNRを測定する方法である。
- 臨床画像など，同一画像を測定することが難しい場合に用いられる。
- ただし，関心領域は画素値の均一な部分に設定する必要がある。

- 解析の流れ
  1. ファントム画像（1.dcm）において，ファントム内の平均値と標準偏差を計測する。
  2. 同一関心領域法によるSNRの計算式に入力してSNRを求める。

1. ファントム画像の計測

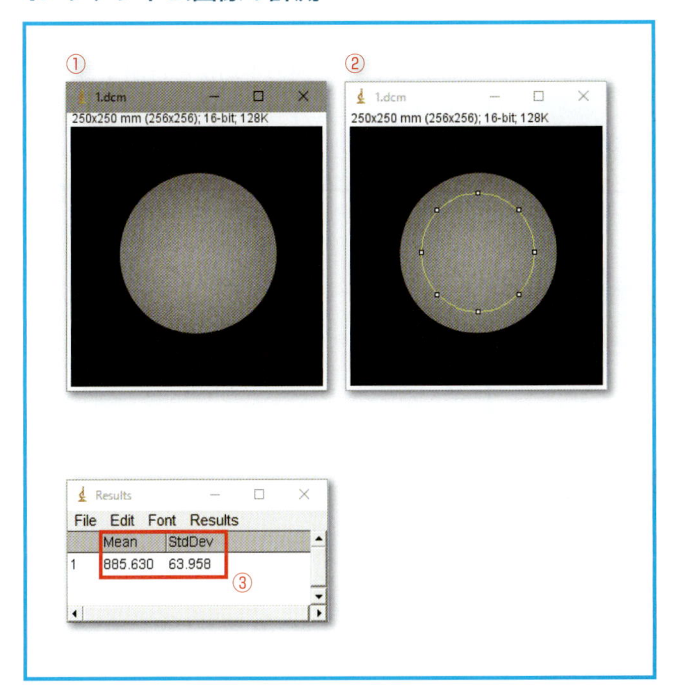

① ファントム画像（1.dcm）を開く。

② ファントム内にROIを設定する。

③ ファントム内の平均値と標準偏差を計測する。

2. 同一関心領域法によるSNRの計算式

$$\mathrm{SNR} = \frac{\text{ファントム内の平均値}}{\text{ファントム内の標準偏差}}$$

1-③の計測結果を式に代入してSNRを算出する。

$$\mathrm{SNR} = \frac{885.630}{63.9589} = 13.85$$

C-3 空中雑音法

- 1つの画像のファントム内の平均値とファントム外（空中）の標準偏差からSNRを測定する方法である。

- 解析の流れ
  1. ファントム画像（1.dcm）において，ファントム内の平均値とファントム外（空中）の標準偏差を計測する。
  2. 空中雑音法によるSNRの計算式に入力してSNRを求める。

1. ファントム画像の計測

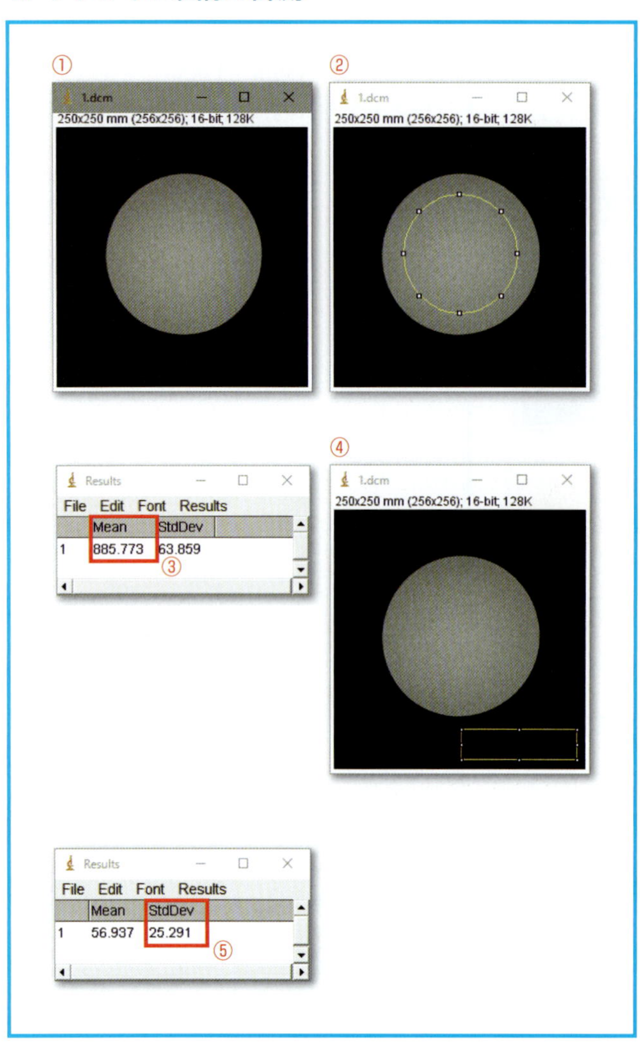

① ファントム画像（1.dcm）を開く。
② ファントム内にROIを設定する。
③ ファントム内の平均値を計測する。
④ ファントム外（空中）にROIを設定する。
⑤ ファントム外（空中）の標準偏差を計測する。

2. 空中雑音法のSNRの計算式

$$\mathrm{SNR} = \sqrt{2-\frac{\pi}{2}} \times \frac{\text{ファントム内の平均値}}{\text{ファントム外（空中）の標準偏差}}$$

1-③と1-⑤の計測結果を式に代入してSNRを算出する。

$$\mathrm{SNR} = 0.66 \times \frac{885.733}{25.291} = 22.94$$

C-4 空中信号法

- 1つの画像のファントム中とファントム外（空中）の平均値の信号強度からSNRを測定する方法である。

- 解析の流れ
  1. ファントム画像（1.dcm）において，ファントム内とファントム外（空中）の平均値を計測する。
  2. 空中信号法によるSNRの計算式に入力してSNRを求める。

1. ファントム画像の計測

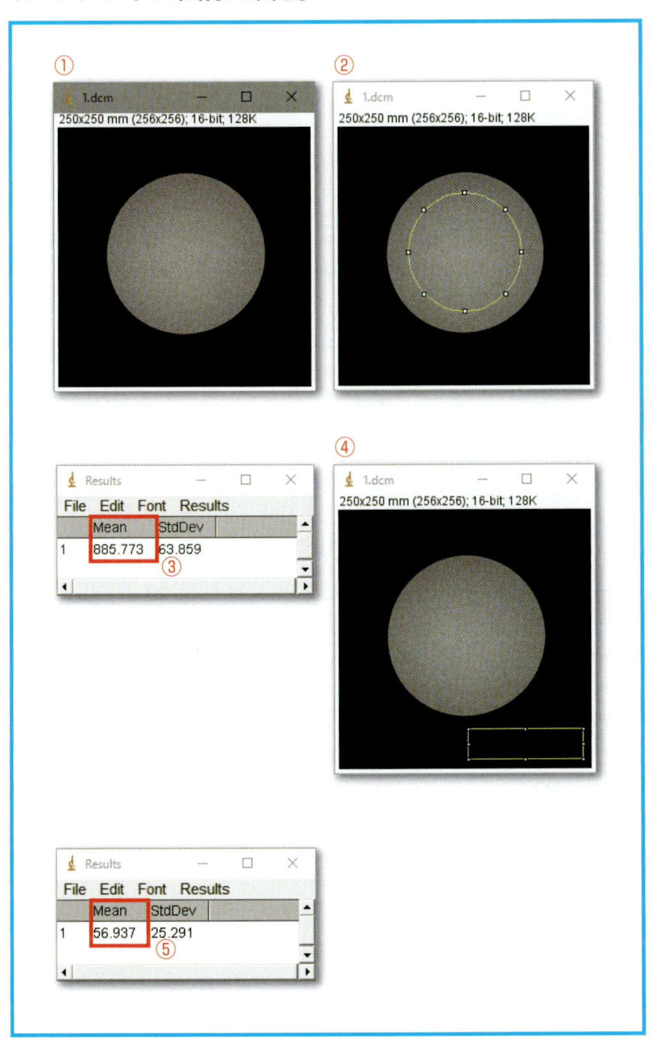

①ファントム画像（1.dcm）を開く。
②ファントム内にROIを設定する。
③ファントム内の平均値を計測する。
④ファントム外（空中）にROIを設定する。
⑤ファントム外の平均値を計測する。

Point!
空中雑音法と空中信号法の違いは，空中（ファントム外）の雑音（標準偏差）を使うか，信号（平均値）を使うかである。

2. 空中信号法のSNRの計算式

$$\mathrm{SNR} = \sqrt{\frac{\pi}{2}} \times \frac{\text{ファントム内の平均値}}{\text{ファントム外(空中)の平均値}}$$

1-③と1-⑤の計測結果を式に代入してSNRを算出する。

$$\mathrm{SNR} = 1.25 \times \frac{885.773}{56.937} = 19.50$$

D　スライス厚測定

● 2つのウェッジが交差した形状のファントム画像から，スライス厚を測定する方法である。ここでは，"slice厚.dcm" を用いて解説する。

● 解析の流れ

1. ファントムのウェッジ部分にROIを設定する。
2. プロファイルカーブを取得する。
3. プロファイルの値を微分して，スライスプロファイルを作成する。
4. 半値幅を算出する。
5. 計算式に代入してスライス厚を算出する。

1. ROIの設定

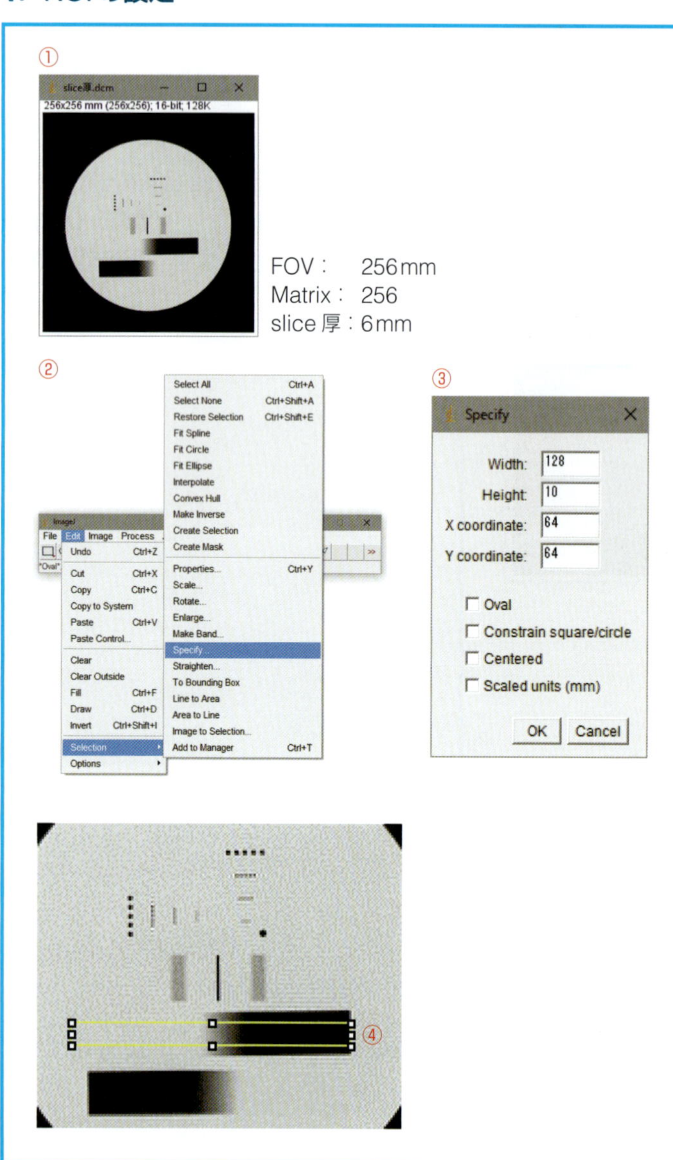

① ファントム画像（slice厚.dcm）を開く。

② [Edit]→[Selection]→[Specify]で[Specify]ウィンドウを開く。

③ [Height]に10，[Width]に120と入力し（高さ10 pixelのROIを設定する），「OK」をクリックする。（高さ10 pixel，幅120 pixelのROIを設定する。実際にはファントムのサイズに合わせる）

④ 表示されたROIをウェッジ部分に移動する。

2. プロファイルカーブの取得

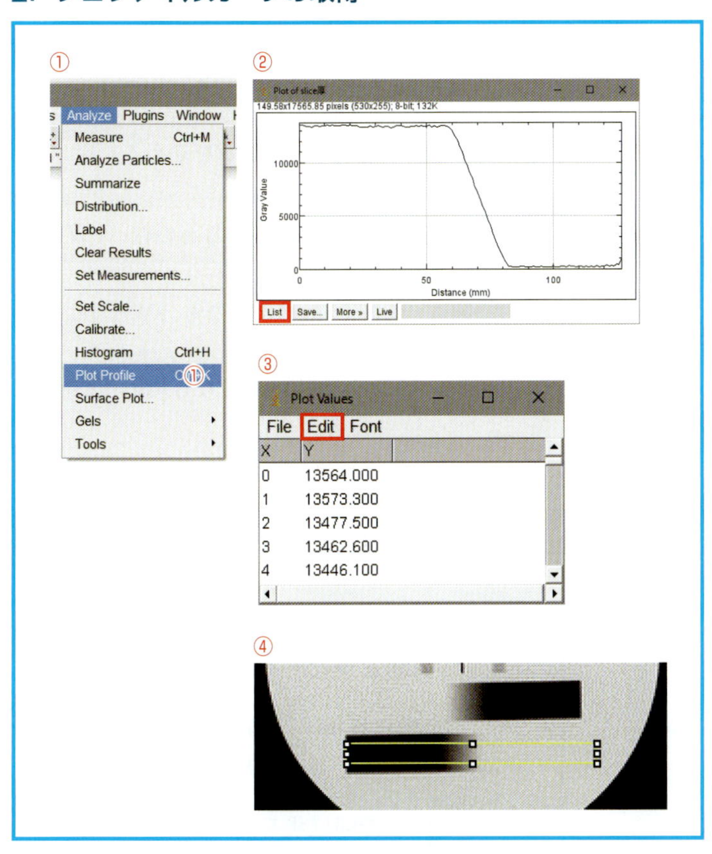

① [Analyze]→[Plot Profile]を選択し，プロファイルカーブを取得する。

② [List]を選択し，数値データを表示する。

③ [Edit]→[Select All]ですべての数値データを選択し，[Edit]→[Copy]で数値データをExcelにコピーする。

④ 同様に下のウェッジも計測する。

3. スライスプロファイルの作成

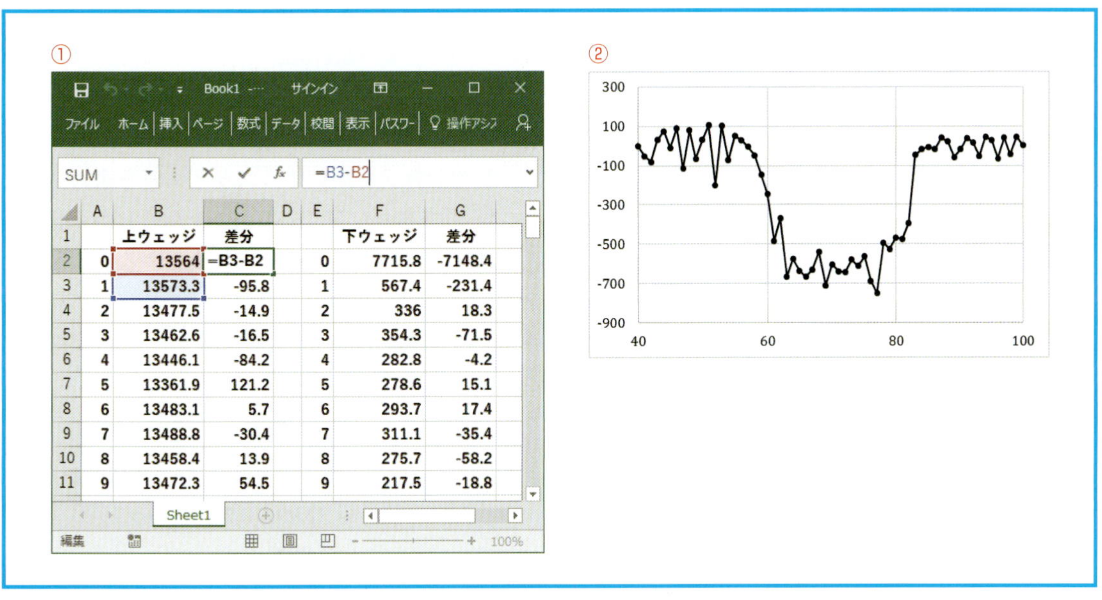

① プロファイルカーブを微分し，スライスプロファイルを作成する。実際には，隣のピクセル値との差分を求めればよいので，C2セルに[＝B3－B2]と入力し，C列にコピーする。

② C列のスライスプロファイル（折れ線グラフ）を作成する。

4. 半値幅の算出

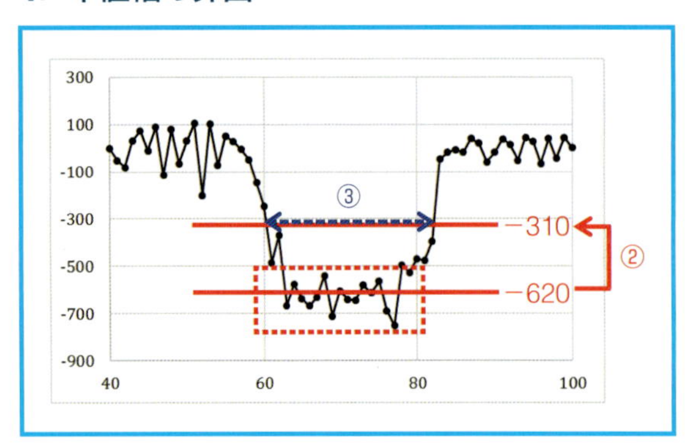

① 赤点線の範囲におけるピクセル値の平均を求める。
左図では，－620となる。

② 4-①で求めた値の半分の値を求める。
左図では－310となる。

③ 4-②で求めた値における凹部の幅（FWHM）を求める。
左図では60.04と83.03となり，FWHMは22.99となる。
同様に，もう一方のウェッジのFWHMを求めると22.45となる。

5. スライス厚の算出

① 回転誤差の算出

$$\frac{L1-L2}{L1+L2}=\frac{\sin 2\alpha}{\sin 2\theta}$$

② スライス厚の算出

スライス厚＝FWHM（L1）× 空間分解能 ×tan（θ－α）

または

スライス厚＝FWHM（L2）× 空間分解能 ×tan（θ＋α）

① FWHMから回転誤差を求める（30頁コラム参照）。
L1＝22.99，L2＝22.45，θ＝15°であるため，左式を用いてαを求める。

$$\frac{22.99-22.45}{22.99+22.45}=\frac{\sin 2\alpha}{\sin 30°}$$

$$\begin{aligned}\sin 2\alpha &= 0.01188\times\sin 30° \\ &= 0.01188\times 0.5\ \textit{radian} \\ &= 0.00594 \\ 2\alpha &= 0.34045 \\ \alpha &= 0.17022\end{aligned}$$

② スライス厚を算出する。
左の計算式を用いて，スライス厚を求める。
4-③で求めたFWHM（L1またはL2），空間分解能（FOV 256 mm，マトリックス数256より1となる），ウェッジ角度（θ＝15），5-①で求めた回転誤差（α＝0.17022）から左式を用いてスライス厚を求める。

$$\begin{aligned}\text{スライス厚} &= L1\times 1\times\tan(\theta-\alpha) \\ &= 22.99\times\tan(15-0.17022) \\ &= 22.99\times 0.26477 \\ &= 6.087\ \text{mm}\end{aligned}$$

※プロファイルカーブの平坦域の高さの決定や，半値幅の読み取りは個人差が生じる。

E T_1 値測定（反転回復法）

● ここでは，T_1 値測定法として広く用いられている反転回復法を解説する。反転回復法は，複数のTIで撮像した画像を用いる方法である。ここでは，"TI = 50, 100, 200, 500, 1000, 2000 ms"を用いて解説する。

● 解析の流れ

1. それぞれのTIで撮像された画像で測定対象物の平均値を計測する。
2. 測定値から T_1 値を算出する。

1. ファントム画像の計測

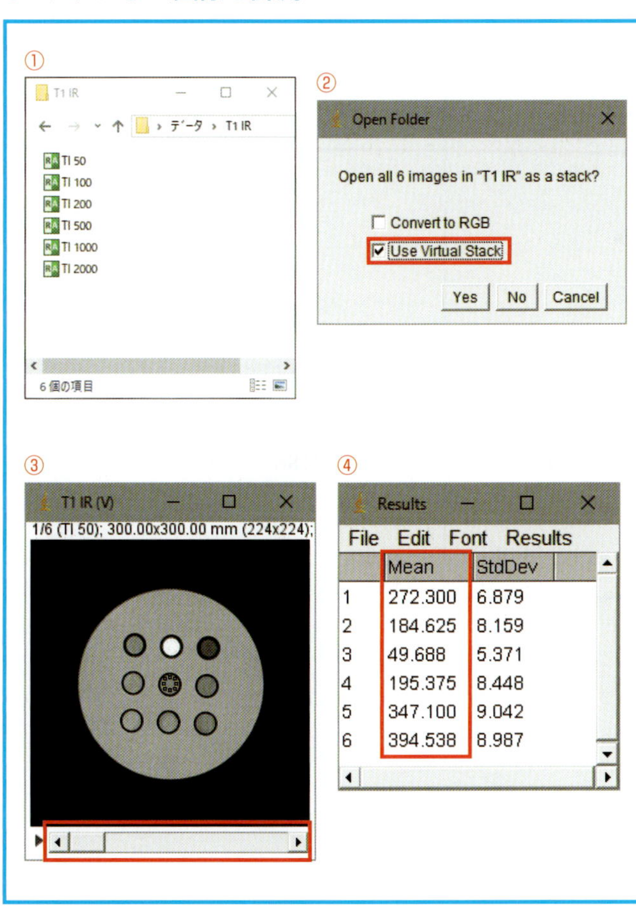

① TIの異なる画像を撮像し，1つのフォルダにまとめ，フォルダごとドラッグ＆ドロップして開く。

② [Open Folder] ウィンドウが表示されるので，[Use Virtual Stack] にチェックを入れて [Yes] を選択する。

③ 対象物にROIを設定し，平均値を計測する。

④ [Results] ウィンドウを閉じずに，画像の下にあるバーを1つずらし，他のTIの画像も計測する。[Results] ウィンドウに平均値が表示される。

Point!
ROIを設定した状態で [Image]→[Stacks]→[Plot Z-axis Profile] を選択すると，各スライスの平均値をグラフで表示できる。

2. T_1値の算出

①

	A	B	C	D
1	TI値	測定値	符号補正	計算値
2	2000	394.5	394.5	
3	1000	347.1	347.1	=LN(C2-C3)
4	500	195.4	195.4	5.29
5	200	49.7	-49.7	6.10
6	100	184.6	-184.6	6.36
7	50	272.3	-272.3	6.50

②

③

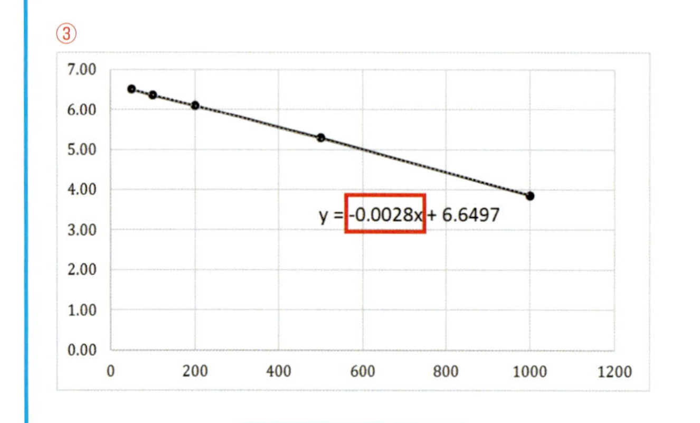

$$T_1値 = \frac{-1}{傾き}$$

① [Results] の結果をExcelにコピーする。

② 符号補正（31頁2参照）を行い，計算値（31頁3参照）を求める。

③ 計算値の近似直線と近似式を表示し，近似式から傾きを求める。

④ 左式を用いてT_1値を求める。

傾き＝−0.0028より，

$$T_1値 = \frac{-1}{-0.0028} = 357.14\ \mathrm{ms}$$

F T_2値測定（マルチポイント法）

● T_2値測定法として広く用いられているマルチポイント法を解説する。マルチポイント法は，3点以上のTEで撮像した画像を用いる方法である。ここでは，“TE = 40, 80, 120, 160, 200, 400, 600, 800 ms”を用いて解説する。

● 解析の流れ

1. それぞれのTEで撮像された画像で測定対象物の平均値を計測する。
2. 測定値からT_2値を算出する。

1. ファントム画像の計測

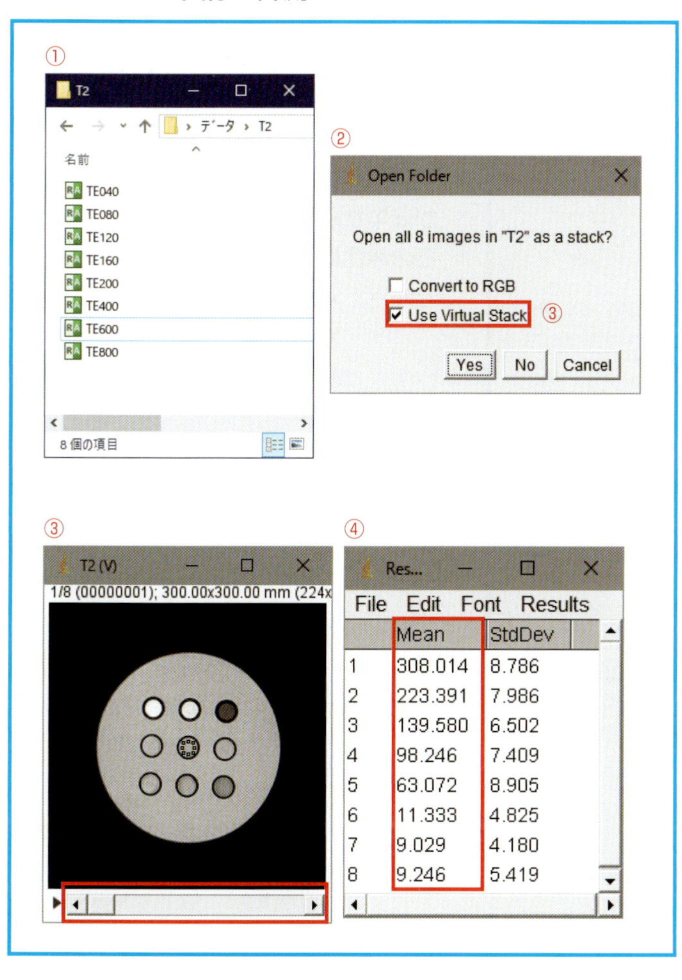

① TEの異なる画像を撮像し，1つのフォルダにまとめ，フォルダごとドラッグ＆ドロップして開く。

②［Open Folder］ウィンドウが表示されるので，［Use Virtual Stack］にチェックを入れて［Yes］を選択する。

③ 対象物にROIを設定し，平均値を計測する。

④［Results］ウィンドウを閉じずに，画像の下にあるバーを1つずらし，他のTEの画像も計測する。［Results］ウィンドウにすべてのスライスの平均値が表示される。

2. T_2値の算出

①

	A	B	C
1	TE値	測定値	自然対数値
2	40	309.475	=LN(B2)
3	80	224.388	5.41
4	120	140.038	4.94
5	160	98.700	4.59
6	200	63.662	4.15
7	400	11.688	2.46
8	600	9.000	2.20
9	800	9.338	2.23

②

③

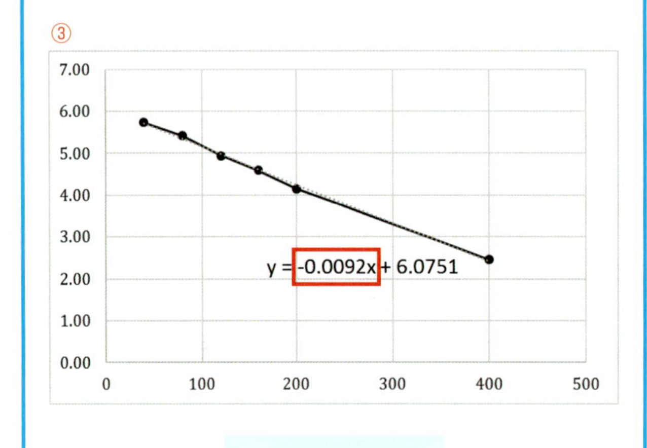

$$T_2値 = \frac{-1}{傾き}$$

①［Results］の結果をExcelにコピーする。

②測定値の自然対数（LN（測定値））を求める。

③計算値の近似直線と近似式を表示し，近似式から傾きを求める。

④左式を用いて，T_2値を求める。

傾き＝−0.0092より，

$$T_2値 = \frac{-1}{-0.0092} = 108.70\ \mathrm{ms}$$

Point!
T_2値の短い組織の場合には，グラフが途中から平坦になる。
この場合には，平坦部分を除いた部分で傾きを求める。

9 保守，点検，管理

【日常点検】

- **始業点検**
  検査時のトラブル回避のため
- **終業点検**
  翌日の業務に備えるため
  清掃
  トラブル等の記録

【定期点検】

- **機器の安全確保と精度維持**

【保守点検】

- **メーカ，または専門業者による整備**

【結果の記録】

- 装置の点検は，日常点検（始業時および終業時に毎回行う），定期点検（週末または月に1回程度の期間で確認），保守点検（機器の消耗品交換や機能維持に関する専門的な整備）に分類される。
- 医療機器安全管理責任者は，安全管理に関する研修の実施とともに，保守点検などの計画や管理が必要であり，使用者が行うべきものや専門業者に委託するものなどの決定も必要である。

コラム 装置の管理と法律

- MR装置は，医療機器のうち，保守点検，修理その他の管理に専門的な知識および技能を必要とすることからその適正な管理が行われなければ疾病の診断，治療または予防に重大な影響を与えるおそれがあるものとして特定保守管理医療機器に指定されている（薬機法）。
- 医療機器の装置引渡し後の使用・保守・使用環境維持の管理は，使用者側（病院・診療所）の責任のもとで行う必要があり，「医療機器安全管理責任者」の配置が義務付けられている（医療法）。

■参考文献

1) 岩井喜典，他：磁気共鳴装置（MRI）．医用画像診断装置CT，MRIを中心として，コロナ社，1988
2) 真野　勇：第5章MRI装置．図説MRI，pp151-163，秀潤社，1989
3) 東芝メディカル：MRの構成とメンテナンス．東芝MRトレーニングテキスト，pp20-36
4) 笠井俊文，土井 司共編：第3章MRI装置の構成．放射線技術学シリーズ MR撮像技術学，pp102-122，オーム社，2001
5) 日本放射線技師会編：第2部 放射線関連機器管理責任者 第5章 MR装置．放射線安全管理の手引き 認定講習統一テキスト，pp181-194，医療科学社，2002
6) 日本放射線技師会，放射線機器管理士部会：放射線機器管理シリーズ X線・MRI・CT，pp123-145，日本放射線技師会出版会，2007
7) 青木郁男：第1章 MRI装置．これだけは習得しようMRI検査（土橋俊男，他編），pp7-22，ピラールプレス，2010
8) 安藤容子，他：低磁場永久磁石装置によるMR fluoroscopyの臨床的評価．日本磁気共鳴医学会雑誌 13(7)：390-397，1993
9) 深津　博：0.35 Tesla Open MRIを用いたInterventional MRI．メディカルレビュー 81 25(2)，39-47，2001
10) 町田好男，他：MRIパラレルイメージングSPEEDERの開発．メディカルレビュー，83：25(4)，52-58，2001
11) 岡本和也，他：Torso Arrays with Eight QD Surface Coils for Parallel Imaging．日本磁気共鳴医学会雑誌 23(1)：46-49，2003
12) 杉本 博：MRI装置の機器構成．日本磁気共鳴医学会第9回MRI入門講座テキスト，日本磁気共鳴医学会，2009
13) Fukatsu H：3T MR for Clinical Use：Update．Magn Reson Med Sci 2(1)：37-45, 2003
14) 川原雅昭：3T-MRI装置の臨床応用技術—体幹部領域における利点と問題．日本放射線技術学会雑誌 62(7)：938-947，2006
15) Hattori Y, et al：Measurement and evaluation of the acoustic noise of a 3 Tesla MR scanner. Nagoya J Med Sci 69：23-28, 2007
16) 日本磁気共鳴医学会 安全性評価委員会監：第9章 MRI検査室の設計と運用．MRI安全性の考え方，pp168-185，学研メディカル秀潤社，2010
17) 日本放射線技術学会編：第6章 MRI検査系．診療放射線技術実験ハンドブック(1)，通商産業研究社，1996
18) 日本放射線技術学会監：放射線医療技術学叢書，MR撮像技術，pp12-28，日本放射線技術学会撮像分科会，2000
19) 日本磁気共鳴医学会 安全性評価委員会監：第4章 物性評価の基礎，MRI安全性の考え方 第2版，pp73-84，学研メディカル秀潤社，2014
20) Gabriel C, et al：The dielectric properties of biological tissues：I. Literature survey. Phys Med Biol 41：2231-2249, 1996

MR 現象から画像化まで

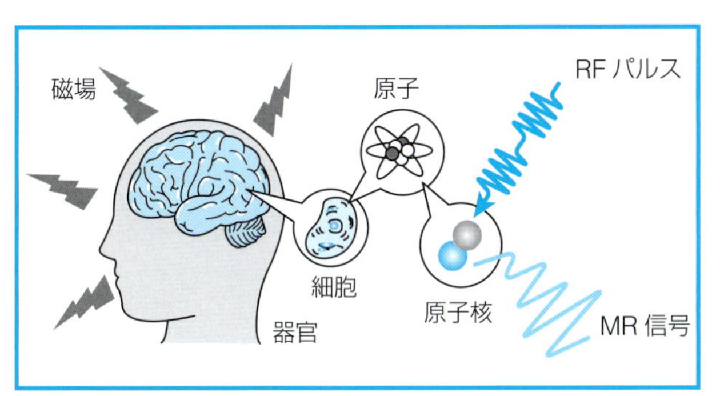

- MRIができるまでの流れを簡単にまとめると以下のようになり，順に解説する。
  1) 被検者を静磁場の中に入れる
  2) RF パルスを送る
  3) RF パルスを切る
     ➡ 被検者から MR 信号が出る
  4) MR 信号を検出する
  5) 画像化する

1 被検者を静磁場の中に入れる

A 被検者が磁場の中に入ると？

① **スピンが静磁場（外部磁場）に沿って並ぶ。➡ 大きな力（磁化をもつ）**
② **磁場の磁力線に沿って歳差運動をする。**

1. スピンが外部磁場に沿って並ぶ

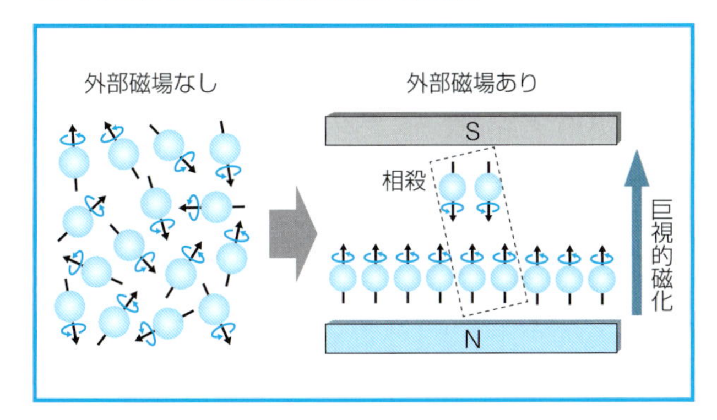

- 外部磁場なしの場合は，スピンはバラバラの方向を向いている。➡ 個々の磁気モーメントが相殺され，磁化をもたない。
- 外部磁場をかけると，①スピンは外部磁場方向（以下，上向きと呼ぶ）と反外部磁場方向（以下，下向きと呼ぶ）に分かれて並ぶ。➡ このときスピンは，下向きより上向きに並ぶ数が多い（左図では上向き 9 個，下向き 2 個）。②全体として上向きの大きな磁化（巨視点磁化）をもつ（上向き 2 個と下向き 2 個が相殺され，上向き 7 個分の磁化）。

なぜ 2 つの方向に分かれるのか？

- スピンを外部磁場に入れたときの向きは，磁気量子数 m に従う。
- m ＝ 2I ＋ 1　（I：スピン量子数）
- ゼーマン分裂
  - ▶ ^{1}H 原子核の場合，I（スピン量子数）$=\frac{1}{2}$なので，m ＝ 2 となり，外部磁場方向（上向き）と反外部磁場方向（下向き）の 2 通りの配勾状態を示す。
  - ▶ ^{23}Na 原子核の場合，I $=\frac{3}{2}$であるため，4 つのエネルギー準位を示す。
- それぞれのスピンの占める割合は，ボルツマン分布に従い，わずかに外部磁場方向（上向き）のスピンの方が多くなり，全体のベクトルの和は外部磁場方向のみが残る。

2. 磁場の磁力線に沿って歳差運動をする

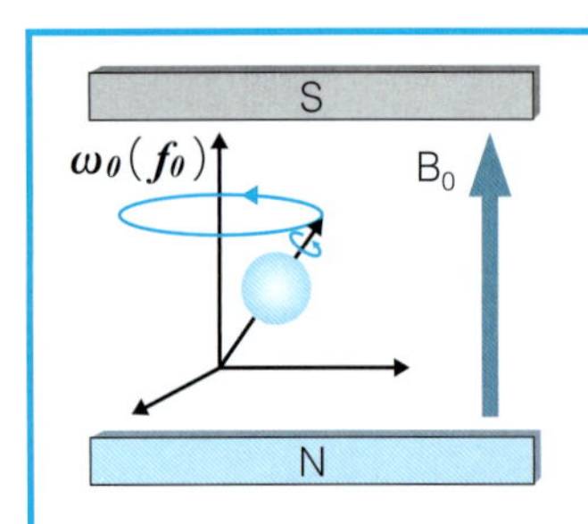

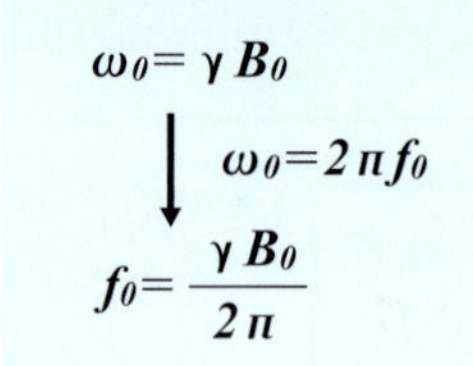

ω_0：歳差運動の角周波数（rad/s）（ラジアン）
f_0：歳差運動の周波数（Hz）
B_0：外部磁場の強さ（Tesla：T）
γ：磁気回転比。原子核によって決まっている。
^{1}Hでは42.58（MHz/T）＝42.5×2π（Mrad/Ts）
＝267.5（Mrad/Ts）

- 外部磁場がかけられたスピンは，上向きか下向きに並ぶことは前述したが，それぞれのスピンは，**磁場の方向を軸としてコマのような回転運動**をしている。これを**歳差運動**と呼ぶ。
- 歳差運動の周波数は左式で表される。この周波数のことを**ラーモア周波数**と呼ぶ。同じ原子核の場合は，外部磁場の強度に比例して周波数が高くなる。

ボルツマン分布（Boltzmann分布）

- 上向きと下向きのスピンの割合は以下の式によって決まる。

$$\frac{N_1}{N_2} = exp\frac{\Delta E}{kT} = exp\frac{\gamma\hbar B_0}{kT} \fallingdotseq 1 + \frac{\gamma\hbar B_0}{kT}$$

N_1：基底状態にある磁気モーメント
N_2：励起状態にある磁気モーメント
ΔE：エネルギー準位差＝h×f0（共鳴周波数）
$\hbar$（エイチバー）：$\dfrac{h}{2\pi}$
h：プランク定数 6.626×10^{-34}J・s
k：ボルツマン定数 1.381×10^{-23}J/K
T：絶対温度 T(k)＝t(℃)＋273.15
B_0：外部磁場の強さ（T：Tesla）
γ：磁気回転比

- 例）27℃，1.5Tにおいては，

$$\frac{N_1}{N_2} = 1 + \frac{(6.626\times10^{-34}\text{J}\cdot\text{s}\times42.58\text{MHz/T}\times1.5\text{T})}{(1.381\times10^{-23}\text{J/K})\times(273.15+27)} = 1.0000102$$

- 種々の環境によるスピンの状態を下図に示す。

B＝0，T＝300（27℃）
①

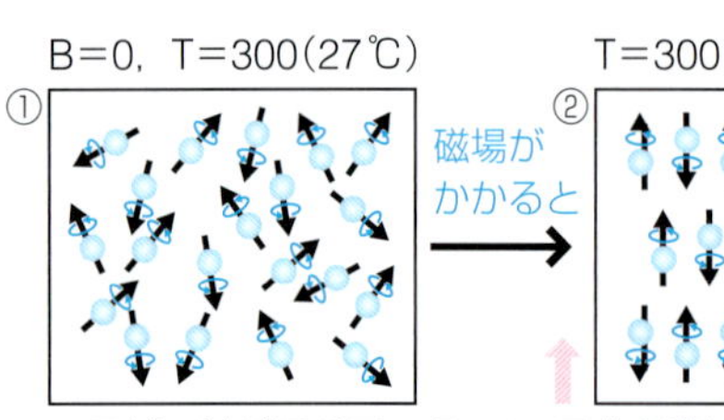

スピンはバラバラ

磁場がかかると

② T＝300（27℃）
B＝0.1T　ある程度スピンが揃う。ただし，上向きと下向きのスピン数の差はわずかであり，巨視点磁化Mも小さい。

M

さらに強い磁場をかけると

③ B＝0.5T

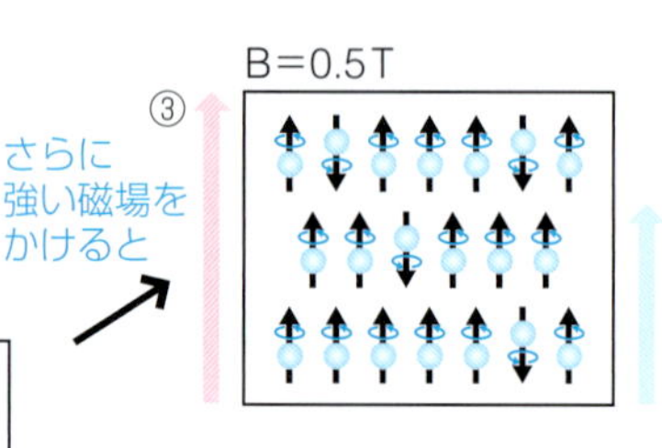

T＝300（27℃）
③は②よりも5倍の磁場がかかっているため，巨視的磁化Mも5倍となる（②よりも上向きと下向きのスピン数の差が多い）。

温度を下げると

④

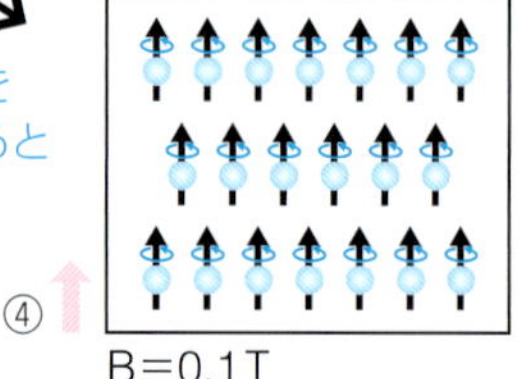

B＝0.1T

T＝0（−273℃）
絶対温度ゼロでは，すべてのスピンが磁場方向を向くため，かなり大きな巨視的磁化Mとなる。

B 簡単なまとめ

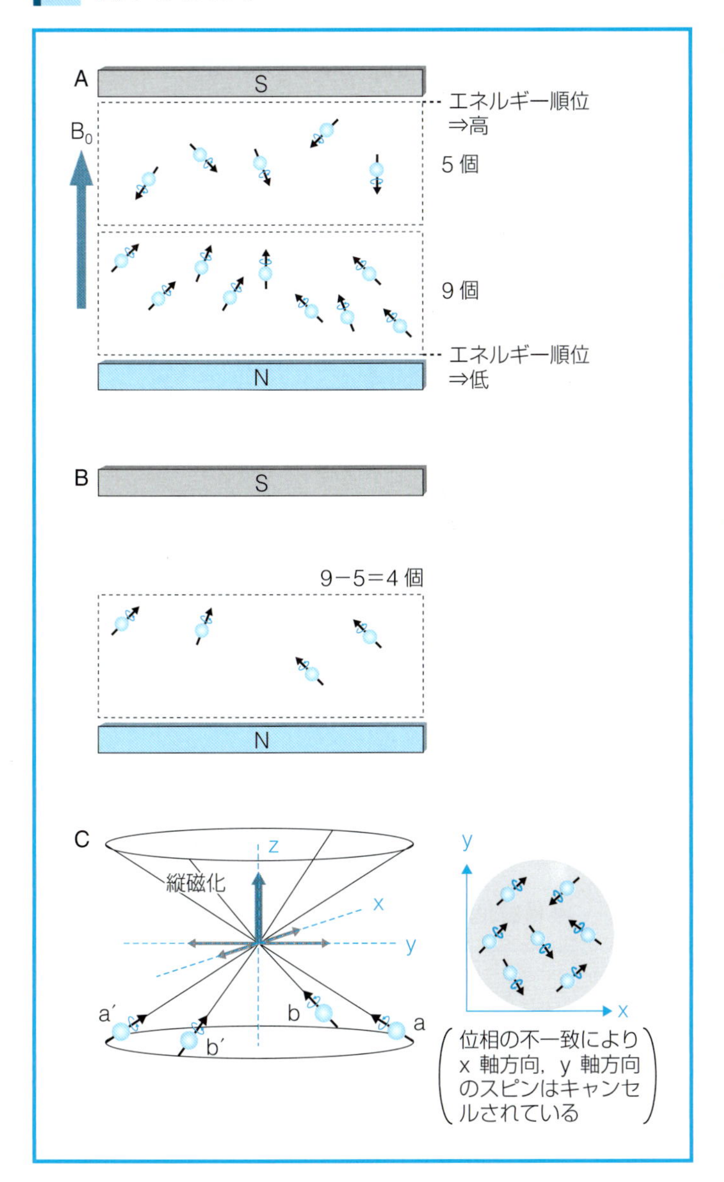

A：9個のスピンは上を向いて，外部磁場と同じ方向で歳差運動をしている。

▶ 5個のスピンは下を向いて，外部磁場と反対方向で歳差運動をしている。

B：下向きの5個のスピンは，上向きの同じ数のスピンの磁力を打ち消す。

▶ よって，実際には，反対方向に対応するもののない4個のスピンを考えるだけでよいことになる。

C：aの磁力

▶ 2つの要素（z軸方向で上向き・y軸方向）からできている。

▶ y軸方向の要素は，y軸の反対方向の要素をもつスピンa′によって打ち消される。

bの磁力

▶ 2つの要素（z軸方向で上向き・x軸方向）からできている。

▶ x軸方向の要素は，x軸の反対方向の要素をもつスピンb′によって打ち消される。

● 以上より

▶ x軸方向およびy軸方向の磁化はない。

▶ z軸方向では，すべて同じ上向きであり，総和された上を向いた1つのベクトルとして表現される。これを縦磁化と呼ぶ。ちなみに，x-y平面の磁化を横磁化と呼ぶ。

磁場強度によるMR信号に寄与するスピン数の違い

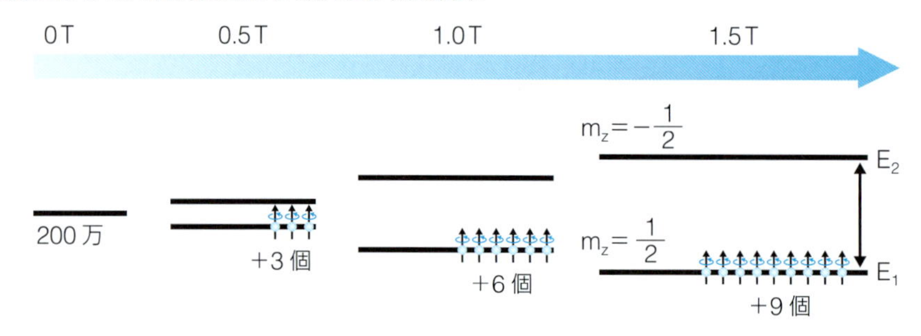

- 個々のスピンは，図のようにどちらかのエネルギー準位（E1，E2）に固定されているわけではない。常に移動を繰り返している。ただ，全体として上向きのスピン数が多い状況を維持している。
- 上向きと下向きに並ぶスピン数の差（過剰スピン数）は，磁場強度が上昇するともに大きくなる（エネルギー準位が広がる）。信号に寄与するのは，過剰スピンであるため，磁場強度が高いほど信号が大きくなる。

2 RFパルスが与えられる

A RFパルスが送られると？

スピンの回転に一致した周波数（ラーモア周波数）のRFパルスを照射すると…
①共鳴現象が起こる。➡スピンがRFパルスのエネルギーを吸収して励起される。
➡縦磁化が減少
②スピンは位相を揃えて歳差運動をしはじめる。➡横磁化が発生

1. 共鳴周波数とは

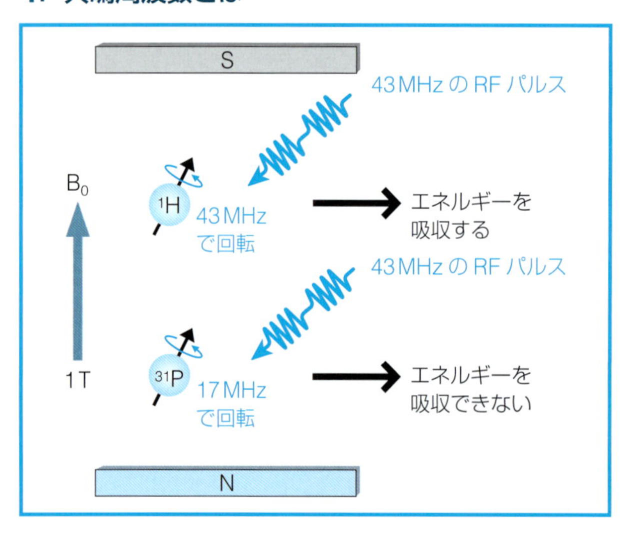

- 左図は1 Teslaの外部磁場の中に，^{1}Hと^{31}Pが入った場合を示している。
- $\omega = \gamma \times B_0$より，$^{1}H$は43 MHz，$^{31}P$は17 MHzで回転している。
- そこに43 MHzのRFパルスを照射すると，43 MHzで回転している^{1}Hはエネルギーを吸収できるが，17 MHzで回転している^{31}Pはエネルギーを吸収できない。すなわち，**磁場強度に応じた原子核の回転（ラーモア周波数）と同じ周波数のRFパルスのみを吸収する現象を共鳴現象という。**

＊ラーモア周波数のRFパルスを送ると共鳴現象が起こるため，**ラーモア周波数は共鳴周波数とも呼ばれる。**

2. 縦磁化が減少

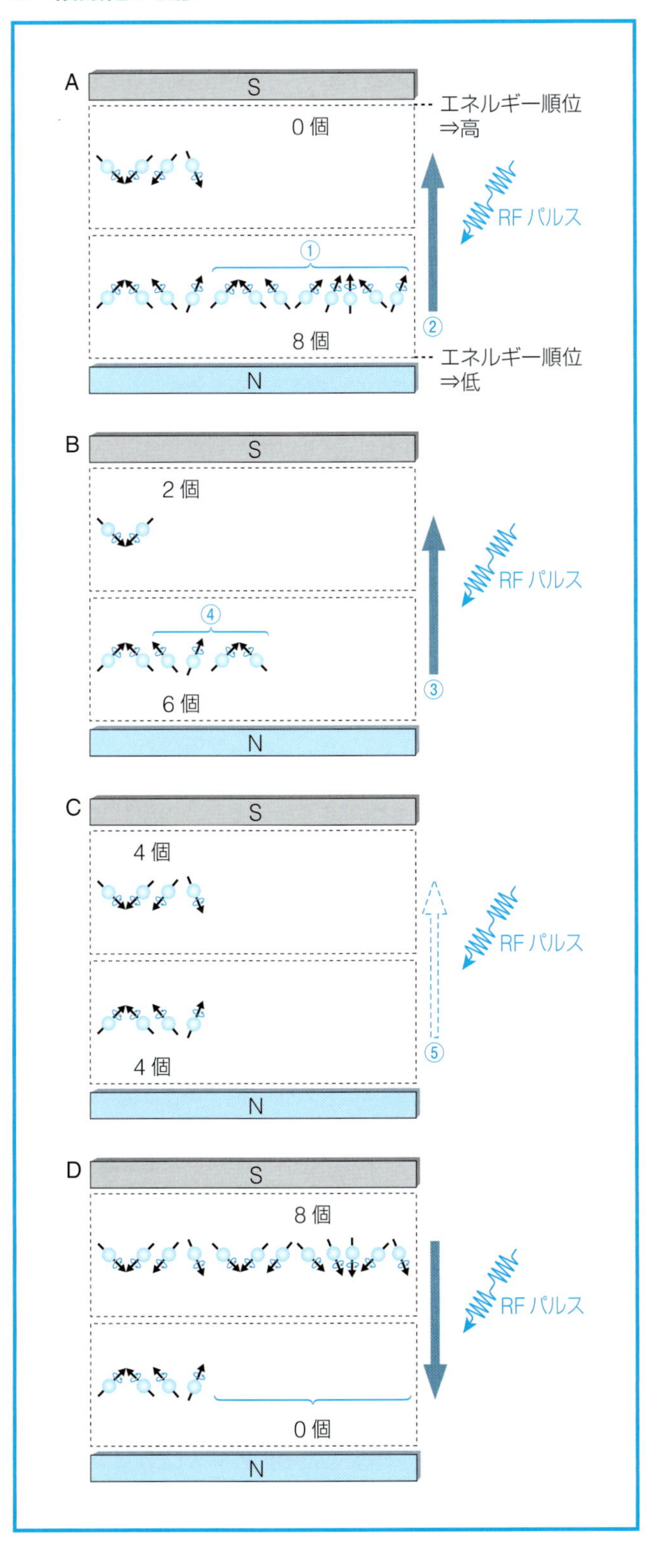

A：外部磁場方向に過剰に存在するスピン（①）➡上向きの成分を持つ巨視的磁化をつくっている（②）

ここでRFパルスを印加すると…

B：上向きの過剰なスピンが反外部磁場方向（下向き）に移動➡**縦磁化が減少**（③）

RFパルスを印加し続けると…

C：上向きの過剰なスピン（④）の半分が下向きに移動➡**縦磁化が消失**（⑤）

さらにRFパルスを印加し続けると…

D：Cのように上向きの過剰なスピンの半分を下向きにする強さのRFパルスを90°パルスという。Dで示すように，上向きの過剰なスピンの全てを下向きにする強さのRFパルスを180°パルスという。

3. 横磁化が発生

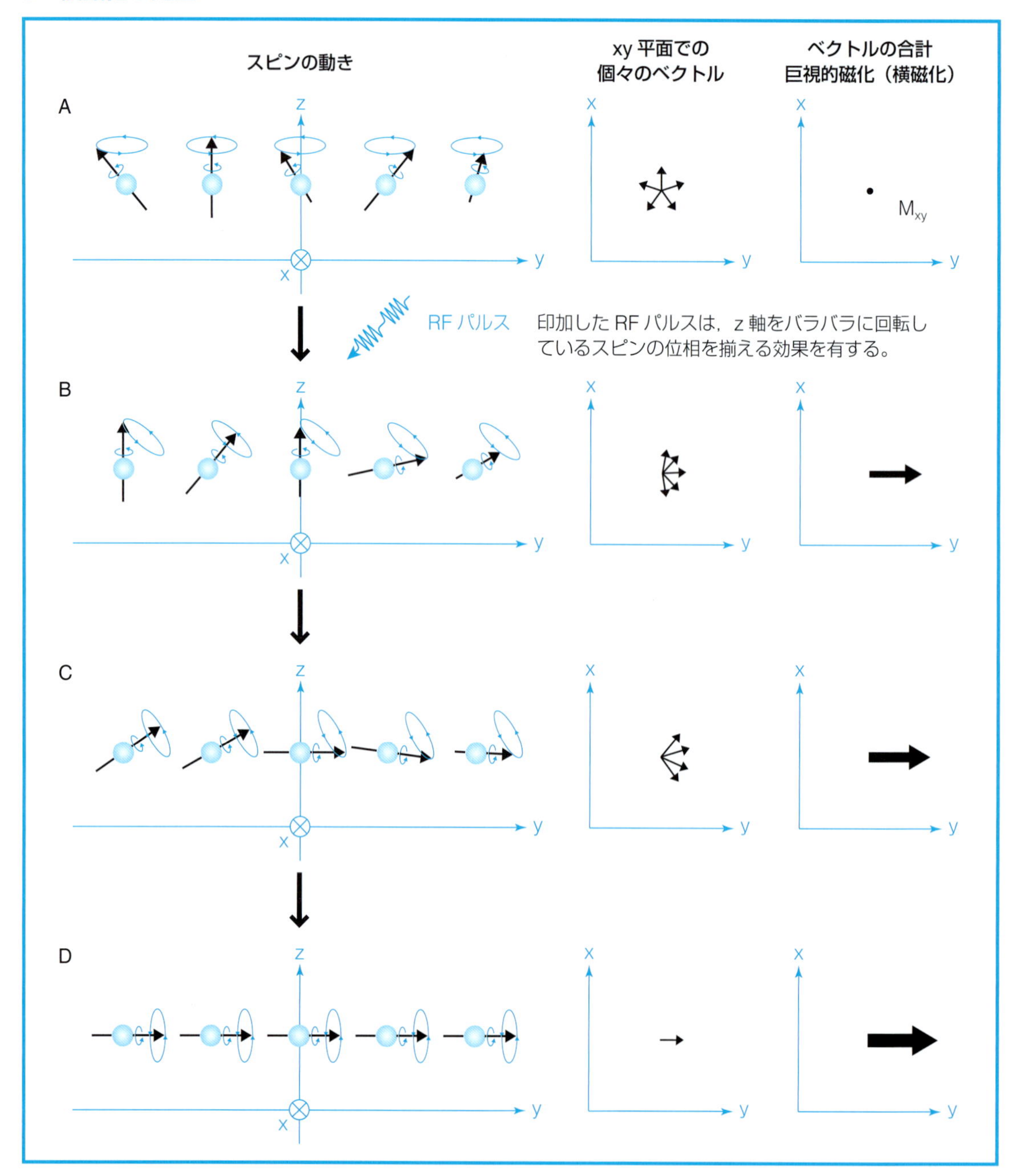

- A は RF パルスを印加する前の状態である。左は**スピンの動き**，中央は**xy 平面におけるスピン個々のベクトル**，右は**ベクトルの合計，すなわち巨視的磁化（xy 平面の巨視的磁化は横磁化と呼ぶ）**である。静磁場中にあるため，ラーモア周波数で回転している。しかし，位相が揃っていないため，横磁化はゼロである。ここに，RF パルスを与えた状態が B ～ D となる。印加した RF パルスはスピンの位相を揃える効果があるため，徐々に位相が揃い，**そのため，横磁化が発生する**ことになる。D は 90°パルスを与えた状態。すなわち，**横磁化が最大となった状態**を示す。

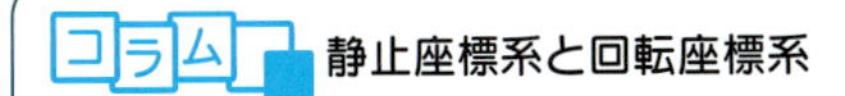

静止座標系と回転座標系

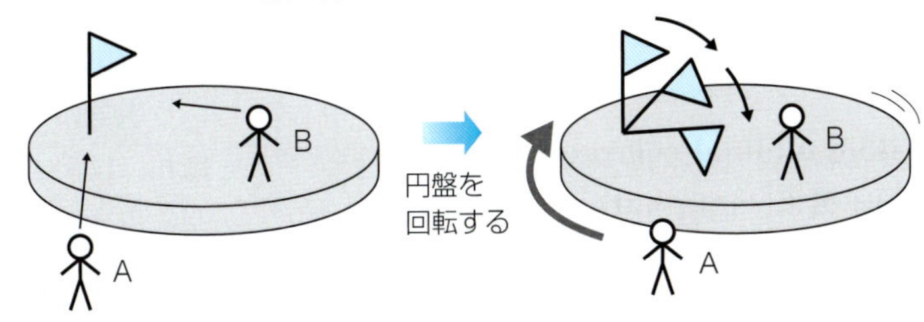

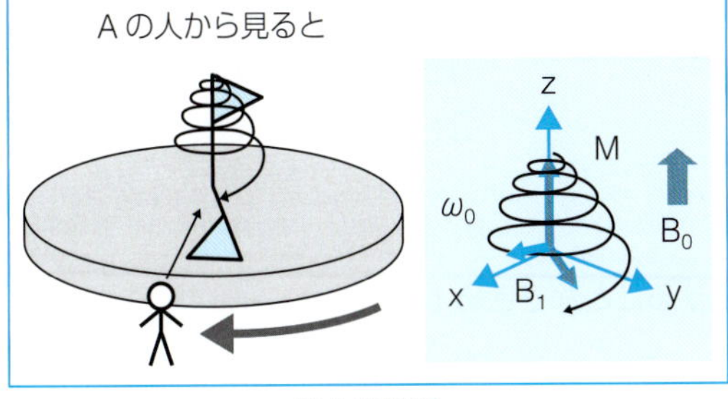

静止座標系

外から眺めていると，渦を巻きながらxy平面に倒れていく。

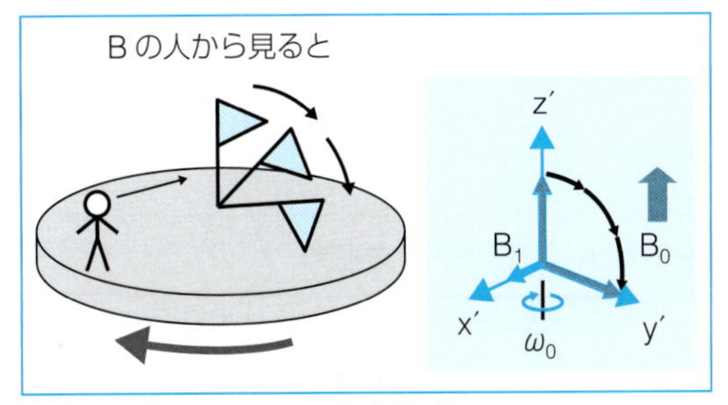

回転座標系

ラーモア周波数で回転している座標に乗って眺めると，単にベクトルが倒れていく。

磁化Mの倒れる角度

- 磁化MはB_0のもとではZ軸に向かっているが，RFパルスを与えるとラーモア周波数で歳差運動をしながらxy平面に倒れていく。
- ここで，磁化Mが倒れる角度θ（フリップ角，flip angle：FA）は次の式で求められる。

$$\theta = \gamma \cdot B_1 \cdot Tp$$

γ：磁気回転比
B_1：RFパルスの強さ
Tp：RFパルスの印加時間

3 RFパルスを切る

A RFパルスが切られると？

【T_1緩和】
- **別称：縦緩和**（longitudinal relaxation）
  スピン–格子緩和（spin-lattice relaxation）

【T_2緩和】
- **別称：横緩和**（transverse relaxation）
  スピン–スピン緩和（spin-spin relaxation）

- RFパルスが切られると，緩和という現象が起こる。
- 緩和にはT_1緩和とT_2緩和があり，左のように別称がある。
- 1章（7頁）になぜ緩和が起こるかに関して記載したので参照されたい。スピンの動きから直感的に緩和が捉えられるように，55, 56頁に図を用いてまとめた。

Bloch（ブロッホ）方程式

- 緩和現象は数学的に「Bloch方程式」により表現することができる！

$$dM_z/dt=(M_0-M_z)/T1$$
$$dM_{x,y}/dt=M_{0x,y}/T2$$

90°パルスをかけた後の左式に対する解は…

$$M_x=e^{-t/T2}\cos\omega_0 t$$
$$M_y=e^{-t/T2}\sin\omega_0 t$$
$$M_z=M_0(1-e^{-t/T1})$$

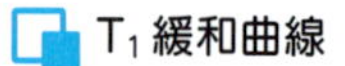

T_1緩和曲線

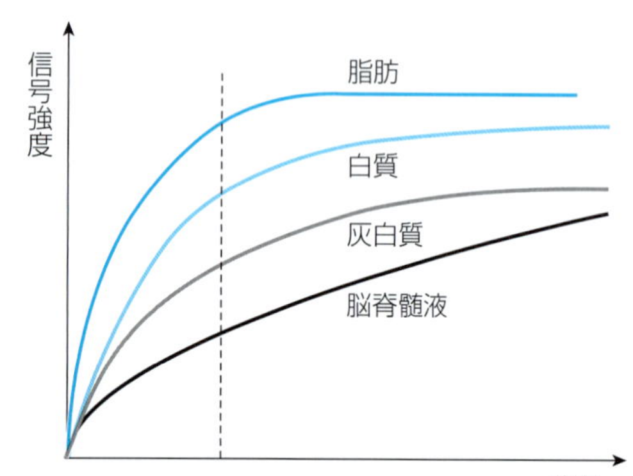

- T_1緩和時間（T_1値）は組織によって異なる。59頁をご覧いただきたい。90°パルスが切られた後，スピンが元の状態に戻っていくが，その戻っていく時間が組織によって異なるのである。組織のT_1値は61頁にまとめた。
- 点線のタイミングで撮像すると，
  - ▶ T_1値が短い組織（脂肪など）➡高信号
  - ▶ T_1値が長い組織（脳脊髄液など）➡低信号

T_2緩和曲線

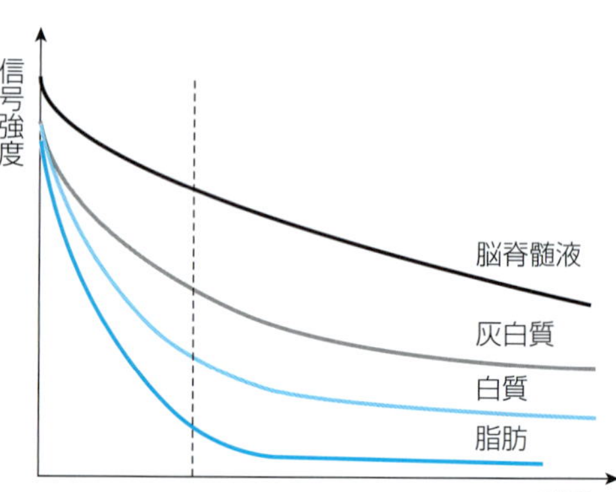

- T_2緩和時間（T_2値）は組織によって異なる。60頁をご覧いただきたい。90°パルスが切られた後，スピンの位相がばらけていく時間が組織によって異なるのである。組織のT_2値は61頁にまとめた。
- 点線のタイミングで撮像すると，
  - ▶ T_2値が短い組織（脂肪など）➡低信号
    （高速SE法においてはJ-couplingの影響により脂肪は高信号となる）
  - ▶ T_2値が長い組織（脳脊髄液など）➡高信号

1. T_1緩和

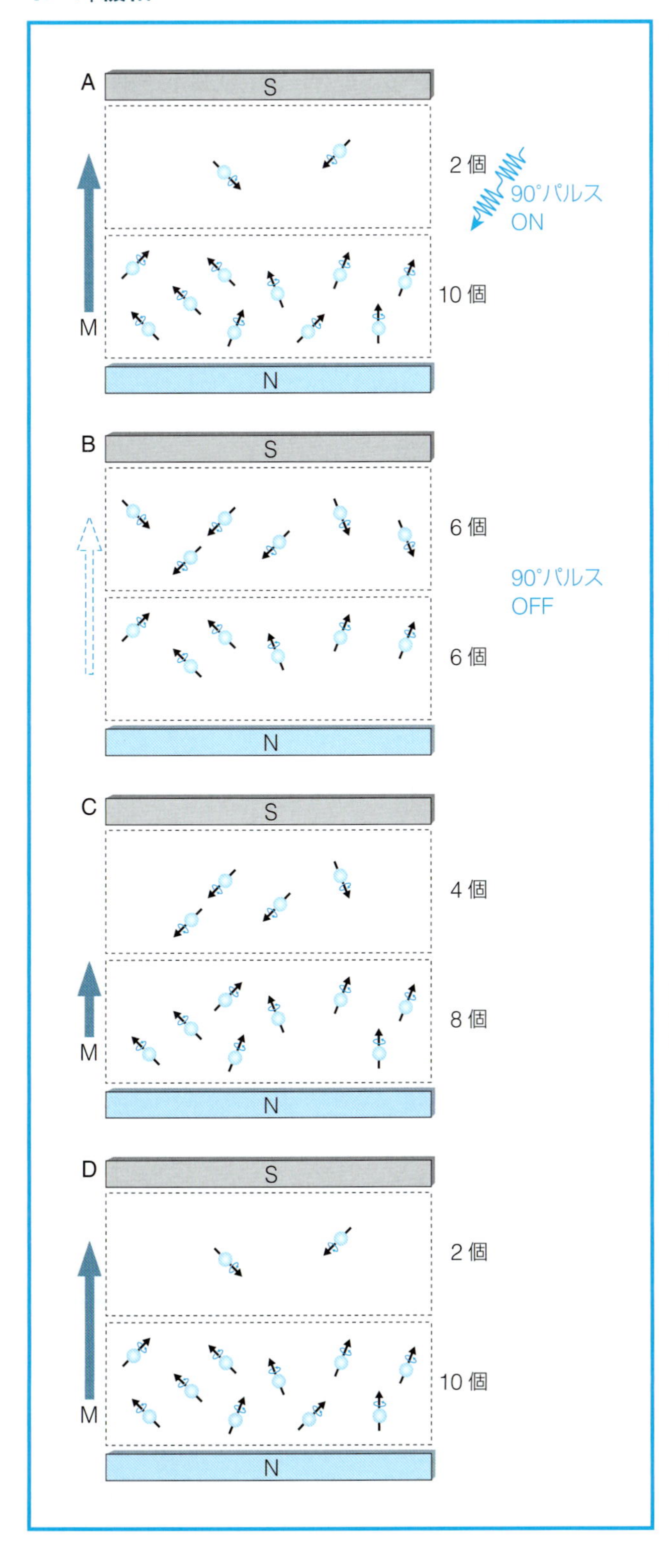

A：水素原子核の集団に外部磁場を加える。

- ▶ゼーマン効果によりスピンの集団が2通りに分裂する。
- ▶それぞれのスピン集団のスピン数を上向き10，下向き2とすると，上向きの8個の余分なスピンの総和として縦磁化Mができる。

ここで90°パルスを印加すると…

B：上向きと下向きのスピンの数が同数となり，縦磁化Mはゼロになる。

90°パルスを切ると…

C：この下向きのスピンが元の状態（縦磁化M）に戻り始める。

時間が経つと…

D：6対6から，7対5，8対4となり，最終的に10対2で元の状態に戻る。

- このように，**スピンのエネルギー準位の間変化（つまり上向き，下向きのスピンの個数が変化していく過程）がT_1緩和**であり，この状態を時定数T_1（T_1緩和時間，T_1値）で表す。

2. T_2緩和

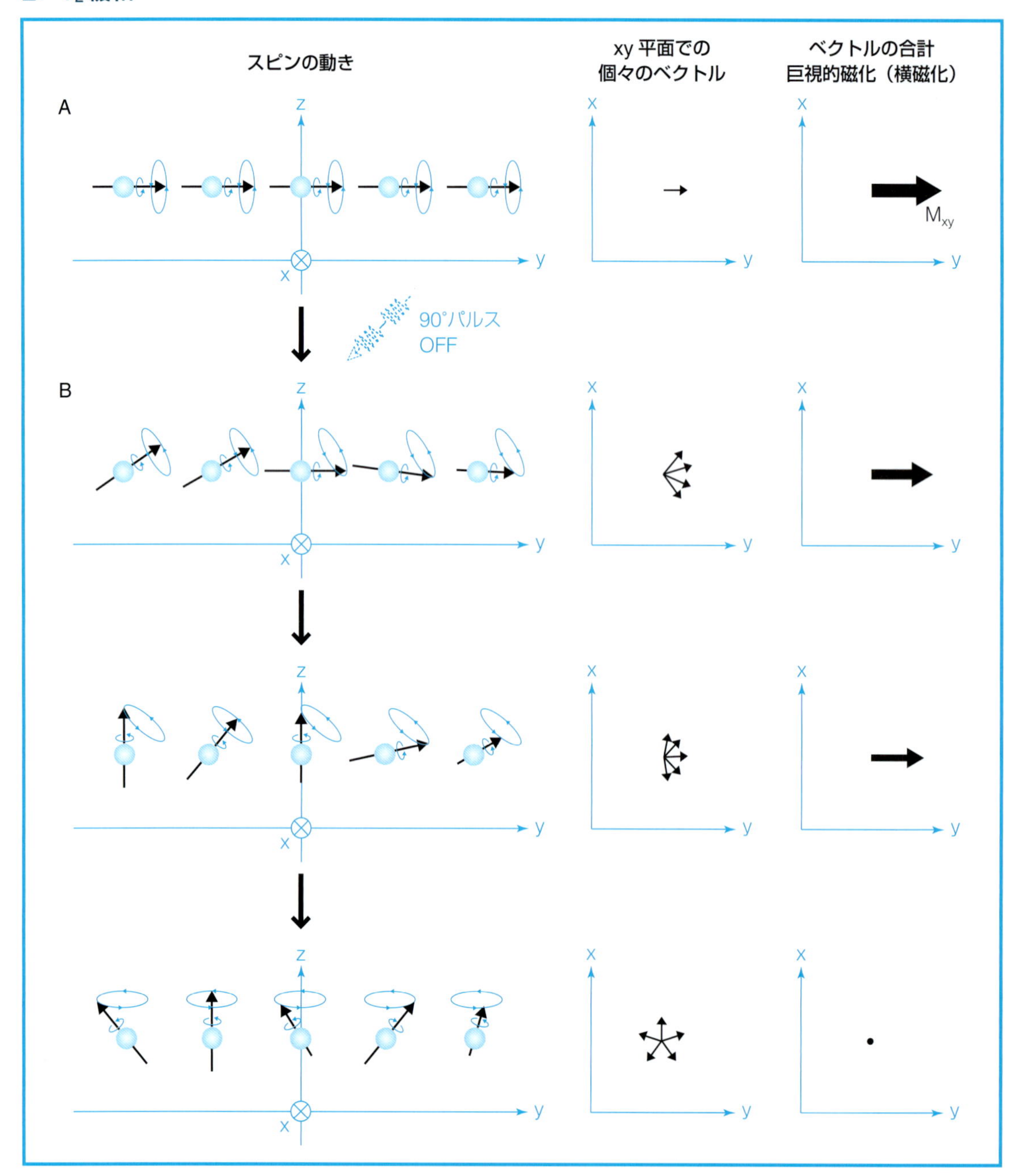

A：90° パルスを与えて横磁化が最大になった状態である。

B：90° パルスを切ると，個々のスピンが感じる磁場は，周囲の核や電子により局所磁場を受け，わずかに異なった磁場を感じることになる。そのため共鳴周波数に差ができ，時間経過とともに歳差運動の位相がずれ，最終的に横磁化は消失する。

● このように，**磁気モーメントの集団において，全体のエネルギーを一定に保ったまま内部の秩序が変化する過程がT_2緩和**であり，この状態を時定数T_2（T_2緩和時間，T_2値）で表す。

組織の緩和時間

組　織	T_1（0.5 T）	T_1（1.5 T）	T_2
脳脊髄液	2,000	3,000	300
脂　肪	200	260	60
筋　肉	600	870	50
白　質	520	760	80
灰白質	660	900	100
肝	320	500	40

（単位：ms）

- T_1 緩和時間は T_2 緩和時間より大きく，生体内では 5～10 倍程度。
  - ▶ T_2 緩和が完全に終了し，横磁化がなくなっても縦磁化はまだあまり回復していない。
- T_1，T_2 緩和ともに，その開始から 4～5× 緩和時間内に終了すると考えてよい。
- T_1 緩和時間は静磁場強度に依存し，高磁場ほど長くなる。
- T_1 緩和の主な原因は，高いエネルギー状態にあるスピン（下向き）が，安定化する（上向きのスピンになる）時にエネルギーを周囲の環境（格子）に受け渡すことによる。エネルギーの受け渡しは，下向きのスピンの回転速度（ラーモア周波数＝共鳴周波数）が格子の回転速度と一致したときに最も効率よく行われる（T_1 緩和時間が最も短い）。磁場強度が高くなっても，格子の回転速度の分布確率は変わらないが，スピンの回転速度は高くなる。そうなると，格子の回転速度とスピンの回転速度が不一致となり，エネルギーの授受を効率的に行うことができなくなるため，T_1 緩和時間が長くなる。

緩和時間の誤解

- T_1 緩和と T_2 緩和は，一方の緩和が終了してからもう一方の緩和が起こるわけではない。
- 2つの緩和は，「同時に・まったく違ったメカニズムで・独立して」起こっている。
- T_2 緩和が T_1 緩和に比べて非常に短いため，一方の緩和が終了してからもう一方の緩和が起こっているように記載されることがある。

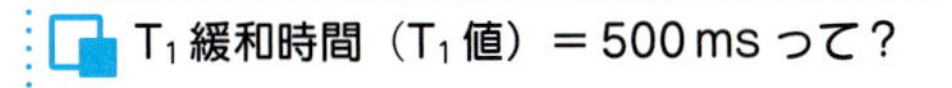

T_1 緩和時間（T_1 値）＝500 ms って？

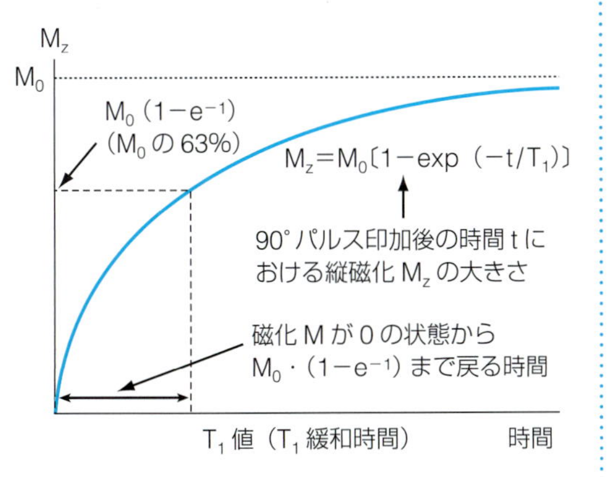

- 90°パルスによって 0 になった縦磁化 M_Z が，500 ms 後に最初の磁化の大きさの 63.2%に戻ることを意味する。

T_2 緩和時間（T_2 値）＝50 ms って？

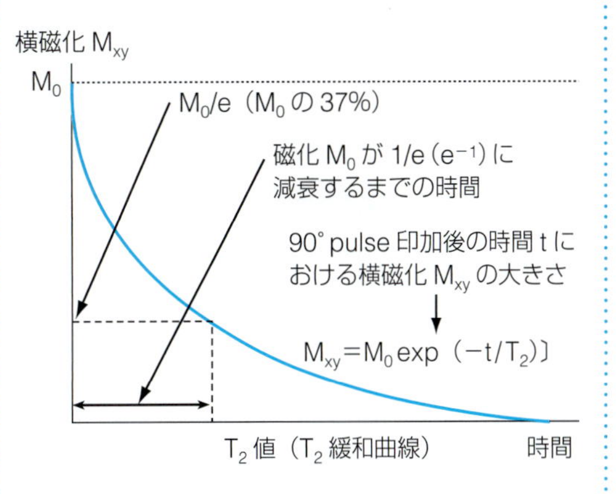

- 90°パルスにより生じた横磁化 M_{xy} が 50 ms 後に 37%まで減衰することを意味する。

4 MR信号を検出する・画像化する

A MR信号を検出するには？

1. MR信号について

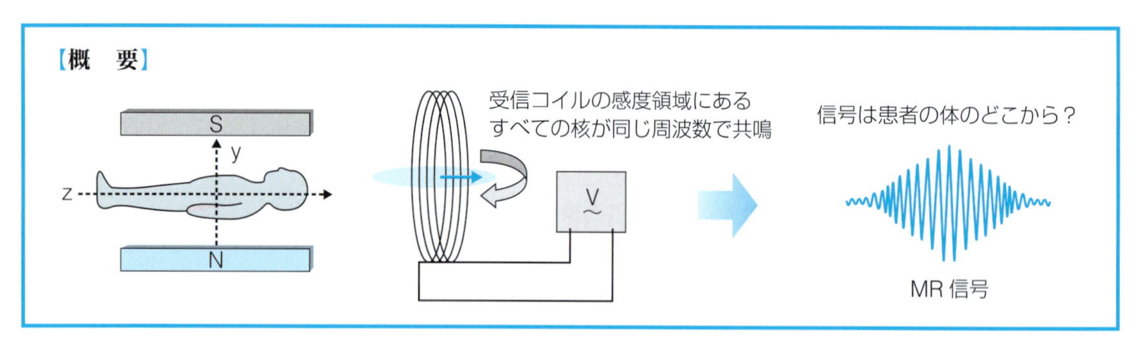

- MRIの受信コイルで受信する信号は…
  - 感度領域すべてのvoxelからの信号の総和である。
  - 個々のvoxelからの信号を個別に受信するわけではない。
- よって，信号に目印を付け，フーリエ変換によって身体のどの位置からどのくらいの強さで発生しているかを特定し，画像化する。

2. 信号の位置情報を得るためのツール

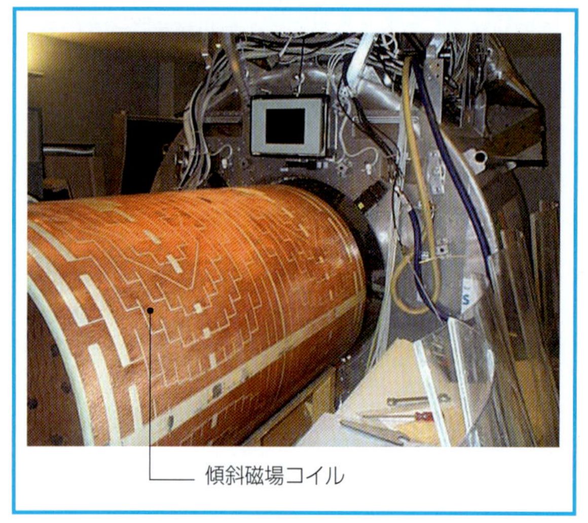
傾斜磁場コイル

【傾斜磁場】

- 核の空間位置がわかるように信号に目印を付けなければならない。そのため，傾斜磁場コイル（xyz 3軸1組）を利用する。

【共鳴周波数】

- $\omega_0 = \gamma B_0$ より共鳴周波数と磁場強度は比例関係にある。
- 傾斜磁場の強度は，核の位置によって変化する。つまり共鳴周波数と核の位置は対応している。

【信号にどんな目印を付けるか？】

- スライス選択
- 位相エンコード
- 周波数エンコード

傾斜磁場方向の表記方法について

傾斜磁場方向の表記方法には2通りある。1つは，xyz座標系を用いて「Gx」「Gy」「Gz」と表記する。もう1つは，「スライス選択」「位相エンコード」「周波数エンコード」の「slice」「phase」「frequency」を用いて「Gs」「Gp」「Gf」と表記する。「Gx」は「Gf」，「Gy」は「Gp」，「Gz」は「Gs」に対応する。

3. スライス選択

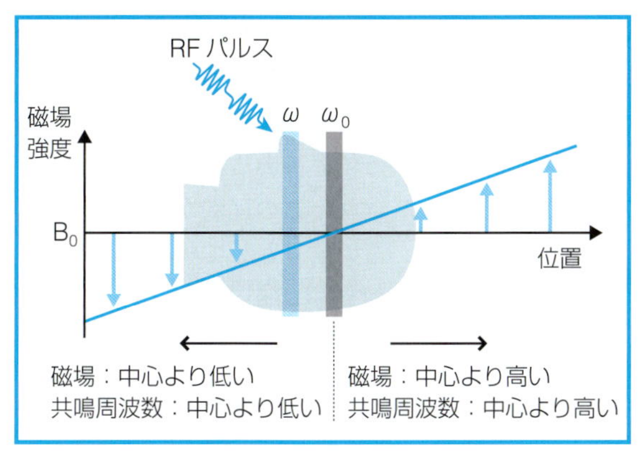

- スライス選択は，送信バンド幅（励起RFの送信周波数幅）と傾斜磁場の磁場勾配で行う。
- 傾斜磁場を印加している時間に一致して，ある一定の送信バンド幅をもったRFパルスを与えるとスライスが選択できる。このとき，**RFパルスの周波数と共鳴周波数が一致したスライスだけが選択される。**
- RFパルスの周波数をωにすると左図の青網のスライスが選択され，RFパルスの周波数をω_0にすると左図の黒網のスライスが選択される。

4. スライス厚の決定

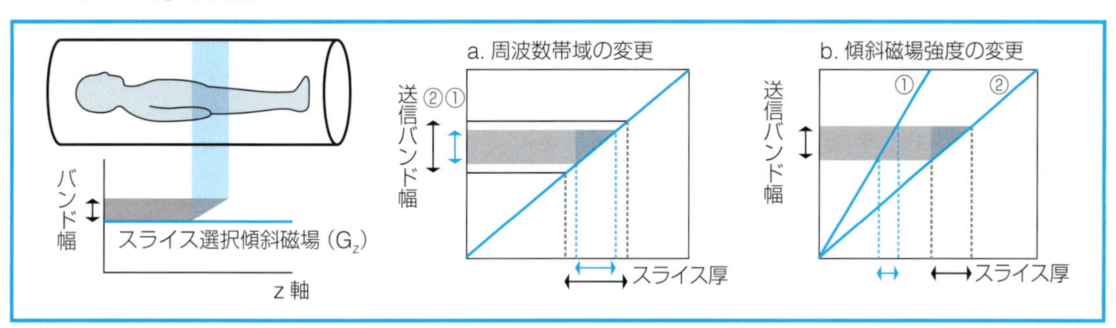

【スライス厚を薄くするには？】

- 送信バンド幅を小さくする（a-①）
- 傾斜磁場の勾配を強くする（b-①）

【スライス厚を厚くするには？】

- 送信バンド幅を大きくする（a-②）
- 傾斜磁場の勾配を弱くする（b-②）

5. 平面内の位置決め

- readout gradient ➡ **周波数エンコーディング**
- phase encode gradient ➡ **位相エンコーディング**

- 2種類の傾斜磁場（readout gradient, phase encode gradient）により，それぞれのエンコーディングを行う（周波数エンコーディング，位相エンコーディング）。

エンコード（エンコーディング）とは？

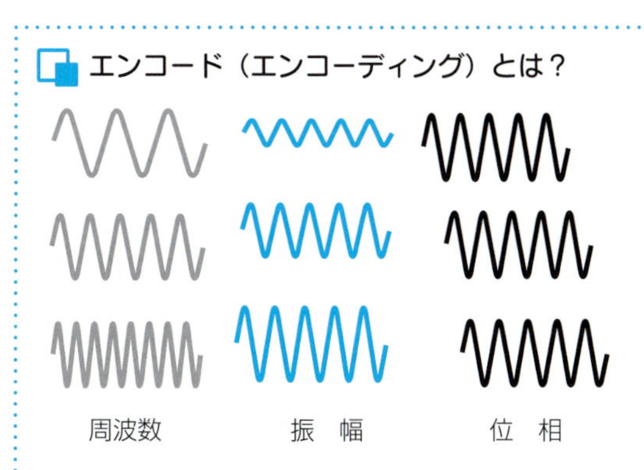

- 波形は基本的に「周波数，振幅，位相」の3情報を含んでいる。
- MR信号の中から位置情報と振幅を取り出せば画像が完成する。
- MRの一般的な取り決めとして，x軸を周波数情報，y軸を位相情報として符号化し（これをエンコーディングという），位置情報を得ている。
- 信号強度はエンコードする必要はなく，そのまま信号強度として使用することができる。

6. 周波数エンコード

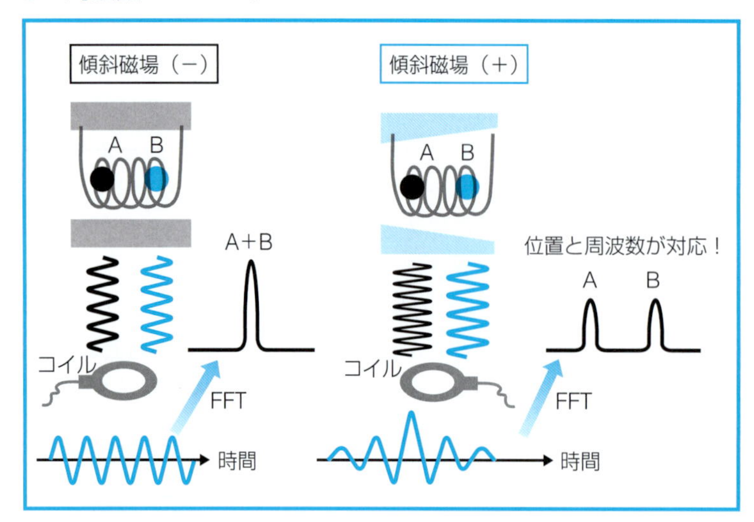

- ここで，AとBは同じ原子核とする。すなわち，同じ共鳴周波数をもつ。また，AとBは異なる位置にある。さらに，コイルはAとBの区別なく，両方の合計の信号として検出される。
- 傾斜磁場がかかっていない場合，AとBは同じ共鳴周波数であるため，コイルが受信する周波数も同じである。これをフーリエ変換すると，ある周波数にAとBが足し合わさった信号が検出される。
- 傾斜磁場をかけた場合，AとBでは共鳴周波数が違うため，コイルには2つの異なった周波数の信号が受信される。これをフーリエ変換すると，AとBは異なった周波数として検出される。位置と周波数を対応させておけば，位置を特定できることになる。
- このように周波数によって信号に目印をつけることを周波数エンコードという。

7. もう一方向はどうする？

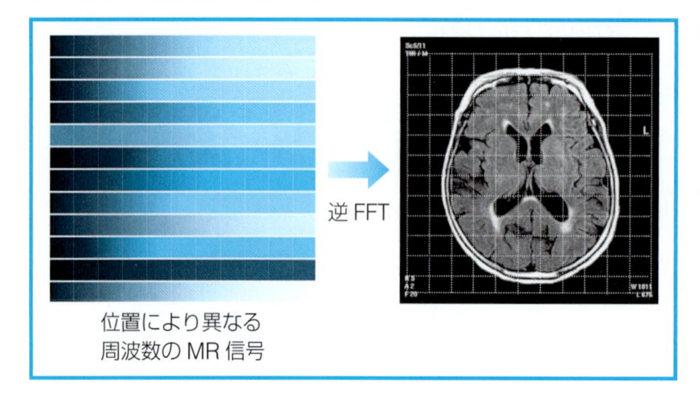

- x方向・y方向のすべてのmatrixで周波数が異なれば高速フーリエ変換（FFT：Fast Fourier Transform）によって位置の特定が可能となる。
- 例）256×256 matrix
  - ▶ 傾斜磁場により，1〜65,536 Hzの周波数を作成できれば，すべてのpixelが異なった周波数になる。しかし，このようなことを実現するのはxyz 3軸1組の傾斜磁場を用いても不可能である。

8. 位相エンコード

❶ 位相エンコードごとのスピンの位相変化

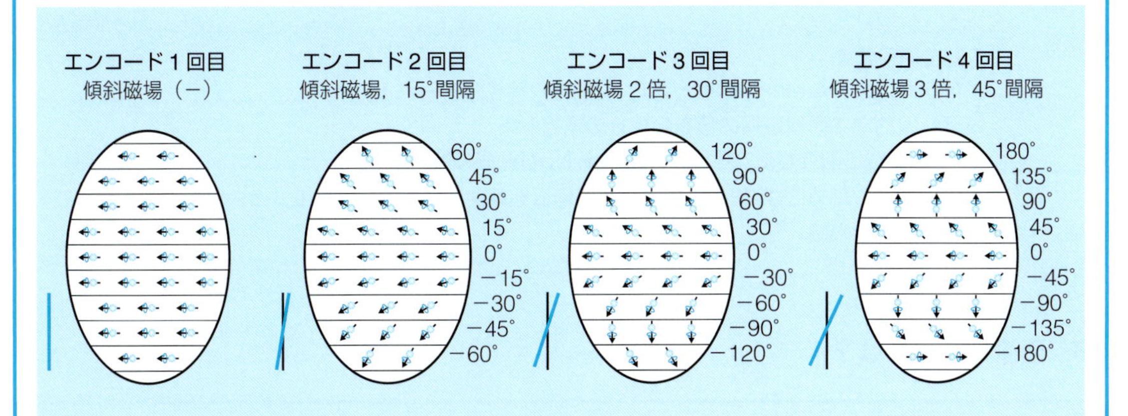

- **1回目**：傾斜磁場をかけていない。位相は全てそろっている。
- **2回目**：隣り合う行のスピンの位相が15° 間隔になる傾斜磁場を印加する。1回目と異なり，隣り合う行同士で，位相がずれることになる。ただし，行内の位相は同相である。
- **3回目**：隣り合う行のスピンの位相が30° 間隔になる傾斜磁場を印加する。隣り合う行同士の位相が，2回目よりもさらにずれる。ただし，行内の位相は同相である。
- **4回目**：隣り合う行のスピンの位相が45° 間隔になる傾斜磁場を印加する。隣り合う行同士の位相が，3回目よりもさらにずれる。ただし，行内の位相は同相である。

❷ エンコード1回あたりのスピンの位相変化

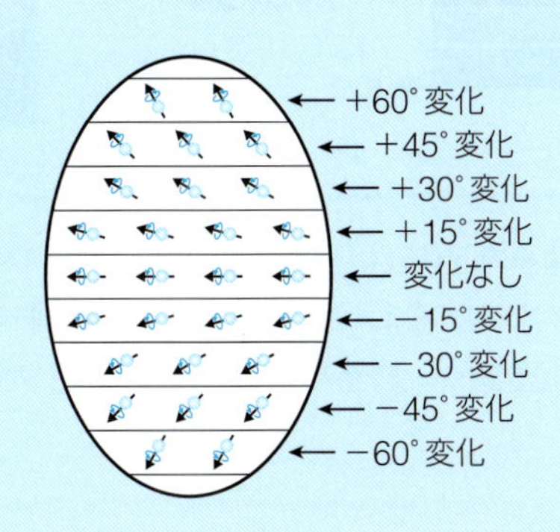

- ここで，エンコード1回あたりの行の位相変化をみると，真ん中の行は1～4回目まで位相の変化はない。その隣は1回のエンコードあたり15°，さらにその隣は1回のエンコードあたり30°，さらに隣は1回のエンコードあたり45°，さらに隣は1回のエンコードあたり60°となっている。すなわち，各行が15°きざみで変化していることがわかる。これで行毎の信号に目印がついたことになる。たとえば，256マトリックスの画像であれば，行が256あるので，隣合う行が360°（位相の概念は0～360°まで）を256で割った1.4°変化する傾斜磁場を印加すればよいことになる。
- このように，位相という概念を利用して信号に目印をつけることを位相エンコードという。

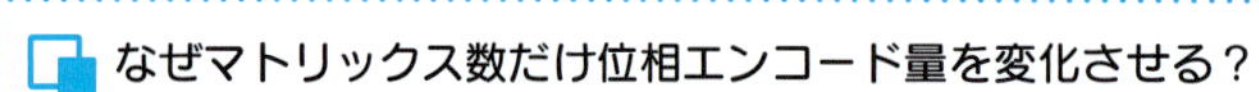

なぜマトリックス数だけ位相エンコード量を変化させる？

- 二次元フーリエ変換を行うためである。
  - N 個の未知数がある場合，その解を求めるには N 個の連立方程式が必要。
  - N_x×N_y のマトリックス
    - 1 回の信号収集
      ：N_x×N_y 個の pixel を未知数とした N_x 個の方程式が得られる。
    - N_y 回（y 方向の傾斜磁場の値を変化）の信号収集
      ：N_x×N_y 個の独立した方程式が成立 ➡ N_x×N_y 個の解
- 位相エンコードのためには，解を求めるために何度も条件を変えて（位相エンコードの強さを変えて），測定を行うことが必要。

B 画像化するには？

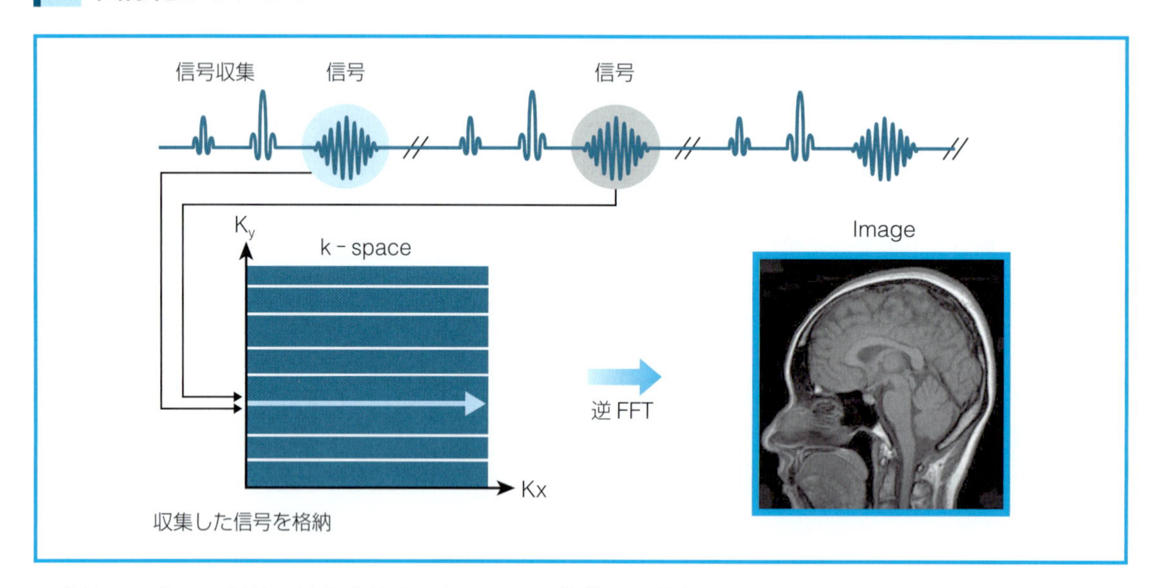

- 前述のように，信号に目印を付けるためには，複数回の位相エンコードが必要となる。256 マトリックスであれば，256 回の位相エンコードを行う。すなわち，256 個の信号が必要となる。MRI では，この信号をまず k-space（4 章 67 頁参照）に格納する。それを逆フーリエ変換することで画像が完成する。

画像構築

1 k-space（k空間）とは

k-spaceはMRを学び始めて最初に当たる大きな壁といえる。しかし近年撮像技術の発展によりk-spaceの理解に対する重要性が高まっている。本章では難しい公式などは極力使用せずに概略的に述べていくことにする。

A k-spaceの概念

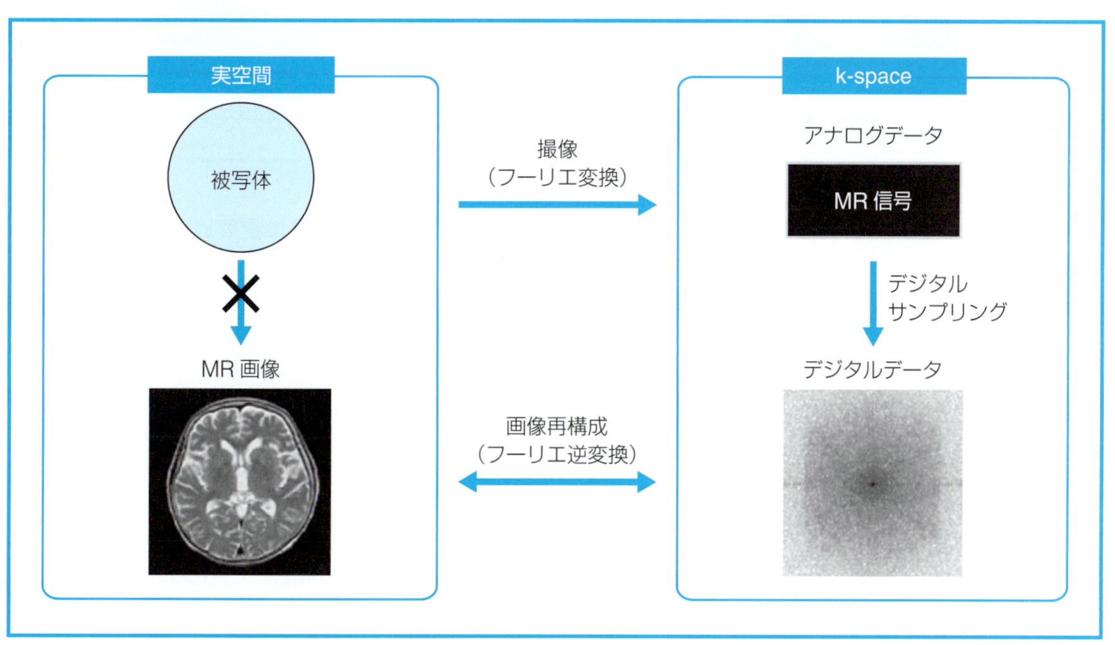

- k-spaceとは，位相エンコードと周波数エンコードを印加して得られるMR信号を配置する空間のことである。
- 被写体から直接MR画像を取得することはできないため，静磁場，RF（電磁波），傾斜磁場を使って撮像し，MR画像を得る。
- 傾斜磁場を用いて撮像することで位置情報を付加し，MR信号をアナログデータとして取得する。
- アナログデータのMR信号を画像化するために，デジタルデータに変換（デジタルサンプリング）する。
- デジタルデータを画像再構成（フーリエ逆変換）することによってMR画像を作る。

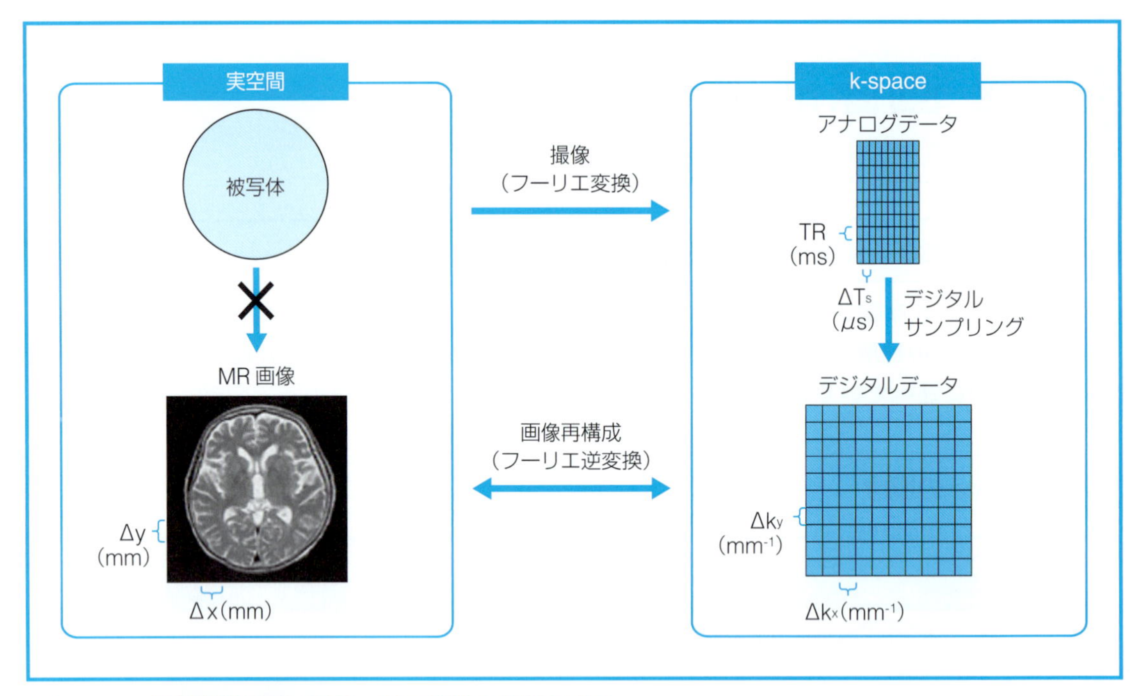

- k-space と実空間は互いにフーリエ変換の関係にある。
- アナログデータの座標軸は時間変数（ms，μs），デジタルデータの座標軸は空間周波数（mm^{-1}）で表す。
- 実空間 MR 画像の座標軸は距離（mm）で表す。

k-space の k って何？

k-space の k は，空間周波数＝波数の単位のことである。Kayser（Kayser HGJ）はドイツの物理学者で，MR 画像固有のものではない。

周波数と空間周波数の違い

周波数は単位時間あたりの波で単位は s^{-1}（Hz）となる。それに対して空間周波数は単位距離あたりの波で単位は cm^{-1}（k）となる。

B k-spaceの特性

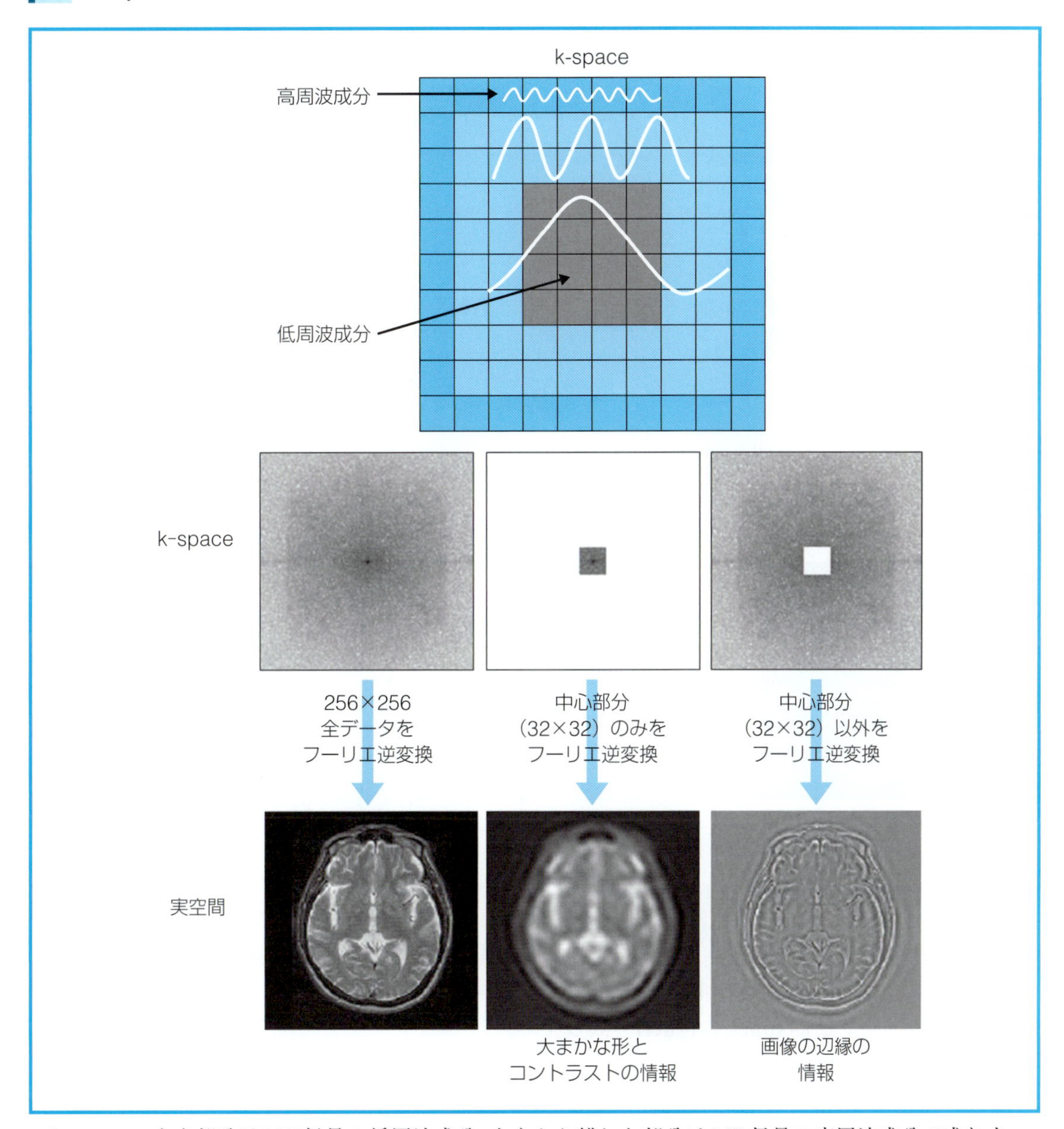

- k-spaceの中心部分はMR信号の低周波成分，中心から離れた部分はMR信号の高周波成分で成り立つ。
- **k-spaceの周辺ほど，振幅が小さく，波数の大きい正余弦波（高周波成分）**：細かい波が画像の細部の情報を受け持つ。
- **k-spaceの中心ほど，振幅が大きく，波数の小さい正余弦波（低周波成分）**：大きな波が画像の大まかな形とコントラストの情報を受け持つ。
- k-spaceとMR画像（実空間）にはフーリエ変換の関係がある。
- k-spaceの中心部分のみをフーリエ逆変換した場合（低周波成分を画像化），またk-spaceの中心部分を除いてフーリエ逆変換した場合（高周波成分を画像化）に，k-spaceの位置の違いで画像に関与する情報が異なることがわかる。

C k-spaceと実空間の位置（座標）の関係

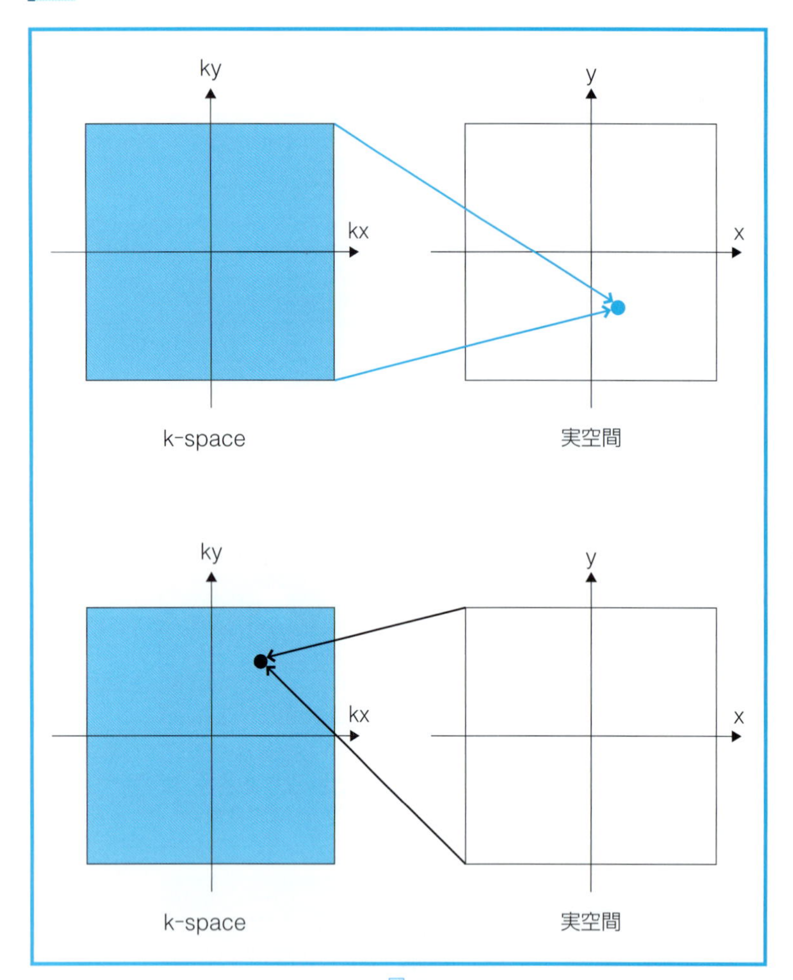

実空間（MR画像）の位置とk-spaceの位置は一致しない。

- 実空間（MR画像）の各座標（図の●）の信号は，k-space上の全ての座標のデータによって形成されている。
  → k-spaceのある点が，実空間のある部位に対応しているわけではない。
- k-spaceの各座標（図の●）は，対象とする実空間の全ての部位からの信号を凝縮したものである（実空間における各ボクセルの磁化ベクトルの和がMR信号であり，これを位相エンコードごとの順番にk-spaceに充填していくため，k-spaceの各点は断層内すべての磁化ベクトルの和である）。
  → 実空間のある部位がk-spaceのある点に対応しているわけではない。

D k-spaceと傾斜磁場の関係

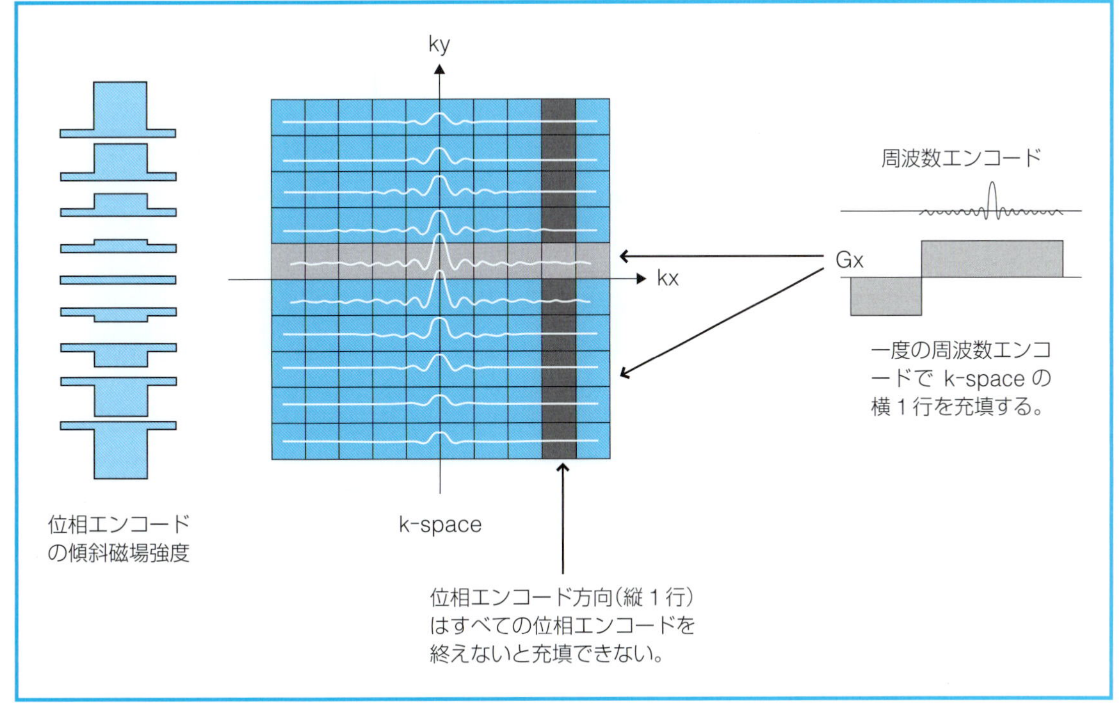

- 画像の位置情報を得るためには，傾斜磁場を用いて周波数エンコードおよび位相エンコードを行う必要がある。
- k-spaceでは，「縦軸を位相方向」，「横軸を周波数方向」とするのが一般的である。

【周波数エンコードとk-space】

- 周波数エンコードは，周波数方向の位置情報を周波数差としてMRI信号に付加する。
- 周波数エンコードを行うことでk-spaceの横1行分が充填できる。
- 周波数エンコード（読み取り傾斜磁場）の中央で，位相が揃うため信号が最大となる。

【位相エンコードとk-space】

- 位相エンコードは，位相方向の位置情報を位相差としてMRI信号に付加する。
- 位相エンコード方向をすべて埋めるためには，位相エンコード数分の周波数エンコード（要はk-spaceすべてを埋める）が必要である。
- 位相エンコードの傾斜磁場強度は中心ほど弱く，端ほど強い。そのためk-spaceに充填される信号は，中心ほど位相ずれが少ないため，大きな信号となる。

E　k-spaceとエルミート対称

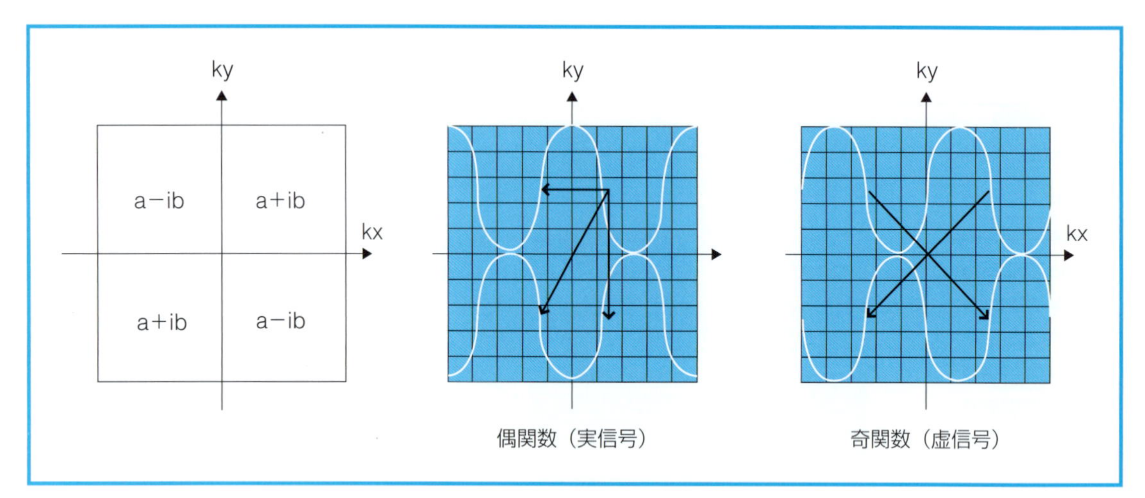

- MR画像を作成するためには，k-spaceをフーリエ逆変換する必要がある。
- 実際には離散フーリエ逆変換をするため，MR信号は様々な空間周波数をもった正弦波（奇関数）と余弦波（偶関数）の重ね合わせとなる。
- したがって，偶関数では左右対称，奇関数では左右で正負が逆になる関係がある。
- この対称性を「エルミート対称」あるいは「複素共役対称」と呼ぶ。
- k-spaceは，第1象限（k-space右上）と第3象限（k-space左下）および第2象限（k-space左上）と第4象限（k-space右下）は同じ値となる。

F k-spaceと実空間の大きさの関係

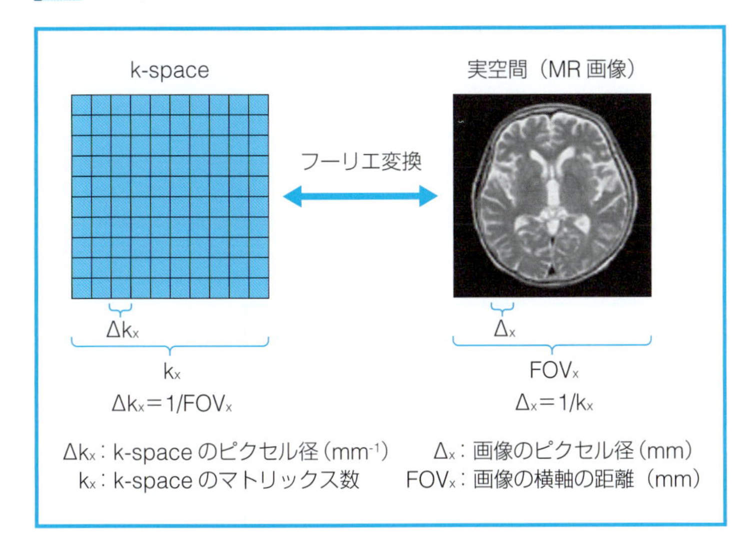

- **k-spaceのピクセル径 Δk_x と画像の FOV_x は反比例の関係**
  - ・FOVが大きければ，k-spaceのピクセル径は小さくなる（k-space自体が小さくなる）。
  - ・k-spaceが小さいと波数の小さい波しか扱っていないため，小さい構造を再現できなくなる。
- **画像のピクセル径 Δx とk-spaceのマトリックス数 k_x は反比例の関係**
  - ・k-spaceのマトリックス数（データサンプリング数）が大きければ，画像のピクセル径は小さくなる（空間分解能が高くなる）。

FOV一定でマトリックス数を変化させた場合

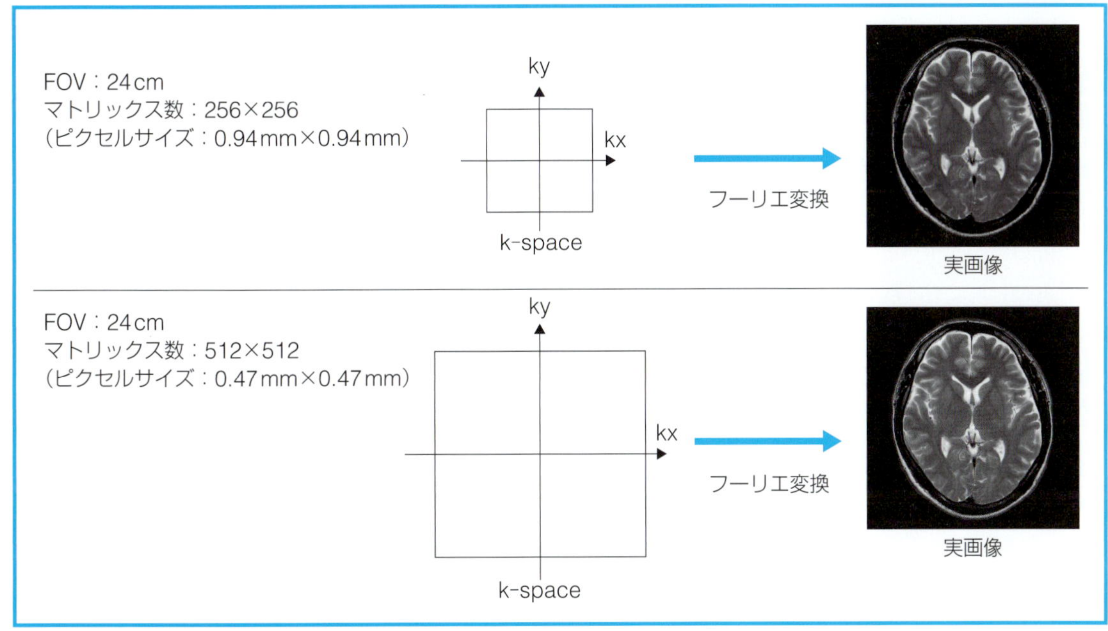

- 実空間（MR画像）の大きさは距離，k-spaceの大きさは空間周波数（単位距離あたりの波の大きさ）になる。
- k-spaceが大きいということは，より大きな空間周波数（高周波成分）まで存在することを意味する。

k-spaceが大きい＝空間分解能が高い

コラム **離散フーリエ変換**

数学で学ぶフーリエ変換は，連続的な関数が対象である。しかしMRI画像処理では演算の高速化を図るためにデジタルデータ，すなわち離散的なデータに変換する。そこで，このような離散的なデータにおけるフーリエ変換を離散フーリエ変換という。

G 簡単なまとめ

- k-spaceの座標軸は空間周波数（mm^{-1}）になる。
- k-spaceとMR画像はフーリエ変換の関係にある。
- 実空間画像の位置とk-spaceの位置は別物である。
- 一般的に縦軸を位相方向，横軸を周波数方向とする。
- k-spaceは実信号（偶関数）と虚信号（奇関数）から成り立っている。
- k-spaceは点対称（エルミート対称）である。
- k-spaceが大きい＝空間分解能が高い。
- k-spaceの中心部分は画像のおおまかな形と画像コントラストを，周辺部分は画像のエッジ（辺縁）を決定する。

2 k-space trajectory

- k-space trajectoryとは，k-space上にデータを充填していく際に，「k-spaceを移動する軌跡」のことを表す。
- k-spaceの横1行を充填しては，次の行に移動して充填していく方法が一般的に使用されているが，現在様々なk-space trajectoryが開発されている。

A 主なk-space trajectory

1. sequential orderとcentric order

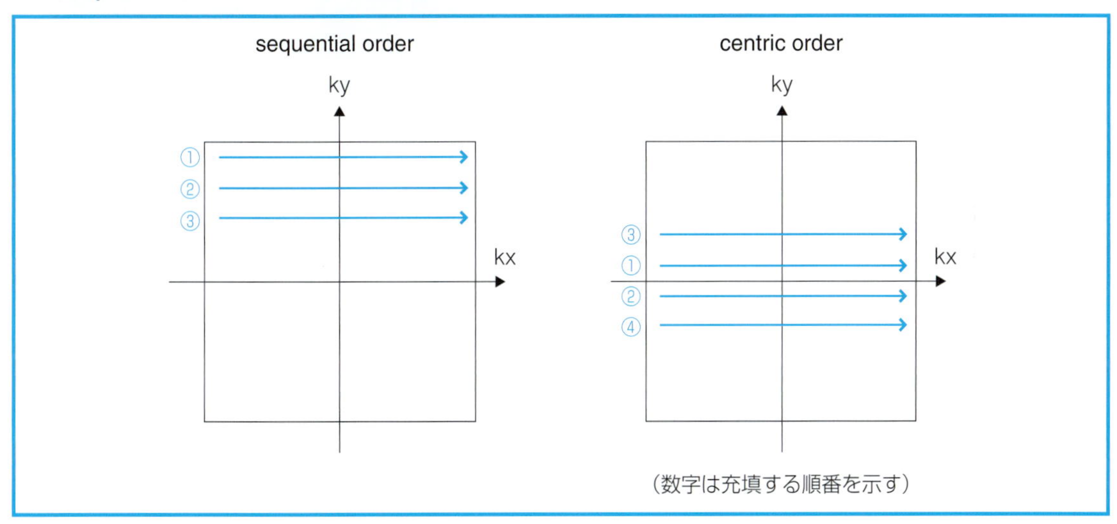

（数字は充填する順番を示す）

- 最も一般的に使用されている手法である。

【sequential order】

- k-spaceの最上段あるいは最下段から順番に1行ずつ充填していく方法である。

【centric order】

- k-spaceの中心から上下方向に充填していく方法である。

2. radial scan

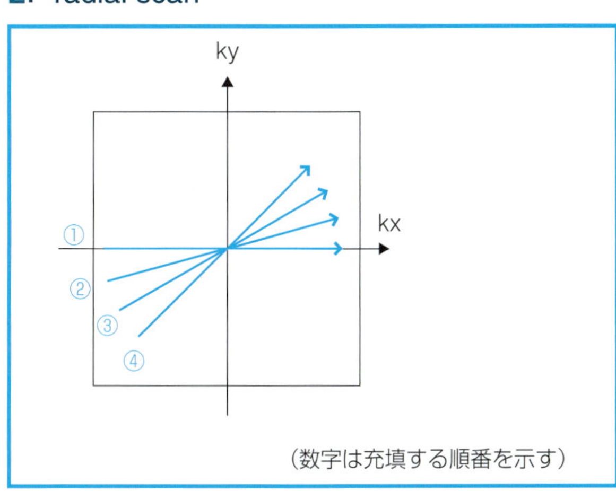

（数字は充填する順番を示す）

- k-space上の原点を通る軌跡を，一定角度ずつ回転させ，放射状にデータを充填していく方法である。
- radial scanの特徴は，被写体が多少動いても比較的良好な画像が得られることである。

【radial scanの利点】

- たとえば，③のデータ収集時に被写体が動いてしまった場合，③のデータを捨ててしまっても画像コントラストを決定するk-space中心部のデータは高密度に存在しているため，画像再構成にあまり問題にならない。

3. PROPELLER

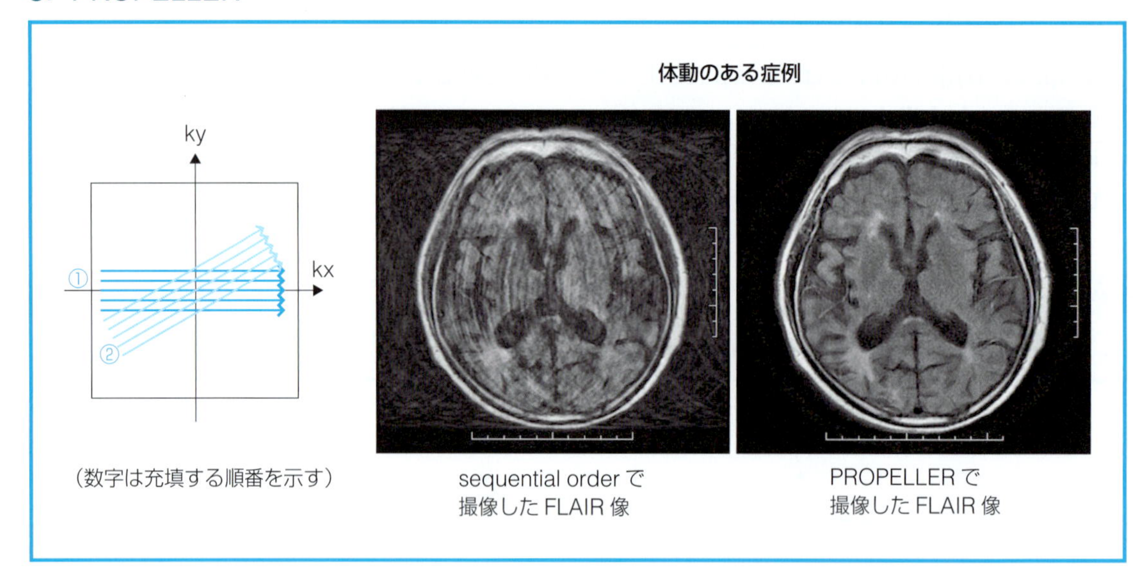

- PROPELLER（Periodically Rotated Overlapping ParallEL Lins with Enhanced Reconstruction）は radial scan の変法である。
- radial scan では，1つの角度で原点を通る1行をデータ充填するが，PROPELLER の場合，高速スピンエコー法などの一回の励起で複数の周波数エンコードを行えるパルスシーケンスと組み合わせることにより，1つの角度で複数行のデータを充填する方法である。
- radial scan 同様，動きの補正が可能であり，原点周囲のデータが（原点のみではなく）高密度にあるため，より正確な動き補正が可能である。

4. spiral

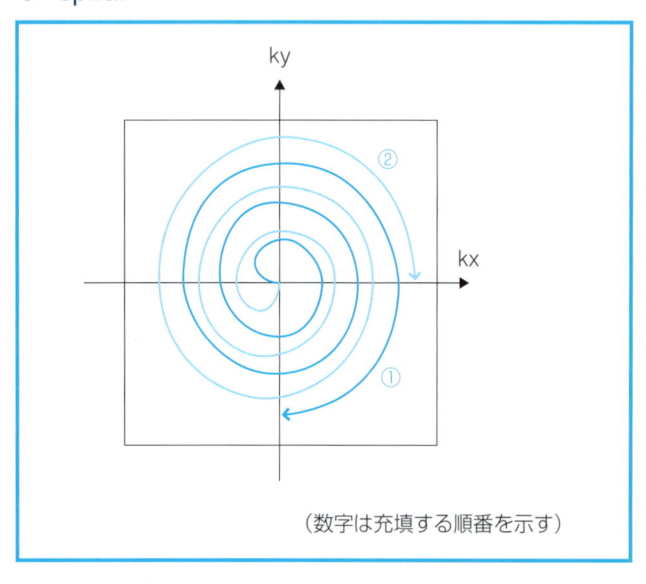

- k-space を螺旋状にデータを充填していく方法である。
- k-space の中心部から外側に向かってデータを充填するため，低周波成分が高密度で充填され，radial scan や PROPPELLER 同様，被写体の動きの影響の出にくい方法であるといえる。
- radial scan，PROPELLER，spiral ともに k-space を回転しながらデータを充填していくため k-space の座標は直交座標系ではなく，極座標系になる。そのため，直交座標に戻すグリッティング（内挿）という作業が必要になる。

B k-spaceにおけるデータの充填領域

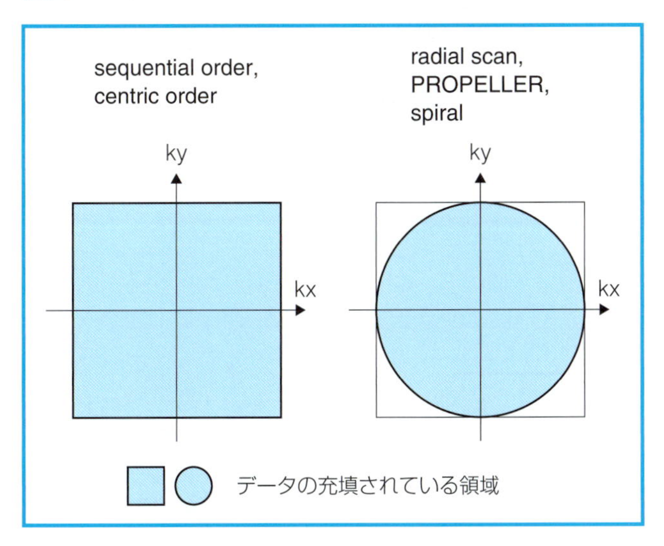

- radial scan, PROPELLER, spiralのようにk-space上を回転しながらデータ充填を行う場合，k-spaceの四隅のデータが充填されない。
- sequential orderやcentric orderといった直線的にk-spaceにデータを充填していく方法と比べ空間分解能が低下する傾向がある。

C k-spaceと画像コントラスト決定時刻

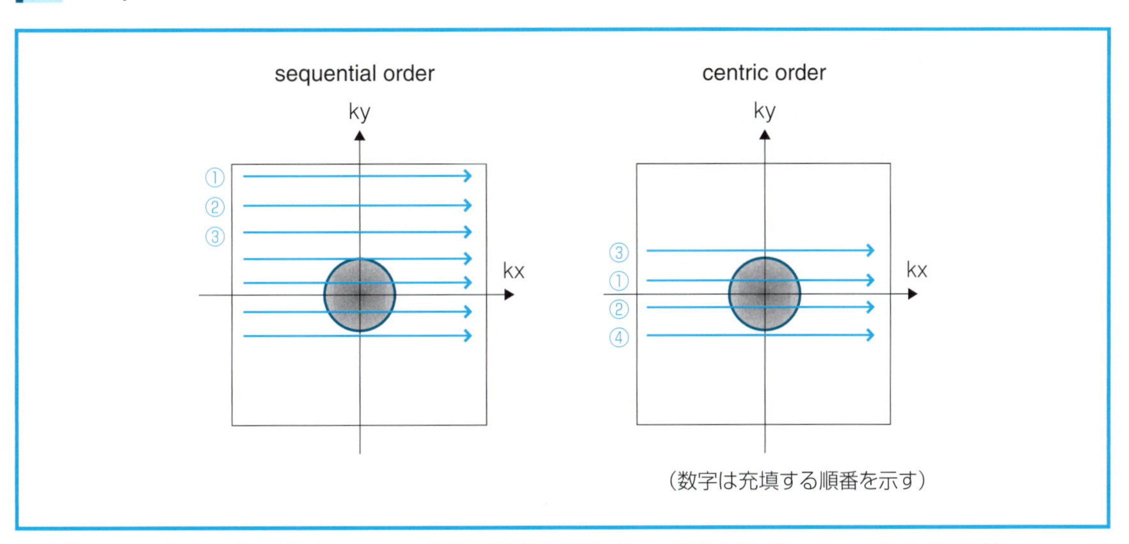

- 画像のコントラストや形はk-spaceの低周波数領域によって決まる（k-spaceの中心領域）。
- 造影剤を使用してMR angiographyを撮像する場合などは，k-spaceの中心をデータ収集している時間を目的とするタイミングに合わせて撮像を開始する必要がある。
- 各k-space trajectoryのk-spaceの中心をデータ収集している時間を把握することが重要である。

sequential order：撮像時間の半分の時間
centric order　　：撮像開始時間

- radial scan, PROPELLER, spiralの場合，撮像開始から撮像終了までk-spaceの中心をデータ収集しているため，その間に信号に変化があった場合には画像コントラストが平均化されてしまう可能性がある。

3 k-space trajectoryと撮像パルスシーケンス

●ここでは，撮像パルスシーケンスによってk-space上でどのように軌跡が移動していくかを解説する。

A spin echo法

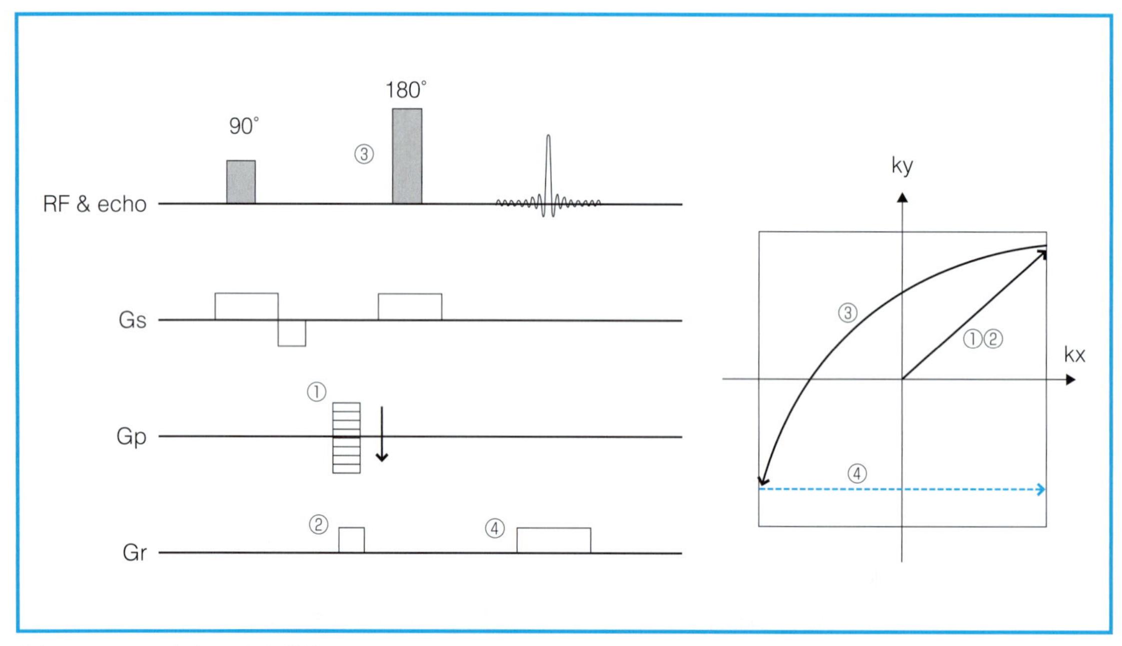

(1) 90°パルス印加により励起。
(2) 位相エンコード傾斜磁場（①）と周波数エンコード傾斜磁場（②）が印加されることによりk-spaceの右上に軌跡が移動。
(3) 180°パルス（反転パルス）により原点に関して対称な位置に移動（③）。
(4) 周波数エンコード傾斜磁場を印加することによりMR信号が取得されて（④），k-spaceの横1行が充填される。
(5) 位相エンコード傾斜磁場の強度を変化させてこの作業を繰り返すことによりk-spaceがすべて充填される。

B gradient echo法

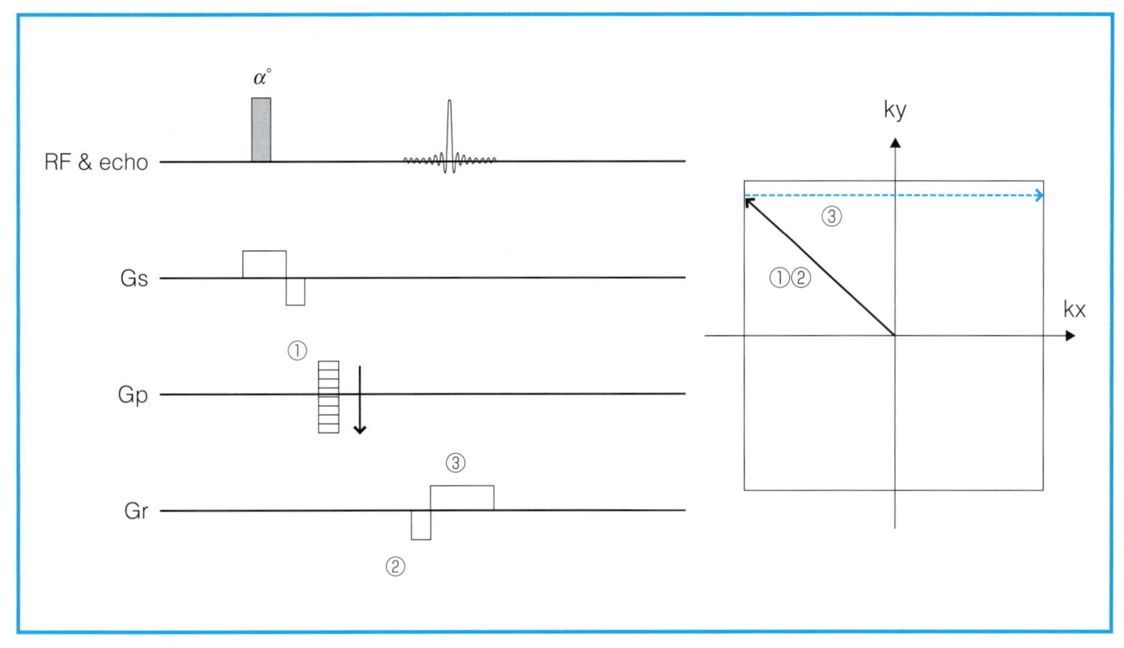

(1) α°パルス印加により励起。

(2) 位相エンコード傾斜磁場（①）と周波数エンコード傾斜磁場（②）が印加されることによりk-spaceの右上に軌跡が移動。

(3) 周波数エンコード傾斜磁場を印加することによりMR信号が取得されて（③），k-spaceの横1行が充填される。

(4) 位相エンコード傾斜磁場の強度を変化させてこの作業を繰り返すことによりk-spaceがすべて充填される。

C　echo planar imaging法（spin echo型）

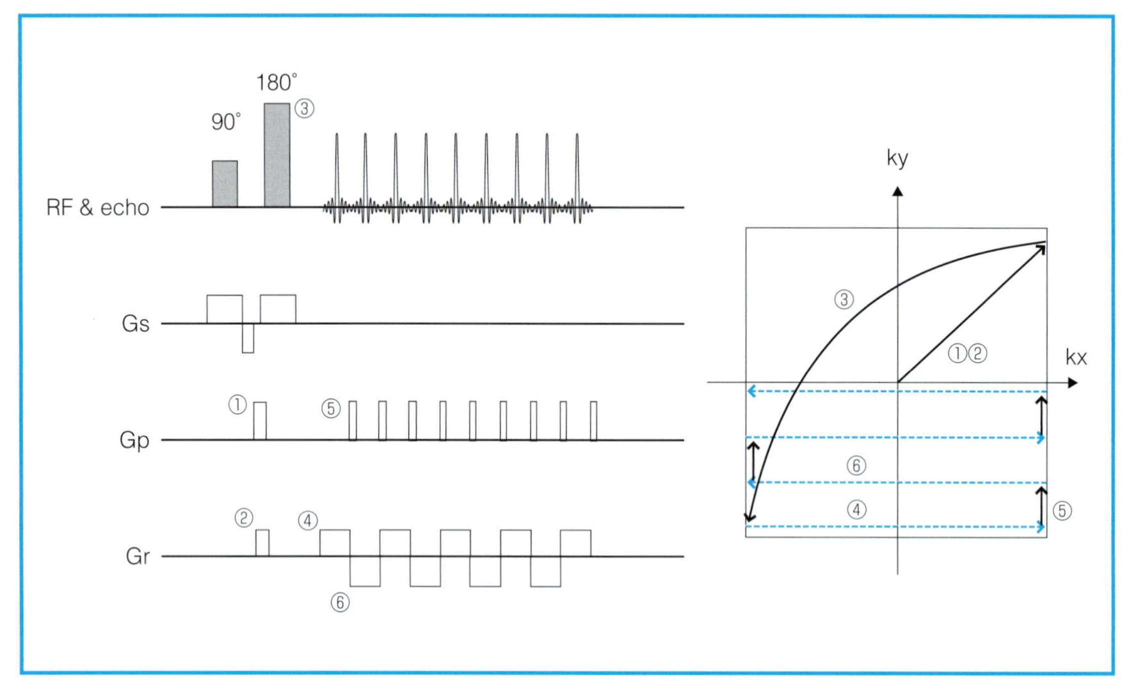

（1）90°パルス印加により励起。

（2）位相エンコード傾斜磁場（①）と周波数エンコード傾斜磁場（②）が印加されることにより k-spaceの右上に軌跡が移動。

（3）180°パルス（反転パルス）により原点と対象な位置に移動（③）。

（4）周波数エンコード傾斜磁場を印加することによりMR信号が取得されて（④），k-spaceの横1行が充填される。

（5）ブリップと呼ばれる位相エンコード傾斜磁場により次の位相エンコードに移動する（⑤）。

（6）周波数エンコード傾斜磁場を印加することによりk-spaceの横1行が充填される（⑥）。

（7）以下④⑤⑥同様に繰り返すことによりk-spaceがすべて充填される。

D 高速スピンエコー法

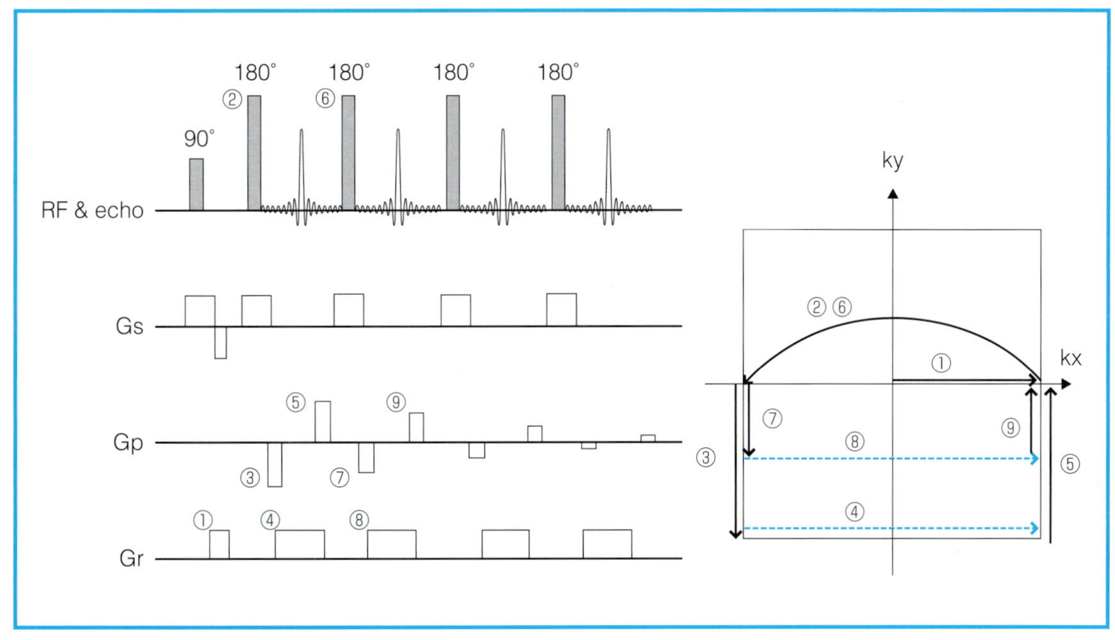

(1) 90°パルス印加により励起。

(2) 周波数エンコード傾斜磁場（①），180°パルス（反転パルス）により原点と対象な位置に移動（②）。位相エンコード傾斜磁場（③）により左下に移動。

(3) 周波数エンコード傾斜磁場を印加することによりMR信号が取得されて（④），k-spaceの横1行が充填される。

(4) 位相エンコード傾斜磁場（⑤）によりkyライン＝0に移動。

(5) 以降，⑥⑦⑧⑨の順に移動する。

補足：高速spin echo法とk-space

- 高速spin echo法では異なるTEのMR信号をk-spaceに充填するためk-spaceの中心に充填するMR信号のTEによって画像コントラストが決定される。
- TEの長いT_2強調画像を撮像する場合と，TEの短いプロトン密度強調画像やT_1強調画像を撮像でMR信号を充填する順番を変える必要がある。

T_1強調画像，プロトン密度強調画像の場合（実効TEが短い場合）

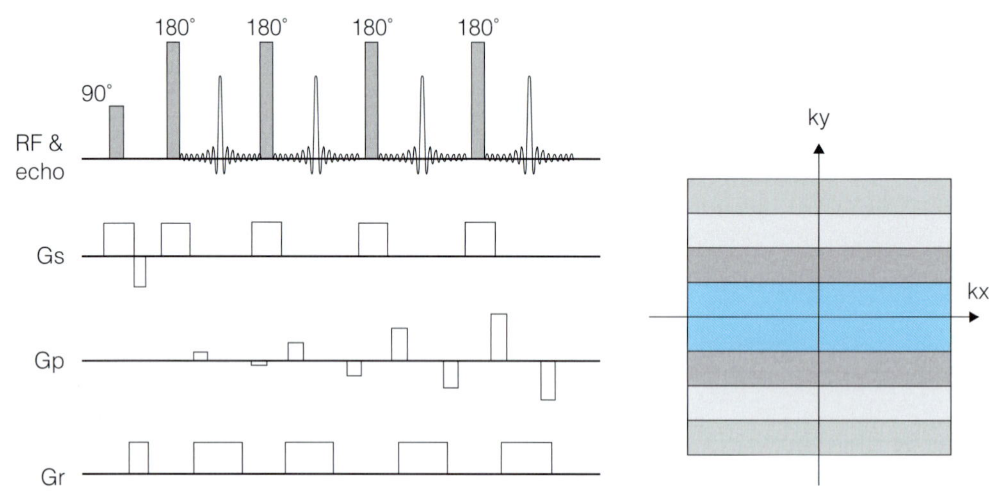

- 最もTEの短い1番目のMR信号（図A青色）をk-spaceの中心に充填し，残りのMR信号を両端に埋めていくことで得ることができる。

T_2強調画像の場合（実効TEが長い場合）

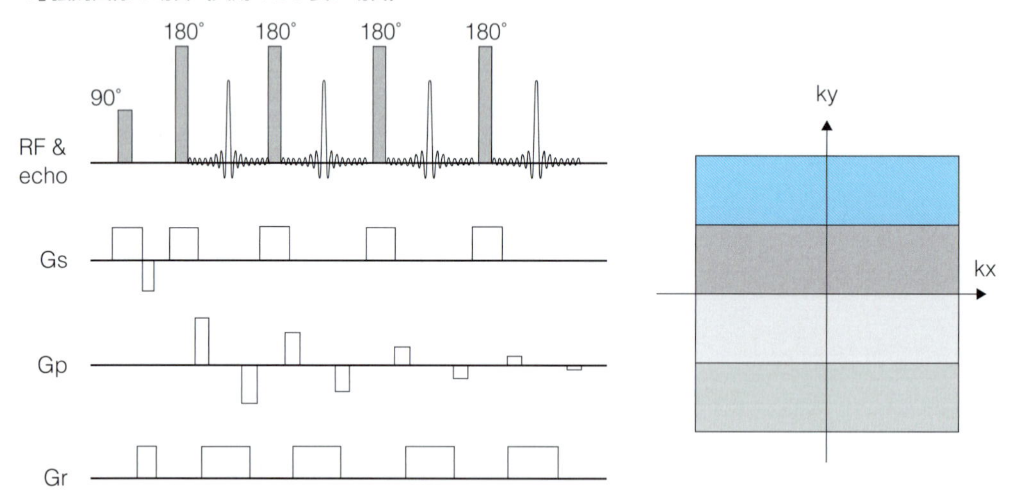

- k-spaceの端から順番に各MR信号を充填していくことで実効TEを長くすることができる。また，T_1強調画像など短い実効TEを得る場合と比べ，長いETLが必要である。

4 k-spaceと撮像時間の短縮

X線CT検査などと比べ，撮像時間の長いMR検査では，撮像時間の短縮は大きな課題である。ここではk-spaceの特徴を利用した撮像時間の短縮について述べていく。なお，臨床で最近よく使用されるパラレルイメージングに関しては「6章．代表的なパルスシーケンス」に記載する。

A rectangular FOV

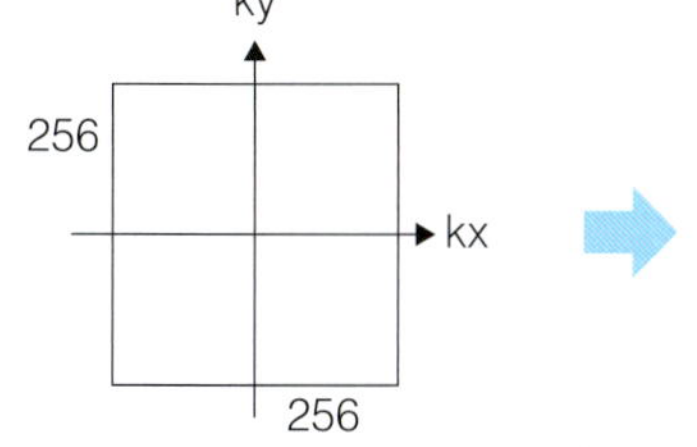

ピクセルサイズ：1.25 mm×1.25 mm

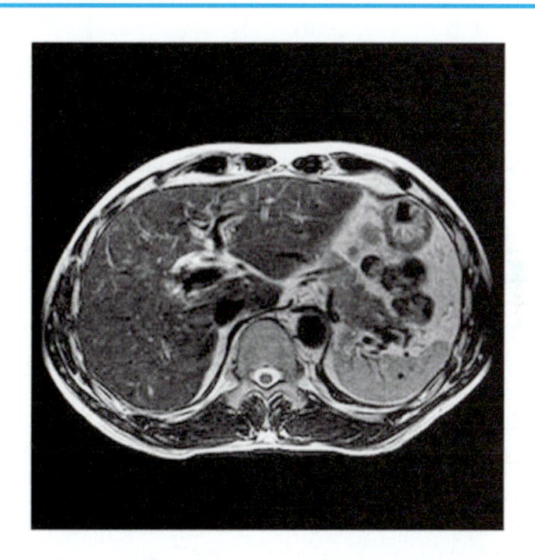

FOV：32 cm×24 cm
マトリックス数：256×192

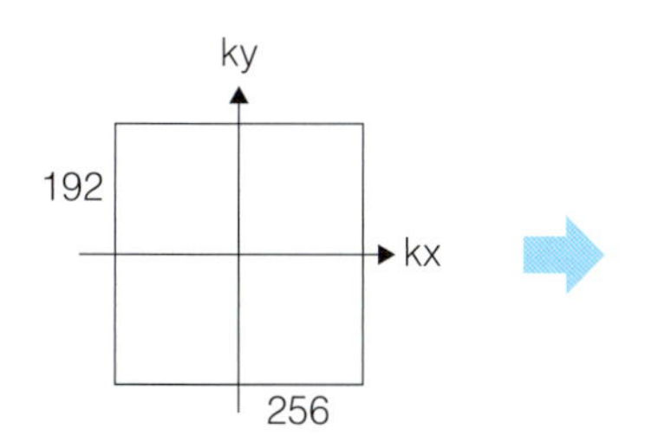

ピクセルサイズ：1.25 mm×1.25 mm

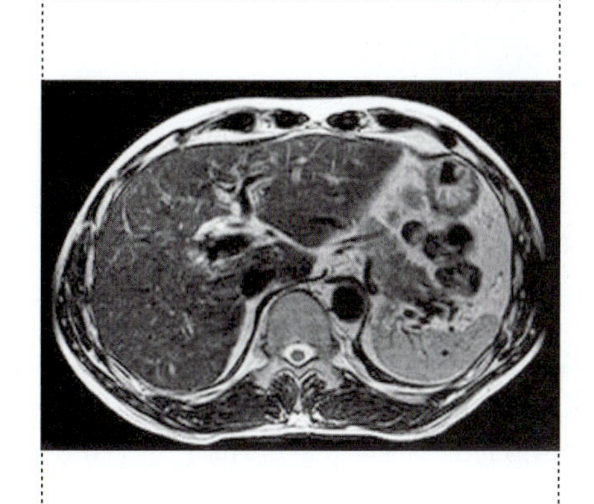

- FOVの**縦軸と横軸の大きさが異なるFOV（長方形FOV）**のことをrectangular FOVと呼ぶ。
- 実際には位相エンコード方向のFOVを周波数エンコード方向のFOVより小さくすることで，空間分解能（ピクセルサイズ）や画像コントラストを変化させることなく撮像時間の短縮が可能となる。
- 長径，短径の異なる腹部などの撮像で有効である。

B 部分フーリエ法

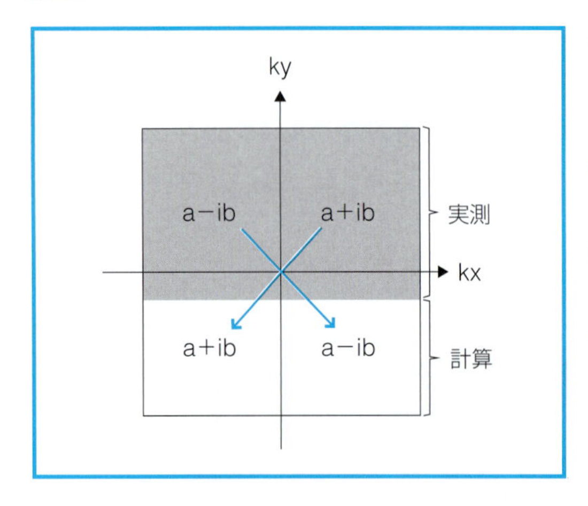

- k-spaceの上半分強のデータを取得し，その他は補正して算出した値を埋めてMR画像を作成する手法である。
- SNRは実際に取得したデータが約半分のため $\frac{1}{\sqrt{2}}$ 程度となる。
- 上半分（グレー部分）だけデータを充填し，残り下半分（白部分）は計算で求める。
- このように位相エンコード数を減らすことで撮像時間の短縮が可能である。

C 部分エコー法

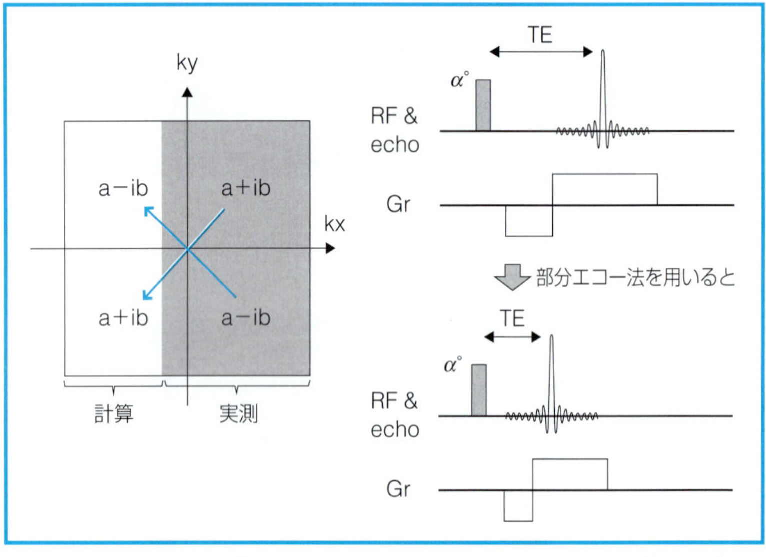

- k-spaceの右半分強のデータを取得し，その他は補正して算出した値を埋めてMR画像を作成する手法である。
- SNRは実際に取得したデータが約半分のため $\frac{1}{\sqrt{2}}$ 程度となる。
- TEの短縮により最短TRが短くなるが，位相エンコード数を減らすことはできないため，部分フーリエ法ほどの撮像時間の短縮効果は得られない。
- 右半分（グレー部分）だけデータを充填し，残り右半分（白部分）は計算で求める。
- このように周波数エンコードを減らすことでサンプリング時間が短くなり，TEの短縮が可能になる。

D Zero-fill interpolation：ZIP（0充填補間法）

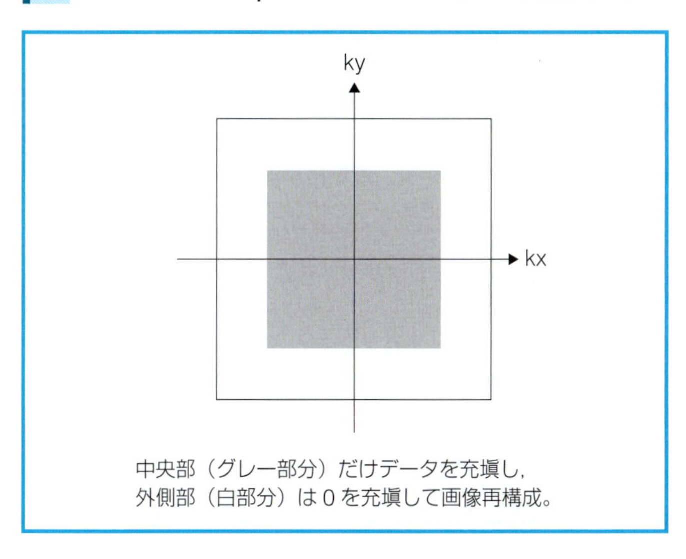

中央部（グレー部分）だけデータを充填し，
外側部（白部分）は0を充填して画像再構成。

- **実際にはデータ収集していないk-spaceの部分を0で充填することにより，撮像時間を延長させることになく，みかけの空間分解能を向上させる技術**である（位相エンコード数を増やすと撮像時間は延びる）。
- ボケが生じる。
- 打ち切りアーチファクトが顕著になる。

コラム 部分フーリエ法と部分エコー法

部分フーリエ法および部分エコー法は，ともに「k-spaceのエルミート対称を利用してk-spaceをすべてデータ収集せずに一部計算で求めてデータ充填する技術」である。理論上はk-spaceの半分のみ収集すれば計算可能なのだが，実際には磁場の不均一や傾斜磁場やRFの不正確性などの影響による誤差があるため，“60%程度のデータ収集が必要”となる。

コラム　圧縮センシングMRI（compressed sensing MRI）

圧縮センシングは少ない観測データ（partial data）から十分な画像（full data）と同等の画像を作成する技術である。通常，MRIではk-spaceにおいて必要とされる全データをサンプリングするが，サンプリングデータを減少させることにより撮像時間を短縮することが可能であり，近年では高速撮像法の1つとして利用されている。

圧縮センシングでは，画像のスパース性を利用する。スパース性とは，画像化するのに寄与しないゼロ成分が多く含まれるという性質（疎なデータ群）のことである。圧縮センシングにおいては，このゼロ成分を削減しても，非ゼロ成分から画像を復元できる。

圧縮センシングMRIでは，ランダムにデータを間引きアンダーサンプリングする（A）ため，高速撮像が可能となる。データを規則的に間引くと，周期性を持つ折り返し様のアーチファクトが生じてしまうが，ランダムにサンプリングを行った場合に生じるアーチファクトはノイズ様を呈する（B）。このノイズを除去するために，ノイズ処理の再構成が必要となる。代表的な行程として，ウェーブレット変換などをスパース変換として反復処理に組み込む（C）。ウェーブレット変換とは，画像を「境界」と「それ以外の情報」とに分離する画像変換で，得られたデータはゼロ成分が多く，スパース性を持つ。境界は非ゼロ成分として認識され，境界がない場合はゼロ成分あるいは閾値以下となり，この領域はノイズとして認識される。ノイズ除去のため閾値を設定し，閾値を超える信号のみをデータとして採用していく。このような過程を繰り返し行い，画像復元（D）を行う。

圧縮センシングは従来の高速撮像技術であるParallel imagingと併用できるため，今後のMRIの高速化技術として期待されている。

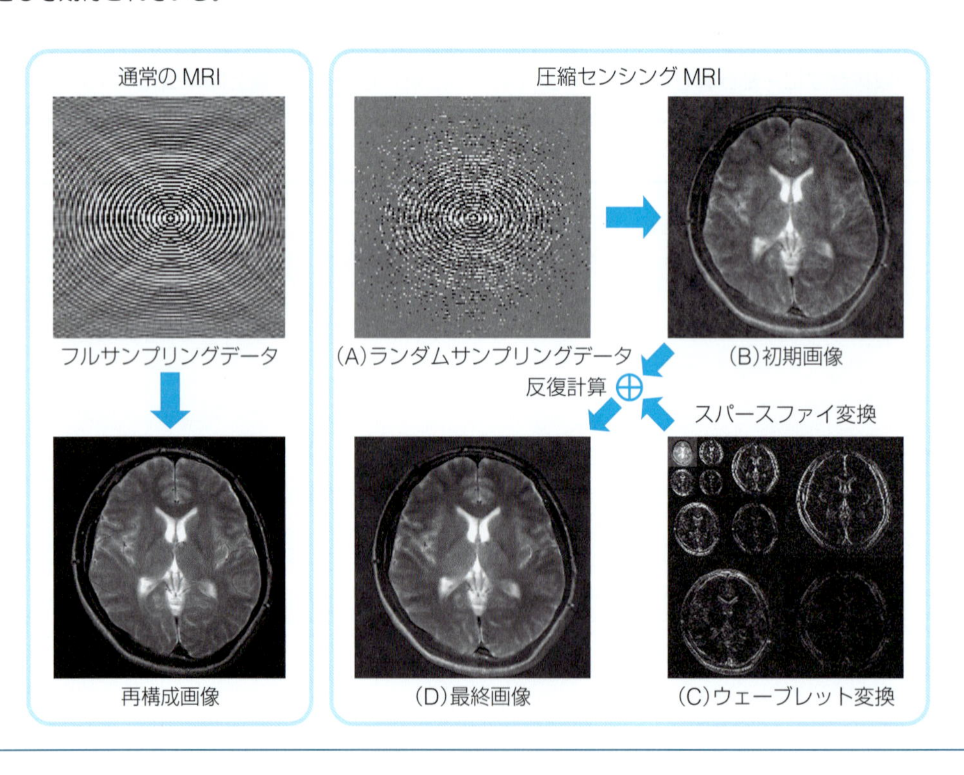

5章 撮像条件（パラメータ設定）

1 画質

A 画質を構成するもの

【外的因子】（操作可能な因子）
- 撮像パラメータ
- ポジショニング
- RFコイルの選択　など

【内的因子】（被検者により左右される因子）
- 心臓の拍動
- 血流
- 被検者の動き　など

- 画質の構成因子として，外的因子と内的因子が挙げられる。
- **外的因子**とはオペレーターが操作可能な因子である。
- **内的因子**とは被検者により左右される因子である。

B 画質の最適化

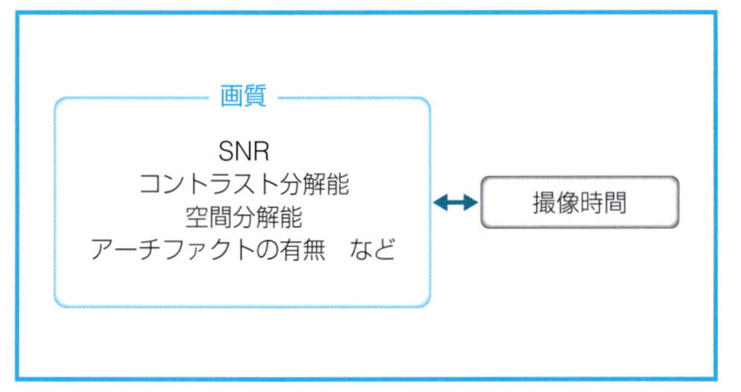

- **最適化**とは，画質と撮像時間とのバランスを取ることである。
- 画質と撮像時間との間には，トレードオフが生じる場合が多い。
- 最適な撮像条件を得るためには，個々の因子に対して妥協が必要となる場合もある。
  ▶例）空間分解能を高くすると，SNRが低下し，撮像時間も延長する。

C 撮像パラメータ

TR	繰り返し時間
TE	エコー時間
FA	フリップ角
FOV	撮像視野
BW	受信バンド幅
slice thickness	スライス厚
Matrix	マトリックス数
NEX	加算回数
scan time	撮像時間

- 画質に関与する操作可能な因子を左表に挙げる。
- オペレーターは各パラメータの性質を把握し，適切な設定を行うことにより，良好なMR画像を得ることができる。

2 各種パラメータ

A TR（repetition time：繰り返し時間）

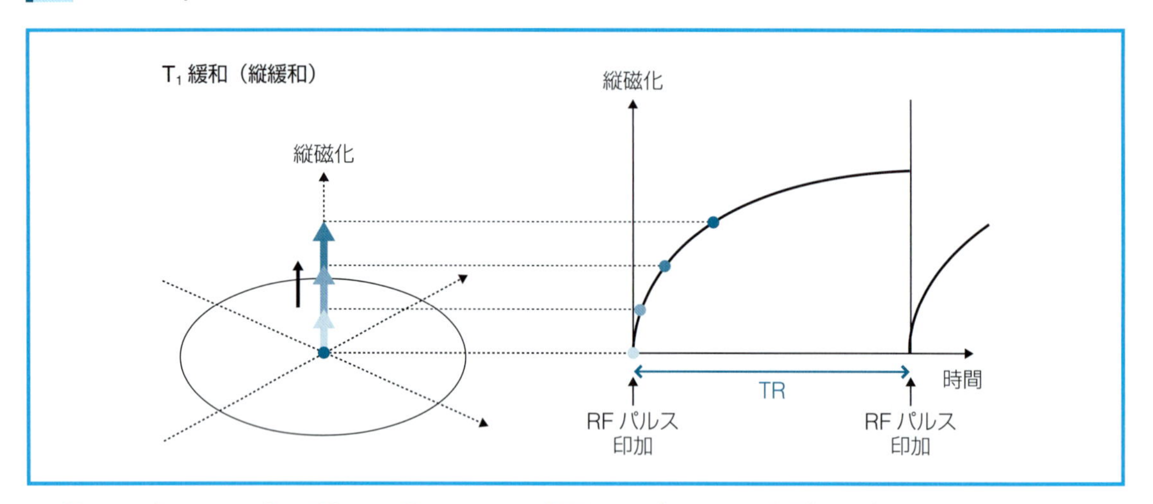

- 励起 RF パルスから次の励起 RF パルスまでの時間を TR（繰り返し時間）と呼ぶ。
- TR は T_1 緩和と深い関係がある。
  - ▶励起 RF パルスを印加 ➡ 縦磁化が減少する ➡ 励起 RF パルスを切る ➡ 減少した縦磁化が徐々に回復する
  - ▶信号強度＝次の励起 RF パルスまでに回復した縦磁化の大きさ
- つまり，TR とは T_1 緩和のために待つ時間のことである。

B TE（echo time：エコー時間）

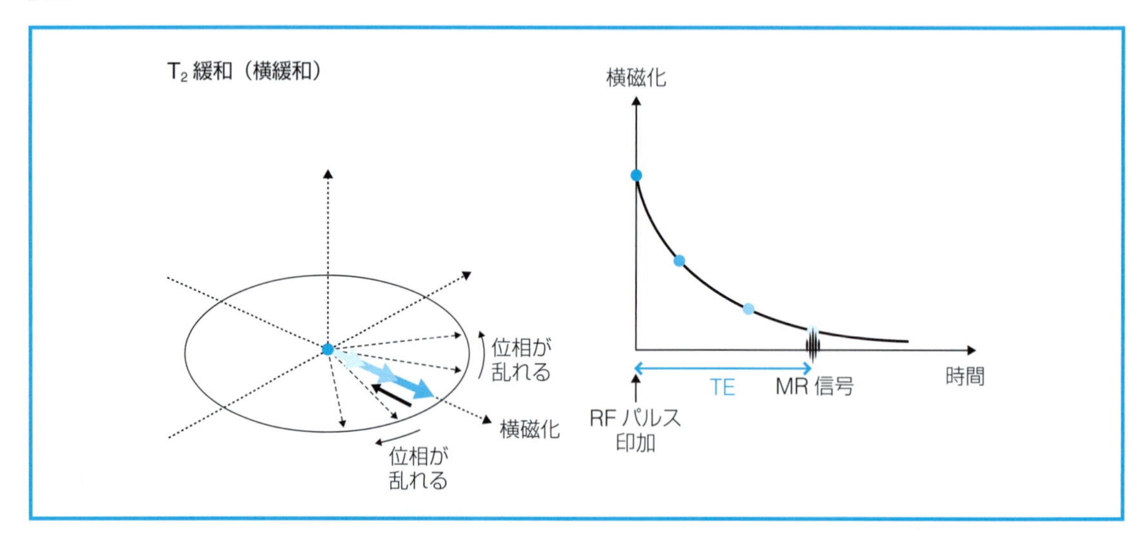

- 励起 RF パルスを印加した後，エコーが発生するまでの時間を TE（エコー時間）と呼ぶ。
- TE は T_2 緩和と深い関係がある。
  - ▶励起 RF パルスを印加 ➡ 横磁化が発生する ➡ 励起 RF パルスを切る ➡ スピンの位相が乱れる
  - ▶信号強度＝乱れた位相の分だけ低下する。
- つまり，TE とは T_2 緩和のために待つ時間のことである。

C FA（flip angle：フリップ角）

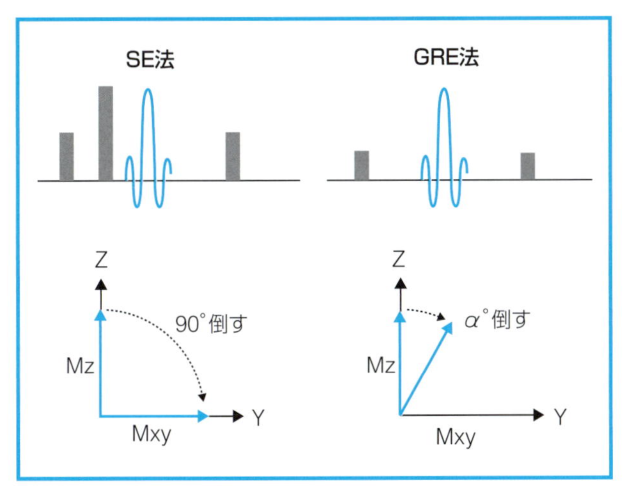

- RFパルスで磁化を励起させる角度をFA（フリップ角）と呼ぶ。

SE法：90°
GRE法：0°< α < 90°

- GRE法における最適なFAを“Ernstの FA”と呼ぶ（6章111頁参照）。
- FAを小さくすると，縦磁化が早く回復するため，TR（撮像時間に比例）を短縮できる。

D FOV（field of view：撮像視野）

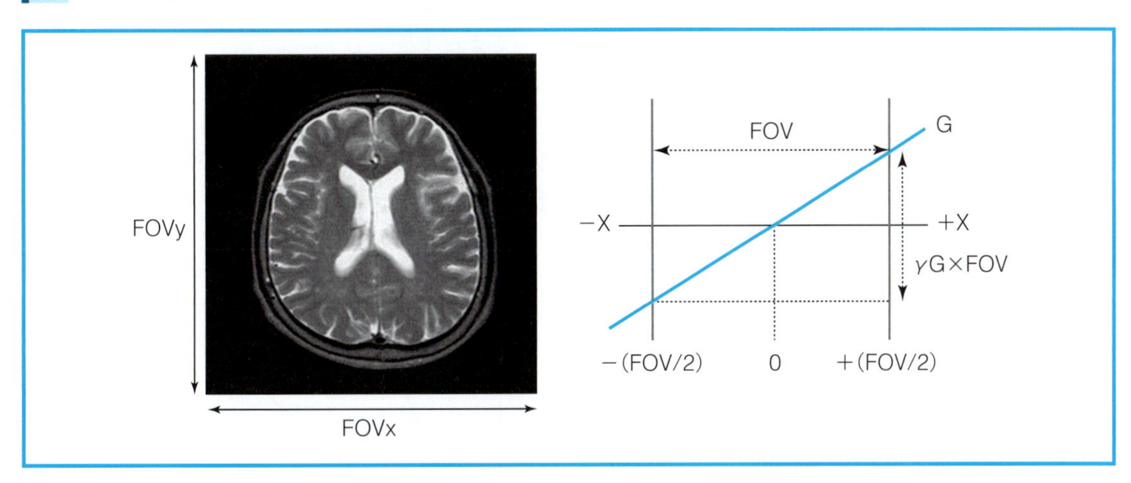

- ある任意の撮像面において，画像化する視野の大きさをFOVと呼び，目的に応じて適切なFOVを選択する。
- FOVの大きさは受信バンド幅（BW）と傾斜磁場強度（G）によって制限される。

$$FOV = \frac{BW}{\gamma \times G}$$

【FOVを大きくするためには？】

▶BWを大きくする（SNRの低下を招く）

▶傾斜磁場を弱くする

- FOVを小さくしすぎると，被写体の大きさによっては折り返しアーチファクト（10章参照）を生じる可能性がある。

E　BW（band width：受信バンド幅）

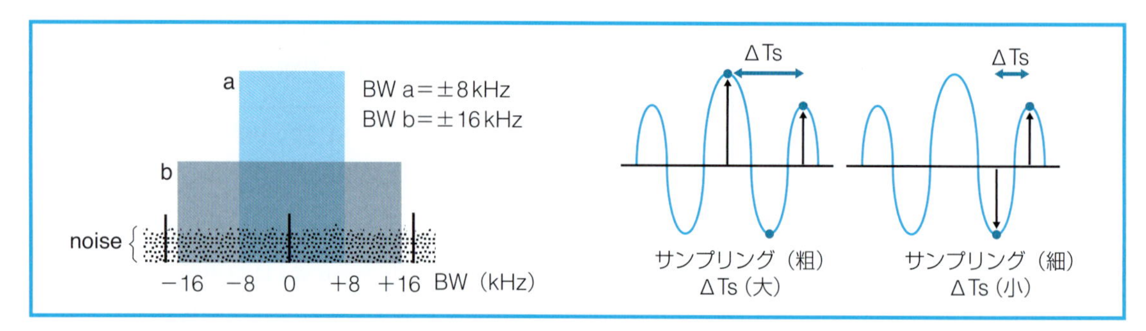

- コイルで受信したMR信号（アナログ）をデジタル化（サンプリング）するための**エコー読取時の受信周波数帯域幅**を**BW（受信バンド幅）**と呼ぶ。
- Noiseはすべての周波数にまたがって均一に分布しており，BWの広い方が雑音を多く含むため，SNRは低下する。
- BWは次式で表現できる。

$$\mathrm{BW}=\frac{1}{\text{サンプリング間隔}(\Delta \mathrm{Ts})}=\frac{\text{周波数方向のピクセル数}\ (\mathrm{Nx})}{\text{サンプリング時間}\ (\mathrm{Ts})}$$

【BWを狭くするには？】
- Nxを小さくする（空間分解能の低下を招く）。
- ΔTsを大きくする。

【BWを狭くすると？】
- SNRが向上する。
- 化学シフトアーチファクトが増加する。
- TEが延長する（T_2減衰が進み，信号が小さくなる）。
- TEの延長に伴い，スライス数が減少することがある。

F　slice thickness（スライス厚）

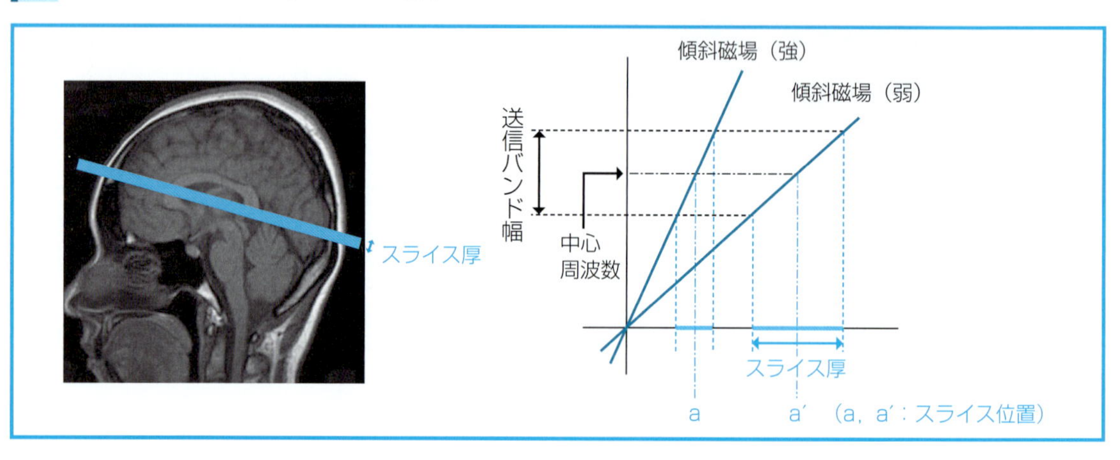

- **画像化したい断面の厚さ**を**スライス厚**と呼ぶ。
- スライス厚はRFパルスの中心周波数および送信バンド幅とスライス選択傾斜磁場で決定される。

【スライス厚を薄くするには？】
- 送信バンド幅を狭くする。
- スライス選択傾斜磁場を強くする。

【スライス厚を薄くすると？】
- SNRが低下する。
- パーシャルボリューム効果（10章218頁参照）が減少し，空間分解能が高くなる。

G Matrix（マトリックス数）

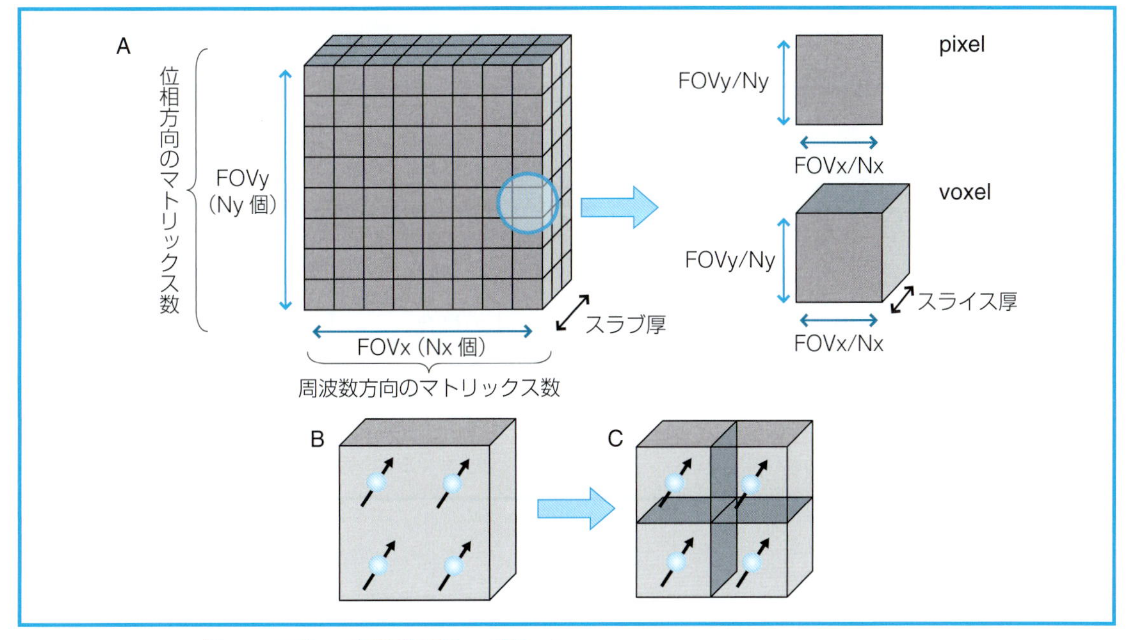

A：マトリックス数は，画像の空間分解能に関わる。

- MR画像は小さいマス目を沢山並べることで構成されている。このマス目をpixelという。

$$1\ \text{pixel あたりの面積} = \frac{FOVx}{Nx} \times \frac{FOVy}{Ny}$$

- MR画像は一定の厚さ（＝スライス厚）の情報を含んでいる。つまり，小さいマス目は平面（pixel）ではなく，立体（voxel）であると考えることができる。

$$1\ \text{voxel あたりの体積} = \frac{FOVx}{Nx} \times \frac{FOVy}{Ny} \times \text{スライス厚}$$

$$\left(\text{3DFT の場合：スライス厚} \Rightarrow \text{スラブ厚} = \frac{FOVz}{Nz}\right)$$

【マトリックス数を大きくすると】（B→C）

- Nx：周波数方向の空間分解能が向上する（1 voxelあたりのプロトン数が減少するため，SNRは低下する）。
- Ny：位相方向の空間分解能が向上する（撮像時間が延長する）。

H NEX（number of excitation：加算回数）

【加算回数の別称】

- NEX（number of excitation）
- NSA（number of samples averaged）
- AVE（averaging）
- Acquisition
- NAQ（number of acquisition）

- シーケンスを繰り返す回数を表す。
- シーケンスを繰り返すと雑音が平均化され，結果としてSNRが向上する。

【NEXを大きくすると？】

- SNRが向上する。
- 撮像時間が延長する。

3　scan time（撮像時間）

A　spin echo法

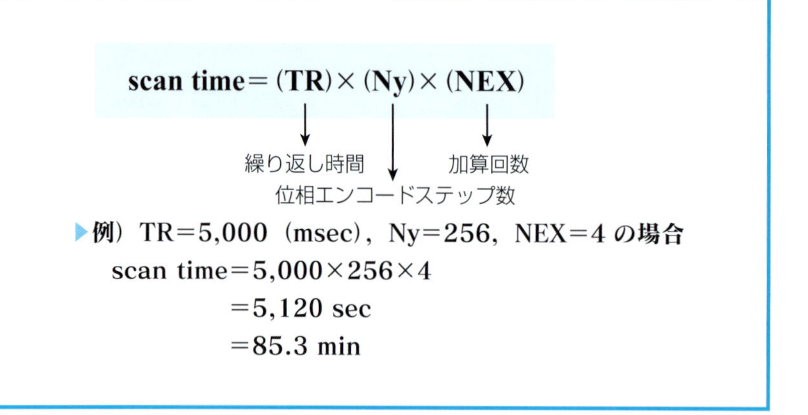

B　高速spin echo法

$$\text{scan time} = \frac{(\mathrm{TR}) \times (\mathrm{Ny}) \times (\mathrm{NEX})}{(\mathrm{ETL})}$$

(ETL)：エコートレイン数

▶例）TR＝5,000（msec），Ny＝256，NEX＝4，ETL＝12 の場合

$$\text{scan time} = \frac{5{,}000 \times 256 \times 4}{12}$$

$$= 426.7 \text{ sec}$$

$$= 7.11 \text{ min}$$

- 高速spin echo法は1TR内にETL数のエコーを収集するため，spin echo法に比べるとscan timeは$\frac{1}{\mathrm{ETL}}$に短縮される。

4 SNR（signal to noise ratio：信号対雑音比）

A signal（信号）とnoise（雑音）

- MR信号は，signal（信号）とnoise（雑音）からなる。
- MR画像に必要なのはsignalであるが，signalのみを受信することは難しく，noiseも一緒に受信してしまう。
- できるだけnoiseの少ないMR信号を得るために，適切なパラメータ設定が必要となる。

B SNRの定義

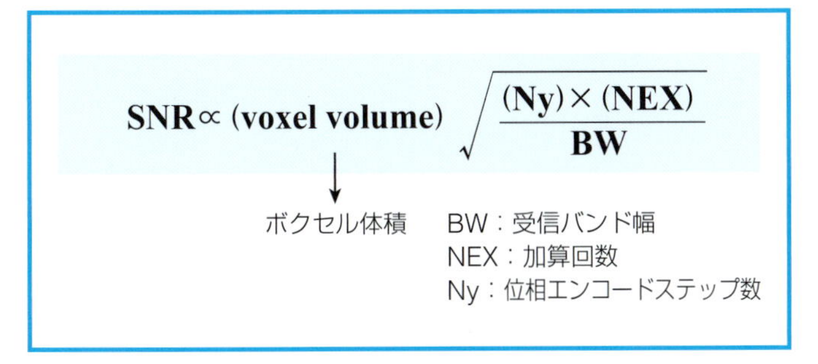

- SNR（信号対雑音比）とは，関心領域の信号値の平均値と関心領域の信号値の標準偏差との比$\left(\frac{\text{signal}}{\text{noise}}\right)$である。

【SNRを向上させるには？】

①voxel volumeを増加させる（FOVを大きくする，マトリックス数を小さくする，スライス厚を大きくする）。

②NEXを増加させる（√倍で増加）。

③Nyを増加させる（√倍で増加）。

④BWを狭くする（√倍で増加）。

➡①では空間分解能の低下，②および③では撮像時間の延長，④ではTEの延長に伴う信号低下や化学シフトアーチファクトの増加を招くため，それらのトレードオフを考慮した撮像パラメータの設定が重要である。

【上記以外でSNRを向上させる主な方法】

⑤TRを延長する。

⑥TEを短縮する。

⑦3Dデータ収集を行う。

⑧高感度の受信コイルを使用する。

⑨静磁場強度の高い装置を使用する。

代表的なパルスシーケンス

1 パルスシーケンスとは

- **パルスを適切な強さとタイミングで印加する一連の流れのことである。**

  パルス：短時間でパルス状に印加されるラジオ波（radio frequency：RF），または付加される傾斜磁場

  シーケンス：連続，連鎖の意味

A パルスシーケンスの構造

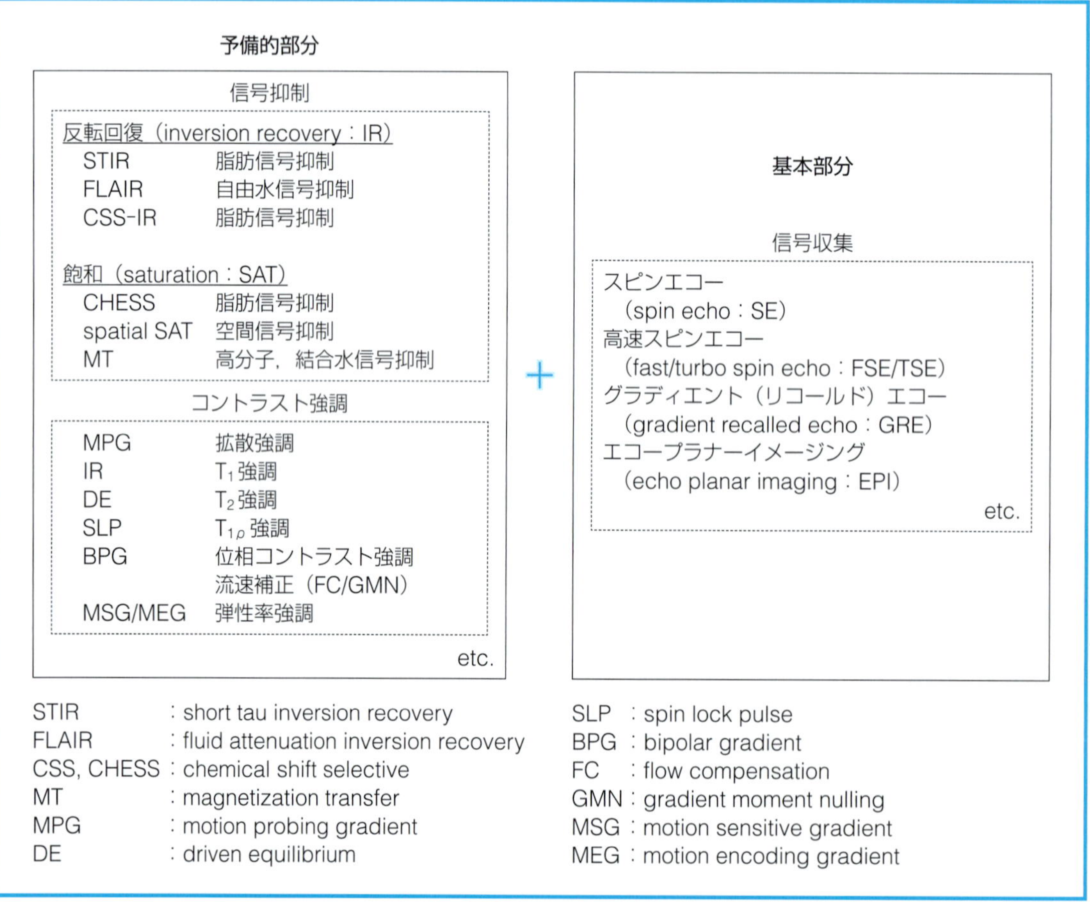

- パルスシーケンスは，励起および信号収集を行う基本部分と，画像コントラストを強調したり信号を抑制したりする予備的部分から構成される。
- 基本部分のみで撮像する場合と，予備的部分と基本部分を組み合わせて撮像する場合がある。

B パルスシーケンス図（pulse sequence diagram：PSD）

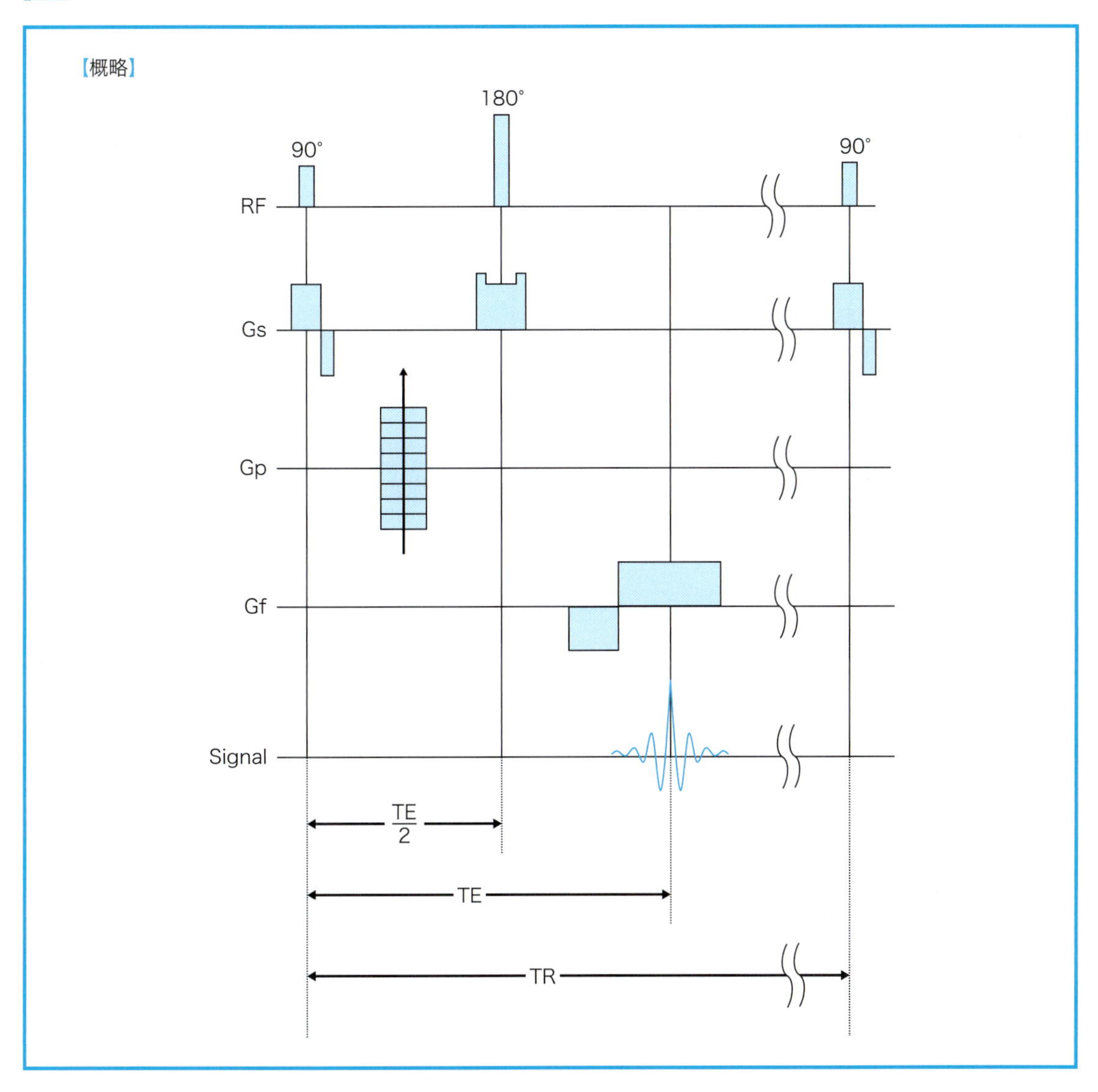

- PSDは，印加するRFおよび付加する傾斜磁場の強さ，時間，タイミングを示した図である。
- 一般的には，RF，Gs（スライス選択傾斜磁場），Gp（位相エンコード傾斜磁場），Gf（周波数エンコード傾斜磁場），発生した信号が図示される。
- 図はSEのPSDである。横軸は時間，縦軸は各基線を0としてRF，傾斜磁場，および信号の強さと正負を表す。
- RF中の角度はフリップ角（flip angle：FA）であり，90°パルスからエコー収集までの時間をエコー時間（echo time：TE），90°パルスから次の90°パルスまでの時間を繰り返し時間（repetition time：TR）と呼ぶ。
- 傾斜磁場の強さは，強度（縦軸）と印加時間（横軸）の積で表される。
- この図はSEの励起～信号収集までの1サイクルを表すものであり，MR撮像のためには数十～数百サイクル繰り返す必要がある。

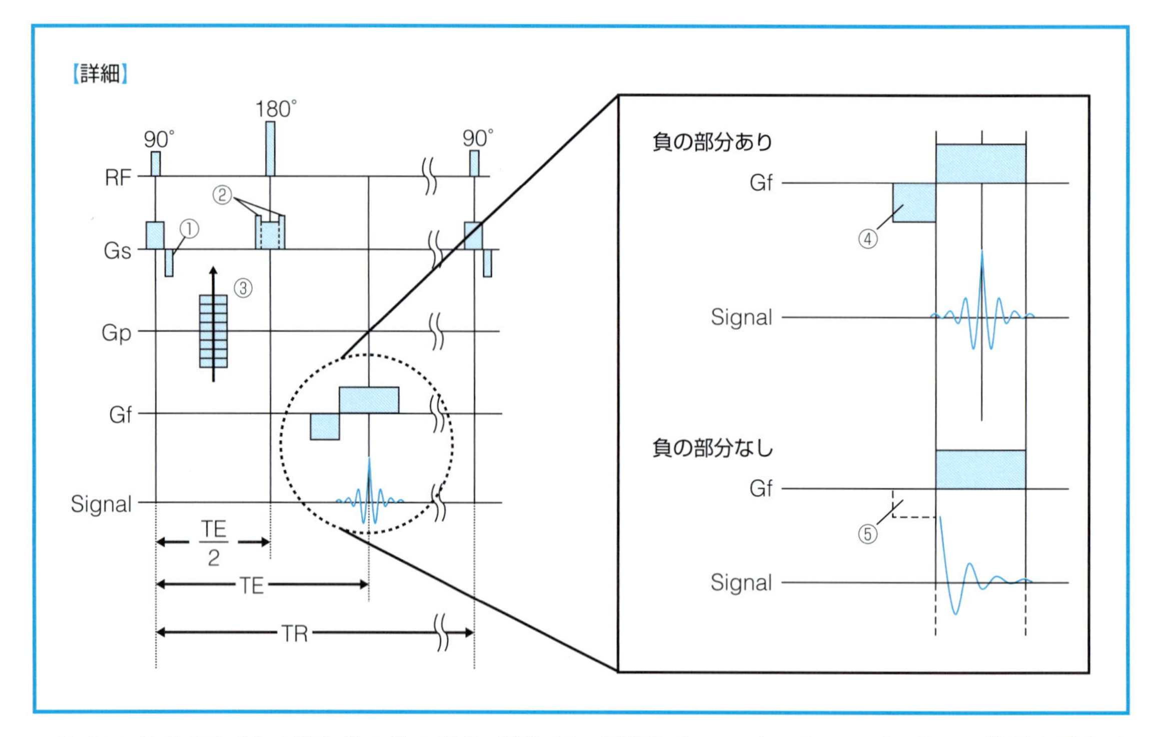

- Gsにおける90°パルス印加後の負の部分（①）は，選択したスライス内でのプロトンの位相を揃えるために付加される再収束傾斜磁場である。また，180°パルスの不正確性により発生する余分な横磁化の影響を抑えるため，180°パルスの前後には1対のクラッシャー傾斜磁場（②）が付加される。
- Gpに描かれるはしご状の図形（③）は，TRごとに位相エンコード方向の傾斜磁場強度を変化させながらパルスシーケンスを繰り返し，TE時にk-spaceの異なる行を充填することを意味する。
- Gfにおける負の部分は（④），ピークを持った対称性の良い信号を得るために付加される。負の部分がないと（⑤），Gf付加中に信号が減弱する片流れの信号となり，画質の低下を招く。

各社撮像シーケンスの名称

	PHILIPS	GE	SIEMENS	CANON	FUJI
スピンエコー	spin echo	spin echo	spin echo	spin echo	spin echo
高速スピンエコー	turbo SE	fast SE	turbo SE	fast SE	fast SE
GRE (coherent/FID)	FFE	GRASS	FISP	FFE	SARGE
GRE (coherent/SE)	T_2-FFE	SSFP	PSIF	SSFP	TRSG
GRE (incoherent)	T_1-FFE	SPGR	FLASH	Spoiled FE	RSSG
balanced SSFP (steady state imaging)	balanced-FFE	FIESTA	True FISP	True SSFP	BASG
EPI	EPI	EPI	EPI	EPI	EPI

2 スピンエコー（SE）

励起用90°パルスと収束用180°パルスを用いて収集するエコーをスピンエコー（spin echo）と呼ぶ。MRIにおける最も基本的なパルスシーケンスである。

A SE法の概念

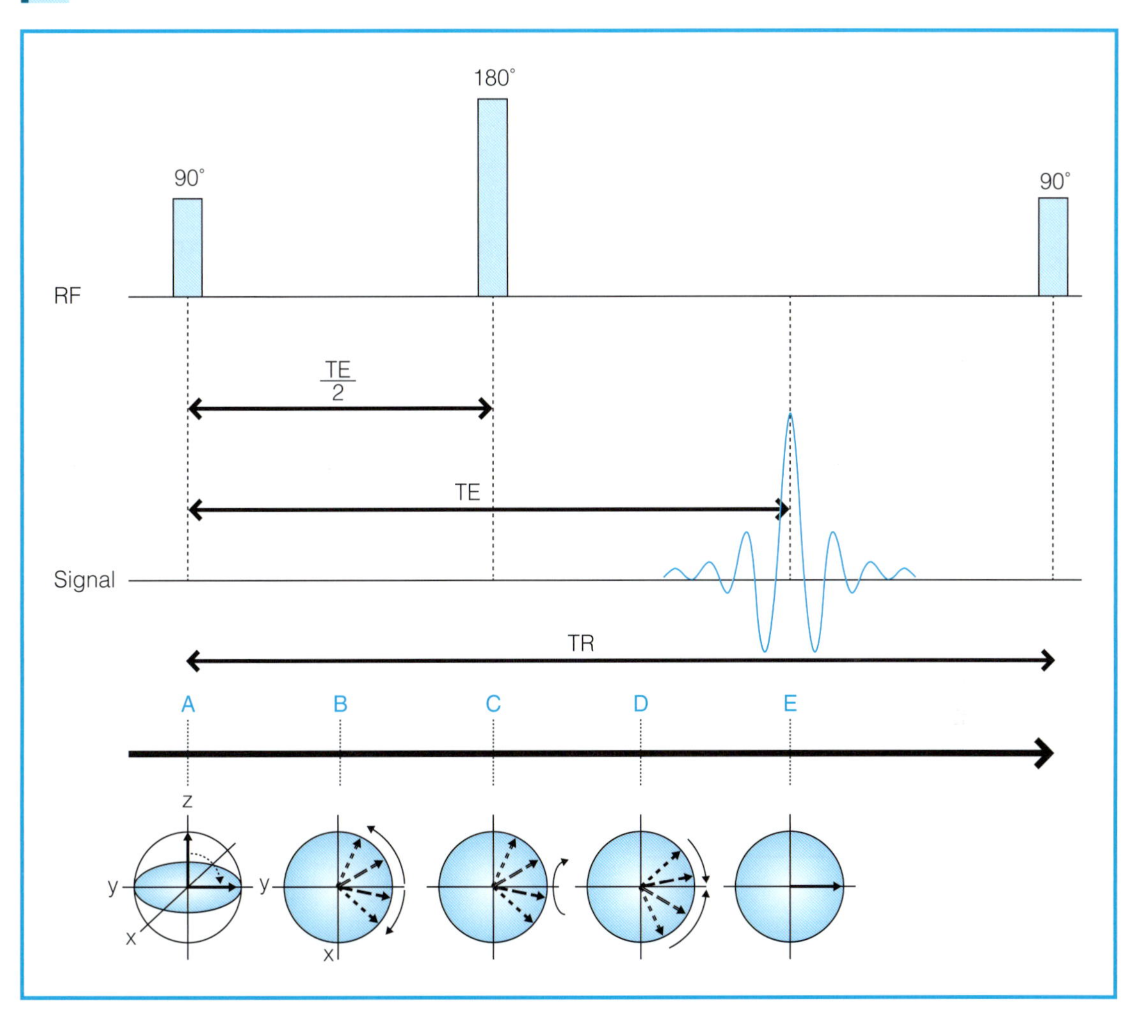

- 励起90°パルスと収束180°パルスを用いて収集するエコーであり，MRIにおいて基本的なパルスシーケンスである。
- 180°パルスは $\frac{TE}{2}$ のタイミングで印加される。
- 90°パルス印加後からエコー収集までの変化は以下のとおりである。

A：x軸方向から90°パルスが印加されると，右ねじの法則に従い，磁化ベクトルはy軸へと倒される。
B：90°パルス印加終了後，時間の経過とともに，各プロトンの位相はxy平面上に分散する。
C：y軸方向から180°パルスを印加することで，各プロトンはx軸を中心として180°回転する。
D：分散していたプロトンは，xy平面上でy軸方向に収束し始める。
E：180°パルスから $\frac{TE}{2}$ 時間経過した時点でy軸方向に位相が揃い，信号が最大となる。

B　SE法と緩和時間

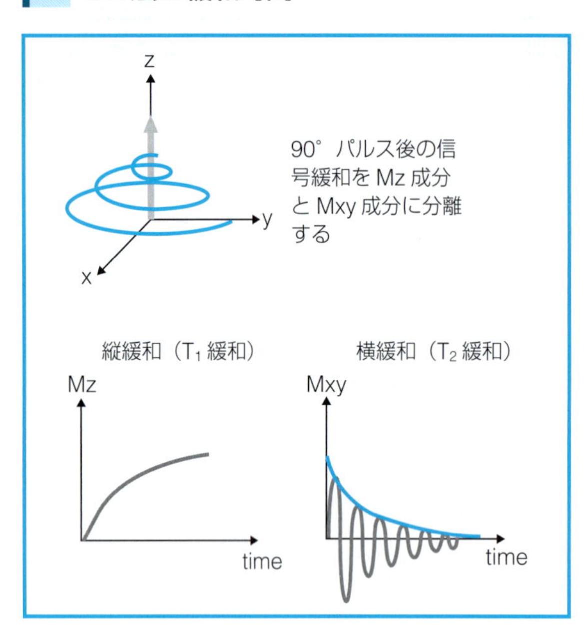

- SEは90°パルス印加後，xy平面を回転しながら元の状態（M_0）に緩和する。そのベクトルをz軸成分（縦緩和）とxy平面成分（横緩和）に分離すると，図のようになる。
- 励起RFパルスが切られると縦緩和も横緩和も同時に始まるが，一般に**横緩和の方が縦緩和より早く進行（終了）**する。
- SEの信号強度は，縦磁化と横磁化を考慮し，次式で示すことができる。

$$S = M_0 \left[1 - \exp\left(-\frac{TR}{T_1}\right)\right] \exp\left(-\frac{TE}{T_2}\right)$$

M_0：熱平衡状態の縦磁化
プロトン密度（ρ）に比例する。

C　SE法と信号強度

・単一の90°パルスによる縦緩和と横緩和

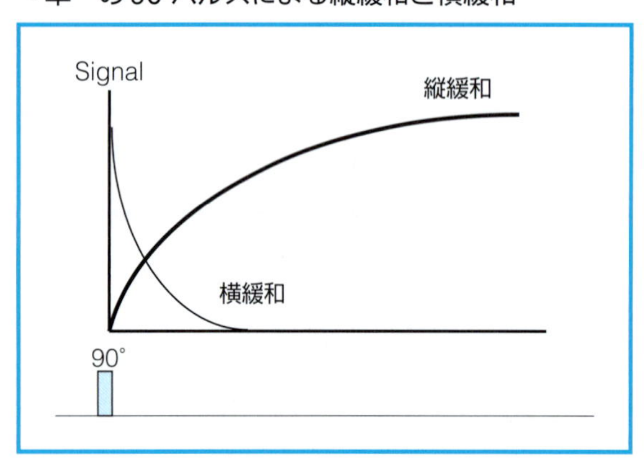

- 90°パルス印加終了後，縦緩和と横緩和は同時に開始するが，一般的に**横緩和の方が縦緩和より早く進行し，終了**する。

・連続する90°パルスによる縦緩和と横緩和

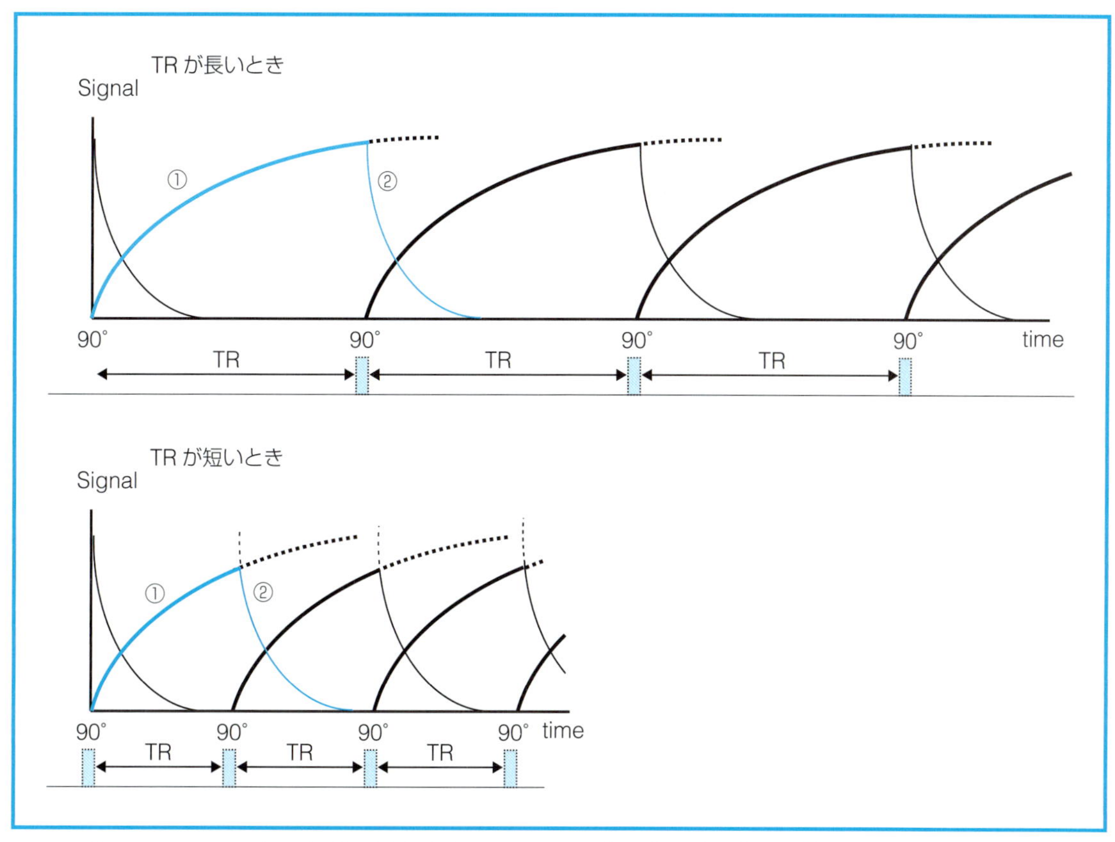

● TRごとに90°パルス印加を繰り返すとき，90°パルス後の縦緩和（図中①）と，1つ後の90°パルス後の横緩和（図中②）を一連の流れとして捉えることができる。

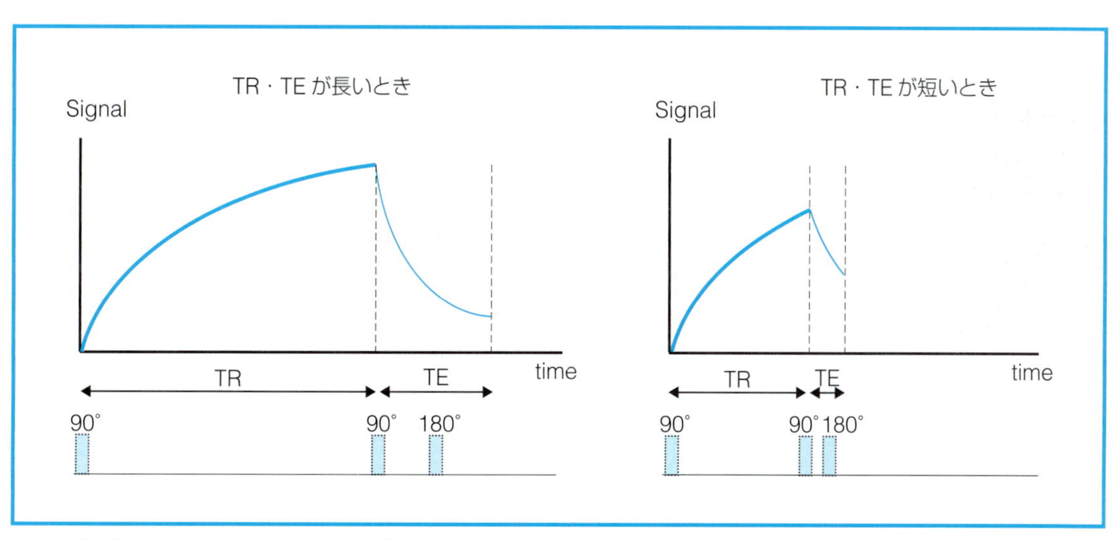

● MR信号収集において，TRを調整することで**縦緩和回復**の程度を，TEを調整することで**横緩和減衰**の程度を制御できる。

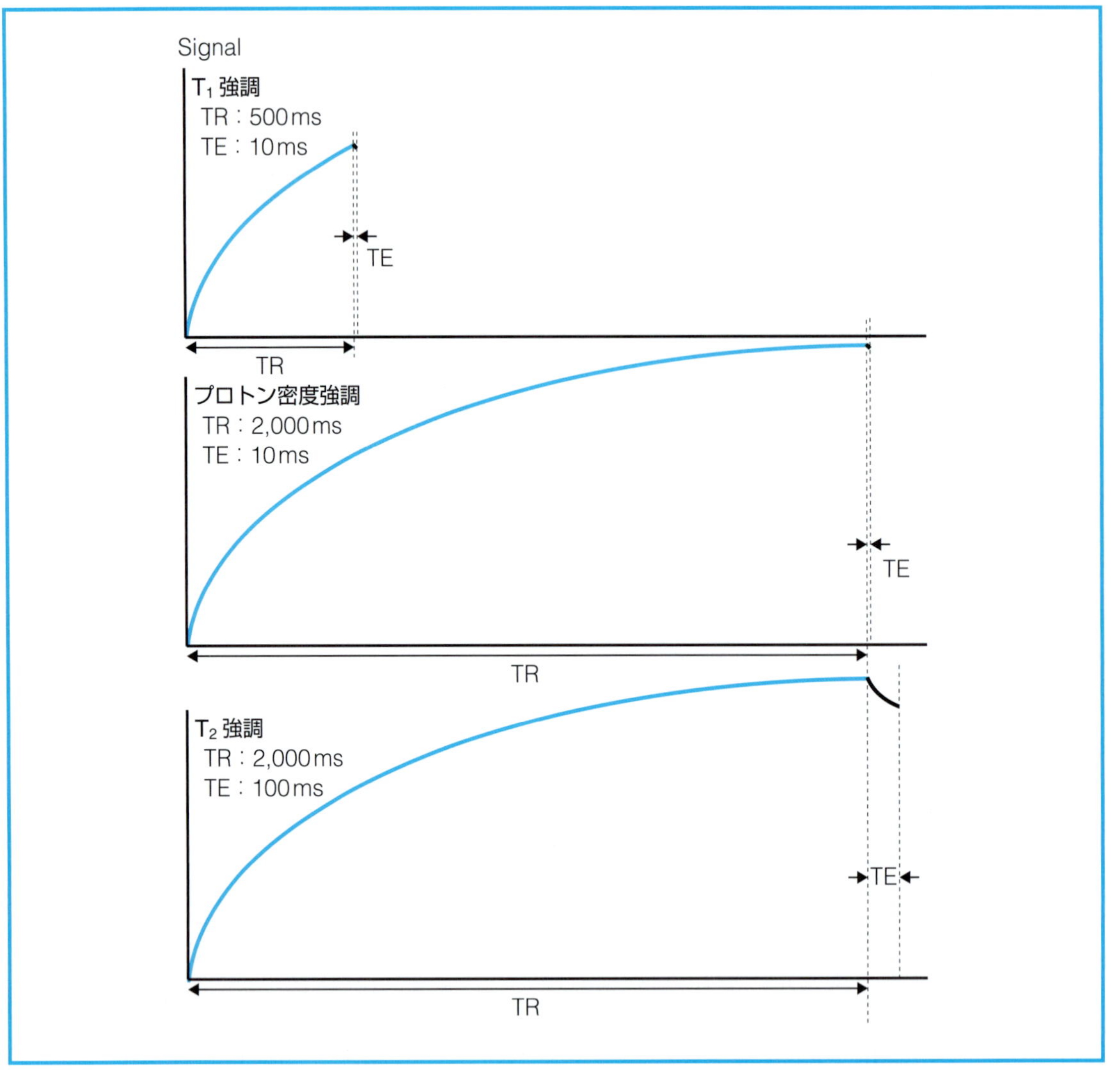

- T_1強調，プロトン密度強調，T_2強調それぞれにおけるTR, TEの組み合わせを時間軸を揃えて表示した。このように強調する因子により信号回復・減衰曲線は大きく異なるが，図示が煩雑となるため，以降は簡略した図を示す。

D パラメータ設定と画像

1. 短いTR，短いTEを選択したとき

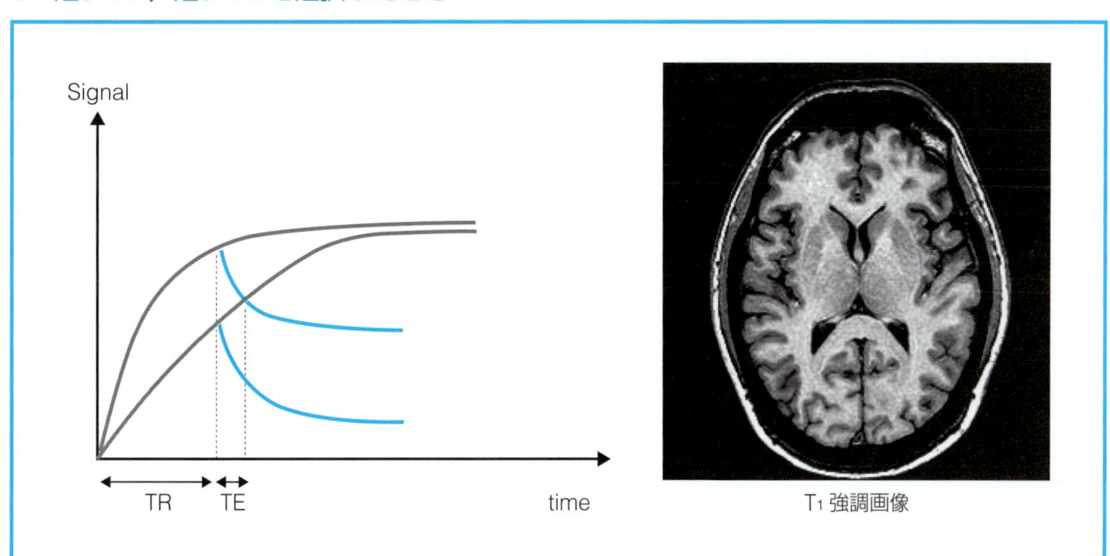

- 短いTRでは，多くの組織の縦磁化は完全に回復していないため，組織のT_1の影響を強く受ける。
- 短いTEにより組織の横磁化の影響の差は少なくなり，T_2の違いは影響されにくくなる。
- 画像は縦磁化の影響を強く反映した“T_1強調画像”となる。

2. 長いTR，長いTEを選択したとき

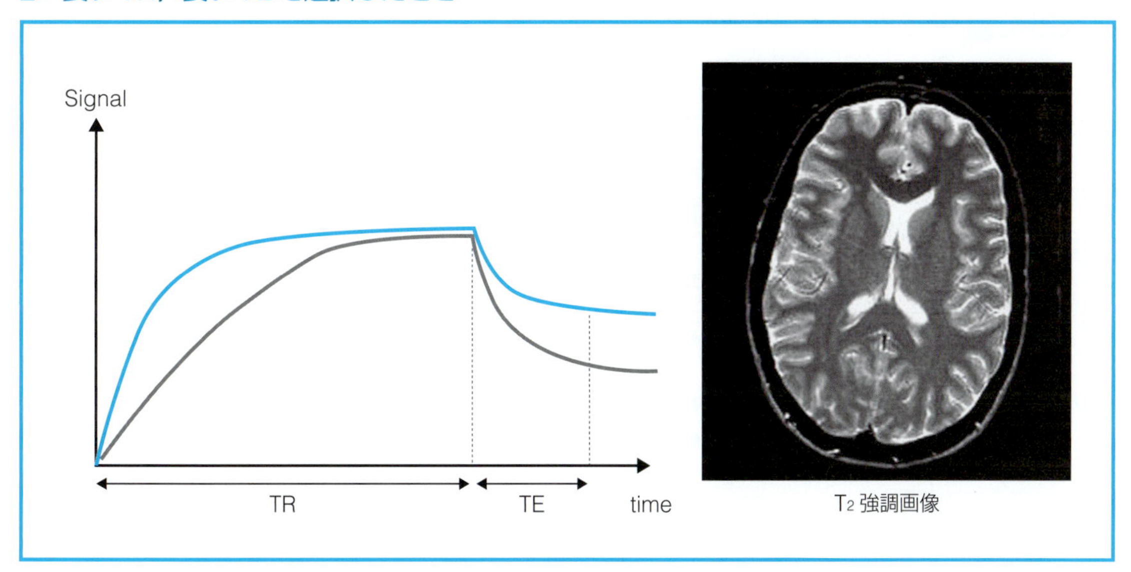

- 長いTRの場合には，多くの組織の縦磁化は回復してしまい，組織のT_1の違いが信号に影響されにくくなる。
- 長いTEにより，組織ごとの横磁化の減衰の差が大きくなり，組織のT_2の違いが大きく影響を与える。
- 画像は“T_2強調画像”となる。

3. 長いTR，短いTEを選択したとき

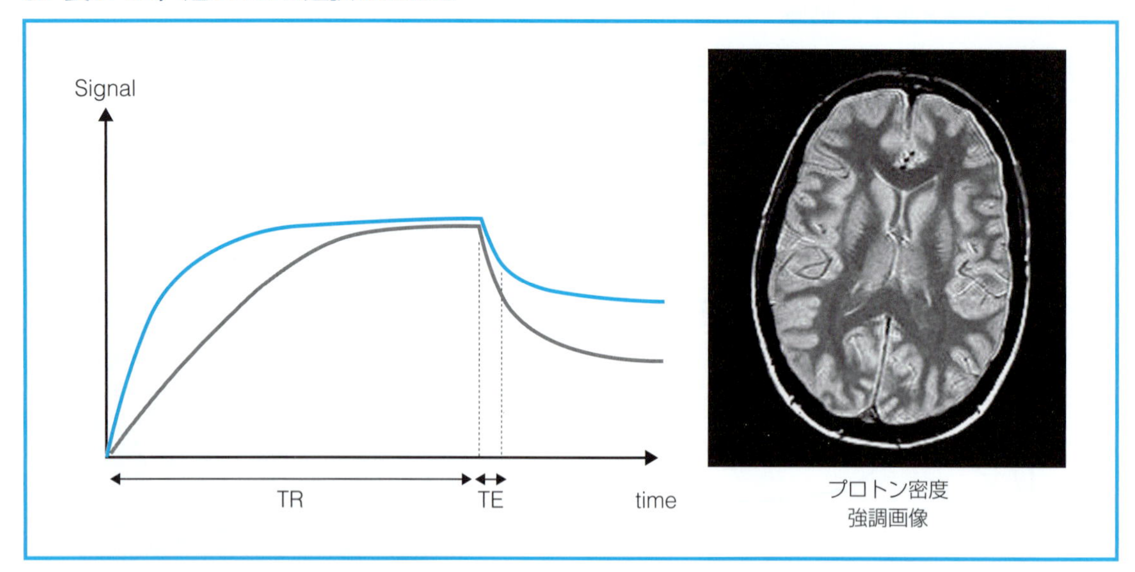

プロトン密度
強調画像

- 長いTRにより，前項（2-D-2）と同じように多くの縦磁化は回復してしまい，組織のT_1の違いによる影響はほとんどない。
- 短いTEにより，組織のT_2の違いも信号に影響を与えることは少ない。
- 組織のT_1，T_2の違いの影響は少なく，T_1強調画像またはT_2強調画像にはならない。
- 画像は組織の原子核密度が強調された"プロトン密度強調画像"となる。

コラム 各画像のパラメータと特徴

	TE	TR
T_1強調画像	Short：＜20ms	Short：＜600ms
T_2強調画像	Long：＞80ms	Long：＞2,000ms
プロトン密度強調画像	Short：＜20ms	Long：＞2,000ms

T_1強調画像の特徴	T_2強調画像の特徴	プロトン密度強調画像の特徴
●脳脊髄液や水は黒く描出される。 ●脂肪，蛋白性溶液は白い。 ●灰白質は白質よりもやや黒い。	●脳脊髄液や水は白く描出される。 ●脂肪は白い。 ●灰白質は白質よりもやや白い。 ●浮腫などの病変は白く描出される。	●脳脊髄液や水は黒く描出される*。 ●脂肪は白い。 ●灰白質は白質よりもやや白い。 ●浮腫などの病変は白く描出される。

＊プロトンが多い脳脊髄液や水が黒いのは??

一般的な脳の画像では，プロトン密度強調画像でありながら，脳脊髄液は黒く描出されている。これは，TRを脳脊髄液が完全に縦磁化が回復するような長いTRに設定していないこと，TEを横磁化の減衰の影響を最小限になるようなTEに設定できないことが原因である。

3 高速スピンエコー

A 高速スピンエコーの概念

【高速スピンエコーのPSD（エコートレイン数：3）】

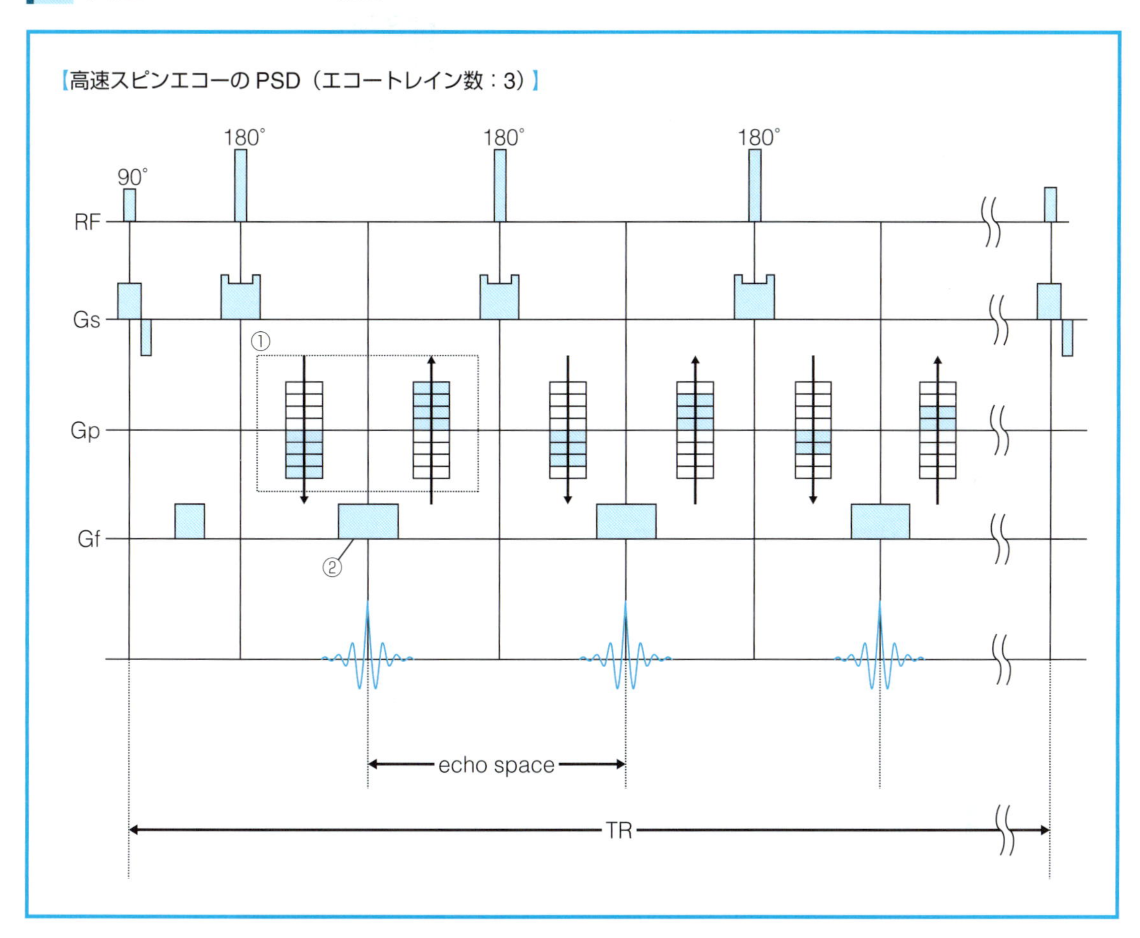

- 高速スピンエコーのPSDを図に示す。
- Fast SE（FSE），turbo SE（TSE）などと呼ばれる。
- 90°パルスで励起後に複数の180°パルスを繰り返し印加し，複数のSE信号を収集するシーケンスである。
- 1TR内で印加される180°パルスの数をエコートレイン数（echo train length：ETL）という。同じTRのSEと比較して $\frac{1}{\mathrm{ETL}}$ に撮像時間を短縮することができる。
  例） ETLが10の場合，同じTRであれば，撮像時間は1/10に短縮される。
- 1TR内のSE信号の間隔をエコー間隔（echo space：ESP）という。
- Gpにおいて各SE信号収集前後には，同じ強度で正負逆の傾斜磁場を印加して，位相エンコードが互いの信号に影響を及ぼさないようにしている（図①）。
- SEではGfに負の傾斜磁場を付加するが，高速SEでは不要である（図②）。短いESPで印加される180°パルスが同じ役割を果たすからである。

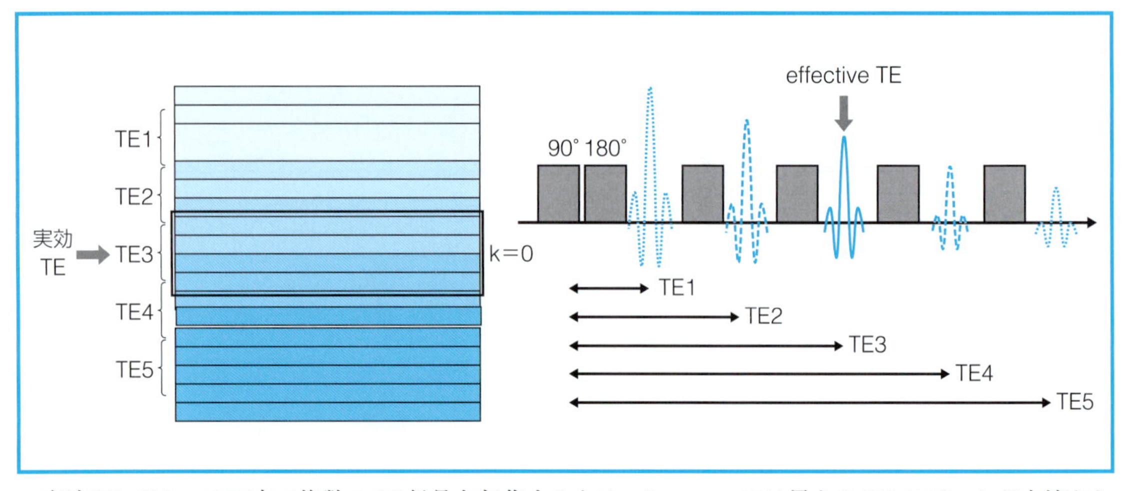

- 高速SEでは，1TR内で複数のSE信号を収集するため，k-spaceには異なるTEのデータが充填されることになる。
- k-spaceの中央に充填される信号のTEを実効TE(effective TE)といい，高速SE法でのTEとしている。

B 高速SE法の特徴：SE法との比較

1. TEの平均化 （コントラストの平均化）

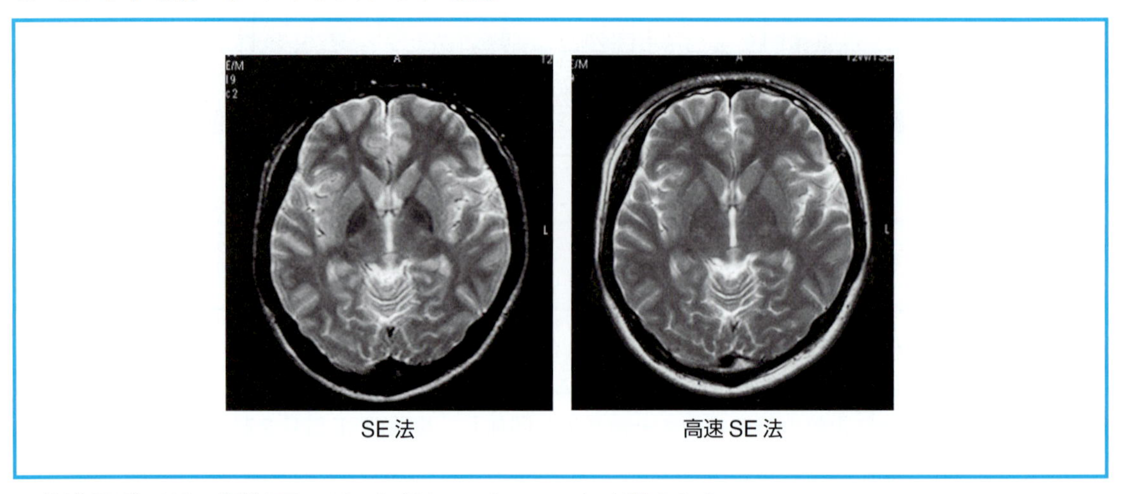
SE法　高速SE法

- 高速SE法では，複数TEのデータが1つのk-spaceに充填される。
- 高速SEでは実効TEのコントラストが反映された画像になるものの，複数TEの信号が平均化されるため，SEと比較してコントラストが低下した画像となる。
- 上の画像では，高速SE法において白質と灰白質のコントラストが低下している。

2. Blurring effect

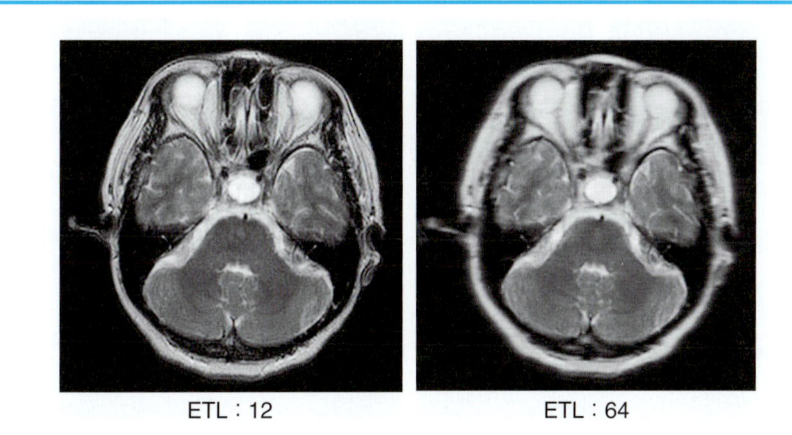

- k-spaceの高周波成分領域には，ETL後半（長いTE）のT_2減衰の影響が大きい信号が充填される。
- **高周波成分領域の信号減少はボケた画像（blurring image（ブラーリング））として描出**される。
- 上の画像は，実効TE 100 msのT_2強調画像である。ETLが大きい方が画像がボケている。

3. T_2 filtering 効果

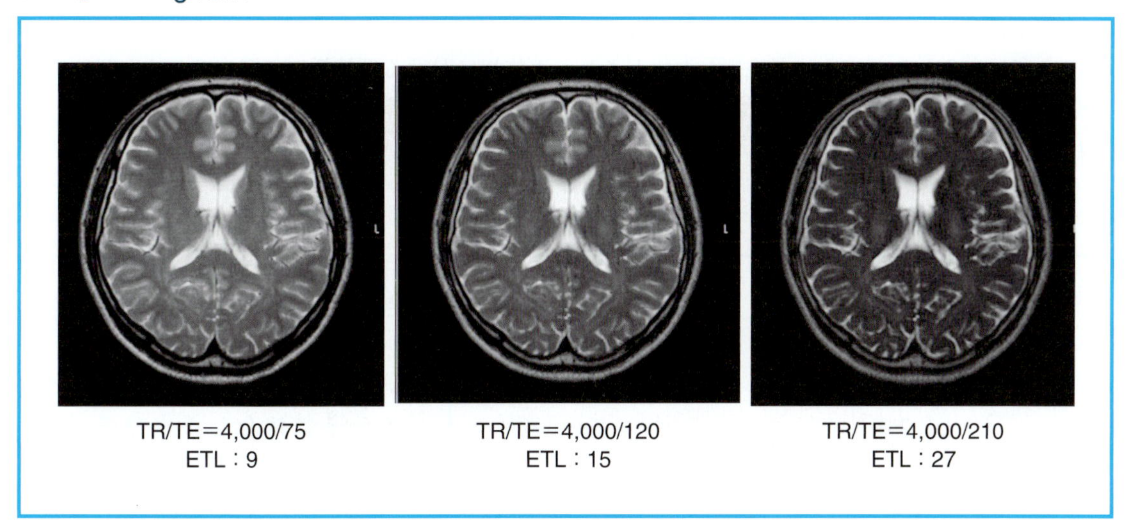

- 大きなETLを用いた場合，後半のTEではT_2の長い組織からの信号のみが中心となる。
- したがって，**T2の長い組織の信号が反映されたコントラスト**になりやすく，これを**T_2 filtering（フィルタリング）効果**という。
- 上の画像においては，ETLを大きくすることで，k-spaceにTEの長い成分が充填される割合が大きくなる。大きなETLにするほど，コントラストの低下が認められる。

4. J-couplingによる脂肪信号低下の抑制

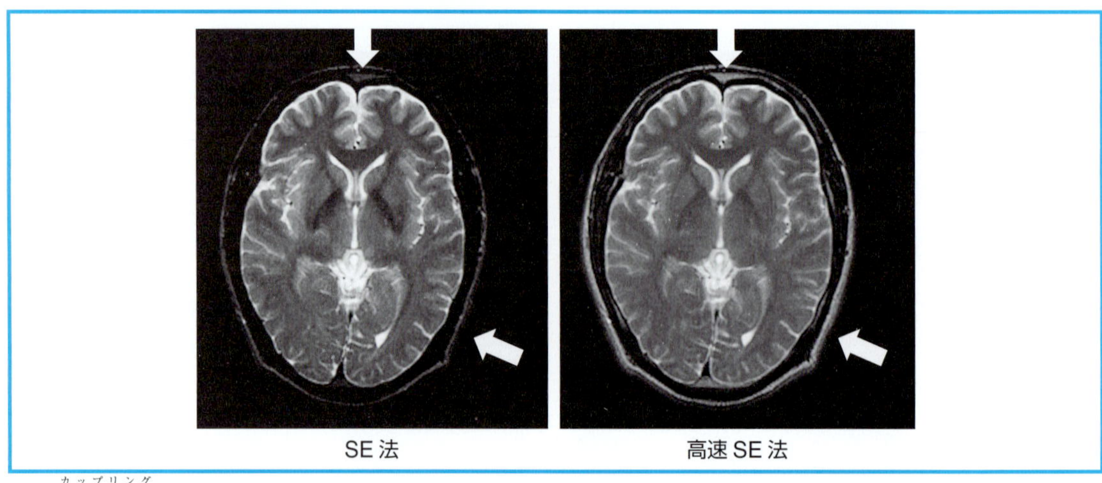

- J-coupling（J結合）は，1分子内の原子核同士で相互のスピンに磁気的影響を与え合う現象である。この現象により各原子核のスペクトルは分裂し，その幅をJ-coupling定数J（単位はHz）と呼ぶ。一般に，脂肪のJは5～20 Hzとされ，その逆数である50～200 msの間で同位相となり脂肪は高信号となる。その半分の時間である**25～100 msの間では逆位相となる**ため，SE法におけるTEをこの値に設定すると**脂肪の信号が低下して描出**される。
- 高速SE法では，20 ms以下の短いESPで180° パルスが印加される。一般に，1/Jより短い間隔でRFを印加するとJ-couplingが成立しないとされ，逆位相における信号低下が阻害されるため，**高速SE法では脂肪が高信号で描出**される。
- 上の画像では，高速SE法の画像の方が皮下脂肪や板間層の脂肪信号が高い。

5. Magnetization transfer（MT）効果

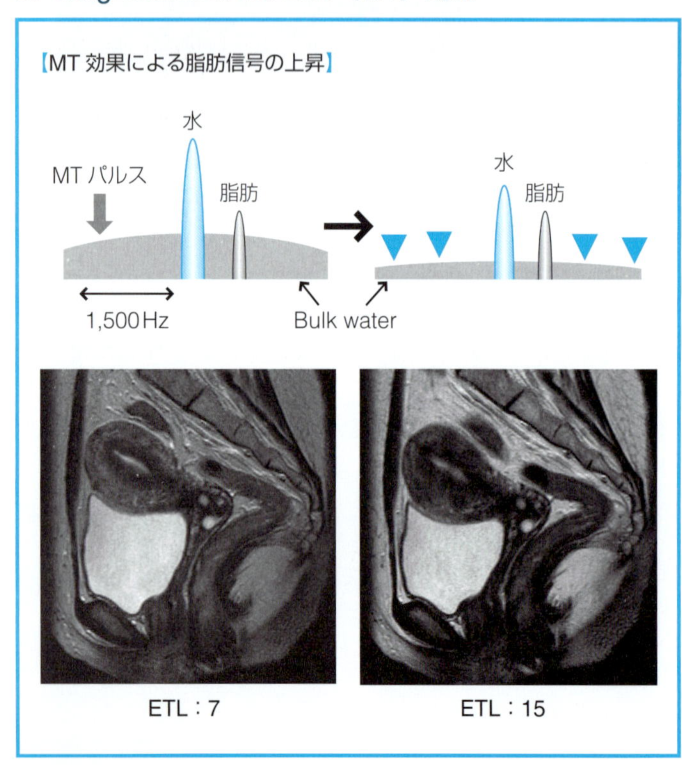

- 高速SEにおいて，短時間で繰り返される180°パルスはMT効果をもたらす。
- MT効果によって，蛋白質などの高分子に結合した**水分子（bulk water）は信号低下**を生じさせる。
- MT効果を生じるには，共鳴周波数から1～2 kHzずれたRFパルスを印加する必要がある。
- マルチスライス設定時には，他スライスでの180°パルスがMTパルスを印加したのと同様の効果を生じさせる。
- MT効果のない脂肪は信号低下を生じず，相対的に脂肪信号が上昇したように観察される。
- 画像では，ETLが大きい方がより多くのMT効果の影響を受ける。皮下脂肪の信号強度を比べると，ETL 15の画像の方が高い。

6. 磁化率効果

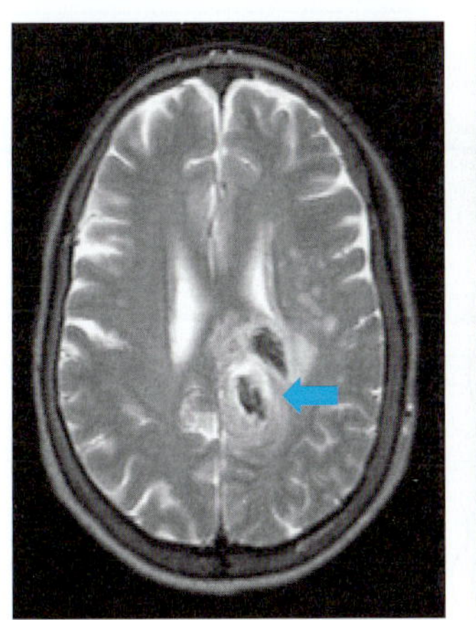

SE 法
TR/TE＝2,000 ms/95 ms

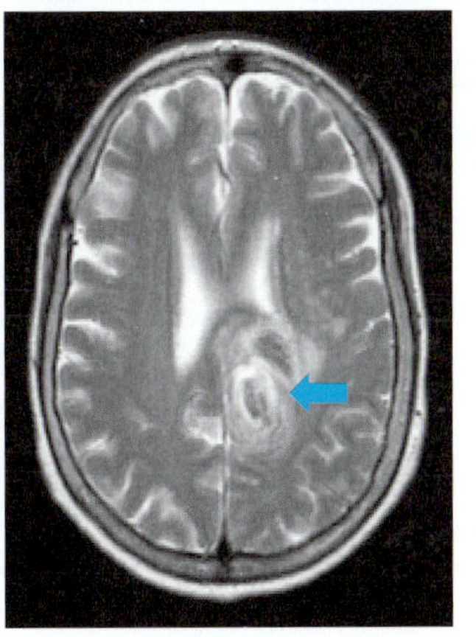

高速 SE 法
TR/TE＝3,000 ms/100 ms
ETL：10

- 左の画像は，腫瘍内出血（➡）の症例である。SE 法では，低信号として描出されている。高速 SE 法では磁化率効果低減の影響で，出血部位のコントラスト低下が認められる。（元 茨城県立医療大学阿武泉教授のご厚意による）

- 高速スピンエコーにおいて，短時間で繰り返される180°パルスにより，磁場の不均一による位相分散だけでなく，磁化率の差による位相分散も再収束されるため，磁化率効果が減少する。
- これは磁化率アーチファクトの減少という利点と同時に，磁化率の差によるコントラストが低下するという欠点も併せ持つ。

コラム 高速 SE 法における J-coupling と MT 効果の影響

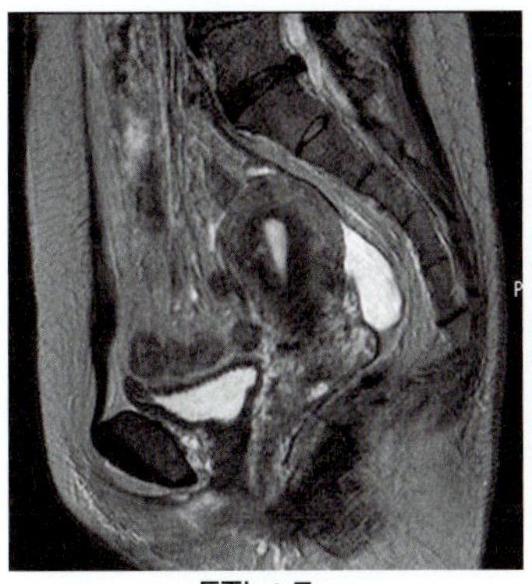

ETL：7
echo space：25 ms

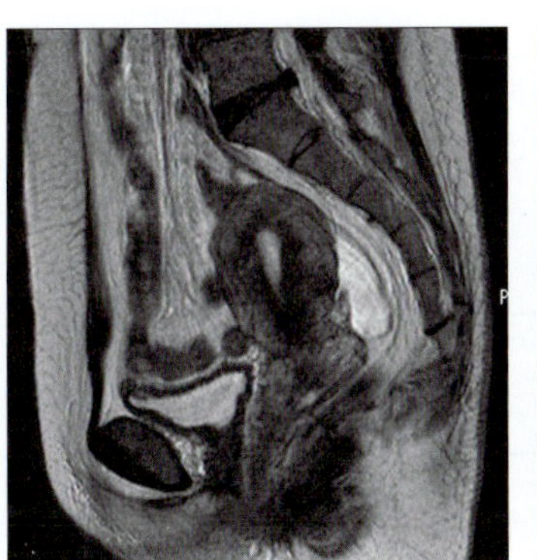

ETL：7
echo space：12.5 ms

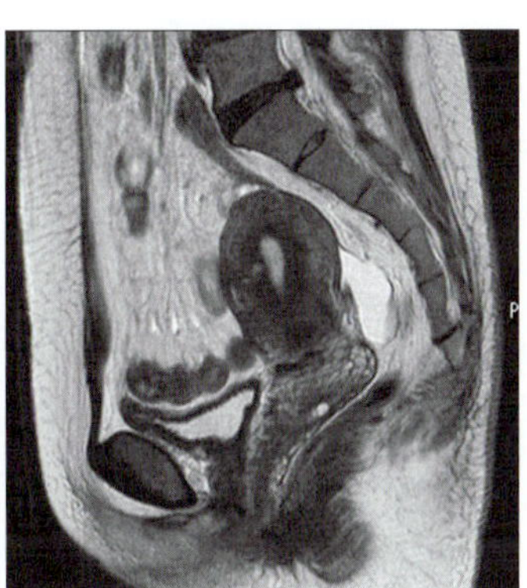

ETL：15
echo space：12.5 ms

J-coupling の影響　MT 効果の影響

- 高速 SE において，J-coupling の影響と MT 効果の影響を区別するのは難しい。
- 上図では，ETL が同じで，ESP のみを短縮した場合には，J-coupling の影響が大きく，ESP が同じで ETL を大きくした場合には，MT 効果の影響が大きいと思われる。

4 グラジエント(リコールド)エコー(gradient recalled echo：GRE)

A グラジエント（リコールド）エコーの概念

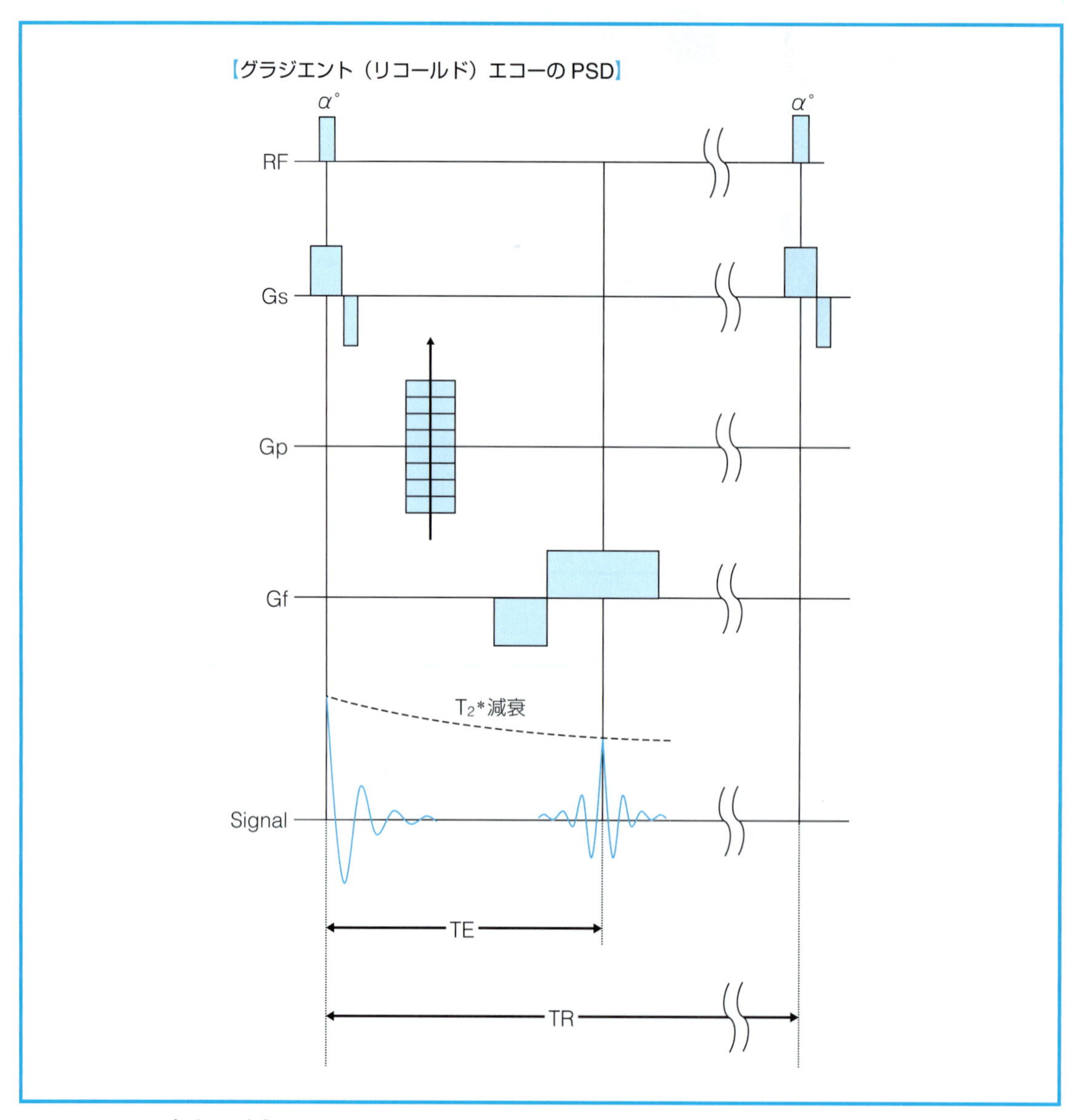

- GRE の PSD を上に示す。
- SE と異なる点は，再収束のための 180°パルスがないことである。
- 反転傾斜磁場（Gf）を用いることで，90°未満のフリップ角 α（partial flip angle）から発生する自由誘導減衰（free induction decay：FID）信号を意図的に位相分散させ，TE 時に再収束させる（呼び戻す：recall）ことで信号を収集する。
- GRE では 180°パルスではなく反転傾斜磁場で再収束させるため，T_2ではなくT_2*の減衰曲線に沿って緩和が起こる。
- 180°パルスがないため，SE 法よりも高速撮像が可能となる。

B SE法と比較した場合のGRE法の特徴

SE法とGRE法での磁化率アーチファクトの違い

SE法　GRE法

GRE法では，SE法よりも，磁化率の違いによる影響を受けやすい（⇨）。

【GREの特徴】

- 180°パルスがないことにより，SEに比べてTE・TRを短縮可能であるため，撮像時間の短縮が可能（息止め検査等に有効）。
- 任意のフリップ角を設定可能であり，TE・TRとの組み合わせでさまざまなコントラストが得られる。
- 磁場の不均一によって生じる位相分散の影響を補正する180°パルスがないため，磁場の不均一性や磁化率の違いに敏感である。

磁化率の影響を受けやすいという特徴は，短所としてだけでなく，磁化率強調画像などとして使用されることもある（12章260頁参照）。

C T_2とT_2*（T_2スター）

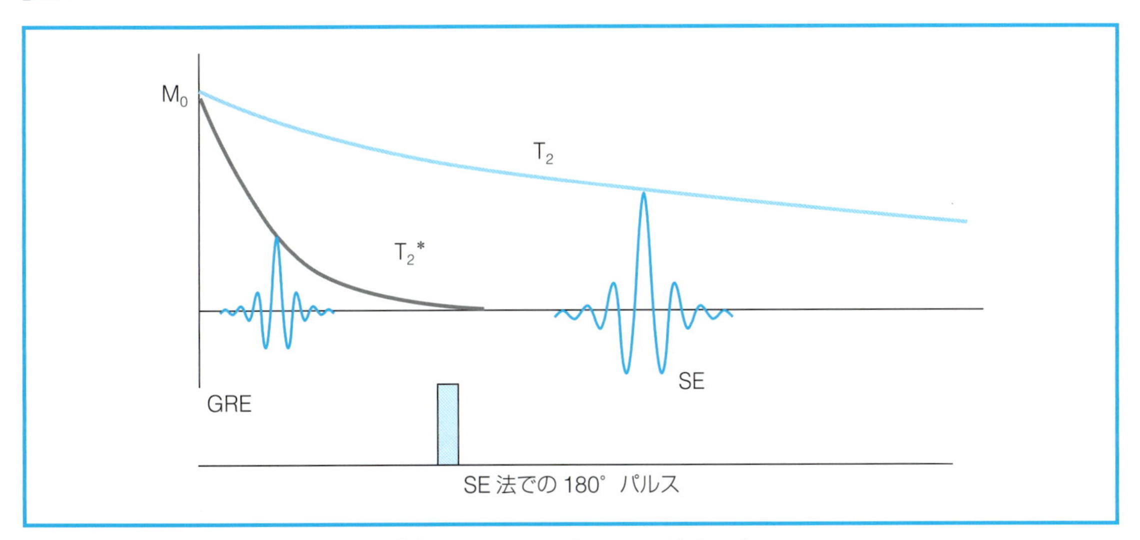

- GRE法で観察される信号はT_2*減衰となる。SE法ではT_2減衰である。
- T_2とT_2*の違いは，磁場の不均一の影響を含むか含まないかである。
- 収束用180°パルスによって磁場不均一の影響が補正されるSE法と異なり，反転磁場を用いるGREは磁場不均一の影響を含むため，信号減衰が早くなる。

D　GRE法と信号強度

1. 部分フリップ角（flip angle：FA）

- GRE法では，SE法のようにflip angleが90°ではなく，0＜ α °＜90の角度を用いる。
- GRE法の信号強度は，SE法と比較して，GRE法が T_2*減衰することだけの違いであり，flip angleが90°であれば①式のようになる。

$$S = M_0\left[1-\exp\left(-\frac{TR}{T_1}\right)\right]\exp\left(-\frac{TE}{T_2{}^*}\right) \quad \cdots①$$

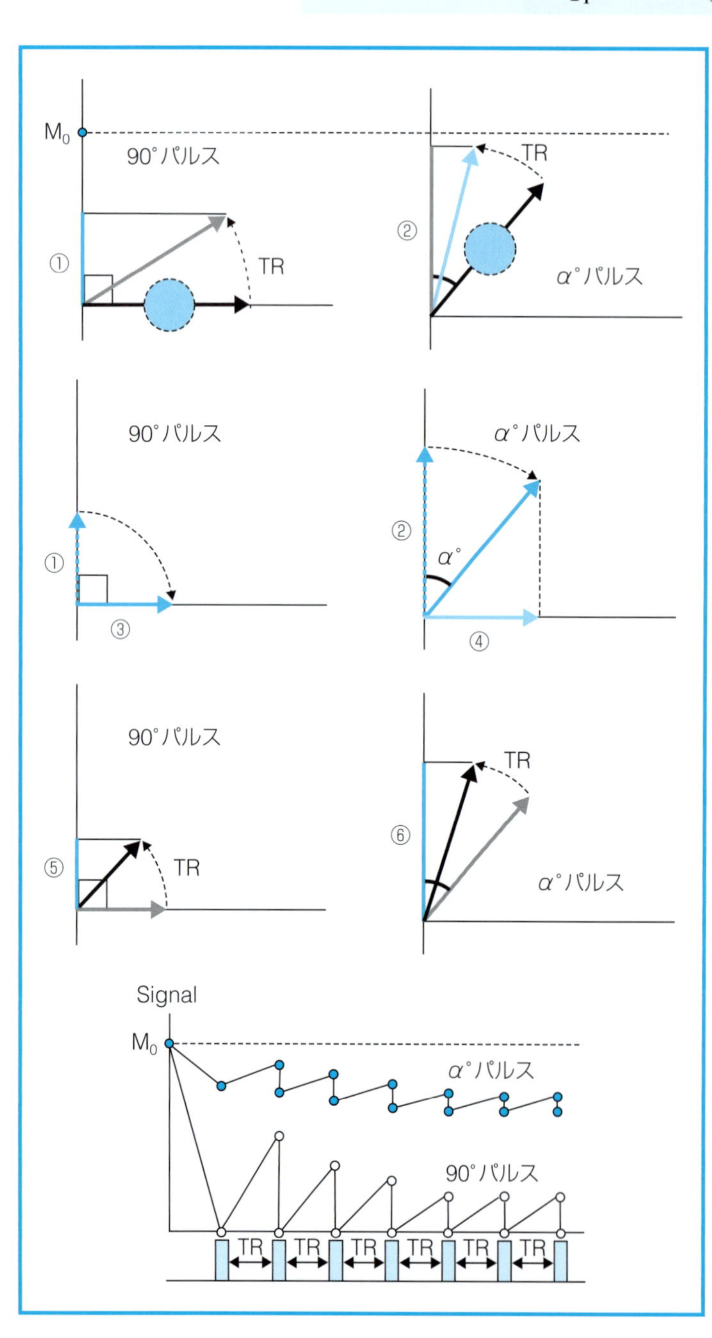

- GREはTRを短縮することで高速撮像が可能であるが，
  - ①フリップ角90°では，信号が0から回復しなければならず，短いTR（TR≒ T_1）では縦磁化が回復しきれずに小さくなってしまう。
  - ②90°未満の部分フリップ角 α °を用いると，平衡状態の信号値（ M_0）からの減少分が小さいため，同じTR後の縦磁化は大きくなる。
- TR後に次のパルスを印加すると，
  - ③小さな信号に90°パルスを印加して得られる横磁化は小さい。
  - ④90°パルス印加時と比較して大きな縦磁化に α °パルスを印加して得られる横磁化は大きくなる。
- TR経過後，
  - ⑤フリップ角90°ではさらに縦磁化が小さくなる。
  - ⑥フリップ角 α °においても縦磁化はさらに小さくなるものの，減少の程度は低い。
- 数回パルス印加を繰り返すと，縦磁化は一定の値をとるようになり，定常状態になる。

2. エルンスト角（Ernst angle）

	TR［ms］						
T_1［ms］	3000	500	200	100	50	20	5
300	90.0°	79.1°	59.1°	44.2°	32.2°	20.7°	10.4°
600	89.6°	64.2°	44.2°	32.2°	23.1°	14.7°	7.4°
900	88.0°	55.0°	36.8°	26.5°	18.9°	12.0°	6.0°
1200	85.3°	48.8°	32.2°	23.1°	16.4°	10.4°	5.2°

- TRが短いとき，部分フリップ角の α°パルス印加後では比較的大きな横磁化が残っている（図①）。
- 横磁化は，縦磁化× $\sin\alpha$ で表される。α が大きいほど横緩和の信号が大きくなる一方，短いTRでは縦磁化が小さくなる。両者は相反する関係である。
- 横磁化は次の条件を満たすときに最大になる。

$$\cos\alpha_E = \exp\left(-\frac{TR}{T_1}\right)$$

- α_E をエルンスト角と呼ぶ。
- TRが T_1 に対し十分に長いとき，$\alpha_E \fallingdotseq 90°$ となる。
- TRおよび T_1 からエルンスト角を算出した表を示す。
- TRが小さいとき，フリップ角を小さくした方が高い信号が得られることがわかる。
- エルンスト角が成立するのは，次項（4-D-3）で後述するSSFP（縦磁化および横磁化の定常状態）が成立しないときに限られる。SSFPでは横磁化も信号に関与してくるためである。

3. 定常状態自由歳差運動（steady state free precession：SSFP）

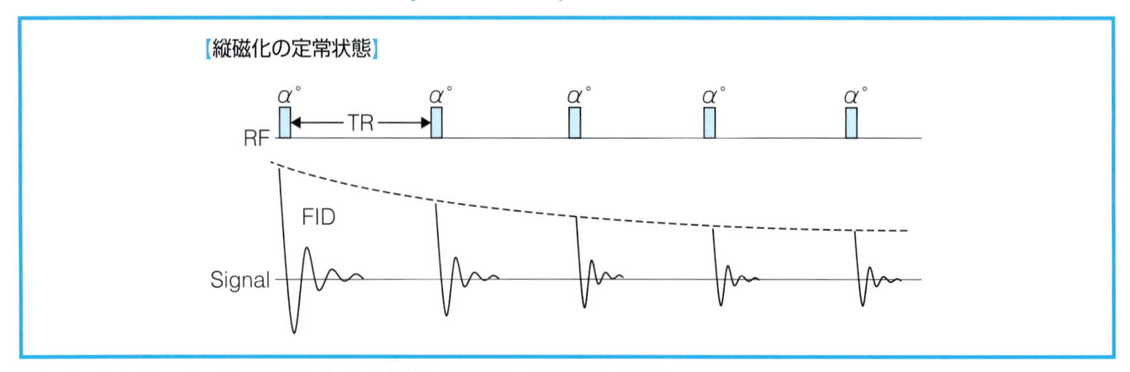

- ここからは α°パルスで発生する信号を波形の模式図で表す。
  110頁で前述したが，TRを短縮すると（TR ≒ T_1），縦磁化が回復する前に次の α°パルスで倒され，これを数回繰り返すと縦磁化の定常状態となる。
- 縦緩和と比較して横緩和は速く進行するため，TR ≒ $T_1 \gg T_2{}^*$であれば横磁化は次の α°パルスまでに位相分散により消失する。

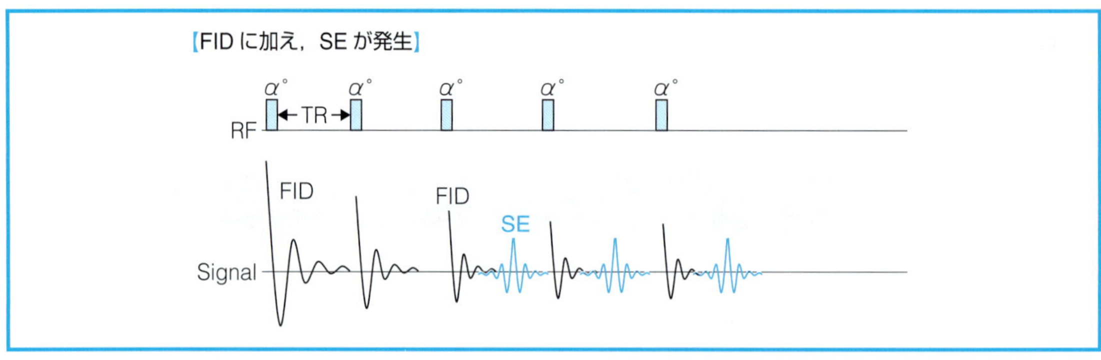

- さらにTRを短縮してTR ≒ $T_2{}^*$になると，次の α パルス照射時に横磁化が残存するためSEも発生し，FIDと裾野が重なってくる。

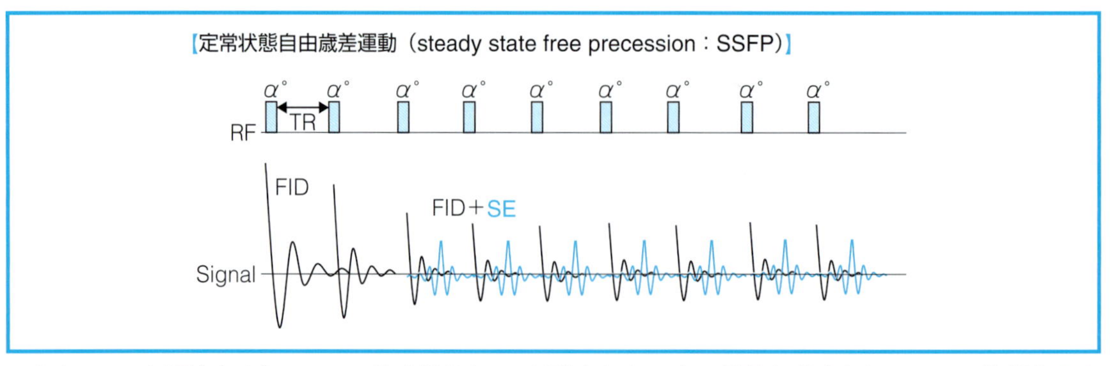

- さらにTRを短縮すると，FIDの後半部分とSEが融合した一定の信号が形成される。この状態を**定常状態自由歳差運動（steady state free precession：SSFP）**という。この時は縦磁化も横磁化も定常状態になっている。

4. 信号強度とコントラスト

- 部分フリップ角 α のRFで励起したGREの信号強度は①式で表される。

$$S = M_0 \frac{\left[1-\exp\left(-\frac{TR}{T_1}\right)\right]\exp\left(-\frac{TE}{T_2^*}\right)\cdot\sin\alpha}{\left[1-\cos\alpha\cdot\exp\left(-\frac{TR}{T_1}\right)\right]} \quad \cdots①$$

- 分母の $\cos\alpha$ は，部分フリップ角により縦磁化が0ではない状態から緩和することを示す。
- $\alpha = 90°$とすると，$\cos\alpha = 0$となり分母が消え，$\sin\alpha = 1$となるため，T_1・T_2*両方の影響を受ける。SEと同様に，長いTR・長いTEではT_2*強調，短いTR・短いTEではT_1強調，長いTR・短いTEではプロトン密度強調となる。
- フリップ角 α が小さい(おおむね20°以下)とき, $\cos\alpha \rightarrow 1$となり分母・分子のT_1を含む項が消える。この場合，長いTEではT_2*強調，短いTEではプロトン密度強調となる。

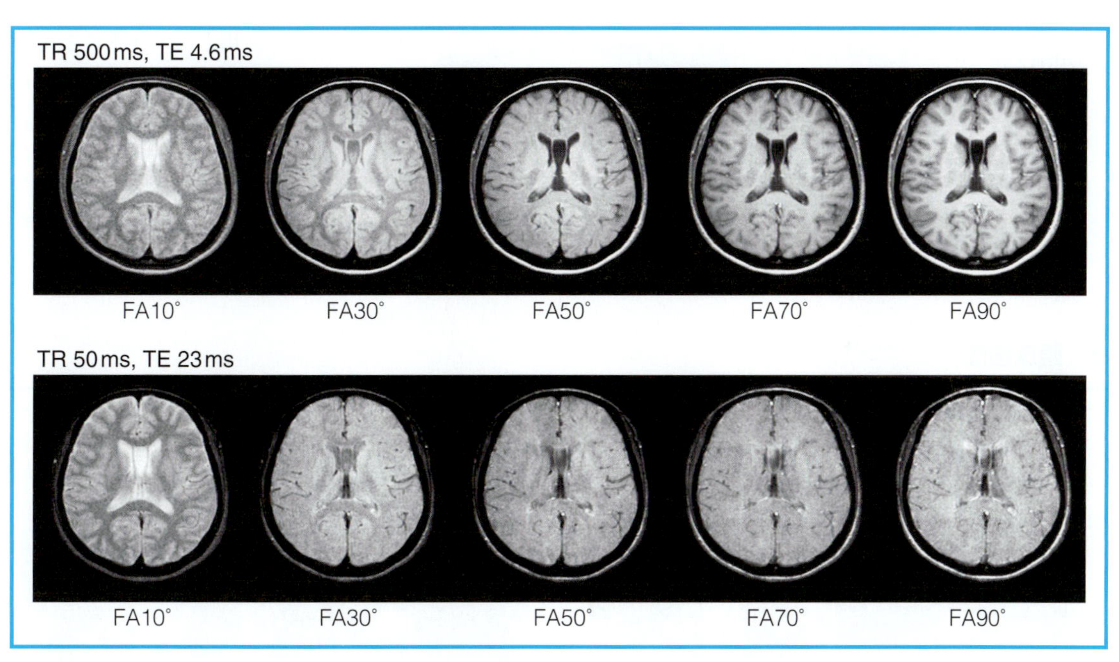

- GRE法（coherent）を用いた場合の頭部画像のコントラスト比較を図に示す。
  上段：TR 500 ms，TE 4.6 msに固定しflip angleを変化
  下段：TR 50 ms，TE 23 msに固定しflip angleを変化
- 上図において，小さなflip angleと長いTEの場合には，T_2*強調画像のコントラストが得られていることがわかる。

E In phase と out of phase（opposed phase）

1. 概 念

【In phase と out of phase】

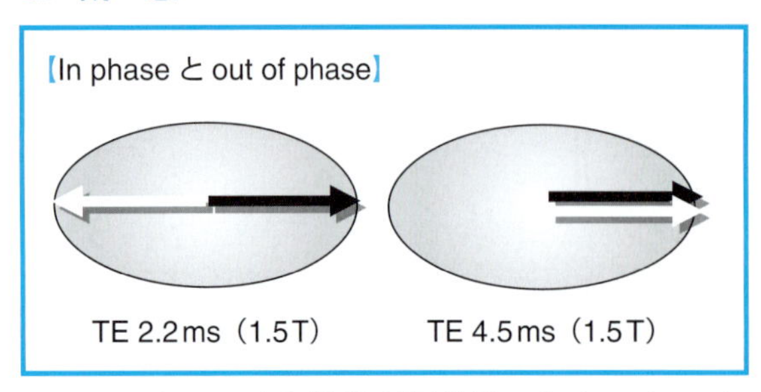

- GRE では“第 2 の化学シフトアーチファクト”とよばれる現象が起こる。
- 水と脂肪の共鳴周波数が 3.5 ppm（1.5T においては約 220 Hz）異なることから，水と脂肪の位相が設定 TE によって**同位相（in phase）**になったり**逆位相（out of phase）**になったりする現象である。
- 1.5T において水と脂肪が同位相になるのは，1/220（Hz）= 4.5 ms の時であり，4.5 ms の半分である約 2.2 ms では，水と脂肪は逆位相になる。
- SE では分散した位相を 180°パルスによって再収束させるため，この現象は起こらない。

2. 静磁場強度ごとの out of phase と in phase

静磁場強度（T）	out of phase（OP），in phase（IP）[ms]			
	1st OP	1st IP	2nd OP	2nd IP
3.0	1.1	2.2	3.4	4.5
1.5	2.2	4.5	6.7	8.9
1.0	3.4	6.7	10.1	13.4
0.5	6.7	13.4	20.1	26.8

- 脂肪抑制を併用しない GRE を用いた撮像では，in phase（IP）と out of phase（OP）を考慮した TE の設定が重要である。

3. 臨床画像

【例：右副腎皮質腺腫】

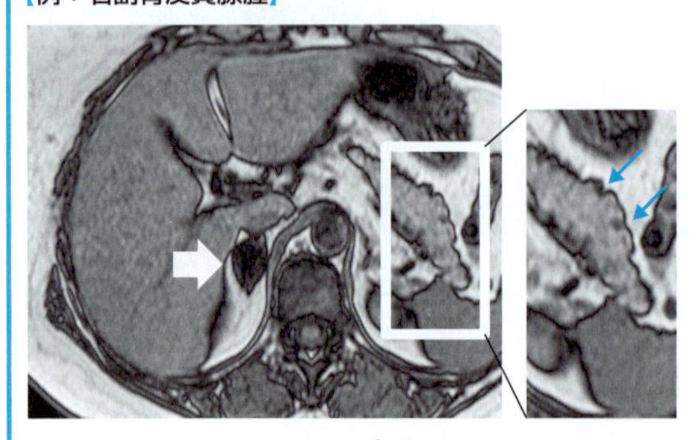

out of phase

拡大像（膵臓とその周辺）を確認すると，1 ピクセル内に水と脂肪が同じ量存在する場合，out of phase では互いに打ち消しあい，無信号となる（→）。

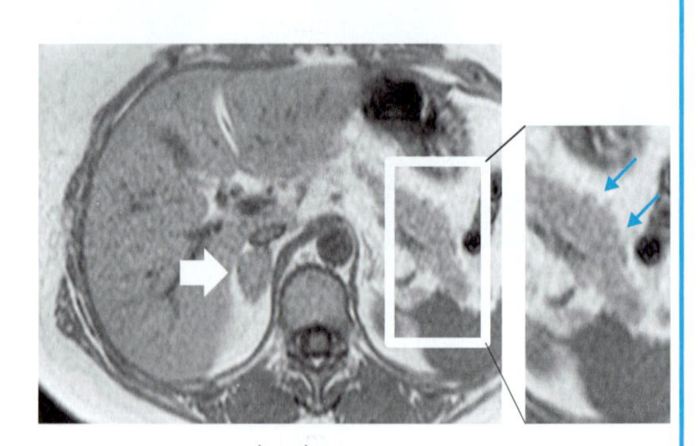

in phase

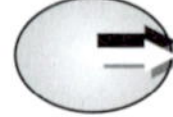

In phase では水と脂肪が同位相であるため，無信号状態にはならない。

- 右副腎の信号強度は，out of phase では in phase と比較して明らかに低下している（⇨）。
- これは右副腎内に微量の脂肪が存在することを示している。
- 脂肪の有無の確認は診断上重要であり，特に腹部検査では利用されることが多い。

F GRE法の分類（incoherent GRE, coherent GRE）

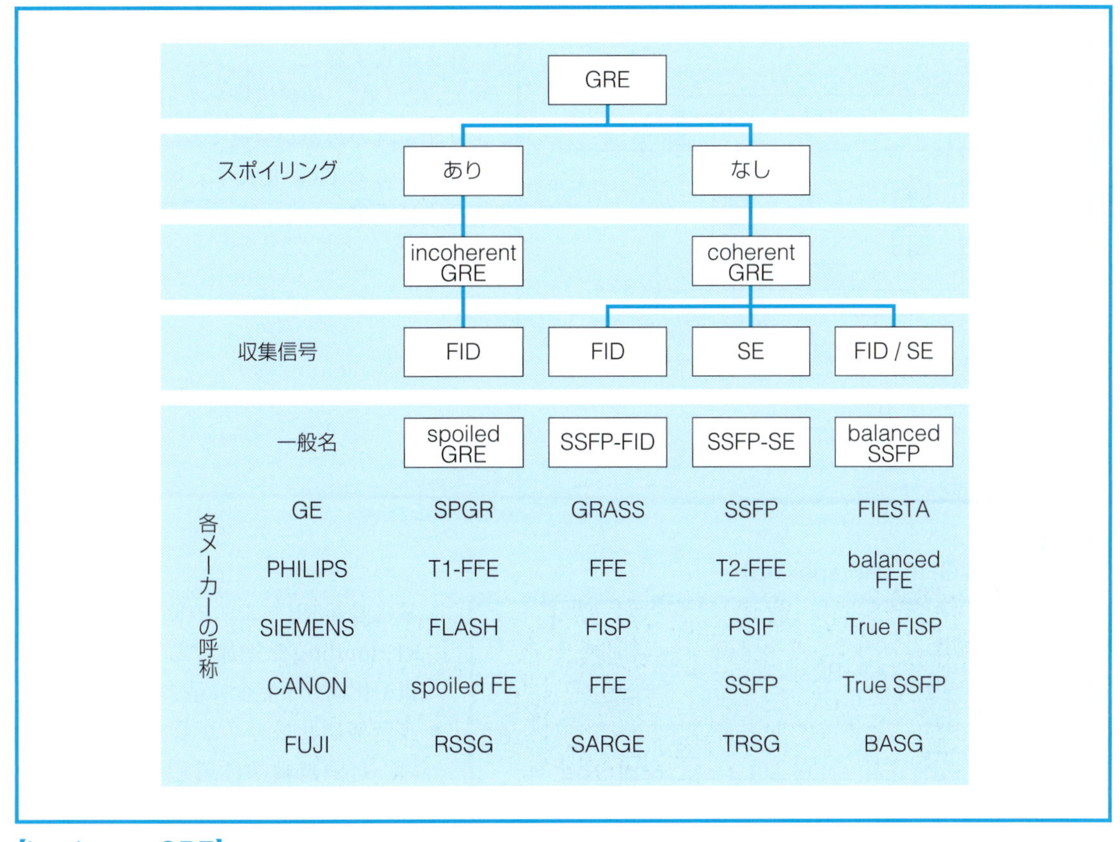

【incoherent GRE】

- α°パルスを印加する前に横磁化成分を消去する方法である。残留横磁化成分を消去することをスポイリング（spoiling）と呼ぶ。
- スポイリングの方法にはRF spoilingとgradient spoilingがある。

【coherent GRE】

- 横磁化成分を消去せずに残す方法である。スポイリングを行わずSSFP状態での信号収集を行う。

1. incoherent GRE

1-1. spoiled GRE (gradient spoiling)

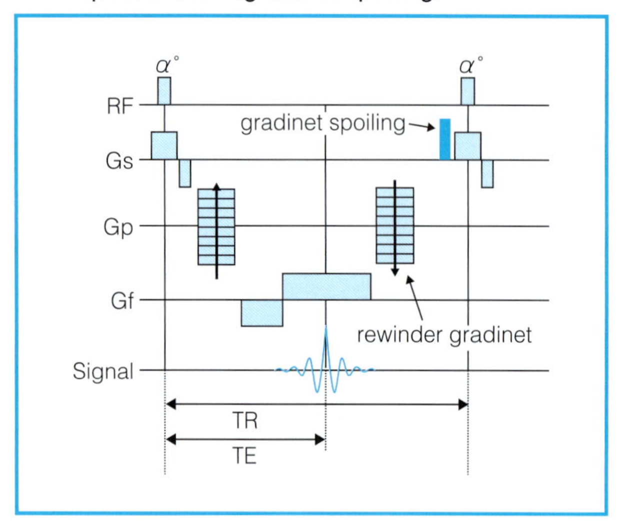

- 信号取得後に強い磁場勾配を印加して横磁化を消去する。
- 欠点として，傾斜磁場を多用することにより渦電流の影響が無視できない，傾斜磁場付加のためTRが延長する等の難点があり通常は使用されない。

1-2. spoiled GRE (RF spoiling)

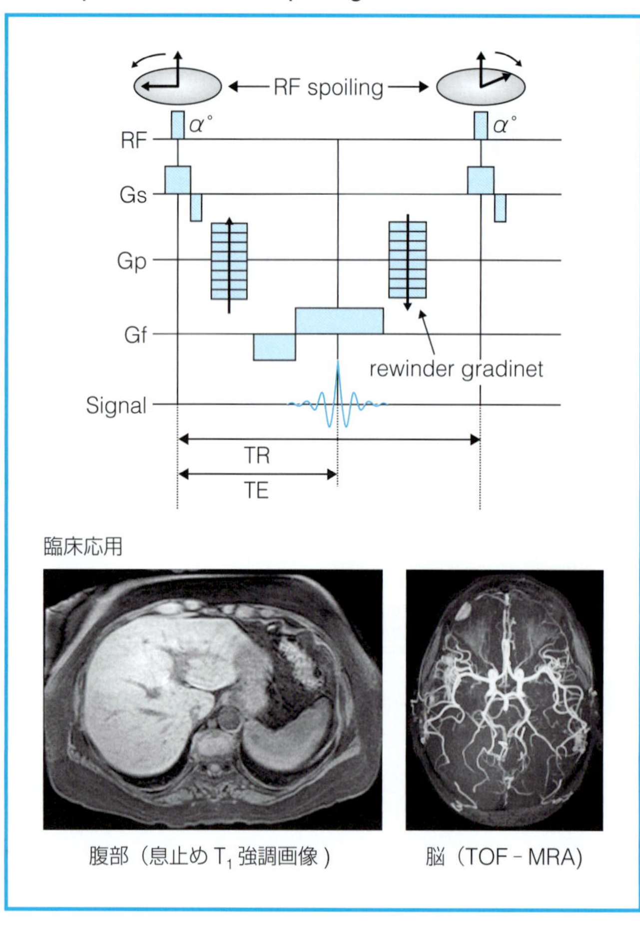

腹部（息止め T_1 強調画像） 脳（TOF - MRA)

- 常に励起RFパルスの位相が変化するRF spoilingを追加することで，残留横磁化成分を完全に消去している。
- 残留横磁化成分の影響がなくなるため，T_1強調画像に適したシーケンスである。

2. coherent GRE

2-1. SSFP-FID

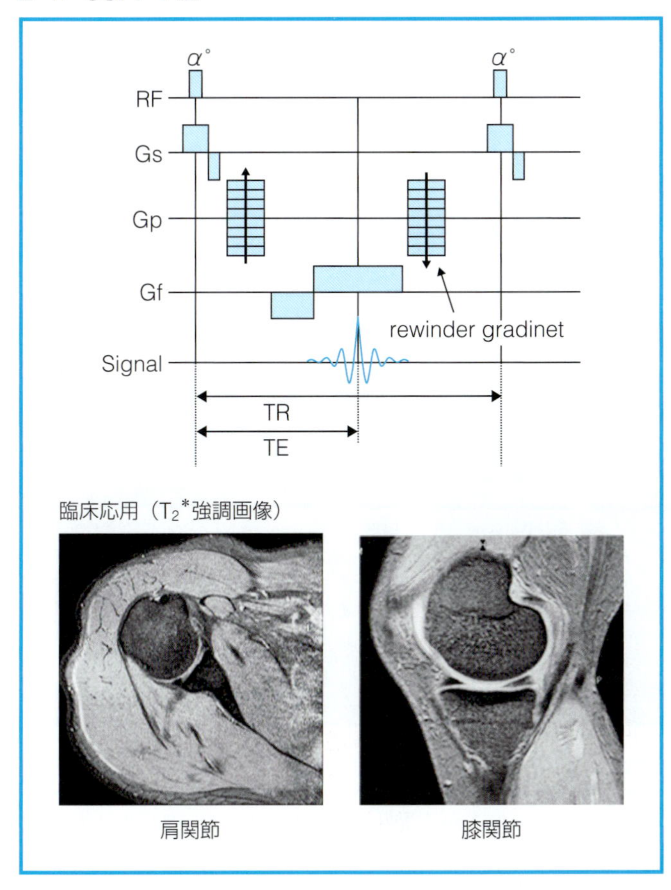

- SSFP状態からFID信号を収集する。
- 信号収集後に残留横磁化成分の位相を揃えるためのrewinder gradientが印加される。
- フリップ角が小さいとき，TEが短い場合はプロトン密度強調画像に，TEが長い場合はT_2*強調画像となる。
- T_2*強調画像は四肢などの関節領域で，軟骨等の評価に用いられることが多い。

2-2. SSFP-SE

- SSFP状態で2つの α°パルスからSE信号を収集する。
- GREの一種ではあるが，信号はT_2*ではなくT_2減衰し，強いT_2強調画像が得られる。
- MRCP等のhydrographyに向くが，SNRのより高い高速SE，balanced SSFPの実用化に伴い使用されなくなった。

2-3. balanced SSFP

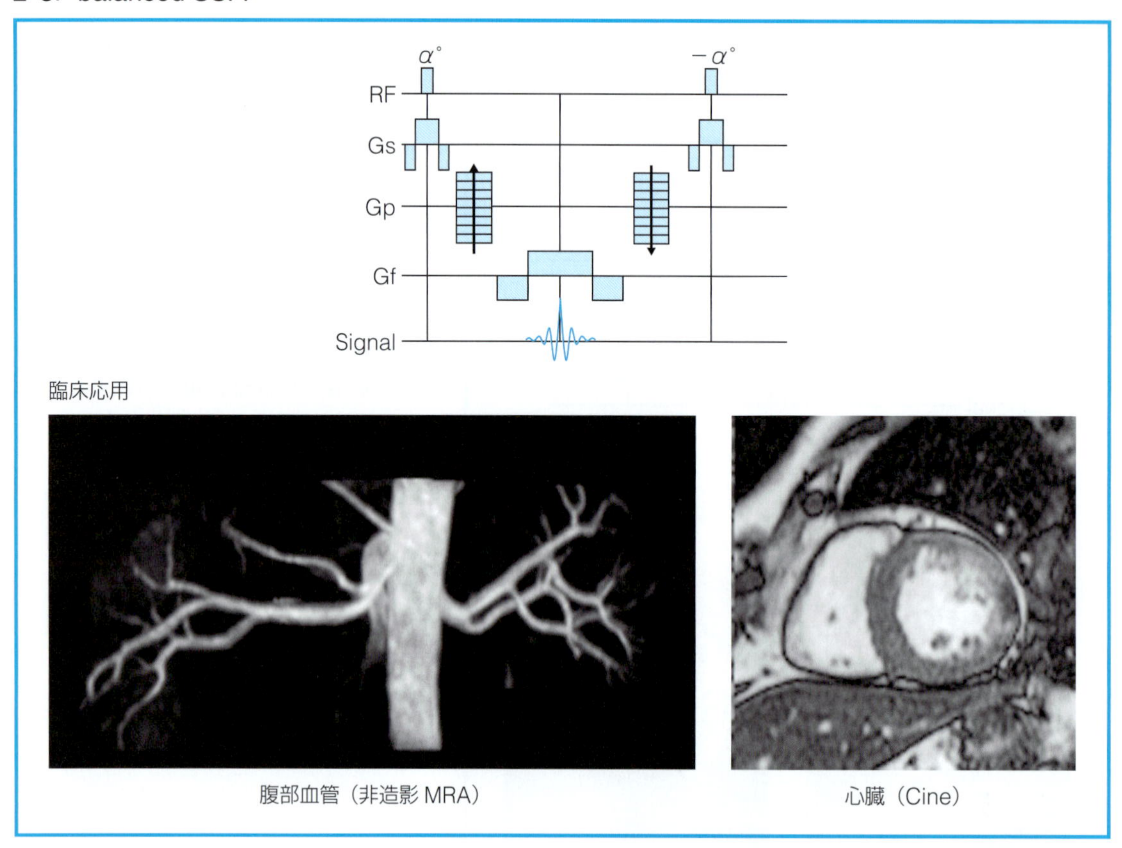

腹部血管（非造影 MRA）　心臓（Cine）

- 1つの α°パルスから発生するFID，および2つの α°パルスから発生するSE，3つの α°パルスから発生する stimulated echo（STE）の全ての信号を収集する。
- 励起パルス（α）は交互に位相反転させる phase cycling が用いられる。
- スポイリングが一切なく完全な coherent GRE であり，steady state imaging と呼ばれる。
- 完全なSSFP状態の場合には，信号強度は以下の式になる。

$$S = \frac{M_0 \sin\alpha}{\left(\frac{T_1}{T_2}+1\right) - \cos\alpha\left(\frac{T_1}{T_2}-1\right)}$$

$$\alpha = 90°\text{のとき，信号強度は}\ S = \left(\frac{1}{\frac{T_1}{T_2}}\right)+1$$

- 上記の式から，画像コントラストはTRやTEなどの撮影条件によらず，$\frac{T_2}{T_1}$で決定されることがわかる。
- 脂肪，脳脊髄液，血液などのT_1とT_2が近い組織は高信号に描出される。
- 血管が高信号に描出されるため，非造影 MRA や Cine（シネ）に応用される。

5 EPI（echo planar imaging）法

A 概 要

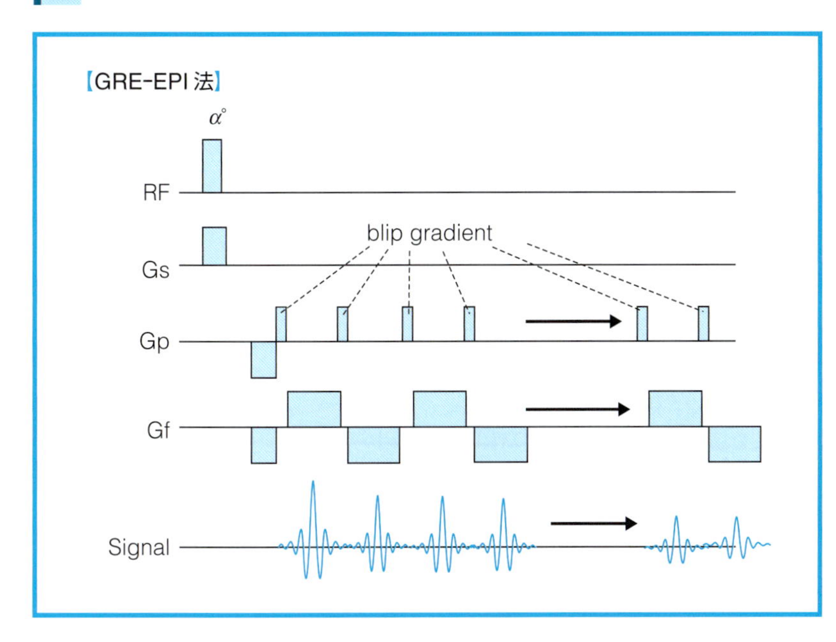

- EPIは傾斜磁場を高速で反転することにより，信号収集を行う撮像法である。
- 励起パルスの後，位相エンコード傾斜磁場に印加するblip gradientによって，read out gradientの向きを交互に変えながらk-spaceにデータ充填を行っている。
- 正確に傾斜磁場をコントロールするため，高性能なシステムが必要なシーケンスである。

B 分 類

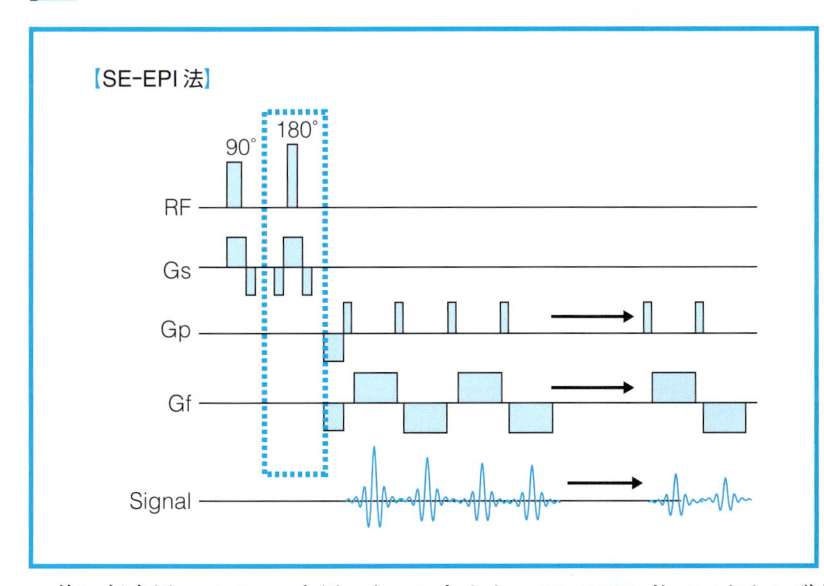

- 信号収集を行う前の励起方法にはSEとGREがある（SE-EPI，GRE-EPI）。
- SE-EPIとGRE-EPIの違いは，左図点線四角内の180°パルスの有無のみである。
- SE-EPIでは，SEと同じように90°パルスと180°パルスを用い，外部磁場の不均一を抑制している。
- GRE-EPIでは，GREと同じようにα°パルスの後に収束用180°パルスを用いないことから，SE-EPIに比べてさらに磁化率変化の影響に敏感なシーケンスとなる。

C 特徴（各シーケンスとの比較）

	SE	GRE	EPI
高速撮像	×	○	◎
画像歪み	◎	○	×
ケミカルシフト	周波数方向	周波数方向	位相方向
コントラスト	T_1W T_2W PDW	T_1W $T_2(T_2{}^*)W$ PDW	$T_2(T_2{}^*)W$

- EPIは0.1秒以下で撮像可能な超高速シーケンスである。
- データ読み取り時間（read out time）が長いために，位相分散による磁化率の違いの影響を受けやすく，画像が歪みやすい。
- SE＜GRE＜EPIの順で，画像の歪みが大きくなる。
- 磁化率の違いの影響を受けやすいというのは長所でもある。
- EPIは拡散強調画像やBOLD効果を応用したfunctional MRIなどに用いられる。
- EPIはデータ読み取り時間が長いために，SE法やGRE法で周波数方向に観察されるケミカルシフトアーチファクトは位相方向に出現する特徴がある。
- EPIは$T_2{}^*$強調画像しか得ることができない。

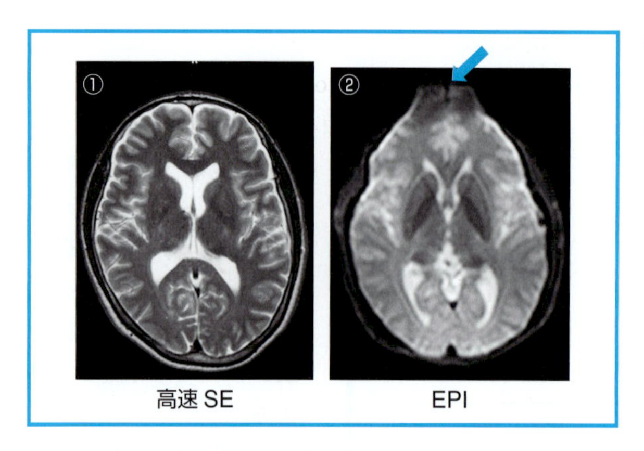

- EPIでは磁化率アーチファクトの影響により，顕著な画像の歪みが認められる（②➡）。
- 磁化率の影響を敏感に反映するため，被殻や淡蒼球などのコントラストが高速SE法と比較して明瞭である（②）。

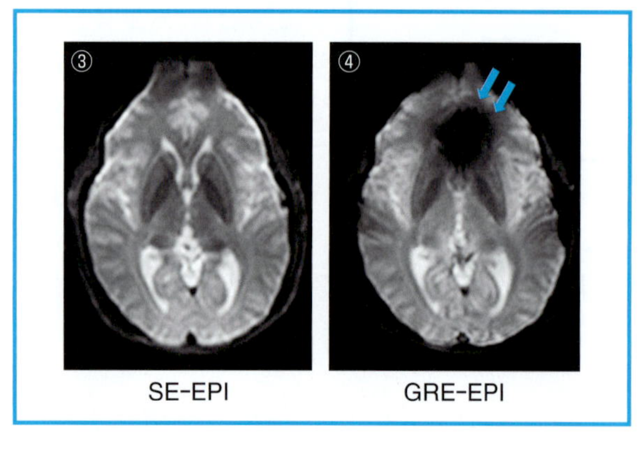

- SE-EPIよりGRE-EPIの方が磁化率の違いの影響を反映しやすい（③，④）。
- GRE-EPIでは磁化率アーチファクトの影響による信号欠損が認められる（④➡）。

D Single shot EPIとmulti shot EPI

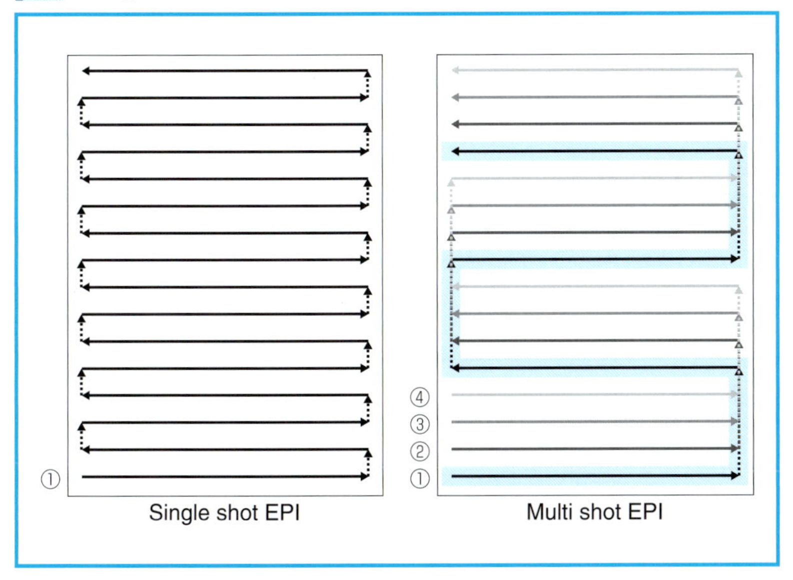

- EPIにおけるk-spaceへのデータ充填方法は，一度の励起でk-space全てのデータを充填する方法（single shot EPI）と複数回の励起に分割して充填する方法（multi shot EPI）がある。
- Multi shot EPIでは，複数回の励起を行うために，撮影時間の延長やshot間の動きによるアーチファクトの影響を受けやすい。
- 磁化率アーチファクトは位相誤差の蓄積によって生じる。周波数エンコード時間の長いsingle shot EPIは，multi shot EPIよりも画像歪みが大きくなりやすい。
- パラレルイメージングにはmulti shotと同様の効果があり，磁化率アーチファクト低減のためには，より撮像時間の短いsingle shot EPIを用いるのが一般的である。

【RESOLVE（Readout Segmentation of Long Variable Echo-trains）】

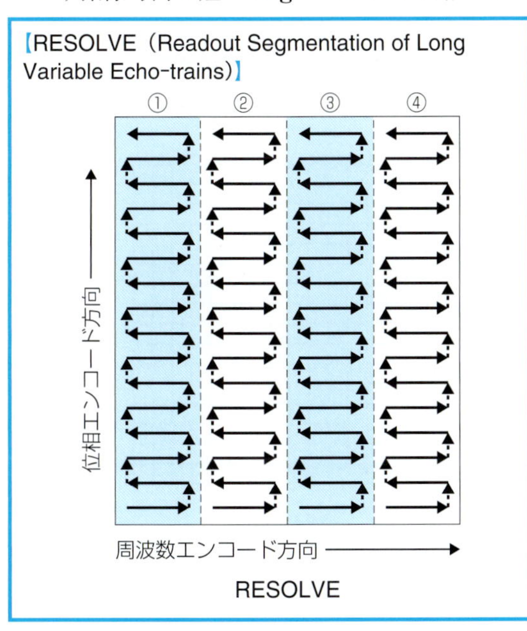

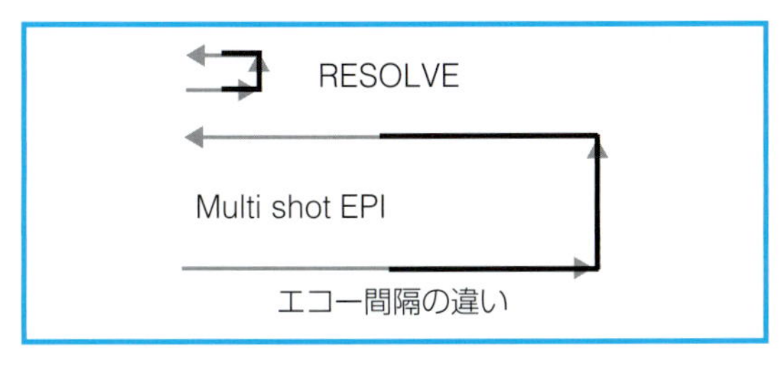

- RESOLVEもmultishot EPIである。一般的なmulti shot EPIは位相エンコード方向にk-spaceを分割するのに対し，RESOLVEは周波数エンコード方向にk-spaceを分割し，複数ショットでk-spaceを充填する。
- 周波数エンコード方向にk-spaceを分割する利点は，エコー間隔（各エコーの中心間の時間）を短縮できる点である。RESOLVE，およびmulti shot EPIそれぞれから2エコーを抜粋すると，各エコー中心の間隔は黒線の長さで表される（左下図）。
- Single/multi shot EPIではエコー間隔を短縮するために受信バンド幅を大きくしたり，周波数マトリックス数を減らしたりする必要がある（これには信号対雑音比や空間分解能の低下を伴う）。
- RESOLVEはこのようなパラメータ調整をせずともエコー間隔を大幅に短縮できるので，画像歪みを抑えつつ高分解能化が可能である。
- さらに，撮像時にnavigator echoを同時に取得することもRESOLVEの特徴である。これによりエコーの位相補正を行うことでk-spaceの連続性を高め，被験者の体動補正を行うことで動きにより強い撮像が可能となる。

6 パラレルイメージング

A 撮像時間を短縮する基本的な方法

$$撮像時間 = \frac{TR \times Np \times 加算回数}{1\,TRあたりのNp}$$

Np：位相エンコードステップ数

- TRを短縮することによる撮像時間短縮
  - ▶ GRE法（6章108頁参照）
- Npを減らすことによる撮像時間短縮
  - ▶ 長方形FOV，長方形ピクセル，ハーフスキャン（4章83頁参照）
- 加算回数を減らすことによる撮像時間短縮
- 1TRあたりのNpを増やすことによる撮像短縮
  - ▶ FSE/TSE（6章103頁），EPI（6章119頁）など

B Np（位相エンコードステップ数を減らしてみる）

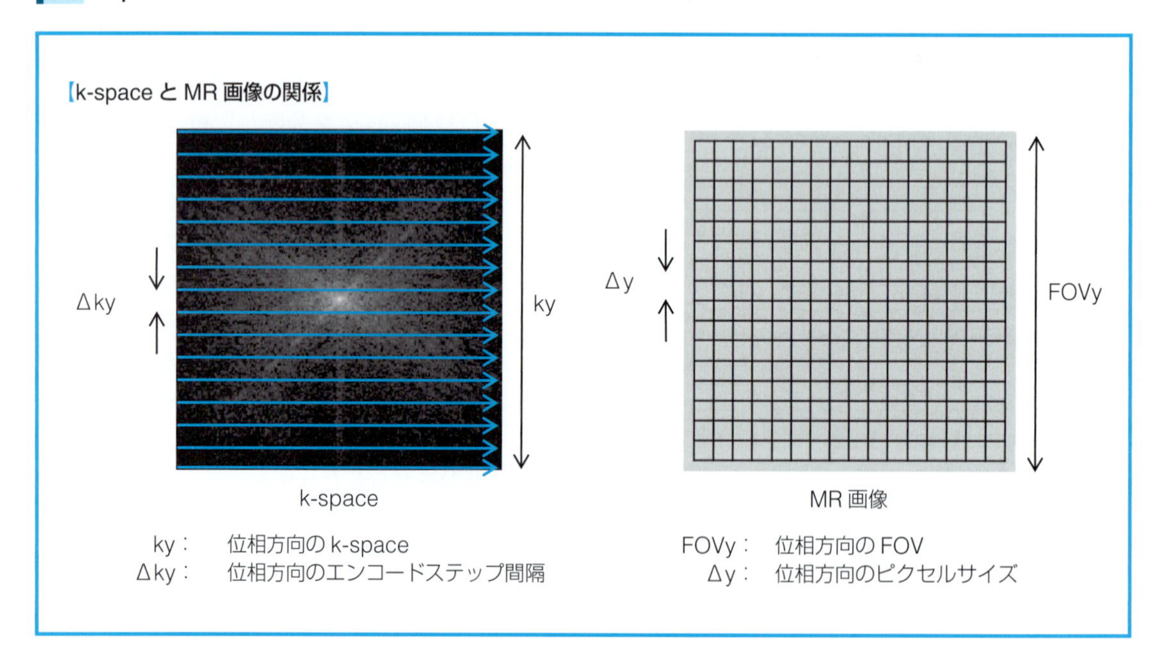

- k-spaceとMR画像は，フーリエ変換によりつながっている。

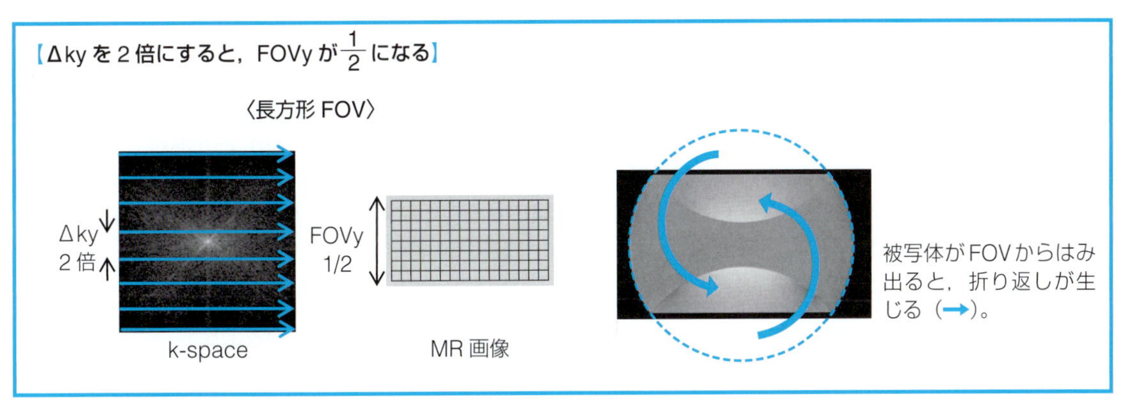

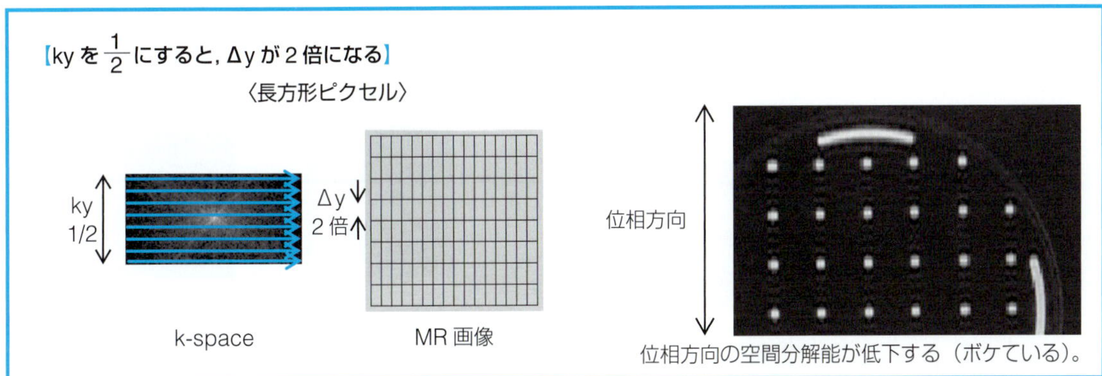

C パラレルイメージングの概念

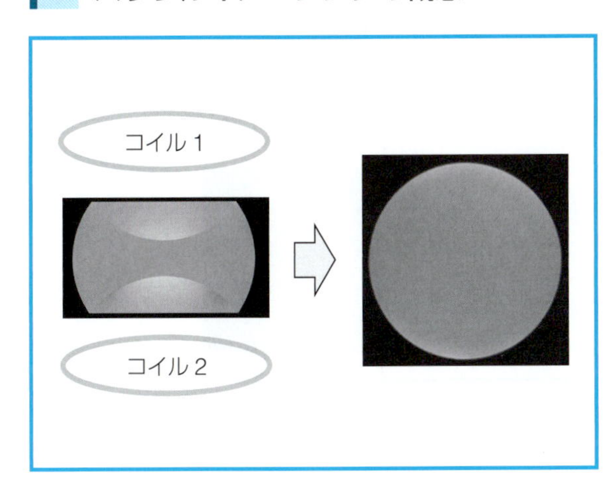

- パラレルイメージングでは複数のコイルチャンネルをもつ受信コイルを用いた上で，位相エンコードステップ数を減らし，撮像時間を短縮する（前項の長方形FOVと同手法。Δkyの間隔を広げてデータを収集するため，「間引く」という表現がよく使われる）。
- 間引いたことにより生じるはずの折り返しアーチファクトを，各コイルチャンネルの空間的な感度分布の情報を用いて，折り返しアーチファクトのない画像に再構成する。

コラム パラレルイメージングの分類

パラレルイメージングには，代表的なものとして1990年代後半に発表されたSENSE（SENSitivity Encoding）とSMASH（SiMultaneous Acquisition of Spatial Harmonics）とがあり，各装置メーカーとも，これらを発展させた技術を開発し，製品として搭載している。SENSEとSMASHは，位相エンコードステップ数を減らして撮像時間を短縮させることは同様であるが，画像の再構成に以下のような違いがある。

● SENSE系アルゴリズム
k-spaceのデータを間引いて収集した状態でフーリエ変換し，各コイルチャンネルの空間的な感度分布の情報を用いて，画像データ上で折り返しを展開する。

● SMASH系アルゴリズム
k-spaceのデータを間引いて収集し，コイルのプロファイルを組み合わせて正弦波を作ることで収集していないデータを補間し，フーリエ変換して折り返しのない画像を得る。

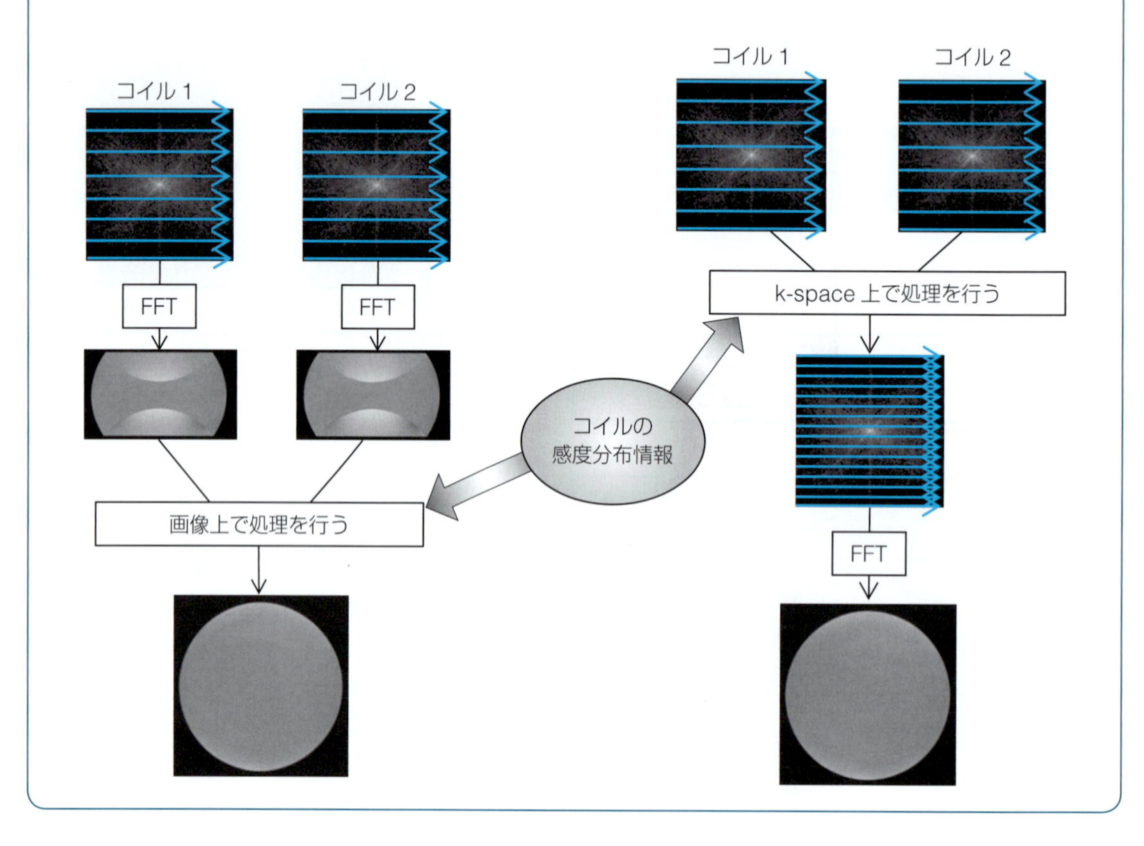

D SENSEの撮像と再構成

ここからは，SENSE系パラレルイメージングの撮像と再構成について，一般的な流れを説明する。各装置メーカーにより，手法にオリジナリティがあるので注意。

1. 準 備

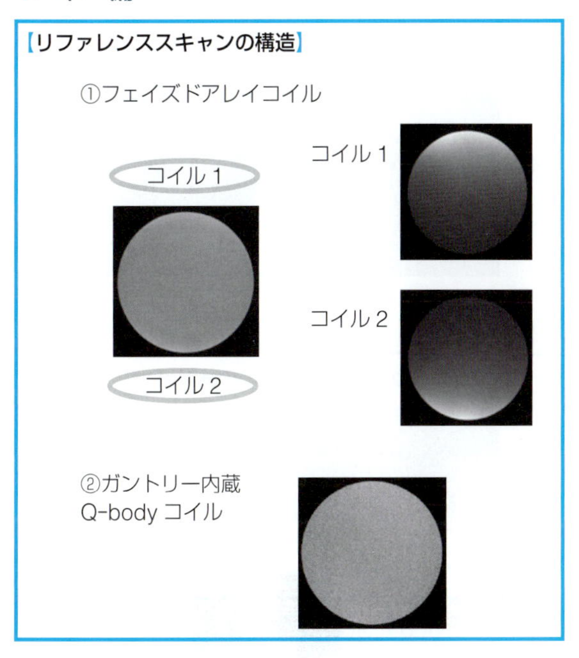

- 複数のコイルチャンネルをもつ受信コイル（フェイズドアレイコイル）を使用する。
- 各コイル素子の感度分布の情報を収集する。（一般的に“リファレンススキャン”と呼ばれる）
  ①フェイズドアレイコイルで撮像。各チャンネルで得られた画像は，それぞれの感度分布を反映している（コイルに近いほど，感度が高く，高信号）。
  ②ガントリ内蔵のボディコイルで撮像。フェイズドアレイコイルの感度分布に依存しない均一な画像が得られる。
- 上記①②のデータより，コイルの各チャンネルが各ピクセルに対してどのような感度をもっているのかを示す感度係数を算出することができる。

2. 撮 像

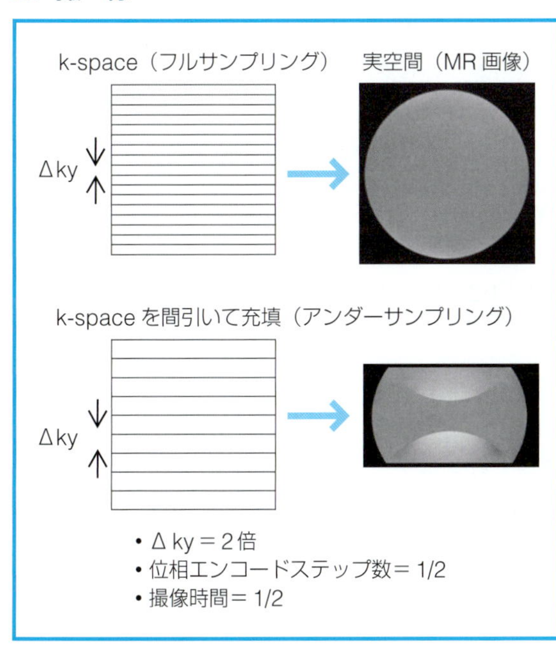

- 実際に必要な位相エンコードステップ数よりも，数を減らしてデータを収集し，k-spaceに充填する。この時，長方形FOVと同じくΔkyの間隔を広げて（間引いて）データを収集する（図は2倍速の例）。
- エンコードステップ数を減らした分（間引いた分）だけ，撮像時間が短縮される。
- パラレルイメージングの再構成を行わなければ，位相方向FOVの縮小に伴い折り返しアーチファクトが生じる。

3. 再構成

フェイズドアレイコイルの各チャンネルで得られた画像と，リファレンススキャンより算出された感度係数を用いて連立方程式を立てる。以下に例を示す。

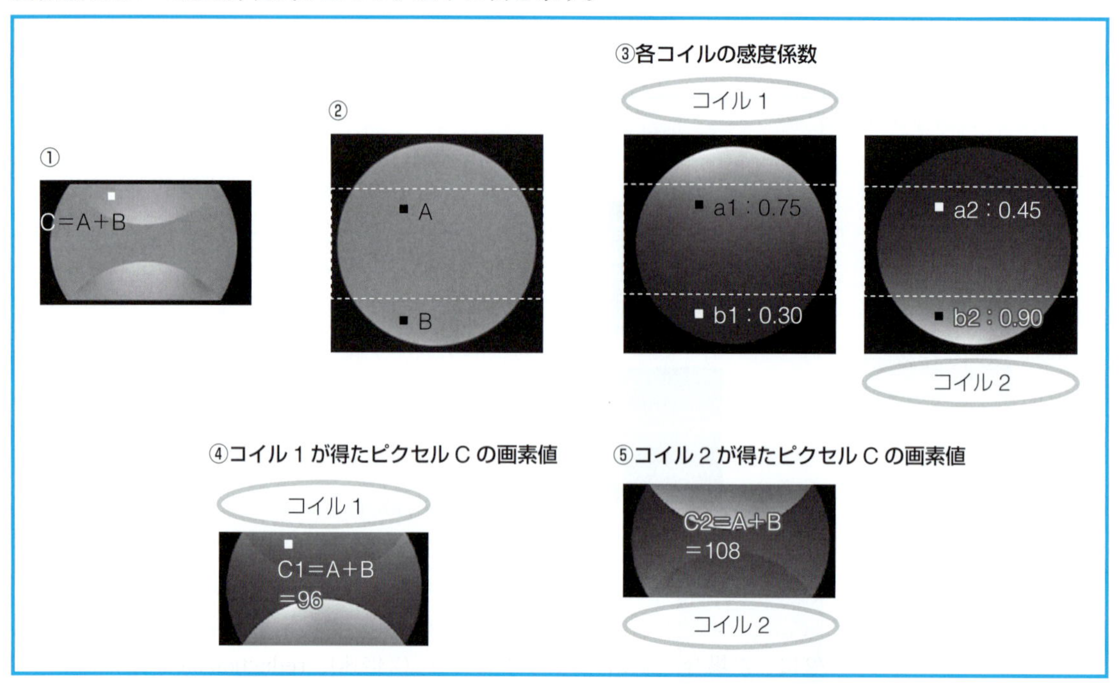

- ①におけるピクセルCは，②に示されたピクセルAとピクセルBが重なった結果である。
- リファレンススキャンより算出された，ピクセルAとBに対する各コイルチャンネルの感度係数aとbは，③に示された通りと仮定する。
- さらに，データを間引いた場合の，コイル1で収集されたデータによる画像（④）のピクセルCの画素値，同じくコイル2で収集されたデータによる画像（⑤）のピクセルCの画素値は，図にそれぞれ示された通りと仮定する。
- この例では，以下のような連立方程式が成り立ち，ピクセルA，Bの画素値を求めることができる。

コイル1が得たピクセルC1の画素値：96＝a1×A＋b1×B＝0.75×A＋0.30×B

コイル2が得たピクセルC2の画素値：108＝a2×A＋b2×B＝0.45×A＋0.90×B

ピクセルAの画素値＝100
ピクセルBの画素値＝70

- 2つのコイルチャンネルがそれぞれ得た折り返しを生じた画像データの画素値C1，C2から，コイルの感度係数a1，b1，a2，b2を用いて，折り返しを展開した元々の画像の画素値A，Bを算出することができる。この処理をすべてのピクセルに対して行うことにより，折り返しを展開した画像を得ることができる。

E SENSEのSNR

SENSEのSNRに寄与する要因

- R：Reduction factor
- g：Geometry factor

$$SNR_{SENSE} = \frac{SNR_{full}}{g \times \sqrt{R}}$$

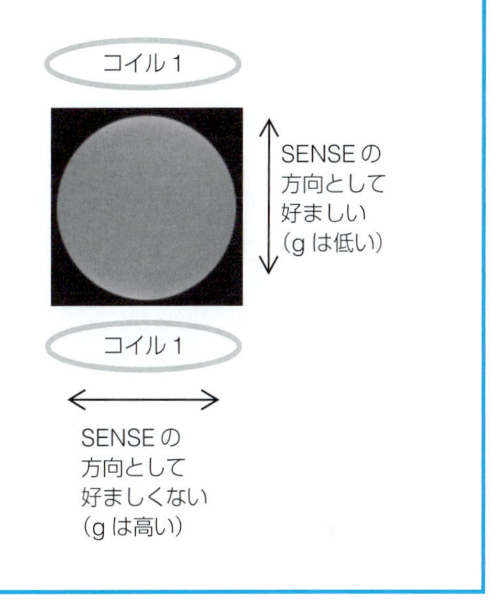

- 通常，長方形FOVの撮像でもSNRは低下する。なぜなら，収集するデータそのものの数を減らしているからである。そのため，SENSEを用いた画像は，上の式が示すようにSNRが低下する。
- Reduction factorとは，位相エンコードステップ数の間引き率を表すファクターである。例えば位相エンコードステップを1/2にした場合，撮像時間は1/2となり（2倍速），reduction factorは2となる。
- Geometry factorとは，コイルチャンネルの配置とSENSEを用いる方向（つまり位相方向）の幾何学的な関係によって決定される値である。たとえば，コイルチャンネルが複数個配置されていない方向にSENSEを用いると，geometry factorが高くなり，SNRをより低下させる原因となる。

コラム SENSEの技術を利用した感度補正

リファレンススキャンによるコイルの感度分布情報は，SENSEの再構成のために必要なデータであるが，SENSEによる高速化を行わない場合でも，サーフェイスコイルによる感度ムラを補正する技術として活用されている。

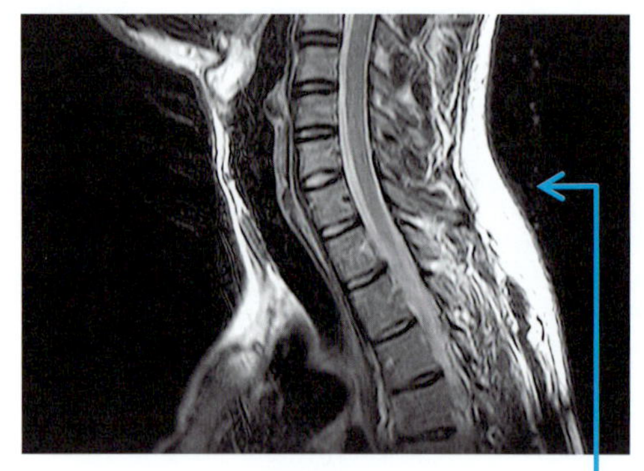

感度補正なし

サーフェイスコイルによる感度ムラ

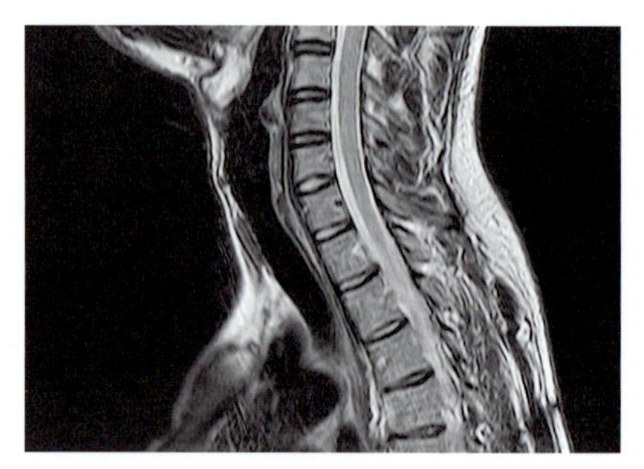

感度補正あり

コラム SENSEの高速化以外の活用法

SENSEは，位相エンコードステップ数を減らすことによって撮像時間を短縮する高速撮像であるが，位相エンコードステップ数を減らすことにより，別の恩恵を受ける撮像シーケンスがある。それは，シングルショットEPIである。シングルショットEPIは，励起パルスの後，k-spaceすべての必要なデータを収集するため非常に高速であるが，読み取り時間が長いために，磁化率の違いによる位相のずれ，つまり画像の歪みが生じやすい。SENSEによって位相エンコードステップ数を減らすことは，読み取り時間を短縮することにつながり，磁化率の違いによる画像の歪みを軽減することができる。主にシングルショットEPIを用いる拡散強調画像やf-MRIなどでは，SENSEは撮像時間の短縮化のためではなく，EPIの歪みを軽減する目的で使用されている。

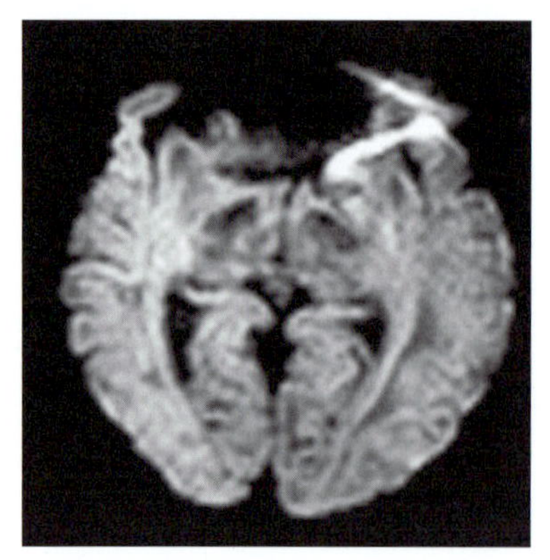

シングルショットEPI
拡散強調画像
SENSEなし

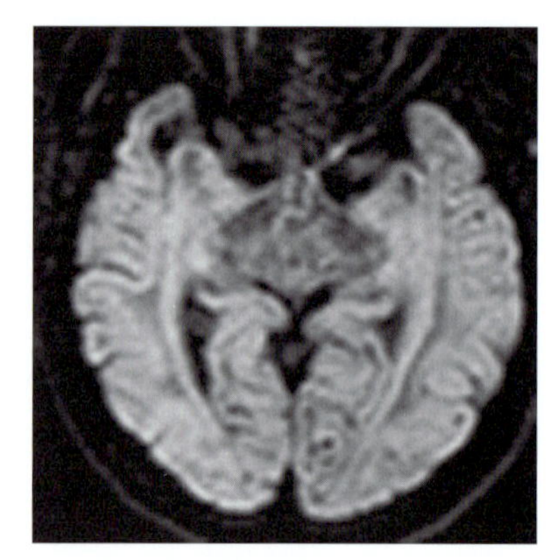

シングルショットEPI
拡散強調画像
SENSEあり

7 その他

A Multi slice法

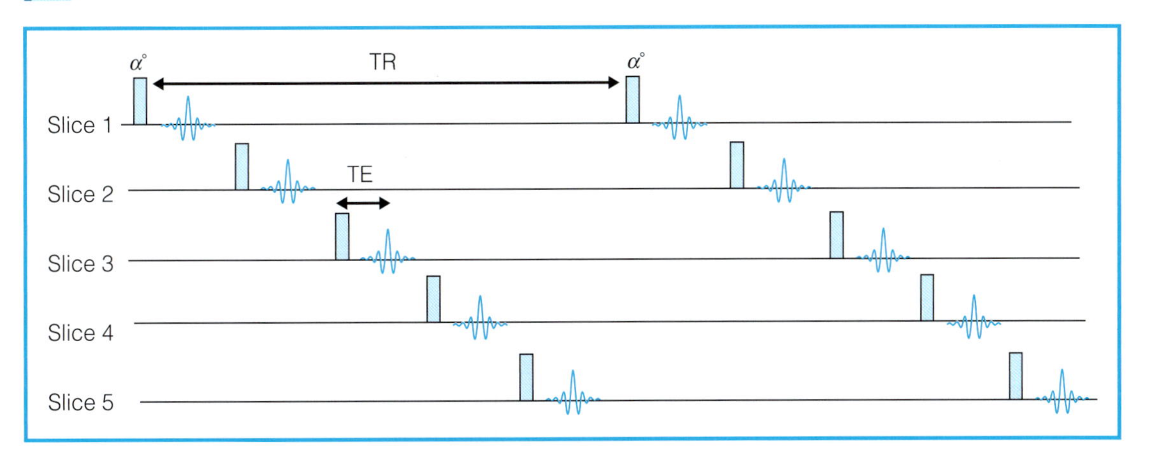

- **あるスライスを励起した後，同じスライスを次に励起するまでの待ち時間（TR）内に異なるスライスを励起することで，撮像時間を短縮する**方法である。
- Slice1を励起しTE後に信号を収集した後，slice1は次の励起までの時間（TR）は待つのみである。その間に，slice2, slice3 … slice5と励起し，slice1の次の励起を行う時間が来たら，再度slice1の励起が行われる。
- 複数のスライスを励起するとき，slice1, slice2, slice3 …と順番に励起する方法と，slice1, slice3, slice5 …の奇数スライスを励起した後, slice2, slice4, slice6 …の偶数スライスを励起するinterleave法がある。Interleave法はスライスの励起間隔を開けることで，スライス間のクロストークによる信号の低下を防ぐ効果がある。

B Multi echo法

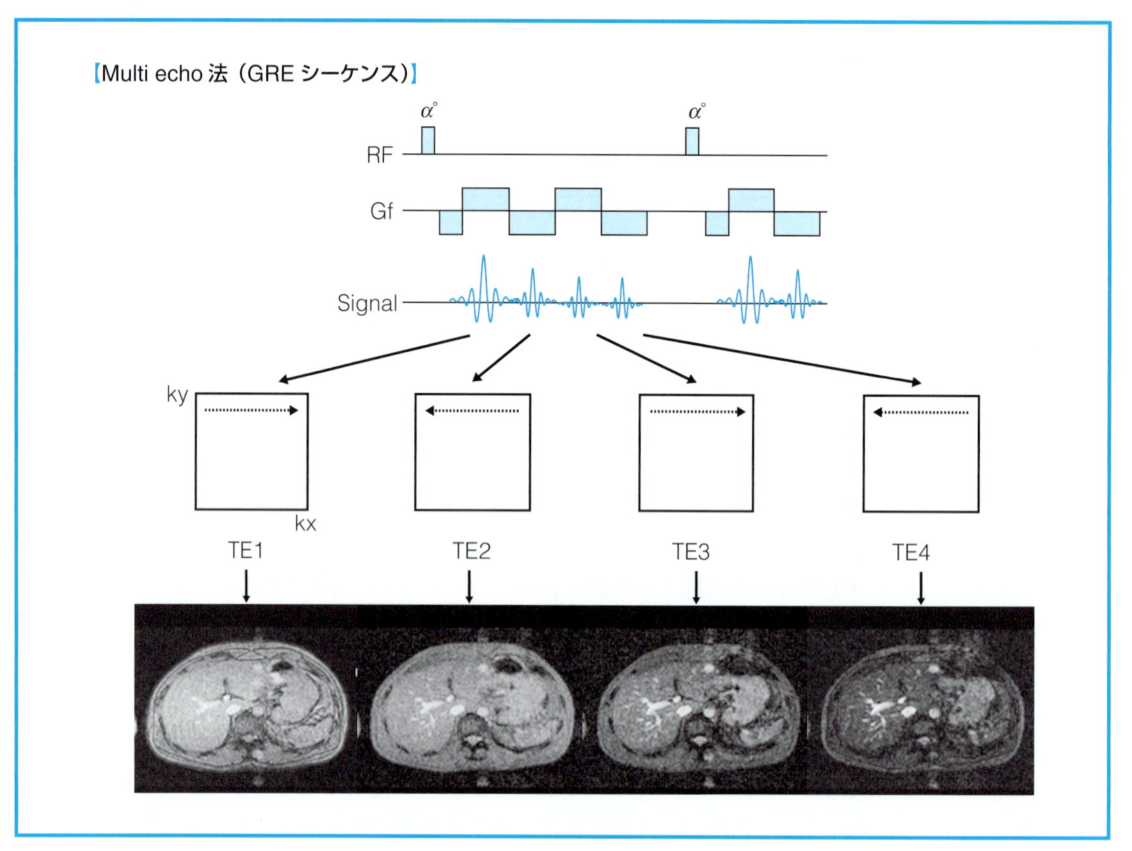

- Multi echo法とは**一度の励起で複数の信号を収集する方法**である。
- GRE法や高速SE法において，複数のTE時の信号を異なるk-spaceに充填し，複数の画像を得る方法である。
- GRE法では，read out 傾斜磁場を反転させることで複数のエコーを取得し，異なるk-spaceに充填する。高速SE法では，収束用180°パルスによって得られる信号を取得し，異なるk-spaceに充填する（図はGRE法のmulti echo法のシェーマ）。
- TEが長くなるほど，T_2（T_2*）減衰の影響により信号が低下する。
- 複数のTEにおける信号が得られることから，T_2値，T_2*値の測定にも応用される。

C ボリュームイメージング法

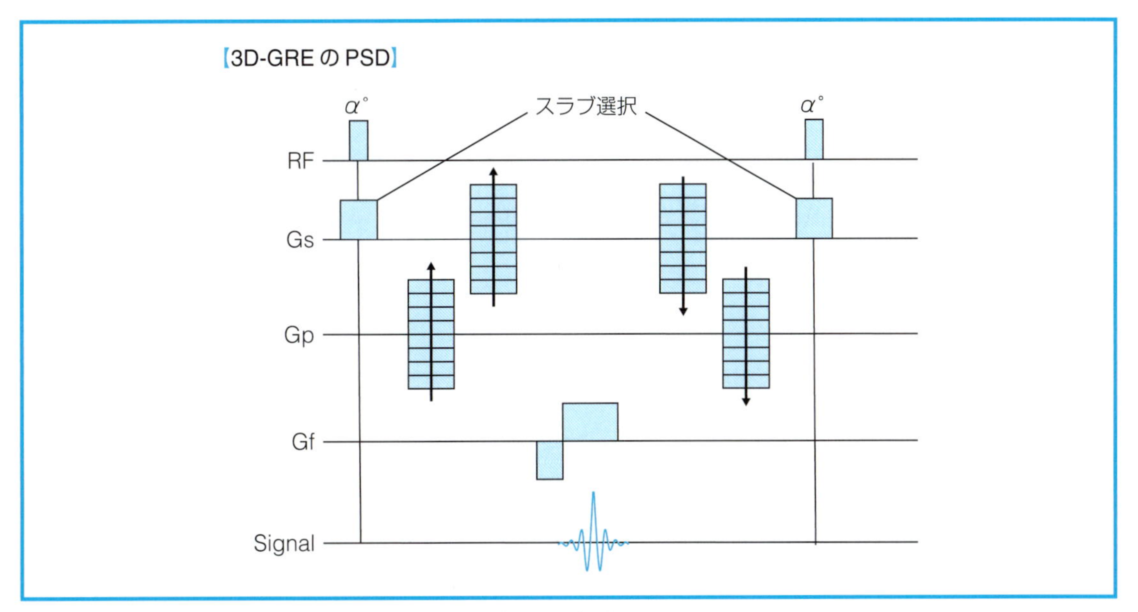

- 撮像範囲全体をボリュームデータとして収集する方法である。
- これまでの二次元撮像法（2D）では，【スライス選択 → 位相エンコード（スライス内）→ 周波数エンコード】を繰り返していた。
- 三次元撮像法（3D）では【スラブ（撮像範囲全体）選択 → 位相エンコード（スライス方向）→ 位相エンコード（スライス内）→ 周波数エンコード】を繰り返してデータ収集を行う。
- 2D の撮像時間は，

  TR×(スライス内の N_p)×(加算回数)　　Np：位相エンコードステップ数

  で表されるが，3D では，

  TR×(スライス内の N_p)×(スライス方向の Np)×(加算回数)

  となる。
- 撮像時間の例として，TR = 500 msec，スライス内の Np = 192，スライス方向の Np = 128，加算回数 2 回とすると，2D：3 分 12 秒に対し，3D：409 分 36 秒となり実用的ではない。
- 一方 TR を 10 msec とすると，3D の撮像時間は 8 分 12 秒程度であり現実的となる。このため，3D は TR を短縮可能な GRE 法で用いられることが多い。
- 近頃では，画像再構成の高速化，フリップ角の最適化，パラレルイメージングの併用も相まって SE（FSE，TSE）法でも短時間で 3D 撮像が可能となった。

コラム CP法とCPMG法

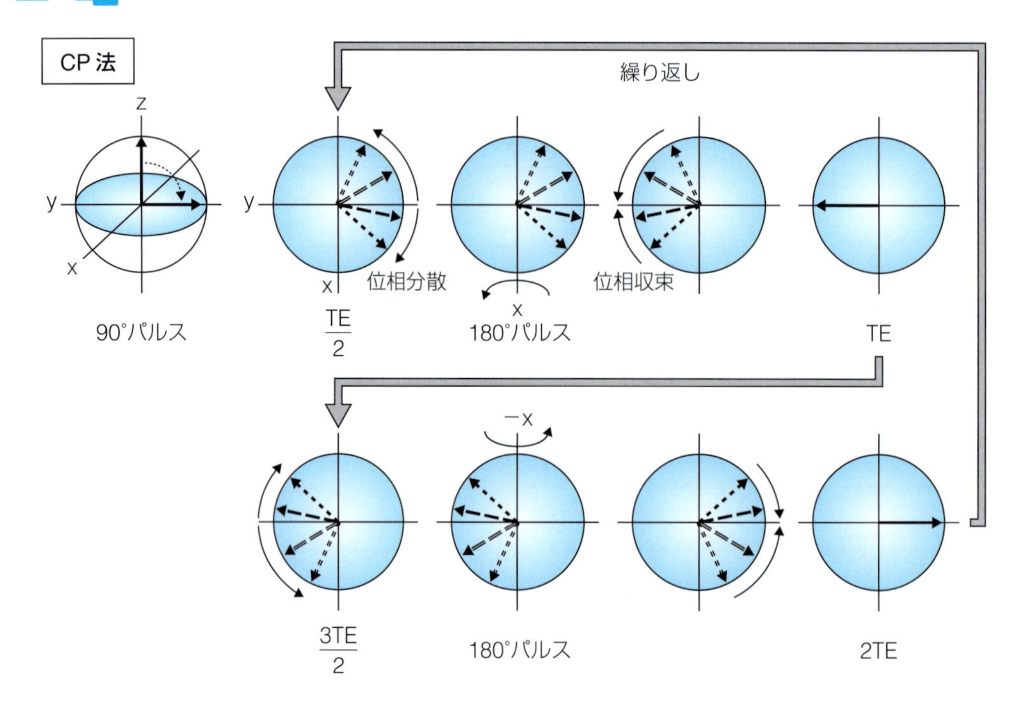

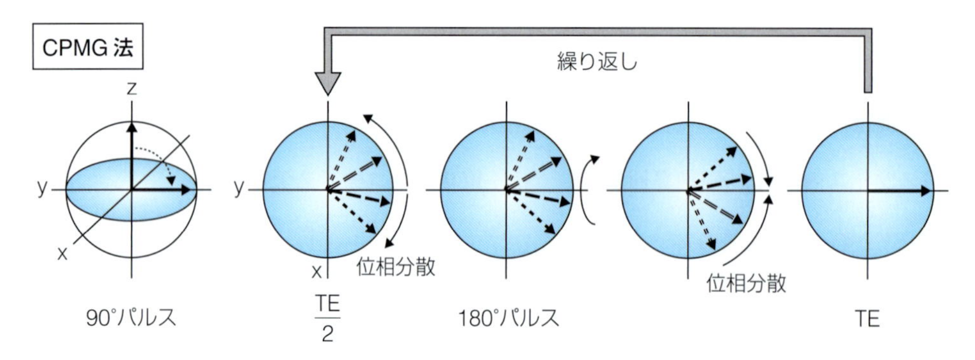

- 高速SE法において，励起90°パルスの後，複数の再収束180°パルスを印加し，複数のエコーを収集することを前述した。180°パルスの印加方法には，CP（Carr-Purcell）法とCPMG（Carr-Purcell-Meiboom-Gill）法の2つがあり，これらの違いはパルスの印加方向である。
- CP法では，90°パルスと同じx軸方向および−x方向から交互に180°パルスを印加する。SE信号はy方向および−y方向から得られるため，−y方向からの信号の正負を逆転させる必要がある。
- CPMG法では90°パルスに対して，直角方向から180°パルスを印加する。90°位相をずらして印加することで，RFの不均一（90°パルスを含む）の影響を少なくすることができる。SE信号は常にy方向から得られる。
- 両法とも，180°パルスが多少不正確であっても偶数TE（2TE，4TE，6TE……）では位相誤差が相殺されることから，偶数番目のSE信号は正確なT_2減衰を示す。
- 現在，全ての装置でCPMG法が採用されている。

7章 Preparation pulse

1 Preparation pulse（先行パルス・前置パルス）

- **画像コントラストの修飾，不要信号の抑制・除去を目的として，RF pulseの前に印加するpulseをpreparation pulseと呼ぶ。**
- **代表的なpreparation pulseには，IR（inversion recovery：反転回復），presaturation（前飽和），MT（magnetization transfer：磁化移動）等があり，目的に応じて選択して利用される。**
- **通常，パルスシーケンスの前に付加するため，撮像時間の延長が伴う。**

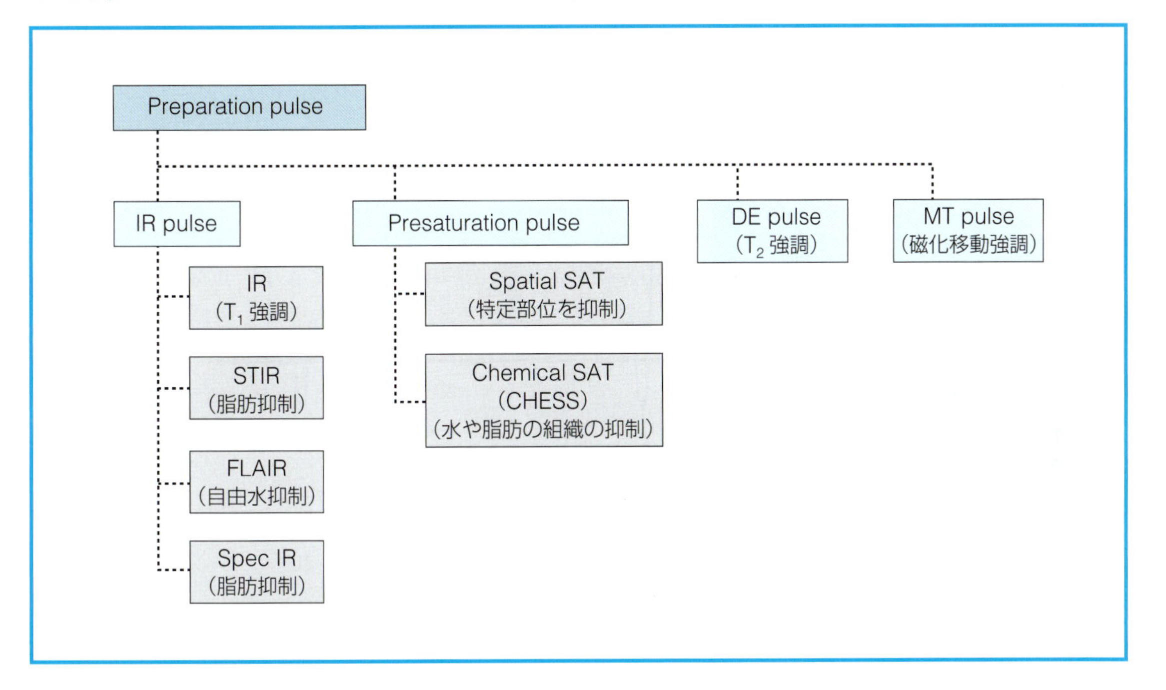

Preparation pulseの実用的な分類

【非選択的組織抑制】

- IR法など
- 抑制された組織 ➡ 必ずしも狙った組織であるとは断定できない（7章134頁，IR法の項参照）

【選択的組織抑制】

- CHESS法など
- 抑制された組織 ➡ 狙った組織であると断定できる（7章141頁，CHESS法の項参照）

2 IR pulse

【IR pulseの分類】
- IR（T_1強調）
- STIR（脂肪抑制）
- FLAIR（自由水抑制）
- Spec IR（脂肪抑制）

- IR法とは，通常のパルスシーケンスの前にpre pulse（180°パルス）を印加し，画像コントラストの調節を行う手法であり，この時に使用されるpre pulse（180°パルス）のことをIR pulseと呼ぶ。
- IR法には，T_1強調コントラストを改善するIR，脂肪抑制するSTIR，自由水抑制するFLAIR，脂肪抑制するSpec IRが存在する。
- IR pulseを利用して種々の画像コントラストを得るためには，反転回復という概念が重要である。

A IR法のパルスシーケンス図

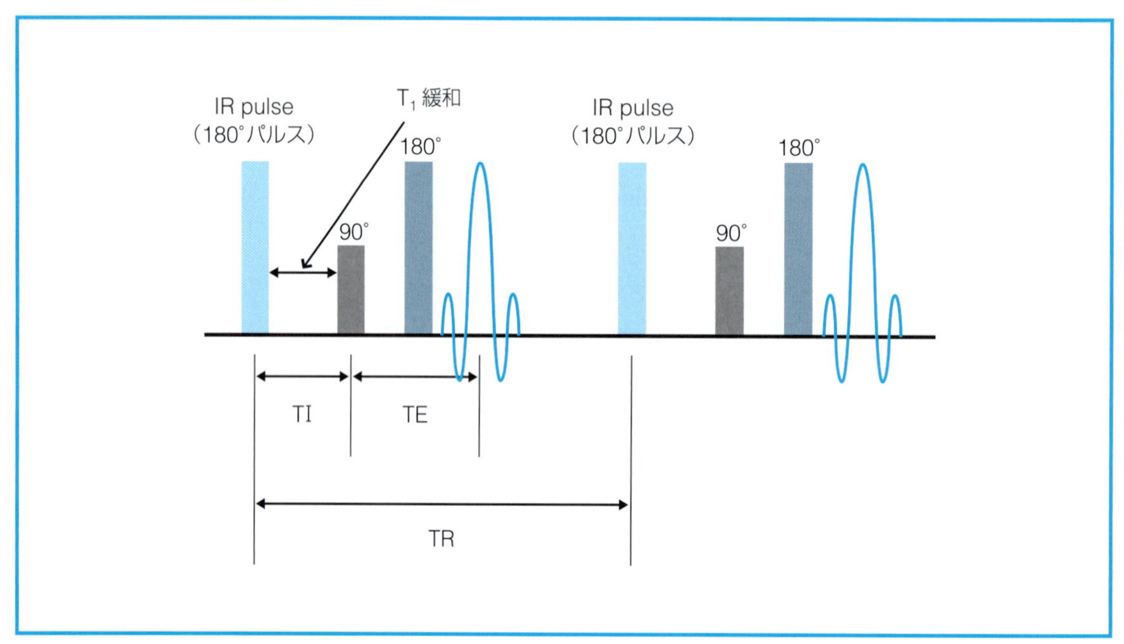

- 最初のIR pulse（180°パルス）から励起RFパルス（SE法の場合は90°パルス）までの時間を反転時間（TI：inversion time）と呼ぶ。
- 通常のIR法では，最初のIR pulse印加後に一定の時間（反転時間：TI）だけ待ち，その後にSE法，FSE法，GRE法などでデータ収集を行う。
- 最初のIR pulse印加後は，組織のT_1に従った縦緩和（T_1緩和）により縦磁化の回復が生じる。
- 最初のIR pulse印加からTR後に，次のIR pulseを印加し，以降も同様に繰り返す。

B IR法における縦緩和（T_1 relaxation）

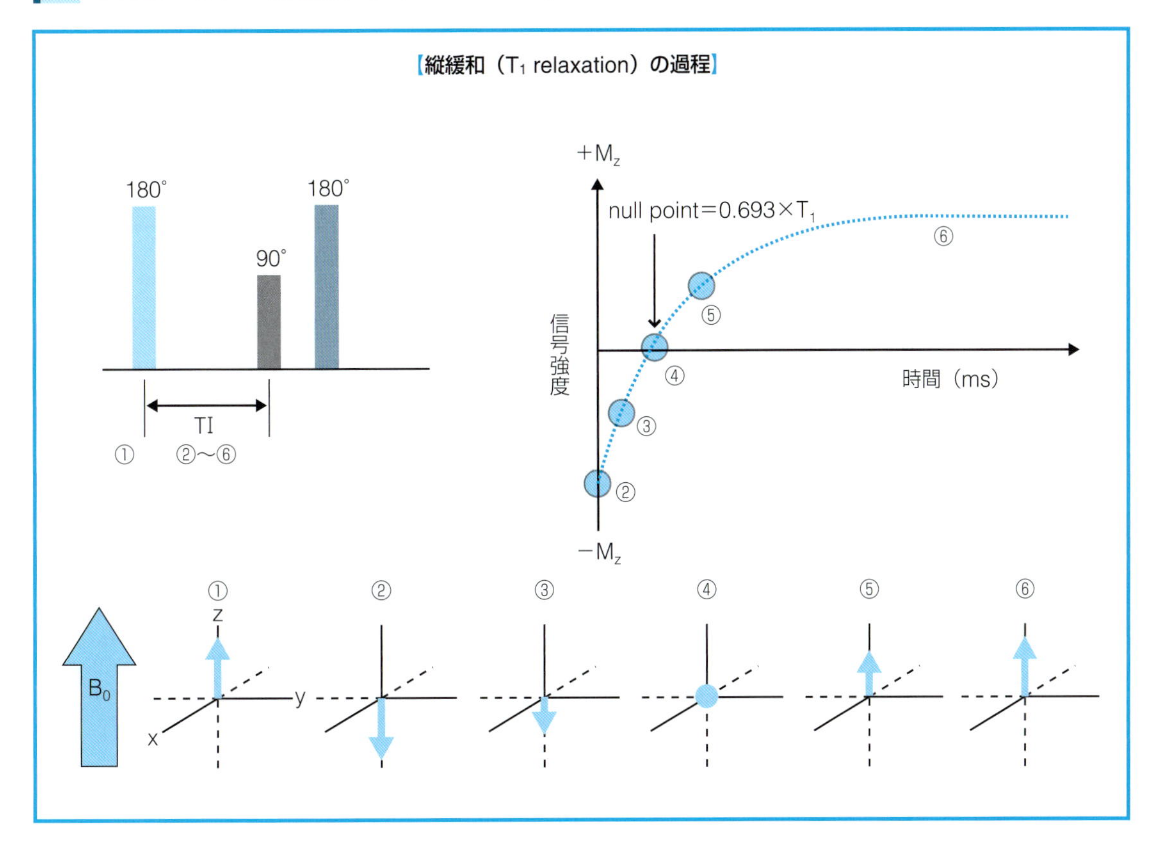

- IR pulse（180°パルス）印加前では，縦磁化ベクトルは+z方向を向いている（①）。
- IR pulse印加直後，縦磁化ベクトルは−z方向（180°反対方向）を向く（②）。
- IR pulseを切ると，T_1緩和曲線に従って縦磁化の−z方向成分は減少（②〜④），+z方向成分が増加（④〜⑥），最後には元の縦磁化の大きさにまで回復する。
- 縦磁化の回復の過程で信号強度がゼロ（0）になる点をnull pointと呼ぶ（④）。

C TIとnull pointの関係

- **TIの算出式**

$$TI(null) = (\log_e 2) \times (組織のT_1値) = (\ln 2) \times (組織のT_1値) = 0.693 \times (組織のT_1値)$$

例）脂肪のTIの算出（1.5 Teslaの場合）

$$TI(null) = 0.693 \times (脂肪のT_1値) = 0.693 \times (250\,msec) = 173.25[msec]$$

- TIは，抑制したい組織のT_1値に$\log_e 2$（$= \ln 2 = 0.693$）を乗じて算出する。
- IR法を用いてある組織の信号を抑制するためには，その組織の信号強度がゼロ（0）となる時間であるTI（null）を算出する必要がある。
- 1.5 Teslaにおける脂肪のT_1値が250［msec］であったと仮定すると，TI(null) = 0.693×250 = 173.25[msec]となる。

D TI(null)＝0.693×(組織のT_1値)になる理由

【IR法における信号強度〔$SI_{(IR)}$〕】

$$〔SI_{(IR)}〕= M_0\left(1-2e^{-\frac{TI}{T_1}}\right)\left(1-e^{-\frac{TR}{T_1}}\right)\left(e^{-\frac{TE}{T_2}}\right)$$

$SI=\left(1-2e^{-\frac{TI}{T_1}}\right)=0$ となるTIを求める。

$$\left(1-2e^{-\frac{TI\ (null)}{T_1}}\right)=0$$

$$1/2=e^{-\frac{TI\ (null)}{T_1}}$$

$$\ln(1/2)=-\frac{TI\ (null)}{T_1}$$

$$-0.693=-\frac{TI\ (null)}{T_1}$$

$$\therefore TI(null)=0.693\times T_1$$

- IR法における信号強度〔$SI_{(IR)}$〕は，左式で表され，$\left(1-2e^{-\frac{TI}{T_1}}\right)$ が反転回復曲線の信号強度を表している。
  - ▶ $\left(1-2e^{-\frac{TI}{T_1}}\right)$：反転回復曲線
  - ▶ $\left(1-e^{-\frac{TR}{T_1}}\right)$：$T_1$緩和曲線
  - ▶ $\left(e^{-\frac{TE}{T_2}}\right)$：$T_2$緩和曲線
- TI(null)は，$SI=\left(1-2e^{-\frac{TI}{T_1}}\right)$ の反転回復曲線がゼロ（0）となる時点を表すため，$SI=\left(1-2e^{-\frac{TI}{T_1}}\right)=0$ となる時のTI(null)を求めれば算出できる。

E 各組織における反転回復曲線とTI

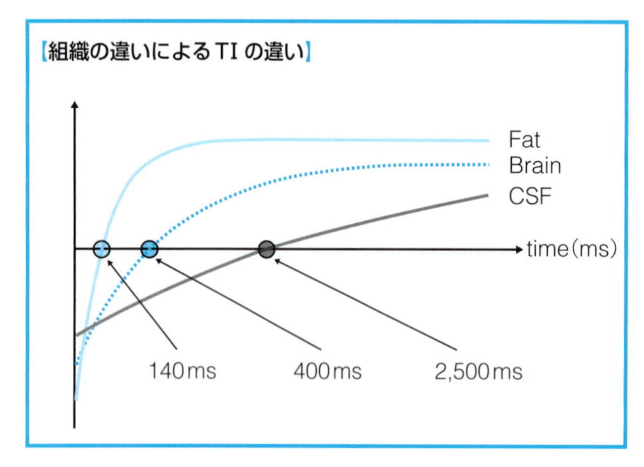

- T_1値は組織により異なっているため，T_1値から算出されるTIも組織により異なる。
- 脂肪（Fat）を抑制する場合には，TIを140［ms］程度に設定する。
  ➡ STIR法
- 脳脊髄液（CSF）を抑制する場合には，TIを2,500［ms］程度に設定する。
  ➡ FLAIR法

F IR法で抑制された組織

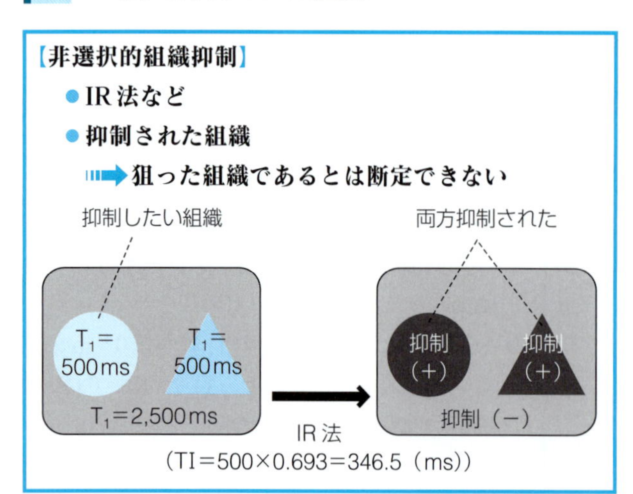

- あらかじめ，抑制したい組織のT_1値が分かっていれば，T_1値から算出したTIを設定することによって，抑制したい組織を抑制することができる。
- しかし，信号が抑制された部分が必ずしも目的とした組織であるとは断定できない。
- なぜならば，抑制したい組織と同じT_1を有する他の組織も一緒に抑制されてしまうからである。
- それゆえに，非選択的組織抑制と呼ばれる。

G STIR

1. 特　徴

- **short TI inversion recoveryの略**
- **脂肪のnull point (TI) ≒ 140 ms**
  (脂肪のT_1値≒200 ms，1.5 Tの場合)
- **抑制された組織は必ずしも脂肪であるとは断定できない**
- **磁場の不均一性の影響を受けにくい**

- short TI inversion recoveryの略で，null pointを脂肪に合わせたIR法である。
- 1.5 TのMR装置において，脂肪のT_1値は約200 msであるため，TI = 0.693 × 200 ≒ 140 msに設定すると，脂肪からの信号が抑制される。
- しかし，脂肪と同程度のT_1値を有する組織の信号も抑制されるため，抑制された組織を脂肪と断定することはできない。
- 磁場の不均一性の影響を受けにくい脂肪信号抑制法である。

2. STIRにおける信号強度

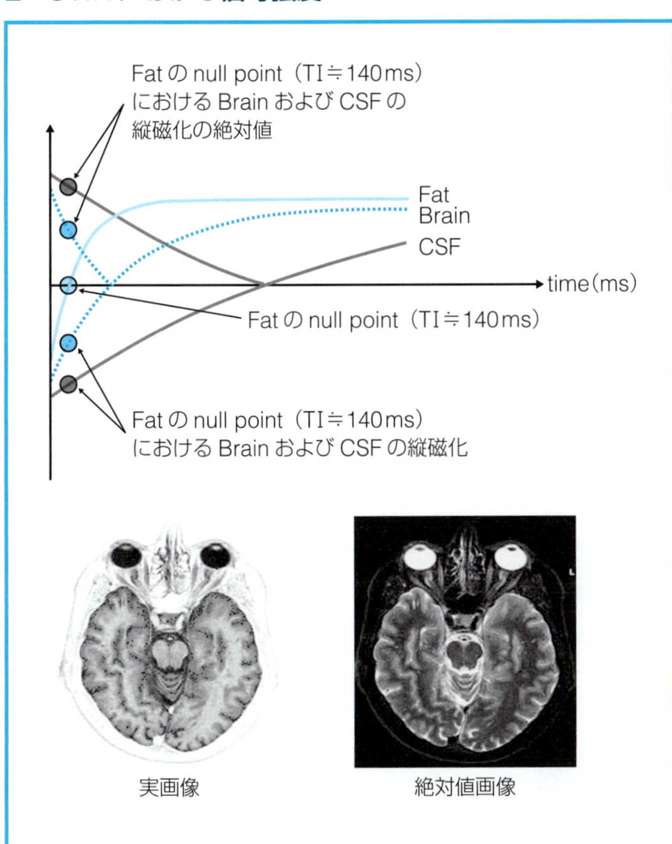

実画像　　絶対値画像

- 一般に，脂肪のT_1値は他の組織に比べて短い。
- 脂肪のTI (null point) において，脂肪の信号はゼロ (0) となるが，他の組織の縦磁化はゼロ (0) まで回復しておらず，負の値を示す。
- 脂肪のnull pointにおいて，脂肪の信号はゼロ (0)，脂肪よりもT_1値が短い組織の信号は高信号，脂肪よりもT_1値が長い組織の信号は低信号となる。
- 絶対値表示を行うことで，脂肪よりもT_1値が短い組織の信号は低信号となり，脂肪よりもT_1値が長い組織の信号は高信号となる。

H FLAIR

1. 特 徴

- **fluid attenuated inversion recoveryの略**
- **自由水（CSF）のnull point (TI) ≒ 2,500 ms**
  (CSFのT_1値≒3,600 ms，1.5 Tの場合)
- **自由水（CSFなど）からの信号を抑制**
- **抑制された組織を断定できない**
- **磁場の不均一性の影響を受けにくい**

- fluid attenuated inversion recoveryの略で，null pointを自由水（CSFなど）に合わせたIR法である。
- 1.5 TのMR装置において，脳脊髄液(CSF)のT_1値は約3,600 msであるため，$TI = 0.693 \times 3{,}600 \fallingdotseq 2{,}500$ msに設定すると，CSFからの信号が抑制される。
- STIR法と同様，同程度のT_1値を有する組織の信号も抑制されるため，抑制された組織を断定することはできない。
- 180°パルスを利用するため，磁場の不均一によって生じる位相分散の影響を受けにくい。

2. FLAIRにおける信号強度

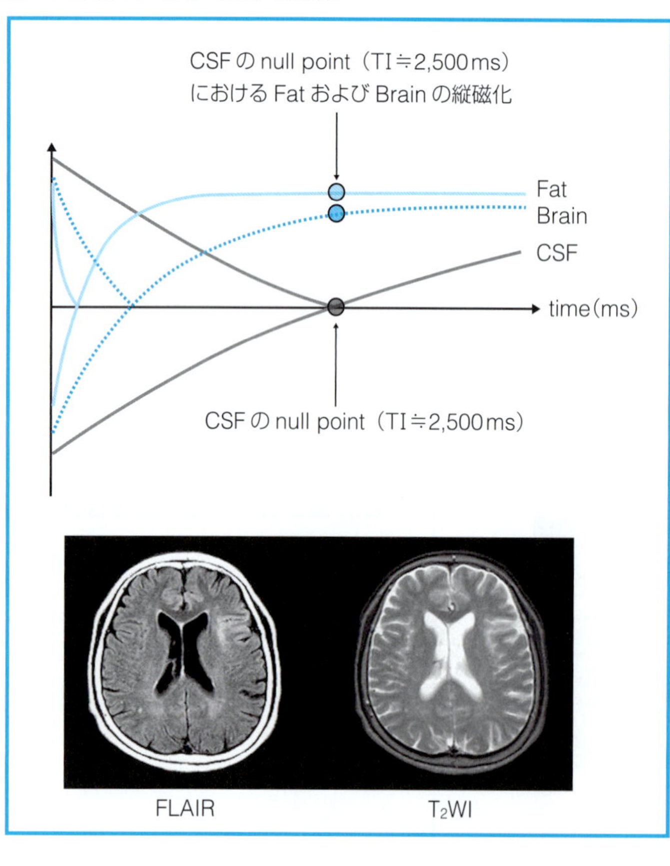

- 一般に，CSF（脳脊髄液）のT_1値は他の組織に比べて長い。
- CSFのTI（null point）において，CSFの信号はゼロ（0）となるが，他の組織の縦磁化は完全に回復しているため，正の値を示す。
- CSFを抑制した弱いT_2WIを得ることができる。
- FLAIR画像は，主に頭部領域の診断に用いられており，CSFに隣接した白質病変の診断に有用である。

I Spec IR

1. 特　徴

- spectral inversion recoveryの略
- SPECIALとも呼ばれる
- 脂肪抑制法の1つ
- CHESS法より脂肪抑制効果が長い
- 組織コントラストが低下する

- Spectral inversion recoveryの略であり，SPIR，SPECIAL（spectral inversion recovery attenuation of lipid），CSS IR（chemical shift selective inversion recovery）とも呼ばれる。
- IRパルスを脂肪の共鳴周波数に選択的に印加し，脂肪を抑制する。
- 縦磁化の回復に時間がかかるため，CHESS法に比べて脂肪抑制効果が長く続く。
- 縦磁化と横磁化の両方が残存するため，信号強度が複雑となり，組織コントラストが低下する。

2. Spec IRの信号取得

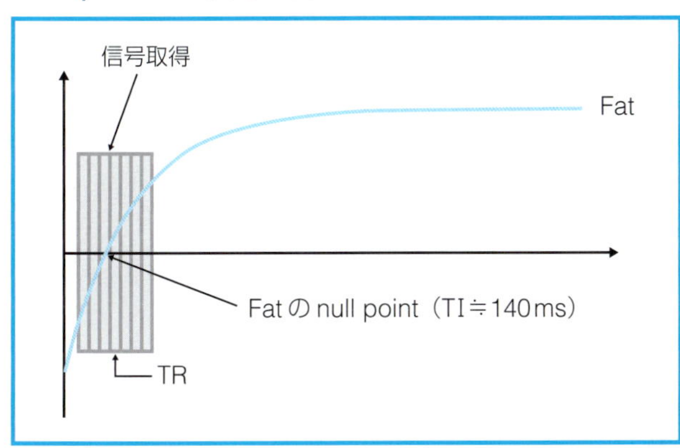

- 脂肪のnull point（TI≒140 ms）の近辺で，Short TRの高速撮像を用いて，1回のIRパルスで脂肪が抑制された多数の信号を取得する。

3 Presaturation pulse（前飽和パルス）

A Presaturation pulseの分類

- Spatial SAT
- Chemical SAT
  (chemical saturation)
  (CHESS：chemical shift selective)
  (spectral saturation)

- 飽和パルス（saturation pulse）とは，縦磁化のない状態にするパルスのことであり，パルスシーケンスの前に印加する飽和パルスを前飽和パルス（presaturation pulse）と呼ぶ。
- Presaturation pulseには，空間的な特定部位だけを飽和するspatial SATと特定組織だけを周波数選択的に飽和するchemical SATに分類される。
- Chemical SATは，chemical saturation，CHESS（chemical shift selective），spectral saturationとも呼ばれる。

B Presaturation pulseの信号抑制

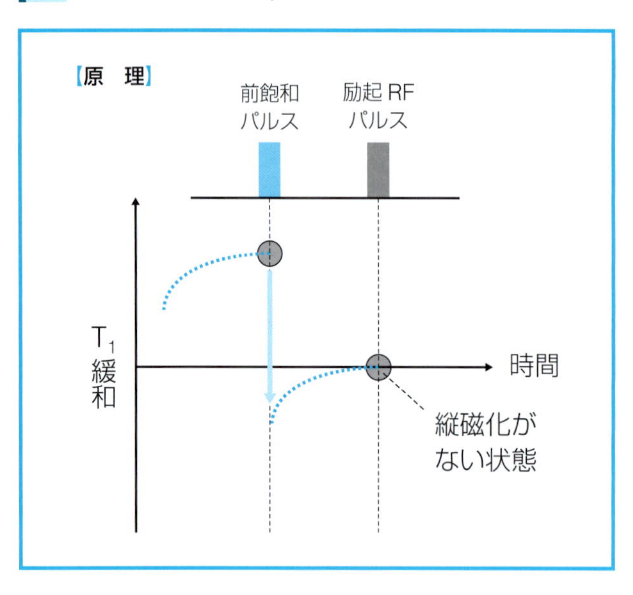

- 前飽和パルス（FA＞90°）を印加して縦磁化を－Z方向に向け，縦磁化を減少させる。
- 縦磁化の減少と同時に，傾斜磁場を印加して位相を分散させ，横磁化も減少させる。
- 励起RFパルスを印加するタイミング時には，縦磁化も横磁化もない状態となるため，パルスシーケンスに反応せず，対象とする特定の部位あるいは特定の組織からの信号が抑制される。

C Spatial SAT

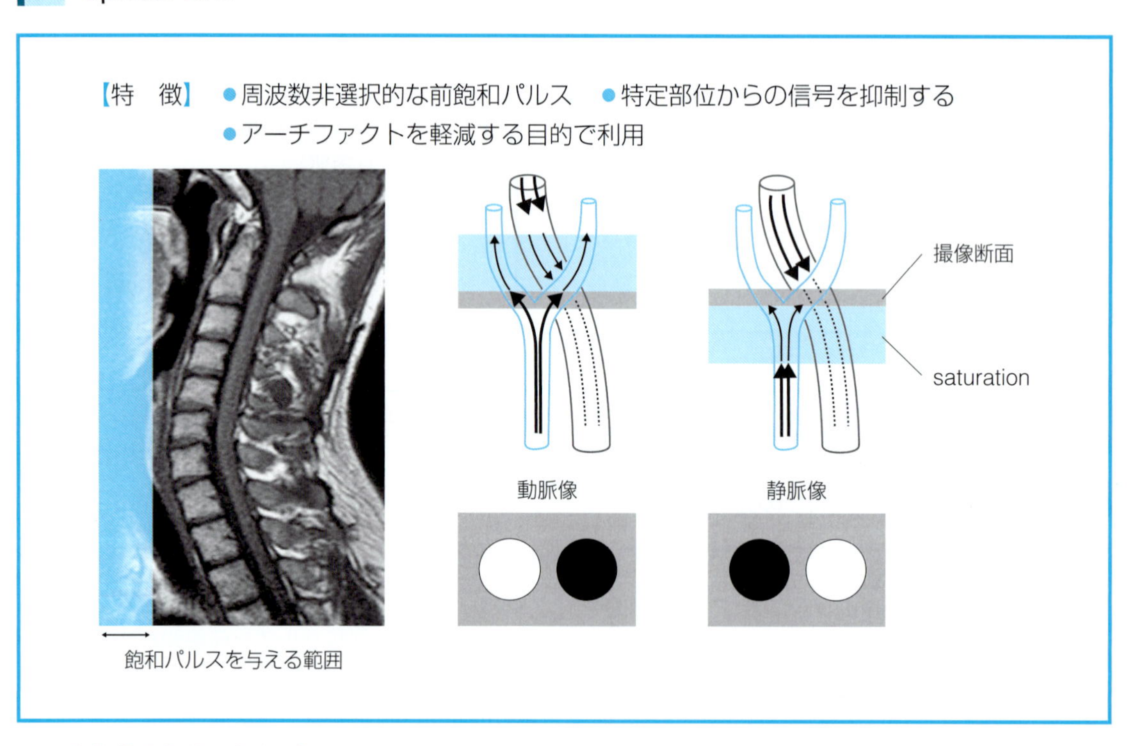

- **周波数非選択的な飽和パルスを印加して，空間的な特定部位を飽和させる前飽和パルス**のことである。
- 頸椎などの撮像において，嚥下運動によりモーションアーチファクトが生じるため，動きのある部位からの信号を抑制する目的で利用される。
- **頸部血管**などの撮像において，撮像断面に動静脈が流入する場合，一方を分離する目的で利用される。

D Chemical SAT（CHESS）

1. 特 徴

【特　徴】
- 特定組織からの信号を抑制する
- 抑制された組織
  ➡狙った組織であると断定できる
- 脂肪を抑制する目的で多く利用される
- 磁場の不均一性に弱い

- 周波数選択的な飽和パルスを印加し，共鳴周波数の差を利用して特定組織を飽和させる前飽和パルスのことである。
- 周波数選択性のRFパルスを印加し，共鳴周波数の差を利用して特定の組織だけを飽和させているため，IR法とは異なり，抑制された組織は狙った組織であると断定できる。
- 主に，脂肪を抑制する目的で用いられるが，磁場の不均一性に弱い。

2. Chemical SATによる信号抑制

【原　理】

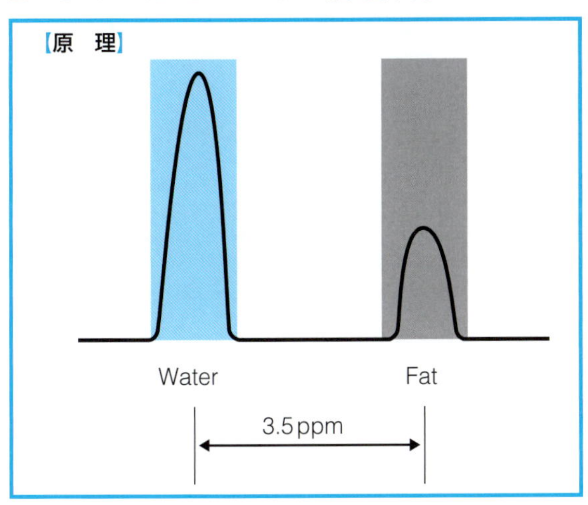

- 脂肪と水の共鳴周波数は，3.5 ppmずれている。
- 脂肪の周波数に合わせた飽和パルスを印加すると脂肪の信号が抑制され，水の周波数に合わせた飽和パルスを印加すると水の信号が抑制される。
- ^{1}H-MRSでは，水や脂肪の信号を抑制することで，通常は水の信号に埋もれているNAA，Choなどの代謝物の信号を検出することが可能となる（12章265頁参照）。

脂肪抑制におけるIR法とCHESS法の比較

	IR法	CHESS法
SNR	低い	高い
磁場の不均一	強い	弱い
T_1コントラスト	強い	弱い

- IR法では，脂肪と同じTI（null）を有する組織も抑制されるため，脂肪を選択的に抑制するCHESS法に比べ，SNRは低くなる。
- 脂肪と水の共鳴周波数の差は3.5 ppmと非常に小さいため，周波数選択性の飽和パルスを使用するCHESS法は，磁場の不均一性に弱い。
- IR法は，造影後に撮像すると造影効果によって信号が上昇した部分も抑制されるおそれがあるため，造影後の使用は避けた方がよい。

4 DE pulse

【特　徴】

- **driven equilibrium の略**
- **T_2 を強調するための preparation pulse**
- **2項パルス（binominal pulse）**
  - **1：1**
  - **1：2：1**
  - **1：3：3：1**

- driven equilibrium の略で，T_2 を強調するための preparation pulse である。
- DE pulse は，0°（360°）の2項パルス（binominal pulse）であり，分割された RF パルスの合計が0°（360°）になる。
- 分割の主な組み合わせとして，1:1，1:2:1，1：3：3：1等がある。

A DE pulse の原理

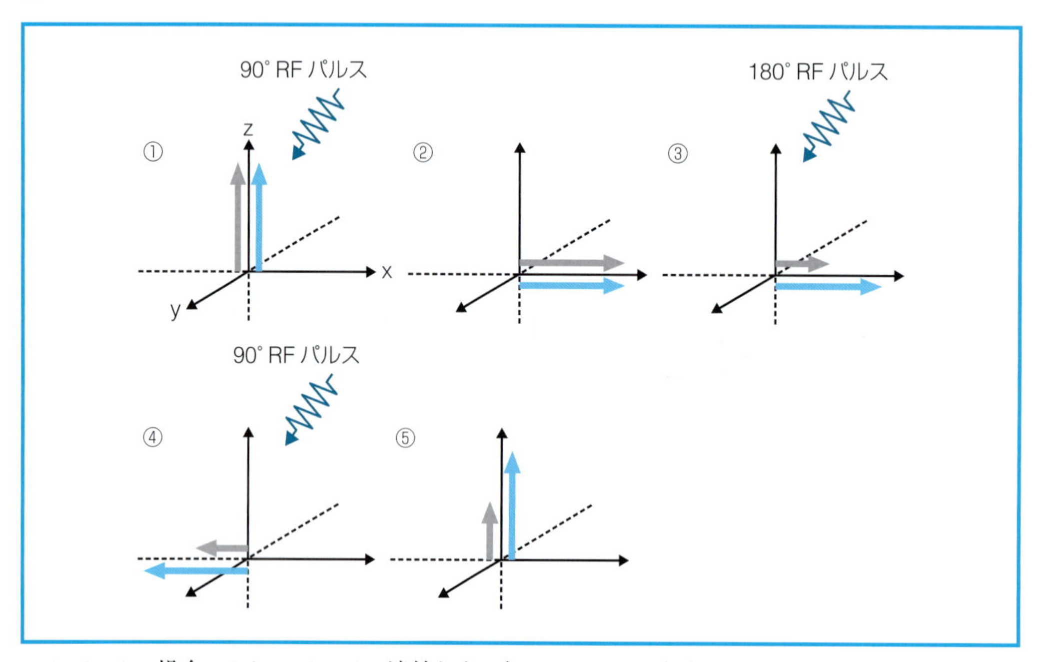

- 1：2：1の場合，90°-180°-90°の連続した3個の RF パルスとなる。
- 初期の縦磁化が同じである組織に 90°パルスを印加すると（①），ともに横磁化が発生する（②）。
- 次の 180°パルスを印加するまでの間に，各組織は T_2 減衰し，横磁化の大きさに差が生じる（③）。
- 180°パルスを印加すると，反対方向を向く（④）。
- 最後の 90°パルスを印加すると，T_2 減衰に従って生じた差を有する縦磁化に戻る（⑤）。つまり，T_2 の差を強調している。

5 MT pulse

【特　徴】

- **magnetization transfer の略**
- **MT＝磁化移動**
- **MRIで対象とする主な ^{1}H＝水・脂肪**
- **水分子**
  - **自由水（Hf）：MR信号に寄与する**
  - **結合水（Hr）：MR信号に寄与しない**

- MT（磁化移動）とは，magnetization transfer の略であり，**磁化移動によりMR信号が変化する現象をMT効果**と呼ぶ。
- MR信号に寄与する原子核は，主に水や脂肪の ^{1}Hであるが，生体内にはMR信号に寄与しない ^{1}Hも存在する。
- 生体内の水分子には，MR信号に寄与する自由水（Hf）とMR信号に寄与しない結合水（Hr）とが存在する。

A 自由水（Hf）と結合水（Hr）

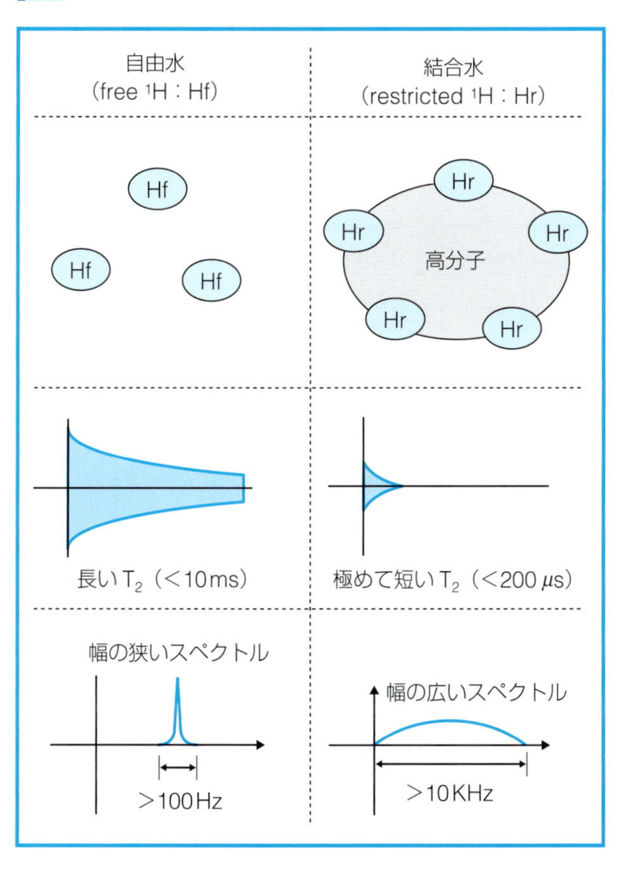

- **自由水（Hf）**は，高分子から離れて存在している ^{1}Hであり，**結合水（Hr）**はタンパク質などの高分子に結合している ^{1}Hである。
- Hfは T_2 が長い純水のような水分子であり，Hrは T_2 が短い（$<200\,\mu s$）水分子である。
- Hrは T_2 が極めて短いため，MRIで直接信号をとらえることはできないが，Hfの信号変化を通して間接的にHrを観察することが可能である。
- Hrは，Hfに比べて幅の広いスペクトルを有する。

MT（磁化移動）の観察方法

- MTを観察する手法の1つとして，磁化飽和移動（saturation transfer）があり，HfとHrの磁気的相互作用を利用して，Hrを選択的に飽和することにより，共存しているHfの信号が低下する現象を呼ぶ。
- Hrを選択的に飽和させる方法として，off-resonance法とon-resonance法とがある。

B Off-resonance法

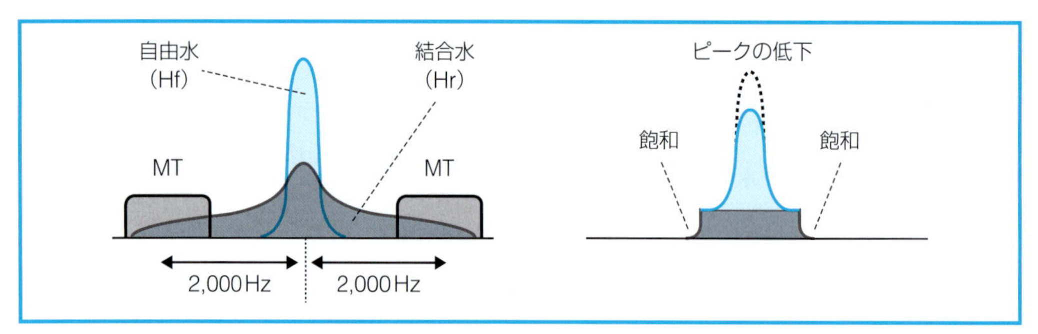

- 自由水（Hf）のスペクトルは細く，結合水（Hr）のスペクトルは幅が広いことを利用し，Hfの周波数から大きく離れた周波数領域（例：2,000 Hz）にMTパルスを連続的に印加し，Hrの一部を選択的に飽和させる。
- この飽和によって，MT（磁化移動）が生じ，Hrのピークが低下する。
- MTパルスの周波数がHfの周波数から大きく離れているため，**磁場の不均一性に強い**。しかし，MTパルスを連続的に照射するため，**撮像時間が延長**する。

C On-resonance法

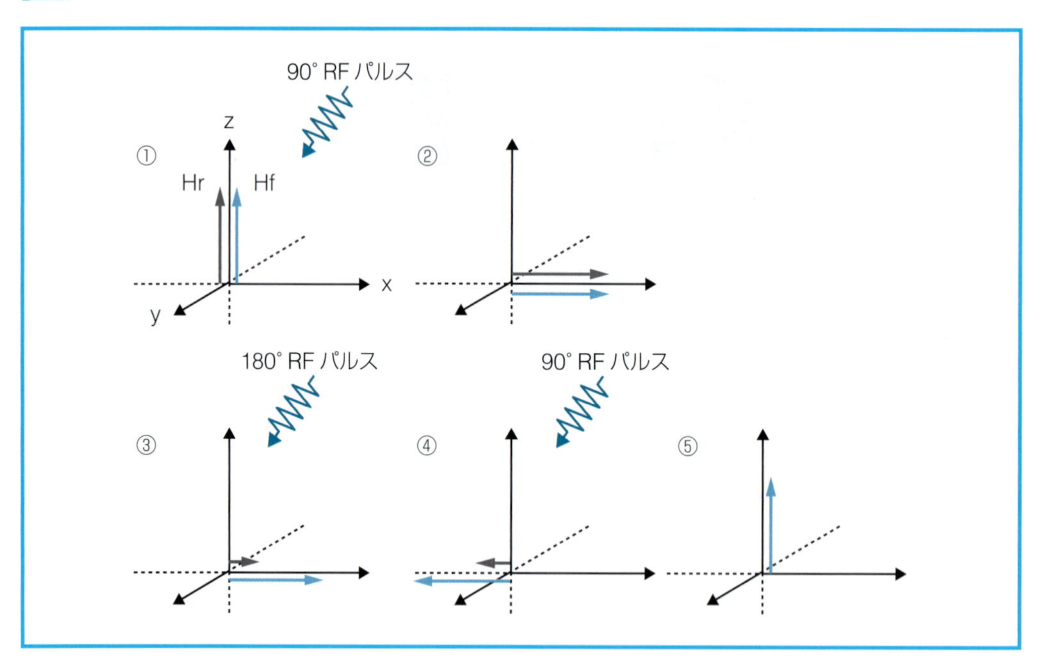

- DE pulseと同様に，0°の2項パルスを自由水（Hf）と結合水（Hr）に印加する（①→②）。
- HfはT_2が長いため，磁化が減少することなく元に戻るが，HrはT_2が極端に短いため，磁化は消失する（③→④→⑤）。
- その結果，Hrが選択的に飽和される。
- このHrが飽和された画像を**MT画像**と呼ぶ。
- **撮像時間の延長は少ないが，磁場の不均一性に弱い。**

D MT（磁化移動）の臨床応用

【目　的】
- **背景信号の抑制**
  - **造影MRI**
  - **MR angiography（MRA）**
  - **MRCPなど**
- **病変の性質診断**
  - **MTR（MT比：MT ratio）**

- 結合水（Hr）が飽和された画像をMTC（MT contrast）画像と呼び，臨床に用いられる。
- MTは，主に背景信号の抑制や病変の性質診断を目的として利用される。
- 背景信号の抑制を目的とする場合は，主に造影MRI・MRA・MRCP等に利用する。
- 病変の性質診断を目的とする場合は，MT非印加の画像およびMTC画像それぞれの信号からMT比（MTR：MT ratio）を算出し，定量的に算出する。

E 背景信号の抑制

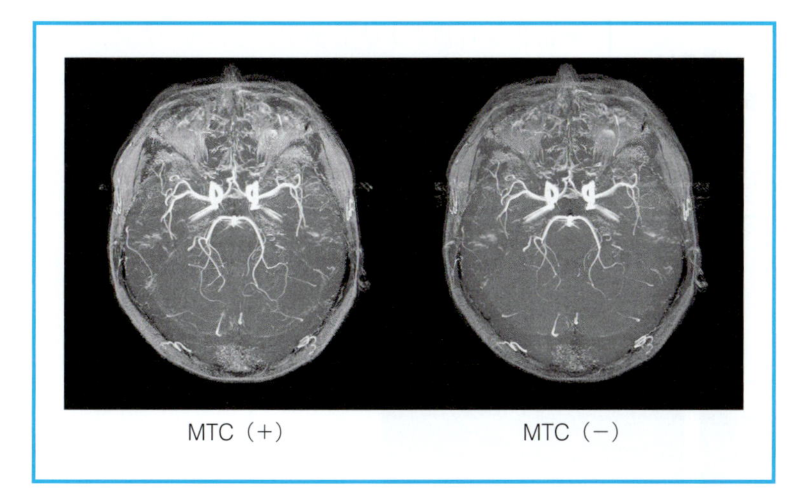

MTC（+）　　MTC（−）

- 頭部MRAにおけるMTCの有無による違いを示す（MIP画像，9章186頁参照）。
- MTC（+）は，脳実質の信号が抑制されているため，MTC（−）と比べて血管と脳実質のコントラストが高く，細い血管まで描出されている。
- しかし，脂肪の信号は低下しないため，眼窩等の脂肪が目立つ。

F MTR（MT比：MT ratio）

- $MTR = (M_0 - Ms)/M_0$
  - M_0：MTC（−）画像の信号強度
  - Ms：MTC（+）画像の信号強度

- **MTR（大）**
  - **白質・灰白質・筋肉・軟骨・肝臓など**
- **MTR（小）**
  - **脳脊髄液・血管腫・嚢胞・浮腫など**

- MTRは，「MTC（−）画像の信号強度」から「MTC（+）画像の信号強度」を引いた値を「MTC（−）画像の信号強度」で除して算出する。
- MTC（+）画像において，自由水（Hf）が多い組織では信号強度は低下せず〔MTR（小）〕，結合水（Hr）が多い組織の信号強度は低下する〔MTR（大）〕。
- ただし，MTRは撮像法等により影響を受けるため，一概にMTR値を比較することは望ましくない。

6 脂肪抑制法のまとめ

【脂肪抑制法の分類】

- **T_1 緩和を利用**
  - **STIR 法**
- **共鳴周波数の差（化学シフト）を利用**
  - **CHESS 法・Dixon 法・DE pulse 法**
- **T_1 緩和と共鳴周波数の差を併用**
  - **Spec IR 法**

- MR 検査の中でも，脂肪信号の抑制は多く行われ，その手法は様々である。
- 脂肪の null point（TI）に合わせて非選択的に抑制する STIR 法，脂肪の共鳴周波数に合わせて選択的に抑制する CHESS 法，共鳴周波数の差に伴った位相ずれを利用した Dixon 法，90°RF パルスを 2 項パルスに分割して照射する DE pulse 法，T_1 緩和と共鳴周波数の差を併用した Spec IR 法等がある。

A 脂 肪

【特 徴】

- **T_1 値が短い**
- **画像コントラストに与える影響が大きい**
  - **T_1 強調画像で高信号を呈する**
  - **T_2 強調画像でも比較的高信号を呈する**
- **脂肪と水の共鳴周波数の差は 3.5 ppm**

- 生体内で画像コントラストに寄与するプロトンは水および脂肪である。
- 脂肪は T_1 値および T_2 値がともに短いため，T_1 強調画像で高信号，T_2 強調画像で低信号を呈する。
- ただし，高速スピンエコー法で撮像した際は，連続して照射される 180 度パルスの影響で高信号を呈する（通常，T_2 強調画像は高速スピンエコー法で取得することが一般的である）。

B STIR 法

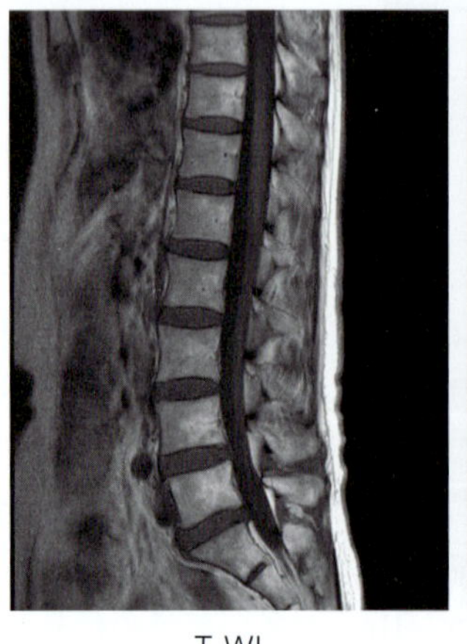

T_1WI

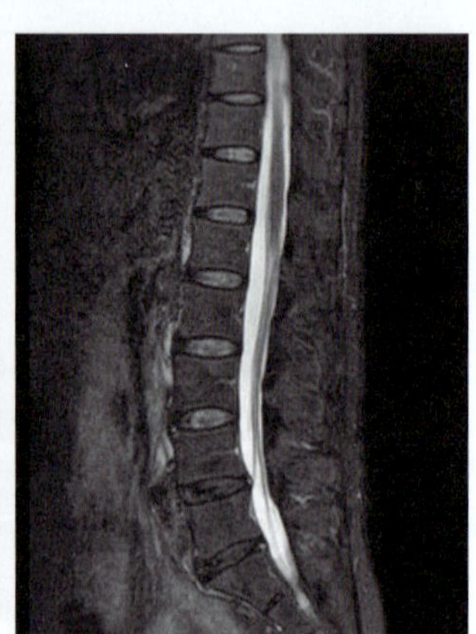

STIR

- T_1 緩和を利用した脂肪抑制法で，磁場の不均一性に弱い部位（頭頸部・四肢・脊椎など）での脂肪抑制に有用である。
- しかし，脂肪の T_1 値と同じ組織は全て抑制されるため，抑制された組織が脂肪であるとは断定できず，CHESS 法に比べて SNR も低い。
- また，T_1 短縮効果が伴う造影剤の使用後では，造影された部分まで抑制されるおそれがある。

C CHESS法

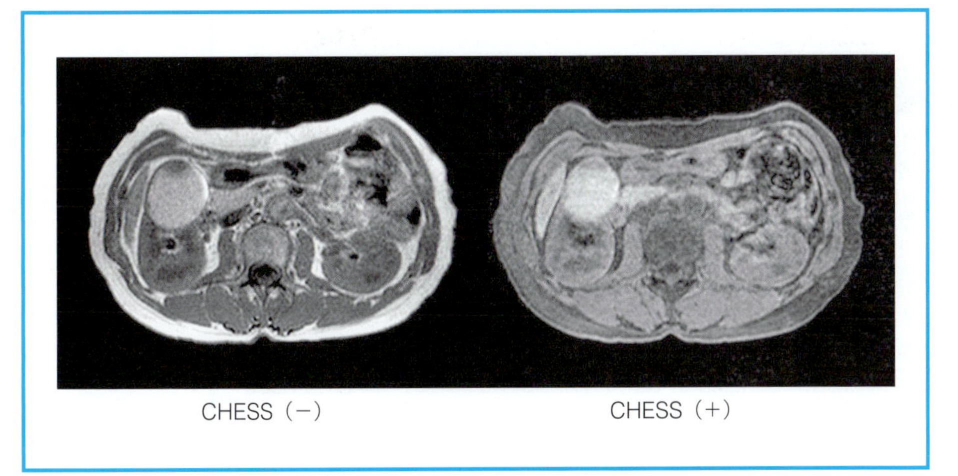

- **脂肪と水の共鳴周波数の差（化学シフト）を利用した周波数選択性の脂肪抑制法**で，造影後の脂肪抑制T_1強調画像の取得に多く利用される。
- 脂肪の共鳴周波数を選択的に抑制するため，抑制された組織が脂肪であると断定でき，STIR法に比べてSNRは高いが，磁場の不均一性に弱いのが欠点である。

D Dixon法

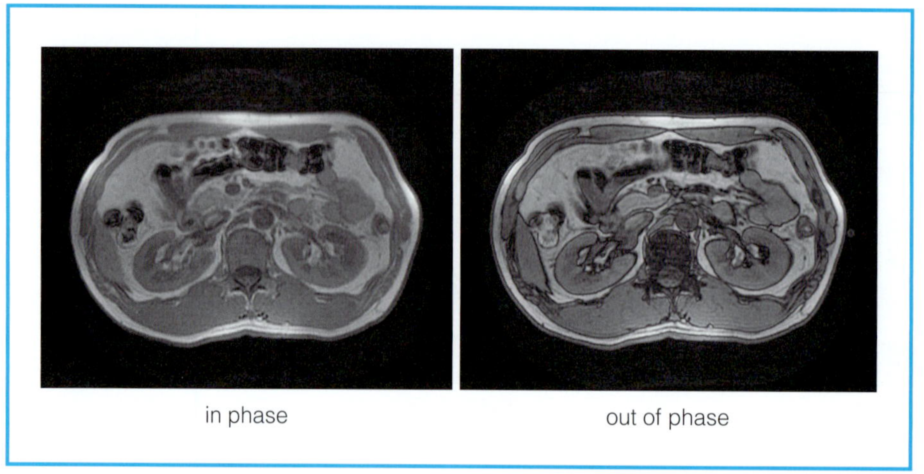

- 脂肪と水の共鳴周波数に差があるため，GRE法では設定TEにより，脂肪と水に位相差を生じる。
- 水と脂肪が同位相になった（同方向を向いた）ときをin phase, 逆位相になった（反対方向を向いた）ときをout of phase（opposed phase）と呼ぶ。
- 両者を加算することによって，脂肪を抑制した画像を得ることができる。

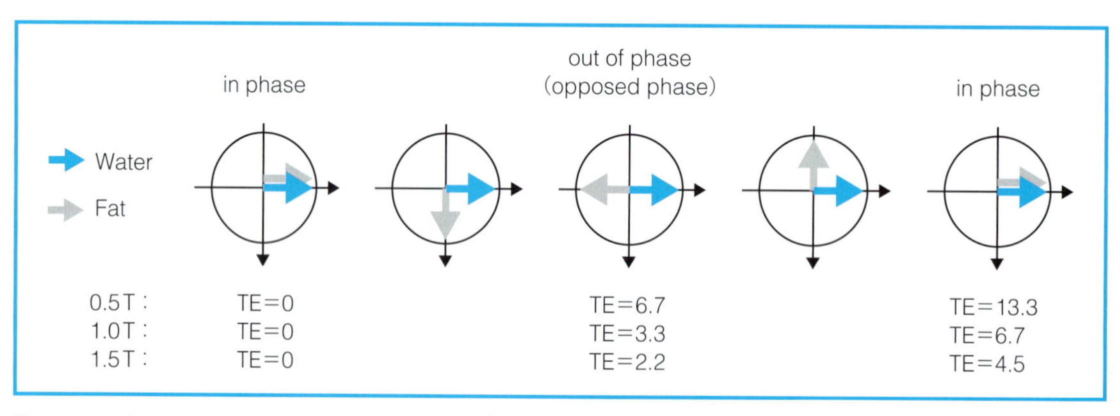

【in phaseとout of phase（opposed phase)】

- 脂肪と水は，TEの違いによって位相が揃ったり，ずれたりする。
- 同位相（in phase）$= \dfrac{1}{\text{水と脂肪の共鳴周波数の差}}$
- 1.5 Teslaにおいて，TE = 0 msのときは同位相（in phase），TE = 2.2 msのときは逆位相（opposed phase），TR = 4.5 msのときは再び同位相（in phase）となる。
- 逆位相（out of phase）は，同位相（in phase）の中間となる。
- 磁場強度が異なると，共鳴周波数が異なるため，位相差を生じるTEに影響を与える。

E DE pulse法

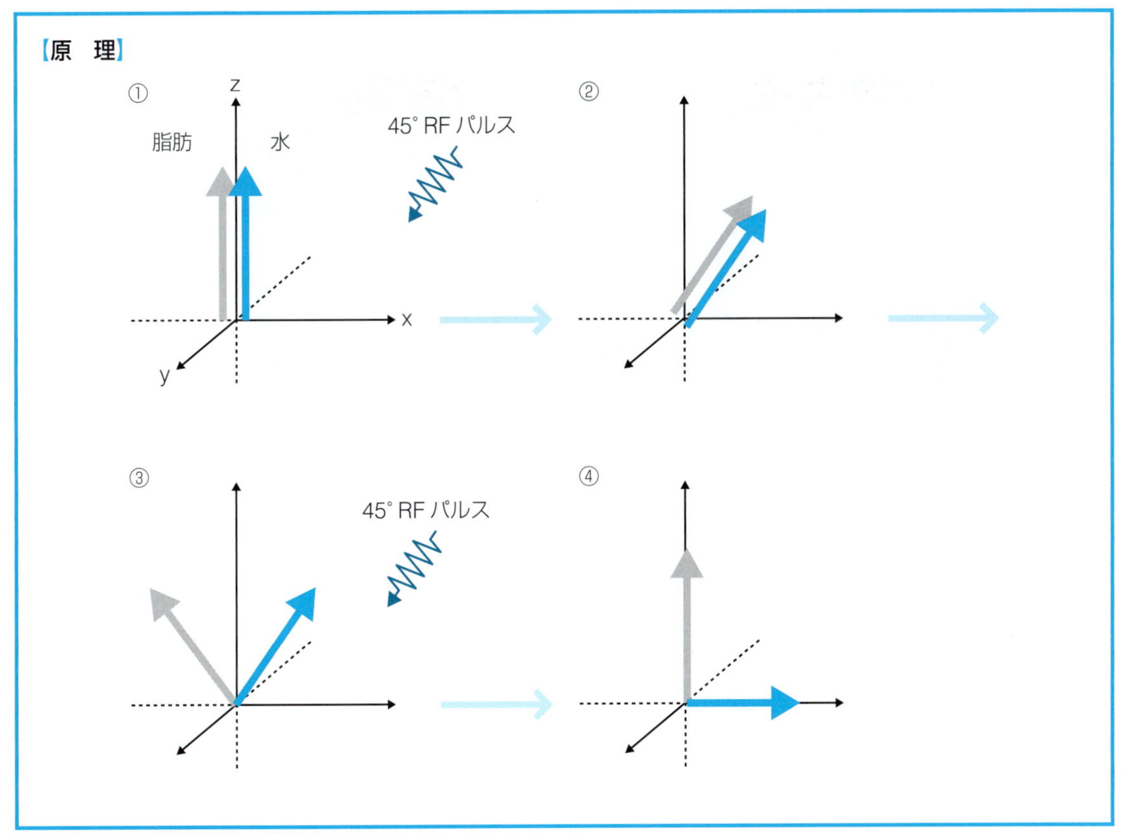

- 90°RFパルスを2項パルスに分割（1：1，1：2：1，1：3：3：1等）して照射することにより，水の信号のみが発生し，脂肪は抑制されることから，水選択励起法とも呼ばれる。
- 90°パルスを1：1に45°ずつ分割して印加すると（①），脂肪と水の磁化は45°だけ倒れ（②），逆位相となるタイミングで残りの45°パルスを印加（③）することにより，脂肪の磁化はz方向に戻るが，水の磁化はxy平面に倒れるため，水の信号のみが発生する（④）。
- 分割数が多いほど，脂肪抑制効果が高くなる。

F Spec IR法

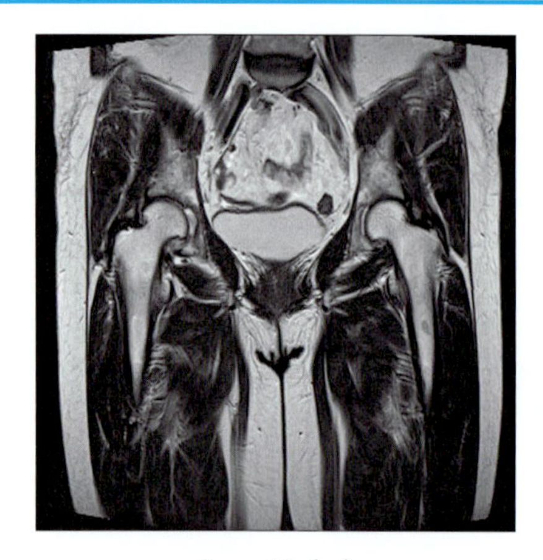

Spec IR（−）

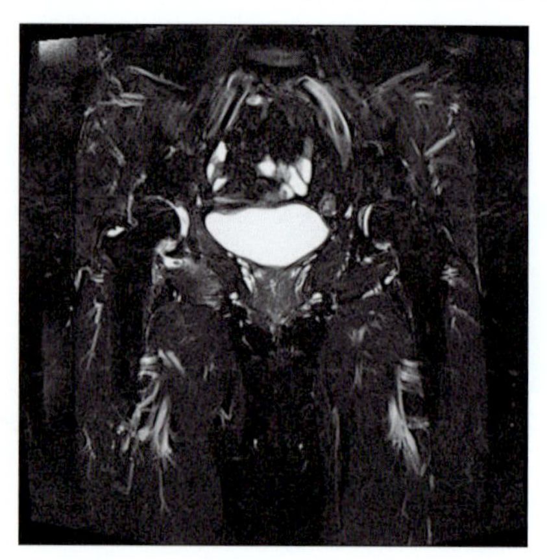

Spec IR（＋）

- 脂肪の周波数に合わせて選択的にIRパルスを印加し，脂肪のnull point（TI）のタイミングでRFパルスを印加することで，脂肪を抑制し，水の信号のみを取得することができ，T_1緩和と共鳴周波数を併用した方法といえる。
- 1回のRFパルスで脂肪が抑制された信号を多く取得でき，脂肪抑制効果が長続きする。

G 脂肪抑制技術の臨床での適応例

【適応例】

- **Gd造影後のT_1強調画像**
- **脂肪と病変の鑑別**
- **脂肪の周辺組織のコントラスト増強**
- **脂肪の検出**

- Gd造影剤を使用すると，T_1短縮効果によって造影された組織のT_1値が短縮し，脂肪との識別が困難になるため，造影後はCHESS法による脂肪抑制T_1強調画像を取得する。
- CHESS法を用いることで，T_1強調画像で高信号を呈する病変（例：チョコレート嚢胞）を鑑別できる。
- 脂肪組織の周辺に病変があり，脂肪の信号が邪魔となる場合に利用する。
- Dixon法を用いることで，脂肪肝などの診断を行うことが可能である。

造影剤について

1 造影剤の歴史

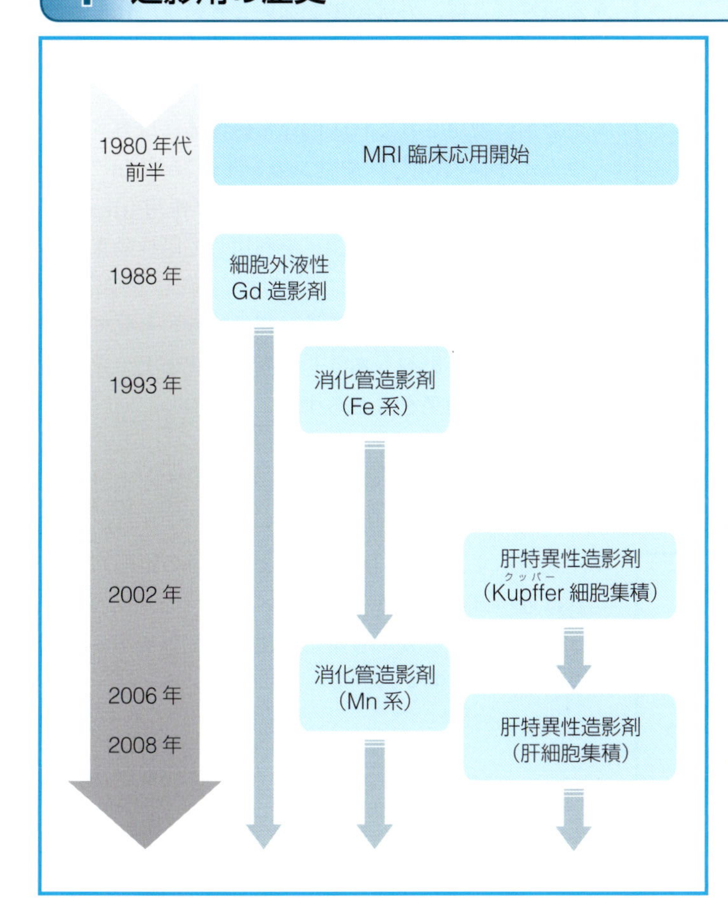

- MRIが臨床で応用されるようになったのは1980年代前半である。中枢神経系疾患における新たな画像診断法として一躍脚光を浴び，当初，「MRIに造影剤は不要」といった説も唱えられた。
- しかし，様々な疾患で臨床応用が進むにつれてMRIの問題点や限界が明らかになり，正常組織と病変部とのコントラストをより明確にするために，MRI用の造影剤の開発が望まれるようになった。
- 1988年に初のMRI用造影剤である細胞外液性ガドリニウム（Gd）造影剤が誕生した。日本でも同年から販売が開始された。当初はその適用は頭部領域だけであったが，現在では全身に及んでいる。
- その後，消化管造影剤，肝特異性造影剤が誕生し，またそれらは時代とともに使用する磁性体や，集積箇所が変移している。

- 造影剤の臨床利用が進むにつれ，副作用に関する研究も多くなされてきた。その際に，CTや血管造影などで古くから使用されているヨード造影剤から得た知見がMRI造影剤に還元されてきた。
- MRI造影剤は腫瘍の存在診断，質的診断，定量的または半定量的診断や血管描出など，現在幅広く用いられている。
- 「造影剤」としてヨード系造影剤などと一括りに考えられる部分と，MRI造影剤特有のメカニズムや副作用などの本質を理解しなければならない部分もあり，臨床現場においてこれらを的確に把握することが，MR検査に従事する技師の非常に重要な役割の1つであることはいうまでもない。

2 造影メカニズム

A MRI造影剤は常磁性体

【双極子-双極子相互作用（DDI）により
T_1 緩和時間が短縮し陽性効果をきたすもの】

- Gdキレート剤 ── Gd-DOTA / Gd（HP-DO3A）/ Gd-BT-DO3A / Gd DTPA-BMA　など
- Mnキレート剤 ── Mn-DPDP

【磁化率の差により T_2*緩和時間が短縮し
陰性効果をきたすもの】

- 超常磁性体 ──── フェルカルボトラン

- MR造影剤に使用されるのはすべて常磁性体である。
- 常磁性体とは，外部磁場がないときには磁化をもたず，磁場を印加するとその方向に弱く磁化される性質をもつ。
- 造影剤に使用される代表的な常磁性体にはガドリニウムイオン（Gd^{3+}）やマンガンイオン（Mn^{2+}）がある。これらは双極子-双極子相互作用（dipole-dipole interaction：DDI）を利用して陽性効果をもたらす。
- また，磁化率の強い常磁性（超常磁性）として使用されている造影剤もあり，周囲の磁化率との差を利用した陰性効果をもたらす。

B 双極子-双極子相互作用のおさらい（第1章参照）

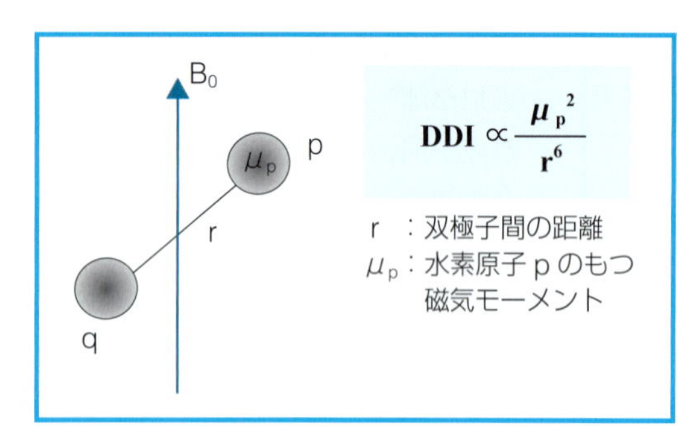

- 左式で示すように，DDI作用はお互いの距離が近ければ近いほど影響は強くなる。
- DDIは両者の距離の6乗に逆比例し，磁気モーメントの2乗に比例する。

C 常磁性体が緩和を急激に促進させる

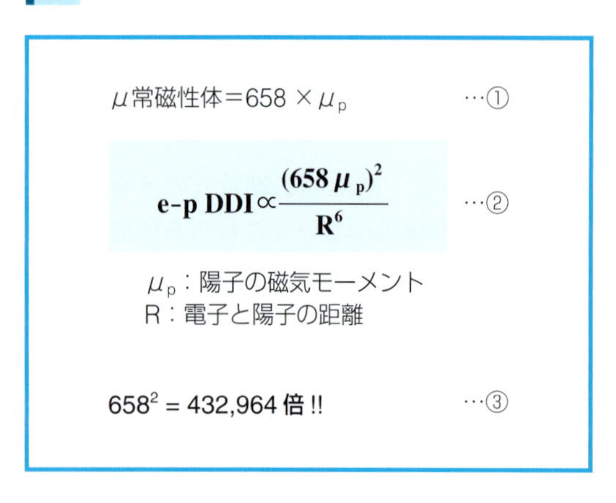

- 常磁性体は孤立電子（不対電子）をもち，プロトンとは比べものにならないくらい大きな磁気モーメント（プロトンの658倍！）を有する（①）。
- 常磁性体が有する電子とプロトンの間で起こる双極子作用を，電子-陽子双極子間相互作用（electron-proton DDI：e-p DDI）といい，②式で表される。
- 電子の磁気モーメントは陽子の658倍もあるため，その作用の大きさは658の2乗の432,964倍となる（③）。
- すなわち常磁性体（電子）はプロトン（陽子）の432,964倍の緩和短縮効果をもっているということになる。

D 造影剤濃度と信号強度

①T_1強調画像（比較的短いTR，短いTE）における造影剤濃度と信号強度の変化

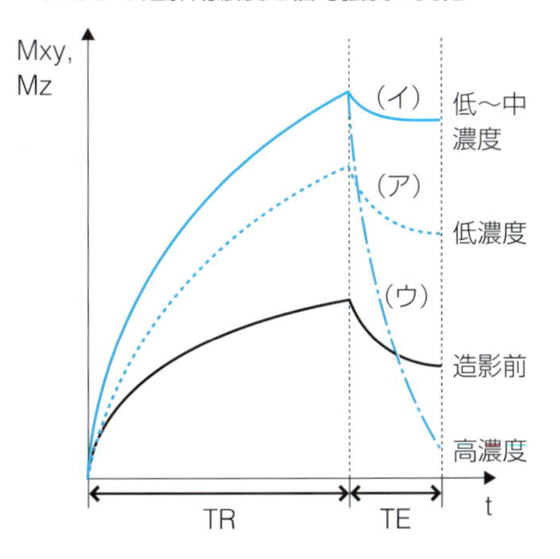

②希釈倍率を変えたときの信号強度（生理食塩水でGd造影剤を希釈したものをシリンジに入れたファントムでの評価）

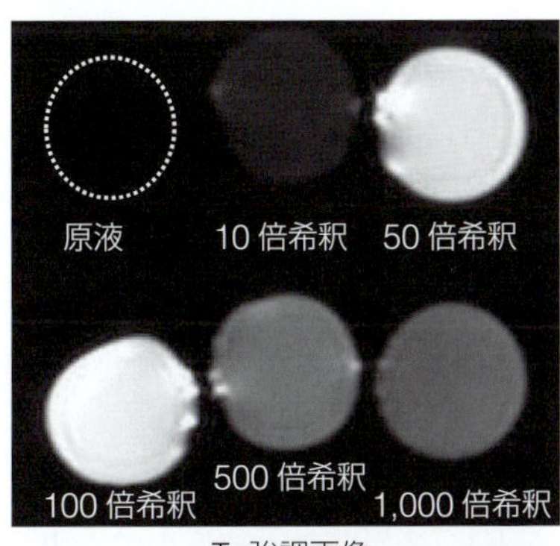

T_1強調画像

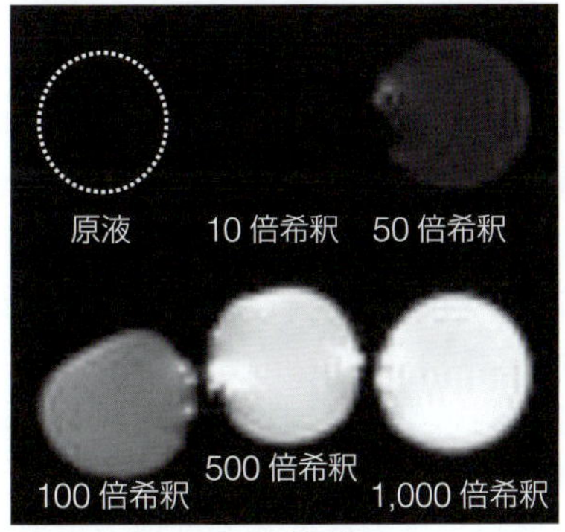

T_2強調画像

- ①にT_1強調画像における**造影剤濃度と信号強度の変化**を示す。
- 常磁性体は，その非常に強い緩和短縮効果のため，注入量が少なく，体内における濃度が低くてもその効果を発揮できる。
- 低濃度のときは，T_1短縮効果がT_2短縮効果よりも先行し，T_1強調画像にて高信号になる（ア）。
- 低～中濃度になってくると，T_1短縮効果はさらに上昇する（イ）が，さらに高濃度になるとその効果は頭打ちになる。
- 高濃度になると，頭打ちになったT_1短縮効果をT_2短縮効果が凌駕し（ウ），T_1強調画像において，急激に信号強度は低下（無信号化）する。

- ②はGd造影剤の希釈倍率を変えたときのT_1強調画像およびT_2強調画像における信号強度を表す。
- ファントムはGd造影剤を原液から生理食塩水で希釈（10～1,000倍）した溶液をシリンジに入れたものを使用している。
- T_1強調画像において，原液や10倍希釈では濃度が濃すぎるために，T_2緩和時間が短縮され，無信号（丸点線内）または低信号化する（ウ）。
- さらに希釈していくと，T_2緩和時間短縮が軽度になり，T_1短縮効果による高信号化が優位になっていく（イ）。しかし，希釈倍率がさらに増すと，T_1・T_2緩和時間のいずれも延長し，再度信号強度は下がる（ア）。
- T_2強調画像では，T_1短縮効果を無視できるため，希釈倍率が低いときは，いくら液体であっても強烈なT_2緩和時間短縮によって無（低）信号化する。
- 希釈倍率が上がっていくと，T_2短縮効果が薄れていき，液体に対する本来のT_2強調画像に近づく。

E 陽性効果と陰性効果

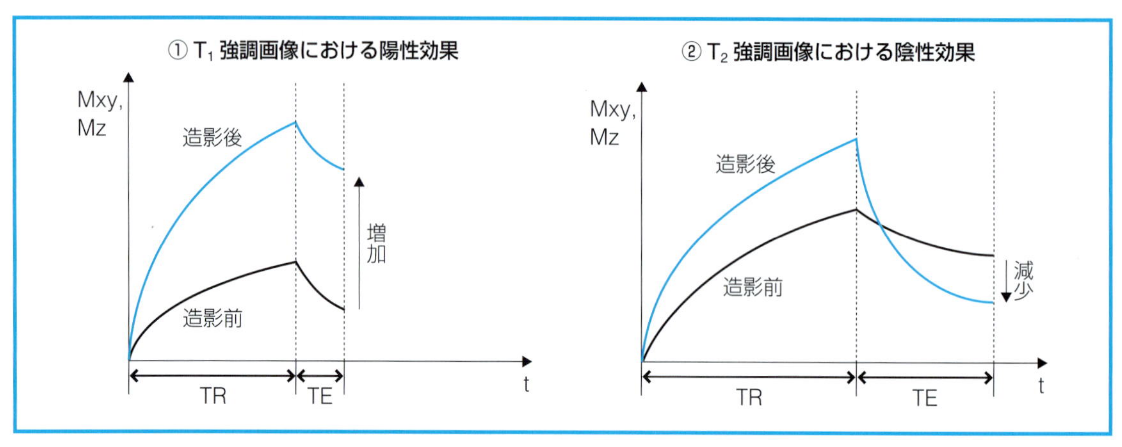

- 信号強度を決定するのは，造影剤濃度だけではない。
- 撮像する条件（主にTRとTE）によっても，造影剤は陽性効果や陰性効果を示す。
- 比較的短いTRと非常に短いTE（T_1 強調画像）では T_1 短縮効果が反映され，信号強度は高くなる（**陽性効果**）。…①
- 比較的長いTRとTE（T_2 強調画像）では T_2 短縮効果が反映され，信号強度は低くなる（**陰性効果**）。…②

F 緩和度と緩和速度

$$r_1 = \frac{\frac{1}{T_{1_p}} - \frac{1}{T_{1_0}}}{C}$$

$$r_2 = \frac{\frac{1}{T_{2_p}} - \frac{1}{T_{2_0}}}{C} \quad \cdots①$$

r_1, r_2 ：緩和度（能）
T_{1_0}, T_{2_0} ：造影前の縦・横緩和時間
T_{1_p}, T_{2_p} ：造影後の縦・横緩和時間
C ：造影剤濃度（mmol/L）

②造影の緩和度（能）

緩和度（能）	ガドビスト（Gd-BT-DO3A）	リゾビスト注（フェルカルボトラン）
r_1	5.1	8.3
r_2	5.3	232
r_2/r_1（≒）	1	28

（1.5T water 22±2℃）

- **電子－陽子双極子間相互作用による緩和時間短縮効果（緩和度または緩和能）を数式で表す**と①の式のようになる。
- 緩和度（または緩和能）は，造影前後の緩和時間と造影剤濃度で表すことができる。
- 各式の分子に着目すると，緩和時間の逆数は緩和速度（1/s）を表し，造影前後の速度の差を表している。
- 造影前後の速度の差を濃度で除したものが緩和度（能）である。
- 濃度が同じ環境下において，造影後の緩和時間短縮効果が大きい造影剤ほど，緩和度（能）が大きくなる。
- 代表的な造影剤の r_1，r_2，r_2/r_1（r_2 を r_1 で除した値）を②に示す。
- **r_2/r_1 が小さい造影剤**は，T_1 強調画像において**陽性効果を発揮**する。
- **r_2/r_1 が大きい造影剤**は T_2 緩和時間が極端に短くなるため，陽性造影剤として適さず，**T_2 強調画像において陰性造影剤**として用いられる。

G 磁化率効果と超常磁性体

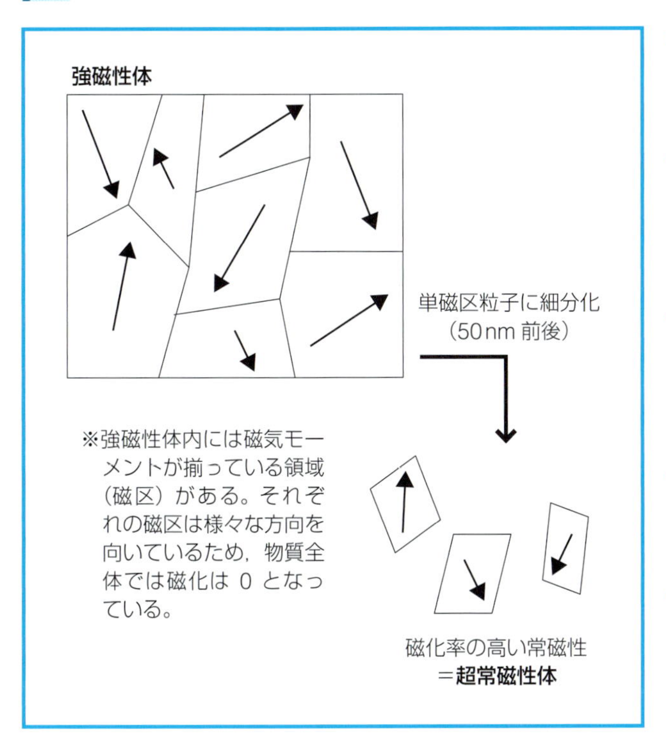

- 強磁性体を細分し，単磁区粒子にする。こうすると強磁性を失い，**磁化率が高い常磁性（超常磁性体）**になる。
- **T_2*緩和時間**は，エネルギー交換（双極子-双極子相互作用）がなくても，**局所磁場の均一性**が崩れるだけで短縮される。
- この特性を利用したのが，超常磁性体を用いた造影剤（superparamagnetic iron oxide：SPIO，商品名：リゾビスト注）である。
- 非常に粒子が小さいため，肝のKupffer（クッパー）細胞に取り込まれ（165頁参照），水分子（プロトン）が近づけない環境になる。
- プロトンが常磁性体に近づくことができなければ，T_1緩和短縮は起きない。しかし，**高い磁化率を有しているため，局所磁場を乱し，T_2*緩和が短縮**される。

コラム CTの造影剤とどう違うの？

- CTの造影剤の主成分はヨード（I，原子番号53）である。一方，MRの代表的な造影剤の主成分はガドリニウム（Gd，原子番号64）である。この両者の造影剤の決定的な違いは，それら自体が画像上信号となり得るか否かである。CT画像において，CT値の差となっているのはいうまでもなくX線透過量の違い。空気や水などのX線を比較的透過しやすいものは，画像上黒くなり，骨や造影剤などのX線を透過しにくいものは画像上白くなる。すなわち，造影剤自体が信号となっている。
- 一方，MR画像の濃淡を決定しているものはたくさんあるが，撮像条件を一緒と考えたとき，物質のT_1・T_2緩和時間がコントラストを決める。ガドリニウム注射液自体は液体なので当然プロトン（水素原子）をたくさん抱えているが，Gd（常磁性体）の強烈なT_1・T_2短縮効果により信号を発生しない（無信号化）。これは血液内に注入されることで，濃度の薄まったGdが周囲の局所磁場を乱し，あるいはエネルギーの交換を行うことで，周囲のT_1・T_2緩和時間が適度に短縮され，T_1強調画像では高信号になって描出される。
- ガドリニウム造影剤の投与量は通常，体重×0.2 mLで計算される。たとえば，体重が65 kgの人に対しては，わずか13 mLしか投与されない。CTで用いられるヨード造影剤に比べると，その投与量はわずか10分の1にすぎない。それくらい常磁性体の緩和短縮効果が優秀だということである。

3 造影剤の種類

A 一般名と商品名（2022年2月現在）

細胞外液性Gd造影剤				
商品名	マグネスコープ	プロハンス	ガドビスト	オムニスキャン
一般名	ガドテル酸メグルミン	ガドテリドール	ガドブトロール	ガドジアミド水和物
略 号	Gd-DOTA	Gd（HP-DO3A）	Gd-BT-DO3A	Gd DTPA-BMA
国内販売元	ゲルベ・ジャパン(株)	エーザイ(株)	バイエル薬品(株)	GEヘルスケアファーマ(株)
生理食塩水に対する浸透圧比	約4	約2	約6	2.7～3.3
構造式	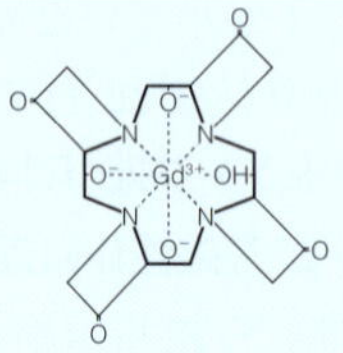 環状型	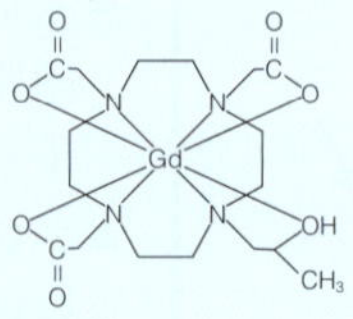 環状型	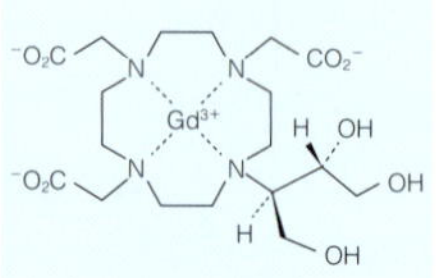 環状型	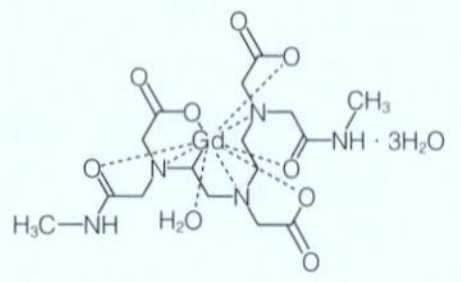 線状型

肝特異性造影剤		
商品名	リゾビスト注	EOB・プリモビスト注シリンジ
一般名	フェルカルボトラン	ガドキセト酸ナトリウム
略 号	——	Gd-EOB-DTPA
国内販売元	富士フィルムRIファーマ	バイエル薬品
生理食塩水に対する浸透圧比	約1	約2
構造式	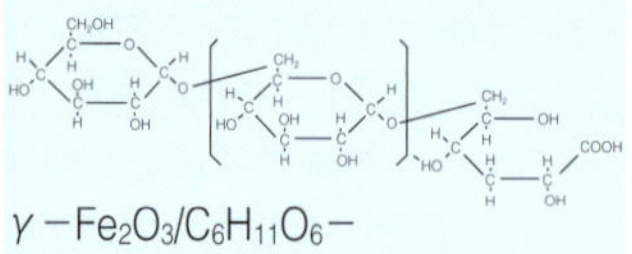 $\gamma-Fe_2O_3/C_6H_{11}O_6-(C_6H_{10}O_5)-C_6H_{11}O_5$	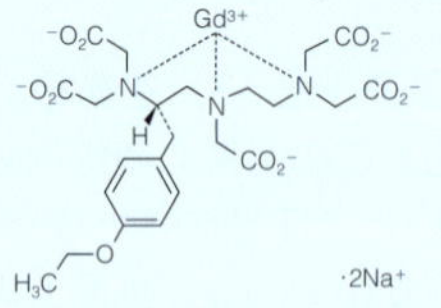 $\cdot 2Na^+$

消化管造影剤	
商品名	ボースデル内用液10
一般名	塩化マンガン四水和物
販売会社	協和発酵工業
分子量	197.91

- 現在（2017年3月），臨床現場で主に使用されている製品を列挙した。
- 細胞外液性Gd造影剤は4種ある。すべてT_1強調画像での陽性効果をもつが，構造や浸透圧などにそれぞれ特徴があり，目的や用途によって最適なものが選ばれている。
- 肝特異性造影剤は2種類あり，どちらも肝臓に特異的に集積するが，リゾビスト注はKupffer細胞に，EOBプリモビストは肝細胞にそれぞれ取り込まれ用途が異なる。
- 消化管造影剤は用途により陽性・陰性のいずれにもなり得る飲用造影剤である。

4 細胞外液性Gd造影剤（マグネスコープ・プロハンス・ガドビスト・オムニスキャン）

A 概 要

①

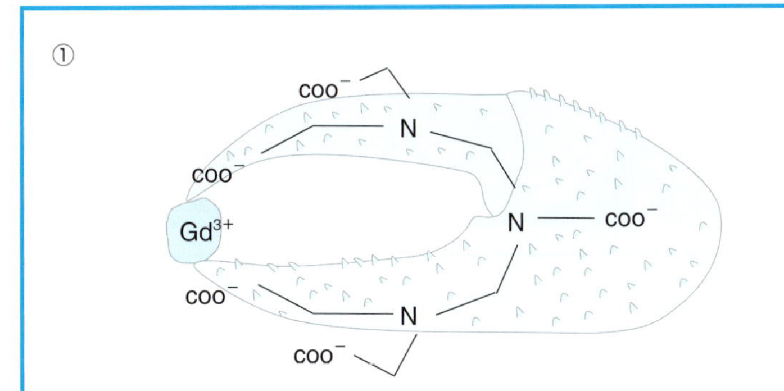

キレート（chelate）とは，直訳すると「はさみ状」を意味する。キレート化すると複数の基（上記の場合，カルボキシル基）と電子を共有する（配位座をもつ）ため，結合が強く分離しにくい。

②

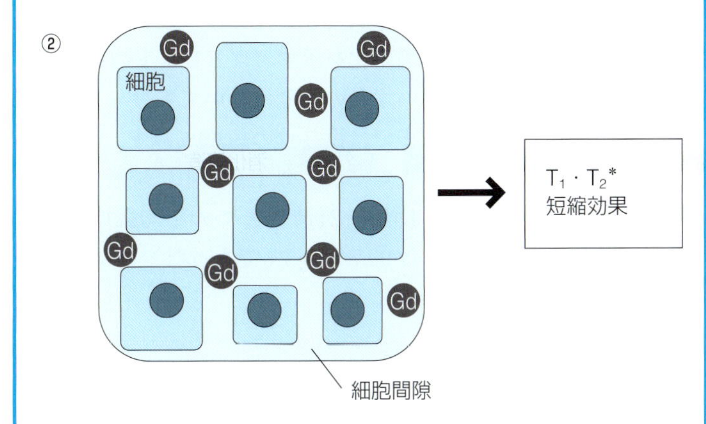

③ 部位別投与量

対 象	投与量
腎 臓	0.1 mL/kg
腹部〜下肢の連続撮影（特定の造影剤に限る）	0.4 mL/kg
その他	0.2 mL/kg ガドビスト：0.1 mL/kg

- 細胞外液性ガドリニウム（Gd）造影剤はその構造に**Gdイオンを有する常磁性体**である。
- Gd（原子番号64）イオンは，鉄（原子番号26）よりも遥かに重く，そのままでは体内に吸収されてしまい，非常に毒性が強い。
- そこで，キレート化（金属イオンを配位結合で配位子の中心に包み込む構造にすること）で，体内で吸収されずに，一定時間内に排出されるようにする（①）。
- 静脈注射にて体内に投与すると，造影剤は非特異的に**全身の血管および細胞間隙に分布**する。
- 常磁性体（のもつ不対電子）がプロトンに近づける環境にあるため，電子－陽子双極子間相互作用によりプロトンの**T_1およびT_2*緩和時間が短縮**される（②）。
- 成人の場合，投与量（③）は通常，0.2 mL/kgが投与される。体重50 kgなら10 mL，75 kgなら15 mLである（ガドビストは0.1 mL/kg投与）。
- 腎臓を対象とする場合は，0.1 mL/kg，さらに特定の造影剤に限って腹部から下肢までを連続撮影する場合に0.4 mL/kgの投与が可能である。

B 画像（髄膜腫）

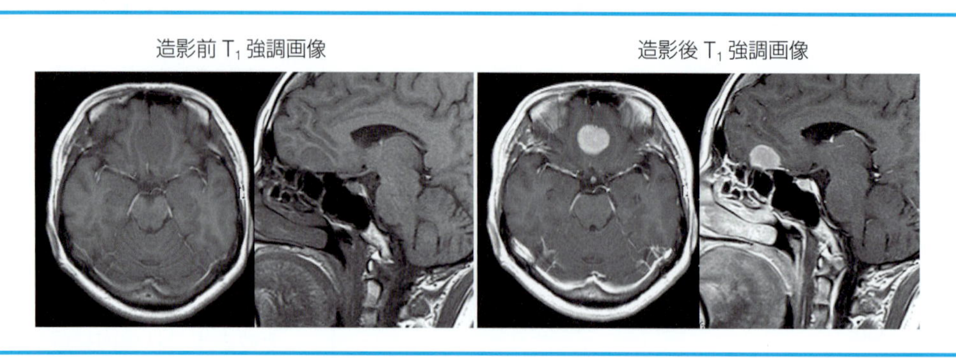

- 造影前 T_1 強調画像（左）では，腫瘍は周囲の脳実質に近い信号を示している。一方，造影後 T_1 強調画像（右）では，腫瘍は脳実質より高い信号を示し，周囲と明瞭に区別できる。

C 薬物動態

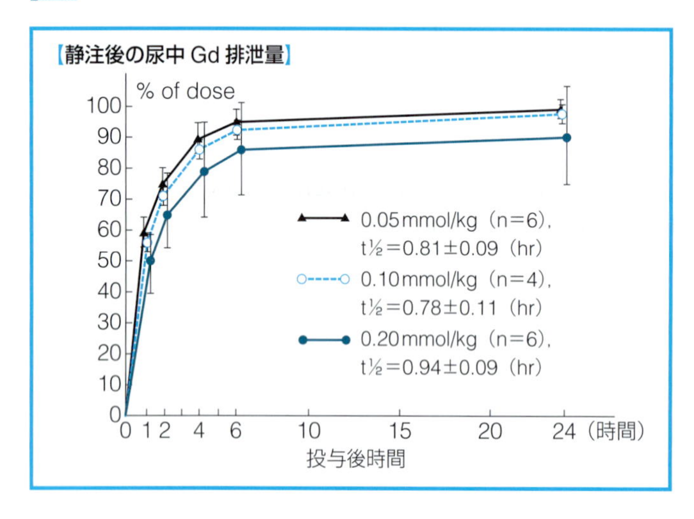

- 健康成人男性を対象とし，濃度の異なる静脈投与したときの尿中排泄の経時的変化を示す（ガドビストの例）。
- いずれの濃度においても投与後2時間までに投与量の約60％以上，6時間後までに80％以上が尿中に排泄された。
- 投与後24時間までの平均尿中排泄率は90.7～99.3％であった。

コラム 造影剤の使用にあたっては必ず薬剤の添付文書を参照すること

日本国内において，造影剤投与後の死亡数は1986年8月から2002年末までの間に186例であり，そのうちMRI造影剤での死亡数は11例と報告されている。年間の死亡例が1未満であると考えると，「自分の病院では起こらない」と思いがちである。しかし，アナフィラキシーはその何十倍も起きていると推測でき，ある施設では年間2件程度は起きている。そして，それらが最悪な事態につながっていた可能性は決してゼロではないことを思い出すたびに，副作用に対する知識の習得，そして準備の重要性を再認識させられる。本来，アレルギー歴や同意書へのサイン取得は患者との距離が最も近い主治医が行うべきとされている。しかし，実際には主治医によっては造影剤の副作用の理解が不十分で，十分な説明がない状態で検査に回ってくることもある。そこで，放射線科医または技師のダブルチェックが重要な意味をもつ。隙のないダブルチェックを行うためには，**使用する造影剤の特性と起こり得る副作用を把握し，それに対応できる体制を整えることが，MR検査を行う技師の重要な役割**の1つである。

D 禁忌と副作用

1. 禁忌となる患者

次の患者に投与してはならない。

①Gd系造影剤に対し過敏症の既往歴のある患者

造影剤副作用歴のある患者に対する副作用発現率（ガドビストの例）

	副作用発現例/総症例数	副作用発現率(%)
MRI用造影剤副作用歴あり	16/75	21.3
ヨード造影剤副作用歴あり	54/857	6.3
全症例	372/15,496	2.4

- Gd系造影剤に対し過敏症の既往歴のある患者に（再）投与した場合，重篤な副作用が発現するおそれがある（副作用発現頻度の報告はない）。
- MRI造影剤に対する副作用歴のある患者に投与した場合，21.3%に副作用が観察されたという報告がある（左表）。
- これは，ヨード造影剤に副作用歴がある患者に対する発現率（6.3%）および全症例に対する発現率（2.4%）のいずれよりも高かったとされている。

2. 原則禁忌として取り扱うべき患者

次の患者には投与しないことを原則とするが，特に必要とする場合には慎重に投与すること。

①気管支喘息の患者

- 喘息既往歴のある患者に投与した時の副作用発現率（3.7%）は，喘息既往歴のない患者（2.4%）に比べて約1.5倍高かったとの報告がある（下図：ガドビストの例）。

②重篤な腎障害のある患者

- 重篤な腎障害のある患者では，比較的最近知られた疾患として，162頁で述べる腎性全身性線維症（NSF）が引き起こされることがある。
- Gd系造影剤投与による急性腎不全は稀であり，発現頻度は不明である。投与により腎機能を低下させることはないという報告は多いが，腎機能が低下している患者では血中半減期の延長と排泄遅延が報告されており，特に重篤な腎障害のある患者では，急性腎不全等，症状が悪化するおそれがある。

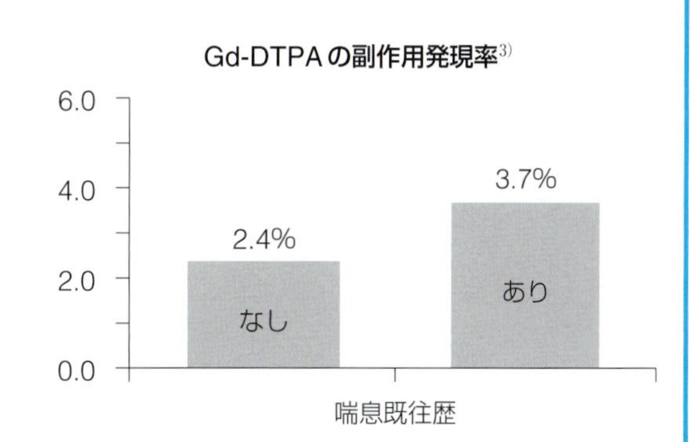

③重篤な肝障害のある患者

- 重篤な肝障害のある患者では，代謝および解毒作用が低下しており，また全身状態が悪化している場合があるため，肝機能に影響を及ぼす可能性がある。

④一般状態が極度に悪い患者

- 一般状態が悪い患者では，投与の影響により症状の悪化や，副作用が発現するなどの危険性が高くなるおそれがある。

3. 慎重に投与すべき患者

下記の要因を有する患者は副作用発現の観点からリスクが高いことを認識し，より慎重に投与すべきである。

①アレルギー体質の患者

- アレルギー歴のある患者は，アレルギー歴のない患者に比べて副作用発現率が1.9～3.8倍高かったとの報告がある。
- 蕁麻疹や発疹を起こしやすいアレルギー体質や薬物過敏症の既往歴がある患者などは，比較的日常的に遭遇しやすい患者背景であり，問診などで確実に拾い上げることが重要である。花粉症などもこれに含まれる。

②既往歴を含めて痙攣，てんかんおよびその素質のある患者

- 痙攣，てんかんの既往歴のある患者およびその素質のある患者（脳腫瘍など）に投与した場合に痙攣が発現したとの報告がある。発現頻度に関する報告はない。

③高齢者

- 一般に，高齢者は腎機能や肝機能等の生理機能が低下していることが多く，副作用が発現しやすい傾向があるため薬剤投与に当たっては常に十分な注意が必要である（副作用発現頻度は成人，小児，高齢者の3群間に有意差は認められなかった）。

④幼児，小児，低出生体重児，新生児，乳児

- 幼児と小児の安全性は成人と同様であることが確認されている。しかし，発育過程の小児では生理機能が十分ではなく，薬剤の代謝や排泄機能が成人とは異なることがあるため，注意が必要である。
- 低出生体重児，新生児，乳児に対しては使用経験が少ないため，安全性は確立していない。

⑤妊　婦

- 妊娠中の投与に関する安全性は確立されていないため，妊婦または妊娠している可能性のある女性には，診断上の有益性が危険性を上回ると判断される場合にのみ投与する。
- 妊婦に投与された場合，大部分の薬剤は胎盤を通過するといわれており，Gd系造影剤も同様であることが報告されていることから，妊婦への影響のみならず，胎児への影響を考慮しなくてはいけない。

⑥授乳婦

- 母乳中への移行が報告されているため，授乳中の女性には投与後48（24）時間は授乳を避けるよう指導すること。
- 造影剤メーカーによって投与後24時間としている場合と，48時間としている場合があるため，使用している薬剤の添付文書を必ず参照する。

4. 重大な副作用

①ショック（0.1％未満）

- ショックを起こすことがあるため，投与後も観察を十分に行い，異常が認められた場合には適切な処置を行う。

②アナフィラキシー（0.1％未満）

- 米国神経放射線医学会の調査結果によると，687,255検査あたり5件（0.001％）の重度あるいは生命に関わるアレルギー様反応（眼窩周囲浮腫，重度の胸部ひっ迫，舌腫脹あるいは呼吸困難）が報告されている（ガドビストの例）。

③痙攣発作（頻度不明）

- Gd造影剤投与後の痙攣は極めて稀で，あるメーカーの造影剤における国内での市販後調査で痙攣は報告されなかった。
- 痙攣のうち一過性のものは直接生命に関わることは少ないが，重積状態に陥ると重篤な危機的状態になる。痙攣が発現した患者の大多数は，痙攣およびてんかんの既往歴，脳腫瘍，脳内感染症を有していたことが報告されており[7,15]，これらが危険因子として考えられている。よって，投与後も観察を十分に行い，異常が認められた場合には適切な処置を行う。

④腎性全身性線維症（nephrogenic systemic fibrosis：NSF）（頻度不明）

- 重篤な腎障害のある患者において，腎性全身性線維症が現れることがあるため，投与後も観察を十分に行い，皮膚の瘙痒，腫脹，硬化，関節の硬直，筋力低下等の異常の発生には十分に留意すること。

コラム ショックとアナフィラキシーについて

- 造影剤の副作用を学ぶうえで「ショック」，「アナフィラキシー」というキーワードが頻繁に出てくるが，これらを明確に区別して理解することはなかなか難しい。ショックの同義語として，アナフィラキシーショックやアナフィラキシー反応，ショック症状，さらにはこのアナフィラキシーまでもがあり，なお一層ややこしくなる。さらに，アナフィラキシーと一言にいっても狭義の意味と広義の意味があり，それひとつ理解することも複雑である。その詳細は成書に委ねるとして，ショックとアナフィラキシーを区別するポイントは，「血圧低下を伴うか否か」である。
- ショックは全身，特に上半身の紅潮・熱感，くしゃみ，しびれ感，悪心などが起こり，進行症状として血圧低下，チアノーゼなどがある。重症時には，循環虚脱，呼吸停止へと進行する。
- アナフィラキシーは，アレルゲン等が侵入することによって複数の臓器に，全身性アレルギーが起こり，生命に危機を与え得る過敏反応である。

（参考：アナフィラキシーガイドライン）

参考）腎性全身性線維症（NSF）とは？

- 1997年に初めて特定された全身性皮膚疾患である。通常，四肢と体幹に左右対称に出現する。NSF患者のほとんどで進行腎疾患または末期腎疾患が認められるが，中等度の腎機能障害でも数例報告がある。（医薬品安全性情報 Vol.5 No.04,No.09より）
- 腎性全身性線維症（NSF）とGd造影剤との関連性は2006年に認知され，FDA（米国食品医薬品局）からの注意喚起がなされた。Gd造影剤はその高い安全性に定評があり，腎不全患者にも比較的安全に使用可能とされてきた。このNSFの注意喚起はその安心感を一気に覆すものとなり，国内でも注目され，厚生労働省や造影剤メーカーの対応が急がれた。臨床現場においても，検査前の腎機能チェックや投与量の厳守が非常に重要であることを再認識させられたのはまだ記憶に新しい。

【Gdキレート製剤投与量とNSF発症の関連について】

- NSFの発症頻度と投与量との関係については，投与総量に関連して高くなるという報告と，1回投与量が高いと発症するリスクが高くなるという報告があるが，いずれにしても用量依存性であることは確かである。
- Princeらは，腎不全患者に投与した場合でも，投与量が0.1mmol/kg（標準用量）ではNSFが発症していないと報告しており，1回投与量が大きく関与していることは確かであるとの見方が強い。

【GFRとNSF】

- NSFが報告されて以降，腎機能を示す指標としてGFR（Glomerular filtration rate：糸球体濾過率）が注目されている。FDA（米）やCHM（英）などがGd造影剤使用における警告の中で，高度な腎障害患者をGFR＜30mL/min/1.73m^{2}の患者と表記したことによる。GFRとは，単位時間当たりに腎臓の糸球体により血漿が濾過される量のことであり，腎機能が低下していると値は小さくなる。GFRを厳密に測定するにはイヌリンクリアランスを用いる必要があるが，臨床現場では血清クレアチニン値（Cr），年齢，性別からなる3項目の推定式から求めるeGFR（estimated GFR：推定糸球体濾過率）で代用することが多い。下表にGFR値と腎機能障害の程度の関係を示した。

GFR値と腎機能障害の程度

腎機能	正常	軽度低下	中等度低下	高度低下	腎不全
推算GFR値（mL/min/1.73m^2）	≧90	60〜89	30〜59	15〜29	＜15

【NSF発症に対して高リスクな患者】

①慢性腎臓病（CKD）ステージ4と5（GFR 30mL/分未満）の患者
②透析患者
③肝移植を実施又は待機中の腎機能低下患者

【NSFの臨床的特徴】

- 発症：造影剤投与から2〜3カ月後，時に数年後
- 初期症状：疼痛，痒み，腫脹，紅斑，通常下肢から発症
- 経過後：皮膚と皮下組織の肥厚，“木のような”触感と肥厚した斑，臓器の線維化（例えば，筋肉，横隔膜，心，肝，肺）
- 転帰：拘縮，悪液質，死亡（一定の割合の患者）

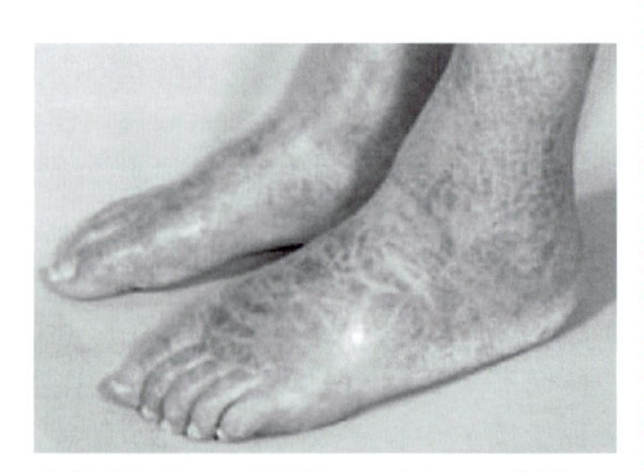

皮膚が肥厚し，歩行能力を喪失した症例
（出典：H. S. Thomsen：Nephrogenic Systemic Fibrosis）

5. その他の副作用

種類＼頻度	0.1～0.5%未満	0.1%未満	頻度不明
過敏症		蕁麻疹，発疹，搔痒感，顔面紅潮，潮紅	
循環器		動悸，血圧低下	血圧上昇，頻脈，顔面蒼白
呼吸器			喘息発作，嗄声，咳，くしゃみ，鼻閉，鼻汁，咽頭不快感，喉頭不快感
精神神経系		眩暈	頭痛，しびれ，振戦，めまい
自律神経系			発汗
消化器	嘔気，嘔吐	口渇	腹痛，口内異常感，唾液増加
その他		熱感	怠惰感，結膜充血，流涙，発熱，悪寒，胸内苦悶感，脱力，冷感

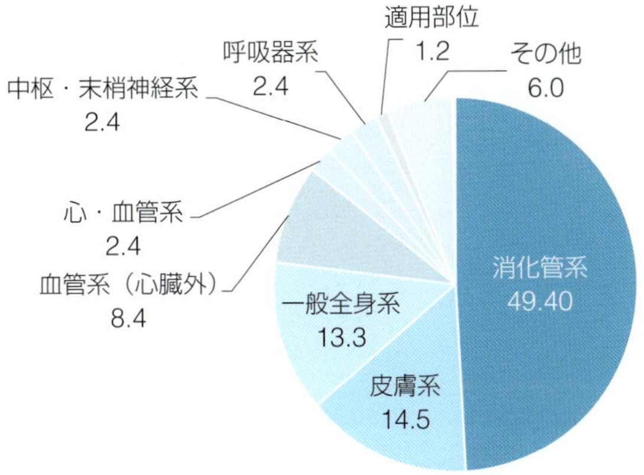

副作用症状の器官分類ごとの割合

出典：バイエル薬品社内資料「マグネビスト®用成績調査結果」

- 上表の副作用の大部分は軽度で一過性であるが，投与時には観察を十分に行い，必要に応じて適切な処置をとる。
- ここに記載した副作用の大部分は，前項までの重大な副作用に比べて，発生頻度が数値的にも経験的にも高く，日常的に起こり得るものと認識する必要がある。
- 消化管系がもっとも多く（5割を占め），次いで皮膚系，一般全身系と続く。
- 症状別にみると，もっとも確率が高いのは嘔吐，嘔気である。
- MR検査中に仰向けで嘔吐すると，気管閉塞の危険がある。造影検査前には胃の内容物を可能なかぎり減らすために，食事を止めてもらうよう指導する場合がある。

参考）日本人医師が発見，ガドリニウムが脳に沈着していた！

- MRIにも金属（Gd: ガドリニウム）の造影剤が使われるようになってから，長らく「キレートをつけ，Gdキレート剤として体内に投与することで“速やかに体内からほとんど排出される”」と一般的に考えられていた。言い換えると，長期間体内に残っているという科学的なデータがなかったのである。
- ところが，2014年にKandaらがRadiologyに発表した論文「High Signal Intensity in the Dentate Nucleus and Globus Pallidus on Unenhanced T1-weighted MR Images：Relationship with Increasing Cumulative Dose of a Gadoliniumbased Contrast Material」でその認識は大きく変わった。
- この論文の興味深い点は，MRIで投与したガドリニウムが小脳歯状核に沈着していることを世界で初めてMR画像（T_1強調画像）で示したことである。この論文を契機として，環状型ガドリニウム造影剤よりも線状型ガドリニウム造影剤のほうが沈着しやすく，小脳歯状核の他にも淡蒼球・視床枕にも沈着することがわかってきた。
- これらの研究結果等を受けて，平成29年11月に厚生労働省より「ガドリニウム造影剤を用いた検査の必要性を慎重に判断すること」「線状型ガドリニウム造影剤は環状型ガドリニウム造影剤の使用が適切でない場合に投与すること」といった周知文が発表され，改めてガドリニウム造影剤の慎重投与と環状型を推奨することが周知された。
- 先項に述べられている腎性全身性線維症に加えて，脳沈着の事実が判明したことで，今まで安全だと考えられていたガドリニウムの危険性が明らかになり，過剰量投与や経過観察での度重なるガドリニウム造影剤の使用を慎重に検討する必要性が求められている。

5 肝特異性造影剤（SPIO：リゾビスト注）

A 概　要

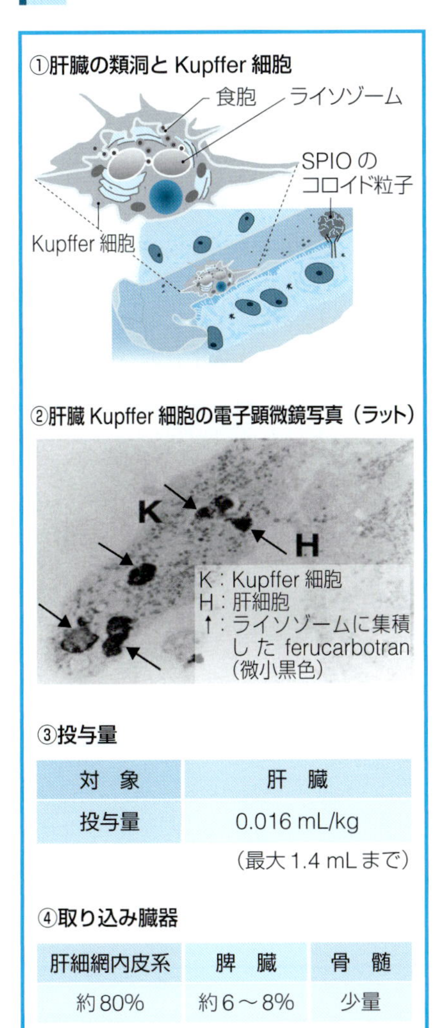

③投与量

対　象	肝　臓
投与量	0.016 mL/kg （最大 1.4 mL まで）

④取り込み臓器

肝細網内皮系	脾　臓	骨　髄
約80%	約6～8%	少量

- 「リゾビスト注」は2002年に販売開始された**超常磁性酸化鉄微粒子**（約57～200 nm）である。
- 静脈内に投与された後，血中で抗体や補体と結合して，肝臓にある細網内皮系細胞であるKupffer（クッパー）細胞に取り込まれる（①）。
- 肝臓の毛細管内皮細胞の基底膜には約100～1,000 nm（1 μm）の隙間が存在するため，微粒子である本剤が取り込まれる。
- Kupffer細胞に取り込まれた**SPIO〔superparamagnetic iron oxide：超常磁性酸化鉄微粒子（赤褐色）〕**は，Kupffer細胞内のライソゾームと呼ばれる小器官に取り込まれ，そこで**クラスター化（集合化）**される（②）。
- クラスター化することで強力な常磁性体となり，周囲の局所磁場を乱して，**T_2*緩和時間を短縮**させる。
- しかし，Kupffer細胞に取り込まれているため，プロトンに近づくことができず（エネルギー交換ができない），**T_1緩和時間短縮効果は発揮されない**。
- すなわち，**SPIOは肝のKupffer細胞に特異的に集積し，T_2*緩和時間を短縮**させる。そのため，Kupffer細胞を有する正常肝と，Kupffer細胞を有しない肝臓の悪性腫瘍（肝細胞がん，転移性肝がんなど）とのコントラスト（T_2強調画像にて，正常肝が黒く，悪性腫瘍が白い）を作り出す。
- 投与量（③）は0.016 mL/kg（最大1.4 mLまで）で非常に少なく，60 kgの成人で1 mL程度。
- 投与量の**約80%が肝細網内皮系**に取り込まれ，**約6～8%が脾臓**に，そしてわずかに**骨髄**に取り込まれる（④）。
- また，SPIOは脾臓の細網内皮系にも取り込まれるため，**副脾**の存在診断などにも使用される。

B 画像（転移性肝癌）

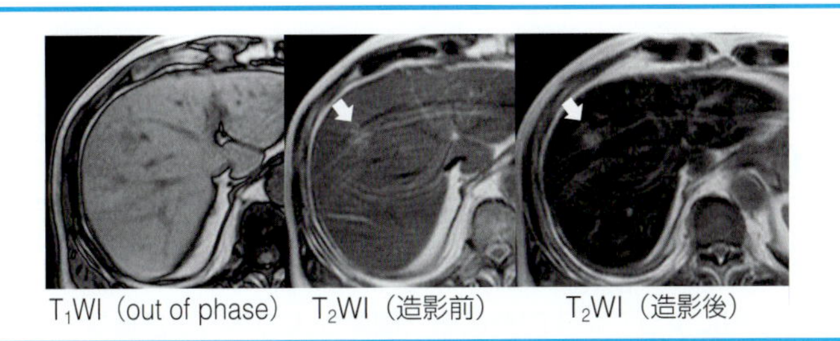

T_1WI（out of phase）　T_2WI（造影前）　T_2WI（造影後）

- Kupffer細胞を有しない転移性肝癌（⇨）とKupffer細胞を有する周囲とのコントラストが，造影後は明瞭になっている。

C 薬物動態

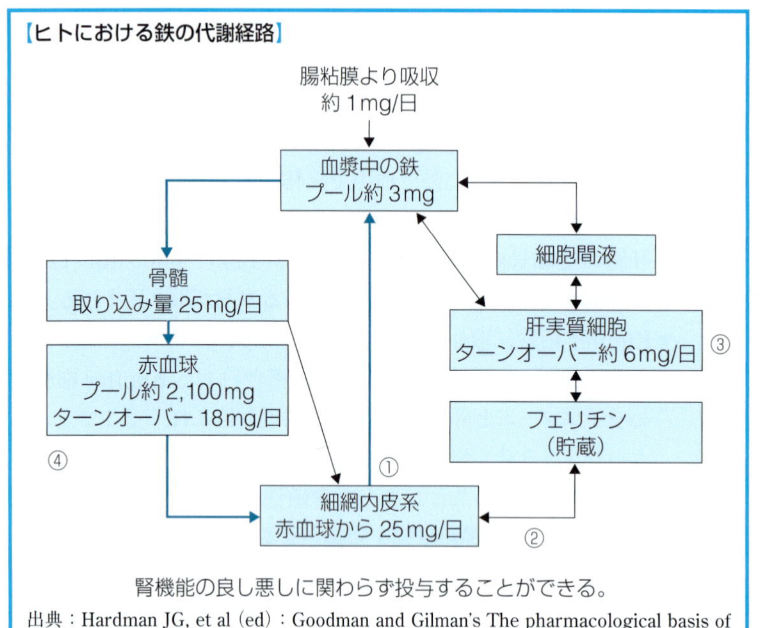

出典：Hardman JG, et al（ed）：Goodman and Gilman's The pharmacological basis of therapeutics, 9th ed, p1319 McGraw-Hill, 1995.

- 肝臓や脾臓の細網内皮系（①）に速やかに取り込まれたSPIOは，数日で分解されて鉄を遊離すると考えられている。
- 次に遊離した鉄はトランスフェリンやフェリチンといった蛋白と結合し（②），肝臓に貯蔵される（③）とともに生体内の鉄の代謝系に移行し，ヘモグロビンとして赤血球に取り込まれる（④）。
- そのため，腎で排泄されることはなく，投与に当たっては，腎機能の制限がない。

D 禁忌と副作用

1. 禁忌となる患者

次の患者には投与してはならない。
①本剤の成分又は鉄注射剤に対し過敏症の既往歴のある患者
②一般状態が極度に悪い患者
③ヘモクロマトーシス等鉄過剰症の患者
④出血している患者

2. 慎重に投与すべき患者

下記の要因を有する患者は副作用発現の観点からリスクが高いことを認識し，より慎重に投与すべきである。
①アレルギー体質の患者
②貧血治療のため鉄剤を投与している患者
③出血傾向のある患者（抗血小板剤，血液凝固防止剤を投与中の患者を含む）
④発作性夜間血色素尿症の患者

ヘモクロマトーシスとは…

先天的または後天的な原因によって，体内貯蔵鉄（健康な人の体内鉄含量は 1 ～ 3g）が異常に増加し，肝臓，膵臓，心臓，皮膚，関節，下垂体，精巣などの実質細胞に過剰に沈着し（鉄蓄積症），その結果，それぞれの臓器の実質細胞障害をもたらす病気である。

3. その他注意すべき患者

①高齢者
②妊婦，産婦，授乳婦等
③小児（安全性は確立していない）

- 細胞外液性Gd造影剤を授乳婦に対して投与した場合，24（または48）時間は授乳を避けるよう注意喚起されている。一方，肝特異性造影剤（SPIO）では，添付文書に詳細な時間が記載されていない。
- 授乳期のラットへの投与では，乳汁移行は認められなかったとしている。また，授乳婦への使用経験はなく，やむを得ず使用した場合には，授乳を中止することとされている。

4. 重大な副作用

①ショック（頻度不明）
②アナフィラキシー（頻度不明）

- 詳細は細胞外液性Gd造影剤のこれらの患者に対する注意と同じである（161頁参照）。

5. その他の副作用

種類＼頻度	1%未満	頻度不明
過敏症	蕁麻疹，発疹，掻痒感，発赤	潮紅
循環器	血圧上昇	虚脱，血圧低下
精神神経系	後頭部痛，灼熱感，頭痛，手のしびれ，下肢のしびれ	
自律神経系		多汗
消化器	口渇	嘔吐
その他	鼻出血，熱感，怠惰感，腰痛，背部痛，発熱，胸膜刺激症状	嘔吐

- 表中の副作用の大部分は軽度で一過性であるが，投与時には観察を十分に行い，必要に応じて適切な処置をとる必要がある。
- 肝特異性造影剤（SPIO）が細胞外液性Gd造影剤と異なる点は，これらの症状が投与直後以外（投与後1時間～数日後）にも**遅発性副作用**として起こり得ることである。
- 542例の調査において発現した15例の副作用のうち，約半分にあたる8例が投与1時間以降に発現した遅発性副作用であったと報告されている。
- 外来患者に投与する場合には，これらのことを説明し，帰宅後に症状が現れた際には，すぐに救急外来を受診するなどの指導が重要となる。

6 肝特異性造影剤（EOB・プリモビスト）

A 概　要

①肝臓の類洞と肝細胞

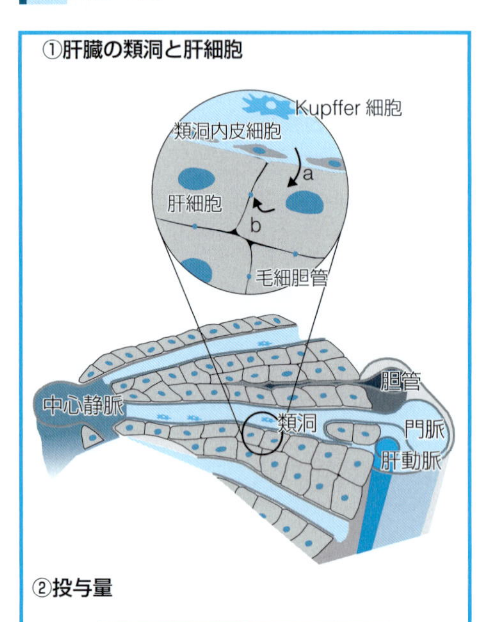

②投与量

対　象	肝　臓
投与量	0.1 mL/kg

③1 mL 中に含まれる Gd 成分量

細胞外液性 Gd 造影剤の約 1/4

④緩和度

緩和度（能）	Gd-DTPA	Gd-EOB-DTPA
r_1	5.3±0.0	8.1±0.1
r_2	6.8±0.2	11.6±0.1

2.0T（in vitro）平均値 ± 標準偏差

- もう1つの肝特異性造影剤 EOB・プリモビストは2008年に販売が開始された。
- EOB・プリモビストは，従来の細胞外液性Gd造影剤にエトキシベンジル基を導入して**肝細胞に特異的に集積**するようにした造影剤である。
- 静脈内投与後，通常の細胞外液性Gd造影剤と同じように**血管内および細胞間隙に非特異的に分布**する。
- 肝臓の類洞側から肝細胞へ移行し（①a），有機アニオン輸送担体であるOATP1を介して肝細胞へ取り込まれ，毛細胆管を経て胆汁へと移行する（①b）。
- そのため，血流評価をダイナミック撮影で行うと同時に，対象病変の肝細胞機能（EOBの集積の有無）を評価することができる。
- 投与量は，細胞外液性Gd造影剤の半分の0.1 mL/kgである（②）。
- 1 mL中に含まれるGd成分が細胞外液性Gd造影剤の約1/4倍と少ない（③）。
- また，T_1緩和度（r_1）はGd造影剤に比べて約1.5倍と高いため（④），その造影効果は1/4× 約1.5 = 約0.4倍となる。
- **血流評価と肝細胞機能評価を同時に行える**が，造影効果だけに着目すると，その効果は薄れるため，血流評価だけを目的とした検査（たとえば，肝血管腫の評価など）のときは，通常の細胞外液性Gd造影剤を用いた方がよい場合もある。

B 画像（転移性肝癌）

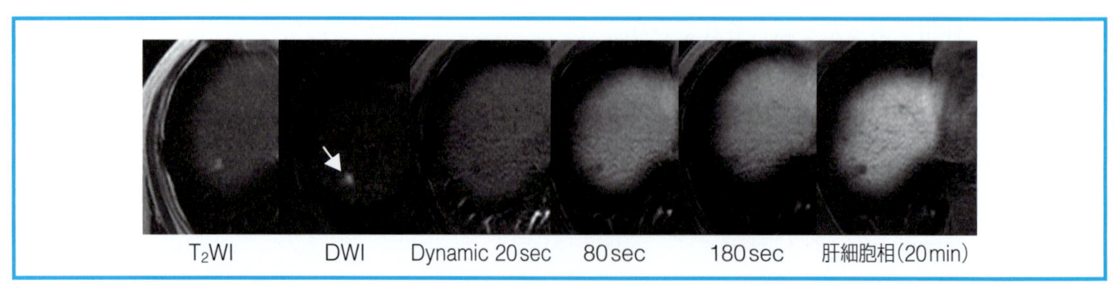

- 肝細胞を有しない転移性肝癌（矢印）にはEOB・プリモビストは集積しないため，造影後の肝細胞相では黒く抜ける。一方，周囲の正常肝組織には集積してT_1短縮が起こり，信号強度が上昇する。

C 薬物動態

①^{153}Gd-EOB-DTPA 投与後の尿中および糞中排泄

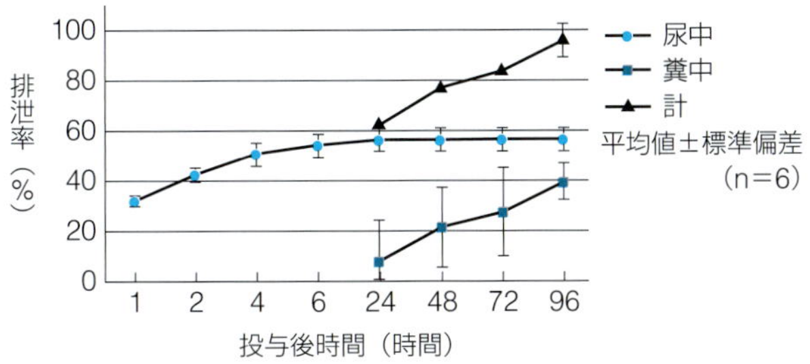

②T_1 強調画像での肝実質の信号上昇度に基づく有効率

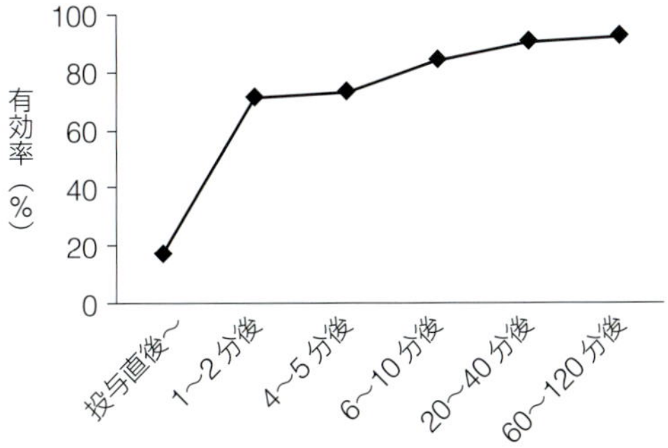

出典：バイエル薬品提供資料

- ①は，Gd-EOB-DTP投与後の尿中および糞中排泄の経時的変化を表す。
- 本剤0.1 mL/kgを静脈投与したとき，投与後4日目までに投与したGdの57%が尿中に，39%が糞中に排泄された（健康成人男性6名の調査）。
- 軽度および中等度肝障害（Child-Pugh分類AおよびB）患者では，糞中への排泄は21%となった。
- 重度肝障害（Child-Pugh分類C）患者では，糞中への排泄率は6%まで低下し，さらに肝実質の信号増強効果の減弱が認められた（肝障害患者各6例の調査）という報告もある。
- ②は，T_1強調画像での肝実質の信号上昇度に基づく有効率を表す。
- 0.1 mL/kg静脈投与後の肝実質の信号上昇度に基づく有効率は，投与後20～40分後では90.4%，投与60～120分後では92.3%であった。
- このことから，投与20分から肝細胞造影相が撮像可能であり，少なくとも120分はその造影効果が持続することがわかる。

Child-Pugh 分類

Child-Pugh（チャイルド ピュー）分類とは，肝機能を評価するための1つの分類である。臨床症状に検査所見を加味して点数化したもので，点数が多くなるほど肝機能が悪いことを意味し，その点数によってClass A~Cに分類される。

	1点	2点	3点	
血清ビリルビン値	2.0未満	2-3	3.0超	
血清アルブミン値	3.5超	2.8-3.5	2.8未満	
プロトロンビン活性値	80超	50-80	50未満	
腹水	なし	コントロール可	コントロール困難	Class A：5-6 Class B：7-9 Class C：10-15
昏睡度	なし	軽度Ⅰ-Ⅱ	重症Ⅲ-Ⅳ	

D 禁忌と副作用

1. 禁忌となる患者

①Gd系造影剤に対し過敏症の既往歴のある患者

- 基本的には細胞外液性Gd造影剤と変わらないが，集積臓器と排泄経路が異なる点に注意する必要がある。同様な点に関しては，細胞外液性Gd造影剤の項（161頁）を参照のこと。

2. 原則禁忌として取り扱うべき患者

①気管支喘息の患者
②一般状態が極度に悪い患者

3. 慎重に投与すべき患者

①アレルギー体質の患者
②重篤な腎障害のある患者（排泄が遅延するおそれがある）

- 従来の細胞外液性Gd造影剤との一番大きな違いは，「重篤な腎障害のある患者」が「原則禁忌として取り扱うべき患者」から外れ，「慎重に投与すべき患者」になっていることである。
- 先にも述べた通り，尿中のみならず胆汁を介して糞中にも排泄されることによる。
- しかし，慎重投与群には含まれるため，事前の問診や臨床検査結果の確認などを怠ってはいけない。
- 従来のGd造影剤で腎性全身性線維症（NSF）が発現していることから，本剤においても投与量等には注意すべきである。

4. その他注意すべき患者

①高齢者
②妊婦，産婦，授乳婦等

- ラットを用いた実験では本剤の乳汁中への移行が認められており，妊婦への使用経験はないが，使用後24時間は授乳を避けることとされている。

③小児（安全性は確立していない）

5. 重大な副作用

①ショック（頻度不明）
②アナフィラキシー（頻度不明）

- アナフィラキシーは，海外第Ⅰ相臨床試験にて，1例のみ確認されているが，頻度は不明。
- 承認時までの国内および海外第Ⅱ相，第Ⅲ相臨床試験（計1,755例）で見られた副作用の発現頻度に基づき，0.1%以上の頻度で発現した副作用を記載。

7 経口消化管造影剤（ボースデル内用液 10）

A 概　要

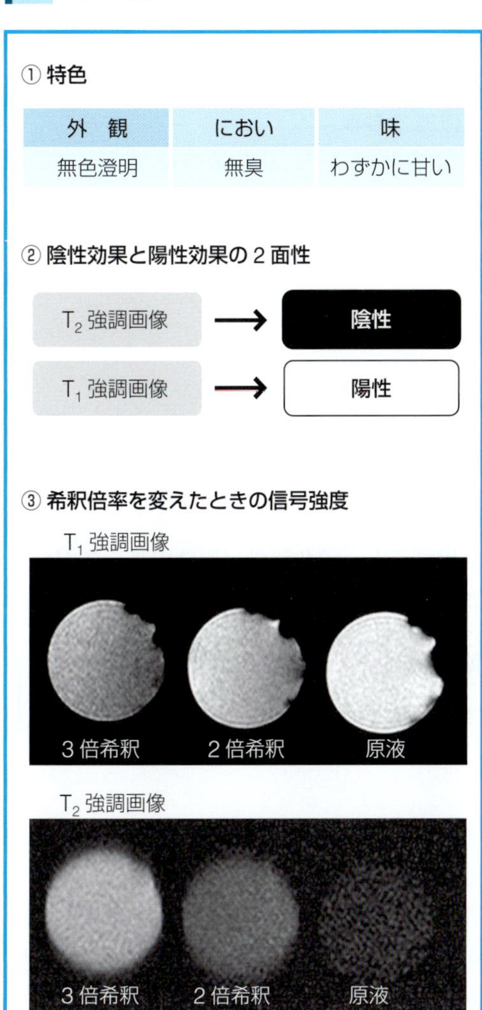

- 2006 年に販売が開始された塩化マンガン四水和物内用液（ボースデル内用液 10）は，マンガン（Mn）を有効成分とした経口消化管陰性造影剤である。
- 1 袋 250 cc を検査前に経口投与する。
- 本剤は，無色澄明，無臭で味はわずかに甘い（①）。この甘さは添加物として入っている還元水アメによるものである。
- ボースデルは非常に強い T_2 短縮効果を備えているため，T_2 強調画像では陰性効果を示す。そのため，MRCP などの背景信号を抑制するのに利用される。また，持続時間は投与後約 20 分とされている。
- Gd 系造影剤と比べて高い T_1 短縮効果を兼ね備えているため，T_1 強調画像では強い陽性効果も示す（②）。
- ボースデルを原液で使用せずに希釈して使用することもある。
- 原液で使用すると，T_1 強調画像にて腸管が強い高信号になるため，淡い高信号に描出される総胆管結石（特にファーター乳頭付近の結石）が判別しにくくなることがある。
- 希釈することで腸管の高信号化を抑えることができる（③）。
- その代わり，T_2 強調画像で本来抑制する目的であった腸管内がやや高信号化するが，heavy T_2 で撮像する MRCP では腸管内は抑制され，陰性効果は十分に保たれる。

B 画像（総胆管結石）

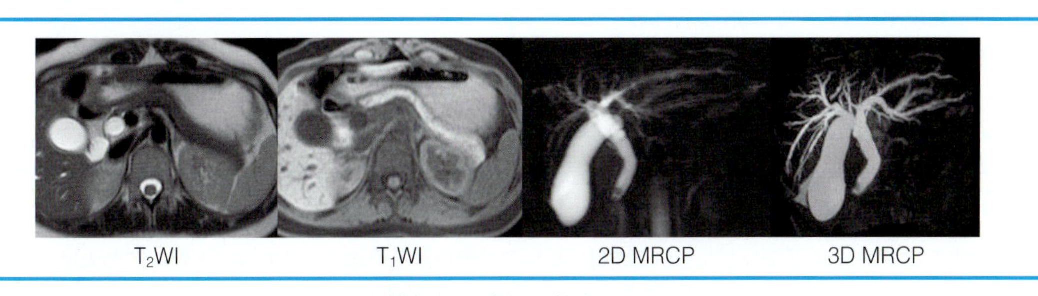

- 2D，3D MRCP のいずれにおいても腸管信号が良好に抑制されている。
- また，3 倍希釈して飲用したため，T_1WI においても腸管内の過剰な高信号化が抑制されている。

C 薬物動態

【血液中濃度】
投与量との関連性は認めない。
【血清中濃度】
投与前後で変化なし。
【排　泄】
投与後48時間までに
▶尿中排泄量・・・投与量の0.01%
▶糞中に排泄量…投与量の88%以上

- 血液中Mn濃度は，一過性に上昇するも投与量との関連性は認めない。
- 血清中Mn濃度は，投与前後で変化を認めない。
- 投与後48時間までのMn尿中排泄量は投与量の0.01%である。
- 投与後48時間までに投与量の88%以上が糞中に排泄される。

D 禁忌と副作用

1. 禁忌となる患者

①消化管の穿孔またはその疑いのある患者
②本剤の成分に対し過敏症の既往歴のある患者

- 消化管の穿孔またはその疑いがある患者が本剤を飲用すると，消化管外（腹腔内等）に漏れることにより，腹膜炎等の重篤な症状を引き起こすことがある。
- Mnという物質に対して過敏症の既往歴のある患者には投与できない。

2. その他注意すべき患者

①高齢者
②妊婦，産婦，授乳婦等
③小児等（安全性は確立していない）

- 妊婦，小児等への投与に関する安全性は確立していない（使用経験がない）。
- 授乳婦には，本剤投与後48時間は授乳を避けるよう指導すること。ラットの実験で，乳汁中へMn成分が移行することが報告されている。

3. 副作用

副作用発現率…17.8%（38/213例）
内訳：軟便，下痢，腹痛，腹鳴，血清鉄低下，
　　　血清フェリチン減少等

- 承認時における副作用発現率は17.8%である。

コラム　マンガン過敏症??

経験的に，患者さんに「マンガンという物質に対して過敏症がありますか？」などと聞いても大抵の場合，首を傾げられることが多い。マンガンが多く含まれる食物の代表として，「ひじき」「ホウレンソウ」「のり」といったものがある。これらを引き合いに出して聞いてみると患者さんもわかりやすい。

■参考文献

1）吉川宏起，他：MRI 造影剤 Gd-TPA（dimeglumine gadopentetate）の臨床第Ⅰ相試験．画像診断 6：959，1986
2）Nelson KL, et al：Clinical safety of gadopentetate dimeglumine. Radiology 196：439-443, 1995
3）Schuhmann-Giampieri G, et al：Pharmacokinetics of Gd-DTPA in patients with chronic renal failure. Invest Radiol 26：975-979, 1991
4）鳴海善文，他：非イオン性ヨード造影剤およびガドリニウム造影剤の重症副作用および死亡例の頻度調査．日本医放会誌 65：300-301，2005
5）Niendorf HP, et al：Tolerance data of Gd-DTPA：a review. Eur J Radiol 13：15-20, 1991
6）Niendorf HP, et al：Diagnostic Imaging International（S11）, 16-17（1988）
7）Goldstein HA, et al：Safety assessment of gadopentetate dimeglumine in U.S. clinical trials. Radiology 174：17-23, 1990
8）Shiau JS, et al：Gadopentetate-Induced status epilepticus. J Epilepsy 8：306-308, 1995
9）Shoenut JP, et al：MRI in the diagnosis of Crohn's disease in two pregnant women. J Clin Gastroenterol 17：244-247, 1993
10）Schmiedl U, et al：Excretion of gadopentetate dimeglumine in human breast milk. AJR Am J Roentgenol. 154：1305-1306, 1990
11）Rofsky NM, et al：Quantitative analysis of gadopentetate dimeglumine excreted in breast milk. J Magn Reson Imaging 3：131-132, 1993
12）Kubik-Huch RA, et al：Gadopentetate dimeglumine excretion into human breast milk during lactation. Radiology 216：555-558, 2000
13）Tishler S, et al：Anaphylactoid reactions to i.v. gadopentetate dimeglumine. AJNR Am J Neuroradiol 11：1167, 1990
14）Carr JJ：Magnetic resonance contrast agents for neuroimaging. Safety issues. Neuroimaging Clin N Am 4：43-45, 1994
15）Murphy KP, et al：Occurrence of adverse reactions to gadolinium-based contrast material and management of patients at increased risk：a survey of the American Society of Neuroradiology Fellowship Directors. Acad Radiol 6：656-664, 1999
16）Cowper SE, et al：Scleromyxoedema-like cutaneous diseases in renal-dialysis patients. Lancet 356(9234)：1000-1001, 2000
17）Collidge TA, et al：Gadolinium-Enhanced MR Imaging and nephrogenic systemic fibrosis：retrospective study of a renal replacement therapy cohort. Radiology 245：168-175, 2007
18）Prince MR, et al：Incidence of nephrogenic systemic fibrosis at two large medical centers. Radiology 248：807-816, 2008
19）谷本伸弘，他：肝臓用 MRI 造影剤 SH U 555 A（Superparamagnetic Iron Oxide）の第Ⅰ相臨床試験．臨床医薬 14：2337-2353，1998
20）バイエル薬品提供資料
21）協和発酵キリン提供資料

9章 MRA

1 MRAとは

【MRA：MR angiography】
- **血管内腔と静止組織との間に高いコントラストを得る手法**
- **基本：血管内腔を高信号に，静止組織を低信号にし，コントラストを高くする**

【MRAの信号強度に関与する因子】
- **密度と緩和時間**
- **移動する速度と方向**

- プロトンが静止している場合と動いている場合とでは，MRの信号強度は異なる。
- MRの信号強度は，^{1}H原子核の密度や緩和時間に依存するが，^{1}H原子核が動いた場合には，その移動する速度や方向にも影響を受ける。
- 血液中の^{1}H原子核は血流にのって移動しているため，静止組織とは異なった信号強度を示す。
- 血管内腔と静止組織との間に高いコントラストを得る手法をMRA（MR angiography）と呼ぶ。

A 血 流

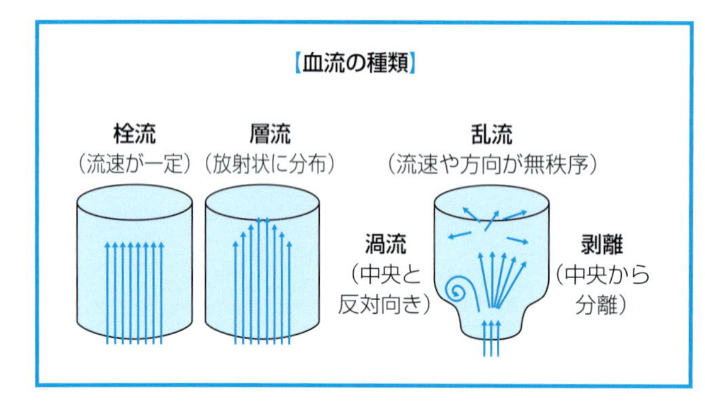

- 血流は一定ではなく，血管壁や内腔の形状等によって異なり，栓流・層流・乱流・剥離・渦流が存在する。
- 理想的な血流は栓流であるが，実際の血流のほとんどは層流である。
- 乱流は，血管分岐部や狭窄部の遠位部で生じやすい。
- 剥離は，中央部の血流から分離した血流が存在する部位の血管壁近傍で認められる。

B レイノルズ値（Reynolds number：Re）

【定 義】

$$Re = \frac{(\rho)(v)(d)}{(\eta)}$$

ρ：密度（g/cm^3）
v：流速（cm/sec）
d：直径（cm）
η：粘稠度（g/cm・sec）

- レイノルズ値とは，流れ方を表す数値であり，単位（次元）をもたず，層流と乱流を区別することができる。
- Re＜2,100の場合は層流を表し，Re≧2,100の場合は乱流を表す。
- 密度が低く，流速が低く，直径が小さく，粘稠度が高いほど層流となる。

C 断層面に対する流れと信号強度変化

【垂直】
- TOF（time of flight）現象
  - high velocity signal loss（信号消失）
  - flow-related enhancement（信号増強）

【平行（垂直でない）】
- 位相分散
  - odd echo dephasing（信号低下）
  - even echo rephasing（信号増加）

- 断層面に垂直な流れによる信号強度変化の総称をTOF現象と呼び，断層面を通過する時間によって，信号強度が増減する。
- 断層面に平行な（垂直でない）流れでは，位置情報を得るために印加する傾斜磁場によって信号強度が変化する。
- 傾斜磁場の印加の仕方によっては，流速補正（位相分散の再収束）を行うことができる（流速補正，flow compensation：FC）。

D 断層面に平行な流れにおける位相分散①

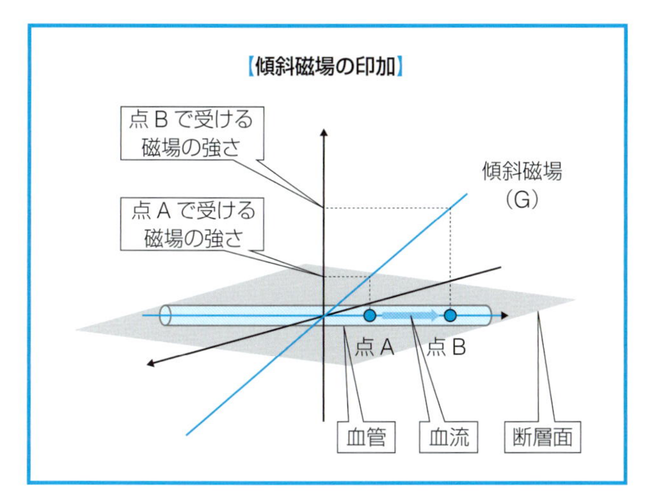

- 血流が断層面に対して平行に流れている場合は，TOF現象を考慮する必要はないが，傾斜磁場を印加したことによる位相分散の影響を考慮する必要がある。
- 励起RFパルスを印加されて位相が揃ったプロトンが傾斜磁場を印加した領域を移動すると，異なる強さの磁場を受けながら移動する（点A→点B）。
- そのため，静止しているプロトンよりも血流の位相変化（位相シフト）が大きくなり，血流の信号が低下する。
- 層流や乱流があると，位相シフトによって同一ボクセル内にあるプロトンの位相が異なるため，位相が分散する。

E 断層面に平行な流れにおける位相分散②

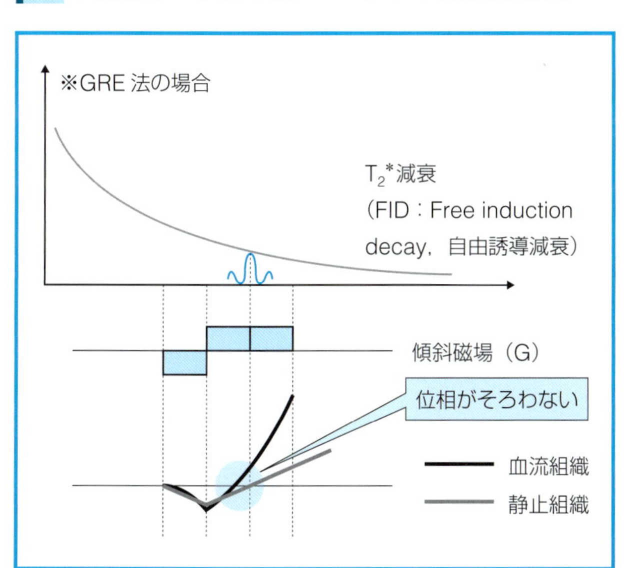

- 静止組織では，エコー収集時（TE）に位相が揃うように傾斜磁場を正負に印加する。
- 流れのある組織（血流組織）では，静止組織とは位相シフトの度合いが異なるため，同じ方法では位相が揃わない。
- つまり，エコー収集時（TE）に血流の位相を揃えるためには，一工夫した傾斜磁場を印加する必要がある。

F 流速補正（flow compensation：FC）

【流速補正法】
- flow compensation（FC）
- gradient motion nulling（GMN）
- motion artifact suppression technique（MAST）

- 流速補正とは，RF パルス～読み取り時間の間に，傾斜磁場ローブを的確に印加することにより，位相分散を再収束させる（位相変化を補正する）手法であり，流れによるアーチファクトを抑制できる。
- 流速による位相変化を補正する方法として，flow compensation（FC），gradient motion nulling（GMN），motion artifact suppression technique（MAST）等が挙げられる。

G 流速補正法の概要

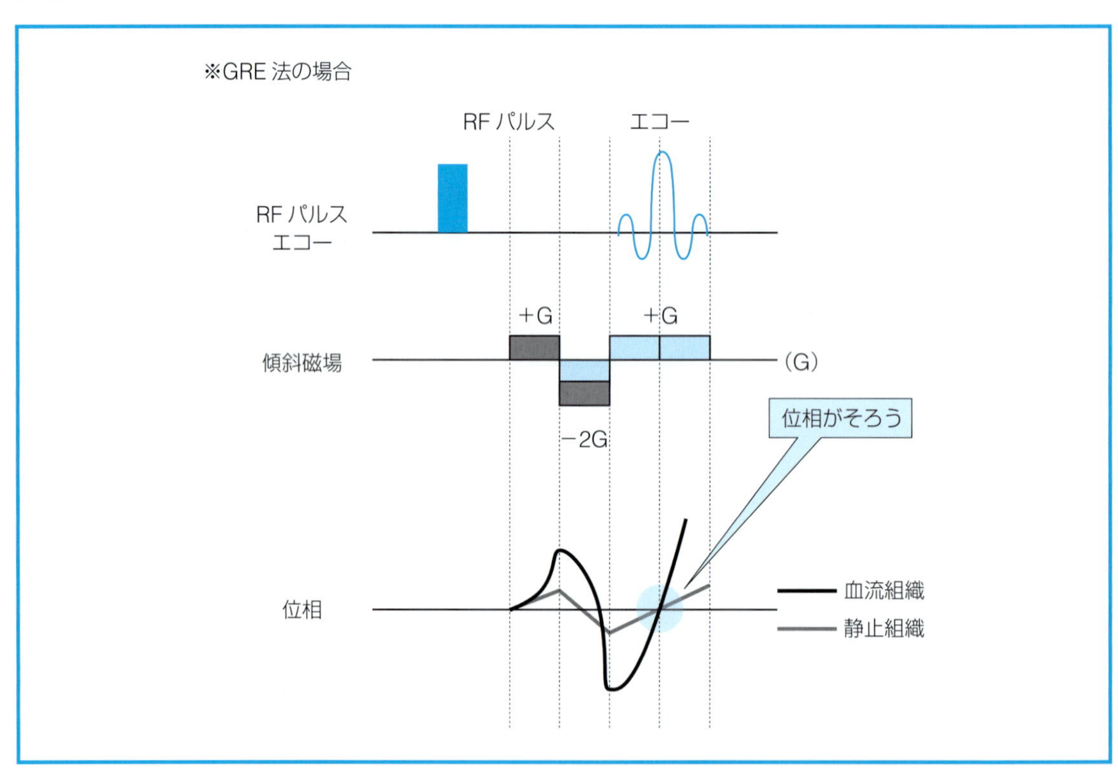

- GRE 法では，正負に3個の傾斜磁場ローブを使用して位相の再収束を行うが，静止組織の位相のみが再収束される。
- 一方，血流組織は位相が分散したままであるため，3個の傾斜磁場ローブに新たに正負の傾斜磁場ローブを加えて位相の再収束を行う。
- FC は，x 軸・y 軸・z 軸の各々もしくは全体に対してかけられる。
- 傾斜磁場ローブを加えるため，TR・TE は延長し，撮像スライス数は減少する。

2 MRAの種類と特徴

【非造影MRA】

- Time of flight MRA
  - 2D-time of flight MRA
  - 3D-time of flight MRA
- Phase contrast MRA
- Fresh blood imaging（FBI）
- Black blood MRA

【造影MRA】

- Contrast enhancement MRA
- MR DSA

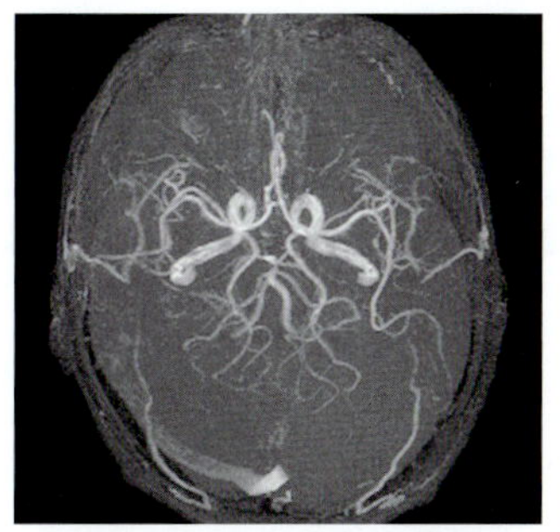

3D－time of flight MRA

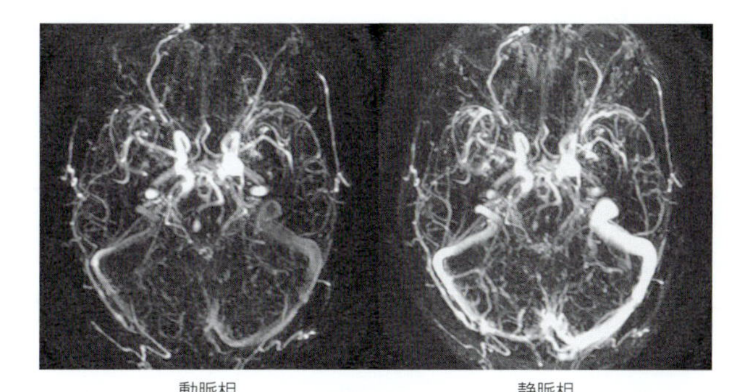

動脈相　静脈相

MR DSA

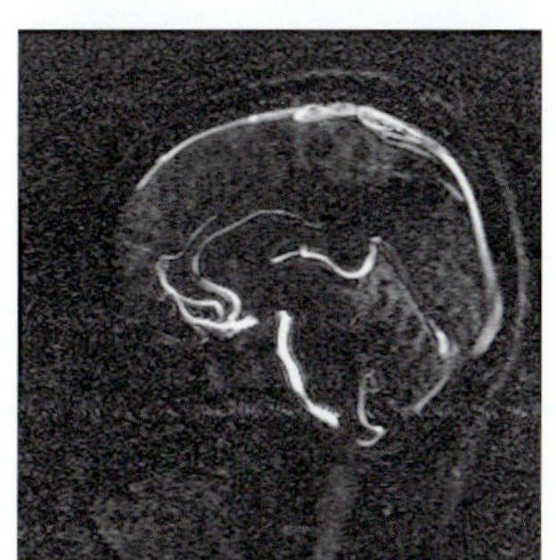

Phase contrast MRA

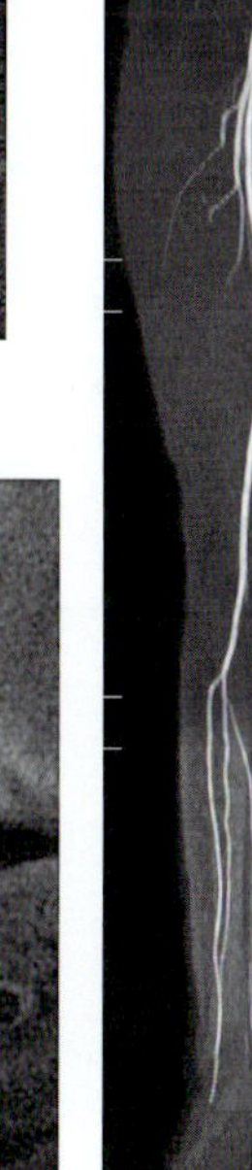

black blood MRA

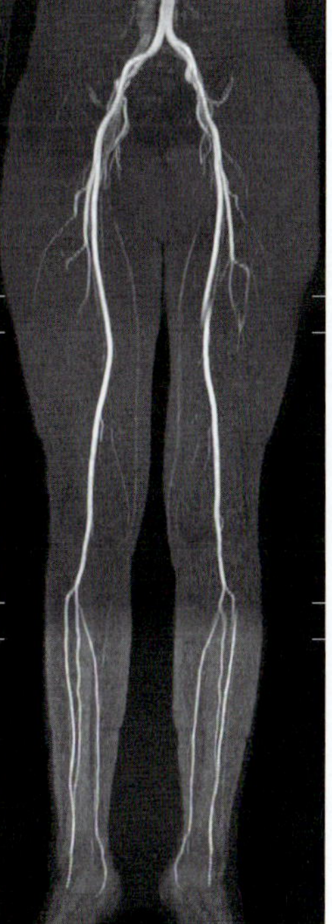

2D－time of flight MRA

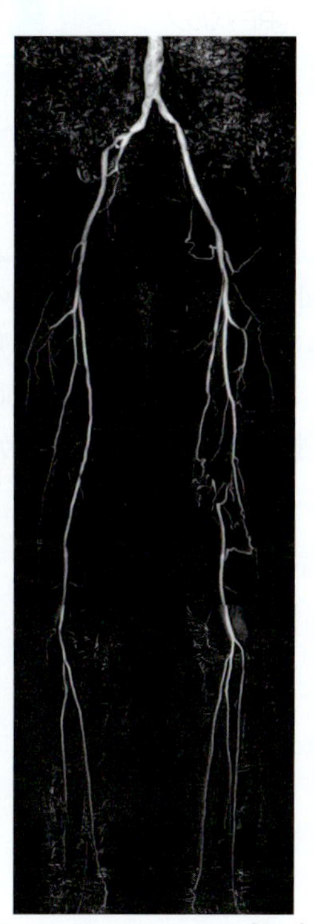

Fresh blood imaing（FBI）

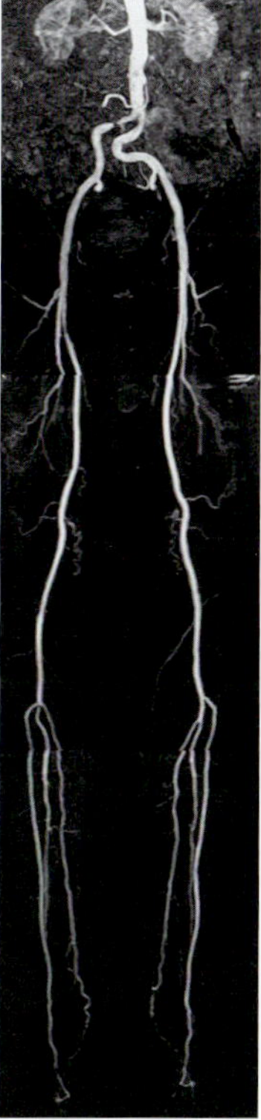

造影MRA

3 TOF（time of flight）効果

- **断層面に垂直な流れによる信号強度変化を利用して画像を得る。**
- **信号強度変化には以下の2種類がある。**
  - **high velocity signal loss**
  - **in flow effect（＝flow related enhancement，流入効果）**

A high velocity signal loss

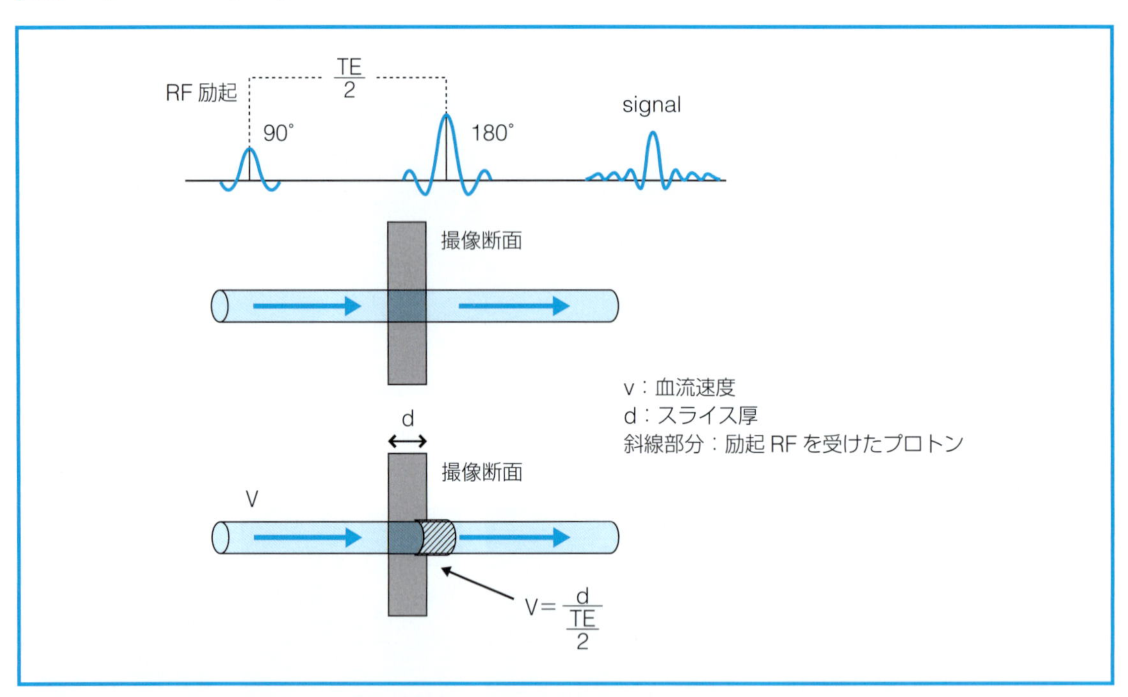

- high velocity signal loss は，SE 法に特有の現象である。
- SE 法では，2つの RF パルス（90°と 180°）を受けたプロトンだけが信号を発生する。
- そのため，プロトンは $\frac{TE}{2}$ 間は撮像断面に存在している必要がある。
- $V > \frac{d}{\frac{TE}{2}}$（流速が速く撮像断面から血液が流出）の場合，2つの RF パルス（90°と 180°）を受けられず，信号が損失する。
- これを，high velocity signal loss と呼ぶ。

B in flow effect（＝flow related enhancement，流入効果）

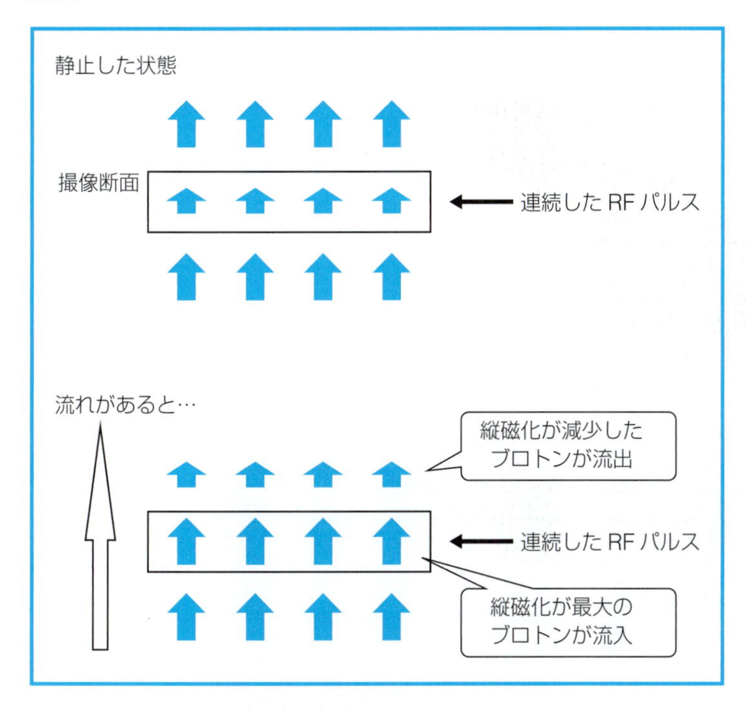

- 組織のT_1値より短いTRで撮像を行う場合，撮像断面のプロトンは縦磁化が減少して信号が低下する。
- 流速が増加すると，RFパルスを印加されていない（縦磁化が最大）プロトンが撮像断面に流入する量が増えるため，信号が増加する。
- このように流速の増加によって，静止時よりも高信号を発生する現象をin flow effectと呼ぶ。

C 流れによる信号強度変化

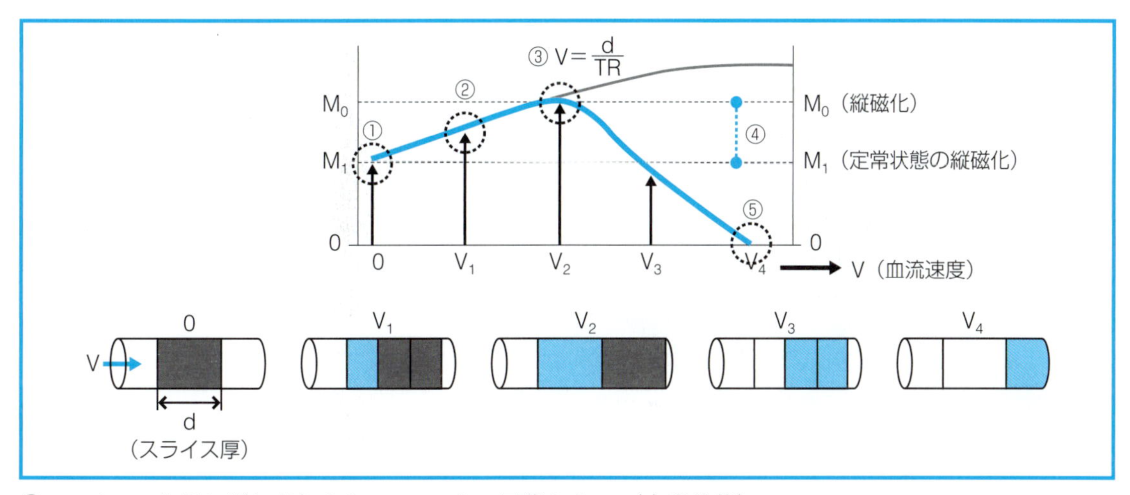

①RFパルスを繰り返し印加されて，M_0まで回復しない（定常状態）
②RFパルスを受けていないプロトンの流入量が増加（信号増加）
③撮像断面内のプロトンがRFパルス印加ごとに全て入れ替わる（信号最大）
④SE法で2つのRFパルスを印加されないプロトンが発生（信号低下）
⑤撮像断面内のプロトンが全て2つのRFパルスを印加されない（無信号）

- プロトンの流速によって，in flow effectによる信号増加（①～③），high velocity signal lossによる信号低下（③～⑤）が発生する。

4 Time of flight MRA（TOF MRA）

A TOF MRAの構成

TOF MRA ＝ 血流の高信号化 ＋ 背景信号の抑制

- TOF MRA（time of flight MR angiography）は，血流を高信号で描出するとともに，背景（脳実質）信号を抑制することで実現する。
- 約百スライスの元画像を最大値投影法（maximum intensity projection：MIP）によって合成すると連続的な血管を観察することができる。

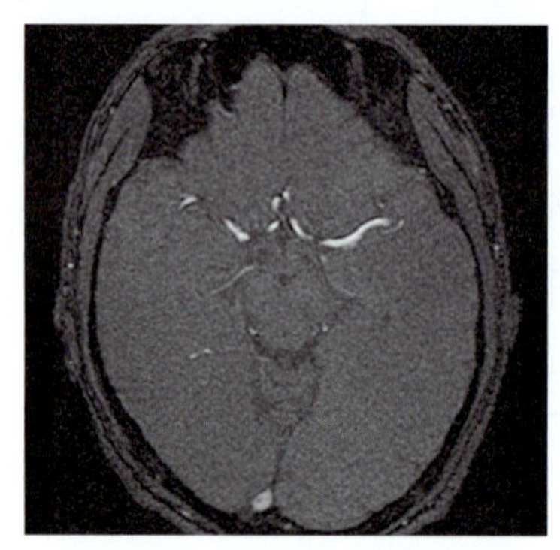

3D-TOF MRA 元画像

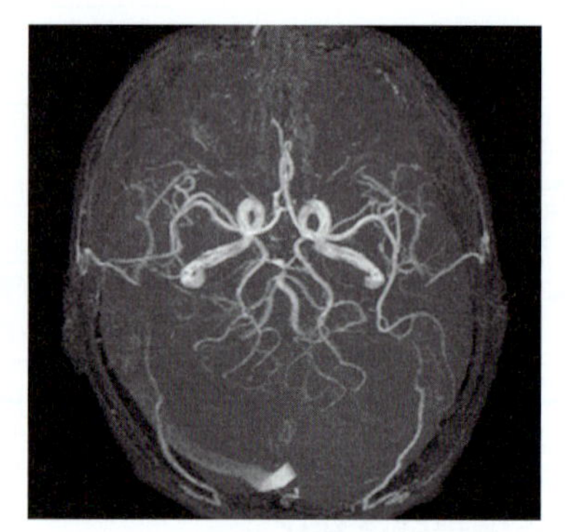

3D-TOF MRA MIP 画像

B 血流の高信号

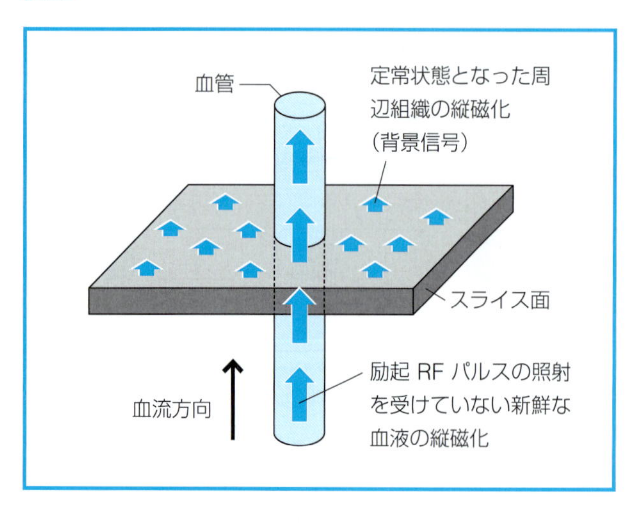

- 励起RFパルスの照射を受けていない新鮮な血液は，次から次へとスライス面内に流入する。
- 新鮮な血液は大きな縦磁化を有し，励起RFパルスを受けて大きな横磁化となり，高信号となる。

C 背景信号の抑制

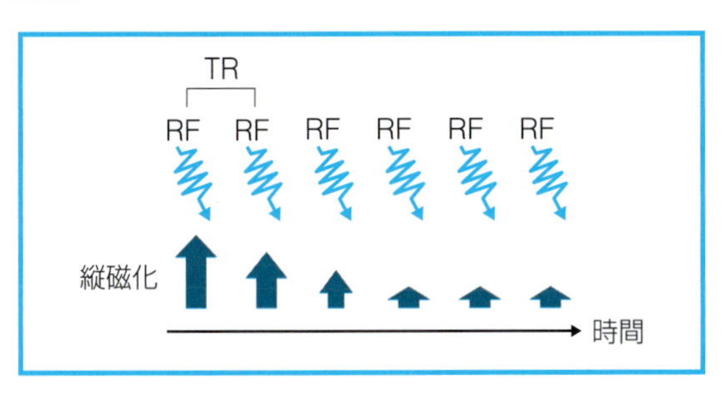

- GRE法を用いて，組織のT_1値より極端に短いTR（数十ms）で励起することによって背景組織の縦磁化が減少する。
- 縦磁化を失った背景組織（脳実質）の信号は低下する。

D 2D-time of flight MRA（2D-TOF MRA）

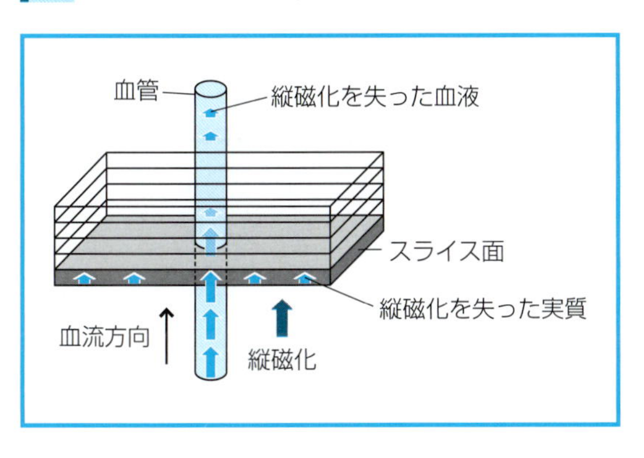

- **2D-TOF MRAは，スライス面ごとに励起してMRA元画像を撮像**する。
- FA（フリップ角）は60°～80°を使用して背景信号の抑制を図るとともに血流からも大きな信号を得る。
- 比較的遅い血流でも高信号が得られる。
- スライス面内に走行する血管は，周囲の実質同様に縦磁化が減少し信号が低下する。
- スライス方向の空間分解能が低く，ステアステップアーチファクトが現れる。

E 3D-time of flight MRA（3D-TOF MRA）

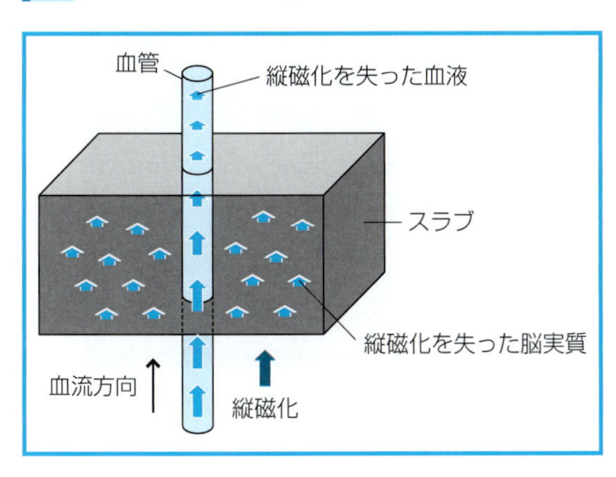

- **3D-TOF MRAは，スラブ全体を励起してMRA元画像を撮像**する。
- FAは20°～30°を使用して飽和効果の軽減を図る。
- 比較的速い血流から高信号が得られ，遅い流れは飽和効果によって低信号となる。
- スライス面内に走行する血管は，周囲の実質同様に縦磁化が減少し，信号が低下する。
- 空間分解能を高く設定できる特徴がある。

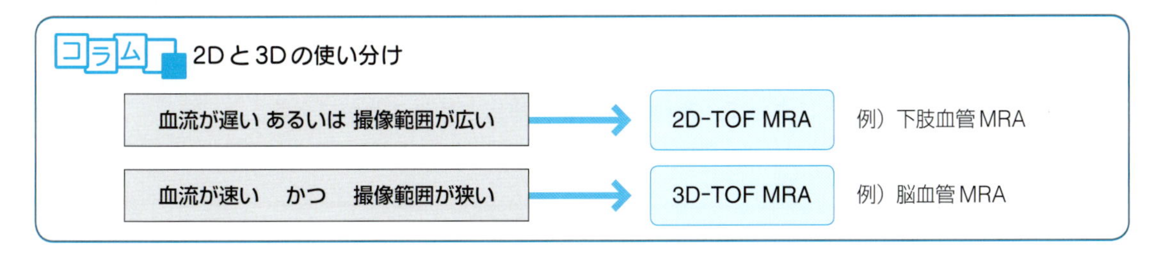

5 飽和効果と対策

A 飽和効果

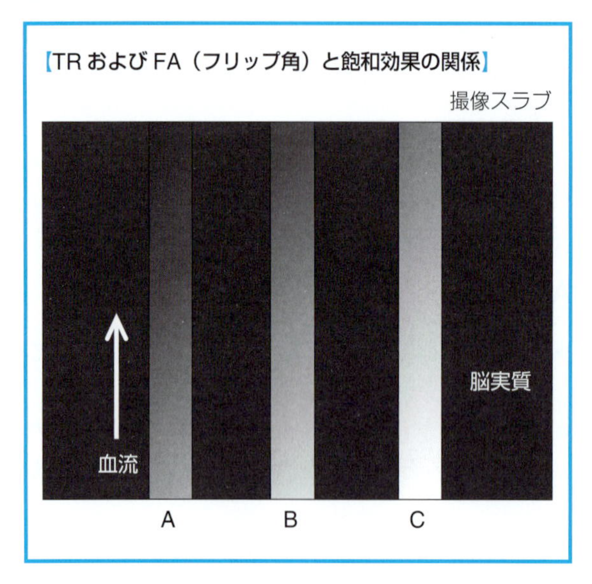

A：血液は厚いスラブ内で何度も励起パルスを受けて縦磁化を失っていく。**縦磁化を失った血液は，励起パルスを受けても有効な横磁化になれず低信号**となる。これを**飽和効果**という。

B：TRをAより延長させると，スラブ内で受けるRFパルスの回数が減り，飽和効果が軽減される。

C：FA（フリップ角）を小さくすることで縦磁化の低下を防ぎ，末梢まで血流信号を保つことができる。

- **3D-TOF法**はスラブ全体にRFパルスが印加されるため，より末梢の動脈を描出するために，比較的長いTRと小さいFAを設定する。

B 飽和効果の実際

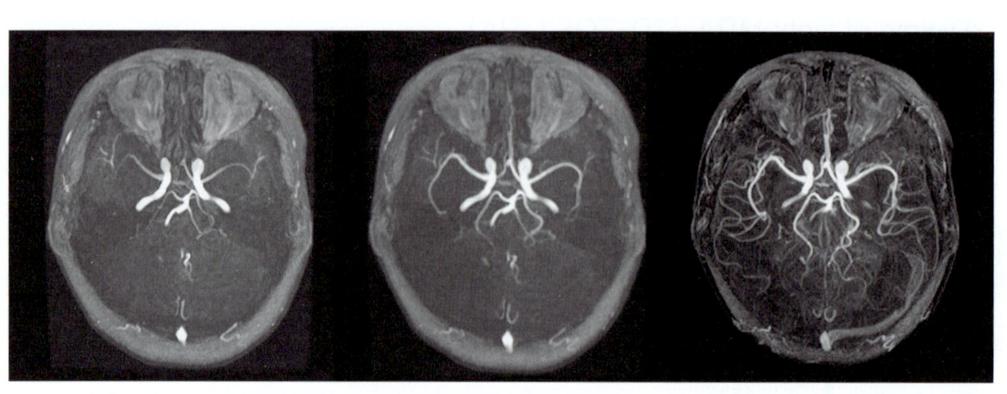

A：TR＝20ms, FA＝40°　B：TR＝40ms, FA＝40°　C：TR＝40ms, FA＝20°

- A：TRが短くFAも高いため飽和効果が著しく，中大脳動脈の描出が不良となる。
- B：TRを延長させることで**中大脳動脈を描出**させることができるが，撮像時間が延長する。
- C：さらにFAを下げることによって，**末梢の動脈まで描出**させることができる。

C 飽和効果対策1：傾斜フリップ角法（Ramped RF, TONE：tilted optimized nonsaturating excitation）

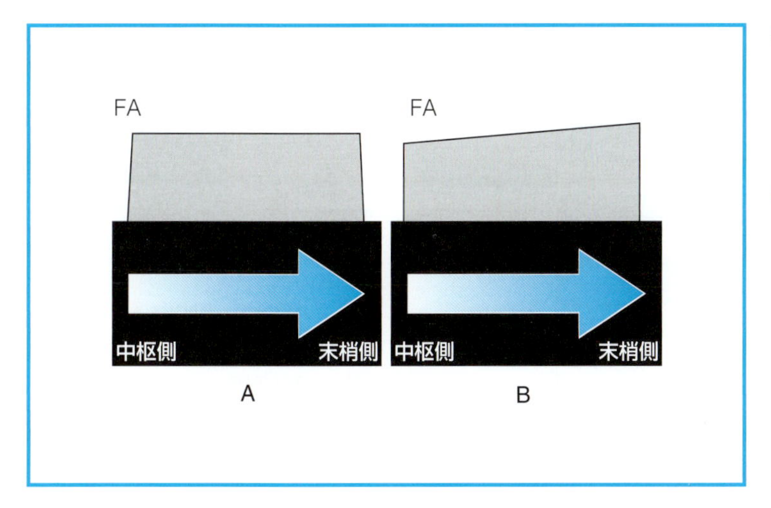

- 撮像スラブ内に均一なFAで励起すると，飽和効果により末梢側の血液の血流信号が低下する（A）。
- 中枢側をより小さなFA，末梢側をより大きなFAといったような傾斜フリップ角を使うことで，中枢側での縦磁化の減少を抑制するとともに，末梢側で小さくなった縦磁化を，大きなFAでより大きな血流信号を得ようとしている（B）。

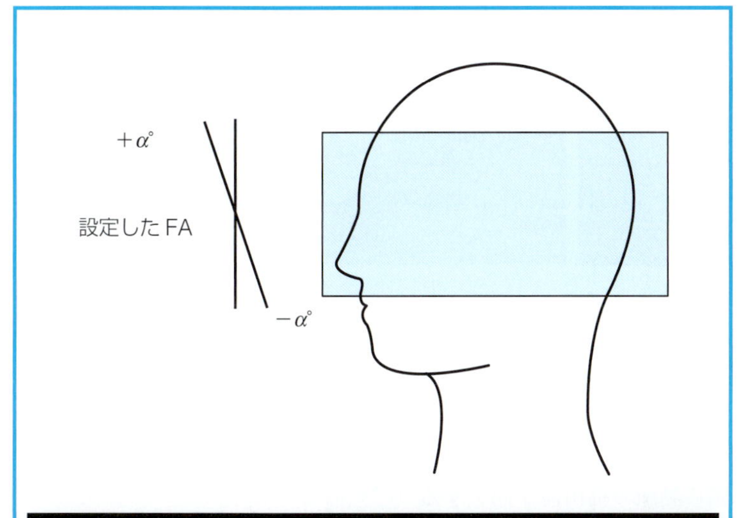

- 結果的にスラブ内に流れる血流の飽和効果を軽減し，血流信号を平均化させることができる。
- 傾斜フリップ角法では，設定したFAをスラブの中心とし，中枢側を−α°，末梢側を＋α°として励起する（左上図）。

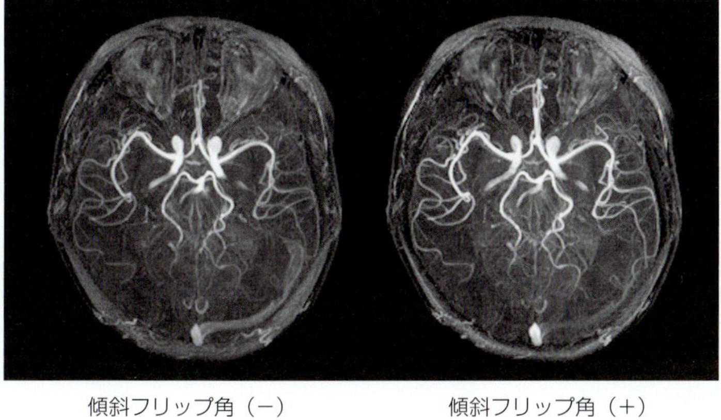

傾斜フリップ角（−）　傾斜フリップ角（＋）

- 傾斜フリップ角法を使用すると，末梢の動脈の描出が改善される。
- 特に中大脳動脈，後大脳動脈の末梢が改善される。
- ただし，中枢側の内頸動脈の信号が若干低下し，スラブ内で血流信号が平均化されているのがわかる。

D 飽和効果対策2：MOTSA（multiple overlapping thin-slab acquisition）

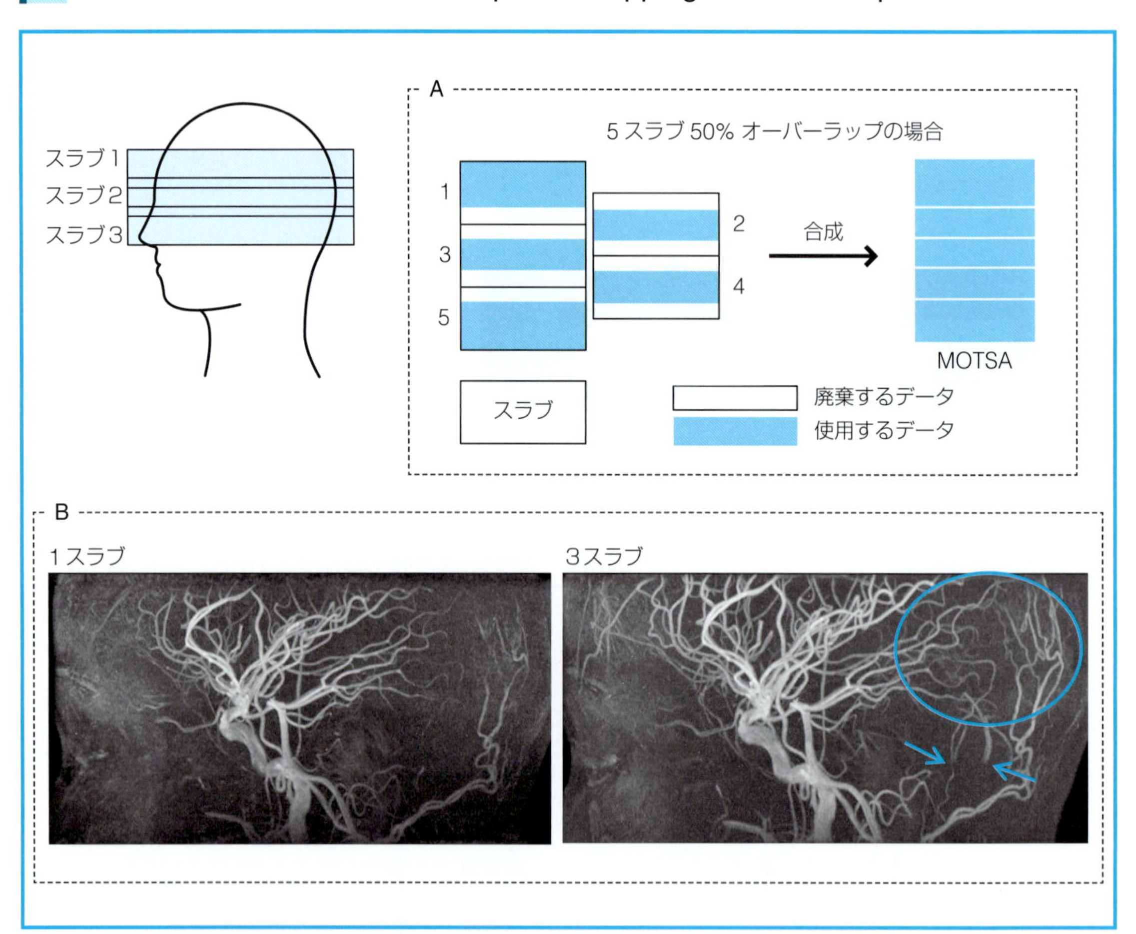

- スラブを薄くして血流の飽和効果を軽減させる。
- 薄いスラブを複数撮像して，広範囲を撮像して合成処理する（図A）。
- 血管の連続性を維持するため，スラブ間は25〜50%オーバーラップさせる。
  - ▶利点：血流速度の低い血流や末梢の動脈の描出能が向上する（○）。
    飽和効果を軽減し広範囲の撮像が可能。
  - ▶欠点：撮像時間が延長する。
    血管の不連続性が問題になることがある（→）。

6 使用される技術

A MT パルスの応用

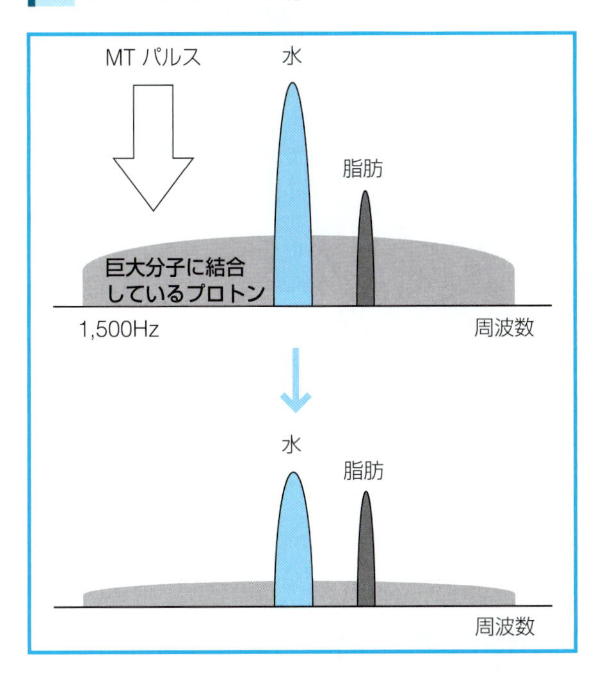

- **MT (magnetization transfer) パルス**は，水の周波数から 1,000～1,500 Hz 離れた高分子のプロトンに RF を照射し疑似緩和を起こさせ，**水の信号を低下**させる。
- MT パルスは，結果的に背景（脳実質）信号を抑制させ，血流信号とのコントラストが向上する（**左図**）。
- 3D-TOF MRA に応用されるが，TR の延長により，撮像時間が延長するのが欠点。

B 0 充填補完法（zero fill interpolation：ZIP）

（前大脳動脈の例）

ZIP（－）　ZIP（＋）

- 3D-MRA の場合，スライス方向に使用する（**スライス ZIP** とも呼ばれる）。
- スライスとスライスの間に補間したスライスデータが追加される。
- スライス枚数が倍増する。
- 見かけの空間分解能を向上させる。
- 画像の連続性を向上させる。

C 3次元画像表示方法

1. 最大値投影法：MIP（maximum intensity projection）法

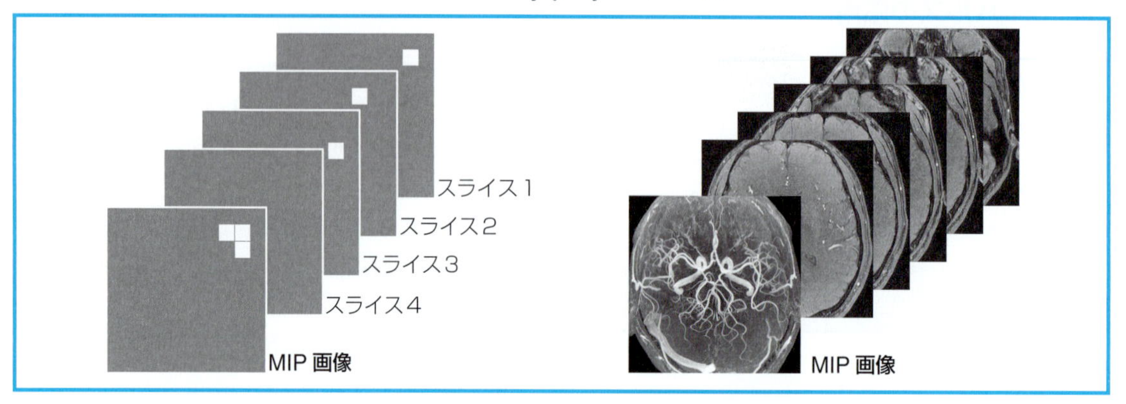

- 各スライスで得られた血流等の高信号を1枚の画像に足し合わせた画像で，血管の連続性を表現している。
- MIP画像は，すべてのスライスの情報をボリュームデータとして扱い，ある角度における各ピクセルの最大値を表示させた2次元の画像。
- MIP画像1枚だけで立体的な構造を把握することはできない。
- MIP画像は，任意の角度から観察することができる。
- MIP画像を多方向から観察することによって立体的な構造を把握できる。
- 血管の径や狭窄の評価，動脈瘤のサイズ計測に適している。

コラム MIP画像の例

- MIP画像は，多方向から観察することによって立体的な構造を把握できる。

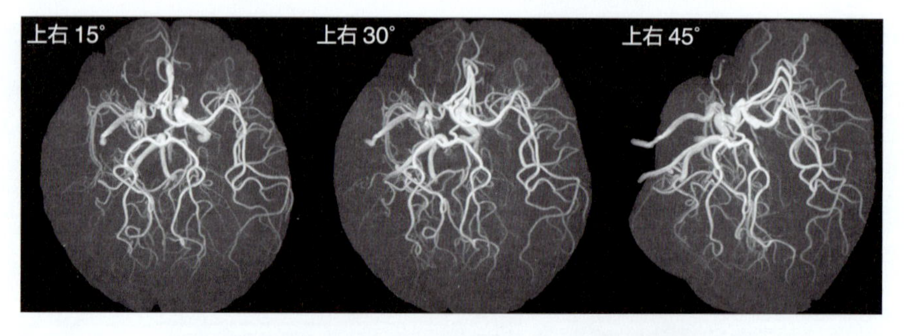

- 下図は5°～10° の角度差をつけたステレオ表示である。立体的に観察できる。

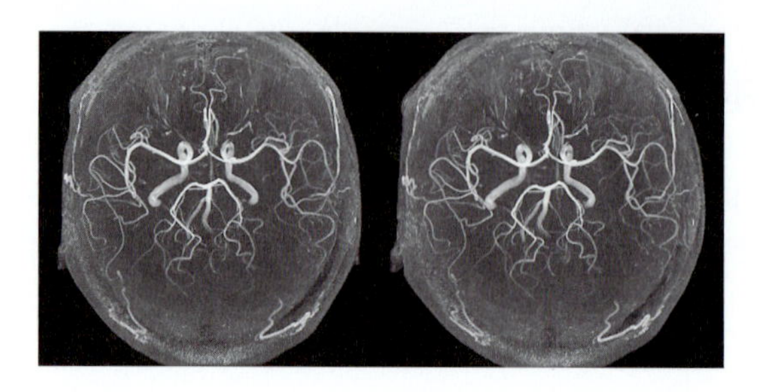

2. MIP 法と VR 法の比較

A. 椎骨脳底動脈〜後大脳動脈

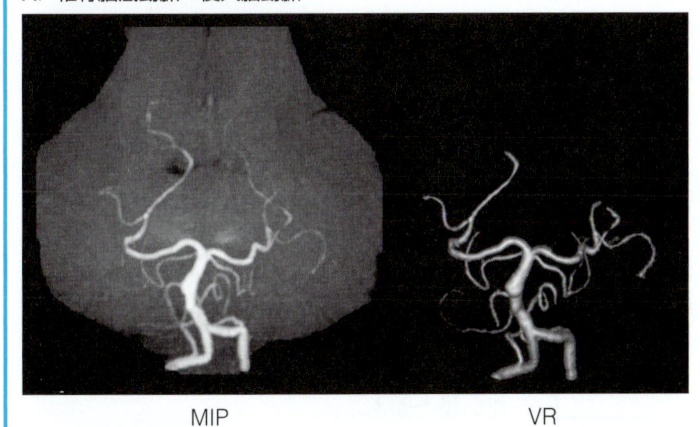

B. 動脈瘤（脳底動脈部）

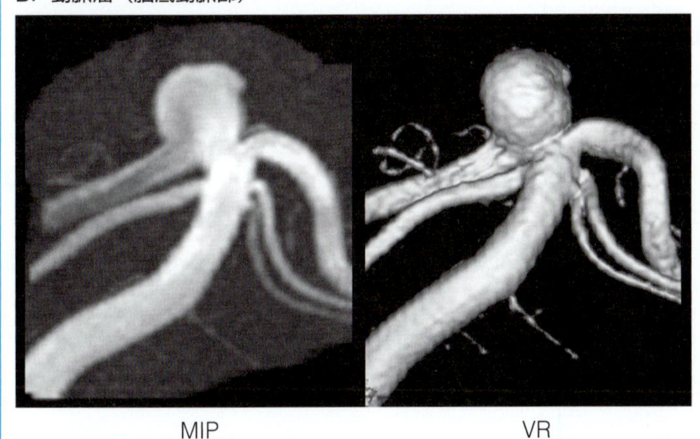

C. 頸動脈狭窄

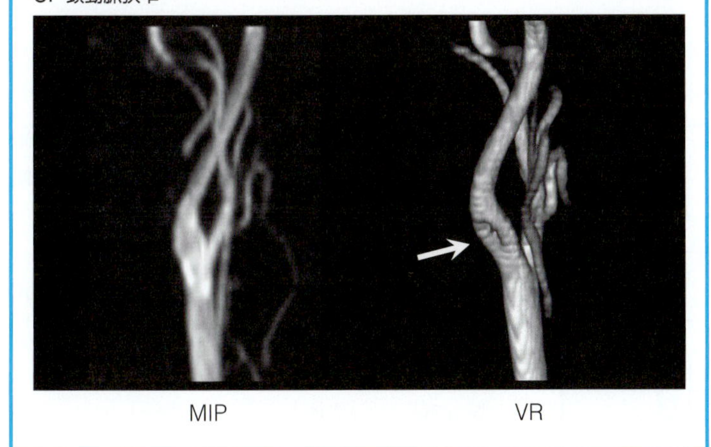

【VR（volume rendering）法】

- VR法では，1枚の画像だけで立体構造を把握できる画像を描出する。
- **重なった血管の前後関係，動脈瘤などの形態表現に優れている。**

A：MIP法では，末梢の動脈まで描出される。VR法では閾(しきい)値の設定によっては，末梢動脈は描出されない。

B：動脈瘤の形態の観察には，VR法が適している。VR法は閾値の設定次第で動脈瘤の大きさが変化するため，計測には適していない。

C：MIP法では，凹み構造の描出は困難。VR法では，内頸動脈に凹み構造があり，狭窄があるのがわかる（⟹）。

7 Phase contrast MRA（PC-MRA）

A PC（phase contrast)-MRAとは？

【特　徴】

- **双極傾斜磁場を用いる**
- **位相変化を検出する**
- **血管像を得ることができる**
- **流速測定が可能である**
- **2D-PC法と3D-PC法とがある**
- **流れの方向に依存しない**
- **乱流の影響を受けやすい**

- PC-MRAとは，流速補正法(FC)による位相再収束と同じ原理を利用した方法で，**双極傾斜磁場を用いて位相変化を検出し，流れている組織（血管像）の描出や血流の流速測定が可能**である。
- 2Dでも3Dでも利用でき，血流方向とは無関係に描出できる。
- ただし，乱流の影響を受けやすいため，乱流の影響が大きな動脈瘤や血管狭窄部では描出できない場合がある。

B 双極傾斜磁場（bipolar gradient）

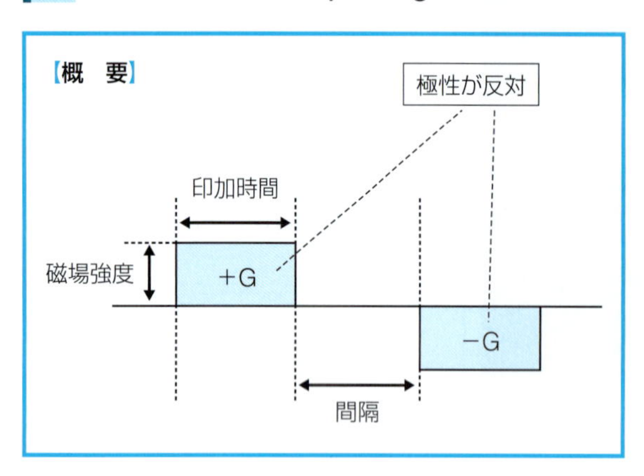

- 双極傾斜磁場とは，位相変化をとらえるために，極性が正負に異なる大きさが等しい傾斜磁場のことであり，**速度エンコード傾斜磁場**とも呼ばれる。
- 正負のローブ面積を同じ（傾斜磁場強度と印加時間を一定）にすると，静止組織の位相はゼロ（0）に収束するが，流れている組織の位相は流速に比例した位相の変化を生じる。

C パルスシーケンス

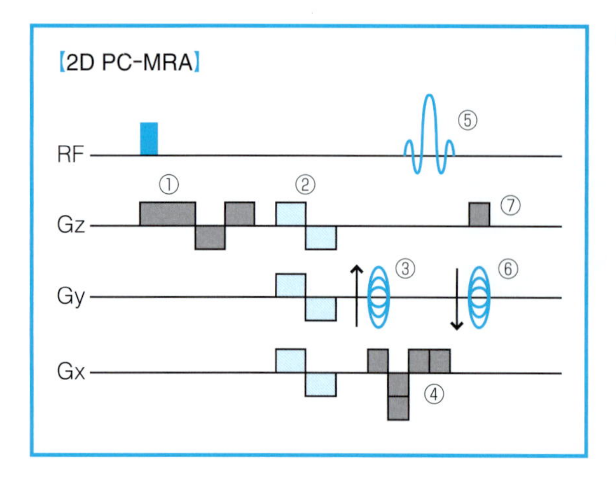

- PC-MRAは，GRE法を基本とし，双極傾斜磁場をスライス選択傾斜磁場と位相エンコード傾斜磁場との間に印加する。
  ①スライス選択傾斜磁場
  ②双極傾斜磁場（速度エンコード傾斜磁場）
  ③流速補正
  ④読み取り傾斜磁場
  ⑤echo
  ⑥リワインダー傾斜磁場
  ⑦スポイラー傾斜磁場

D 双極傾斜磁場による位相変化

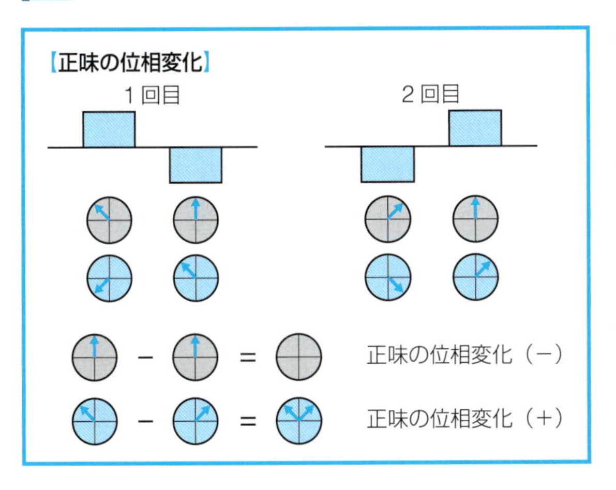

- 1回目の双極傾斜磁場を印加すると，静止組織（グレー）の位相変化は元に戻るが，流れのある組織（青）には位相変化が生じる。
- 2回目の双極傾斜磁場（1回目と極性が反対）を印加すると，静止組織（グレー）の位相変化は元に戻るが，流れのある組織（青）には極性が反対の位相変化が生じる。
- 1回目と2回目を差分（subtraction）すると，静止組織の位相変化はなく，流れのある組織の位相変化のみが残る。

E 位相変化（位相差）と差分ベクトル（信号強度）

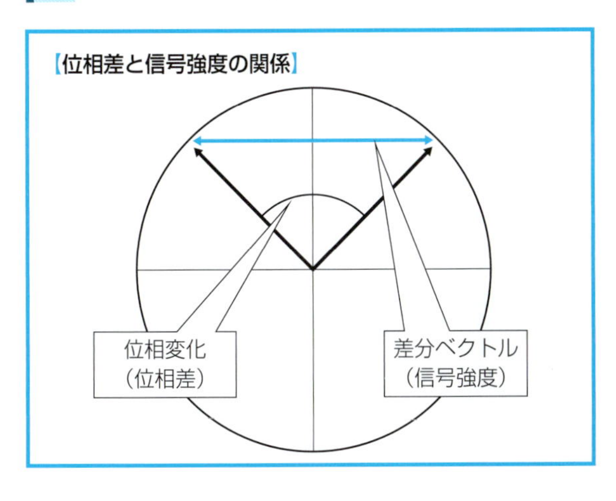

- 位相変化とは位相差を表し，差分ベクトルはピクセル内の信号強度を表す。
- 位相差（Φ）は，流速（v）に比例する。

$$\Phi = \int \omega dt = \int (\gamma G v t) dt = \gamma G v \int t dt$$

- 静止組織ではv＝0であるために位相差（Φ）＝0となるが，流れのある組織ではv＞(or ＜)0であるために位相差（Φ）が生じ，その差分ベクトルが信号強度になる。
- 位相差は－180°＜Φ＜＋180°の範囲を取る（＋90°と－270°の区別がつかないため）。

F PC-MRAの画像

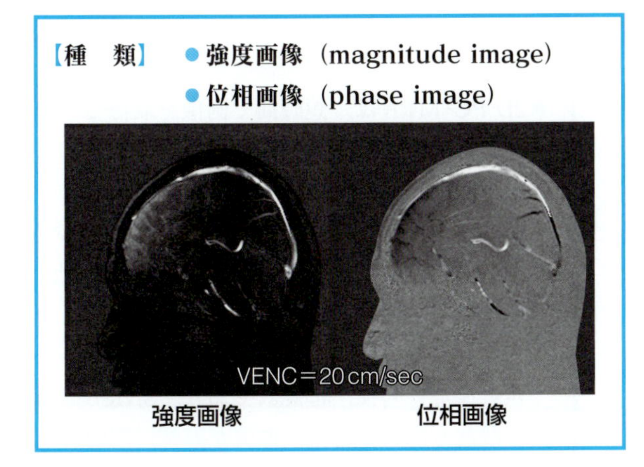

- 強度画像（magnitude image）とは，流れの方向は考慮せず，差分ベクトルの大きさだけを考慮して絶対値で表示した画像のことである。
- 位相画像（phase image）とは，位相差が正（流れの方向が同じ）になった場合と対比して，位相差が負（流れの方向が反対向き）になったときに低信号として表示した画像のことである。
- つまり，強度画像は血管を描出し，位相画像は流れの方向や乱流等の状態を描出する。

G PC-MRAの画像取得

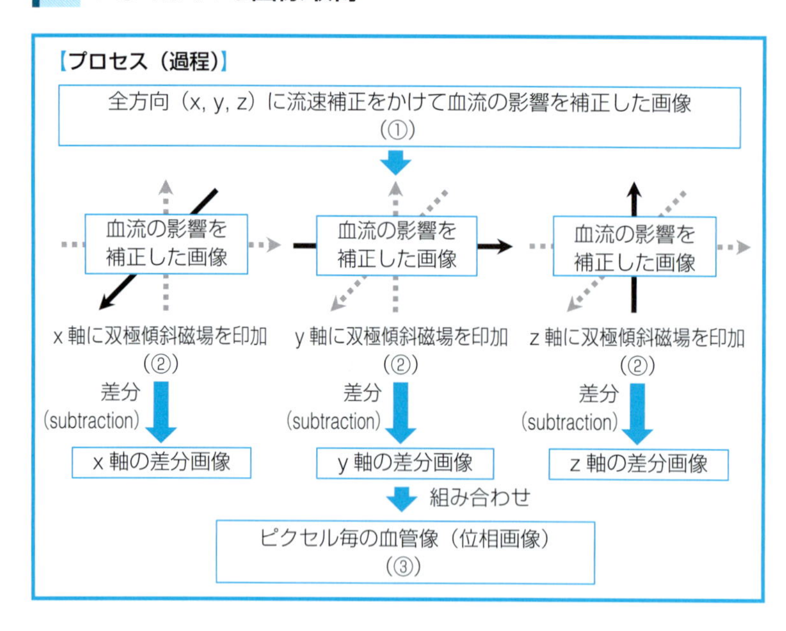

- 全方向（x, y, z）に流速補正をかけて，血流の影響を補正した画像を取得する（①）。
- 一方向だけに双極傾斜磁場を印加して，血流の影響を含んだ画像を各方向にて取得する（②）。
- ①から②を差分（subtraction）することにより，ピクセル毎の血管像を位相差として表現できる（③）。

H VENC（velocity encoding）

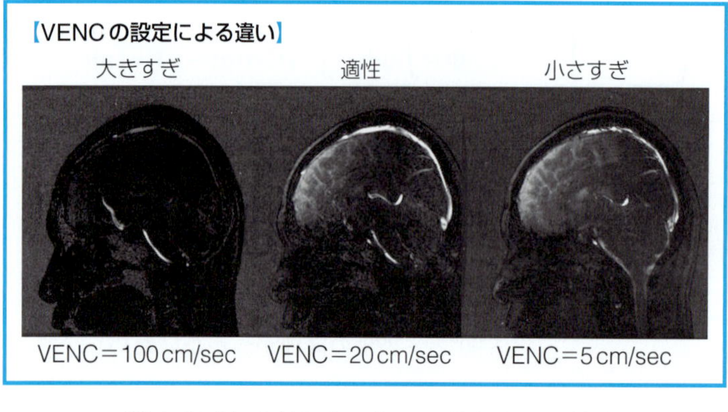

- PC-MRA画像を取得する際には，**目的とする血管内の最大流速を設定**する必要があり，そのパラメータを**VENC**と呼ぶ。
- VENCを大きく設定し過ぎると，遅い血流（静脈等）の描出が乏しくなり，逆にVENCを小さくし過ぎると，速度エンコード折り返し現象により，速い血流（動脈等）が正しく描出されない。
- VENCの設定を正しく行わないと，目的とする血管内腔を描出できないことに注意を要する。

I 2D PC-MRAと3D PC-MRAの違い

【2D PC-MRA】
- **撮像時間が短い**
- **SNR・空間分解能が低い**
- **血流状態（速度・方向）を把握できる**

【3D PC-MRA】
- **撮像時間が長い**
- **SNR・空間分解能が高い**
- **広範囲・複雑な走行の描出に優れる**

- 2D PC-MRAは，短時間で画像を取得できるため，**呼吸停止下での撮像や急性期脳梗塞等の早期診断に有用**であるが，SNRや空間分解能が低く，単体で利用されることは少ない。
- 3D PC-MRAは，2D PC-MRAと比較すると，撮像時間が長く，血流状態（流速・方向）を把握するには乏しい。しかし，広範囲および複雑な走行の描出に優れており，SNR・空間分解能も高い。特に，**血流が非常に遅いような症例（血管奇形など）において有用**である。

8 Black blood MRA

A Black blood MRAの原理

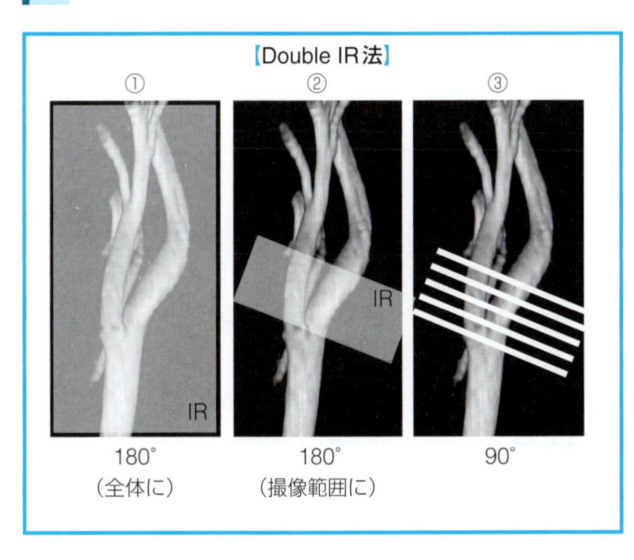

- Black blood MRAは，血管壁やプラークの性状を診断するための撮像法。
- 拍動（動き）のアーチファクトを軽減するため，心電図同期下で撮像する。
- 心電図同期Double IR法にて血液の信号を抑制し，血管壁の画像を撮像する。
- Double IR法
  ①全体にIRパルスを印加（縦磁化が反転）。
  ②撮像範囲に再びIRパルスを印加（撮像範囲のプロトンは縦磁化が元に戻る）。
  ③縦磁化が反転した血液がスライス面に流入し，縦磁化が0のタイミングでスライス面を励起して信号収集（流入血液のみ低信号）。

B Black blood MRA

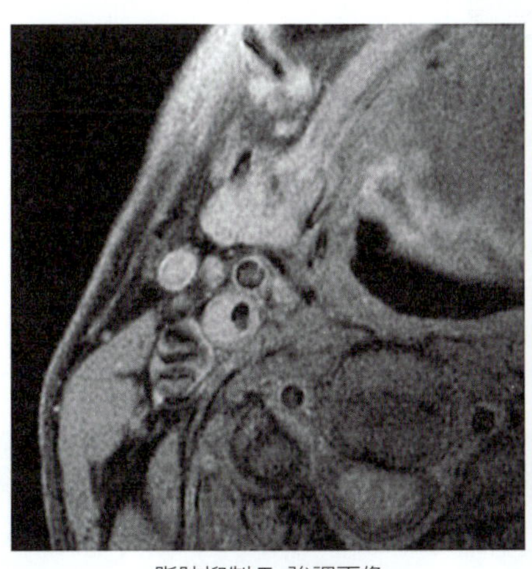
脂肪抑制 T_1 強調画像

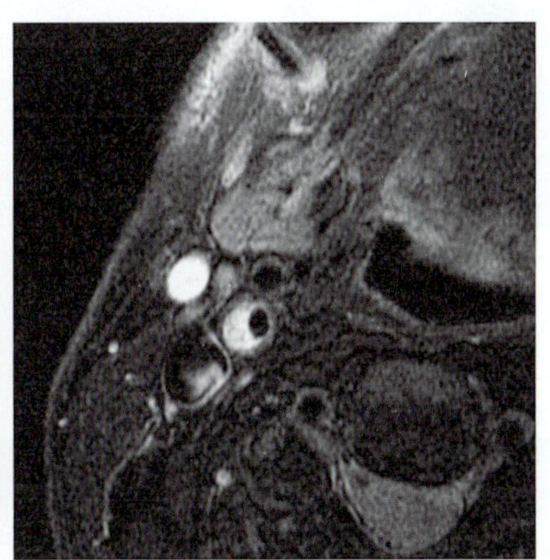
脂肪抑制 T_2 強調画像

- 主に脂肪抑制 T_1 強調画像と脂肪抑制 T_2 強調画像を撮像する。
- T_1 強調または T_2 強調画像のどちらかに高信号が認められると，ソフトプラークと診断され脳梗塞の危険性が高くなる。
- 周囲の腺組織あるいは筋組織と比較して，T_1 強調で高信号であれば出血，T_2 強調で高信号であれば脂肪の可能性が高い。

9 造影MRA

A Contrast Enhancement MRA

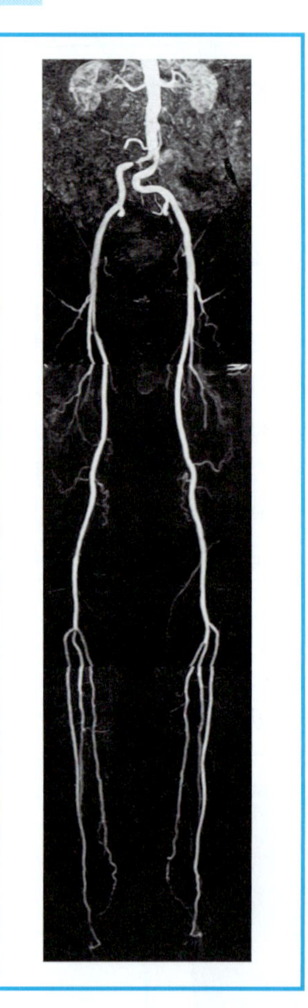

- 造影剤を使用した造影MRAは，造影剤がもつT_1短縮効果を利用した撮像法。
- 撮像シーケンスは，3D高速GREを使用する。
- 造影剤は，静脈から急速注入（ボーラス注入）し，撮像範囲に達するタイミングで短時間（10～20秒程度）で撮像する。
- 同一シーケンスで造影前の画像を取得しておき，造影後の画像からサブトラクションすることで，動脈のみを描出することができる。
- 図のような広範囲の撮像では，2～3回に分割し，MR装置のテーブルを移動しながら撮像していく。
- 非造影MRAに比べ，検査時間が短いなどの利点がある。
- 撮像タイミングが難しいため，あらかじめ少量の造影剤を注入してタイミングを計るTest injection法や，ROIを設定して造影剤の到達を検出して撮像をスタートさせるTracking法などがある。

B MR-DSA

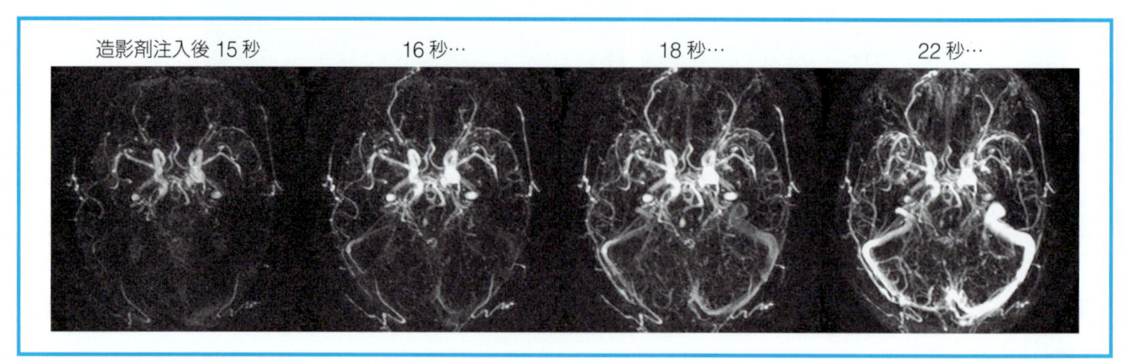

- 造影MRAを短時間(数秒)で同一部位を何度も撮像し，造影剤注入前のマスク像をサブトラクションすることで，血管撮影のDSAと同様な画像が得られる。装置の発展，あるいはデータ収集法の工夫〔TRICKS(GE)等〕によって，3Dの撮像が1秒程度の時間分解能を有した撮像もできる。

10 造影MRAにおけるk-spaceのデータ充填と撮像方法

A Elliptical Centric View Order

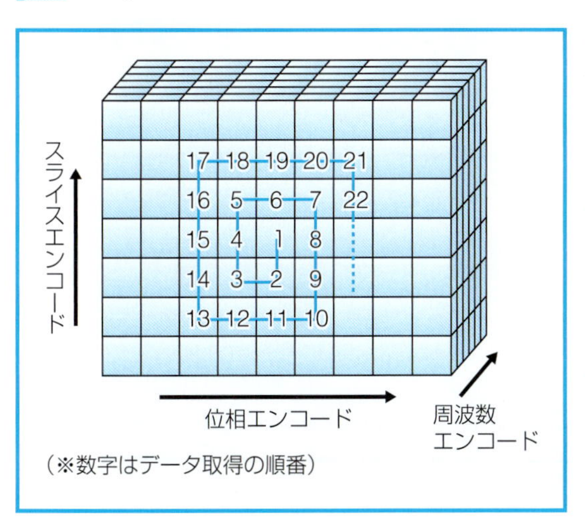

- 造影MRAは，造影剤による血液のT_1短縮効果を利用する撮像法であるため，目的の血管に造影剤が到達しているとともに，そのタイミングで息止め下（約20秒程度）で撮像する必要がある。
- k-space trajectoryをcentric orderとした場合（4章77頁参照）k-spaceのデータ充填方法は，Elliptical Centric View Orderなどの3次元k-spaceの中心から周辺に向かって充填する方法をとる。
- 造影剤のボーラス性とこの充填方法が合うことで最良の造影像を得ることができる。

B 造影剤の注入条件と撮像タイミング

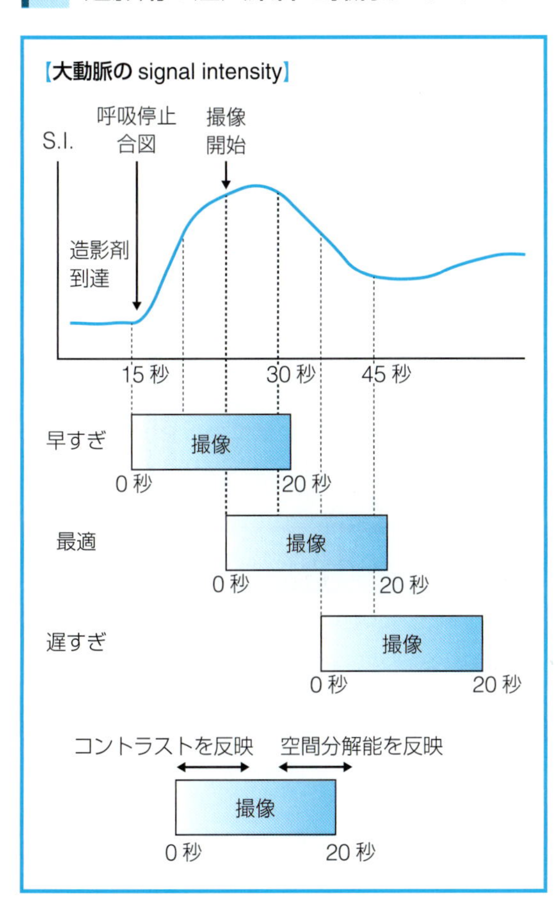

- ボーラス投与（3 mL/sec：10〜15 mL）された造影剤は，10秒〜15秒程度のピークを形成する。
- 撮像時間20秒のうち，画像のコントラストを決定するのは前半1/3程度（5〜6秒）であり，これがピークの中心に位置するタイミングが最適である。
- 造影剤到達後，ただちに呼吸停止の合図をし，ピークの少し手前で撮像を開始する（左図）。
- 早すぎるタイミングでは，造影剤の濃い時相が撮像時間の後半に位置するため，k-spaceの外側（高周波部分）へ埋められる。
- k-spaceの外側は，輪郭を反映する要素になるため，次頁C右図のように大動脈が縁取られた描出のされ方をする。
- これをparadoxical enhancement（奇妙な造影像）という。

C 撮像の実際

最良のタイミングで撮られた腹部造影 MRA

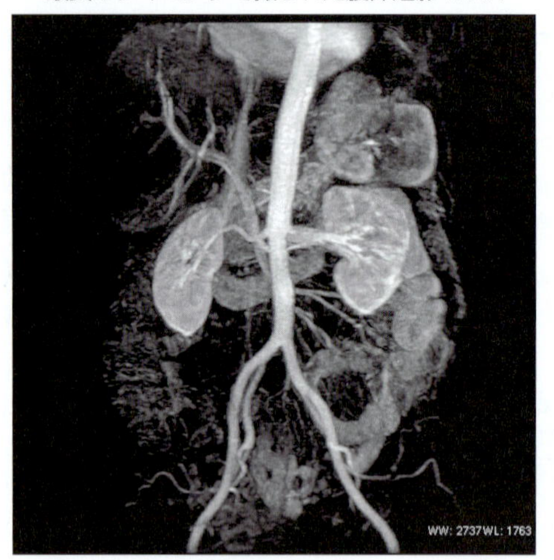

早すぎるタイミングで撮られた腹部造影 MRA

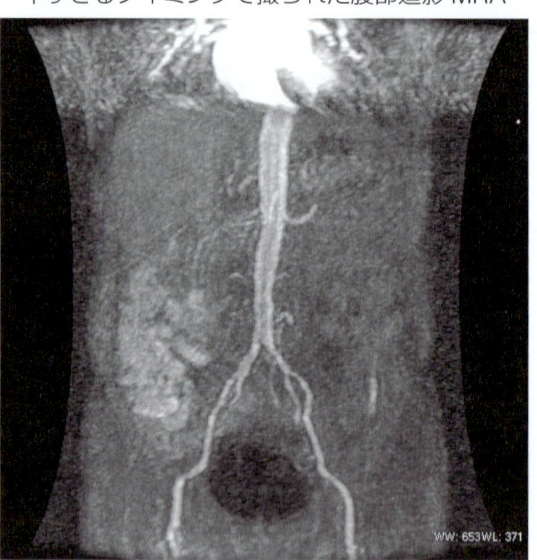

コラム Smart Prep 撮像の trackerの設定（撮像タイミングの最適化）

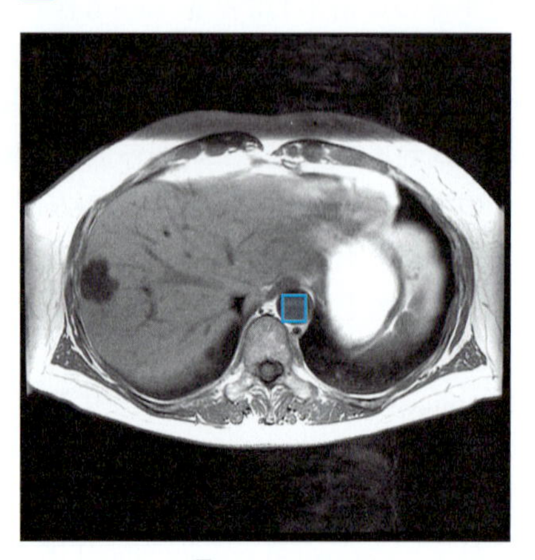

Transverse

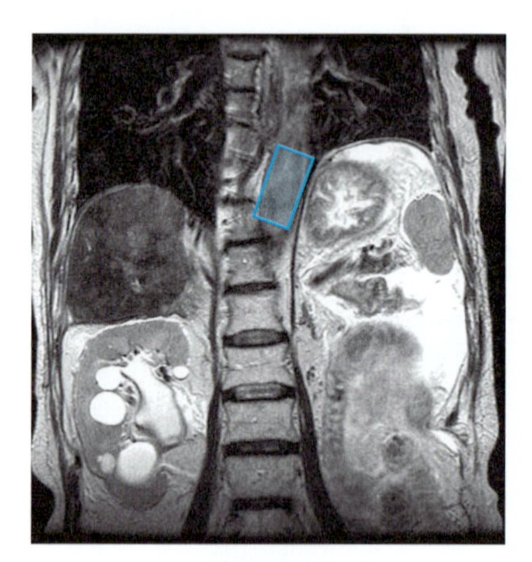

Coronal

【Test injection法】
- あらかじめ少量（1 mL程度）の造影剤を注入してタイミングを計り，残りの造影剤で本撮影を行う。

【Tracking法（図）】
- 大動脈等に空間的ROIを設定して造影剤の到達を検出して撮像をスタートさせる方法。
- Transverse画像やCoronal画像またはSagittal画像にTrackerを設定。
- 造影剤を検出してから息止めを合図する時間を考慮する必要があるため，目的の部位よりも近位側に設定する必要がある。

10章 アーチファクト

アーチファクトとは障害陰影のことである。つまり，「邪魔になるもの」を意味する。しかし，MR画像においては「邪魔になるもの」として存在するだけではない。発生要因をきちんと把握していれば，逆に利用できる場合もある。したがって，アーチファクトの発生要因を知っておくことはMR診断を行う上で非常に重要であり，それを知ることで対策を施すことができる。

1 アーチファクトの分類

MRIの原理に関するもの	患者に関するもの	システムの異常に関するもの
wraparound artifact (aliasing artifact, folding over artifact)	motion artifact	RF zipper artifact
chemical shift artifact chemical shift artifact of the 2nd kind	magic angle artifact	静磁場の不均一によるもの
magnetic susceptibility artifact		傾斜磁場によるもの
truncation artifact		ドットアーチファクト
cross talk artifact		コーデュロイアーチファクト
partial volume effect		

- MR画像のアーチファクトは数種類が存在し，発生する要因によって大きく3つに分類できる。
  - **MRIの原理に関するもの**
    折り返しアーチファクト（wraparound artifact, aliasing artifact, folding over artifact），化学シフトアーチファクト（chemical shift artifact），第2の化学シフトアーチファクト（chemical shift artifact of the 2nd kind），磁化率アーチファクト（magnetic susceptibility artifact），打ち切りアーチファクト（truncation artifact），クロストークアーチファクト（cross talk artifact），部分体積効果（partial volume effect）等
  - **患者に関するもの**
    モーションアーチファクト（motion artifact），魔法角アーチファクト（magic angle artifact）等
  - **システムの異常に関するもの**
    RFジッパーアーチファクト（RF zipper artifact），静磁場の不均一によるアーチファクト，傾斜磁場によるアーチファクト，ドットアーチファクト，コーデュロイアーチファクト等
- 本章では，折り返しアーチファクト，化学シフトアーチファクト，第2の化学シフトアーチファクト，磁化率アーチファクト，打ち切りアーチファクト，クロストークアーチファクト，動きによるアーチファクトについて解説する。

2 折り返しアーチファクト

【現 象】
- FOV外の対象物が，FOV内の反対側に表示される現象
- 周波数エンコード方向にも位相エンコード方向にも生じる
- 周波数エンコード方向<位相エンコード方向

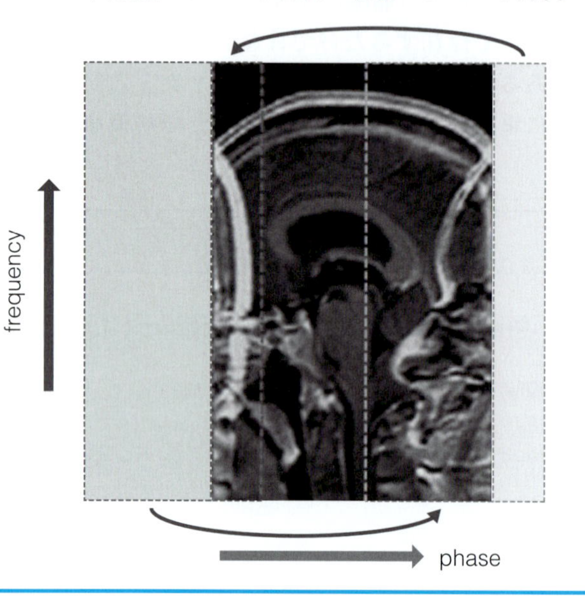

【画 像】
- 頭部 矢状断 T_1WI
  FOVの外側（顔面側）
  ➡ FOVの内側（後頭側）
  FOVの外側（後頭側）
  ➡ FOVの内側（顔面側）

- 通常は，FOVを設定することによってMR画像の表示範囲を決定するが，設定したFOV外の情報が設定したFOVより内側（画像内）に折り返して表示された像を折り返しアーチファクトと呼ぶ。
- これは，設定したFOVの内側だけでなく，FOVの外側にも傾斜磁場が印加されるため，FOV外からもMR信号が発生することに起因している。
- MR信号のサンプリング数が十分でないと，FOVの外側と内側を区別できず，誤ってFOV外の情報がFOV内の情報として認識され，FOV内に位置づけされるために生じる。
- この現象は，周波数エンコード方向および位相エンコード方向の両方向で出現するが，位相エンコード方向に生じる場合が多い（3D撮像では，スライスエンコード方向にも出現する）。

コラム 折り返しアーチファクトの名称例

折り返しアーチファクトの名称例	対策方法の名称例
wraparound artifact	over sampling
aliasing artifact	no phase wrap（NPW）
folding over artifact	fold over suppression

- MR装置メーカーの違いによって，折り返しアーチファクトの名称は異なり，wraparound artifactやaliasing artifactと呼ばれることが多い。
- また，MR装置メーカーにより，折り返しアーチファクトの対策を講じる手法（過剰サンプリング）の名称も異なり，over samplingやno phase wrap（NPW）と呼ばれることが多い。

A 発生要因

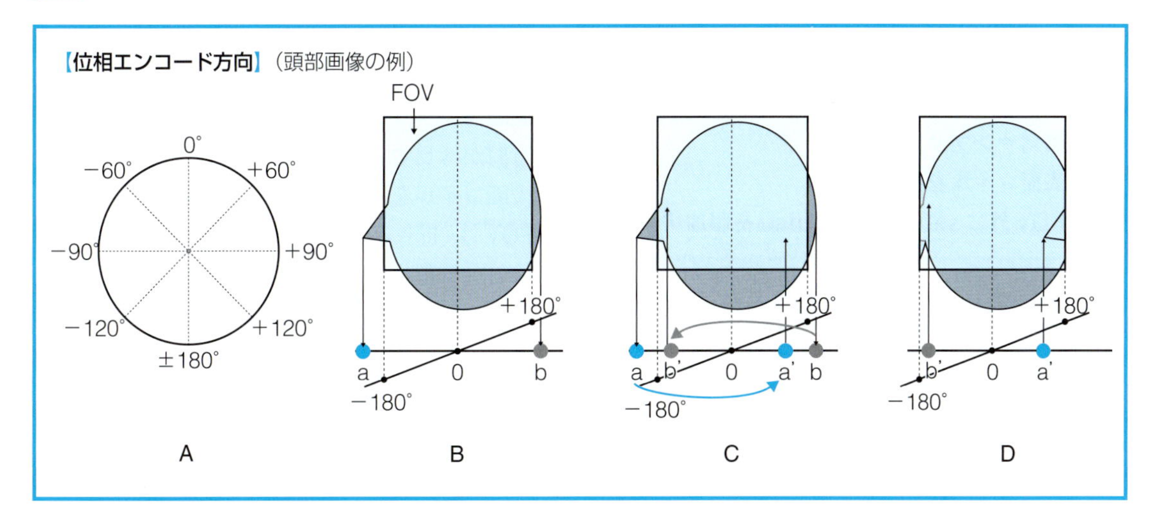

- A：MR信号は，位相エンコード方向のFOVの端（−180°）〜端（+180°）の360°に割り当てられる。
- B：しかし，傾斜磁場はFOVの内側だけではなく，FOVの外側にも印加される。
- C：サンプリング数が十分でないと，FOV外とFOV内の位相が同じ位相として誤って認識され，区別することができない。
  - ▶例）a = −240°→a' = + 120°，b = 200°→b' = −160°
- D：誤って認識された位相がFOV内に折り返して表示される。
  - ▶FOV外の位相を識別する（折り返しアーチファクトを防ぐ）ためには，**位相過剰サンプリング法**（phase oversampling）を利用する。

コラム 位相過剰サンプリング法（phase oversampling）

- FOVを2倍の大きさに設定して被写体全体からデータを収集し，後で不要なデータを捨てることにより，折り返しを防ぐ手法のことであり，phase oversamplingまたはno phase wrap（NPW）などと呼ばれる。
- 大きなFOVの設定により，空間分解能が低下するため，位相エンコードを過剰に行う必要がある。しかし，位相エンコード数（Ny）の増加は撮像時間の延長を招くため，加算回数を半分（1/2）にする。
- SNR ∝ $\sqrt{(\text{Ny})\times(\text{加算回数})}$ であるため，SNRは維持される。

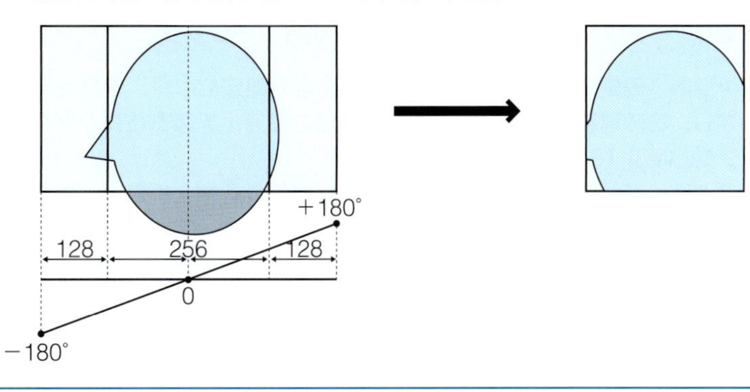

B アーチファクトを防ぐ

【対処法】
- **FOV を大きく設定する**
- **過剰サンプリングを行う**
- **表面コイルを使用する**
- **FOV 外に saturation pulse を印加する**

- FOV を大きく設定すると，空間分解能が低下することに注意を要する。
- 過剰サンプリングを行うと，位相方向では撮像時間が延長することに注意を要する。
- 表面コイルを使用すると，感度領域が狭いため FOV 外（折り返し部分）からの信号を拾わない。
- 目的外の部位に saturation pulse を印加し，余計な部分からの信号を抑制する（7 章 139 頁参照）。

コラム 周波数エンコード方向にも生じる理由

- 元の信号からサンプリングして元の信号に復元するためには，1 周期あたり最低 2 個のサンプリングを必要とする〔サンプリング理論（Nyquist の法則）〕。もし，1 周期あたり 1 個のサンプリング数で元の信号を復元すると，本来の信号（真の周波数）は復元されず，元の信号とは異なった信号（偽の周波数）が復元される。

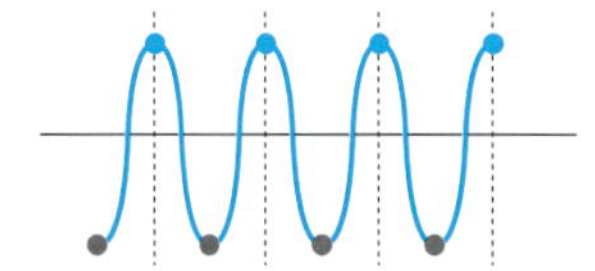

1 周期あたり最低 2 個のサンプリング数

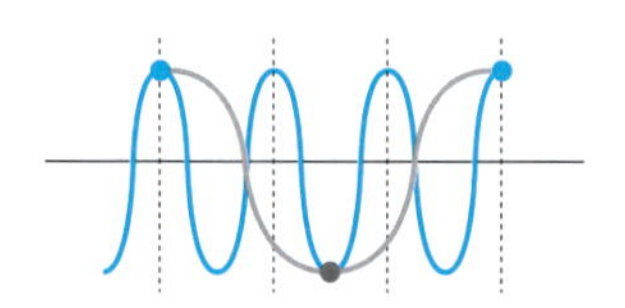

- 周波数エンコード方向の折り返しは，MR 信号を収集するときに（デジタルサンプリング），サンプル数が少なすぎるために生じる。サンプリング理論に従えば，FOV 内側の最大周波数 f_{max} の 2 倍でサンプリングをすると正しく表現されることになる。しかし，実際には FOV 外側にも傾斜磁場が印加されている（周波数エンコードされている）ため，FOV 外側は f_{max} よりさらに高い周波数を有していることになる。これを正しく表現する，すなわち，折り返しを防ぐためには，サンプリング理論（$2f_{max}$ /S）以上に過剰にサンプリングする必要がある。通常の MR 装置では，過剰にサンプリングされるように自動設定されており，周波数方向に折り返しはほとんど生じない。

コラム 折り返しアーチファクトを利用する（パラレルイメージング）

- 本来，アーチファクト（偽像）は不要であるため，様々な対処法により，信号を減少あるいは抑制する必要がある。しかし，この現象を逆手に取って MR 画像の高速化を図る技術が開発され，この手法をパラレルイメージングと呼ぶ（6 章 122 頁参照）。
- 位相エンコード数を減少させることで，撮像時間の短縮を図れるが，折り返し部分が生じるため，各コイルの空間的感度分布を利用して折り返し部分を元に戻す。

3 化学シフトアーチファクト

【現 象】
- 化学シフト（chemical shift）が原因で生じる現象
- 周波数エンコード方向に画像がずれて投影される
- 位相エンコード方向には生じない
- スライスエンコード方向には生じる

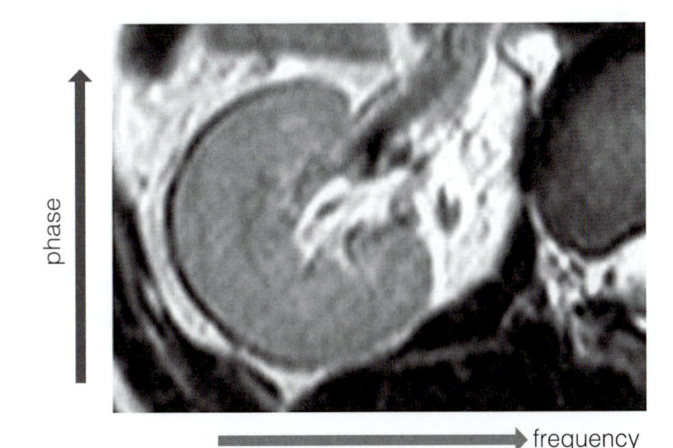

【画 像】
- 腹部（腎）横断 T2WI
腎を縁取るように，腎の向かって左側には低信号領域，右側には高信号領域を確認できる

- 脂肪と水とが隣接している境界で高信号もしくは低信号を呈するアーチファクトのことである。
- 脂肪の共鳴周波数は水の共鳴周波数より3.5 ppm低く，脂肪が低周波数方向へ位置ずれした結果，水と重なれば高信号，そうでなければ低信号になってしまうことに起因している。
- 脂肪と水の境界において，脂肪が低周波数側に位置すると無信号（黒く抜ける）となり，高周波側に位置すると高信号を呈する。
- この現象は，位相エンコード方向に生じず，周波数エンコード方向およびスライスエンコード方向で出現する（ただし，EPI：echo planar imagingでは位相エンコード方向に生じるので注意）。
- 化学シフトアーチファクトには，第2の化学シフトアーチファクトと呼ばれるものも存在する。

A 発生要因

1. 脂肪と水の共鳴周波数

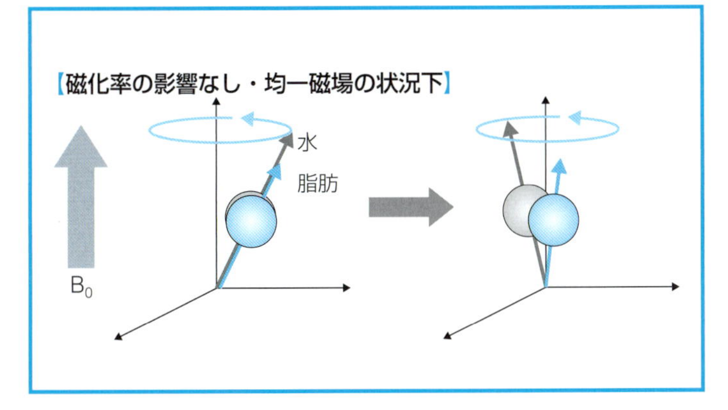

- 磁化率の影響がなく，均一な静磁場中に脂肪と水が存在していると仮定する。
- 上記の状態であれば，脂肪のプロトン（proton）も水のプロトン（proton）も同じラーモア周波数で歳差運動をしているはずである。
- しかし，ある時間が経過すると，両者の共鳴周波数に差が生じる。

2. 共鳴周波数がずれる理由

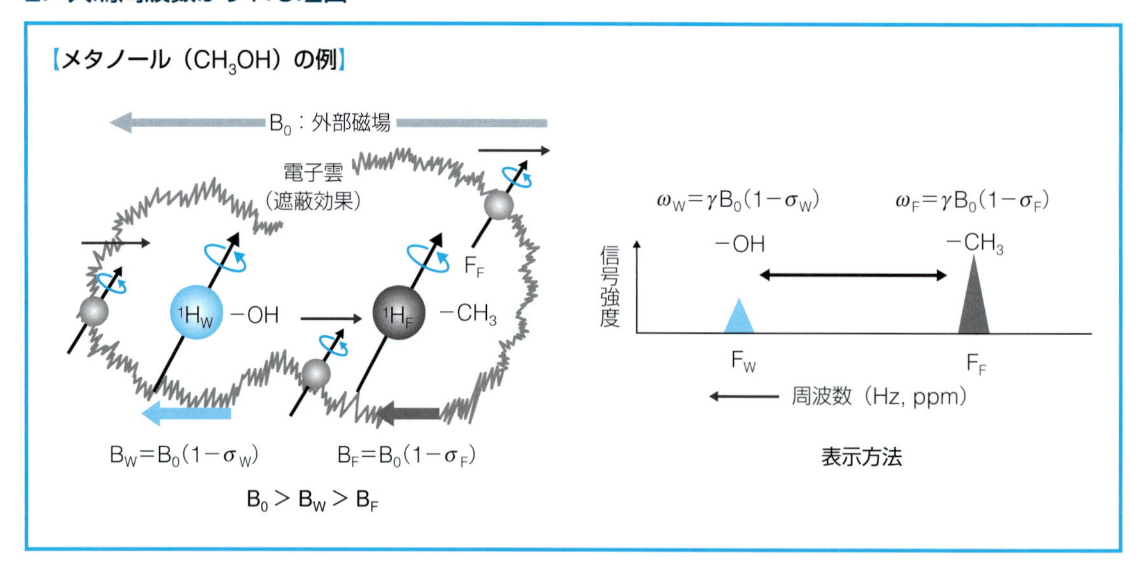

- メタノール（CH_3OH）は，分子内にはメチル基（CH_3）と水酸基（OH），原子核の周りには電子が存在する。
- これらの電子は軌道運動しているが，電子の軌道運動は常に外部磁場と反対向きの磁場を形成するため，原子核が実際に感じる磁場（内部磁場）は外部磁場より低くなる（遮蔽効果）。
- 遮蔽効果は，原子核を取り囲む外側の電子の数が多い（電子雲が厚い）ほど大きくなる。
- メタノール（CH_3OH）の場合，水酸基（OH）よりメチル基（CH_3）を取り囲む電子の数が多い（電子雲が厚い）ため，内部磁場は水酸基（OH）の方が大きくなり，共鳴周波数も水酸基（OH）の方が大きくなる。
- 以上より，物質は分子内の電子雲の環境の違いにより，固有の共鳴周波数をもつことになる。
- したがって，磁化率の影響はなく，均一な静磁場中に脂肪と水が存在していると仮定しても，ある時間が経過すると，両者の共鳴周波数に差が生じる。
- MR Spectroscopy（MRS）では，「共鳴周波数の高い方を左側に記載する」という慣習があるため，上図（右）のようなスペクトル表記となる。縦軸は信号強度（共鳴に寄与するプロトンの量）である。よって，MRSではある化学物質のピークが基準共鳴周波数からどれだけずれて，どれくらいの大きさであるかを求めることで，物質の種類と量を推定できる。

3. 磁場強度による違い

● 脂肪と水の共鳴周波数の差

0.5 T	3.5 ppm	75 Hz
1.0 T		149 Hz
1.5 T		220 Hz
3.0 T		447 Hz

● 磁場強度に依存しない定数にする

$$\delta = \frac{(\text{Frequency probe}) - (\text{Frequency standard})}{(\text{Operating frequency of the topography})}\ [\text{ppm}]$$

【例）1.5 T の場合】

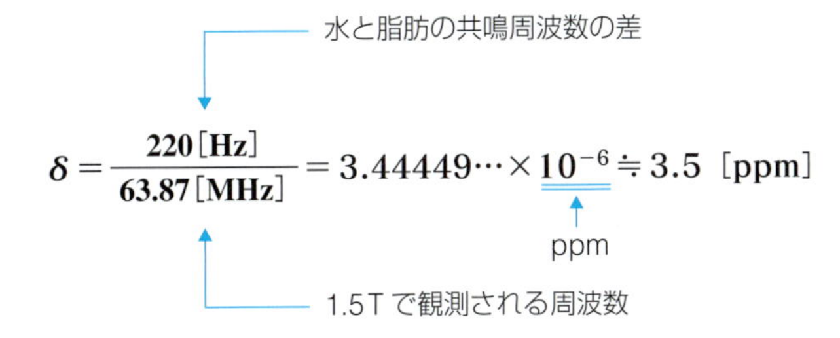

- 脂肪と水の共鳴周波数の差は，3.5 ppm である。
- ppm で表現した場合，磁場強度が変化しても，3.5 ppm で一定となる。しかし，Hz で表現した場合，磁場強度に応じて周波数は変化する。

4. 共鳴周波数が 220 Hz ずれているとは？

- **脂肪と脂肪と水の共鳴周波数の差＝3.5［ppm］**
- **1.5 T における共鳴周波数の差**
  ＝3.5［ppm］×42.58［MHz/T］×1.5［T］
  ＝221［Hz］

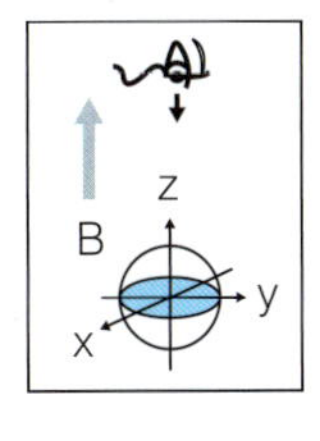

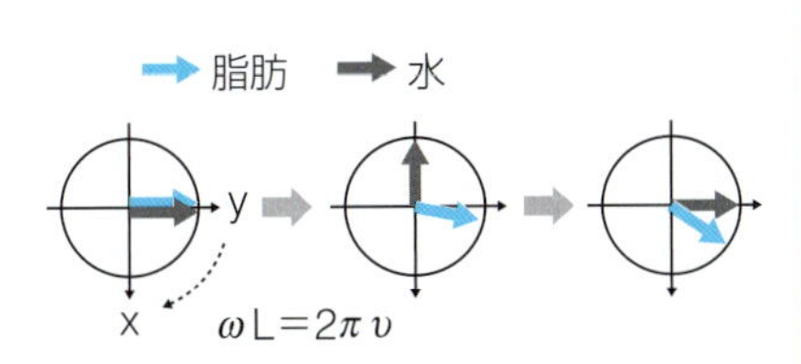

- 脂肪と水の共鳴周波数は3.5［ppm］ずれており，これを周波数に換算すると，1.5［T］の場合には，約220［Hz］ずれていることになる。
- 220［Hz］ずれるということは，脂肪が1秒間に1回転すると仮定した場合，水が1秒間に221回転することを意味している。

コラム　ppm とは？

- 「ppm」とは，“parts per million”の略で，1［ppm］＝1/1,000,000（100万分の1）を表している。
- ［ppm］と表記されていると単位と勘違いしやすいが，パーセント（%）と同様に比率を表す。
  ▶例）1［%］を［ppm］で表すと…
  1［%］＝1/100であるから，(1/100)×10^6［ppm］＝10^4［ppm］＝10,000［ppm］となる。

B 化学シフトの発生

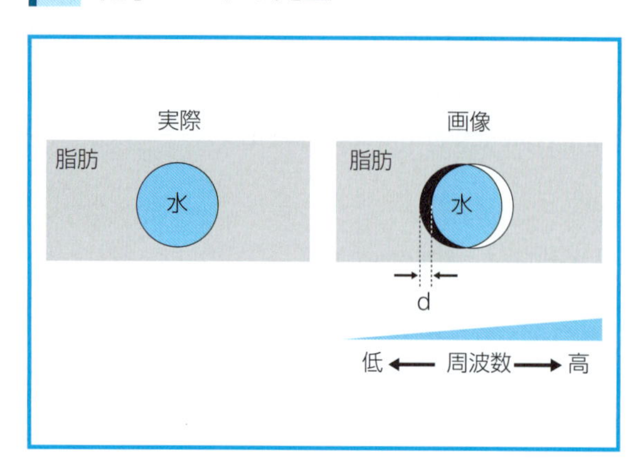

- 位置情報（pixel）は水の周波数に合わせて設定され，周波数方向に割り当てられる。
- 脂肪は周波数の高い方から低い方へとシフトする。
- 脂肪の共鳴周波数は水と220［Hz］ずれているため，本来の位置よりも220［Hz］低い位置に認識される。

1. B_0の影響

- **問題**
  BW＝±8(16)［kHz］, Nx＝256［pixel］, B_0＝1.5［T］と3.0［T］の条件下において，化学シフトが何［pixel］ずれるかを求めなさい。
- **解答**
  1.5［T］＝3.5［pixel］
  3.0［T］＝7.0［pixel］
- **つまり，B_0(大)のとき→化学シフト(大)**

- 1［pixel］あたりのBW
  - 16［kHz］/256［pixel］＝62.5［Hz/pixel］
- 水と脂肪の周波数の差（化学シフト）
  - 1.5［T］：
    3.5［ppm］×42.6［MHz/T］×1.5［T］≒220［Hz］
  - 3.0［T］：
    3.5［ppm］×42.6［MHz/T］×3.0［T］≒440［Hz］
- pixelの差
  - 1.5［T］：
    220［Hz］/62.5［Hz/pixel］≒3.5［pixel］
  - 3.0［T］：
    440［Hz］/62.5［Hz/pixel］≒7.0［pixel］

2. BWの影響

- **問題**
  B_0＝1.5［T］, Nx＝256［pixel］, BW＝±8(16)［kHz］と±16(32)［kHz］の条件下において，化学シフトが何［pixel］ずれるかを求めなさい。
- **解答**
  ±8(16)［kHz］＝3.5［pixel］
  ±16(32)［kHz］＝1.8［pixel］
- **つまり，BW(小)のとき→化学シフト(大)**

- 1［pixel］あたりのBW：bandwidth(受信バンド幅)
  - ±8(16)［kHz］：
    16［kHz］/256［pixel］＝62.5［Hz/pixel］
  - ±16(32)［kHz］：
    32［kHz］/256［pixel］＝125［Hz/pixel］
- 水と脂肪の周波数の差（化学シフト）
  - 3.5［ppm］×42.6［Hz/T］×1.5［T］≒220［Hz］
- pixelの差
  - 16［kHz］：
    220［Hz］/62.5［Hz/pixel］≒3.5［pixel］
  - 32［kHz］：
    220［Hz］/125［Hz/pixel］≒1.8［pixel］

3. Nxの影響

● 問題

B_0 = 1.5 [T], BW = ± 8 (16) [kHz], Nx = 128 [pixel] と256 [pixel] の条件下において，化学シフトが何 [pixel] ずれるかを求めなさい。

● 解答

128 [pixel] = 1.8 [pixel]

256 [pixel] = 3.5 [pixel]

● つまり，Nx(大)のとき→化学シフト(大)

● 1 pixelあたりのBW

▶ 128 [pixel]：

16 [kHz]/128 [pixel] = 125 [Hz/pixel]

▶ 256 [pixel]：

16 [kHz]/256 [pixel] = 62.5 [Hz/pixel]

● 水と脂肪の周波数の差（化学シフト）

▶ 3.5 [ppm] × 42.6 [Hz/T] × 1.5 [T] ≒ 220 [Hz]

● pixelの差

▶ 128 [pixel]：

220 [Hz]/125 [Hz/pixel] ≒ 1.8 [pixel]

▶ 256 [pixel]：

220 [Hz]/62.5 [Hz/pixel] ≒ 3.5 [pixel]

4. 化学シフトの幅

【幅がpixel数の場合】

幅 (pixel) =

$$\frac{3.5[\mathrm{ppm}] \times 42.58[\mathrm{MHz/T}] \times \mathrm{Nx}[\mathrm{pixel}]}{\mathrm{BW}\ [\mathrm{Hz}]}$$

【幅がcmの場合】

幅 (cm) =

$$\frac{3.5[\mathrm{ppm}] \times 42.58[\mathrm{MHz/T}] \times B_0[\mathrm{T}] \times \mathrm{FOV}[\mathrm{cm}]}{\mathrm{BW}\ [\mathrm{Hz}]}$$

ポイント！

化学シフトの差 (Hz) を求め，その値を1 pixelあるいは1 cmあたりのバンド幅BW (BW/Nx, BW/FOV) で割ることにより，化学シフトの幅 (pixel, cm) を把握することができる。

● 化学シフトの幅は，静磁場強度 (B_0)・受信バンド幅 (BW)・周波数エンコードマトリックス数 (Nx)・撮像視野 (FOV) から算出できる。

● 化学シフトの幅は，B_0・Nx・FOVに比例し，BWに反比例〔B_0に比例し，1 pixel (1 cm) あたりのBWに反比例〕する。

● 化学シフトアーチファクトを増大する要因として，脂肪信号の増加も挙げられ，脂肪が高信号となるT_1WI等では，化学シフトアーチファクトが目立つ。

C アーチファクトを防ぐ

【対処法】
- 磁場強度（B_0）……低
- 受信バンド幅（BW）……大
- 周波数エンコードマトリックス数（Nx）……減少
- 撮像視野（FOV）……増加
- 脂肪信号……抑制

- 低磁場MR装置を用いると，他の影響も考慮する必要があり，現実的ではない。
- 1 pixelあたりのBWに反比例するように，BW・Nx・FOVを設定するが，SNRや空間分解能の低下を考慮する必要がある。
- STIRやCHESSを利用した脂肪抑制が効果的であるが，スライス枚数に限度が生じる。
- 位相と周波数の方向を変換すると，化学シフトアーチファクトの生じる方向が変換され，アーチファクトの確認を行うことが可能である。

コラム EPIで位相エンコード方向に化学シフトが生じる理由

EPI以外
- 水と脂肪との間に存在する位相差は，位相エンコードステップ毎に同じであり，化学シフトは相殺されている。
- さらに，位相エンコード毎に傾斜磁場を逆に印可して位相を元に戻すため，位相差は蓄積しない。
- 以上より，EPI以外のパルスシーケンスでは，位相エンコード方向に化学シフトが生じない。

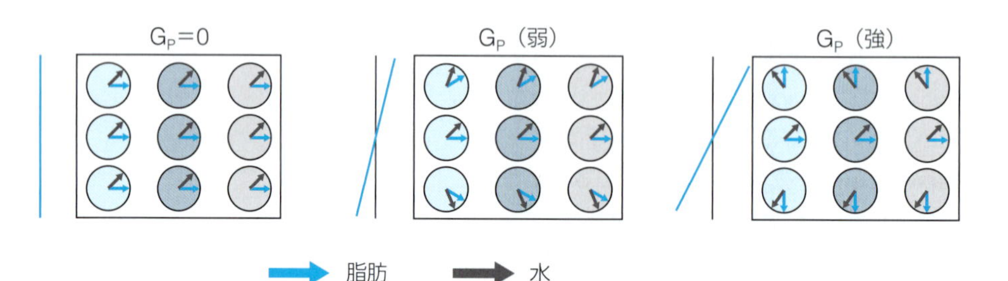

EPI
- もともと，EPIにおける位相エンコード傾斜磁場は比較的小さいため，位相エンコードステップによる水と脂肪の位相差は大きくはない。しかし，パルスシーケンスの性質上，位相差は完全には相殺されず，小さな位相差が生じる。
- この小さな位相差が，各位相エンコードステップ毎に蓄積され，やがては大きな位相差となり，位相エンコード方向に化学シフトが出現する。そのため，EPIでは脂肪抑制が併用される。
- また，周波数エンコード傾斜磁場も小さく，周波数エンコードステップによる周波数差も比較的小さい。さらに，EPIにおいてはBW（受信バンド幅）を大きく（広く）設定しているため，水と脂肪の周波数差が1ボクセル内に収まることが多い。
- そのため，周波数エンコード方向に化学シフトはほぼ生じない。

4 第2の化学シフトアーチファクト

A 発生要因

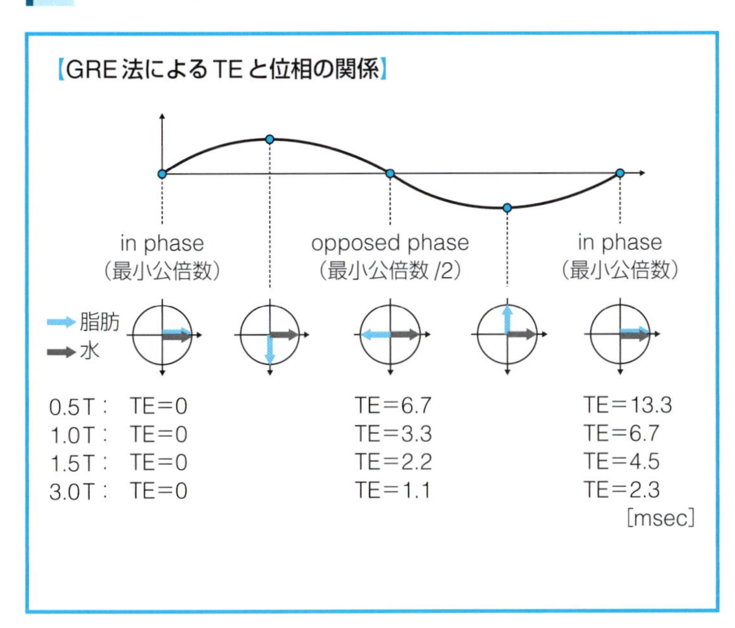

- 脂肪と水の共鳴周波数が異なるため，位相が揃うタイミング（in phase）と位相が180°ずれるタイミング（opposed phase）が交互に現れる。
- 位相が揃うタイミングは，『1/周波数の差』で求められ，3.0［T］の場合（440［Hz］）では，1/440＝約2.3［msec］となる。
- 位相がずれるタイミングは，『位相が揃うタイミング/2』で求められ，3.0［T］の場合（440［Hz］）では，2.3/2 = 1.15［msec］となる。
- また，磁場強度の違いによって位相が揃う（ずれる）タイミングは異なる。

1. 画　像

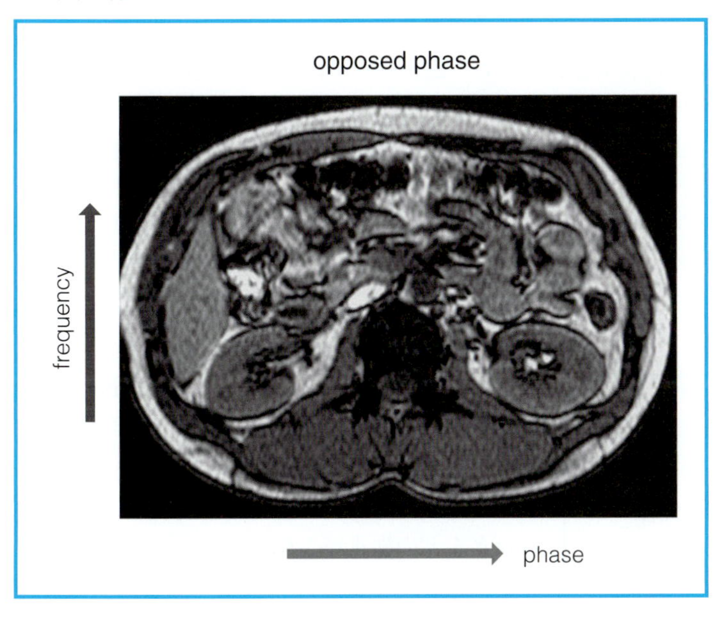

- 脂肪と水が同じpixel内に存在すると，位相がずれるタイミングではそのpixel内の信号は低下する（Dixon（ディクソン）効果）。
- 腎や腸管の周囲が黒く縁取りされたような画像を呈する。
- このアーチファクトは，エンコードの方向に無関係に生じる。
- GRE法のみで発生し，SE法では再収束パルスによって同位相になるため，発生しない。

5 磁化率アーチファクト

【現 象】
- 物質の磁化率の差が原因で生じる現象
- 画像の歪みや信号の消失として現れる
- GRE 法で出現し，EPI 法では最も顕著に出現する
- SE 法では再収束パルスを利用するため，GRE 法に比べて出現しにくい

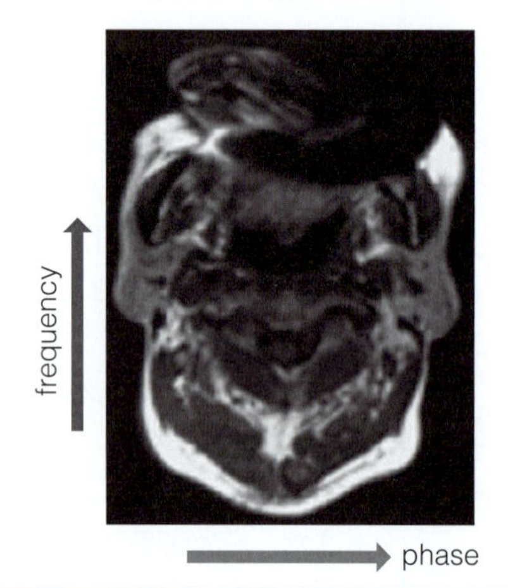

【画 像】
- 頸部 横断 T_1WI
  下顎部（頸部前方）に義歯（金属）が存在し，画像の歪みや無信号領域を確認できる

- 物質に磁化率の差が存在すると，周囲の局所磁場が変動し，pixel 内の ^{1}H 原子核の位相がずれること（磁化率効果）により，画像の歪みや信号の消失といったアーチファクトが出現する。
- 組織と空気の境界や金属物質の周囲で生じる。
- 磁化率効果は，GRE 法で出現しやすく，EPI 法で最も顕著に出現する。
- SE 法では再収束パルスにより位相が再収束されるため，磁化率効果は弱く，多数の再収束パルスを利用する高速 SE 法ではさらに出現しにくい。
- 磁化率効果をプラス要因として利用することも可能であり，出血の検出（T_2* WI）や脳機能評価（BOLD 効果）等に応用されている。

A 発生要因

1. 磁性体

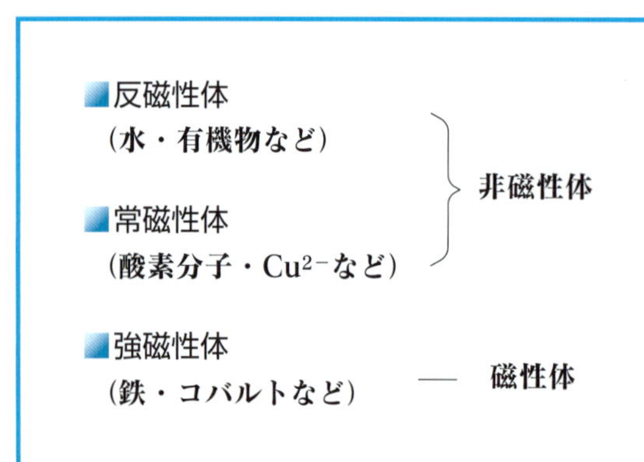

- 磁性体とは，磁場内で磁化される物質の総称であり，すべての物質が磁性体である。
- 空気・水・紙等も磁性体である。
- 磁性体は，反磁性・常磁性・強磁性に大別され，ほとんどの物質がこれらのいずれかに属する。
- 種類によって磁化率に差があり，強磁性体は磁石に引き寄せられるが，反磁性体や常磁性体は引き寄せられない。
- 一般に，強磁性体を磁性体，反磁性体や常磁性体を非磁性体と呼ぶ。

2. 磁化率

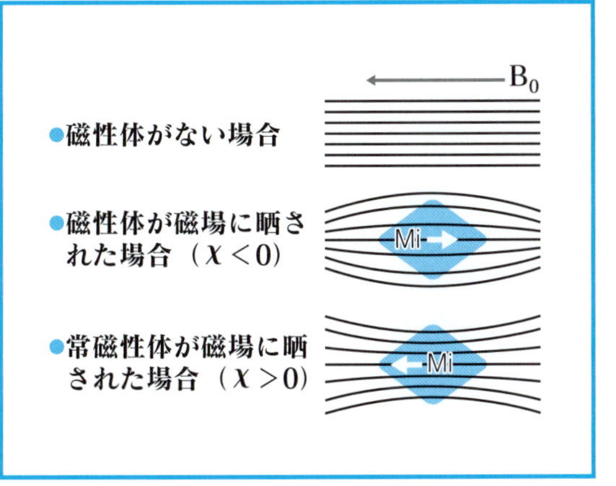

- **磁化率**とは，物質の磁化のしやすさの程度を表し，磁場（H）と磁化（M）の比例定数（χ）である。

M（磁化）＝ χ（磁化率）×H（磁場）

- 反磁性は反対方向に磁化されるために $\chi<0$ となり，常磁性や強磁性は同方向に磁化されるために $\chi>0$ となる。
- χ の値が大きい物質は磁化されやすく，周囲に与える影響も大きくなる。
- 真空の磁化率は0と定義される。

3. 磁化率効果に影響する因子

- 磁化率
- 静磁場強度
- 撮像パルスシーケンス
- 磁性体と静磁場の方向
- 撮像断面と静磁場の方向

- 「$M=\chi H$」より，物質の磁化率および静磁場強度が大きいほど，磁束密度が大きく変化して共鳴周波数が大きくずれる（位相分散）ため，磁化率効果は大きくなる。
- SE法では再収束パルスによって位相を再収束するために磁化率効果は小さく，GRE法では大きくなり，さらにはEPI法で最も大きくなる。
- 磁性体は静磁場と同じ方向もしくは反対方向に磁化され，撮像断面によって周波数および位相エンコードする方向が変わるため，これらは静磁場の方向に依存する。

4. 反磁性

- 磁場と反対方向に磁化される性質
- 磁化率：10^{-6} オーダー
- 反磁性体が磁場内に存在することによる
- 影響は無視できるほど小さい
- 代表的な物質
  - ▶水・紙・布などの有機物質や水晶
  - ▶金属状態の金・銀・銅・水銀・鉛　など

- **反磁性**とは，原子内に不対電子をもたず，磁場と反対方向に磁化される性質（$\chi<0$）のことである。
- 磁化率が 10^{-6} と非常に小さいために磁化されにくく，磁石に引き寄せられることがないことから，反磁性体が磁場内に存在することによる影響は無視できるほど小さい。
- 代表的な物質として，水・紙・布などの有機物質や水晶，金属状態の金・銀・銅・水銀・鉛などが挙げられる。

5. 常磁性

- **不対電子をもつことにより生じる磁場と同じ方向に磁化される性質**
- **磁化率：10^{-6}〜10^{-2} オーダー（超常磁性＞常磁性＞弱常磁性）**
- **代表的な物質**
  - **金属状態の Li・Na・Al など（弱常磁性）**
  - **金属イオンの Fe^{2+}・Cu^{2+}・Mn^{2+}・Gd^{3+} など（常磁性もしくは超常磁性）**
- **MR 造影剤に利用**
  - **Gd-DTPA**
  - **Gd-DOTA**
  - **Gd-DTPA-BMA**
  - **Gd-HP-DO3A**
  - **Gd-EOB-DTPA など**

- 常磁性とは原子内に不対電子をもつことによって磁場と同じ方向に磁化される性質（$\chi > 0$）のことである。
- 磁化率は 10^{-6}〜10^{-2}（ほとんどは 10^{-5}〜10^{-4}）であり，その大きさによって超常磁性＞常磁性＞弱常磁性に分類される。
- 代表的な物質として，金属状態の Li・Na・Al など（弱常磁性），不対電子をもつ金属イオンの Fe^{2+}・Cu^{2+}・Mn^{2+}・Gd^{3+} など（常磁性もしくは超常磁性）が挙げられる。
- 一般に，孤立電子が多いほど，緩和時間の短縮効果が強くなる。特に 7 個の孤立電子を有する Gd は超常磁性を示し，MR 造影剤として利用されている。

6. 強磁性

- **不対電子をもつことにより生じる磁場と同じ方向に強く磁化される性質**
- **磁化率：非常に大きい**
- **強磁性体が磁場内に存在することによる影響は非常に大きい**
- **代表的な物質**
  - **金属状態の Fe・Ni・Co など**
  - **磁性フェライト，強磁性合金など**

- 強磁性とは原子内に不対電子をもつことによって磁場と同じ方向に強く磁化される性質（$\chi > 0$）のことである。
- 磁化率は反磁性や常磁性に比べて非常に大きく，磁場内に存在することによる影響が非常に大きい。
- 代表的な物質として，金属状態の Fe・Ni・Co など，磁性フェライト，強磁性合金などが挙げられる。

コラム 強磁性体の特徴的な性質

	反磁性	常磁性	強磁性
磁化率（大）	○	○	○
磁化飽和	○	○	○
残留磁化			○
自発磁化			○
磁化ヒステリシス			○

- 強磁性は磁化率が大きいことに加え，反磁性や常磁性とは異なる特徴を有する。
- 強磁性体を磁場にさらすと，磁化が強くなるが，ある磁場強度で磁化が飽和する（磁化飽和）。
- 物質を磁場にさらし，その後に磁場から除くと，反磁性体や常磁性体の磁化は消失するが，強磁性体の磁化は残存し（残留磁化），磁場にさらされていなくても常に磁化された状態となる（自発磁化）。
- 強磁性体は，磁場にさらされた履歴に依存する（磁化ヒステリシス）。

B 画像

A

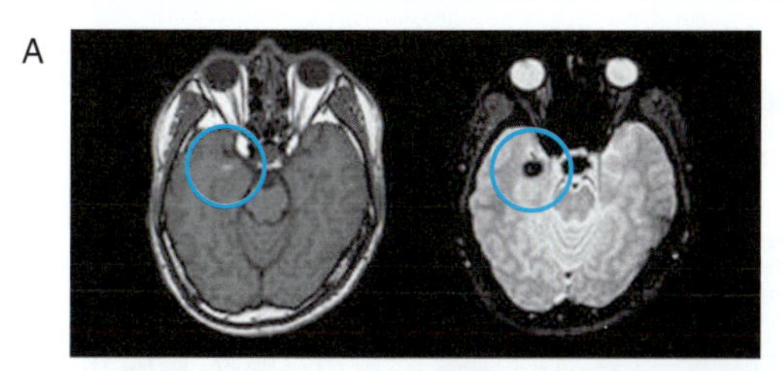

①SE法　②GRE法

B

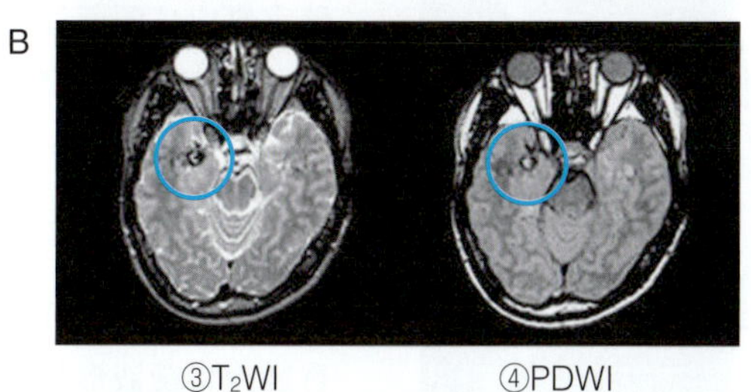

③T_2WI　④PDWI

C

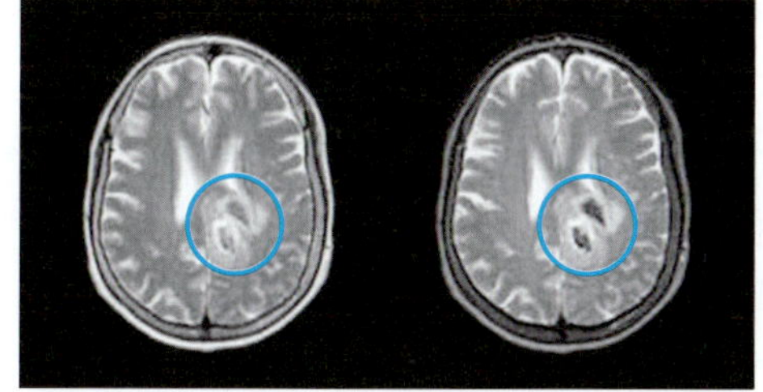

⑤高速SE法　⑥SE法

D

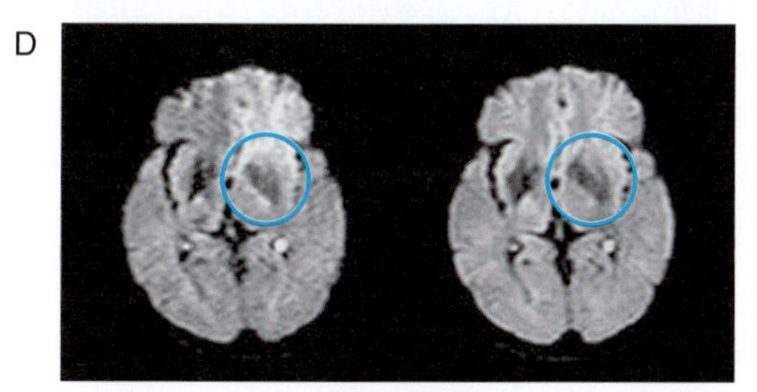

⑦Single shot - EPI　⑧Multi shot - EPI

E

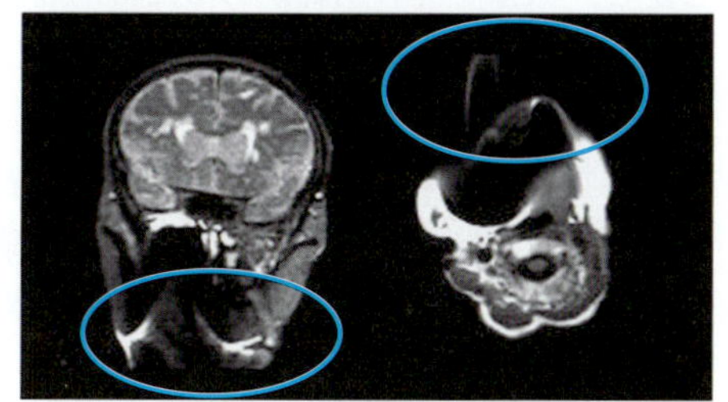

⑨頭部冠状断 T_2WI　⑩頸部横断 T_1WI

- A：パルスシーケンスによる違い
  SE法（①）では，再収束パルスにより位相が再収束するため，GRE法（②）よりも小さくなる。

- B：TEによる違い
  T_2WI（③）はPDWI（④）よりTEが長く，TEの間にスピンの位相が分散するため，影響が大きくなる。

- C：再収束パルスによる違い
  高速SE法（⑤）では，再収束パルスを多用するため，SE法（⑥）よりも小さくなる。

- D：EPIパルスシーケンスによる違い
  撮像パルスシーケンスの中では，EPI法で最も影響が大きくなり，Multi shot-EPI（⑧）よりもSingle shot-EPI（⑦）の方が顕著となる。

- **磁化率アーチファクトの影響の受けやすさ：**

  高速SE法 < SE法 < GRE法 < EPI法
  (Multi shot-EPI < Single shot-EPI)

- E：体内金属による磁化率アーチファクト
  強磁性体の金属物質でできた義歯などが存在すると，磁化率アーチファクトに与える影響は非常に大きい。

6　打ち切りアーチファクト

【現 象】
- MR信号のデータ収集をある範囲内で打ち切ることが原因で生じる現象
- コントラストの強い境界に平行な明暗の縞状陰影として現れる
- 周波数エンコード方向に比べて位相エンコード方向に出現しやすい

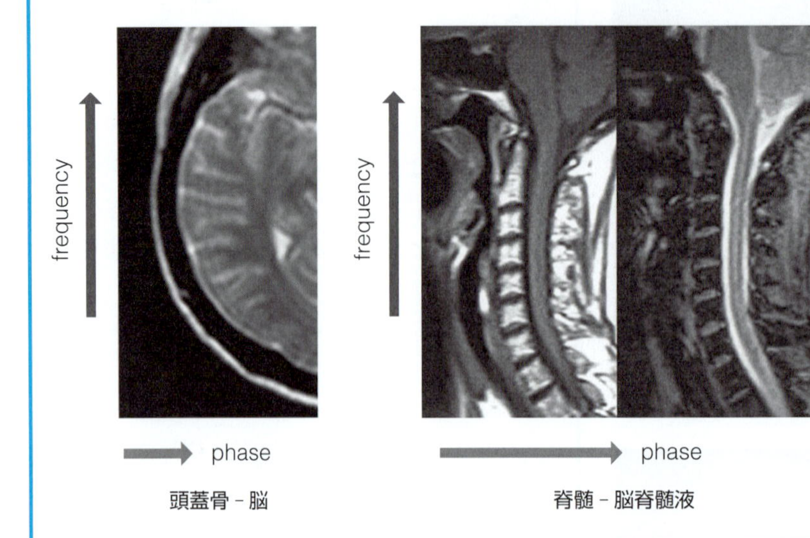

【画 像】
- (左)頭部 横断 T_2WI
  脳実質内に頭蓋骨形状に沿った縞状陰影を認める
- (右)頸髄 矢状断
  T_1WI
  T_2WI(＋FatSAT)
  脊髄内に髄液形状に沿った縞状陰影を認める

- MR画像は，多くの周波数成分をフーリエ変換することにより画像を再構成する。その際，すべての周波数成分のデータを収集すれば，原型と同じ形態を再現することが可能となる。しかし，撮像時間に制約があるため，すべての周波数成分のデータを収集することはできず，高周波成分データのサンプリング不足が原因で打ち切りアーチファクトが生じる。
- コントラストの強い(高信号と低信号の境界)部分に境界の形状に沿った縞状の陰影として出現する。
- 周波数エンコード方向ではデジタルサンプリング数（Nx），位相エンコード方向では位相エンコードステップ数（Ny）で決定するが，撮像時間の制約によっていずれの方向においてもデータ収集が打ち切られ，特にNyの影響が大きくなる。

A　発生要因

【周波数成分のフーリエ変換】

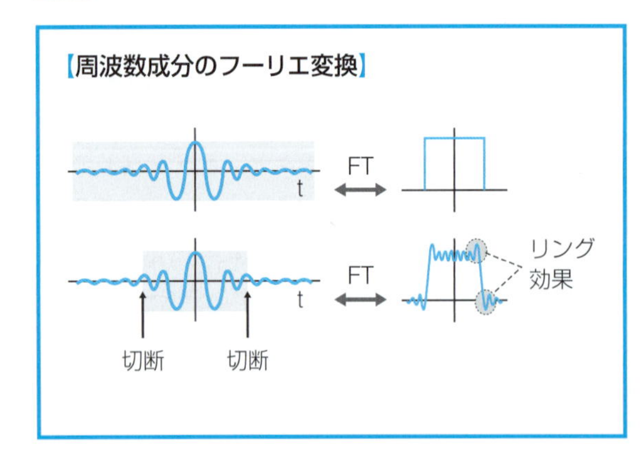

- すべて（無限）の周波数成分を利用して再構成すると，フーリエ変換により矩形波が得られる。
- しかし，撮像時間の制約があるため，周波数成分のデータ収集を途中で打ち切らなければならない。
- データ収集を途中で打ち切る場合，高周波成分がカットされ，フーリエ変換において正確な矩形波とはならず（リング効果），近似に誤差が生じる。
- これがアーチファクトの原因となる。

B アーチファクトを防ぐ

【対処法】
- **エンコード数の増加**
- **空間分解能を向上させる設定**
- **高空間周波数領域にフィルタをかける**

- **エンコード数（データサンプリング数）を増加**させることにより，アーチファクトを抑制できる。しかし，位相エンコード数（Ny）の増加は撮像時間の延長を伴うため十分に考慮する必要がある。
- また，**空間分解能を向上させる設定**にする（マトリックス数もしくはpixel数の増加・FOVの縮小）ことにより，アーチファクトを抑制できる。しかし，SNRの低下を伴うため十分に考慮する必要がある。
- また，このアーチファクトを低減する手法として，**高空間周波数領域にフィルタをかける**ことも有用である。

補足：位相方向エンコードステップ数（Ny）を増加させると…

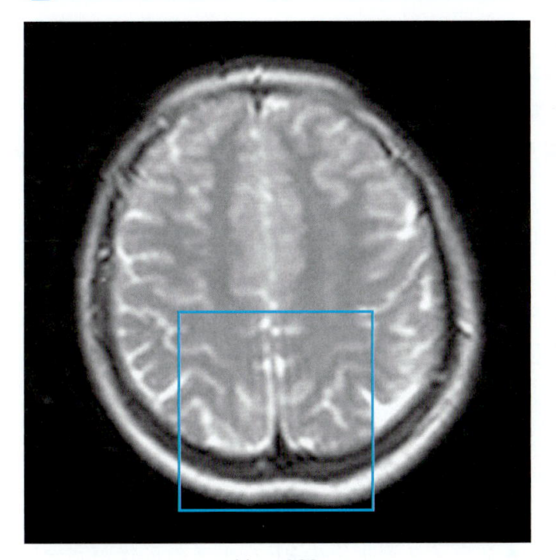

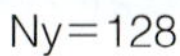

Ny＝128

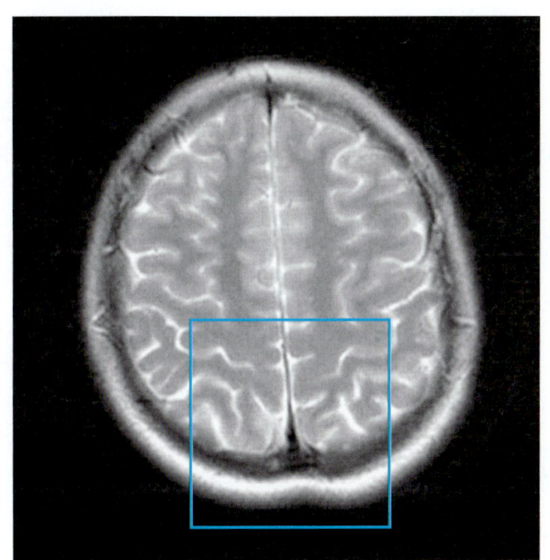

Ny＝256

【頭部 横断 T_2WI】
- Ny＝128では，コントラストの強い境界部分（頭蓋骨-脳）の形状に沿った縞状の陰影を認める。
- Ny＝256にすることで，サンプリング数が増加し，アーチファクトが低減されている。

7 クロストークアーチファクト

【現 象】

- **RF パルスが完全な矩形波ではなく，隣接するスライス面の一部も励起してしまうことが原因で生じる現象**
- **SNR が低下し，T_1 コントラストが強調された画像となる**
- **撮像断面がクロス（交差）する部位では低信号（無信号）領域となる**

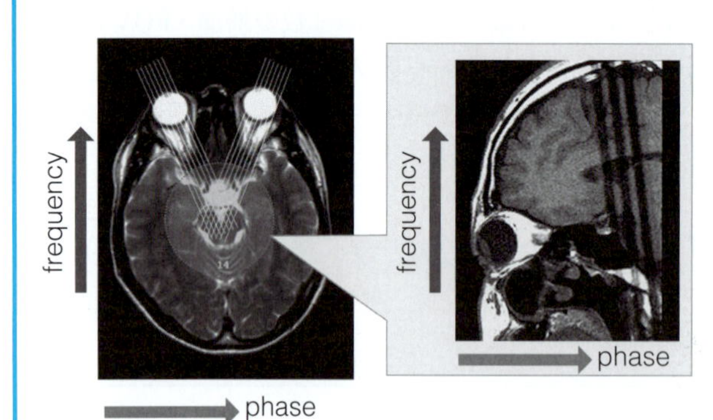

【画 像】

- **頭部 横断 T_2WI/矢状断 T_1WI**
  左右の視神経に対する撮像断面の設定において，橋付近で撮像断面がクロス（交差）し，この領域からの信号は低信号となり，縞状のアーチファクトが確認できる

- スライス選択に利用する RF パルスの形状が完全な矩形であれば，スライスが隣接していたとしても，crosstalk（クロストーク）は生じない。しかし，実際には**サイドローブを有する形状であるため，隣接するスライス面の一部を励起**してしまう。そのため，スライス間で干渉が生じる。
- 撮像対象となるスライス面においては，隣接するスライスからの信号は雑音として入力されるため，SNR が低下する。
- さらには，隣接する RF パルスによってプロトンが飽和するため，実効 TR が短くなり，SNR の低下とともに T_1 コントラストが強調された画像となる。
- また，撮像断面がクロス（交差）する領域では，スライス内のスピンが飽和（saturation）されるために低信号領域となり，結果として縞状の陰影として出現する。

A 発生要因

1. スライス間の干渉

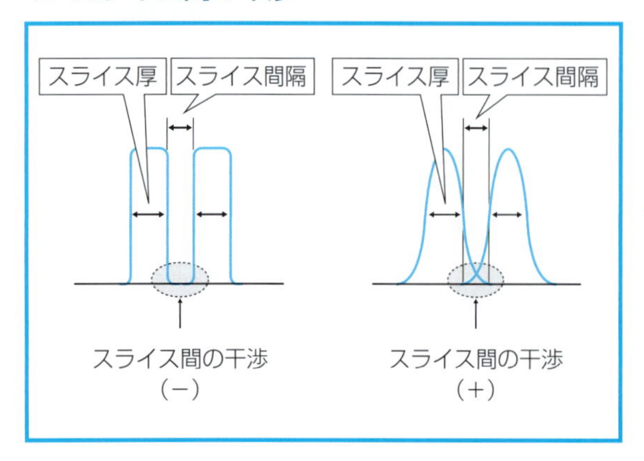

- スライス選択用の RF パルスの形状が完全に矩形であれば，スライス間に干渉は生じないが，実際には完全な矩形ではないため，スライス間に干渉が生じる。
- また，スライス間隔（slice gap）が小さいと，スライス間の干渉は大きくなる。

2. SNRの低下

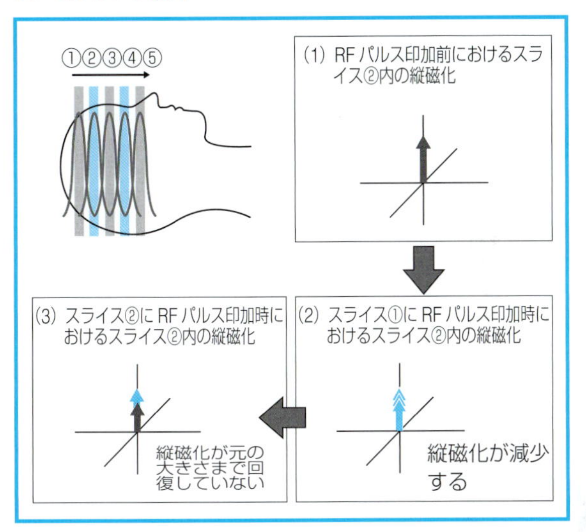

- RFパルスの形状が矩形ではなく，さらにはスライス間隔が小さい場合において，①～⑤の順にスライス選択を行う状況を仮定する。
- スライス①の励起時に，隣接するスライス②内にもRFパルスが印加されるため，スライス②内のスピンの縦磁化は減少する。
- スライス②の励起時には，スライス②内のスピンの縦磁化は完全には回復しておらず，信号取得時の信号は弱くなる。
- つまり，次のスライス内の信号取得時におけるスピンの信号が弱いために，SNRは低下する。

3. Interleave法

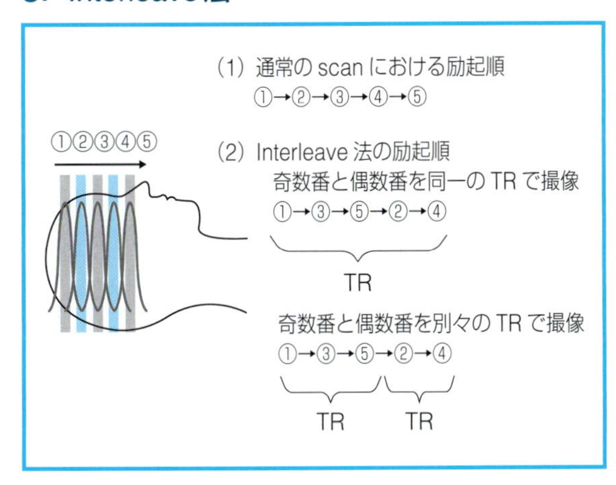

- 隣接するスライスを励起することによるSNRの低下を防ぐ方法として，interleave（インターリーブ）法がある。
- 通常は①～⑤の順で励起するが，この場合にはRFパルスが隣接するため，crosstalkが生じる。
- 励起する順番を①→③→⑤→②→④とすれば，crosstalkを軽減できるが，完全には除去できない。そのため，interleave法を1TR目で奇数番のスライスを励起し，2TR目で偶数番のスライスを励起することにより，crosstalkを完全に除去できる。
- しかし，撮像時間が2倍必要となる。

B アーチファクトを防ぐ

【対処法】

- **スライス間隔（slice gap）を大きくする**
  ➡ **病変を見逃す可能性が生じる**
- **Interleave法により100%のgapを得る**
  ➡ **撮像時間が2倍必要**
- **RFパルスを矩形波に近づける**

- **スライス間隔を大きく**すると，crosstalkを軽減できるが，スライスとスライスの間にある情報を取得できないため，病変を見逃す可能性がある。
- **Interleave法により100%のgapを得る**ことでcrosstalkを軽減できるが，撮像時間が2倍必要となる。
- **最近の装置では，RFパルスは矩形に近づいている**ため，スライス間隔をスライス厚の10～20%程度にしてもcrosstalkは生じないが，撮像範囲が狭まるため，その分だけスライス枚数が増加する。

8 モーションアーチファクト

【現 象】

- **撮像中の体動や血流などの動きが原因で生じる現象**
- **画像上にボケやゴーストを生じる**
- **周波数エンコード方向に比べて位相エンコード方向に出現しやすい**

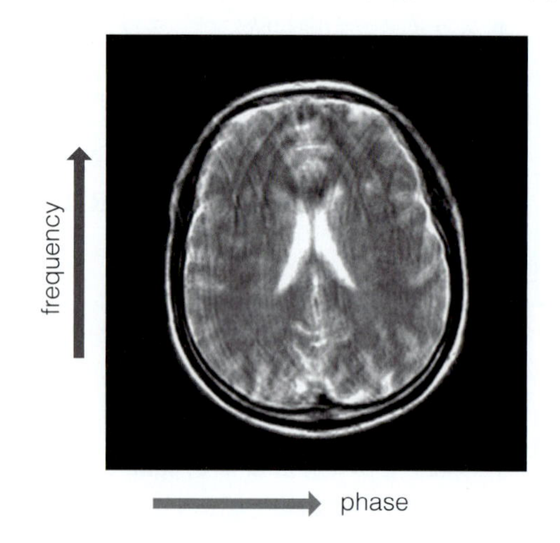

【画 像】

- **頭部 横断 T_2WI**
  位相エンコード方向に，撮像中に被検者の頭部が動いたことによる著しいモーションアーチファクトを確認できる

- 撮像中におけるⒶ（**呼吸による体動**（胸壁・腹壁），**腸管の蠕動運動**，**心拍動**による心臓の動き，**血液や脳脊髄液の流れ**），Ⓑ（**体動**，**嚥下運動**，**目の動き**）**等が原因**で生じる。
- Ⓐといった周期的な動きは周期的なゴースト像として確認でき，Ⓑ等のランダムな動きはボケ像として確認できる。
- モーションアーチファクトは，動いた方向に生じるのではなく，主に位相エンコード方向の信号の位置ずれとして確認できる。
- 動きの生じたタイミングでの収集信号がk-spaceの中心に近いほど，アーチファクトが増大する。

A 発生要因

1. アーチファクトの出現する方向

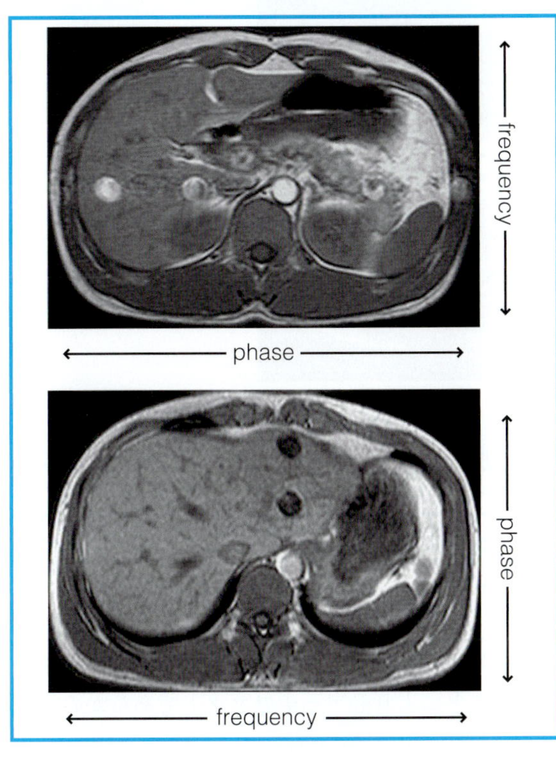

- MRIのデータ収集時間は，周波数エンコード方向がミリ秒（msec）であるのに対し，位相エンコード方向が秒（sec）〜分（min）の単位であるため，動いた方向にアーチファクトが生じるのではなく，主に位相エンコード方向の信号の位置ずれとして確認できる。
- 周波数エンコード方向にも起こり得るが，どんなに大きな動きであっても，わずかにボケを生じる程度である。
- 上図は位相エンコード方向がRLに設定されており，RL方向に腹部大動脈のモーションアーチファクトを認める。下図は位相数エンコード方向がAPに設定されているため，AP方向に腹部大動脈のモーションアーチファクトを認める。

2. アーチファクトの信号強度

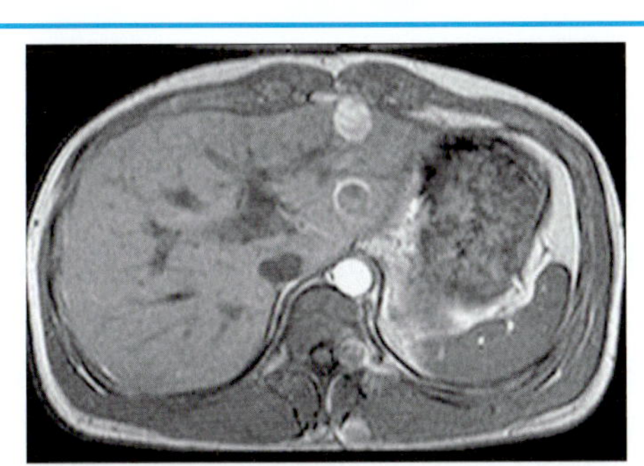

GRE系

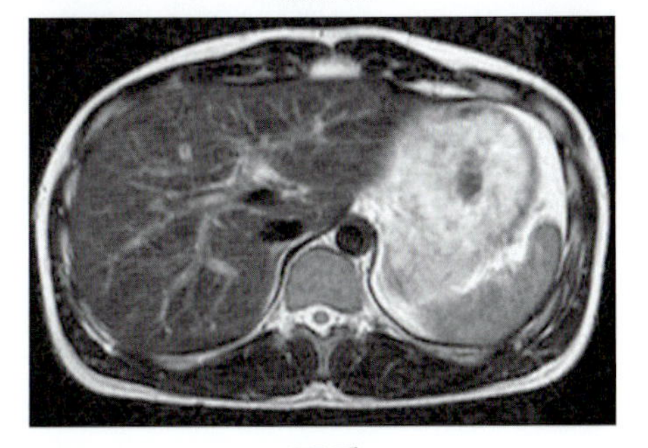

SE系

- GRE系では腹部大動脈の内腔による白-黒-白と交互のゴースト像が，SE系ではかすかに黒のゴーストがAP方向に確認できる。
- GRE系では，バックグラウンドの信号と拍動している大動脈の信号とが，同位相（高信号）と逆位相（低信号）になっていることに起因している。
- SE系では，腹部大動脈の内腔がflow void（無信号）となっているため，それにより生じるゴーストも目立たない。しかし，かすかにゴーストがAP方向に生じている。

3. ゴーストの間隔

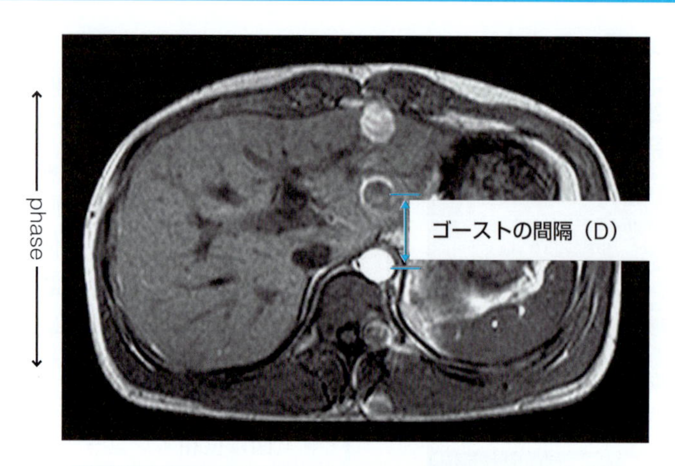

$$D[\text{pixel}]=\frac{TR[s]\times Ny\times NEX}{\text{体動の周期}}$$

- ゴーストの間隔は，撮像時間（TR×Ny×NEX）を体動の周期で割ることにより算出できる。
- 周期が長いほど，ゴーストの間隔は小さくなり，画像内に生じるゴースト数が増加し，アーチファクトは増大する。
- 位相エンコード方向の延長線上に同じ形状をした異常信号がないか，もしくはアーチファクトを生じる可能性が高い血管などが存在していないかを確認することにより，アーチファクトであるかの識別を行う。

B アーチファクトを防ぐ

【対処法】
- **ゴースト間隔を大きくする**
- **SWAPする**
- **Presaturation pulseを利用する**
- **Gatingを利用する**
- **体動部位を固定する**

- ゴースト間隔を大きくして，画像上のゴーストを減少させる。
- 周波数方向と位相方向を入れ替える（swap）ことにより，アーチファクトを判別する。
- Presaturation pulse（前飽和パルス）を利用して体動部位の信号を抑制し，アーチファクトを低減する。
- 呼吸や心拍などの周期的な動きに対して同期（gating）しながら撮像を行う。
- 体動部位の固定を強化する。

コラム 同期を利用したモーションアーチファクトの低減

呼吸同期法（Respiratory Triggering）

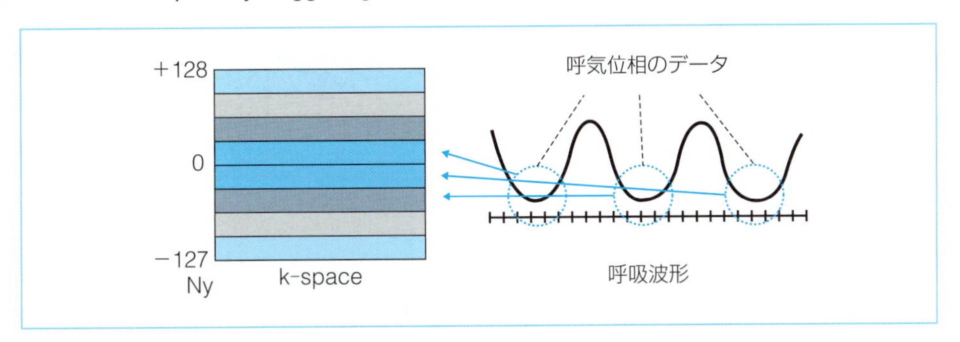

- バンド（ベローズ）を腹部に巻き，呼吸を感知しながらデータを収集する。
- 呼気は吸気よりも安定している時間が長いため，呼気位相のデータのみをk-spaceへ充填することにより，モーションアーチファクトを低減している。
- 主に，高速SE法によるT_2強調画像のデータ収集の際に利用され，1TRの間にETLのエコーを収集する。
- 撮像時間の延長を伴う。

呼吸周期法（Respiratory Compensation）

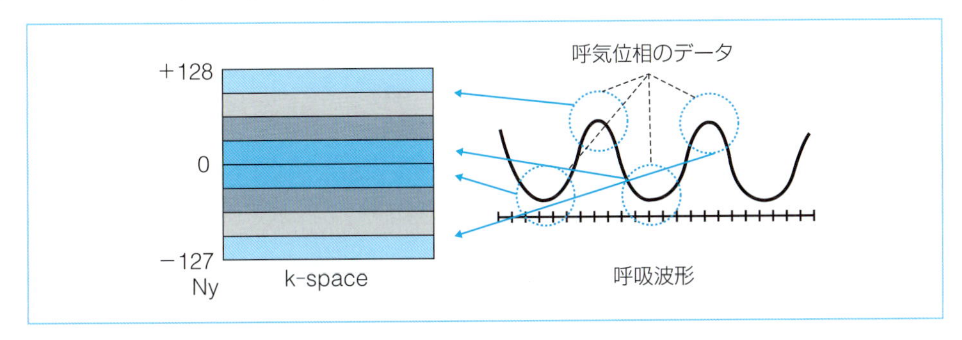

- バンド（ベローズ）を腹部に巻き，呼吸を感知しながらデータを収集する。
- すべての呼吸周期からデータ収集を行い，深吸気時のデータはk-spaceの高周波数領域へ，深呼気時のデータはk-spaceの低周波数領域に充填する。
- 呼吸同期法に比べて，撮像時間の延長がほとんどない（10〜15%程度）。
- 主に，SE法によるT_1強調画像のデータ取得の際に利用される。
- MR装置メーカーにより名称が異なり，PEAR（Phase Encoded Artifact Reduction），RMAST（Respiratory Motion Artifact Suppression Technique），MAR（Motion Artifact Reduction），ROPE（Respiratory Ordered Phase Encoding）等と呼ばれる。

9 その他の代表的なアーチファクト

A RF ジッパーアーチファクト

- 位相が0となる箇所に一直線上に点状となって生じるアーチファクトであり，ジッパーに似た形状をしている。これには自由誘導減衰（FID），誘発エコー（STE），RF フィードスルーの3つが挙げられる。
- 自由誘導減衰（FID：free induction decay）
  - ▶RF パルス（180°パルス）の端（サイドローブ）がFIDと重なった場合に，周波数エンコード方向に生じる。スライス厚を大きくする，TEを長くすることによってアーチファクトを低減できる。
- 誘発エコー（STE：stimulated echo）
  - ▶隣り合うスライスにおけるRFパルスが完全でないために周波数エンコード方向に生じる。傾斜磁場スポイラーを利用することにより，アーチファクトを低減できる。
- RF フィードスルー（RF feed through）
  - ▶励起RFパルスが完全には消失しないことが原因でデータ収集時に受信コイル内に侵入し，0周波数で位相エンコード方向に生じる。位相が180°異なったRFパルスを交互に利用することにより，アーチファクトを低減できる。

B 部分体積効果

- パーシャルボリューム効果と呼ばれることが多い。
- 単位体積あたりに異なる信号の物質が混在した場合，物質そのものの信号を呈さず，平均値を取る現象のことである。
- MR検査に限らず，CT検査や核医学検査でも見られるアーチファクトである。
- スライス厚を小さくする，ピクセル径（マトリックスサイズ）を小さくすることにより，アーチファクトを低減できる。

C 魔法角（マジックアングル）アーチファクト

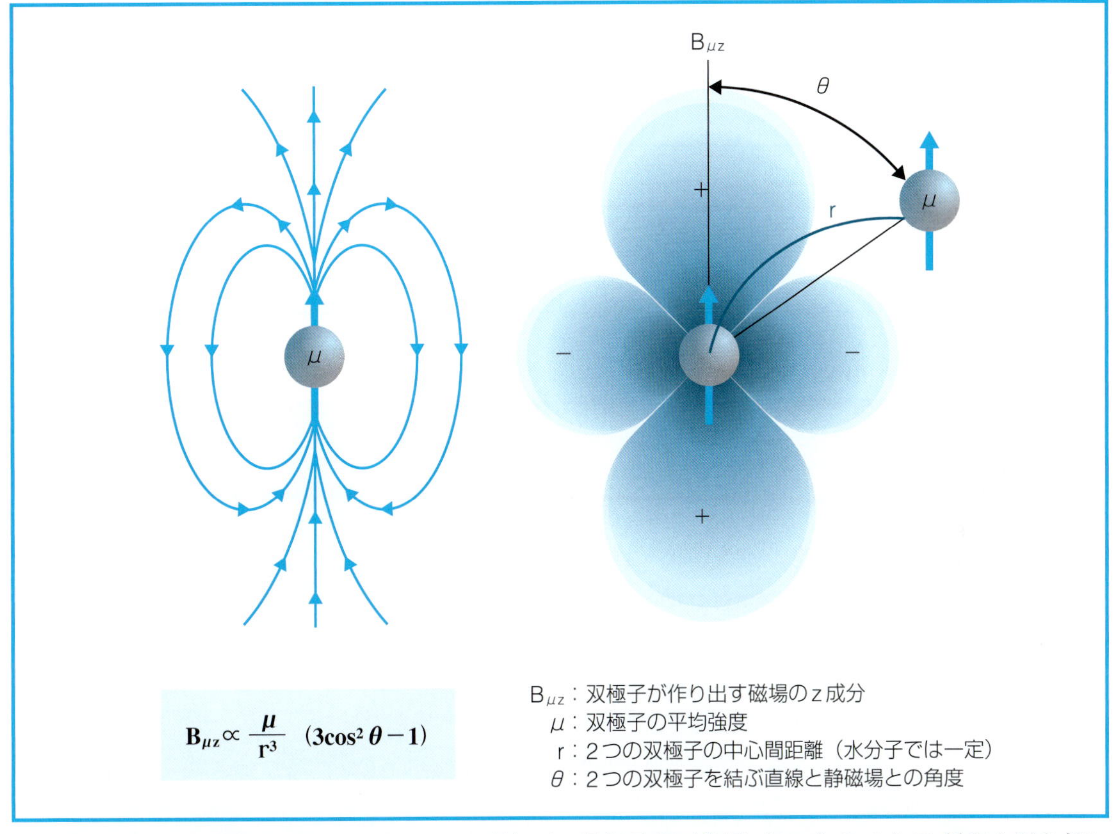

$$B_{\mu z} \propto \frac{\mu}{r^3}\ (3\cos^2\theta - 1)$$

- 通常，水分子を形成する2つのプロトンが双極子-双極子相互作用（DDI）によりT_2緩和を引き起こす。しかし，靭帯や腱の長軸方向と静磁場方向のなす角度 θ が約55°（マジックアングル）になると，靭帯や腱の膠原線維に束縛されている水分子内に存在する2つのプロトンが形成する磁場が互いに関与しなくなるため，靭帯や腱のT_2値が延長する。この現象をマジックアングル効果という。

補足：マジックアングル（別称：魔法角）

双極子-双極子相互作用（DDI）は，2つの双極子（原子核磁気モーメント）間の距離（r）だけでなく，2つの双極子を結ぶ直線と静磁場との角度（θ）に依存する（$3\cos^2\theta - 1$）。θ が54.7°のとき，$3\cos^2\theta - 1 = 0$となる（磁気双極子が作り出す磁界の正のローブと負のローブの境界の角度となる）。すなわち，互いの双極子が形成する磁場は，DDIに関与しなくなり，T_2緩和が促進されないためT_2値が延長する。

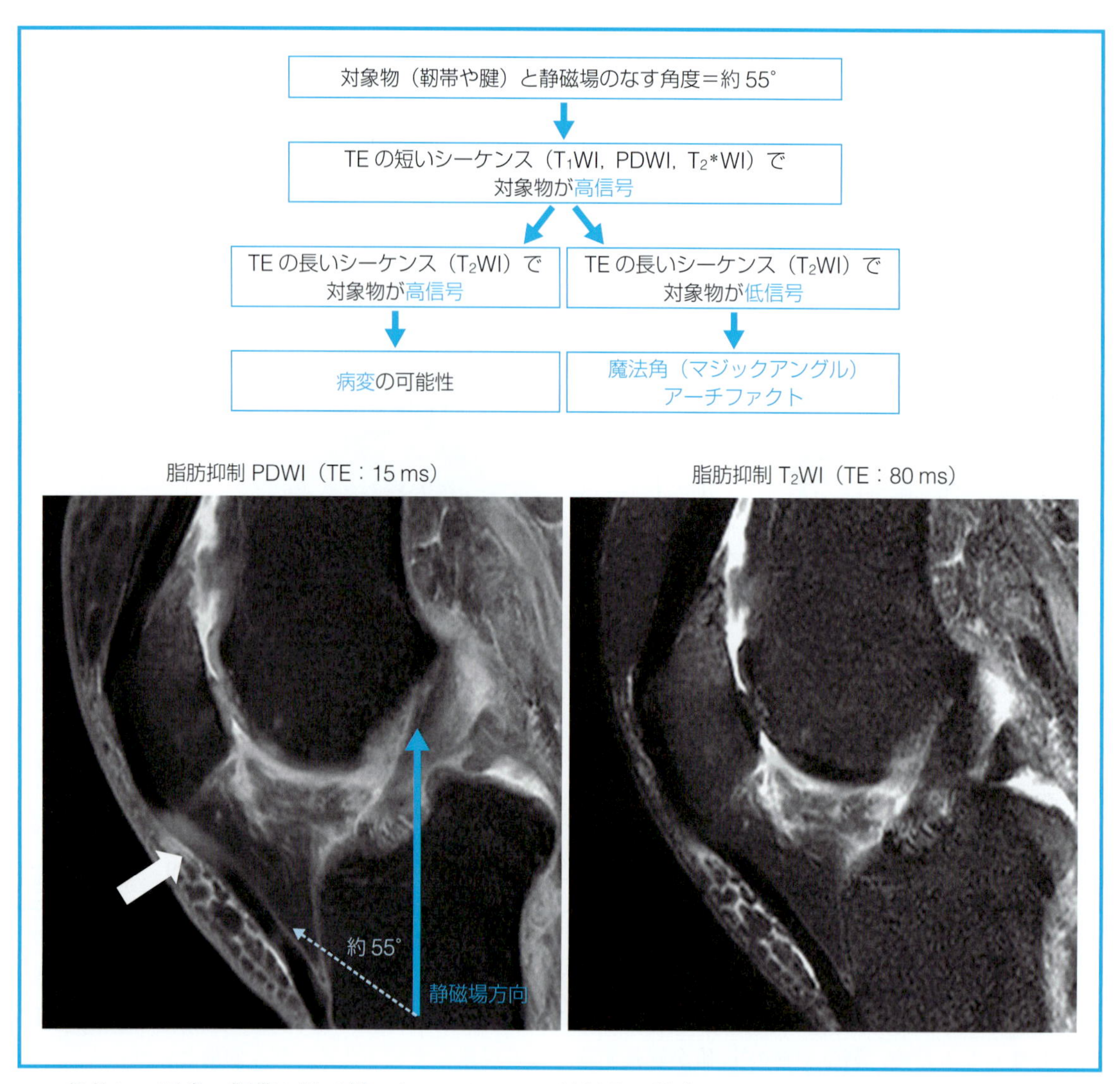

- 一般的に，正常の靭帯や腱は様々なシーケンスで低信号に描出される。
- 靭帯や腱が魔法角の時に生じる T_2 値の延長は，TE の短いシーケンス（T_1 強調画像，プロトン密度強調画像，T_2* 強調画像）のとき顕著に現れ，靭帯や腱が高信号となる。
- この現象による T_2 値の延長はごくわずかであり，TE の長いシーケンス（T_2 強調画像）では無視できるほど小さい。そのため，TE が短いシーケンスで靭帯や腱が高信号を呈した場合，TE の長いシーケンスの画像と比較することで，病変かマジックアングルアーチファクトかを鑑別できる。
- TE の短い PDWI では膝蓋靭帯が高信号に描出されている（⇨）。一方，TE の長い T_2WI では消失しているため，マジックアングルアーチファクトと証明できる。

11章 安全性

1 概 要

- **MR検査の安全性を論ずるとき，MR装置の主要な4構造それぞれに重要な注意点が存在する。MR検査に従事する者はこれらを熟知して安全な検査を実施する責任を負っている。**

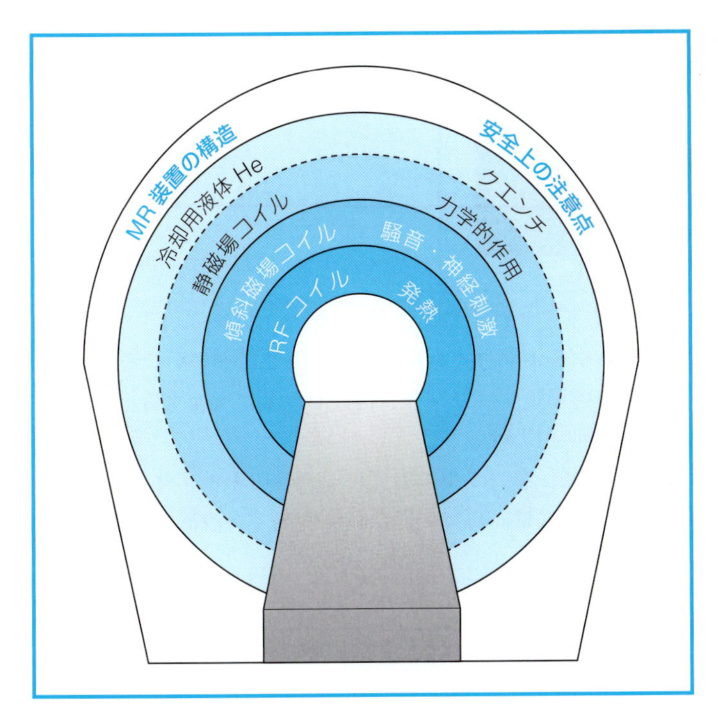

- 左図は超伝導磁石を用いたMR装置を想定した，主要構造とそれぞれに対する安全上の注意点である。
- 永久磁石を用いたMR装置の場合，静磁場コイルとそれを冷却するための液体ヘリウムは必要としない。
- 静磁場を発生する永久磁石は，超伝導磁石と同様に金属の吸着に注意が必要である。

2 静磁場の影響

- **静磁場の影響は力学的作用と生物学的影響が考えられる。生物学的影響に関しては，WHOから，現在日本で診療用として使用している静磁場強度が3.0T以下のMR装置であれば有意な影響は認められないと報告されている。**
- **臨床現場で実際に問題となるのは力学的作用であり，MR検査における安全管理上最も重要な項目の1つである。場合によっては死亡事故につながることもある。**

A 力学的作用

【シールド】

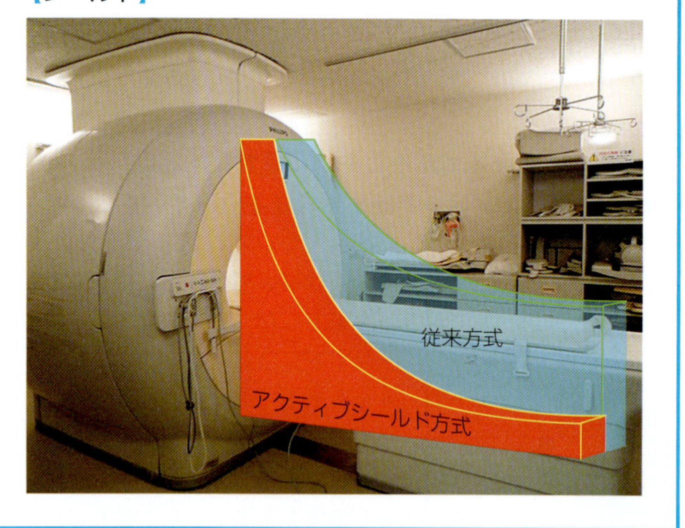

- MR装置では，漏洩磁場を遮蔽することも重要である。従来型の遮蔽（パッシブシールド）では，磁場の漏洩範囲が広かった。最近では，アクティブシールド方式を採用している装置が多い。その場合，磁場の漏洩範囲は狭いが，マグネットからの漏洩磁場強度はガントリ付近で急激に増加する。よって，アクティブシールド方式では，ガントリ近傍での吸引力は強い。
- アクティブシールド方式は，静磁場を発生させる超伝導コイルの外側に逆極性のキャンセルコイルを配置し，漏洩磁場を小さくする方式である。この方式は，磁気の遮蔽効率が高く，設置面積を縮小するのに都合が良い。

【ミサイル効果】

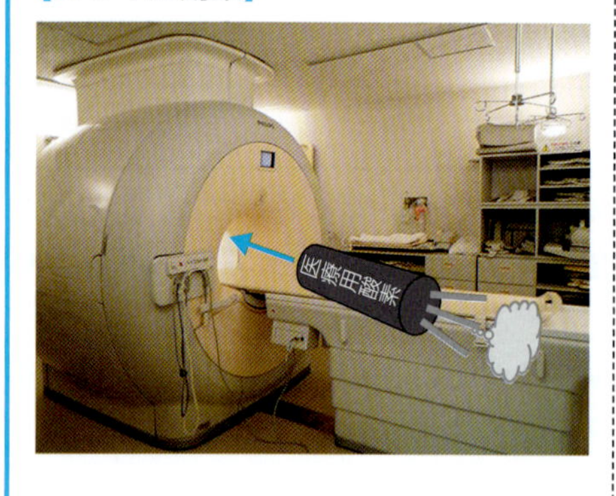

【小児用ベットの吸着事故例】

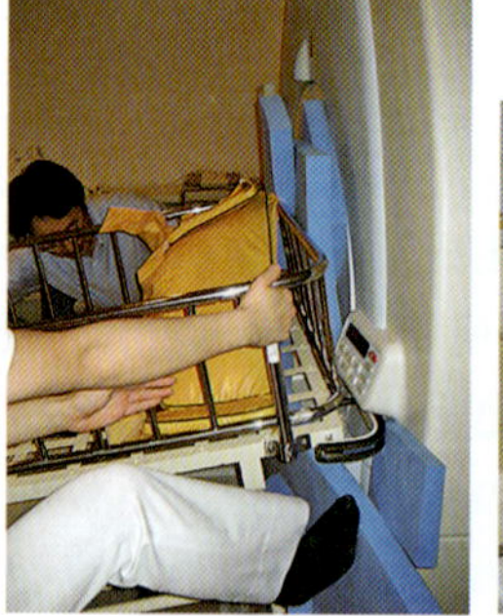

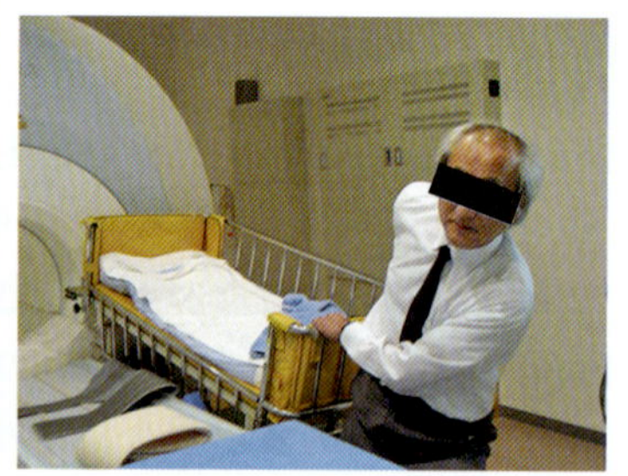

（元 茨城県立医療大学 阿武 泉教授のご厚意による）

- 不注意により持ち込まれた強磁性体（酸素ボンベや工具等）が，磁場に強く引っ張られてMR装置本体に向かって飛んでいく現象である。

【力学的作用】

【吸引力（並進力）】
静磁場中心に向けて吸引力が働く

【トルク（回転力）】
静磁場方向と平行になろうとする回転力が働く

力学的作用

- 静磁場による強磁性体に対する力学的作用は，吸引力（並進力）とトルク（回転力）がある。
- 吸引力（並進力）F
  - ・静磁場中心に向かって生じる吸引力

$$F \propto V \cdot \chi \cdot B_0 \cdot \frac{dB}{dl}$$

Fは，磁性体の体積（V），磁化率（χ），静磁場強度（B_0），磁場勾配（dB/dl，単位長さあたりの磁場の変化量）に比例する。

- トルク（回転力）T
  - ・ある長さを持つ強磁性体が静磁場の磁力線とある角度θを持つ場合，その磁性体は磁力線と平行になろうと回転する力を受ける。

$$T \propto V \cdot \chi \cdot B_0^2 \cdot \sin\theta$$

Tは，V，χ，およびB_0の2乗に比例する力であり，磁性体の長軸が磁力線と平行になるまで（$\sin\theta = 0$）受け続ける。

B 持ち込みの制限

① 持ち込むことにより「人体へ危険を及ぼす」・「MR装置に影響を与える」もの

② 持ち込んだものがMR装置の磁場により故障・破損をきたすもの

③ MRの画像劣化（アーチファクト）の原因となるもの

- MR検査室への持ち込みの制限は大きく3つに分類できる。

①酸素ボンベ，車椅子，ストレッチャー，輸液ポンプ，点滴台，ハサミ，工具類等（ただし，MR用に製造された“MR safe”の製品はMR室内で使用可能）
②磁気カード，時計，補聴器，その他種々の電子機器等
③ヘアピン，クリップ，金属アクセサリー，入れ歯，下着のホック等

C 立入制限区域と安全標識

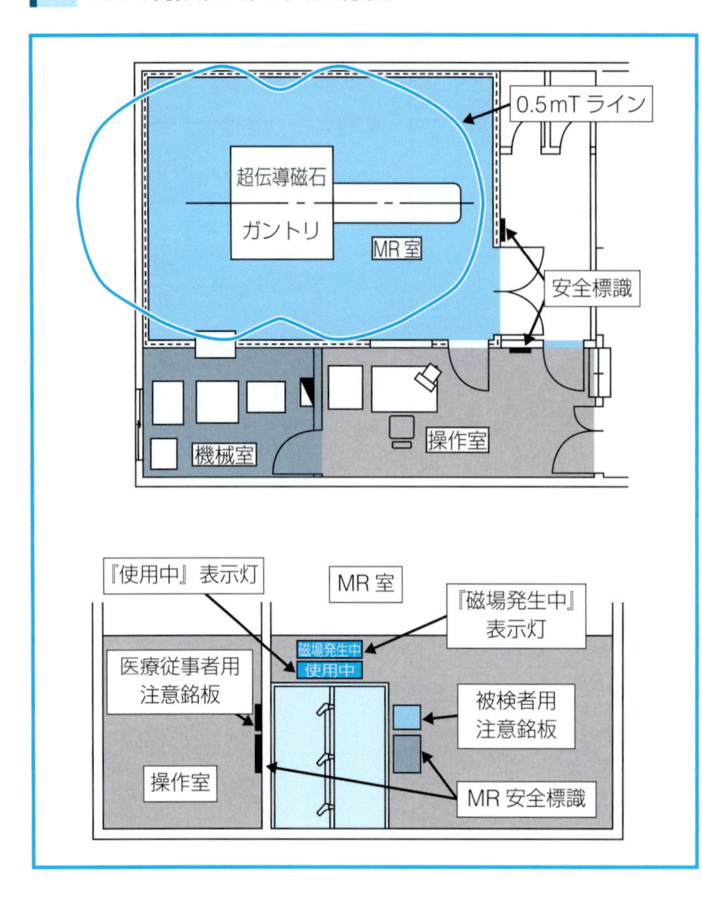

- 日本工業規格の JIS Z 4951 において，磁束密度が 0.5 mT を超えたエリアは“立入制限区域”とすることが定められている。
- 0.5 mT はアメリカ食品医薬品局（food and drug administrarion：FDA）が示した，ペースメーカーの誤動作に対する安全の推奨値ともされている。
- 常時，人が立ち入る場所は，MR 装置からの漏洩磁場強度が 0.5 mT を超えないように設計されている。
- 未然に事故を防止するために，MR 安全標識，立入制限区域を明示し，使用中および磁場発生中の表示灯，標識を設置する必要がある。

コラム 注意喚起ポスター

- 国内での吸着事故が多発していることから，一般社団法人日本画像医療システム工業会は吸着事故防止用のリーフレット（左，中）および安全標識（右）を作成した。

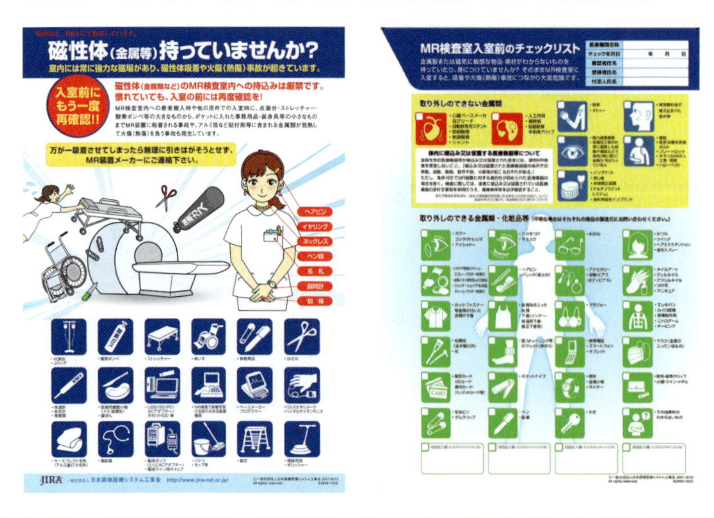

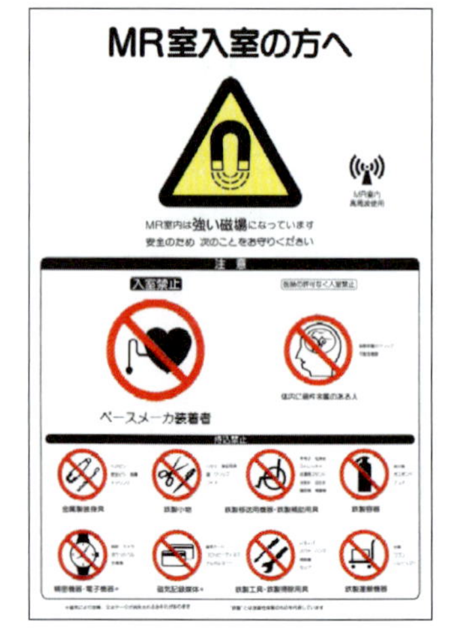

3 傾斜磁場の影響

傾斜磁場の生体への影響は，騒音と末梢神経刺激が考えられる。ここでは，この2つについて解説する。

A 騒 音

1. 音の発生原理

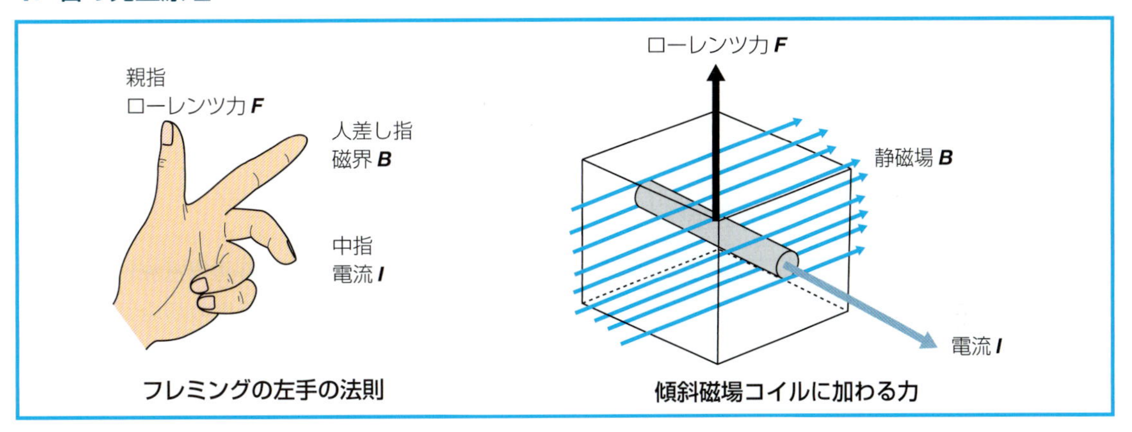

- スキャン中にはMR装置本体から大きな連続音が発生する。
- これは強力な静磁場と傾斜磁場コイルに流れる電流により発生する電磁力により（フレミングの左手の法則），傾斜磁場コイルが振動するためである。

2. 騒音レベル

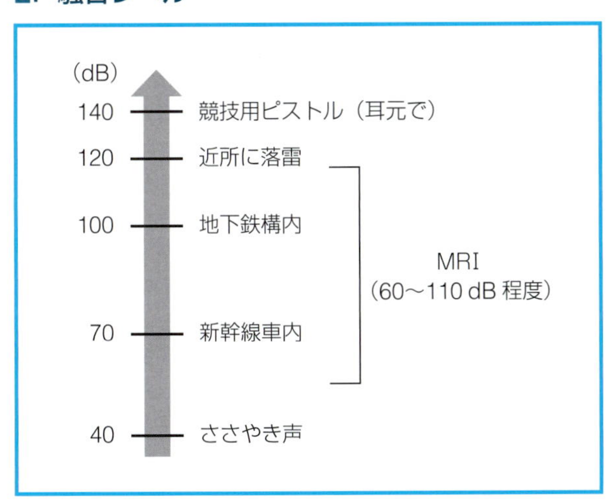

- MR検査時の騒音レベルはシーケンスによるが，おおむね60～110 dB程度となり得る。被検者を不快にしたり対話を困難にするだけでなく，可逆性の聴力損失をきたしたり，さらには高い音に過敏な被検者が強い騒音によって永久的聴力損失をきたす可能性を示した報告もあるため，MR検査時には適切な減音法（ヘッドホン，耳栓など）を使用する必要がある。

B 末梢神経刺激

1. 傾斜磁場の変動 dB / dt（磁場の時間変化率）

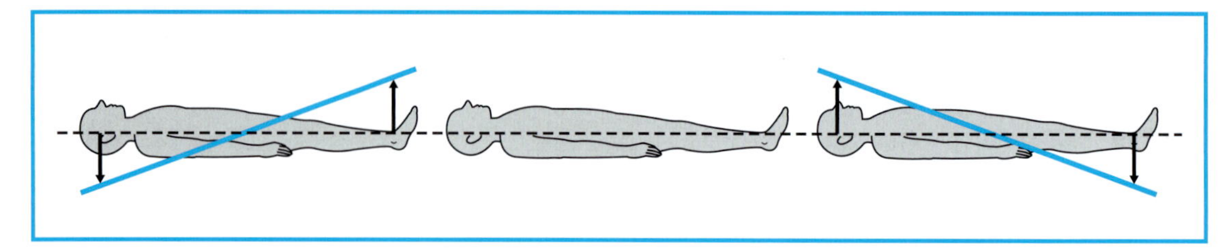

- dB / dt（磁場の時間変化率）は，磁場 B が単位時間 t にどれだけ変動したかを表す。
- 傾斜磁場の変動は，磁場中心から離れた部位（腹部に磁場中心がある場合，頭部や足部）で大きい。

2. 末梢神経刺激の機序

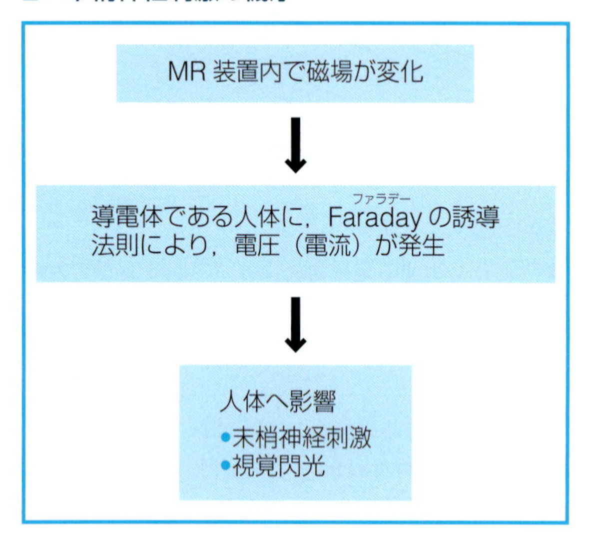

- 生体内に二次的に生じる誘導電流により末梢神経系が刺激を受け，軽度の場合は**接触感や皮膚の不快感**，強くなると**ピリピリとした刺激**となる。
- Echo planar imaging（EPI）に代表される超高速シーケンスでは強い変動磁場を与えるため，被検者が末梢神経刺激に敏感な場合には感じられることがある。
- 規制値の範囲内であれば末梢神経刺激が生じることは考えにくい。

4 RFパルスの影響

- **MR検査を受けている間に，身体が暖かく感じることがある。これはRFによる発熱の影響によるものであり，単位重量あたりの熱吸収の比である比吸収率（SAR：specific absorption rate，W/kg）によって評価される。**
- **RFによる身体全体の発熱は体温調節機能に異常がある場合を除き，人体に障害を及ぼす可能性は極めて低い。しかし，様々な要因により局所的な温度上昇が起こり，熱傷を負うことがある。**

A 発　熱

1. RFによる発熱の機序

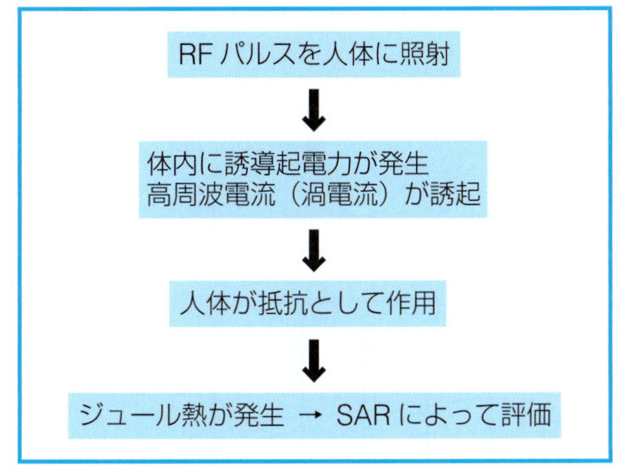

- RFによって導電体である人体に生じた渦電流により，ジュール熱が発生する。
- SARの高いシーケンスおいては「熱い」と感じることはあり得るが，診療用MR装置の規制値内においては人体の放熱機能により，体温上昇はほとんどみられない。

2. SAR（specific absorption rate，比吸収率）

半径r，電気伝導率σの均一な球体の組織における平均SAR

$$\mathrm{SAR} \propto \sigma r^2 B_0^2 \alpha^2 D$$

B_0：静磁場強度
α：RFパルスのフリップ角
D：RFのデューティーサイクル

- 電気伝導率σが大きいのは水分含有量の多い組織（脳，血液，肝，脳脊髄液など）であり，小さいのは水分含有量の少ない組織（脂肪，骨髄など）である。

3．静磁場強度および撮像パラメータとSARの関係

- **静磁場強度の2乗に比例** ➡ **3.0TのMR装置では1.5Tの4倍**
- **フリップ角の2乗に比例** ➡ **180°パルスは90°パルスの4倍**
- **デューティーサイクルに比例**
  - ➡ **スライス数とRFパルス照射時間に比例**
  - ➡ **繰り返し時間に反比例**

補足：Duty cycle（デューティー サイクル）

●デューティーサイクルは，1回のTRに対するRFパルスを出している時間の割合である。

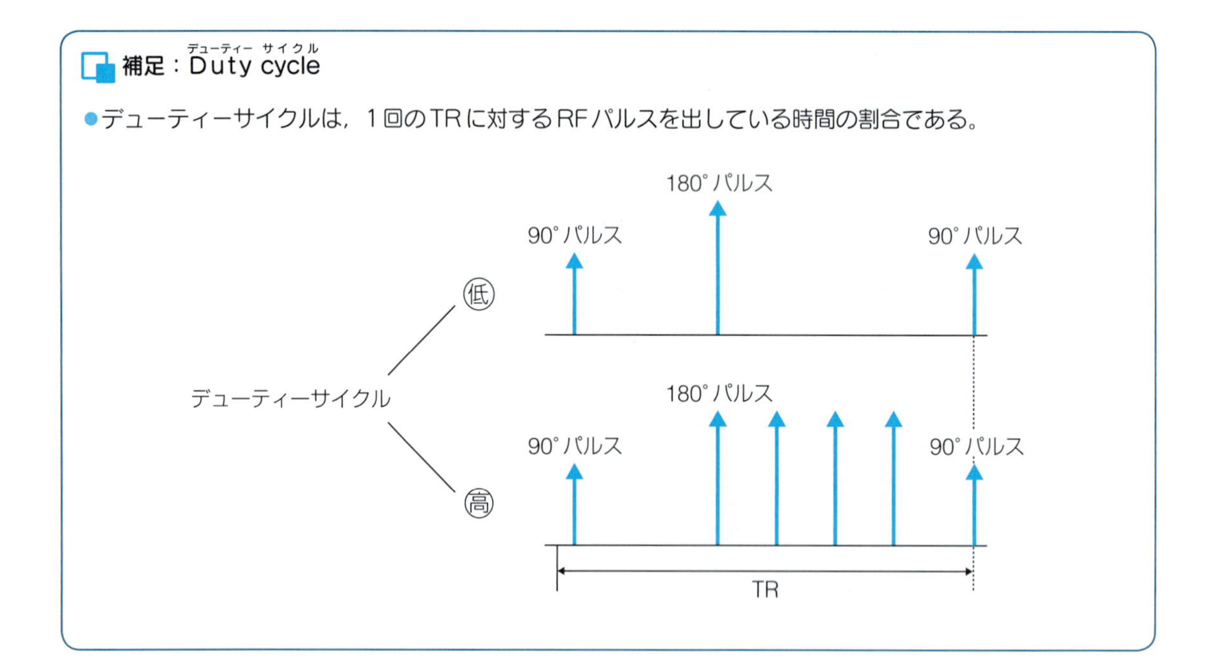

B 熱 傷

1. 米国FDAへのMR装置関連の不具合報告（1993～2003年）

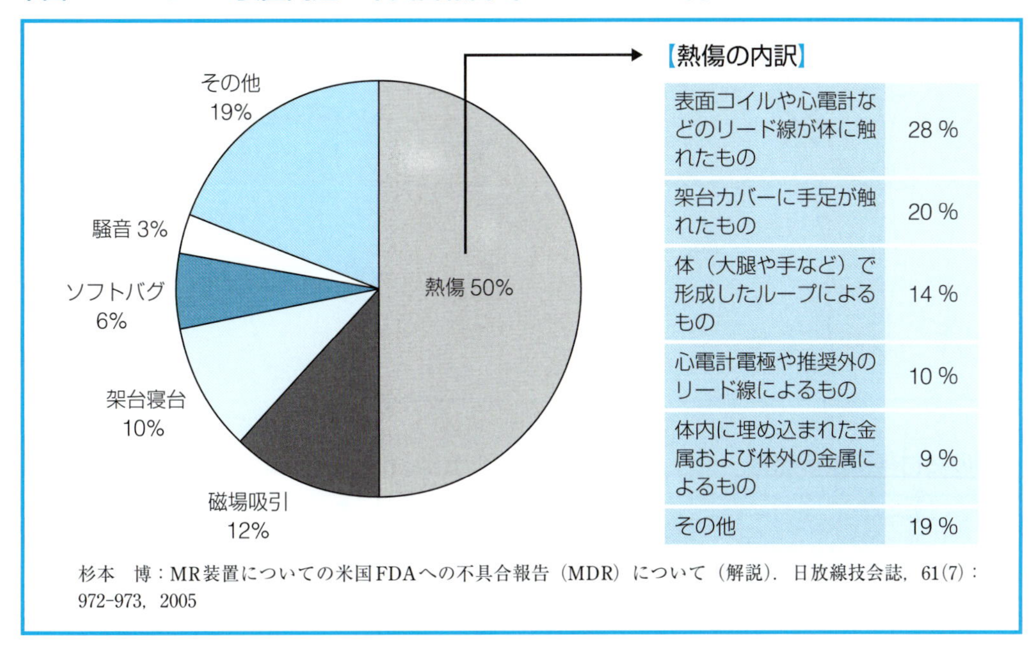

【熱傷の内訳】	
表面コイルや心電計などのリード線が体に触れたもの	28 %
架台カバーに手足が触れたもの	20 %
体（大腿や手など）で形成したループによるもの	14 %
心電計電極や推奨外のリード線によるもの	10 %
体内に埋め込まれた金属および体外の金属によるもの	9 %
その他	19 %

杉本 博：MR装置についての米国FDAへの不具合報告（MDR）について（解説）．日放線技会誌，61(7)：972-973，2005

- 米国FDAに報告されたMR装置関連の不具合の半数が**熱傷**であった。
- これらは，検査前に十分な注意を払えば防げるものがほとんどである。

2. ケーブル等の不適切な配置による熱傷

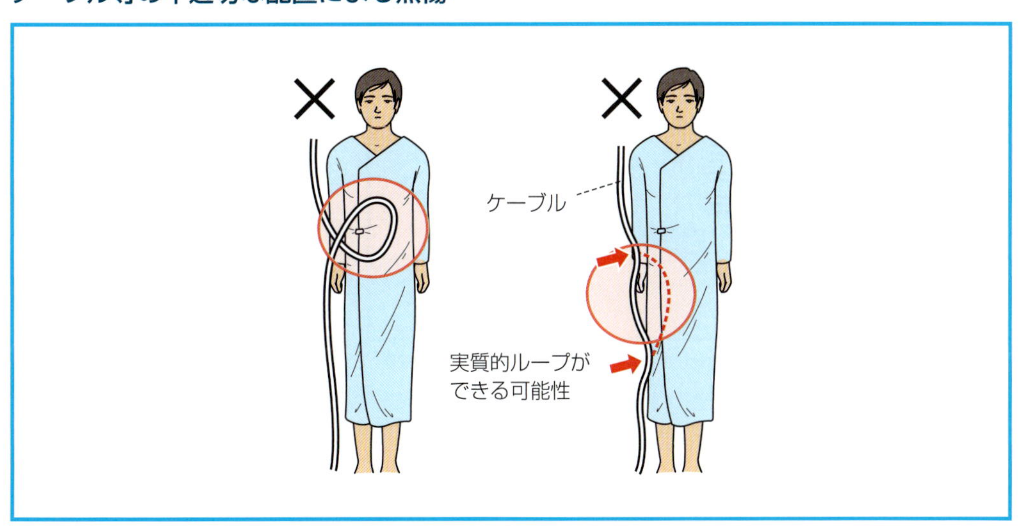

- 表面コイルのケーブル等がループ状にならないようにする。ループを形成すると傾斜磁場やRFパルスにより過大な電流が流れ，ループがコイルとして作用し誘導起電力を生じる可能性がある。
- **被検者の皮膚が直接ボア内壁（ガントリにはbody coilが内蔵されている）に接触しない**ようにする。

3. 被検者の身体がループを形成することによる熱傷

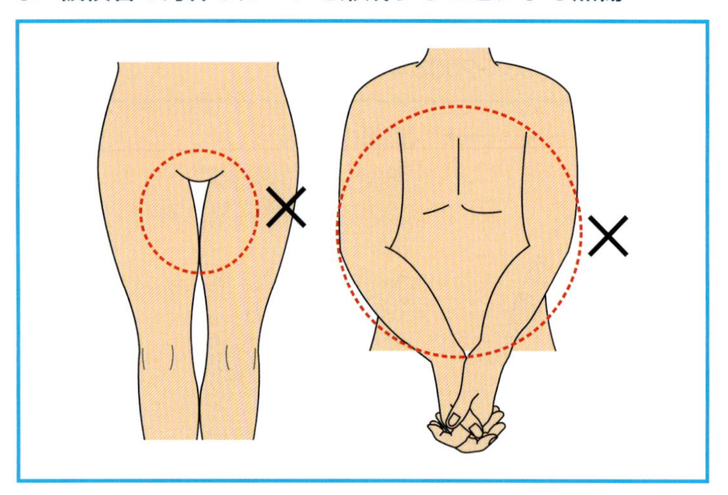

- 被検者が**両下肢を接触させない**ようにする。接触部分の抵抗による火傷の可能性がある。接触がみられる場合はパッドなどを挟み絶縁する。
- **腕や手を組まない**ようにする。

4. 一部の貼付剤による熱傷

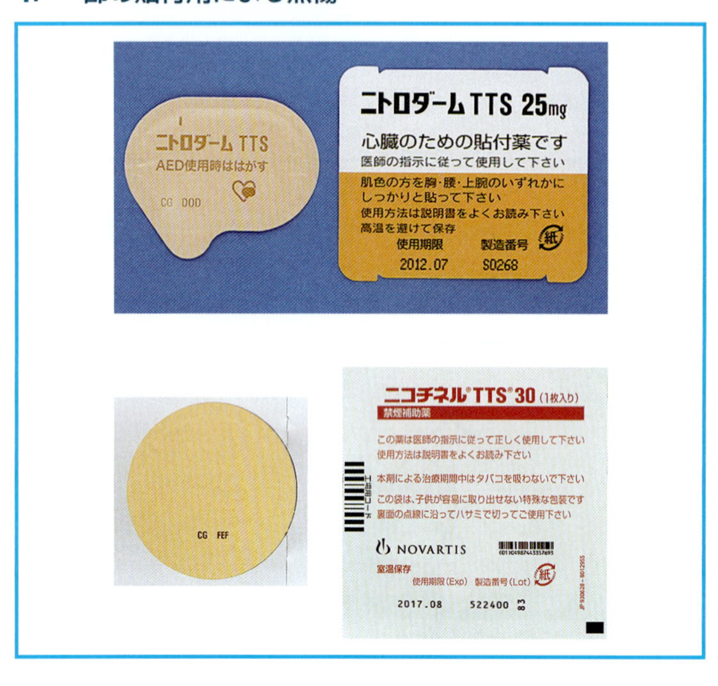

- これらの製剤は外層等の**支持体としてアルミニウムを使用**しているため，装着したままMRを受けると，貼付部位に熱傷を引き起こす可能性がある。
- その他，一部の湿布薬にも同様にアルミニウムの支持体を用いたものがある。

5 禁忌・警告などの対象

MR 装置は磁場の力学的作用や RF の発熱作用などにより，特定の条件において人体に有害な影響を及ぼす。ここに挙げる禁忌・警告などの対象は一例であり，検査担当者は常に最新の安全情報を入手し，安全管理を行う必要がある。

【禁忌・警告の対象例】

	対 象	理 由
禁 忌※	心臓ペースメーカー 神経刺激装置 除細動器 人工内耳（移植蝸牛刺激装置）	誤動作・故障
	Swan-Ganz（スワンガンツ）カテーテル®	カテーテルの損傷（溶融）
	磁性体インプラント （脳動脈瘤クリップ，外科用ステープルなど）	発熱・吸引力・トルク
事前に取り除く	輸液ポンプ 金属製シーネ 補聴器 義歯 義眼（取り出し可能なもの） 義手・義足など	吸着事故 故障 アーチファクト
	導電性金属を含む貼付剤（ニトロダーム，ニコチネルなど） カラーコンタクトレンズ 化粧品	発熱・熱傷
警 告 （医師による確認が必要）	非磁性体インプラント	MR 検査対応の有無
	アートメイク 入れ墨	発熱・熱傷
	妊婦・妊娠の可能性	安全性は確立されていない
	職業柄，微細金属片を体内に取り込んでしまっている可能性や外傷による体内金属片の残留の可能性	吸引力・トルク
	閉所恐怖症	ケースバイケース

※近年，心臓ペースメーカー・神経刺激装置・除細動器・人工内耳については「条件付 MRI 対応」のものが製品化されており，一定の条件を満たした場合に限り，同製品を装着したまま MR 検査を実施することが可能である。

コラム

条件付 MRI 対応ペースメーカなど特定の条件下で MR 検査が可能な製品には，各製品の添付文書に MR 撮像に関する詳細な条件が記載されている。MR 検査を安全に実施するためには記載された条件を全て満たした状態で検査する必要があり，事前に添付文書の内容を十分に確認する必要がある。記載条件の例としては下記の項目が挙げられる。

1）静磁場強度
2）マグネットの形状
3）SAR
4）dB/dt
5）空間磁場勾配
6）スルーレート
7）送信コイル
8）受信コイル
9）撮像範囲

6 問診と検査前安全確認の重要性

- **MR検査を安全に行うためには，検査依頼時の医師による問診や検査前の技師や看護師による安全確認が必須である。また，安全確認を確実に行うために，チェックリストなどを活用すると効果的である。**

【チェックリストの一例】

点検項目

□ ペースメーカは装着していない
□ 神経刺激装置は付いていない
□ スワンガンツカテーテルは挿入されていない
□ 輸血ポンプなどの機器は付いていない
□ 金属製のシーネは付いていない
□ お化粧（手足のネイルケアも含む）はしていない
□ 貼り薬（シップ薬，その他の治療薬）は付いていない
□ コンタクトレンズはしていない
□ 補聴器や装具（義手，義足等）は付いていない
□ 入れ歯はしていない
□ その他金属類（時計，アクセサリー，かつら，ヘアピン，エレキバン，使い捨てカイロなど）は付いていない

主治医に安全確認を要する事項

該当するものがあれば○で囲む

・脳動脈瘤クリップ
・人工内耳
・胸骨ワイヤー
・外科用ステープル
・その他，手術等による体内金属
・脳脊髄液短絡術用可変式シャント
・人工心臓弁
・人工関節
・歯科インプラント
・閉所恐怖症
・義眼
・血管内ステント
・インスリンポンプ
・歯科矯正
・入れ墨，アートメイク
・妊娠している，またはその可能性
・金属加工業に従事した経験があり，眼内等に微細金属片が残っている可能性
・金属片による負傷の経験があり，体内に金属片が残っている可能性

以下の3つのうち，いずれかをチェック

□ すべて該当しないので検査可能
□ 一部該当するが，主治医に確認し検査可能
□ 該当するものがあり，検査不可能

7 MR検査の操作モードおよび制限値

A 国際基準と国内基準

国際基準　IEC60601-2-33 第3.2版（2015年）

国内基準　JIS Z4951 2017年版（2017年）

- 静磁場，RF磁場，傾斜磁場変動に関する事項から被検者や医療従事者の安全を保証するために国際的な基準が定められている。
- IEC（International Electrotechnical Commission）が2002年に発行した基準をもとに，日本工業規格（JIS：Japanese Industrial Standards）も2004年にMR装置に関する安全基準を国際規格に統一する形で改正した[8]。
- 現在の最新版は，JISが2017年に公表したものである。

B 安全管理基準（JIS Z4951）

【操作モードと制限値】

	通常操作モード	第一次水準管理操作モード	第二次水準管理操作モード
定　義	被検者に生理学的ストレスを起こす可能性のある値を一切出力しない。	1つまたは複数の出力が被検者に医療管理を必要とする生理学的ストレスを引き起こす可能性のある値に達する場合。	1つまたは複数の出力が被検者に重大なリスクを与える可能性のある値に達する場合。制限値は第一次水準を越えるもの。明確な倫理的承認を必要とする。
静磁場強度	$B_0 \leqq 3T$	$3T < B_0 \leqq 8T$	$8T < B_0$
SAR	全　身　2W/kg 頭　部　3.2W/kg 身体部　2～10W/kg 深部温度の上昇 0.5℃以下	全　身　4W/kg 頭　部　3.2W/kg 身体部　4～10W/kg 深部温度の上昇 1℃以下	第一次水準管理操作モードを超える
末梢神経刺激	末梢神経刺激が起こる平均閾値の80%以下	末梢神経刺激が起こる平均閾値の100%以下	第一次水準管理操作モードを超える
騒　音	騒音レベルが99dBを超えるときは適切な聴力保護が必要。 140dBより高いピーク音圧レベルの騒音の禁止。		

- **安全管理基準**は，以上のように3段階のモードに分けて制限している。
- 厚生労働省は2005年に磁気共鳴画像診断装置承認基準の改正発令で**JIS Z4951**の第一次水準管理操作モードまでを採用している。

8 クエンチ現象

超伝導MR装置では，超伝導状態を維持するために超伝導コイル（静磁場コイル）を約−270℃で冷却しつづけなければならない。この冷却状態が何らかの原因で保てず，温度が上昇したとき，急速に超伝導が常伝導状態になる現象を「クエンチ現象」という。

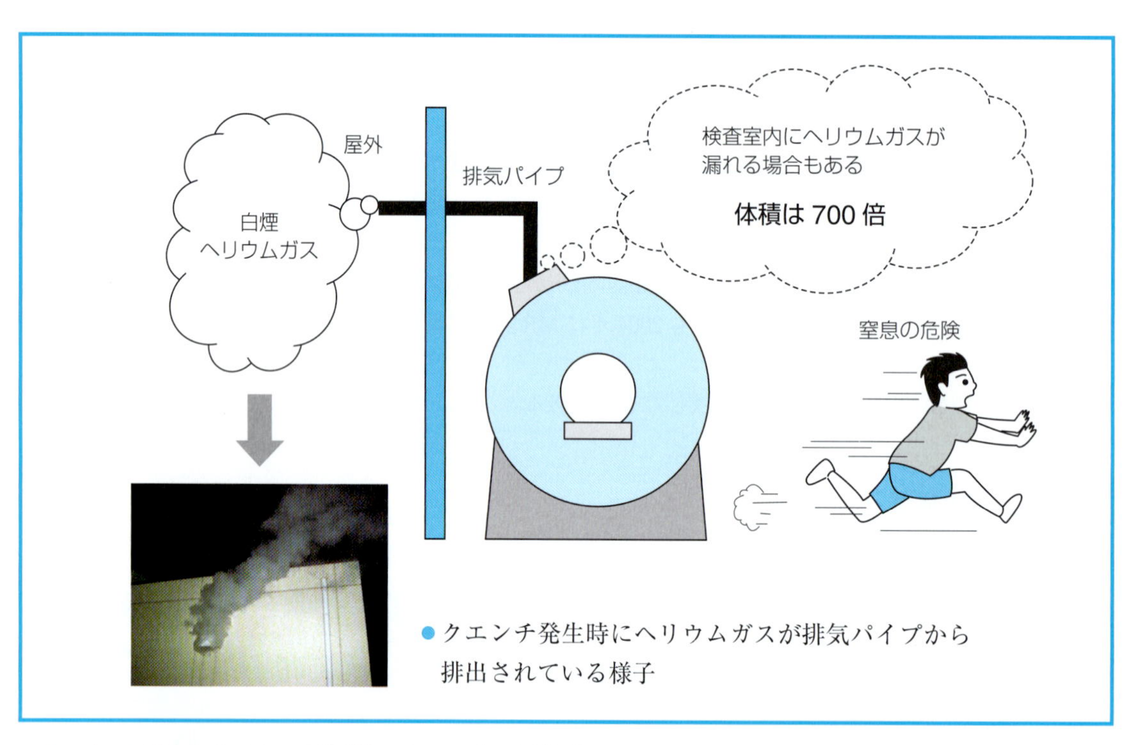

- クエンチ発生時にヘリウムガスが排気パイプから排出されている様子

- クエンチが発生すると，超伝導コイルの冷却用液体ヘリウムが急速にガス状になる。
- これは，超伝導状態が保てなくなった場合に，コイルに生じた電気抵抗による発熱が液体ヘリウムを蒸発させるためである。
- 液体ヘリウムが気化すると，その体積は約700倍にもなる。

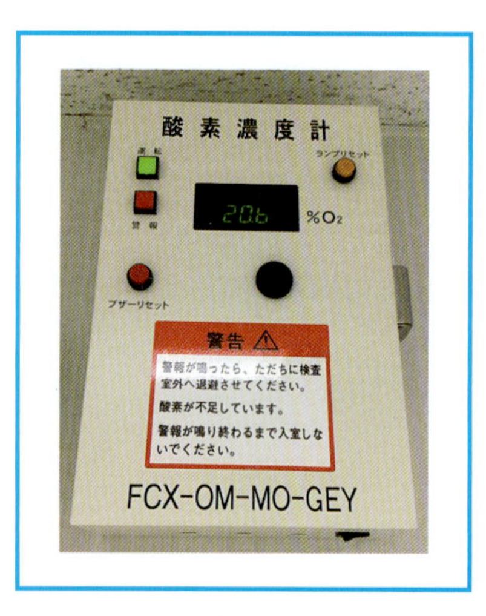

- 気化したヘリウムは検査室内に漏れ出す場合がある。
- 密室でのヘリウムの気化は，空気がヘリウムに置き換えられることで酸素濃度の低下をもたらし，窒息の危険性がある。
- そのため，速やかに検査室外に退去し，無人であることを確認し入室禁止とする。
- 検査室内の酸素濃度を常時計測する。

■参考文献

1) 川光秀昭，他：3T-MR装置の安全性．日放技会誌 64(12)：1575-1599，2008
2) 日本磁気共鳴医学会 安全性評価委員会監：MRI安全性の考え方，学研メディカル秀潤社，2010
3) 宮地利明：MRIの安全性．日本放射線技術学会雑誌 59(12)：1508-1516，2003
4) 荒木力監訳：MRI「超」講義 第2版．メディカル・サイエンス・インターナショナル，2003
5) 杉本博：MR装置についての米国FDAへの不具合報告（MDR）について．日本放射線技術学会雑誌 61(7)：972-973，2005
6) 日本画像医療システム工業会 法規・安全部会 安全性委員会「MR装置引渡しガイドライン WG」編：MR装置引渡しにおけるガイドライン，Rev.1.1，2006
7) 奥田智子，他：MR検査中に熱傷を生じた2症例．日本磁気共鳴医学会雑誌 24(2)：88-91，2004
8) 日本放射線技術学会学術委員会医療安全対策小委員会，日本放射線技師会医療安全対策委員会，日本画像医療システム工業会法規・経済部会安全性委員会編：3団体合同プロジェクト班策定 放射線業務の安全の質管理マニュアル（Version 1），2007

そのほか知っておきたい知識

1 MR hydrography

A MR hydrographyとは？

hydrography＝水*成分をより強調した強い T_2 強調画像

（＊水に近い成分も含む）

【水成分で満たされている管腔構造などを直接的に表現するもの】

- MRCP（MR cholangio pancreatography）：胆嚢・膵胆管
- MRU（MR urography）：尿管・膀胱

【水成分に満たされている周囲構造などを間接的に表現するもの】

- MRM（MR myelography）：脊髄
- MRC（MR cisternography）：脳槽
- SAS（surface anatomy scanning）：脳表
- MRAF（MR amino fetography）：胎児

- MR hydrographyとは「水成分をより強調した強い T_2 強調画像」，いわゆるheavy T_2 強調画像である。
- hydrographyは大きく2つに分かれる。
  - 観察対象が水成分（直接的）
  - 観察対象が水成分以外（間接的）
- 一言にhydrographyといっても撮影部位によってその呼び名と撮影法は様々である。本項では代表的な部位であるMRCP，MRM，MRCの特徴について解説する。

B MRCP（MR cholangio pancreatography）

- 胆嚢・胆管・膵管内の水成分を強調し高信号に描出する。
- 拡張や途絶，欠損像を呈することが，すなわち結石や腫瘍の存在を示している。
- 腫瘍や結石などの水成分を比較的含まないものは低信号で描出される。
- 塩化マンガン四水和物液（陰性造影剤）を飲用することで，胆管・膵管周囲の消化管内の水成分は，造影剤と混ざり，局所磁場が乱れてT_2値が短縮される。そのため，TEを長く設定したHeavy T_2強調画像では，消化管内の水分の信号は減衰して描出されなくなる。

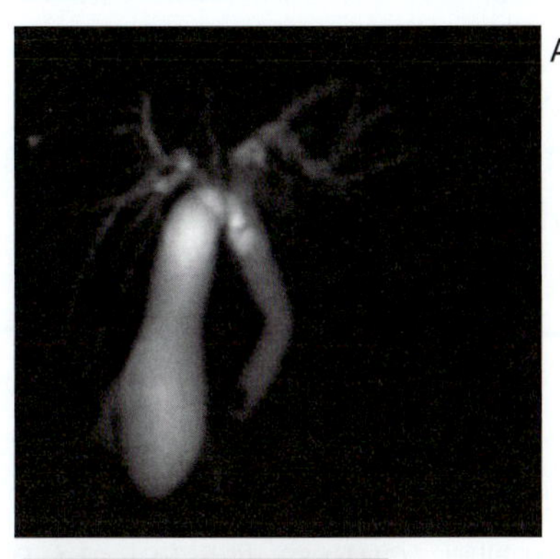
A：2D画像

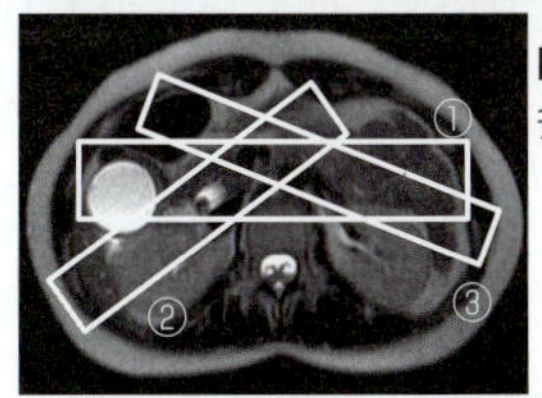

B：撮影断面
多方向からの観察が重要。

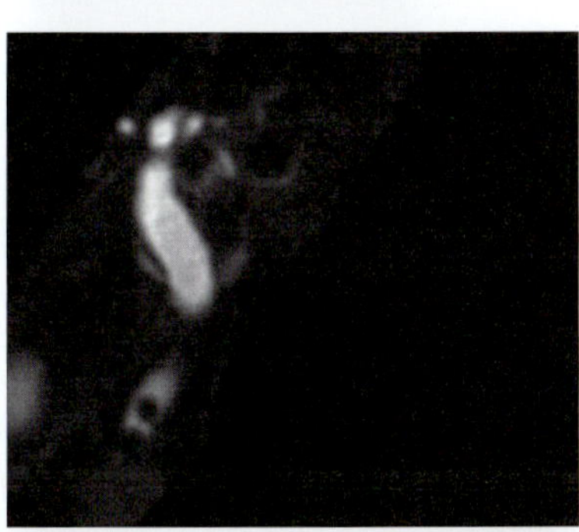
C：3D元画像

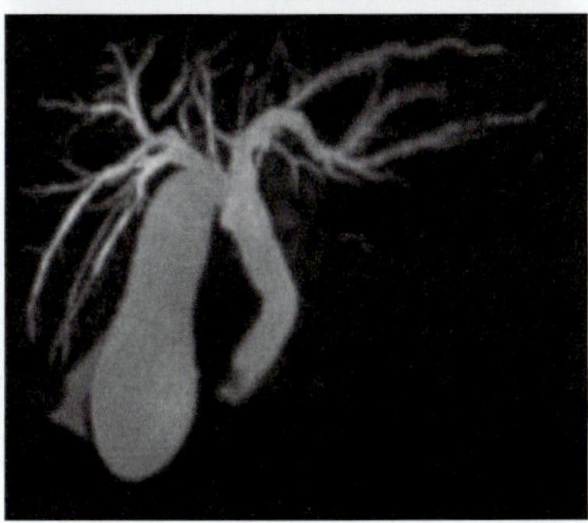
D：3D MIP

- 胆管や膵管を2Dで描出する場合，一般的に4～5cmの厚いスライス厚を設定して撮像する。これにより，水成分を含むものは高信号，水成分を含まないもの（結石など）は低信号で描出される（図A）。しかし，スライスに厚みがあるため，パーシャルボリューム効果で小さな結石は明瞭に描出されないことがある。
- 撮影法は主にシングルショット高速スピンエコー法が使われる。
- k-spaceのデータの一部を収集せずに共役対称から類推して撮像時間を短縮するhalf fourier法を併用する撮像法（HASTE, FASE, SSFSEなど）と併用しない撮像法（RAREなど）に分けられ，息止めの時間はおよそ3～6secと非常に短い。
- 撮影断面は，①総胆管と膵頭部～体部までの広い範囲を含めた冠状断，②ファーター乳頭部と膵頭部を含めた斜位断，③膵体部～膵尾部に平行な斜位断が一般的である（図B）。
- 3Dで撮像する場合は，脂肪抑制型3D高速スピンエコー法に横隔膜同期（navigator echo法）または呼吸同期（respiratory trigger法）を併用し，自由呼吸下で撮像する。1mmほどの薄いスライス（図C）で撮像し，MIP処理で多方向から観察する（図D）。
- MIPを回転表示することで，ファーター乳頭部などの形状が把握しやすくなる。一方，結石の存在が不明になることもあるため，元画像（図C）の確認が重要となる。
- 画質の良し悪しは，撮影時間と呼吸間隔に大きく左右されるため，検査前に呼吸の練習をさせるなど，十分な説明を行うことが非常に大切である。

C MRM（MR myelography）

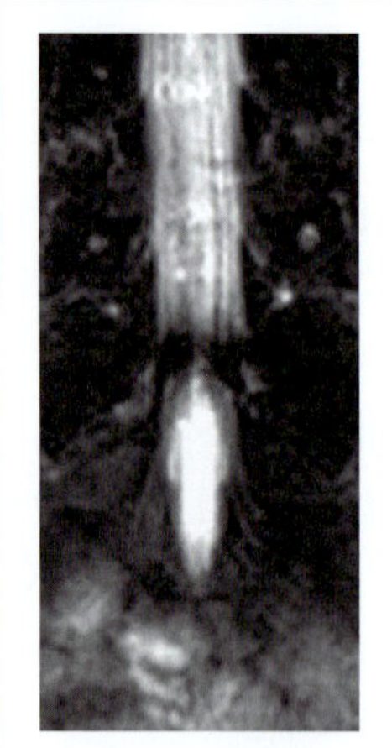

A：2D STIR

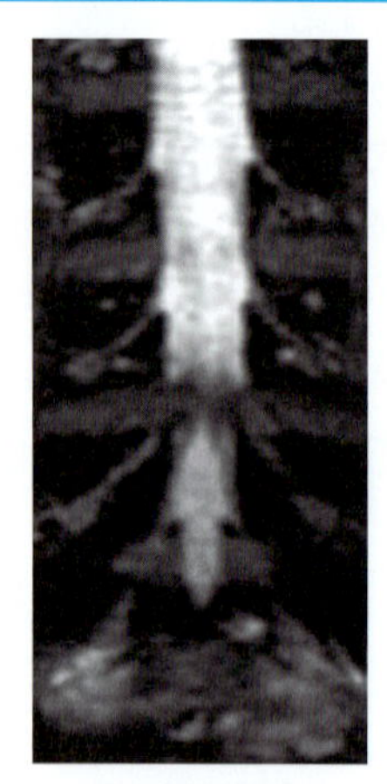

B：3D FSE

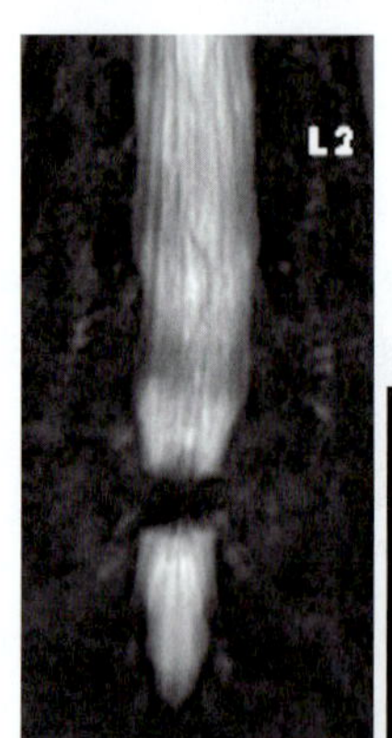

C：シングルショット FSE
（下図の白枠部分が撮像領域）

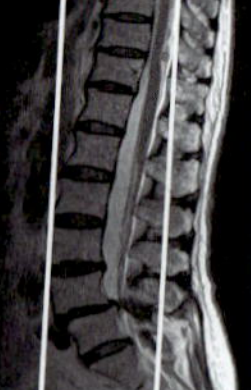
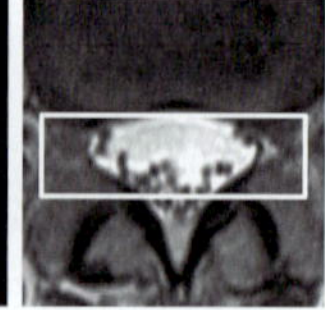

T_2 強調画像

- MRCP同様，heavy T_2強調画像を撮影することで，X線ミエログラフィに似た画像を取得することができる。
- くも膜下腔内の脊髄液が強調され高信号となり，神経（根）や脊髄腔内にできた腫瘍，さらには椎間板の突出により脊髄が圧排されている箇所は黒く描出される。
- 撮像法は様々であるが，一般的にはSTIR法（A）もしくは3D FSE法（B），撮像時間を優先するならばシングルショットFSE（C）を選択する。シングルショットFSEは3スライスを約20 secで撮影でき，容易に追加することができる。いずれも，背景信号を抑制するために，脂肪抑制が用いられる。
- 脂肪抑制（CHESS）併用FSEでも良好な画像は得られるが，磁場不均一によりFOV全体の脂肪信号が落ちにくいことがある。

D MRC（MR cisternography）

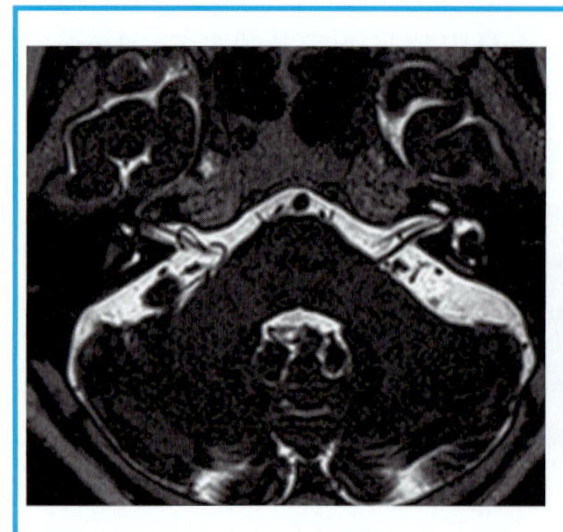

3D FSE
（SPACE：SIEMENS）

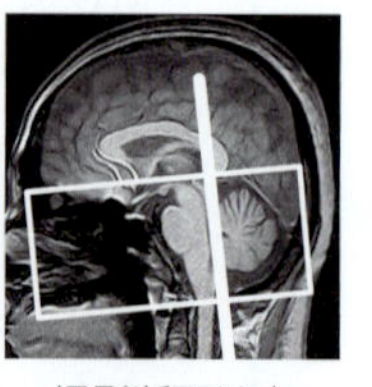

撮影断面は中
脳背側に垂直

- 3D FSE法では，内耳道周辺の顔面神経（Ⅶ），内耳神経（Ⅷ），血管が黒く描出されている。
- 聴神経腫瘍などは内耳道を占拠し，顔面神経や内耳神経を圧排するような低信号で描出される。
- 撮影法はtrue FISP，3D CISSや3D FSE（SPACE, CUBE, VISTA）など様々である。その中でも，3D撮像は分解能に優れ，脳脊髄液の流れのアーチファクトを軽減でき，さらに高いSNRを得ることができる。

2 拡散・灌流

A MR現象を利用して得られる生体情報

- MRIは，その高い空間分解能とコントラスト分解能により，優れた病巣検出能を有していることから，形態的な画像診断に必要不可欠なツールとなっている。
- MR現象からは，spin density，T_1・T_2緩和時間，化学シフト（chemical shift），スピンの位相，磁化率の変化などの情報が得られる。
- MR現象のもつ情報を最大限に活かし，形態診断だけでなく機能診断にも広く利用されている。

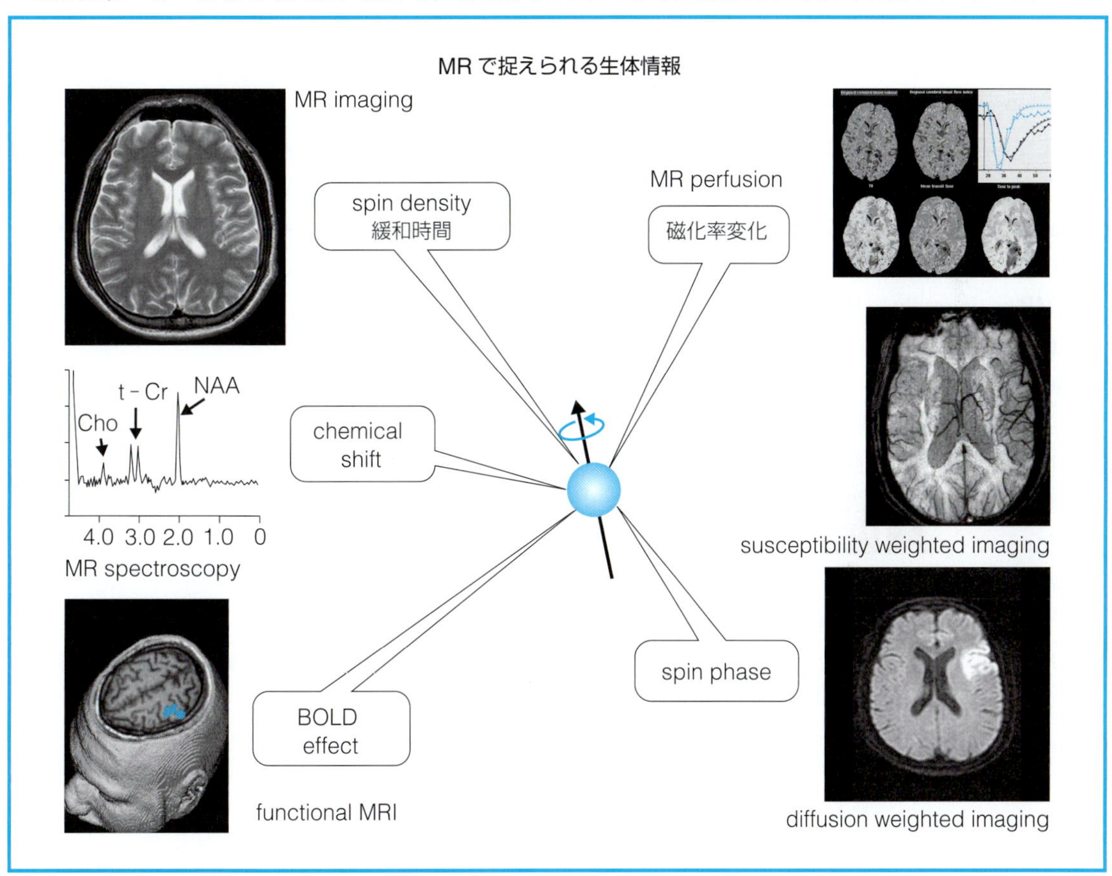

MRを用いた診断法	利用するMR現象
MRI	spin density T_1・T_2緩和時間
MRS	chemical shift
拡散強調画像 （diffusion weighted imaging：DWI）	spin phase
functional MRI（fMRI） MR perfusion	磁化率の変化
SWI	磁化率の変化（位相情報を含む）

B 生体組織内での水の動き

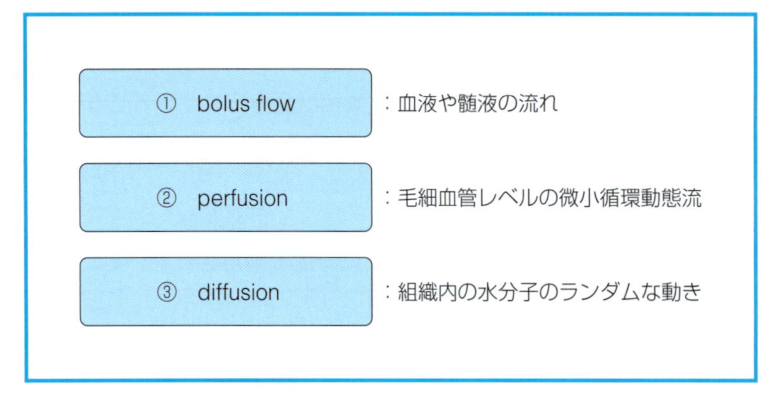

- MRでとらえられる情報を“生体組織内での水の動き”という点に着目すると，以下の①〜③に分類できる。

①bolus flow

- 血液や髄液の流れであり，1秒間に数cm〜数十cm移動する。
- MR angiography（MRA）やシネモードにて画像化できる。
- tagging や phase contrast（PC）法を用いて速度を解析できる。

②perfusion

- 毛細血管レベルの微小循環動態流であり，1秒間に2〜3 mm移動する。
- MR perfusionにて画像化および解析できる。
- 他のモダリティ（CT，PETなど）でも画像化が可能である。

③diffusion

- 組織内の水分子のランダムな動きであり，1秒間に100μm程度の移動である。
- 一般的には，高速撮像法の一種であるEPI法を用いて画像化する。
- 水分子の動き（拡散）が解剖構造によって制限されることに着目し，神経線維の走行方向を解析する拡散テンソル画像（Diffusion tensor imaging：DTI）にも用いられる。

C 拡　散

拡散強調画像（diffusion weighted imaging：DWI）とは，水分子の動きやすさの違いを強調した画像である。DWIのコントラストはT_1WIやT_2WIとは全く異なる物理学的背景によるものであり，細胞外液に含まれる水分子の動きを捉え，細胞密度の違いなどの情報を評価することが可能である。近年では，テンソルという概念を用いることにより，拡散の大きさのみならず，拡散の方向（異方性）の情報も画像化できる。これらの情報により，他の撮像法では捉えられない病変の検出や鑑別が可能となり，臨床的有用性は高い。本項では，拡散情報とその画像化について解説する。

1. 拡散（diffusion）とは？

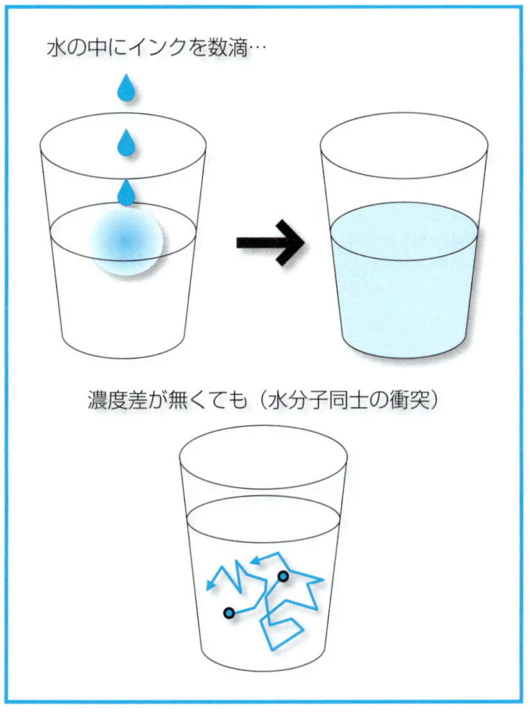

- 水の中にインクを落とすと，だんだんとインクが広がっていき，最終的には全体的に均一な濃度になる。
- このように濃度勾配がある状況で，均一な方向に向かっていく現象，これが巨視的にみたときのdiffusionである。
- Diffusionは，上述のように濃度差がある方が観察しやすいが，濃度差がなくても生じる。
- 純水中の水分子は，自身がもつ熱エネルギーによって常に運動しており，他の水分子に衝突して方向を変える。これを繰り返すことでジグザグに運動する。この現象をブラウン運動と呼ぶ。
- これが微視的に見たときのdiffusionである。
- MRでは，このような微視的なランダムな動きを捉えており，この水分子のランダムな動きは，温度や液体の粘性で大きく変化する。

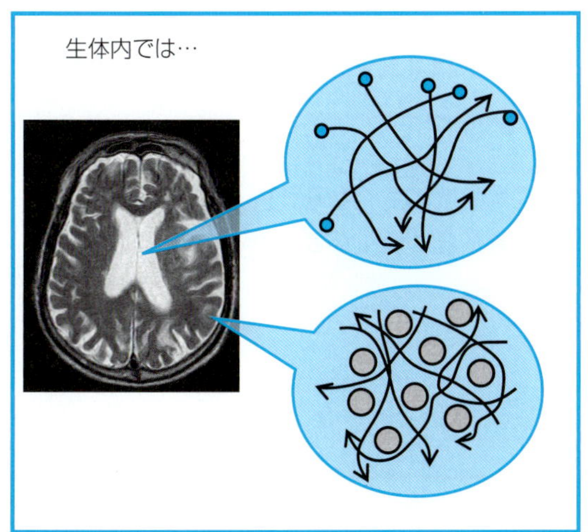

- 水分子の動きやすさの違いをコントラストとして描出したものがDWIである。
- 拡散の度合いは，単位時間あたりに水分子が移動する面積で表すことができ，見かけの拡散係数ADC（apparent diffusion coefficient, 単位：mm^2/s）が用いられる。
- 脳を例にすると，脳室内では水分子の動くスペースがたくさんあるため，単位時間あたりに大きく動く。一方，脳実質は細胞が密集しているため動きづらく，単位時間あたりの動きは小さい。
- DWIでは，水分子の動きが大きい領域は低信号，水分子の動きが小さい領域は高信号に描出される。

2. どのように拡散をとらえるか？

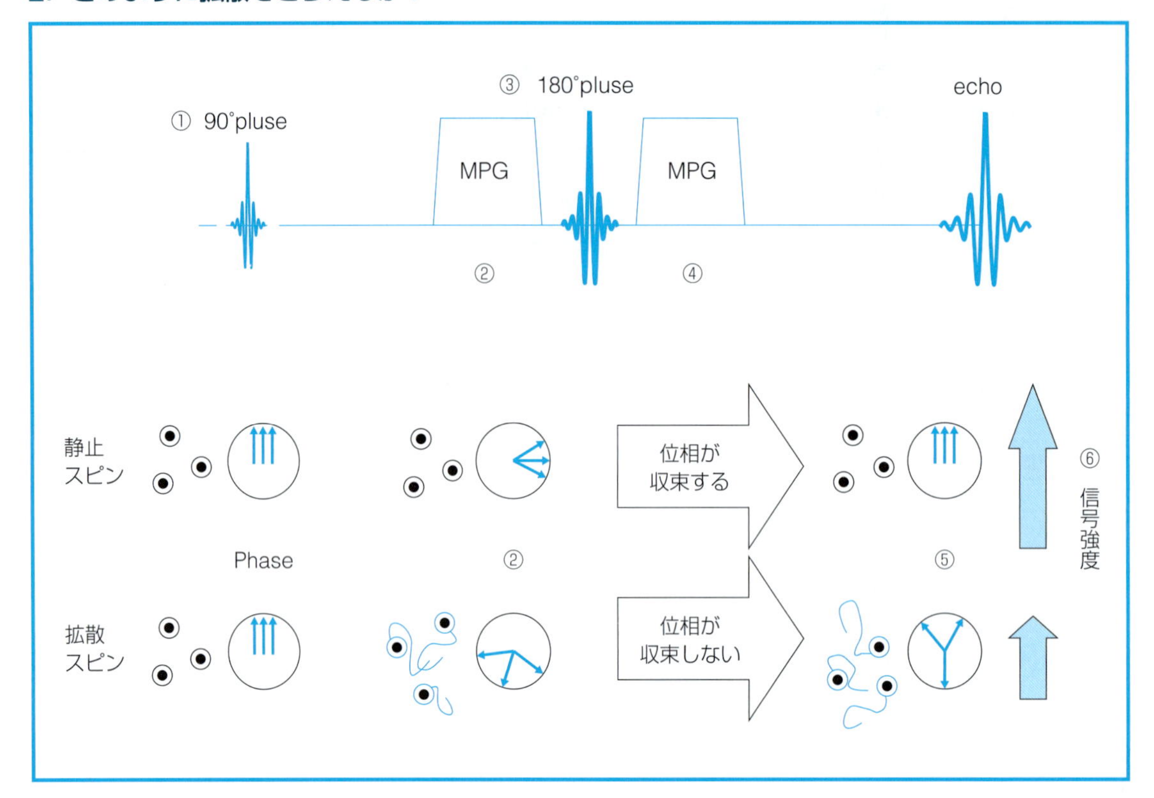

- 静止している組織（静止スピン）と拡散運動している組織（拡散スピン）を考える。
  - ①90°パルス印加：静止スピン，拡散スピンともに位相が揃う。
  - ②MPG*印加：180°パルスの前にMPGと呼ばれる傾斜磁場を付加する。水分子の位置により共鳴周波数が変わるため，スピンの位相が分散する。
    *MPG（motion probing gradient）：静止スピンと拡散スピンの動きの差を強調するために印加する傾斜磁場
  - ③180°パルス印加：位相が反転する。
  - ④MPG印加：②と同じ強さで極性が反対のMPGを印加する。
  - ⑤echo取得：静止スピンは，②で分散した位相が戻る。拡散スピンは，②のときの位置から移動しているため位相は戻らず信号強度は低下する。
  - ⑥このときの信号低下の度合いは，水分子の運動量に影響し，信号低下の度合いから拡散の強さを知ることができる。
- つまり，
  - ▶水分子の運動が**小さい**部分は位相ずれが小さいため，**信号強度は高く**なる（白く描出される）。
  - ▶水分子の運動が**大きい**部分は位相ずれが大きいため，**信号強度は低く**なる（黒く描出される）。

3. どのくらい拡散を“強調”するか？

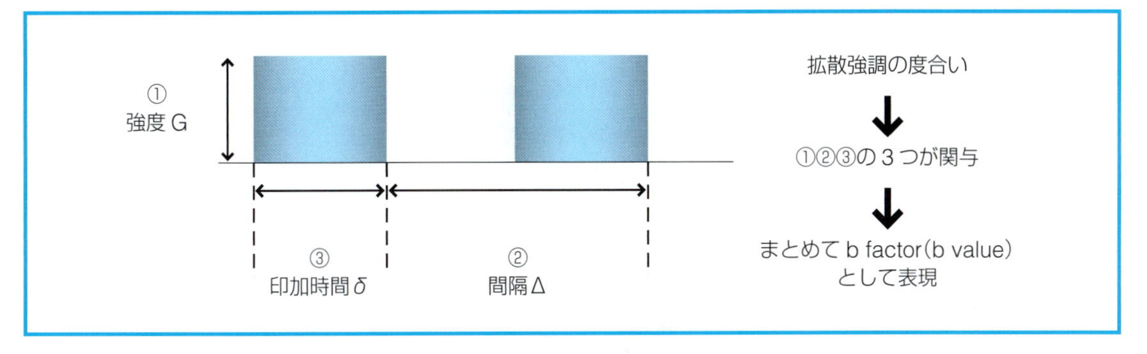

- DWI は，あくまでも**拡散を強調した画像**であり，拡散画像ではない。
- つまり，DWI には，T_1 緩和や T_2 緩和などの影響も含まれる。
- 拡散強調の度合いを決めるパラメータは，①**MPG の強度（G）**，②**2 つの MPG の間隔（Δ）**，③**印加時間（δ）**である。
- 通常は，これら 3 つのパラメータの影響を総合して**b 値（b factor, b value）**という値で拡散強調の度合いを表す。
- 以下に b factor の公式を示す。

$$\text{b factor} = (\text{s/mm}^2) = (\gamma^2 \times G^2 \times \delta^2) \times \left(\Delta - \frac{\delta}{3}\right)$$

γ：磁気回転比　G：MPG の強度（傾斜磁場の強度）　δ：MPG を印加する時間　Δ：MPG の間隔

ワンポイント

- MPG の強度 G が大きければ，印加時間 δ を小さくすることができるため，TE が短くなり好都合である。よって，まず G を大きくすることが重要であり，slew rate（スリュー レート）*の高い装置が有利である。
  slew rate の傾斜磁場コイルの性能の一つで，どれだけ速く磁場強度を変化させることができるかの指標。slew rate が高いほど高性能な装置である。
- 臨床的には，まず G を変化させ，これが装置の限界に達したときに δ を大きくすることになる。この場合，TE は長くなる。
- 2 つの MPG の間隔 Δ を大きくすると，RF から echo までの時間（TE）が長くなるため，SNR は低下する。

コラム 拡散強調画像の撮像シーケンス

【拡散強調画像を得るために用いられている主な撮像シーケンスと特徴】

シーケンス	撮像の早さ	動きへの強さ	特 徴	適 応
EPI	◎	△	・磁化率，渦電流による歪みがある	最も一般的
Turbo-STEAM	○	○	・SNRが低い ・歪みは小さい	急性期脳血管障害
SSFP	○	△	・b値ではなく，MPGモーメントによって撮像制御する	脊髄など
SSFSE	○	△	・SNRが低い ・Chemical Shiftの影響がない	磁化率による影響を受けやすい部位
Line Scan	△	◎	・励起パルスの印加方向が特徴的	小児，体内金属，脳以外
PROPELLER	△	◎	・回転運動の補正も可能	全般

EPI：echo planar imaging, STEAM：stimulated echo acquisition mode
SSFP：steady-state free precession, SSFSE：single shot fast spin echo
PROPELLER：periodically rotated overlapping parallel lines with enhanced reconstruction

4. DWIのコントラスト

- DWIは，元画像にMPGを印加することで，組織に含まれる水分子の動きの違いを強調する。
- 臨床では，狭義の意味で「元画像にMPGを印加した画像」をDWIと呼ぶ。
- 一般的に，DWIの元画像は，MPGを印加しない脂肪抑制T_2強調画像（b値：0 s/mm^{2}の画像）である。
- DWIの信号には元画像の影響が含まれているため，解釈には注意が必要である（つまり，DWIは緩和時間やプロトン量が信号強度に影響するため，拡散の度合いだけを画像化しているわけではない。（詳細は次頁「補足：T_2 shine-through」を参照）
- DWIの信号強度を示す公式を以下に示す。

$$\mathbf{S.I.} = \mathbf{f(v)} \times \rho \times \underbrace{\{1-\exp(-\mathbf{TR}/\mathbf{T_1})\}}_{T_1\text{緩和}} \times \underbrace{\exp(-\mathbf{TE}/\mathbf{T_2})}_{T_2\text{緩和}} \times \exp(-\mathbf{b}\cdot\mathbf{ADC})$$

S.I.：信号強度　v：流速　ρ：プロトン密度　T_1：T_1緩和時間　T_2：T_2緩和時間
TR：繰り返し時間　TE：エコー時間　b：b値　ADC：見かけの拡散係数

- 生体組織における水分含有量には大きな差がないため，ρは大きな問題にならない。
- マクロな動き（血流や体動）があると，vの影響が現れる。
- TRを十分に長く設定することで，T_1緩和の影響を排除できる。
- TEを短くすればT_2の影響を小さくできるが，TE中にMPGを挿入するため，短縮には限界がある。

補足：T_2 shine-through

- 拡散以外にT_2緩和の影響が原因となり，DWIが高信号として描出されることをT_2 shine-throughと呼ぶ。
- T_2 shine-throughは，元画像である脂肪抑制T_2強調画像において，T_2値が長い組織の信号がDWIにおいて高信号に描出されることを示す。
- T_2 shine-throughを回避するためには，高いb値を用いてDWIを撮像することが必要となる。

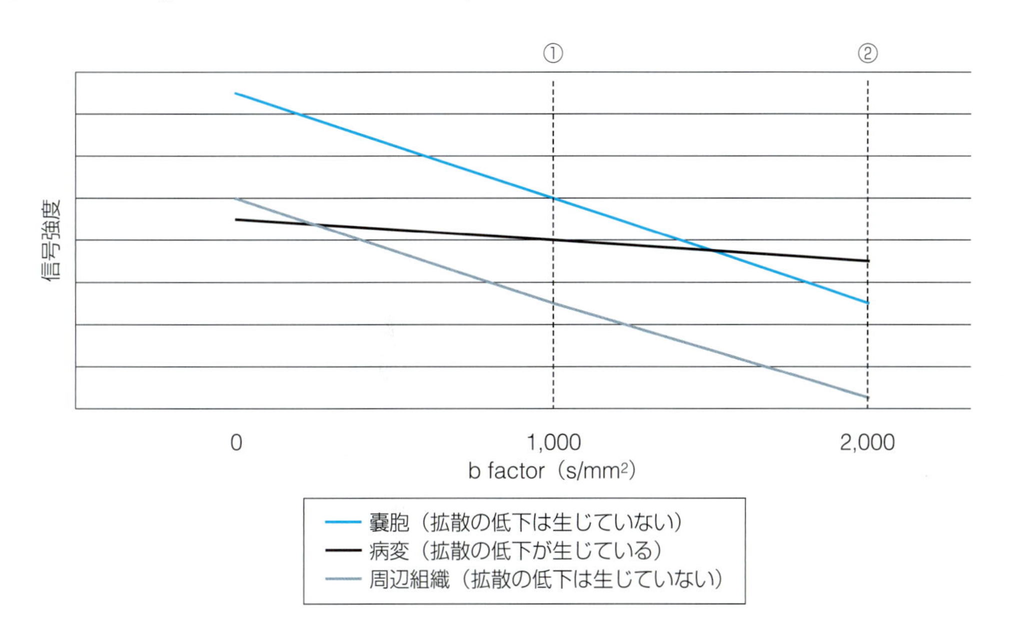

①b値1,000 s/mm^{2}を用いたDWIでは，病変と嚢胞は高信号に描出される。嚢胞が高信号に描出されたのは，拡散の低下が生じているのではなく，T_2値が長いためである。
②b値2,000 s/mm^{2}を用いたDWIでは，病変のみが高信号に描出される。

※b値を高くすると，DWIのSNRが低下するため，設定には注意を要する。

5. 拡散を表す単位 ―拡散係数 D とみかけの拡散係数 ADC―

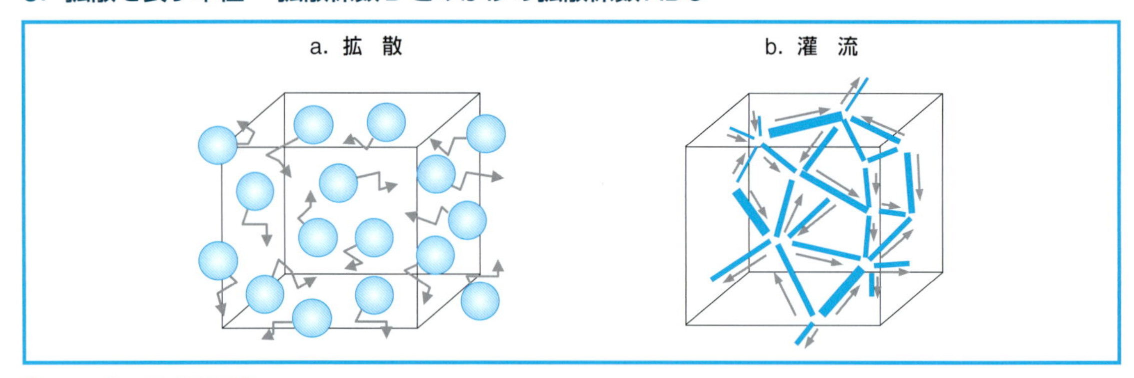

【Voxel 内の拡散運動】

- Voxel 内では水分子がランダムに運動（incoherent）しており，これを拡散現象と呼ぶ（図 a）。
- Voxel の中には毛細血管も含まれており，複雑に走行している。毛細血管内の水分子は一定方向に運動（coherent）しており，これが灌流現象である。しかし，voxel 全体では多数の毛細血管を 1 つの塊として捉えるため，ランダム（incoherent）に運動しているように見える（図 b）。
- つまり，拡散と灌流を見分けることはできず，両者を合わせた「intra-voxel incoherent motion（IVIM）」と呼ばれる状態をとらえている。ただし，生体においては毛細血管流の IVIM に占める割合は数％と少なく，毛細血管流の方がはるかに速い。
- b factor が大きくなるにつれて細かな動きを鋭敏にとらえることができるようになるため，b 値を高くする（> 400 s/mm²）ことで毛細血管流の影響を実質的に排除できる。ただし，b 値を高くしても，灌流の影響を完全に排除することはできない。
- そこで，純粋な拡散のみを評価する指標である拡散係数 D と区別するために，みかけの拡散係数〔ADC：apparent（見かけ上の）diffusion coefficient（拡散係数）〕を使用する。
- まとめると，
  - b factor の小さい DWI における信号低下 ➡ 拡散と灌流の両方の影響を含んだ画像
  - b factor の大きい DWI における信号低下 ➡ 限りなく拡散だけの情報による画像（ここでは，拡散強調画像に関わる信号強度因子のうち，拡散と灌流のみを考慮）

コラム　b 値が DWI のコントラストに与える影響

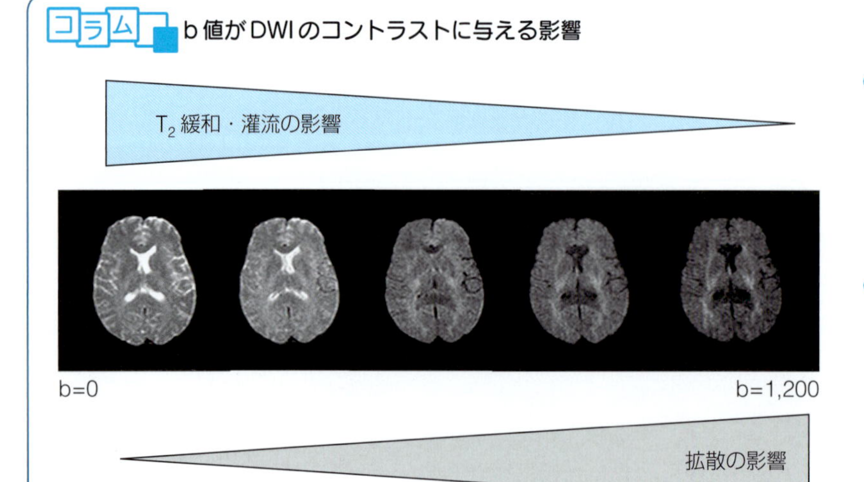

- b 値が低いと，DWI のコントラストは，細胞外液に含まれる水分子の動き以外（T_2 緩和や灌流）の影響が強くなる。
- 水分子の動きの違いを画像化するには，高い b 値を用いて T_2 緩和や灌流の影響を排除することが重要である。

6. 拡散の強さを表すには ―ADC―

- 拡散の強さは，ADC（apparent diffusion coefficient）値で表せる（単位はmm^2/sec）。ADCを日本語に訳すと「みかけの拡散係数」となる。
- 「みかけの」を付すのは，拡散強調画像ではT_2緩和や灌流などの影響が含まれており，純粋な拡散の影響のみではないからである。
- ADC値を画素値として画像化したものをADC mapと呼び，通常の拡散強調画像においてT_2の影響をどの程度受けているかの判断に困ったときなどに有用である。
- ADCを求めるには任意の2つのb factor（例えば0と1,000など）で撮像した拡散強調画像の信号強度の差から求めることができる。
- 以下に，ADCの算出式を示す。

$$ADC = \frac{\ln(S_1/S_2)}{b_2 - b_1}$$

ADC：みかけの拡散係数　b：b factor ($b_2 > b_1$)
S_1：b_1で撮像した画像の信号強度　S_2：b_2で撮像した画像の信号強度

ワンポイント：ADCによる定量評価の有用性と注意点

- ADCを用いた定量評価の有用性については多くの文献で述べられている。
  例：腫瘍における悪性度のバイオマーカー
  治療効果の予測や応答性評価
  系統的な治療法選択　etc.…
- ただし，ADCによる定量評価には注意すべき3点の項目がある。

①現時点において，ADCはCT値のように絶対評価はできない。これは，撮像パラメータや装置の違いにより値が変化してしまうためである（特に，TEや画像のSNRがADCに大きく影響する）。

②DWIの撮像において，一般的に用いられているEPIシーケンス※は磁化率アーチファクトや画像の歪みが他のシーケンスよりも大きい。そのため，ADCには多くの不確定要素が含まれてしまう可能性がある。

※詳細は「6-5. EPI（echo planar imaging）法☞119頁」を参照

③細胞外液に含まれる水分子の動きは，1～100μm程度である。一般にDWI撮像時に用いられるvoxelの一辺は3 mm（3,000μm）程度であるため，ADCには部分体積効果の影響が大きく含まれる。

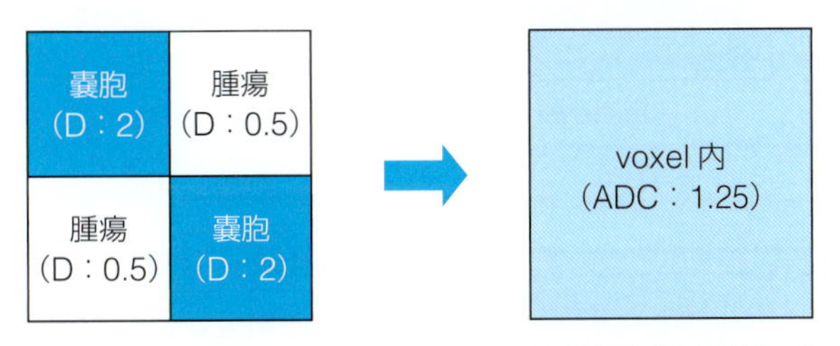

実際は腫瘍や嚢胞が混在する組織　ADCでは部分体積効果によって平均化されてしまう

7. DWIによる組織の性状評価

	DWI	ADC map
水分子が動きやすい（拡散が制限されない）	低信号	高信号
水分子が動きにくい（拡散が制限される）	高信号	低信号
T_2 shine-through	高信号	高信号

- DWIとADC mapの信号パターンの組み合わせを表に示す。
- DWIとADC mapの信号パターンを理解すれば，簡便に組織の性状を評価できる。
- 拡散が制限される信号パターンは，病態鑑別において非常に重要である。
- 拡散が制限される原因は，①細胞密度が高い組織，②細胞浮腫が生じた時，③粘稠度が高い組織の3つに分けられる。

●①細胞密度が高い組織

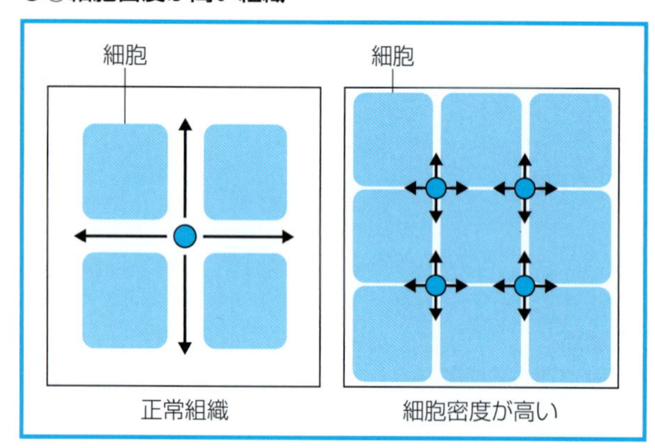

- 細胞密度が高いと細胞外液腔が狭くなり，水分子の動きが制限される。
- 代表例：悪性腫瘍（細胞の異常増殖）

●②細胞浮腫が生じた時

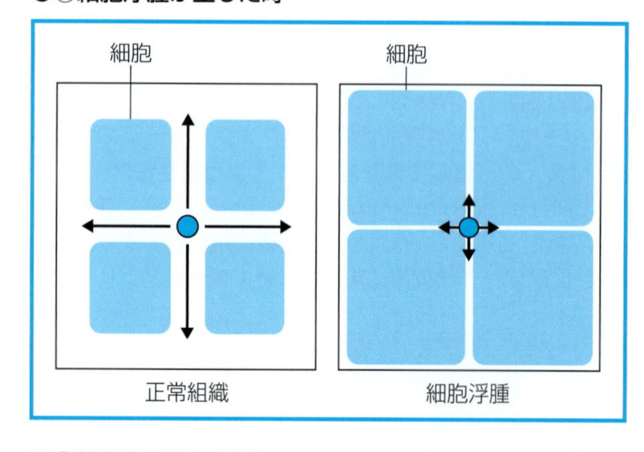

- 細胞が膨張して，細胞外液腔が狭くなり，水分子の動きが制限される。
- 代表例：急性期の脳梗塞

●③粘稠度が高い組織

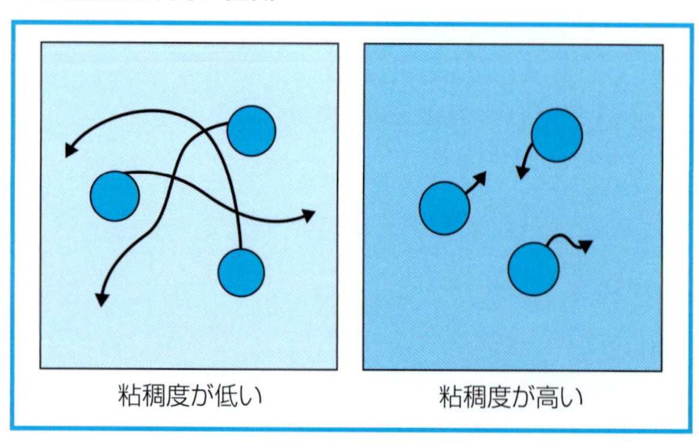

- 性状がドロドロした液体で構成される組織は粘稠度が高いため，水分子の動きが制限される。
- 代表例：類表皮腫

8. 拡散の方向は？

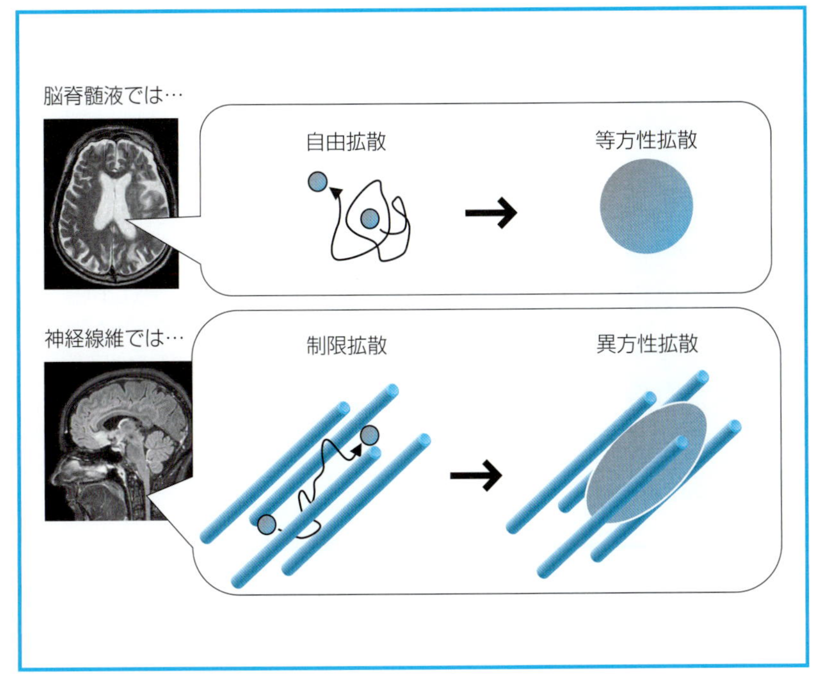

- 生体内では，水分子が自由に拡散できる状況は少ない。脳脊髄液など自由に水の動ける部分を除くほとんどの組織では，なんらかの原因により一定の方向へ拡散が集中することが多い。
- たとえば，脳脊髄液などは自由水であり拡散の方向はほとんど制限を受けないが，神経線維ではミエリン鞘が水分子の動きを制限するため，線維の走行に沿った拡散は大きく，走行に垂直な拡散は制限されて小さくなる。
- これを，**拡散異方性（diffusion anisotropy）**と呼ぶ。
- また，自由に拡散できる状態のことを**等方性拡散**と呼び，拡散方向に制限を受ける場合には**異方性拡散**と呼ぶ。
- 拡散の異方性を知るためには，MPGの印加方向を変化させながら撮像する必要がある。3次元の物の形を把握するときに1方向から見ただけでは分からないのと同じである。

9. 拡散の方向を表すには ―DTI―

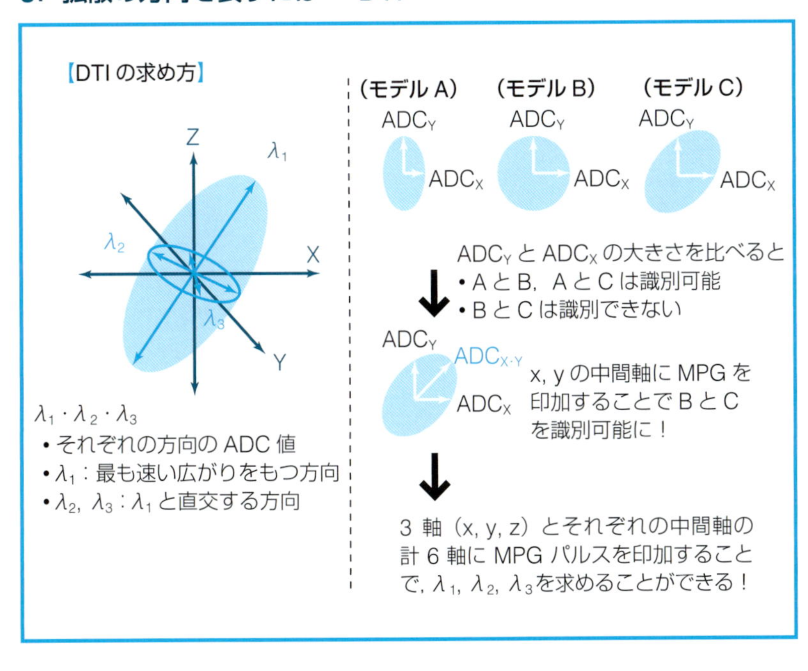

- **水分子の拡散する範囲を球体として考える方法がDTI（diffusion tensor imaging）である。**
- 拡散の制限を受けない場合**（等方性拡散）**は真球で表現する。
- 拡散の制限を受ける場合**（異方性拡散）**，は楕円球で表現する。

10. 異方性の強さを表すには ―FA―

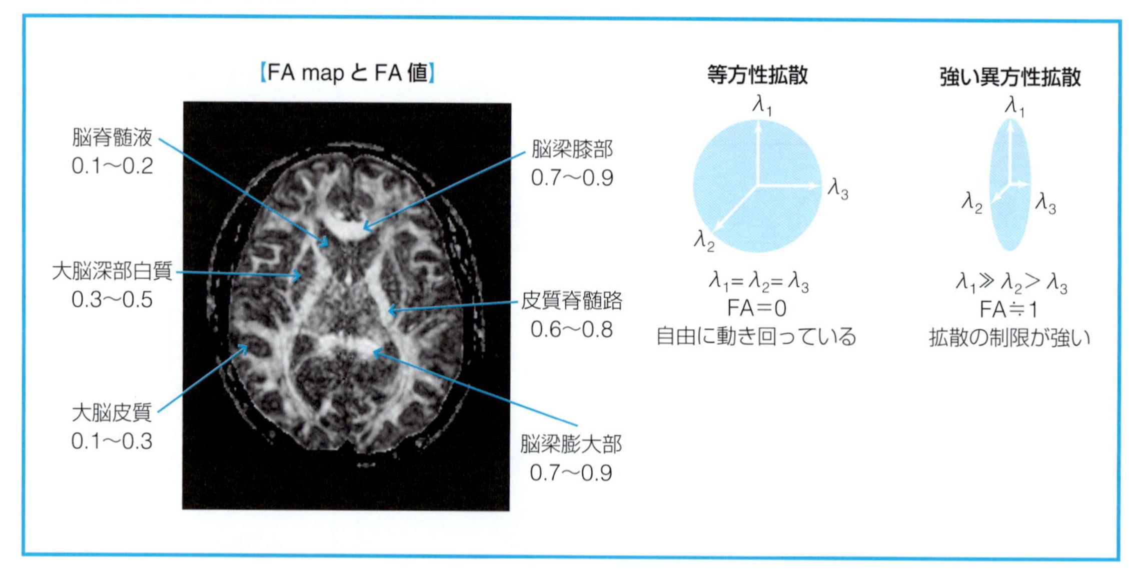

- 異方性の強さを表す指標としてFA（fractional anisotropy）値が用いられる。
- FA値は0〜1の値をとり，値が大きいほど異方性が強いことを示す。
- 脳梁部や皮質脊髄路（錐体路）は神経線維が同一方向へ走行しているため，異方性が強く，FA値は高くなる。
- 白質に比べ神経線維に乏しい皮質は異方性が弱いため，FA値も低くなる。脳脊髄液は拡散に制限を受けないため，FA値はさらに低くなる。
- FA値を画素値として画像化したものをFA mapと呼び，異方性の強さを評価できる。
- FA mapを λ_1 の方向によって色付けしたものがcolor mapである。
- 中枢神経領域の病変部では神経線維が破壊され，神経線維の走行が乱れるため，一般的にFA値は低下する。
- FAの算出式を以下に示す。λ_1, λ_2, λ_3 がすべて等しいとき（等方性拡散のとき）は，FA値＝0となる。

$$\mathrm{FA}=\sqrt{\frac{3}{2}}\,\frac{\sqrt{(\lambda_1-\mathrm{ADC})^2+(\lambda_2-\mathrm{ADC})^2+(\lambda_3-\mathrm{ADC})^2}}{\sqrt{\lambda_1^2+\lambda_2^2+\lambda_3^2}}$$

λ_1, λ_2, λ_3：各方向のADC（$\lambda_1>\lambda_2>\lambda_3$）
ADC：みかけの拡散係数（$\lambda_1+\lambda_2+\lambda_3$)/3

11. 神経線維の走行を表す ―DTT―

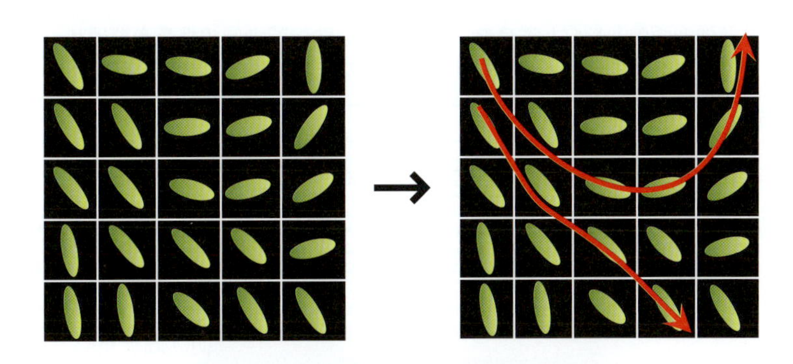

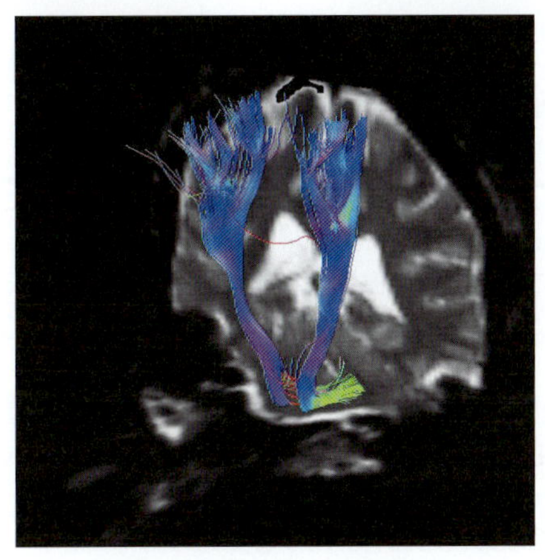

MedINRIA を用いて作成した
皮質脊髄路の DTT

- 神経線維では線維の走行に沿った拡散は速く，走行に垂直な拡散は制限されて遅くなることは解説した。これをDTIで表すと，神経線維の走行に沿って楕円球が並ぶことになる。これらの楕円球を線で結び，擬似的に神経線維を画像化する手法を DTT（diffusion tensor tractography）と呼ぶ。
- DTTは，脳腫瘍の術前検査や術中ナビゲーションとして活用できるという報告もある。

ソフトウェア名	開発元
PRIDE	Philips
Fiber Track	GE Healthcare
diMaRIA	増谷 佳孝
MedINRIA	INRIA
DTI studio	Johns Hopkins University
3D Slicer	Harvard University

- DTTを作成するには，装置内蔵の解析ソフトウェアを用いる他に，大学や研究機関によって開発された解析ソフトウェアを用いることもできる。代表的な解析ソフトウェアには，左表のようなものがある。

コラム 拡散強調画像の種類

●ここまで様々な拡散強調画像を紹介してきた。ここでは拡散強調画像の種類を整理する。なお，ここで紹介する名称は一般的なものであるが，書籍によっては異なる場合もあるので注意してほしい。

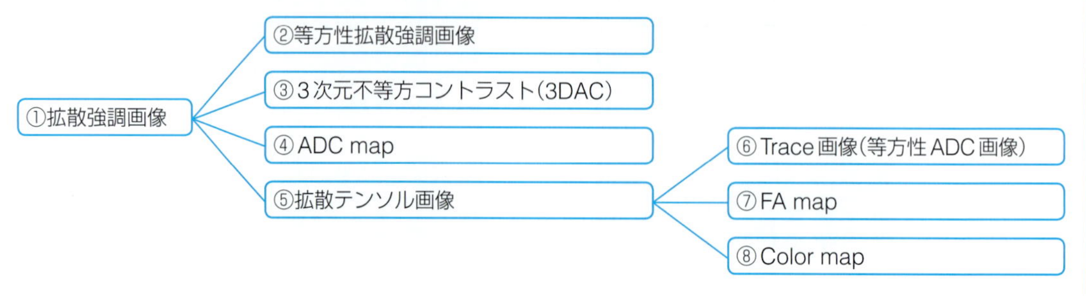

①拡散強調画像（DWI：diffusion weighted image）
水分子の拡散運動を強調したMR画像全般を指す。臨床においては，灌流の影響を排除するような高いb値を用いて撮像した画像を指す。

②等方性拡散強調画像（isotropic DWI）
異方性を排除するためにMPGの印加方向を3軸以上変化させ，撮像した画像を合成し，平均化したもの。

③3DAC（3D anisotropy contrast）
MPGの印加方向を1軸ごとに変えながら撮像し，それぞれを色分けする。最終的に合成し，カラー表示した画像を指す。拡散テンソル画像のColar mapと似ているが，異なる画像である。

④ADC map
任意の2つのb値で撮像した拡散強調画像から求めたADC値を画素値としたもの。拡散の度合いが画像化される。元画像の影響が排除されるため，拡散の度合いを評価しやすい。

⑤拡散テンソル画像（DTI：diffusion tensor image）
6軸以上のMPGを印加して拡散の異方性を計測する画像の総称。

⑥Trace画像（等方性ADC画像）
各テンソルのλ_1，λ_2，λ_3の和を画素値としたADC map。つまり，3次元的な解析に基づくADC mapを示し，Isotropic DWIより正確な拡散の度合いを示す（拡散の方向は示していない点に注意）。

⑦FA map（異方性画像）
FA値を画素値とした拡散テンソル画像。拡散の異方性の度合いを画像化している。

⑧Color map
FA画像にλ_1の方向をカラーで割り当てた画像。3DACは異方性拡散強調像によって作られたコントラスト画像であるのに対し，Color mapは算出されたFA値を解剖画像に表示した計算画像である点で両者は異なる。

D 灌　流

1. 概　要

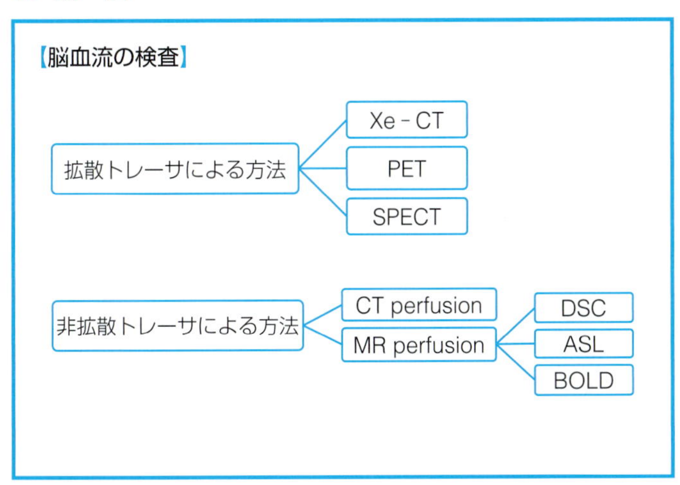

- 本来，灌流（perfusion）とは，生体組織の毛細血管レベルの微小循環動態のことであるが，脳の場合，脳血流（cerebral blood flow：CBF）とほぼ同義で用いられることが多い。
- 脳血流の検査には，Xe-CT，PET，SPECTのような**拡散トレーサ**（血管内のトレーサが脳実質に移行する）を使用するものと，CT perfusion，MR perfusionのような**非拡散トレーサ**（トレーサが血管内に停滞する）を使用するものがある。
- 最近では，**MR perfusion**が臨床で広く使用されており，他のMR検査との組合せた診断が可能であるという点で大きなメリットをもつ。

2. 分　類

① dynamic susceptibility-contrast（DSC）

② arterial spin labeling（ASL）

③ bold oxygen level dependent（BOLD）

- MR perfusionは，① dynamic susceptibility-contrast（DSC），② arterial spin labeling（ASL），③ bold oxygen level dependent（BOLD）に分類される。

① dynamic susceptibility-contrast（DSC）
- 従来から用いられている手法であり，Gd造影剤を用いる。
- 特殊な計算アルゴリズムを用いることにより，脳血流の絶対量を計算することが可能である。

② arterial spin labeling（ASL）
- 造影剤を用いないため，非侵襲的に相対的脳血流量を測定することができる（ただし，精度はDSCに劣る）。

③ bold oxygen level dependent（BOLD）
- ヘモグロビンの酸化状態の変化を捉える方法であり，fMRIにおいて脳の賦活領域（脳神経が活動している領域）を検出するのに用いられている理論である。
- 脳の活動によって生じる微小循環を捉えている。

3. DSC（dynamic susceptibility-contrast）とは？

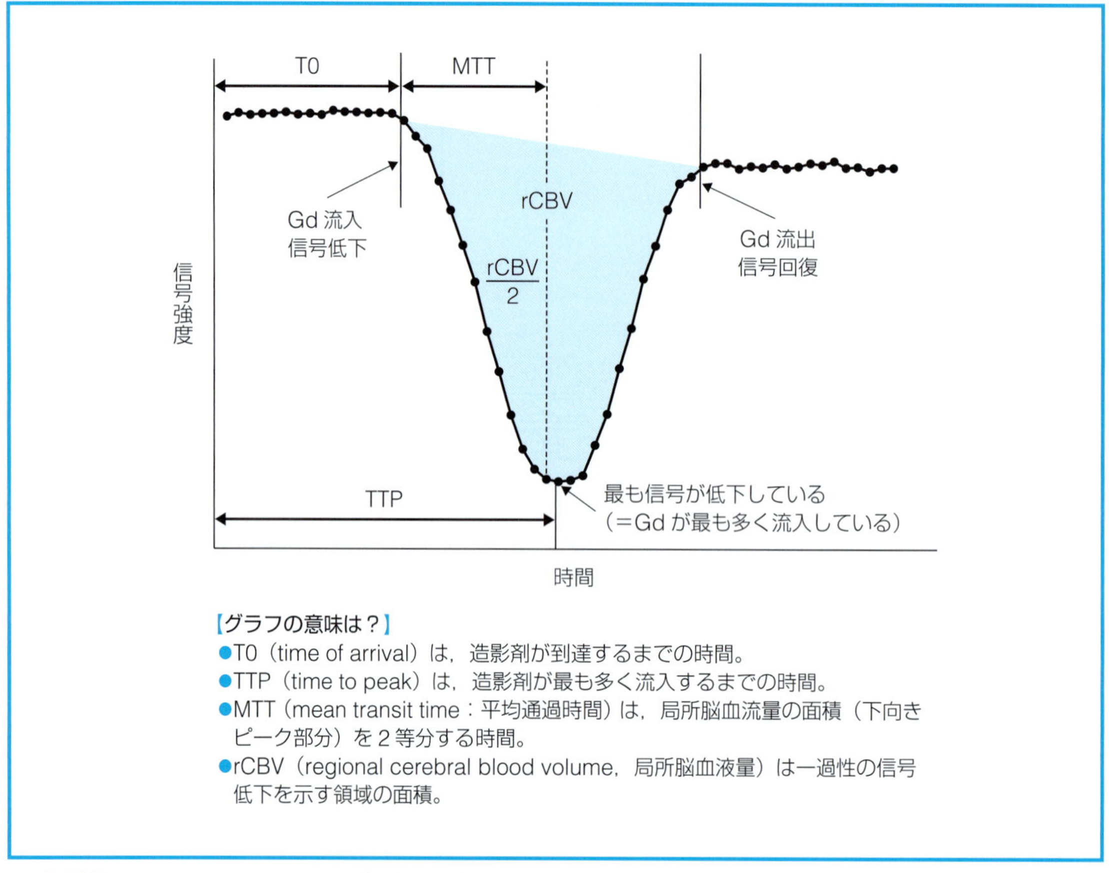

【グラフの意味は？】
- T0（time of arrival）は，造影剤が到達するまでの時間。
- TTP（time to peak）は，造影剤が最も多く流入するまでの時間。
- MTT（mean transit time：平均通過時間）は，局所脳血流量の面積（下向きピーク部分）を2等分する時間。
- rCBV（regional cerebral blood volume，局所脳血液量）は一過性の信号低下を示す領域の面積。

- **外因性のトレーサーとしてGd造影剤を使用**する。
- Gd造影剤を急速に静脈注入すると，Gd造影剤が血管床を通過するときに，血管周囲の細胞外液の^{1}H原子核との間に大きな磁化率の差が生じ，局所磁場の不均一が発生する。
- 脳組織では，血液脳関門によりGd造影剤が血管内に留まり細胞間質に移行しないため，Gd造影剤の通過による急激な信号変化（低下，上昇）を捉えることができる。
- この変化を画像化およびグラフ化することによって，**脳の血流動態を評価**する。

4. DSCの臨床例

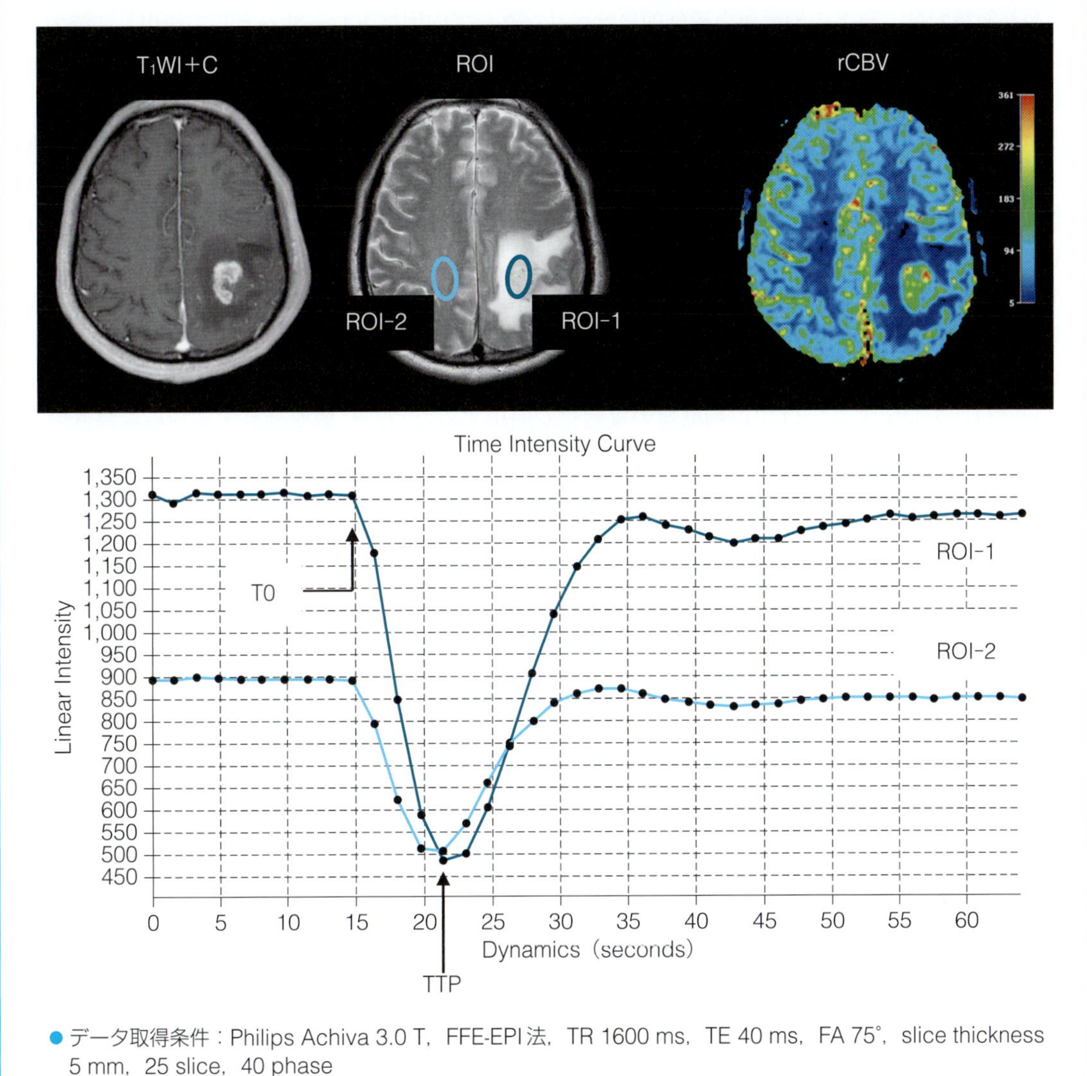

- データ取得条件：Philips Achiva 3.0 T，FFE-EPI法，TR 1600 ms，TE 40 ms，FA 75°，slice thickness 5 mm，25 slice，40 phase
- Gd造影剤（Gd-DTPA）は，自動注入器を用いて総量15 mLを5 mL/sで注入した。
- 解析にはEasy Vision（Philips）を使用している。

- 上図は，悪性神経膠腫に対して施行したMR perfusionである。
- T_1強調画像にて造影領域（脳腫瘍の実質部分）が認められる（T_1WI + C）。
- 造影領域（ROI-1）と正常領域（ROI-2）の信号変化をグラフ化したものが“time intensity curve（TIC）”である。TICにおいて，造影領域のrCBVが正常領域よりも大きいことがわかる。また，rCBV mapにおいても造影領域に一致して，信号強度変化が認められる。

5. ASL（arterial spin labeling）とは？

- ASLとは，動脈血を磁気的に標識（ラベリング）する技術である。
- 頭頸部領域では，頸部の動脈血を磁気的にラベリングして内因性トレーサーとして使用し，脳の血流動態を評価する。造影剤を使用しないため，腎機能や副作用歴に影響されることなく撮像でき，繰り返し検査することが可能である。
- 磁気的なラベリングの手法には，連続的なRFパルスで動脈血をラベリングするcontinuous ASL（CASL）と，1回のRFパルスで動脈血をラベリングするpulsed ASL（PASL）がある。また，CASLを改良したpseudo CASL（pCASL）という手法や目的の血管を選択的にラベリングするterritorial ASL（tASL）という技術も開発されている。
- ラベリングによる信号変化はごくわずかであるため，ラベリングした画像とラベリングしていない画像（control 画像）の差分画像（灌流画像）で灌流を評価する。
- 頸部でラベリングした血液が脳に到達するまで待機する時間が必要なため，ラベリング後のinversion time（TI）を設定する。TI中に動脈血の縦磁化が回復するため，T_1値が延長する高磁場装置の方が有利となる。
- 臨床では灌流画像をもとに算出したCBFが利用されている。

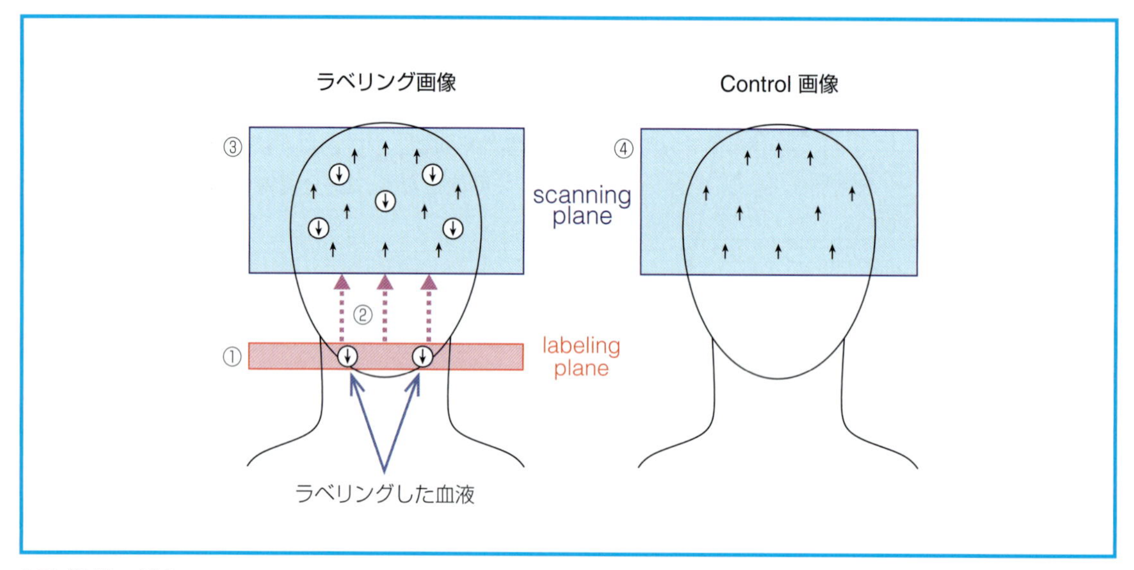

ASL撮像の流れ
①頸部のLabeling planeで動脈血の縦磁化を反転させる。
②ラベリングした血液が脳に流入し，磁化移動により脳の信号が低下する。
③TI後にscanning planeを撮像する。
④ラベリング画像とControl画像との差分から灌流を評価する。

6. ASLの臨床例

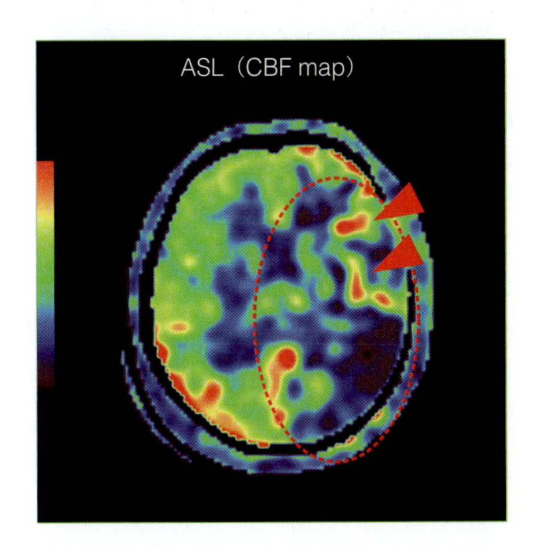

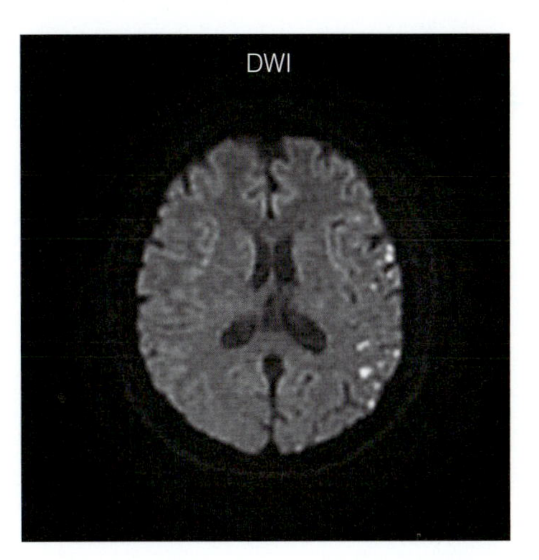

- 上図は左中大脳動脈に閉塞を認めた症例である。
- CBF mapでは，梗塞範囲（DWI高信号域）よりも広範囲で血流低下（----）が認められる。
- 左中大脳動脈は閉塞により流速が低下し，設定したTIではラベリングされた血液が血管内に存在するため，血管に一致した領域が高値を示す（◀）。高灌流と誤認しないように注意が必要となる。
- TIを延長したASLを追加することで遅い血流の評価も可能となり，完全閉塞か血流低下かの判断に役立つこともある。
- CBF map上にROIを設定することで定量値を算出することも可能だが，現状の原理では定量値の正確性が十分ではないため，CBF mapによる相対的な評価を行うのが一般的である。

3 functional MRI（f-MRI）

A functional MRI（f-MRI）とは？

【脳のf-MRI解析結果】

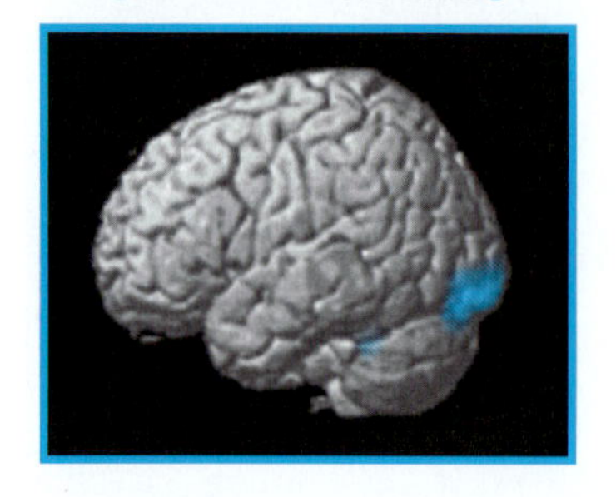

- functional MRI（f-MRI，機能的MRI）は，その名の通り形態的な情報ではなく，脳機能に関する情報を画像化したものである。
- 神経細胞の活動によって生じる血流量の変化や酸素の消費を画像化する。
- その原理と手順は，①BOLD効果を→② T_2^* で捉え→③タスクと関連した部位を→④統計手法で求め→⑤表示する（左図青色部），である。

B BOLD効果

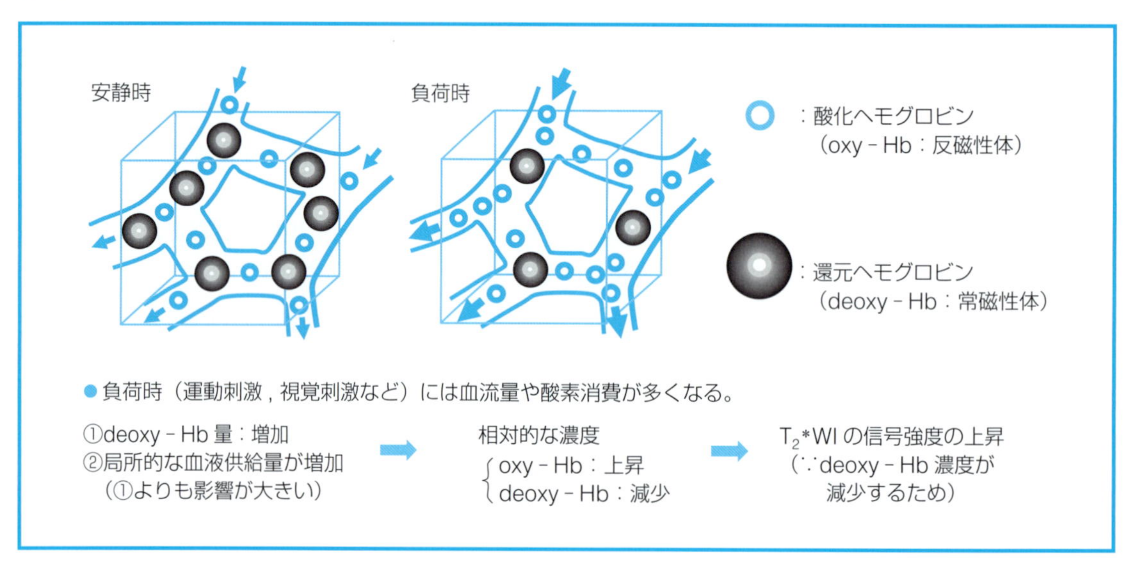

- BOLD（blood oxgenation level dependent）効果とは，血液の酸素化の度合いによってMR信号が変化する効果のことをいう。
- 日本人（小川誠二博士）によって見出された。
- 上図は安静時と負荷時（運動刺激，視覚刺激など）における関心領域内の血液の状態を示している。負荷時には酸素消費が多くなるため，deoxy-Hb量が増える。しかし，それ以上に局所的な血液供給量が増えるため，相対的な濃度をみるとoxy-Hbは上昇し，deoxy-Hbは減少することになる。したがって，常磁性体であるdeoxy-Hb濃度の減少は信号強度の上昇につながる。
- 上記の現象をとらえるため，一般的には磁化率効果を強調するためのパルスシーケンスであるgradient echo EPIおよび高磁場装置（3 Tesla MRI）が用いられる。

C f-MRIの実際

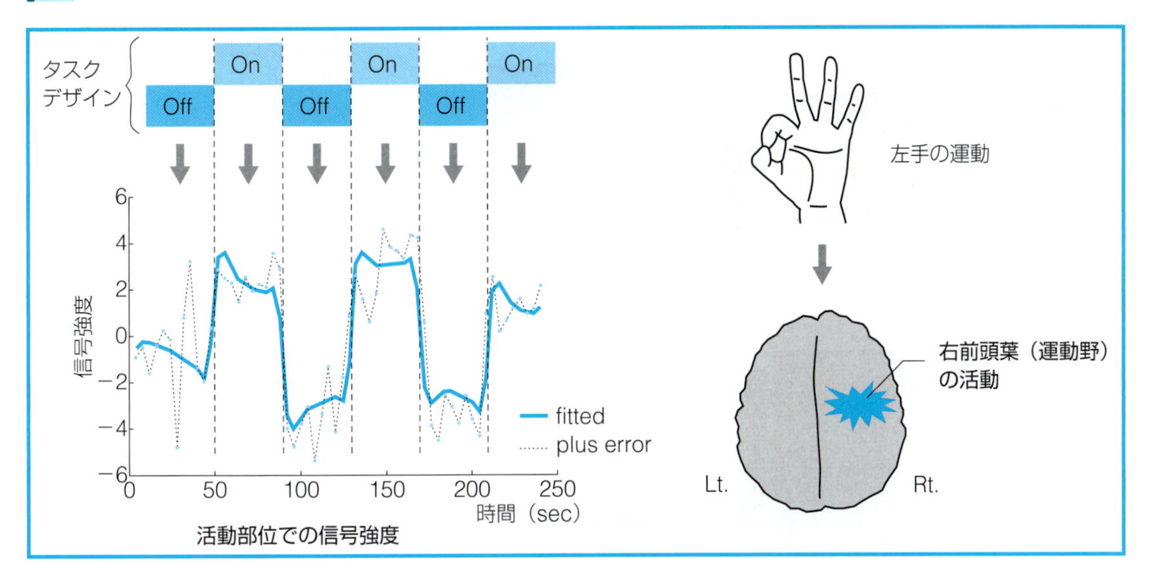

- 一般に，BOLD効果による信号変化は大きくても数%程度である。また，脳活動に比べ血流増加の反応は10～20秒程度の遅れがある。そのため，特定のタスクを数十秒程度継続させ，また，繰り返し行い，その繰り返しのパターンに対応する信号変化部位を脳活動部位として表示する。
- 例えば，上図のような左手の運動（finger tapping）のタスクでは，指の対立運動を40秒行い，40秒休む，を3～4回繰り返す。このタスクの変化（On-Off）と連動するMR信号（T_2*）の変化の部位が，このタスクで使われている脳の部位と考える。
- タスクと信号強度の相関を解析する方法には，単純に差分を求める方法や，高度な統計処理（脳の形態の標準化など）を行う方法（SPM）などがある。
- 近年では安静時の脳の活動をfMRIで10分ほど撮像し，脳領域間の活動の繋がりを調べるresting-state f-MRIが注目されている。resting-state f-MRIは，精神疾患患者と健常者の鑑別や学習能力の予測などに有用性があると報告されている。

f-MRIの例

A. 運動機能：右手のfinger tapping

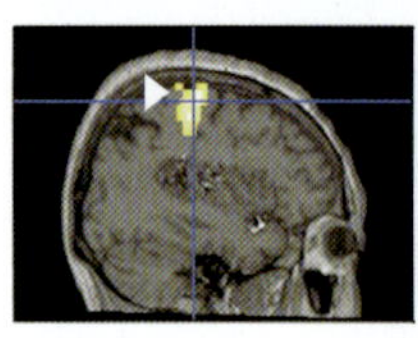
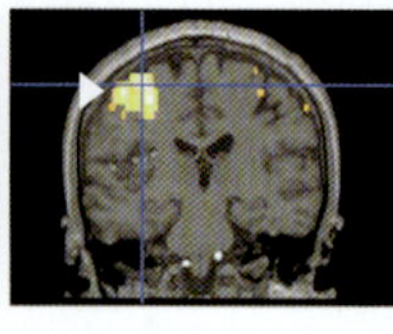
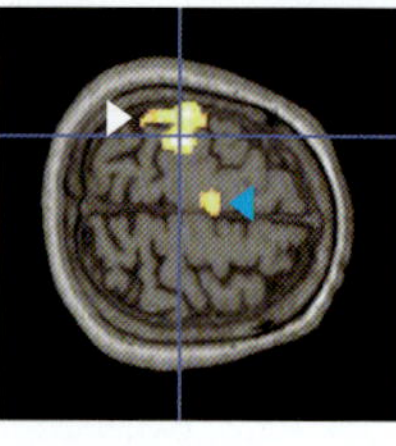

12 10 8 6 4 2 0

- 左前頭葉の運動野の活動がみられた（▷）。
- 前頭葉正中部には，補足運動野（SMA）の活動も捉えられている（▶）。

B. 言語機能：しりとり

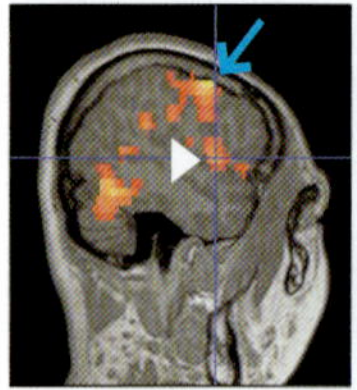
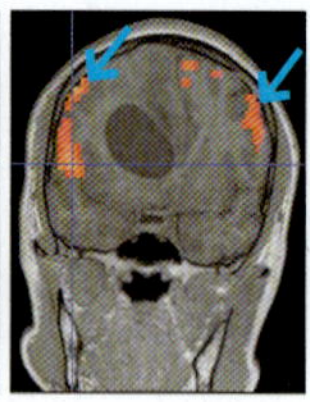
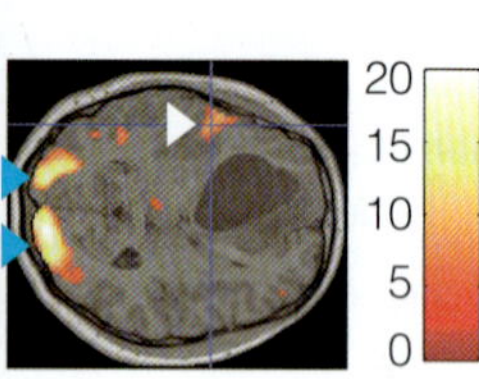

- 左前頭葉の脳腫瘍により，脳表の変位がみられるが，左前頭葉に運動性言語野の活動部位が捉えられた（▷）。
- 舌や口などの運動野の活動もみられるが，これは両側性にみられた（←）。
- タスクを画像で指示しているため，視覚野にも大きな活動がみられた（▶）。

4 SWI（susceptibility weighted imaging）

A SWIの特徴

1. 磁化率を強調
- **①強度画像だけでなく「位相画像（phase image）」も用いる**
- **②長いTE（40 msec程度）**

2. 静脈系の描出
- **①動脈系は3軸にflow compensationをかけることで抑制**
- **②隣り合う複数枚（8枚程度）をminIP（最小値投影法）することで，血管の連続性を描出**
- **③撮像シーケンスはLong TEの3D GRE法である**

- SWI（susceptibility weighted imaging, 磁化率強調画像）は2004年にHaackeらによって提唱された撮像法である[1,2]。
- SWIは「T_2*減衰」と「逆位相※」の2つのメカニズムを利用し，T_2*強調画像より磁化率差を強調した画像を得ることが可能である。
- 小出血巣や鉄沈着部位，静脈病変の描出に最も優れている。
- 磁場強度が高いほうが磁化率差を強調できる。

※逆位相による信号減衰のメカニズムは「in phaseとout of pahse」の項（114頁）を参照。Dixon法では脂肪と水の位相差を利用しているが，SWIにおいては静脈内に存在するデオキシヘモグロビンで構成される多数の磁気モーメントによる逆位相を対象としている。

B SWIの後処理過程

- T_2*減衰によってデオキシヘモグロビンの信号が完全に消失するまでは，静脈およびその周囲のボクセルは横磁化成分を持っている。この横磁化成分が逆位相によって打ち消し合うタイミングのTEで撮像すれば，ボクセル全体が低信号になる（逆位相になるTEの理論値は50 msだが，臨床ではエリアシングを考慮し40 ms程度が一般的である）。
- 逆位相によりボクセル全体が低信号となるため，ボクセルより小さい静脈が明瞭に描出される。ただし，描出された静脈径は実際よりも大きく描出されることに注意する。
- これを位相画像として取り出し強度画像に掛けあわせた計算画像としてSWIが得られる。

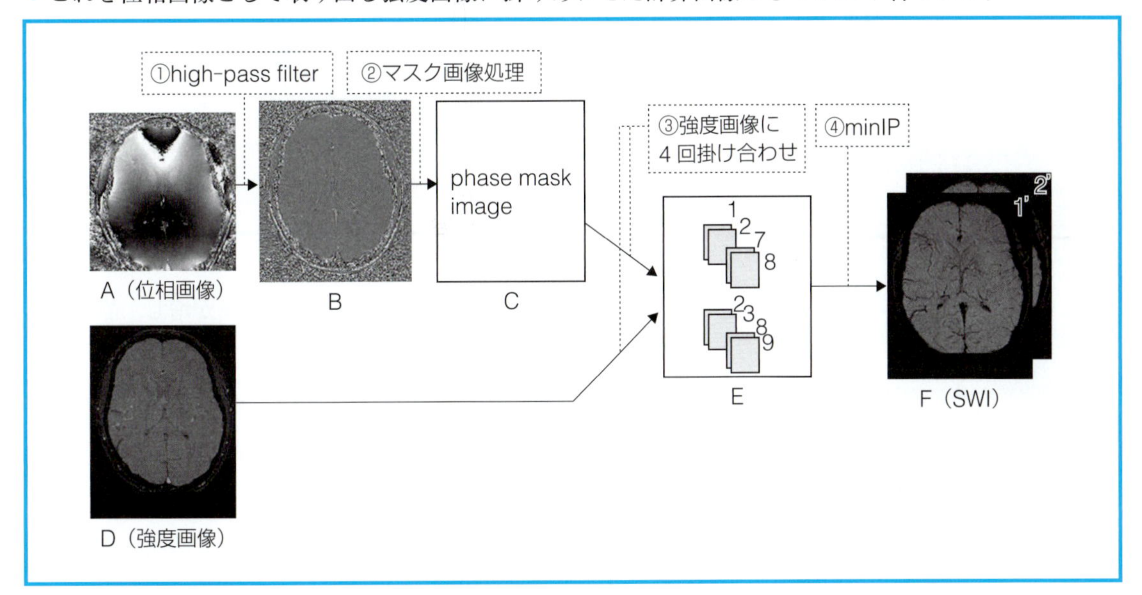

①得られた位相画像に（A）high-pass filter（低周波成分を除去）をかけ，磁場の不均一性による位相の乱れを除去する（B）。
②位相差（特に負の位相差）をより強調するために，マスク画像処理を行う（C）。
③得られたphase mask imageを強度画像（D）に複数回（4回が適当とされている）掛け合わせる（E）。
④隣り合った複数枚（8枚程度）をminimum intensity projection（minIP）する（F）。

補足：強度画像と位相画像

- MRIは傾斜磁場エンコードによって，空間周波数を横軸とした波形にフーリエ変換される。（詳細は「3-4. MR信号を検出する（62頁）」を参照）
- この波形は「周波数，振幅，位相」の情報をもっており，通常，我々が目にするMRI画像とは，「周波数と振幅」の情報を画像化したものである。これが強度画像である。
- 位相画像とは，位相情報を画像化したものであり，血流方向の解析（PC法）やSWIに利用される。

C SWIの臨床応用

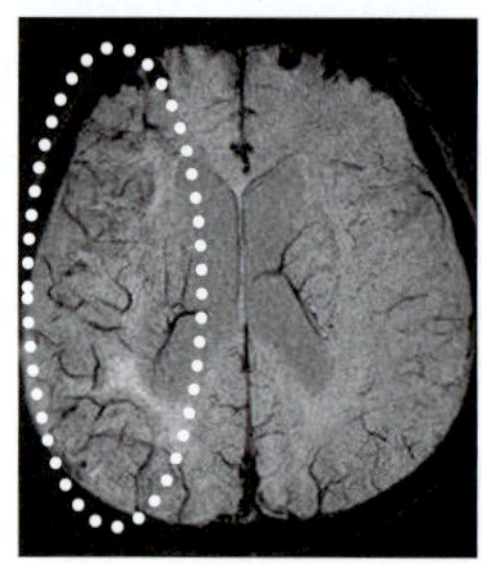

SWI

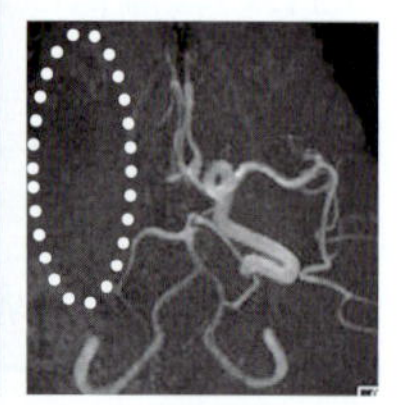

MRA

超急性期脳梗塞
（右 MCA の閉塞）

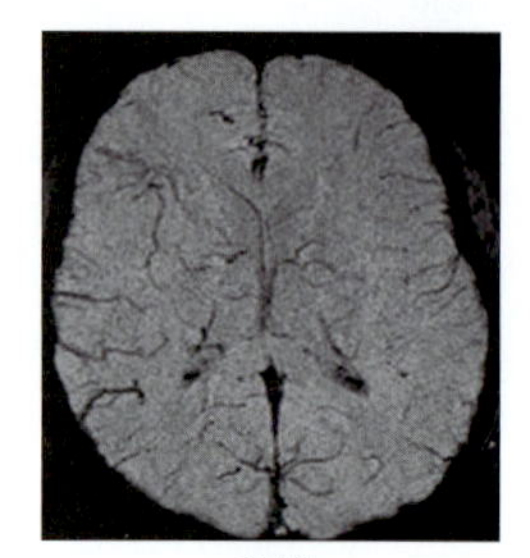

SWI
正常脳

- 超急性期脳梗塞では，
  - ▶灌流圧低下に伴い循環予備能が働き，局所脳血流量（rCBF）を維持する。

  - ▶循環予備能の限界を超えると，rCBFが低下し細胞性浮腫が生じる。

  - ▶灌流異常領域の静脈血内のオキシヘモグロビン濃度の低下に伴い，相対的にデオキシヘモグロビン濃度が上昇する。

  - ▶脳実質と静脈のコントラストが増し，静脈がさらに描出される。

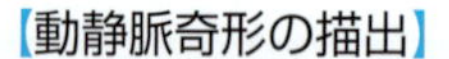

【動静脈奇形の描出】

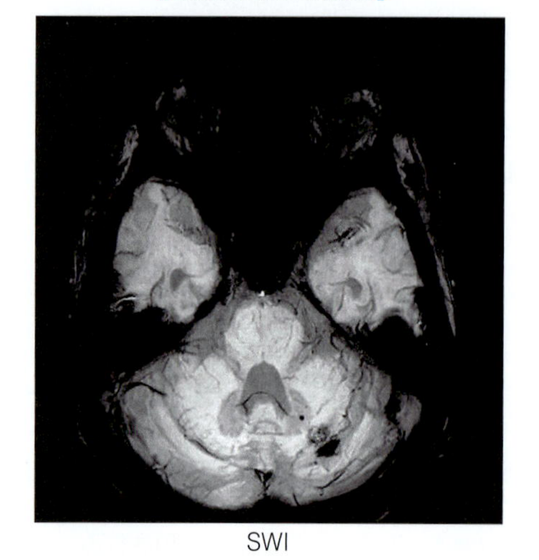

SWI

- SWIは，小出血巣や鉄沈着部位，静脈病変の描出に最も優れている。
- 左図では動静脈奇形と周囲の静脈走行が明瞭に描出されている。

5 MRS（magnetic resonance spectroscopy）

A MRS（magnetic resonance spectroscopy）とは？

（メタノールの ^{1}H - MRS）

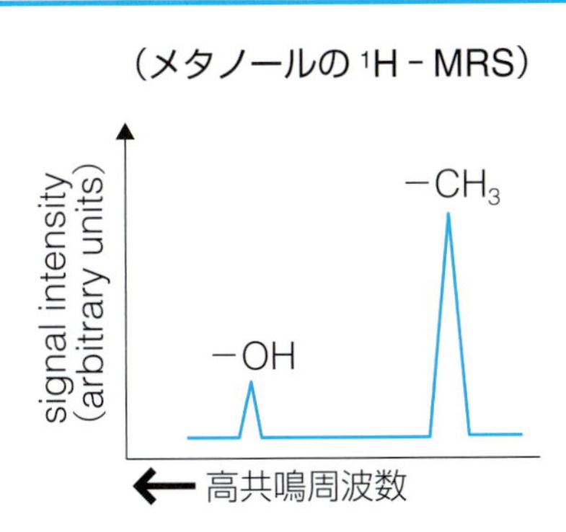

メタノールの構造式はCH_3OHであり，分子内にメチル基（$-CH_3$）と水酸基（−OH）が存在する。それぞれのピークの面積は−OH：−CH_3＝1：3となっており，ピークの面積（積分強度）がそのピークを形成している原子団の^{1}H原子核の数（共鳴核数）に比例している。

【MRSの見方】

- 縦軸の意味
  - 信号強度を表す。
  - 高さはprotonの数に比例する。
  - 単位は任意（arbitrary unit）である。
- 横軸の意味
  - 共鳴周波数を表す。
  - ピークの差（共鳴周波数の差）は化学シフト（chemical shift）の広がりである。
  - 単位はHzやppm（下記コラム参照）である。
  - 相対的に高い周波数を左側に表記するのが慣習となっている。

- 化学シフト（chemical shift）現象を利用して，**対象物質の分子構造・化学環境・濃度等の情報を得る手法**である。
- 生化学の領域では，分子構造の決定や微量物質の測定法として1950年代から現在に至るまで用いられている。
- 医学の領域では，代謝情報を非侵襲的に得る手法として1980年代に登場し，1990年代後半から**proton MRS**を中心に広く臨床応用されてきている。

コラム　Hzからppmへの換算

- ppm：parts per million，10^{-6}。
- MRSではHzよりppmを用いることが多い。化学シフトの差は静磁場強度に比例して広くなる。これでは，直感的に理解するのが困難であるため，化学シフトの差を磁場に依存しない普遍的な定数にする目的で正規化する。
- さらに，^{1}H，^{31}P，^{13}Cなど多くの核の場合，化学シフトは共鳴周波数自身（静磁場強度の周波数）に比較して非常に小さい（^{1}H原子核信号の化学シフトは数10Hz～数100Hz）ため扱いにくい。そこでMRSでは，求めた値に1,000,000（百万）を掛けた（parts per million，10^{-6}）単位で表記する方法が一般に用いられる。

$$\delta_{obs}=\left[\frac{(\nu-\nu_{ref})}{\nu_0}\right]\times 1{,}000{,}000\ [\mathrm{ppm}]$$

δ_{obs}：観測物質の化学シフト量
ν：局所磁場により与えられるラーモア周波数［Hz］
ν_{ref}：基準物質のラーモア周波数［Hz］
ν_0：静磁場強度の周波数［Hz］

B MRIとMRSの違い

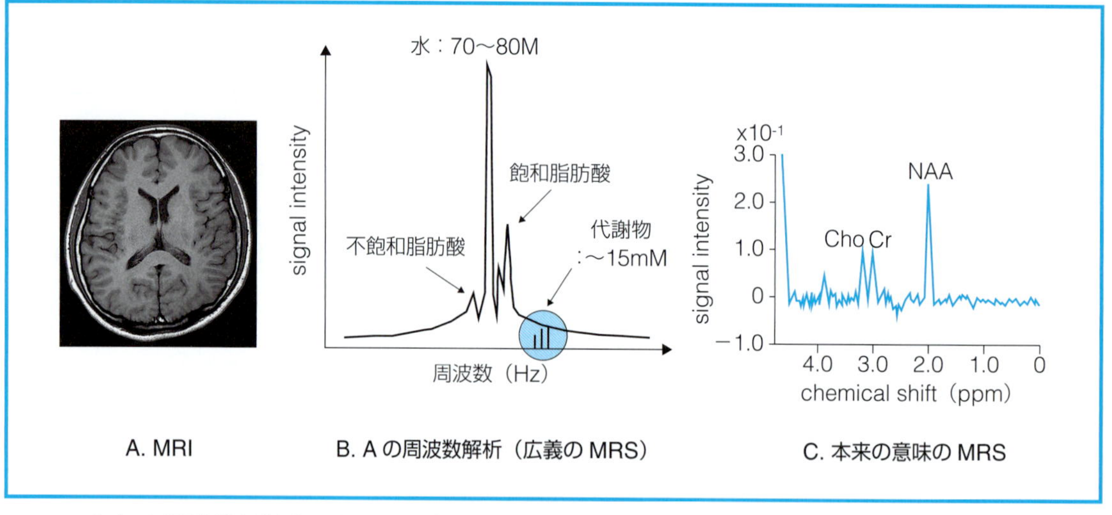

A. MRI　B. Aの周波数解析（広義のMRS）　C. 本来の意味のMRS

- MRI（A）を周波数解析すると，その信号は絶対量の多い水分子と脂肪酸分子（飽和脂肪酸，不飽和脂肪酸）に付いた^{1}H原子核からの信号が主体となっていることがわかる（B）。
- 前項の繰り返しになるが…，（B）において，
  - ▶縦軸はピークの高さであり，水分子および脂肪酸分子の側鎖に付いた^{1}H原子核の密度に比例している。生体の中で絶対量の多い水信号はピークが高い。
  - ▶横軸は周波数であり，分子構造の違いによるchemical shiftを反映して，水と脂肪酸のピークの位置（周波数）が異なっている。
- （B）も広義の意味ではMRSといえる。しかし，MRSで対象としているのは強度の低い代謝物からの信号であり，（B）で認められる水や脂肪を消去する必要がある。水や脂肪を消去する操作を行うことで代謝物のピークが認識できる（C）。これが本来の意味のMRSである。

	MRI	MRS
proton信号	主に水	代謝物
情　報	形態情報	生化学情報
感　度	高い	低い

- 前項を例に説明する（ここでは，^{1}Hを対象として考えることとする）。
- MRIは，主に絶対量の多い水や脂肪の^{1}H原子核からの信号を利用して形態情報を得る手法である。一方，**MRSは水や脂肪の信号を抑制して得られる代謝物の信号を利用して生化学情報をとらえる手法**である。
- 上図（B）の中に記載してある通り，水の量は70〜80 Mである。一方，水や脂肪の大きなピークに埋もれて存在している代謝物の濃度はせいぜい15 mM程度と微量であるため，MRIに比べて極めて感度が低い。

C MRSの対象原子核

核　種	スピン量子数	γ (MHz/T)	相対感度	天然存在比 (%)	絶対感度	化学シフト幅 (ppm)	用　途
^{1}H	1/2	42.58	1.00	99.985	1	10	物質代謝 温度測定
^{13}C	1/2	10.71	1.59×10^{-2}	1.108	1.76×10^{-4}	200	物質代謝 薬物代謝
^{19}F	1/2	40.05	8.33×10^{-1}	100	8.33×10^{-1}	30	薬物代謝
^{23}Na	3/2	11.26	9.25×10^{-2}	100	9.25×10^{-2}	0	イオン移動
^{31}P	1/2	17.24	6.63×10^{-2}	100	6.63×10^{-2}	40	エネルギー代謝 リン脂質代謝 pH測定

- 理論的には，MR（磁気共鳴）現象を有する原子核すべてが対象である。
- 臨床応用の観点からは，^{1}H，^{31}P，^{13}C，^{19}F，^{23}Naなどが関心をもたれている。
- 臨床で最も広く利用されているのは「^{1}H」である。
- ^{1}H原子核を対象としたMRSは，「proton MRS，^{1}H-MRS」と表現される。
  - ▶MRSは，MRIに比べて濃度が1万分の1以下の代謝物を対象とするため検出感度が低い。この低検出感度は，測定時間が長い，選択領域を小さくできないなどの問題を引き起こす。結局，実際にMRSが利用できるかどうかを決定する大きな要因は，MRの検出感度である。

D ^{1}H-MRSで認められる主な代謝物

- ^{1}H-MRSで認められる主な代謝物の役割と特徴をまとめた。
- 下記のほか，臨床状態やデータ取得条件によってはMyo-inositol（mI），Alanine（Ala），Acetate（Ace），Glycine（Gly）なども認められる場合がある。

【^{1}H-MRSで認められる主な代謝物】

代謝物	略称	Chemical shift * [ppm]
N-acetylaspartate（N-アセチルアスパラギン酸）	NAA	**2.0**, 2.6
Creatine（クレアチン）	Cr	**3.0**, 3.9
Phosphocreatine（クレアチンリン酸）	PCr	**3.0**, 3.9
Choline containing compounds（コリン）	Cho	**3.2**
Lactate（乳酸）	Lac	**1.3**
Lipids（脂肪）	Lip	**1.3**, 0～2
Glutamine（グルタミン）	Gln	**2.1**, 2.45, 3.75
Glutamate（グルタミン酸）	Glu	**2.1**, 2.35, 3.75
γ-aminobutyric acid（γ-アミノ酪酸）	GABA	**2.25**

*太字は一般的にその代謝物の観察に用いられるChemical Shiftである。

a. N-acetylaspartate（NAA）

- ニューロンの中に多く存在し，neuronal maker（量・機能の指標）とされる。
- NAAの低下はニューロンの消失や軸索障害を反映していると考えられている。
- 脳腫瘍や脳虚血では，神経細胞の脱落や障害を示唆するNAAの低下が観察される。

b. Creatine and Phosphocreatine（t-Cr）

- ^{1}H-MRSでは，PCrとCrを分離して観察できない。
- 一般的にはPCrとCrをあわせてt-Cr（総クレアチン，total creatine）と呼ぶ。
- t-Crは全ての細胞に共通した存在であり，エネルギー代謝の指標となる。
- PCrは代謝されてもCrに変化するため，t-Crとして見た時の量は変わらない。よって病態における代謝物評価にはt-Crを分母とした比が用いられる。
- ただし，脳腫瘍においては絶対量が減少することが多く，基準として使用する場合には注意が必要である。

c. Choline containing compounds（Cho）

- 細胞膜の主な構成物質である。
- 細胞膜の分解・合成の指標とされる。
- 脳梗塞（特に慢性期）では低下し，増殖中の腫瘍組織では上昇する。
- これは，脳梗塞による細胞の死滅（＝細胞膜の減少），腫瘍の細胞増殖（＝細胞膜の増加）を反映するためである。

d. Lactate（Lac）

- 一般に正常組織では観察することができない。
- 血流低下などで酸欠状態になると嫌気性代謝（解糖）が進み，検出される。
- つまり，嫌気性代謝の重要な指標となる。
- 脳腫瘍，脳虚血，低酸素脳症などの病的状態や小児の脳で認められる。
- 神経膠腫では，腫瘍中心部で血管新生が腫瘍増殖に追いつかずに嫌気性代謝が行われるため，Lacは細胞の活性エネルギー代謝の指標になる。
- また，腫瘍の増殖が低下するとLacも低下するため，病態の指標として用いられる。

e. Lipids（Lip）

- 正常脳では認められない。
- 脳腫瘍ではnecrosisを反映して捉えられることがある。
- 肝臓や筋肉では異所性脂肪の存在を表す。

f. Glutamine（Gln），Glutamate（Glu）

- 正常脳でも観察される。
- Gluは興奮性神経伝達物質であり，シナプス前細胞から細胞外へ放出される。
- 過剰となったGluはGlnに変換される。
- Glnは浸透圧を調整する作用を持つため，細胞内にGlnが過剰に存在すると浮腫や細胞腫脹を起こす。
- GlnとGluはよく似た構造を持つため，chemical shiftも非常に近く，2.1 ppm付近に両者が重なった状態で観察される。
- 明確に分離して観察できない場合には，両者を合わせてGlxと表記する。

g. γ-aminobutyric acid（GABA）

- 主に小脳，海馬，脊髄などに存在し，正常脳でも認められる。
- 抑制性神経伝達物質として知られている。

E MRSの臨床応用（脳）

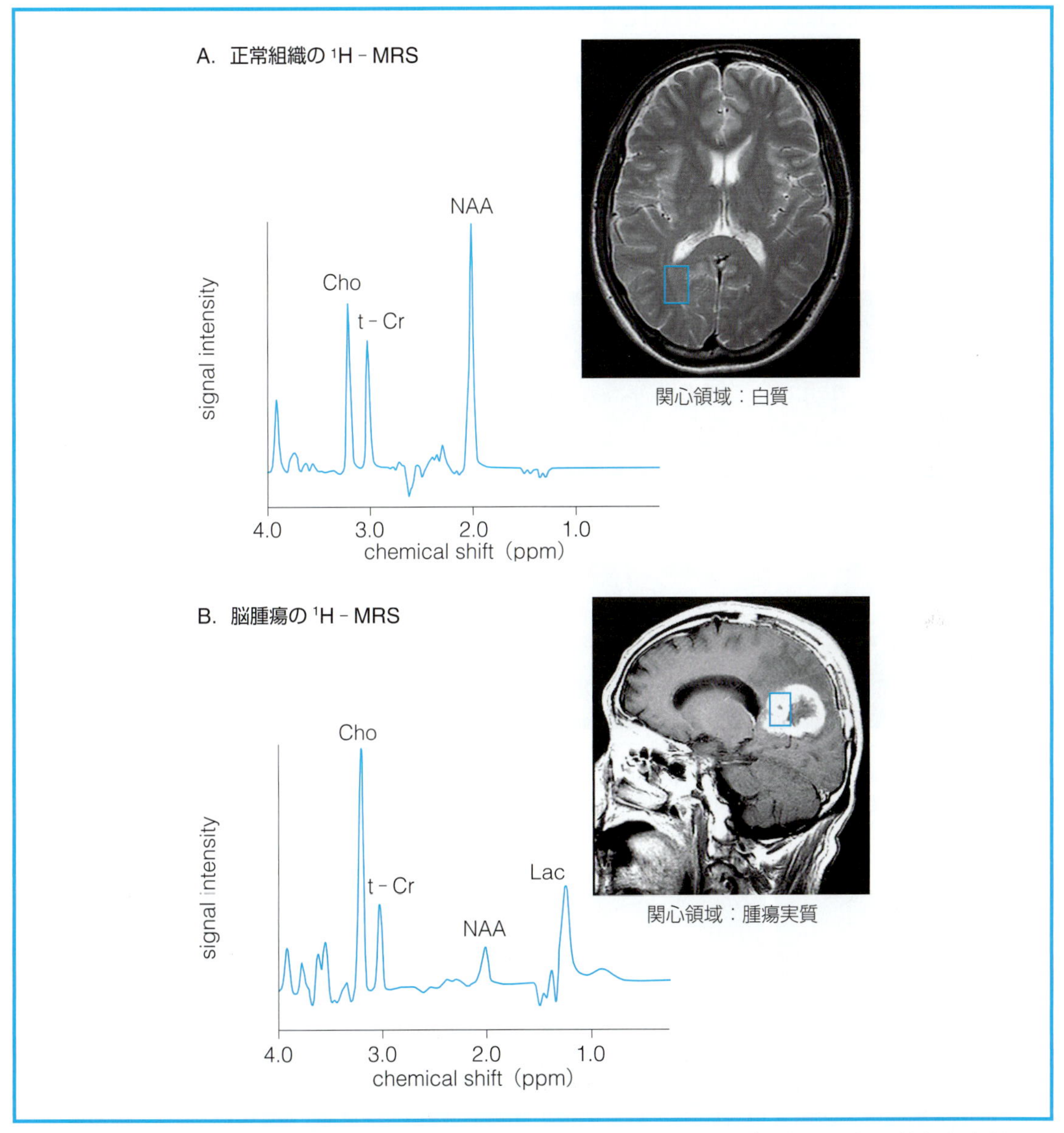

- MRSの臨床における対象部位は，**脳，前立腺，乳房，心臓，筋肉など**である。中で最も広く行われているのは，脳の^{1}H-MRSであり，最近では前立腺や乳房の^{1}H-MRSも利用されている。
- **正常脳**（**図A**）では，NAA（2.02 ppm），t-Cr（3.02 ppm），Cho（3.22 ppm）のピークを認める。NAAは神経細胞に特異的に含まれ，t-Crはエネルギー代謝の中間産物，Choは主に細胞膜の産生崩壊に関わる物質である。**脳腫瘍**（**図B**）では，神経細胞の破壊によるNAAの低下，エネルギー代謝の変化によるt-Crの低下，細胞膜産生崩壊の亢進によるChoの上昇を認める。さらに，嫌気性代謝の存在を示すLacも捉えられている。
- 脳腫瘍の多くは**図B**のようなスペクトルとなる。しかし，各種脳腫瘍（髄外腫瘍・髄内腫瘍・組織型）により，そのスペクトルは代謝物の増減の程度・ピークの有無などが異なる。

コラム multi-voxel MRSとchemical shift imaging

- 本項では1つの関心領域(VOI)を設けてスペクトルを得るMRSについて述べた。これをsingle voxel MRSという。
- 現在では,一度に多数の領域(matrix:16×16〜32×32程度が一般的)からスペクトルを得るmulti-voxel MRSの手法も確立されている。
- さらに,multi-voxel MRSで得られたスペクトルを分布化した代謝マッピングも臨床応用されている。この代謝マッピングのことをCSI(chemical shift imaging)と呼ぶ。

【multi-voxel MRS】

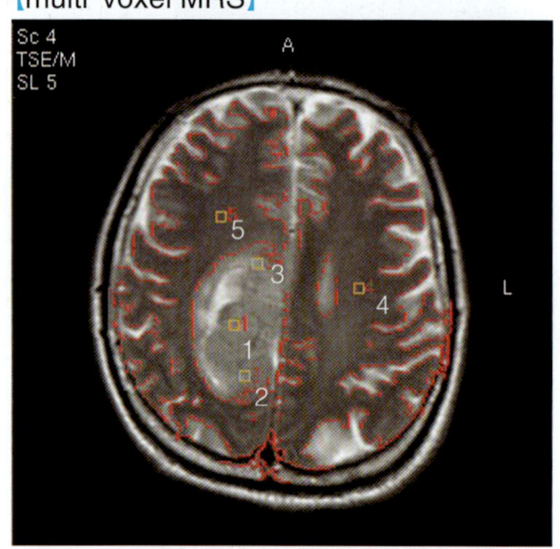

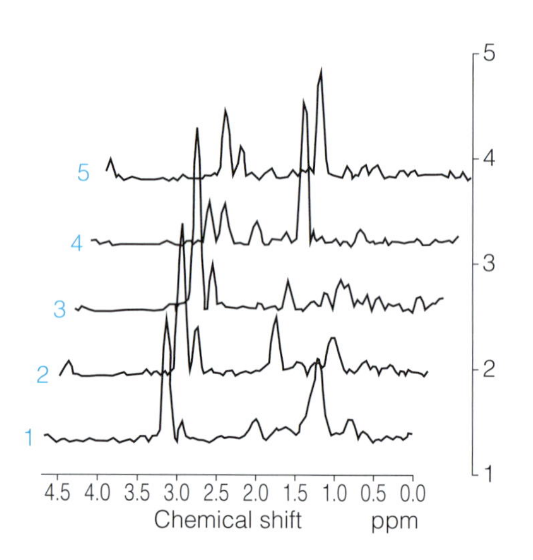

- MRI上の数字とMRS上の数字は対応している。
- 1, 2, 3:腫瘍内。Cho↑, Cr↓, NAA↓, Lac↑という腫瘍に典型的なパターン。
- 4, 4:正常組織。正常組織の典型的なパターン。

【CSI】

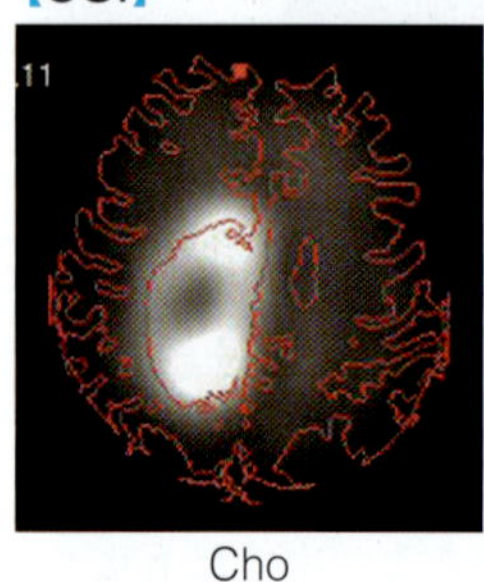
Cho

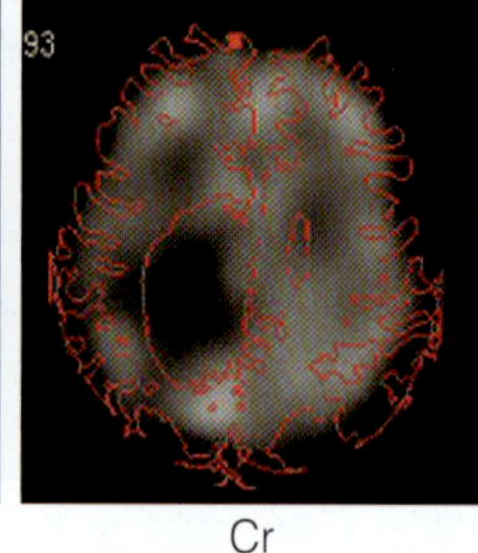
Cr

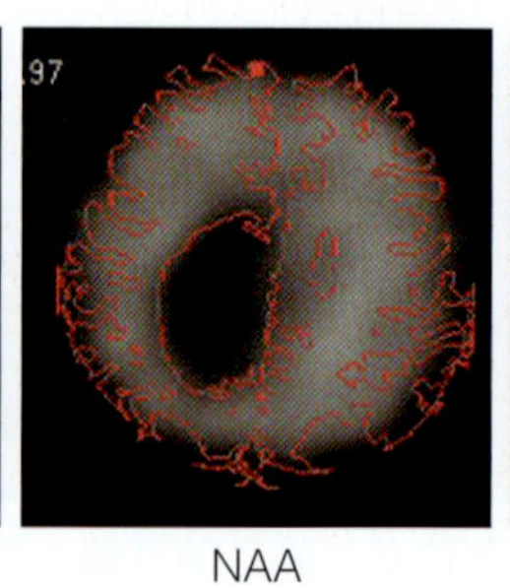
NAA

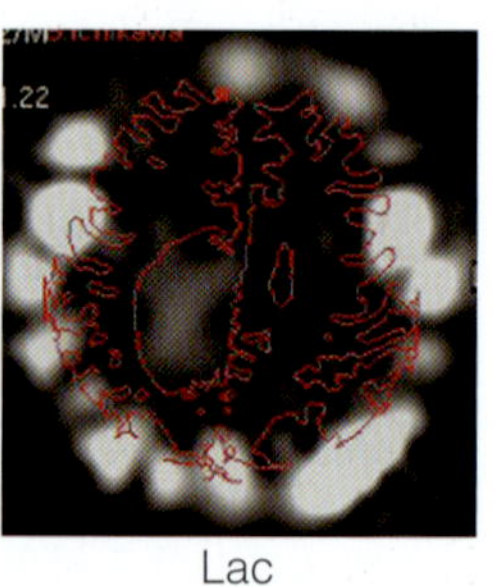
Lac

- multi-voxel MRSをもとにした代謝マッピングである。
- 腫瘍部は「Choが高い,Lacが存在している,NAAとt-Crはほとんどない」ということがわかる。一方,正常部には「Lacがない」ことがわかる。
- Lacの画像において,周囲の高信号は皮下脂肪のアーチファクトである。

F MRSの臨床応用（脳以外）

- 脳以外を対象としたMRSの例として筋肉と肝臓を対象とした¹H-MRSについて紹介する。

1. 筋肉

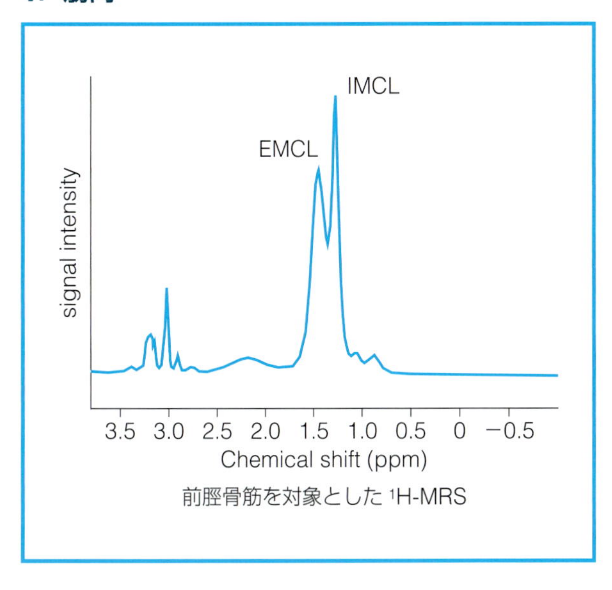

前脛骨筋を対象とした ¹H-MRS

- 筋肉では1.3 ppm付近に表れる**IMCL**（intramyocellular lipid：筋細胞内脂肪）と1.5 ppm付近に表れる**EMCL**（extramyocellular lipid：筋細胞外脂肪）の測定が行われる。
- IMCLは筋細胞のミトコンドリアでエネルギーとして利用される脂肪であり，生活習慣病の要因とされるインスリン抵抗性との間に高い相関が認められている。
- EMCLは筋細胞間に貯蔵されている脂肪（霜降り肉の“霜”の部分に相当）である。
- アスリートでは瞬発力型と持久力型によってIMCLとEMCLの割合が変わるとの報告もある。
- 生活習慣病の把握やアスリートにおけるトレーニング効果の判定などの研究に応用されている。

2. 肝臓

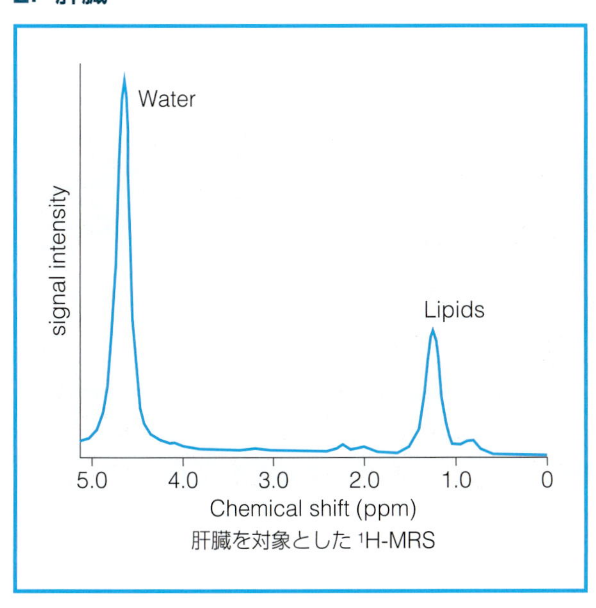

肝臓を対象とした ¹H-MRS

- 肝臓では1.3ppm付近に表れるLipids（脂肪）から肝脂肪量の評価を行うことができる。
- 非アルコール性脂肪性肝疾患（nonalcoholic fatty liver disease：NAFLD）や非アルコール性脂肪肝炎（nonalcoholic steatohepatitis：NASH）の診断には肝脂肪量の評価が必要である。
- 肝脂肪量の評価には従来より針生検が行われてきたが，穿刺による侵襲性の高さやコストなどのデメリットも大きかった。
- 一方，¹H-MRSは非侵襲的・短時間・簡便に測定を行うことが可能であるため，今後の利用拡大が期待されている。

6 MR Elastography

A MR Elastography（MRE）とは？

- MR Elastography（MRE）は，外部から与えた振動波が組織を通過する様子をphase contrast（PC）法で可視化し，得られた伝播波の波長や振幅から，組織の「硬さ（弾性率）」を評価する技術である。主に，肝臓の評価に用いられる。
- 慢性肝疾患において，肝臓の線維化が進むと肝がんの発生率が上昇する。線維化により組織は硬くなるため，「硬さ」の情報から発がんの予測が可能となる。
- Elastography自体は超音波検査で利用されていた技術であるが，より広範囲を評価できるMREに期待が寄せられている。
- MREは1度の呼吸停止で画像が得られるため，肝臓プロトコールに組み合わせて検査することが可能である。しかし，TRと振動波の同期が必須であり，同期が不完全な場合，著しいアーチファクトが発生する。
- 肝臓の検査だけでなく，脳や膵臓，腎臓といった他臓器に対しての応用も期待されている。

B MRE撮像

- MREは，
  ①振動波を照射
  ②振動波とTRを同期させて撮像
  ③得られた画像から弾性率を算出
  の工程が実施される。

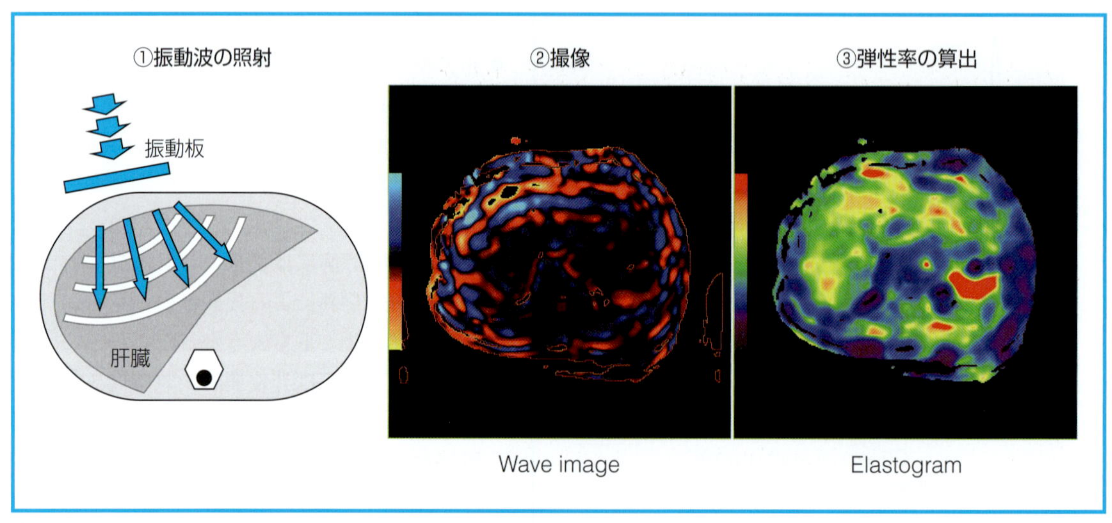

①体に密着させた振動板が振動し，肝臓に振動が伝わる。
②組織の振動の伝播をあらわす画像。帯状の信号幅は振動波の波長を反映。
③相対的な組織の硬さ（弾性率）の表示。硬い組織は赤（暖色系），やわらかい組織は紫（寒色系）で表示。ROI設定で局所的な弾性率を求めることが可能。

C MREの工程（振動波の照射・撮像・弾性率の算出）

1. 振動波の照射

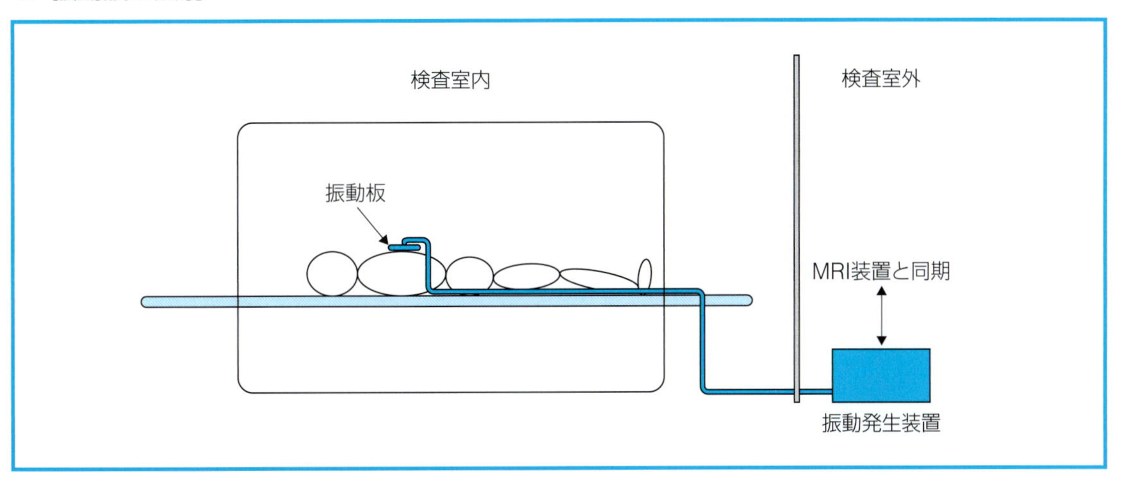

- MRI対応の素材で作られた振動板を用いて加振する。
- 組織の硬さを正確に評価するためには加振を正確に行う必要があり，振動板を測定部位近傍の体表に密着させた状態でしっかりと固定することが重要である。
- 振動発生装置は電力を必要とし強磁性体部品を用いているため，機械室などMRI室外に設置する。また，振動発生装置とMRIの正確な同期が必須である。
- 振動派は，減衰と測定の空間分解能を考慮して，60 Hzの周波数が用いられるのが一般的である。
- 患者の体格により振動の伝わりやすさ(減衰)が異なるため，振動の強度を適切に設定する必要がある。

2. 撮像

- 撮像には，phase contrast法と同じ原理が用いられる。
- Motion encoding gradient（MEG）もしくはmotion sensitive gradient（MSG）と呼ばれる双極傾斜磁場を用いて，振動による組織（プロトン）の変位を位相画像の位相シフトとして捉える。
- 振動周期の位相（一般的には4回）を変えて撮像することで，得られる弾性率の精度が向上する。
- MEGの感度は，MEG周波数と組織の振動を同期させるとMEG感度が最大となるが，TEが延長するため設定には注意が必要である。
- 振動以外の動きの影響が含まれないように，呼吸を停止して撮像する。

3. 弾性率の算出

- 波長法や弾性率再構成法（逆問題法，順問題法）などのアルゴリズムを用いて弾性率を算出する。
- 組織の弾性率を画像（弾性率マップ）で表示する。この画像の画素値は弾性率となるため，ROIを設定することで局所的な弾性率を求めることが可能となる。
- 他臓器や血管などの近傍では，部分容積効果や振動の伝播が阻害され正確な弾性率を算出するのが困難となる。また，拍動の影響を受ける肝臓左葉外側区も同様に弾性率の信頼性が低下する。

7 $T_{1\rho}$（T_{1rho}）

- "T_1 in the rotating frame"「回転座標におけるT_1強調」を表す。（"rotating"の"r"がギリシャ文字の"ρ"にあたる）
- $T_{1\rho}$は1955年に報告され，NMRでは一般的に用いられてきたが，臨床用MRI装置で用いられるようになったのは最近のことである。
- 変形性関節症等に伴う軟骨病変，アルツハイマー型認知症，肝線維化等で有用性が報告されている。

1. $T_{1\rho}$の概念

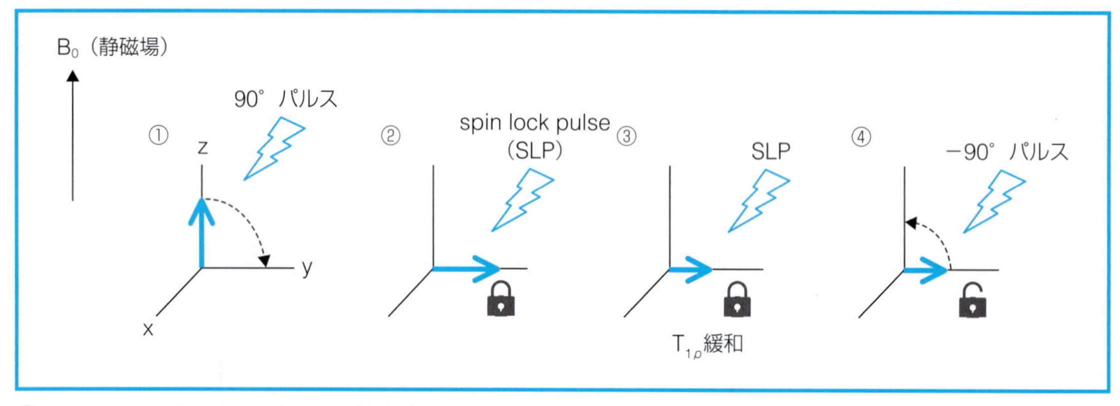

①90°パルスを印加して磁化をy軸方向へ倒す。
②磁化に対してspin lock pulse（SLP）を印加し続けると，その間はy軸方向へのRF磁場（B_1）が発生し，磁化がy軸上に固定（ロック）される。
③B_1磁場下において，時定数$T_{1\rho}$でスピン－格子緩和が発生する。これを$T_{1\rho}$緩和と呼ぶ。
④その後，−90° パルスを印加して縦磁化に戻し，信号収集を行う。

2. 臨床MRI装置と$T_{1\rho}$

- 臨床MRI装置ではB_0（静磁場）を変えられないため，装置の共鳴周波数（10～120 MHz程度）とそれが大きく異なる物質のT_1緩和測定は困難である。
- 一方，臨床MRI装置ではB_1（RF磁場）は調整可能であり，それによって数kHz程度の周波数で共鳴するような物質の$T_{1\rho}$緩和が観察可能である。
- $T_{1\rho}$緩和は，横緩和と同じ平面上で起こる現象であり，T_2緩和に近い現象とされる。
- 自由水においては，$T_{1\rho}$緩和はT_2緩和と大きな違いは認めない。
- 自由水の動きが制限された条件下では，自由水のプロトンおよびその周囲環境のプロトンとの間に化学交換が発生することから，$T_{1\rho}$緩和はT_2緩和に化学交換の影響を加味した現象といえる。
- $T_{1\rho}$緩和は，高分子の存在や生体構造の変化を反映していると考えられ，病態の早期診断や定量的評価ができるバイオマーカーとして，有用性が期待されている。

3. $T_{1\rho}$ 値の計算方法

- SLPの印加時間（time of spin lock：TSL）を変化させて複数の画像を得る。
- 得られた画像におけるピクセルごとの信号強度（signal intensity：SI）の変化に対して，以下の計算式を用いてフィッティングを行う。

$$SI(TSL) = SI(0) \cdot exp\left(-\frac{TSL}{T_{1\rho}}\right)$$

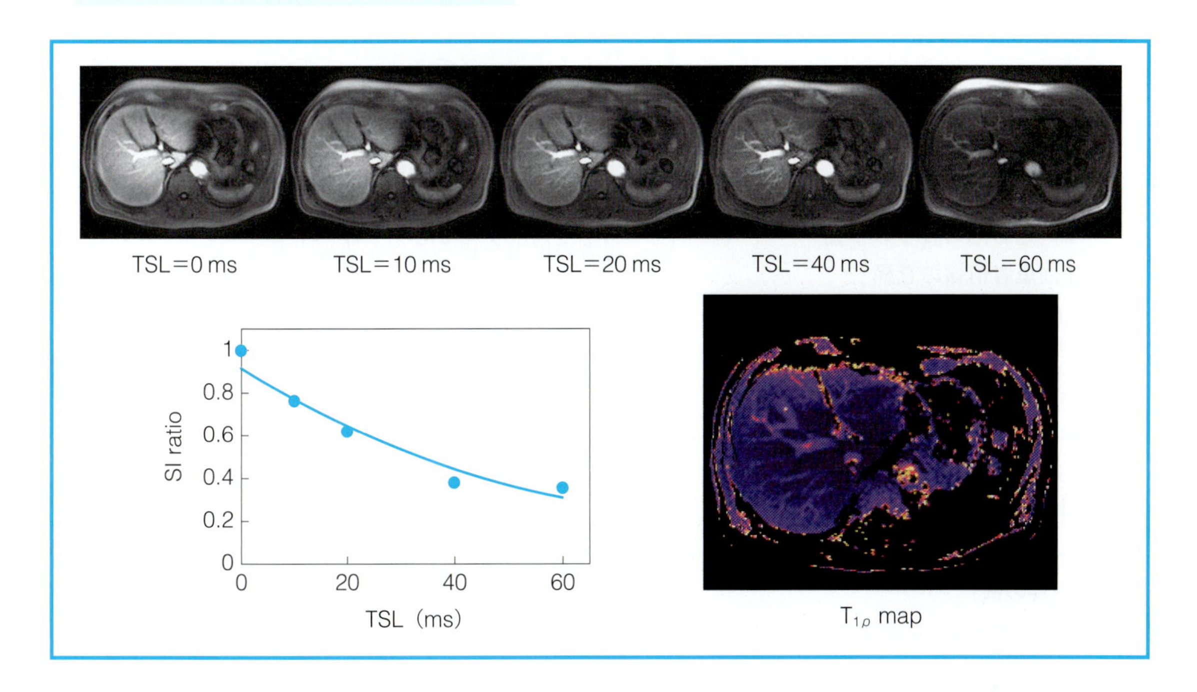

■参考文献

1）荒木力：エラストグラフィ徹底解説　生体の硬さを画像化する，学研メディカル秀潤社，2011
2）吉満研吾，他編：肝臓疾患診断におけるMREハンドブック．診断と治療社，2015
3）荒木力：決定版 MRI完全解説 第2版，学研メディカル秀潤社，2014
4）Alsop DC, et al：Recommended implementation of arterial spin-labeled perfusion MRI for clinical applications：A consensus of the ISMRM perfusion study group and the European consortium for ASL in dementia. Magn Reson Med 73(1)：102-116, 2015

13章 各部位におけるMR検査

1 MR検査の準備

【MR検査の流れ】
A. MR検査の特徴の説明
B. MR検査の内容の説明
C. 問　診
D. 検査着の着用
E. 造影剤の投与の準備
F. 患者情報の登録
G. MR検査の関連機器の設定

MR検査の施行

- MR検査では，問診からMR検査を施行するまでに様々な準備を必要とする。
- 準備には時間がかかるため，予約時間の20分前には患者に来室してもらうのが理想的である。
- より良いMR検査を施行するためには，患者にMR検査の内容に関して十分に理解してもらうことに加え，患者の協力を得ることが重要となる。
- 検査前には，患者にMR検査の特徴や検査内容を説明する。

A MR検査の特徴の説明

【説明内容の例】
- MR検査は磁気と電磁波を使用している
- 検査室内には常に磁場が発生している
- 狭い筒状の大きな磁石の中に入る
- 検査中はガーガー等の大きな音がする(防音しても完全に消音できない)
- 検査時間が長い(約30分／検査)

- MR検査に特有な特徴を誰にでも理解できる分かりやすい表現で簡単に説明する（MR検査に関する説明用DVD，パンフレット等を使用すると理解が得られやすい)。
- 狭い空間に入ることをあらかじめ伝えておくことで，精神的苦痛を緩和できる。
- 検査中は大きな騒音を生じるため，防音器具を装着するが，完全に消音できないことを伝える。
- 検査時間が長い（約30分）ことを伝える。

B MR検査の内容の説明

【説明内容の例】
- 検査部位を確認する
- 検査に要する時間を伝える
- 検査に使用する器具等を説明する
- 造影剤の使用の有無を確認する

- 検査部位を確認することにより，依頼内容と患者の主訴が同じであるかを確認する。
- 検査時間は検査内容によって異なるため，検査内容に応じた時間を伝える。
- 検査に使用する器具等を説明することで，その器具で何をしているかを把握してもらう。
- 造影剤を使用する場合には，体重や造影剤使用歴等の問診を行い，問題がなければ同意書へ署名してもらう。

C 問診

【問診内容の例】

- **体内医療機器，体内金属の有無**
- **閉所恐怖症および妊娠の有無**
- **入れ墨やアートメイクの有無**
- **手術歴**
- **喘息およびアレルギーの既往歴**
- **MR造影剤の副作用歴**
- **体　重**

- **心臓ペースメーカー**や**人工関節等の体内金属**が埋め込まれていないかを確認する。
- 閉所恐怖症がある場合は，MR検査を実施できないことがある。
- 妊娠中の患者にMR検査を施行する場合，胎児の器官形成期は避けるべきである（主治医に確認が必要）。
- 入れ墨やアートメイクがある場合，MR検査による火傷のリスクがある。
- 造影剤を使用する場合には，副作用発現率に関係のある喘息（原則禁忌）や，**アレルギー（慎重投与）の既往歴および造影剤の副作用歴を確認**する。また，造影剤の使用量を決定するため，**体重も確認**する必要がある。

【資　料】

■造影検査に関する問診・指示票（例）

造影検査に関する問診・指示票（例）

年　　月　　日

ID: ＿＿＿＿　氏名: ＿＿＿＿　性別: ＿＿　年齢: ＿＿

MR検査を安全に行うため、下記にお答え下さい。

1. 担当医から造影検査についての説明を受けましたか？	はい・いいえ
2. 本日は「説明・同意書」をお持ちになっていますか？	はい・いいえ
3. 造影剤を使用して検査を受けたことがありますか？	はい・いいえ
4. 造影剤を使用して副作用はありましたか？	はい・いいえ
5. 注射や薬で身体に異常が出たことはありますか？	はい・いいえ
6. アレルギー性の病気やアレルギー体質はありますか？	はい・いいえ
7. 今までに喘息と言われたことはありますか？	はい・いいえ
8. 腎臓の働きが悪いと言われたことはありますか？	はい・いいえ
9. 貧血や出血過多で治療を受けていますか？	はい・いいえ
10. 造影剤の量を決めるため、体重をお書き下さい。	＿＿kg

医師指示: 上記問診を行い、次の指示をいたします。

□造影剤使用不可

□造影剤使用可

□IV投与　□経口摂取　□その他（　　　　）

造影剤（　　　　　　）　使用量（　　　ml）

指示医師名: ＿＿＿＿　call・PHS: ＿＿＿＿

指示受: ＿＿＿＿　準備: ＿＿＿＿　実施: ＿＿＿＿　時間（　:　）

- **上図**に示した「造影検査に関する問診・指示票（例）」は一例であり，実際には施設毎に形式が異なる。
- 問診票を参考にして医師が造影剤の使用の有無を決定する。
- 造影剤の種類や投与量は指示票に明記し，造影剤投与を実施した際には，投与実施者名および実施時間を記す。

■造影検査の説明・同意書（例）

造影検査の説明・同意書（例）

年　　月　　日

ID: ＿＿＿＿　氏名: ＿＿＿＿　性別: ＿＿　年齢: ＿＿

造影検査とは

画像診断において、病変の発見やその性状を知るために造影剤を血管内に投与して行うものです。通常、肘の静脈から点滴を取って投与します。造影剤は、腎臓の機能が正常であれば注射後6時間で約90％が腎臓から尿として排泄され、やがて全てが体外に排出されます。

造影剤の副作用

造影剤を投与すると、希ですが副作用が生じます。造影剤の副作用には検査中や直後に見られるものと検査終了後数時間から数日後におきるものとがあります。アレルギー体質の方は副作用の生じる可能性が約3倍多いと言われており、なかでも喘息の方は約10倍と言われています。

軽度の副作用: 嘔吐・熱感・頭痛・めまい・蕁麻疹・かゆみ　など　（頻度は約3−5％以下とされています。）

重度の副作用: 呼吸困難・血圧低下・アナフィラキシー症状　など　（頻度は約2500人に1人とされています。）

合併症

針を刺すことによって、同部の痛みやしびれが検査後も持続することがあります。（頻度は軽傷を含めると6000人に1人とされています。）また、希ですが造影剤が血管外に漏れ、腫れや皮下出血を起こすことがあります。

造影剤を使用しない場合の不利益

病変の発見が遅れることや病変の性状が判断できない場合もあります。

当院では、副作用や合併症が起きても適切な処置が行えるよう万全の体制を整えていますのでご安心下さい。また、造影剤に関する不明な点や、造影剤を使用したくない場合には、ご遠慮なく申し出て下さい。

造影検査についての同意書

私は患者様に上記事項について説明しました。

年　　月　　日

主治医氏名: ＿＿＿＿

私は、造影検査の目的・方法・危険性について記載事項を読み、また主治医から説明を受け理解したので、造影検査を受けることに同意します。

年　　月　　日

ご本人（または代理人）の署名: ＿＿＿＿

- **上図**に示した「造影検査の説明・同意書（例）」は一例であり，実際には施設毎に形式が異なる。
- 主治医は造影検査・造影剤の副作用・合併症・造影剤を使用しない場合の不利益等について患者に説明を行う。
- 説明に納得した場合，患者は同意書に署名する。

D 検査着の着用

【検査着】

- 検査着は上下で着用する
- 取り外すものの例

① 補聴器，装飾品
腕時計，磁気カード
電子機器類，眼鏡

② 入れ歯，カイロ
湿布，エレキバン
ベルト
コンタクトレンズ

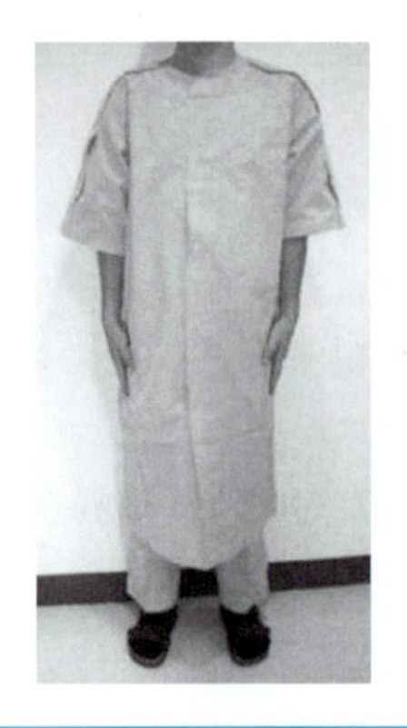

- チャックやファスナー等の金属類が付いていない検査着を着用する。
- MR検査室内には貴金属類等を持ち込むことができないため，検査着に着替える際に全て取り外す。
- ①は故障・破損するおそれがあるもの。
- ②は火傷や画像の歪みを引き起こす原因になるもの。
- 金属（強磁性体）をMR検査室内に持ち込むと吸着事故につながるため，細心の注意が必要である。

E 造影剤の投与の準備（ルートの確保）

【ルートの確保】

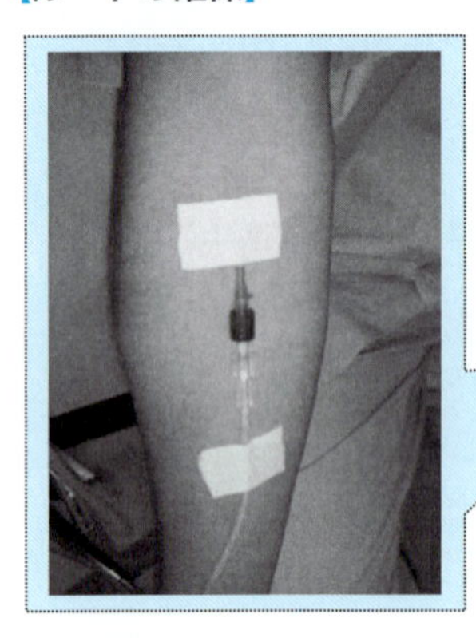

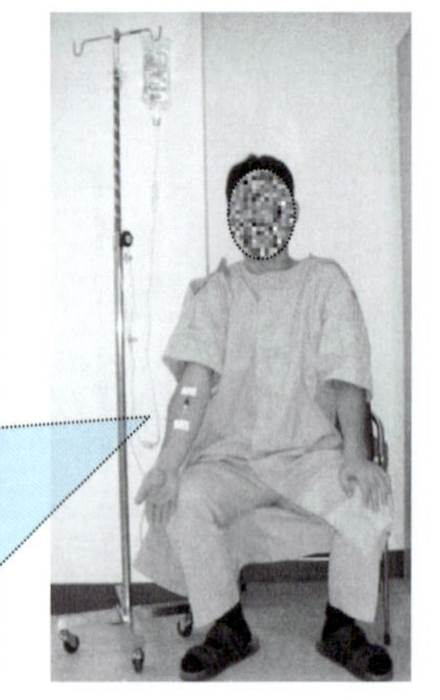

- 造影剤の投与方法は，静脈に留置したルートから注入する方法と経口的に飲んで摂取する方法とがある。
- 静脈投与の場合は，検査前に肘静脈にルートを確保し，造影剤（Gd製剤等）は留置したルートを利用して投与する。
- 経口投与（MPCP）の場合は，検査前に造影剤（塩化マンガン四水和物等）をコップに用意して飲用する。

F 患者情報の登録

- Patient ID
- Patient Name
- Birth Date
- Age
- Sex
- Weight
- Exam Description
- History
- Operator　など

- 受付画面に登録された患者情報（ID・氏名・性別・年齢等）をMR装置（コンソール）に転送する（転送機能がない場合には手入力で患者情報を登録する）。
- 転送された患者情報に間違いがないかを確認する。
- 受付画面にない患者情報の項目（Weight・Exam Description・History・Operator等）は手入力で行う。

G MR関連機器の設定

【MR関連機器（代表例）】
- **RF コイル**
- ECG（electric cardiac gating）
- PG（peripheral gating）
- RT（respiratory triggering）
- **聴力保護具**

- MR検査に使用するMR関連機器の準備を行う。
- RFコイルはMR信号を受信（または送受信）するためのものである。
- ECGは心電同期，PGは脈波同期，RTは呼吸同期を行うためのものである。
- MR検査は大きな騒音を伴う検査であり，聴力保護具等の使用により，等価騒音レベルを99 dB未満に下げる必要がある。

1. RFコイル

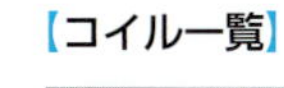
【コイル一覧】

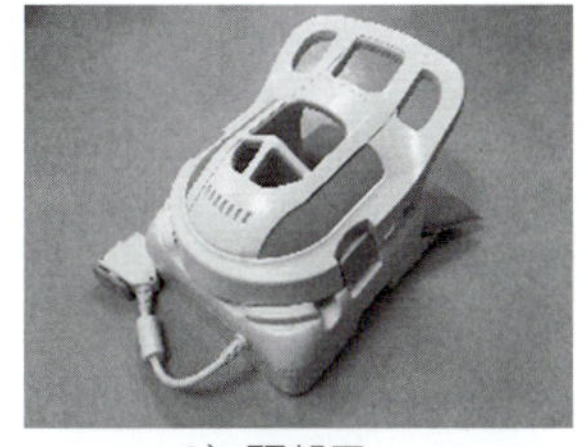
A）頭部用

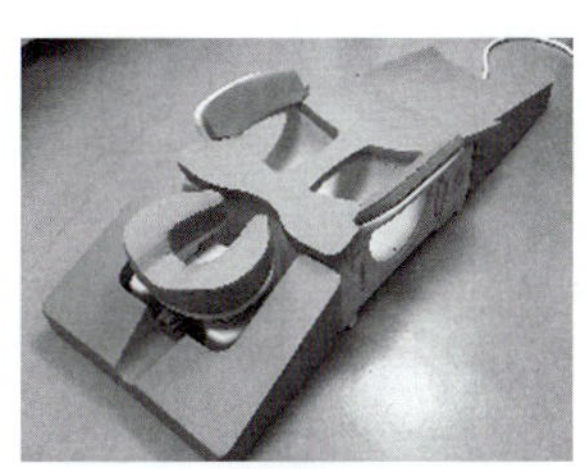
B）乳房用

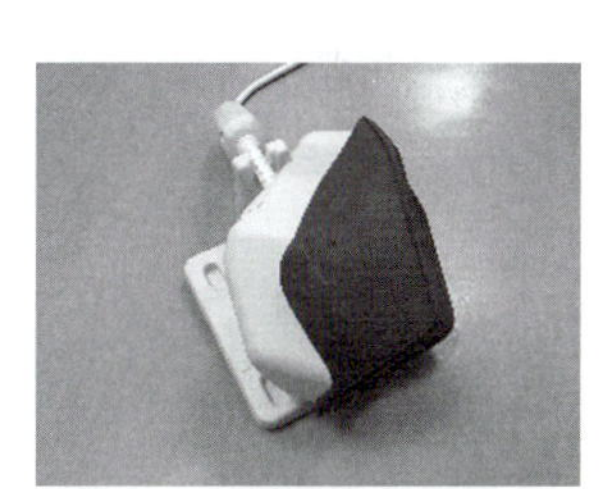
C）肩関節部用

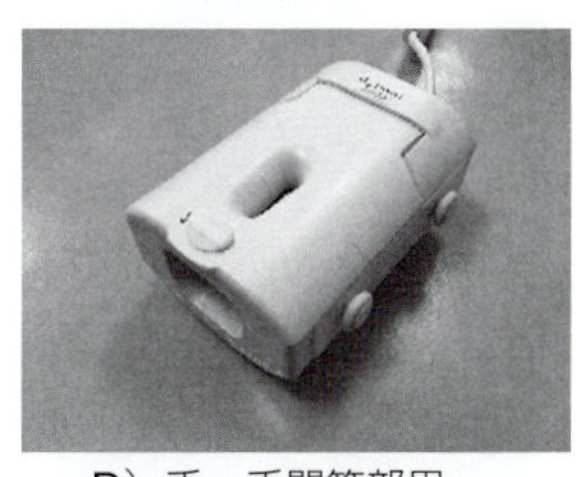
D）手・手関節部用

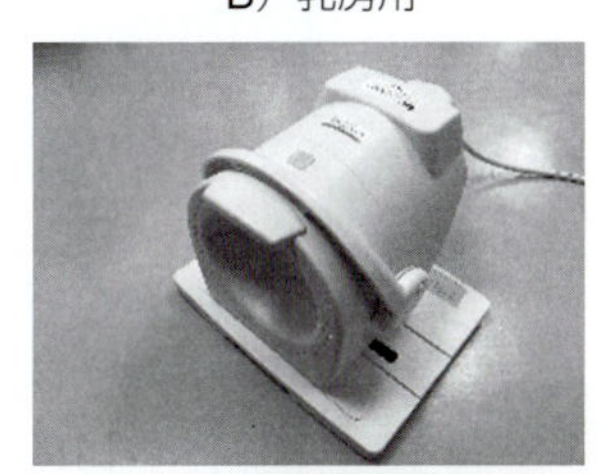
E）膝関節部用

F）足・足関節部用

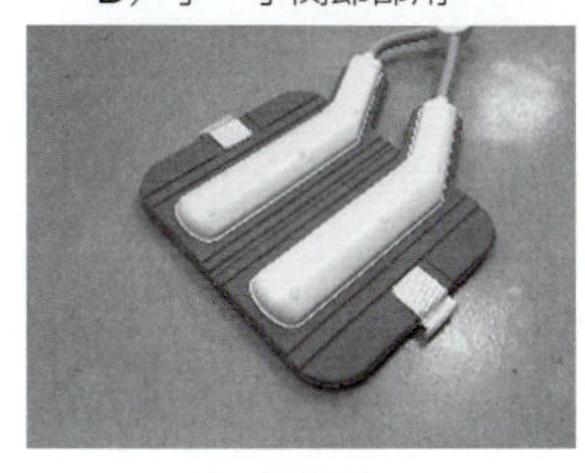
G）心臓用

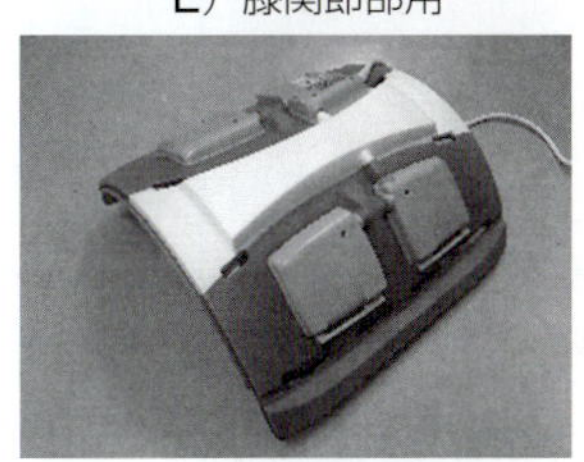
H）腹部用

（提供：GEヘルスケア・ジャパン）

- RFコイルはMR信号を受信する大事な役割をもっており，RFコイルの受信感度が不足すると，SNRの低いMR画像となるため，**適切なRFコイルを選択**をしなければならない。
- RFコイルには数種類が存在し，検査部位・検査内容によって使い分ける。

【フレックスコイル】

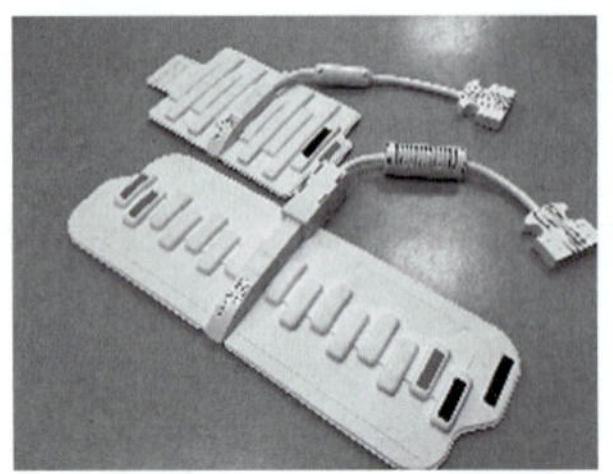

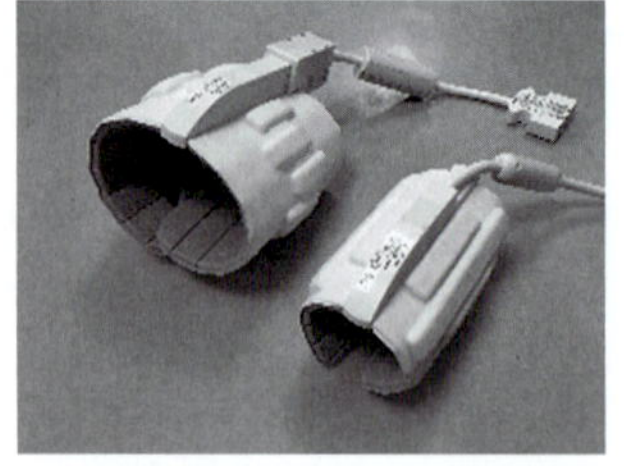

A）フレックスコイル（装着前）　B）フレックスコイル（装着後）

（提供：GE ヘルスケア・ジャパン）

- フレックスコイルは，撮像対象部位に巻き付けて使用するサーフェスコイル（表面コイル）である。
- 撮像部位に合わせてフレキシブルに巻き付けることができるため，柔軟な撮像が可能となる。

【埋め込み式コイル】

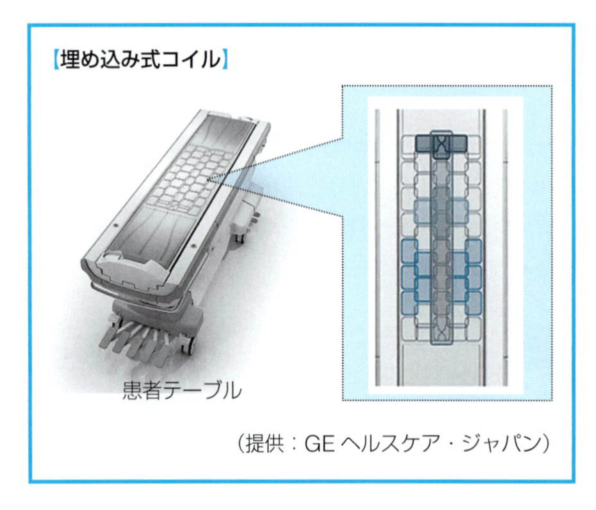

（提供：GE ヘルスケア・ジャパン）

- 患者テーブルとコイルが一体化された埋め込み式コイルが登場し，高画質と利便性の両方を同時に達成することが可能となっている。

2. ECG（electric cardiac gating）

【ECG と電極の貼付箇所】

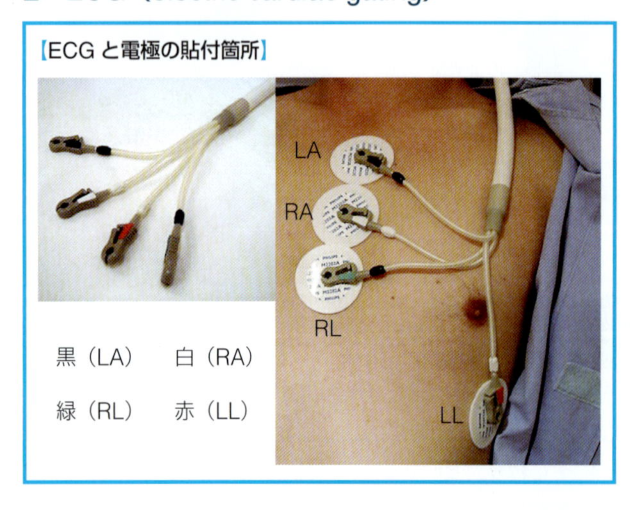

- 心臓の動き（拍動）は画質の劣化を招く大きな要因であり，心臓をターゲットとしたMR検査ではECGを用いた**心電同期スキャン**が必須となる。
- ECGはパルスシーケンスを繰り返す度に心周期の同一ポイントでデータを収集するため，**心拍動や血流動態によるモーションアーチファクトを低減**できる。
- 電極を貼る前にアルコール綿で軽く拭き，ジェルを貼付箇所に塗ってから，左図に示す4箇所（胸骨・肋骨の上）に貼付する。MRI装置メーカーによって，推奨される貼付箇所が異なる場合がある。

3. PG（peripheral gating）

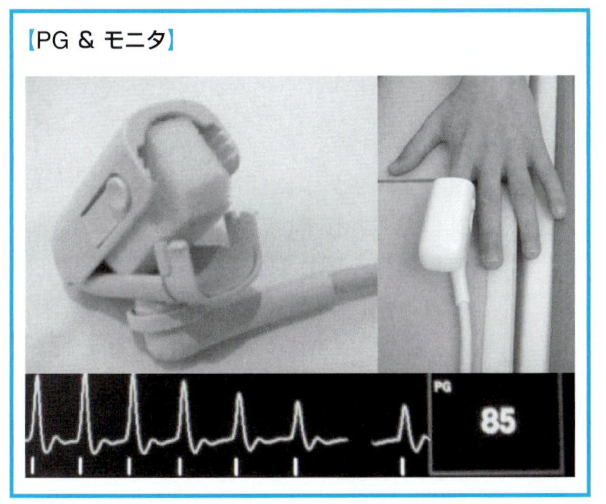

- 脈波は心拍に同期しており，簡易的に心拍に合わせて同期させたスキャンを施行できる。
- PGは励起を繰り返す度に血流動態の同一ポイントでデータを収集するため，**血流やCSF（脳脊髄液）の拍動によるモーションアーチファクトを低減**できる。
- PGは指先（主に人差し指）に装着する。
- 頸椎（頸髄）MRIにおける矢状断のT_2WIを得る際にはCSFの拍動によるモーションアーチファクトが顕著となるため，PGを用いる。

4. RT（respiratory triggering）

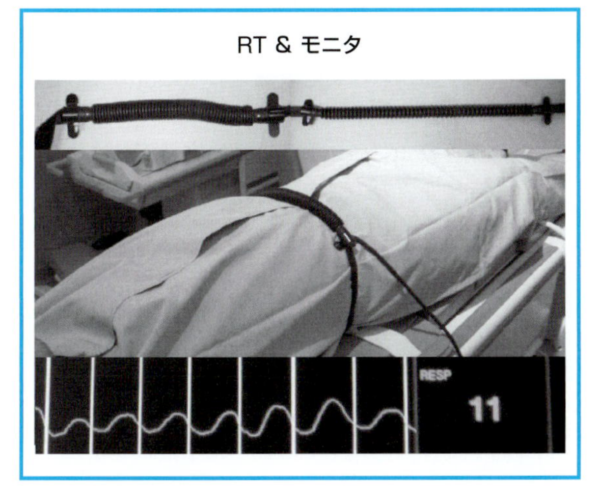

- MR検査にとって動きは大敵であり，呼吸による動きもできるだけ抑制しなければならない。
- 呼吸停止下でスキャンすればモーションアーチファクトを低減できるが，スキャン時間が長い場合には限界がある。RTは呼吸が安定しているタイミング（呼気）でデータを収集するため，**呼吸によるモーションアーチファクトを低減**できる。
- バンド（ベローズ）を腹部に巻き付けると，呼吸の度に伸縮し，バンド内の空気圧が変化する。その空気圧の変化を感知して**呼吸同期スキャン**を行う。

5. 聴力保護具

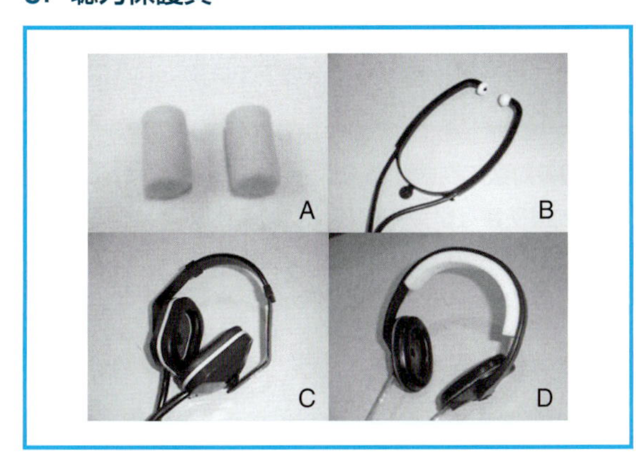

- 聴力保護具としては，耳栓・イアホン・イアーマフ（ヘッドホン）等が挙げられる。
- イアホン・イアーマフ（ヘッドホン）では，検査中であっても検査室外から音楽を流すシステムを組むことができるため，騒音による身体的・精神的な苦痛を軽減できる。

A）耳栓
B）イアホン
C）イアーマフ（市販）
D）イアーマフ（特注の薄型タイプ）

2 MR検査の特徴

- 放射線被ばくがない

- 軟部組織のコントラスト分解能に優れる

- 横断面だけでなく，矢状断面，冠状断面など任意方向の断面像が得られる

- 撮像の自由度が高い
  - 多様なコントラスト（T_1強調画像，T_2強調画像，拡散強調画像など）を得ることができる
  - 検査時間が長い
  - 画像の評価が難しい

- 造影剤を使用せずに脊髄腔，胆管，脈管などを描出できる
  - MR hydrography
    - ・胆管膵管撮影（MR cholangio pancreatography：MRCP）
    - ・脊髄腔撮影（MR myelography：MRM）
    - ・尿管撮影（MR urography：MRU）
    - ・脳表撮影（surface anatomy scanning：SAS）
    - ・胎児撮影（MRA fetography：MRAF）など

    ➡ これらはheavy T_2強調画像である

- 生体内のプロトンに関する情報により画像が構成されている
  - 骨や空気によるアーチファクトが少ない
  - 石灰化，ガス，骨変化の検出能が劣る

- 形態情報が得られる

- 機能情報が得られる
  - Functional MRI（f-MRI）

    BOLD効果を利用して神経活動に伴う脳局所血行動態の変化（脳の機能）を画像化する手法。血液中の酸化ヘモグロビンと還元ヘモグロビンの相対値から脳の局所機能評価を行う。
  - 拡散強調画像（diffusion weighted image：DWI）

    細胞や血管から浸み出た血液や水のランダムな運動（ブラウン運動）の強さを信号強度に反映させる手法。拡散強調用傾斜磁場（motion probing gradient：MPG）を印加する。急性期脳梗塞の診断に有用（高信号を呈する）。
  - 灌流画像（perfusion image）

    毛細血管内の血液の一定方向の動きを捉える手法。

- 造影剤を使用せずに血流や髄液などの流れの情報を得ることができる。
  - 血流情報 ➡ MR angiography（MRA）
  - Flow artifactの要因

- 生化学的な情報が得られる
  - T_1緩和時間，T_2緩和時間
  - 代謝情報 ➡ MR spectroscopy（MRS）

- 撮像対象に制限がある
  - 被検者を磁場内に置くためにペースメーカー，外科用クリップ（チタン製を除く），人工内耳等の磁性体を装着していると検査できない。

3 MR検査の対象部位

1. 頭部
2. 脊椎・脊髄
3. 心臓
4. 乳房
5. 腹部
6. 骨盤
7. 四肢・関節
8. 血管

- MR検査は頭頂から足先までのすべての部位を対象とし，限局した範囲でMR検査を施行するのが一般的である。
- 検査部位によって，使用するMR関連機器（コイル等）・プロトコル・撮像条件（シーケンス等）が異なり，目的に合わせた様々な設定を必要とする。また，検査部位が同じでも，MR装置の性能や施設によってMR検査の方法は異なる。
- ここでは，MR検査を部位別に分け，臨床で施行されている一般的なMR検査の概要を解説する。

4 頭 部

A 検査の準備

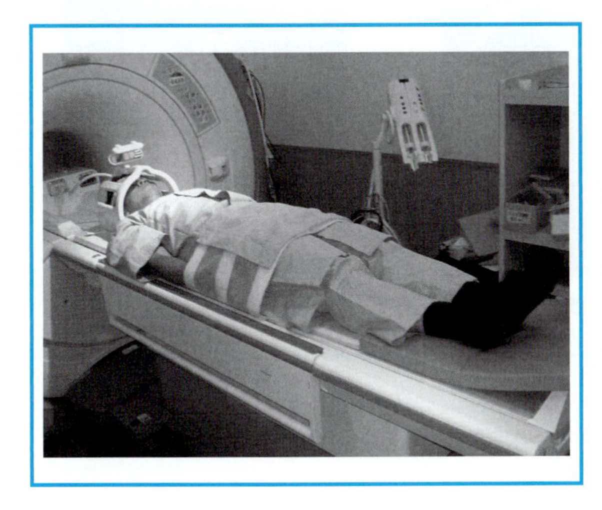

- **頭部用コイル**に頭部が入るように検査台に被検者を仰臥位で寝かせ，体幹部や四肢が動かないように固定用バンドでしっかりと固定する（膝枕を膝下に入れると，下肢が安定する）。
- 頭部が左右対称となるように微調節し，頭部固定用バンドで固定する。
- MR装置のレーザー投光器を外眼角に合わせ，ゼロ（0）位置を設定する。
- 検査対象となる頭部全体がすっぽりと頭部用コイルに被さるように設置する。

B 撮像断面

【基準線の違い】

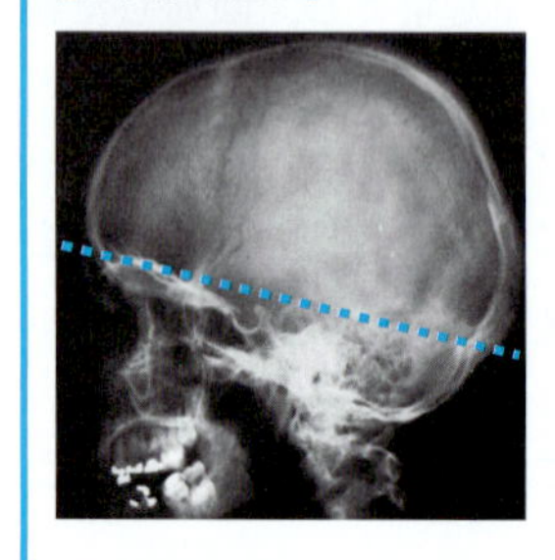

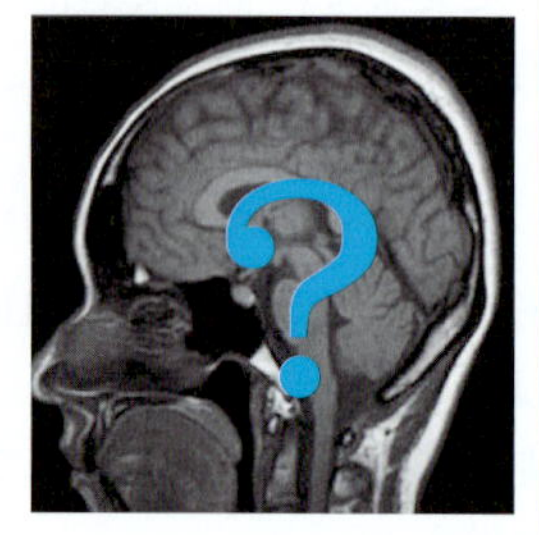

- CT検査では，骨構造を投影した位置決め画像から基準線を決定し，脳底部の骨の影響を考慮して眼窩耳孔線（OM line）を基準線とする。
- MR検査では，脳底部の骨のアーチファクトが生じないため，CT検査の基準線とは異なり，**脳構造から基準線を決定**する。
- MR検査は任意の断面で撮像することが可能であるが，MR検査の再現性を確保するためには基準線が必要となる。

1. 基準線・撮像断面

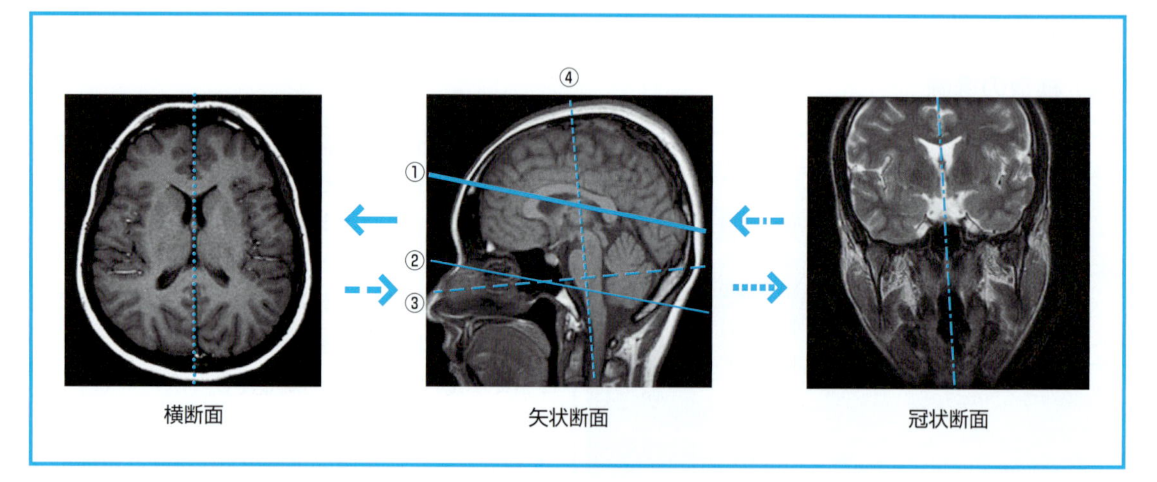

【基準線】

①前後交連線（anterior commissure-posterior commissure line：AC-PC line）
②眼窩耳孔線（orbit-metal line：OM line）
③ドイツ水平面（anthropological basal line：AB line）
④耳垂直線（auricular line）

【撮像断面】

- **横断面**は検査対象が頭部全体の場合には①AC-PC line（≒②OM line），脳幹部の場合には③AB lineを基準線とする。
- **矢状断面**は半球間裂に平行な線を基準線とする。
- **冠状断面**は基本的には横断面や矢状断面に垂直な線を基準線とするが，脳幹部を広く描出できる④auricular lineを基準線とする場合もある。
- 撮像断面の再現性を確保するためには，基準線に合わせた断面を設定する必要がある。

C 撮像法および画像の種類

- T_1WI　● DWI　● DTI
- T_2WI　● MRA　● DTT
- T_2*WI　● pMRI　● MRS
- FLAIR　● f-MRI　● SAS　など

- 頭部MR検査は他の部位に比べて種類が多く，疾患や検査目的に合わせた撮像法を適切に選択する必要がある。
- 一般に，**2種類以上の撮像法と2方向以上の撮像断面が診断には必要**とされているが，検査時間に制限があるため，その組み合わせ方が非常に重要となる。

D プロトコルの作成

- **検査目的（対象部位）の確認**
- **造影剤の使用の有無の確認**
- **撮像シーケンスの選択**

- 数種類存在する撮像法を適切に組み合わせてプロトコルを作成し，検査時には作成したプロトコルの中から選択して施行する。
- プロトコルは検査部位が同じでも，検査目的（対象疾患）によって大きく異なり，頭部だけでも数十種類以上は存在する。
- 疾患・症状によっておおよそのプロトコルが決定しているが，プロトコル以外を用いる場合も多い。

1. 脳腫瘍疾患のプロトコル例

- T_1WI　［Axial］
- T_2WI　［Axial］
- DWI　［Axial］
- DTI（＋DTT）
- MRS
- f-MRI
- T_1WI（＋CE）　［Axial］
- T_1WI（＋CE）　［3D］

- **脳腫瘍を対象**とした場合には，**T_1WI・T_2WI**を撮像し，造影剤投与後に**T_1WI（＋CE）**を撮像することで腫瘍の造影効果を確認する。造影剤投与後に**3D T_1WI（＋CE）**を追加撮像することで，多断面による観察や手術中の画像支援ナビゲーションが可能となる。
- **DWI**は脳腫瘍の鑑別においては参考程度に留め，**DTI（＋DTT）**は脳外科術中シミュレーションを前提として施行し，**MRS**は脳腫瘍の鑑別診断を行う場合に施行する。

2. 脳虚血疾患のプロトコル例

- T_1WI　［Sagittal］
- DWI　［Axial］
- FLAIR　［Axial］
- T_2*WI　［Axial］
- MRA
- pMRI

- **脳虚血疾患**の中でも特に**超急性期脳梗塞**が疑われる場合には，**rt-PA血栓溶解療法**の適応になるかどうかを早期に判断しなければならないため，専用のプロトコルが必須である。
- **DWI**は脳虚血による組織障害の早期検出，**FLAIR**は灌流異常域の同定，**T_2* WI**は出血の検出，**MRA**は閉塞部位の同定に適している。
- **pMRI**では灌流画像が得られるだけでなく，脳血流状態を定量評価することが可能である。

E 各種画像

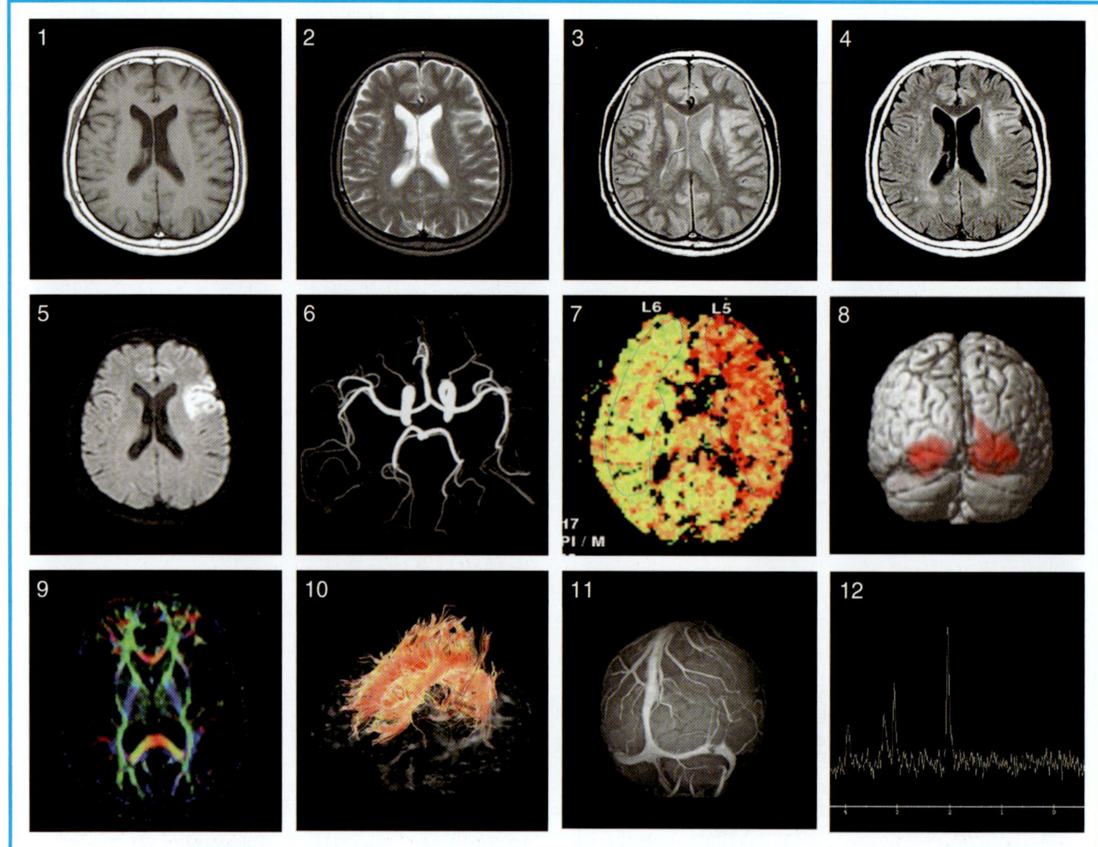

1. T_1WI：T_1 Weighted Image
2. T_2WI：T_2 Weighted Image
3. PDWI：Proton Density Weighted Image
4. FLAIR：Fluid Attenuated Inversion Recovery
5. DWI：Diffusion Weighted Image
6. MRA：Magnetic Resonance Angiography
7. pMRI：perfusion Magnetic Resonance Image
8. f-MRI：functional Magnetic Resonance Image
9. DTI：Diffusion Tensor Image
10. DTT：Diffusion Tensor Tractography
11. SAS：Surface Anatomy Scanning
12. MRS：Magnetic Resonance Spectroscopy

F 画像処理・解析処理

● MRA	**脳血管画像の作成**
● pMRI	**脳血液量等の算出**
● f-MRI	**脳賦活部位の同定**
● DTI	**拡散異方性の算出**
● DTT	**脳神白質経線維画像の作成**
● MRS	**脳代謝物質の算出**
● SAS	**脳表画像の作成**

- MR検査で取得したデータを用いて，画像処理や解析処理を施すことにより，診断を補助するデータが得られる。
- MRA・DTT・SASでは，取得画像をもとにして診断を補助する3D画像等を作成できる。
- f-MRIでは，脳機能解析処理ソフトウェアを用いて脳賦活部位を同定できる。
- pMRI・DTI・MRSでは，取得画像を基にして脳血液量・拡散異方性・脳代謝物質等の定量値を得ることができる。

5 脊椎・脊髄

A 検査の準備

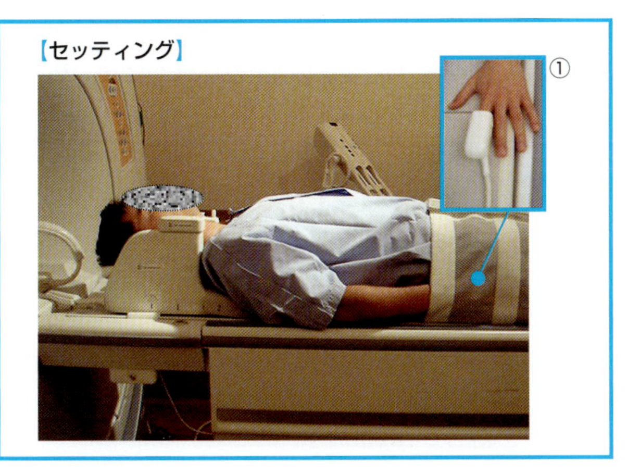

- 脊椎・脊髄用コイルに被検者を仰臥位で寝かせ，体幹部や四肢が動かないように固定用バンドでしっかりと固定する（膝枕を膝下に入れると下肢が安定する）。
- CSFの拍動によるモーションアーチファクトを軽減するためにPG（①）を装着することもある。
- MR装置のレーザー投光器を用いて目的部位に応じたゼロ（0）位置を設定する。

B 撮像断面

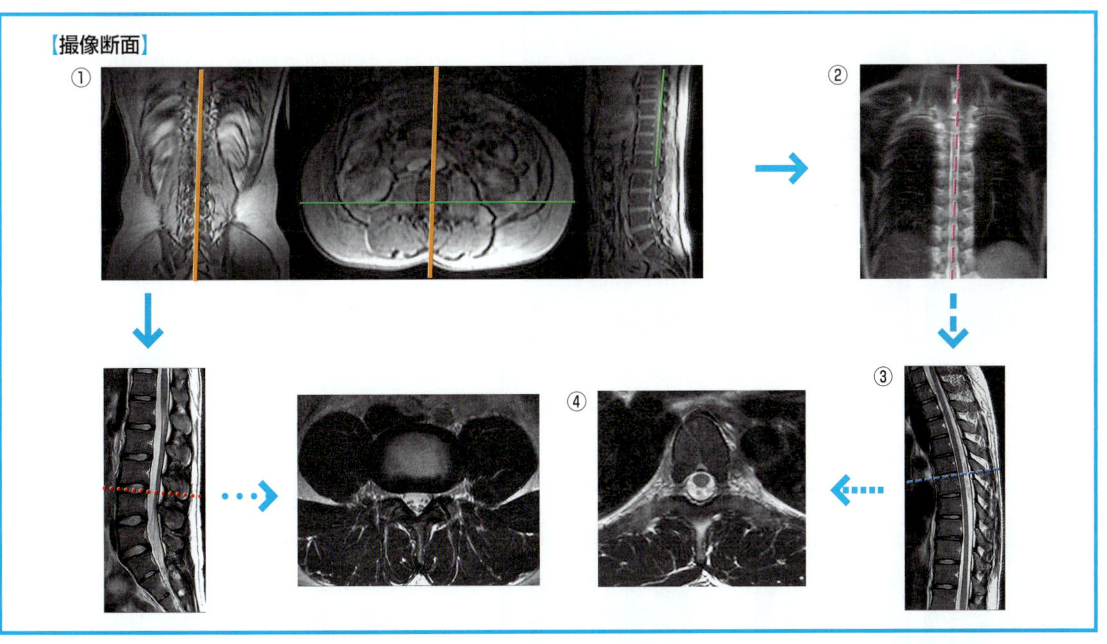

- 位置決めは，1度に3方向（冠状断・横断・矢状断）を撮像できるシーケンスが有効である。ただし，胸椎・胸髄MR検査では，撮像する胸椎の椎体番号を把握するために，①腰椎・腰髄（頸椎・頸髄）の矢状断位置決め撮像→②胸椎・胸髄の冠状断位置決め撮像→③胸椎・胸髄の矢状断像→④胸椎・胸髄の横断像という手順を取る。
- 脊椎・脊髄MR検査では，はじめに矢状断像を撮像し，その矢状断像をもとに横断像の撮像断面および撮像範囲を設定する。一般的に，各脊椎とも同じ手順を取る。
- 矢状断像は脊髄に水平とし，横断像は矢状断像から椎体および椎間板の角度に合わせる。

C 脊椎・脊髄のプロトコル例

● T_2WI	[Sagittal]
● T_1WI	[Sagittal]
● T_2WI	[Axial]
● T_1WI	[Axial]
● T_1WI(＋CE)	[Axial, Sagittal]

- 脊椎・脊髄MR検査では，各脊椎とも矢状断像と横断像のT_2WIとT_1WIを撮像するが，胸椎・胸髄および腰椎・腰髄のMR検査で異常所見を認めない場合には，横断像のT_1WIを省略する場合もある。
- 造影剤を使用する場合には，T_1WI（＋CE）を撮像する。
- その他，検査目的に合わせてT_2*WIやSTIRを撮像したり，MR myelographyが施行される場合もある。

D 各種画像

1. 頸椎・頸髄MR検査

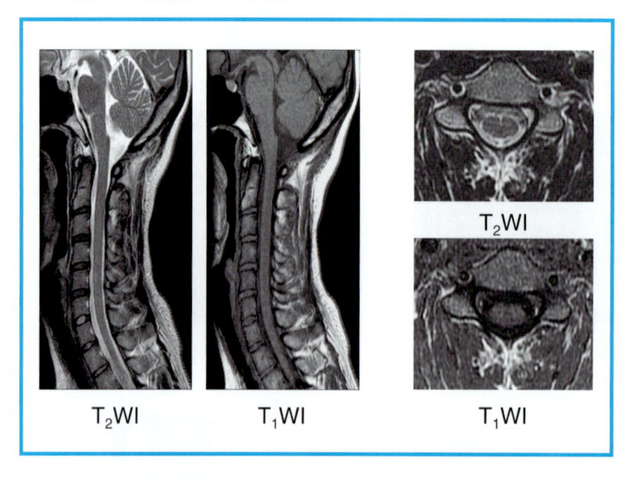

- 頸椎・頸髄MR検査では，スライス厚を3～4 mm，スライス数を矢状断像では9～12枚，横断像では20～24枚程度に設定する。
- CSFの拍動や嚥下によってモーションアーチファクトが出現するため，PGを用いた脈波同期撮像や前飽和パルス（頸部前面～顔面部にかけて印加する）を併用してアーチファクトを抑制する。

2. 胸椎・胸髄MR検査

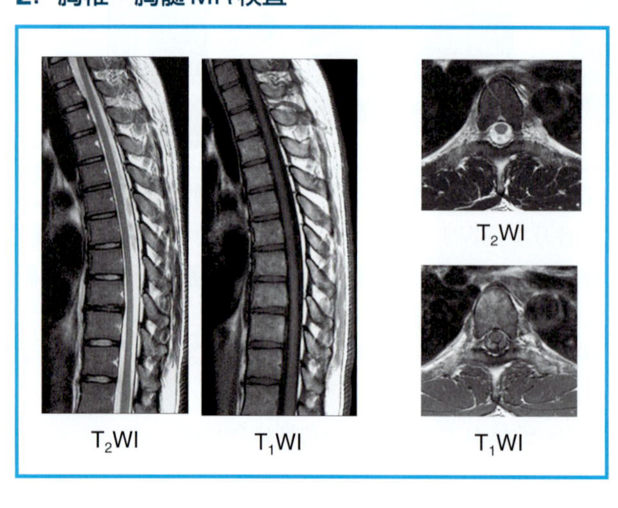

- 胸椎・胸髄MR検査では，スライス厚を矢状断像は4～5 mm，横断像では目的に合わせて設定し，スライス数を矢状断像では9～12枚，横断像では20～24枚程度に設定する。
- CSFの拍動や心拍動および呼吸による胸壁側からのモーションアーチファクトが出現するため，PGを用いた脈波同期撮像や前飽和パルス，さらにはRC（Respiratory Compensation：呼吸補正法）を併用してアーチファクトを抑制する。

3. 腰椎・腰髄 MR 検査

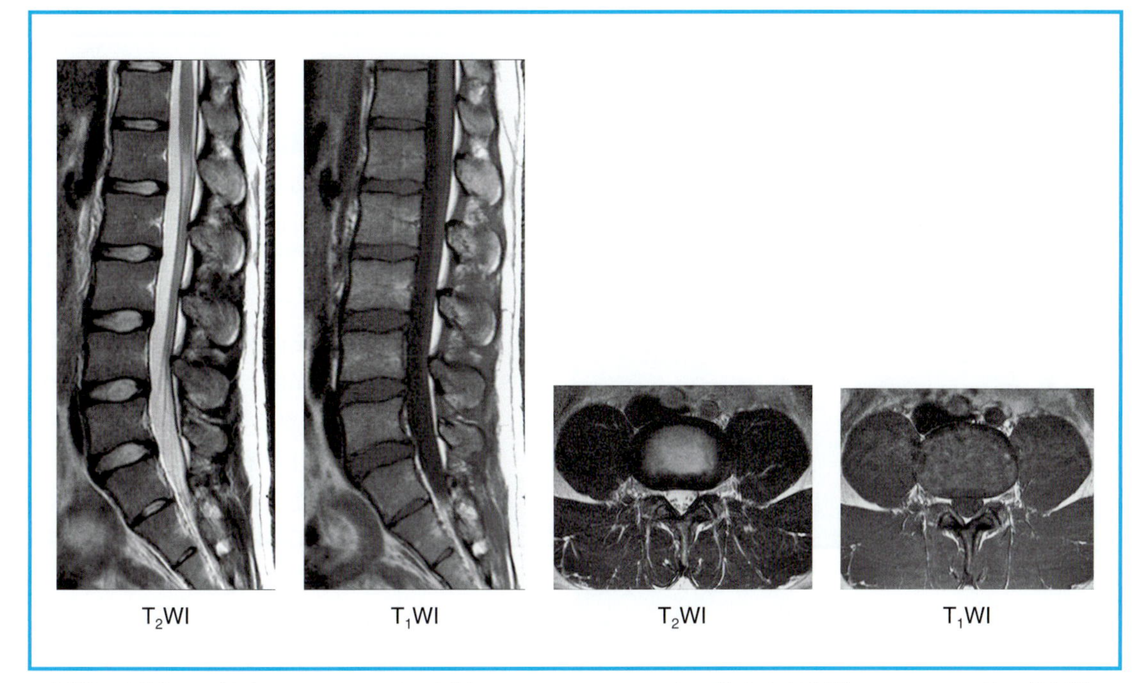

- 腰椎・腰髄 MR 検査では，スライス厚を 4～5 mm，スライス数を矢状断像では 9～12 枚，横断像では 20～24 枚程度に設定する。
- 呼吸による腹壁側からの**モーションアーチファクトが出現**するため，**前飽和パルス**を併用してアーチファクトを抑制する。

6 心　臓

A 検査の準備

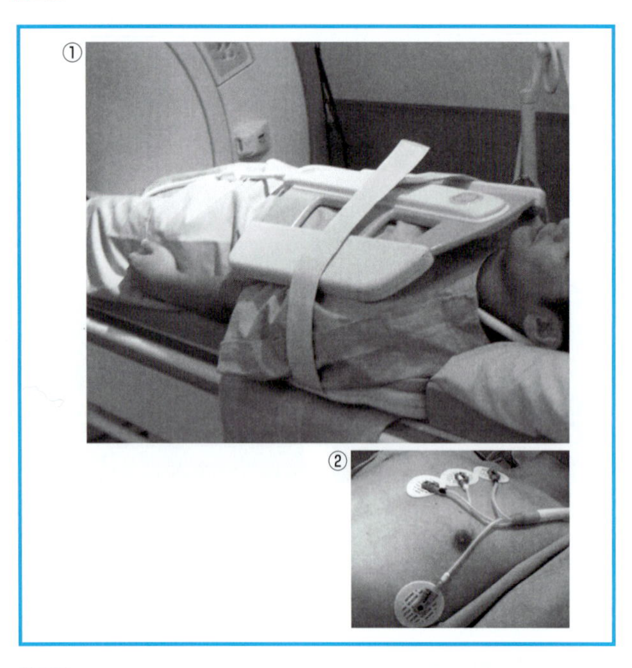

- 受信コイルは**心臓撮像用受信コイル**を用いるのが一般的であるが，腹部用受信コイルなどでも撮像は可能である（①）。
- 心臓は拍動しているため，**心電図による同期撮像（ECGゲート）を行う**。そのため検査前に心電図をセットする（②）。また，呼吸停止下での撮像となるケースが多いため，呼吸状態を観察できる状態にしておく。
- 左室機能評価，冠動脈撮像は造影剤を必要としないが，心筋perfusion（灌流）MRI，遅延造影（Late Gd Enhancement：LGE）MRIでは**Gd造影剤**を必要とするため，静脈ルートをあらかじめ準備しておく。
- **虚血性心疾患**の検査でアデノシンなどによる薬剤負荷を行う場合は，特に患者急変に備えるようにする。

B 撮像断面

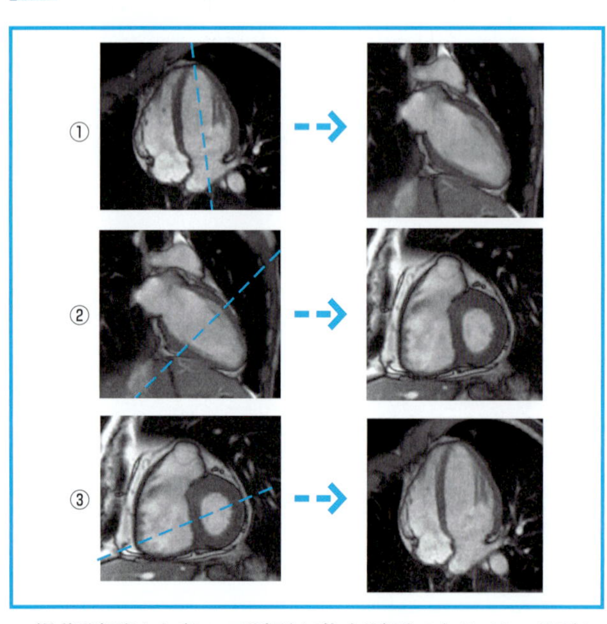

①**左室長軸断面**：僧帽弁と左室心尖部を結んだ左心室の長軸断面。左心房と左心室，または僧帽弁の観察に用いる。短軸断面では観察しにくい心尖部が観察しやすい。

②**左室短軸断面**：①に直交した左心室の短軸（輪切り）断面。左心室の壁全体の観察に用いる。同時に右心室の観察も可能である。心臓MRIの基本断面。心尖部～心基部までをシネMRI（次頁参照）で撮像することで，左室機能解析が可能である。

③**四腔断面**：左心室，左心房，右心室または右心房が同時に観察可能な断面。僧帽弁，三尖弁の観察も可能。

- 撮像断面は上記の三断面が基本断面であるが，必要に応じて左心室の流出経路を観察する目的で左心室，僧帽弁，大動脈弁が描出されている断面（**三腔断面**）などが追加される。目的の疾患に応じた選択が必要である。
- 冠動脈MRAを撮像する際は3Dデータ収集であるため，心臓全体に撮像領域（スラブ）を設定する。

C 撮像シーケンス・プロトコル例

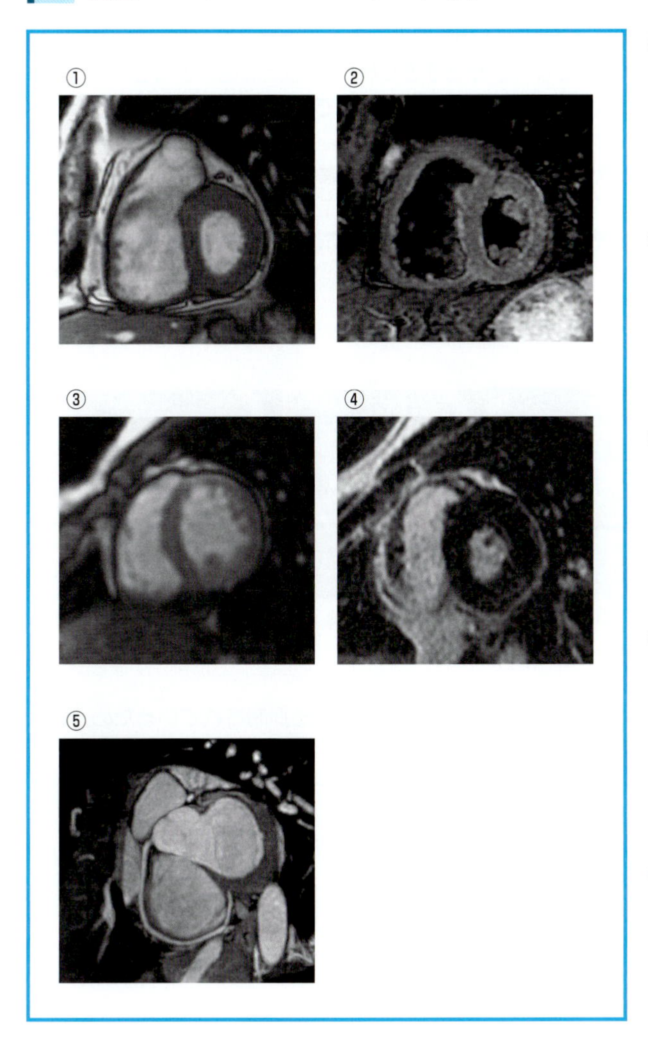

①**シネMRI**：心電図同期にて撮像し，複数の心位相毎の画像を再構成し，連続して動画のように観察することで，心臓の形態および動きを観察する。専用解析ソフトで画像処理することで左室機能評価も可能。

②**Black blood MRI**：T_1強調画像，T_2強調画像を撮像する際に心臓内の血液を無信号化し，心筋の観察を容易にしたもの。血液の流れによるアーチファクトが少なく心筋の性状を観察しやすい。

③**心筋perfusion MRI**：Gd造影剤を急速静注し，高速連続撮像することで心筋における造影剤のファーストパスを観察する。薬剤負荷下で行うことで心筋虚血を観察できる。

④**遅延造影MRI（LGE）**：造影剤注入後10分程度で撮像し，壊死心筋の造影効果を観察する。正常心筋の信号を抑制し，造影効果のみをとらえる撮像法を用いる。虚血性心疾患におけるViability評価，心筋症などにおける心筋障害の有無を観察する。

⑤**冠動脈MRA**：冠動脈の閉塞および狭窄を形態的に観察する。通常は，心電図同期と横隔膜同期（呼吸同期）を併用して撮像する。造影剤を用いなくとも撮像が可能である。

- 検査プロトコルは検査目的に応じて**虚血性心疾患**（①～④），**心筋症**（①～④），**冠動脈MRA**（⑤）に分類できる。
- 特に**虚血性心疾患**の場合はパーフュージョンMRI（③）の際に薬物負荷を必要とする場合があり，検査施行の可否は施設環境によるものが大きい。
- 検査所要時間は約50分程度（冠動脈MRAは約30分程度）と長く，呼吸停止撮像の回数も多いため，患者負担も大きい。
- 虚血性心疾患の検査と冠動脈MRAを同一検査で行うことも可能であるが，検査時間が大幅に延長する。

コラム 遅延造影MRIで正常心筋の信号を抑制するために

遅延造影ではIR法を用いて正常心筋の信号を抑制するが，TIの設定を誤ると正確な診断ができなくなる。また，正常心筋のnull pointは，疾患や撮像開始時間によって変化するため，TI設定は困難となる。

近年では，最適なTIを同定する方法（look-locker法）や，TI設定が厳密でなくても診断可能となる撮像法（PSIR法：phase- sensitive inversion recovery）が利用されている。

Look-locker法は，1回の撮像で複数TIの画像が得られる方法である。遅延造影の撮像直前にlook-locker法を撮像し，正常心筋の信号が抑制されるTIを視覚的に同定し，最適TIで遅延造影を撮像する。

PSIR法は，IR法でT_1値の短い組織が絶対値表示により正負が反転して表示される現象を位相情報をもとに補正する方法である。正常心筋のnull pointよりも長いTIを設定しても，正常心筋が高信号で描出されることなく撮像することが可能となる。

【Look-locker法により得られた画像】

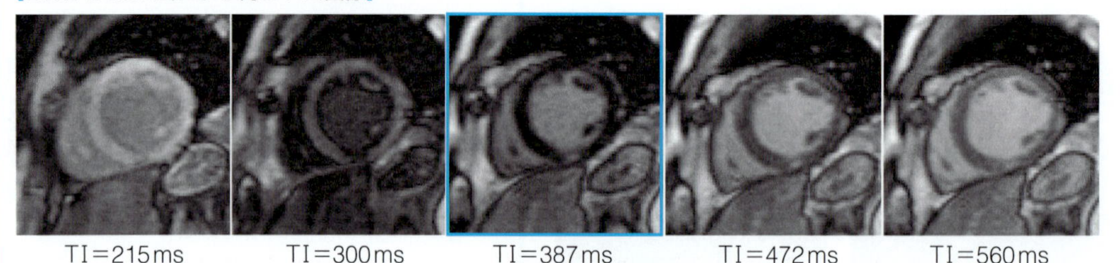

TI=215ms　TI=300ms　TI=387ms　TI=472ms　TI=560ms

最適TI

- 本症例に対し，Look-locker法でTI＝387 msの画像で正常心筋の信号が最も抑制されているため，遅延造影のTIは387 msと設定して撮像する。

D 解析処理

1. 左室機能解析（cmr42：Circle Cardiovascular Imaging 社）

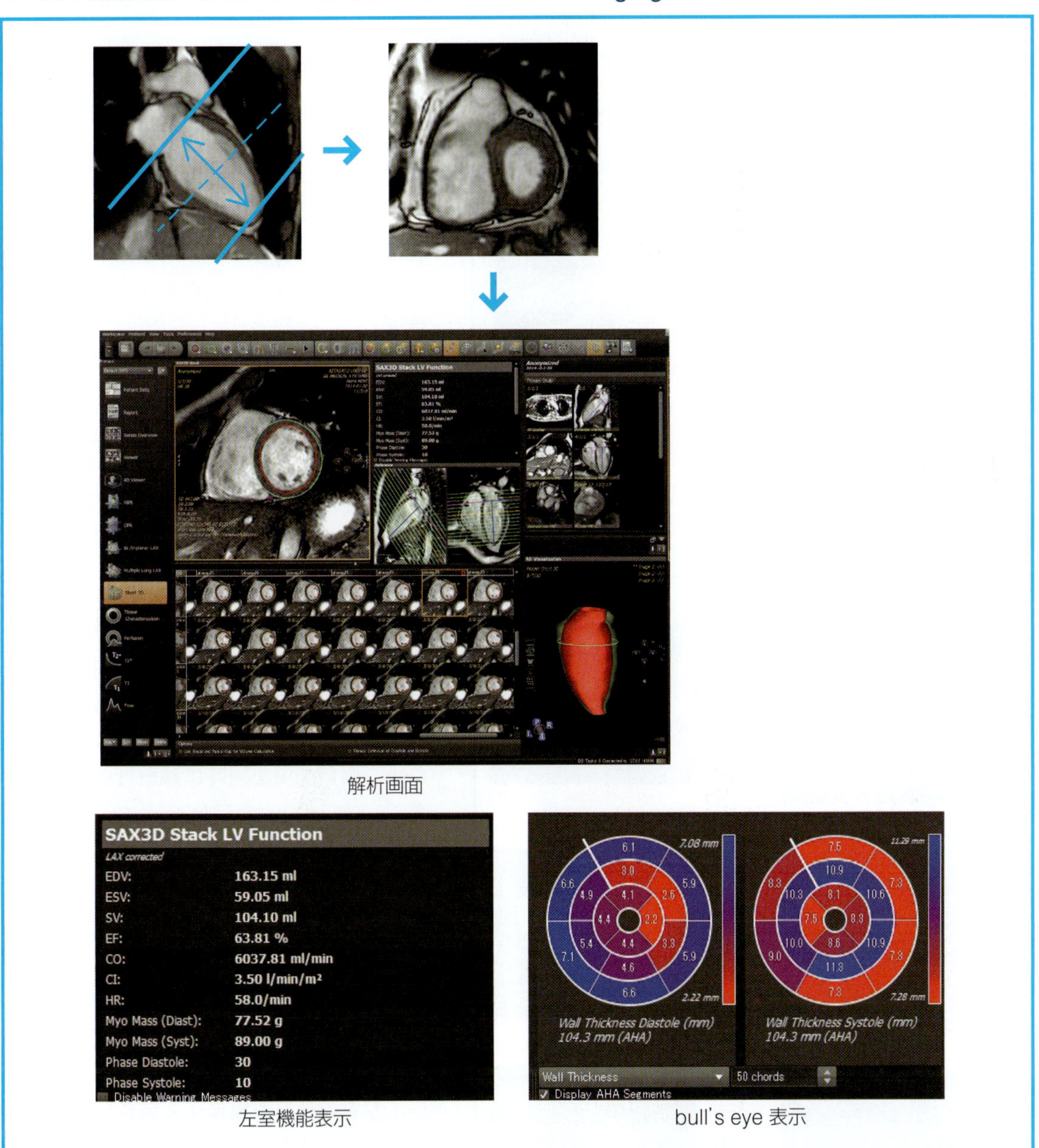

解析画面

左室機能表示

bull's eye 表示

- シネMRIを左心室の心尖部～心基部まで撮像し，すべての心時相の画像を専用解析ソフトを用いて解析することで，左室拡張末期容積（EDV：end diastolic volume），左室収縮末期容積（ESV：end systolic volume），左室駆出率（EF：ejection fraction）などが算出できる。
- MRIは，超音波検査やSPECT検査と比べて非常に空間分解能が高い画像であるため，これらの数値の信頼度も高い。
- また，核医学心筋シンチグラフィなどで用いられるbull's eye表示も可能である。

7 乳 房

A 検査の準備

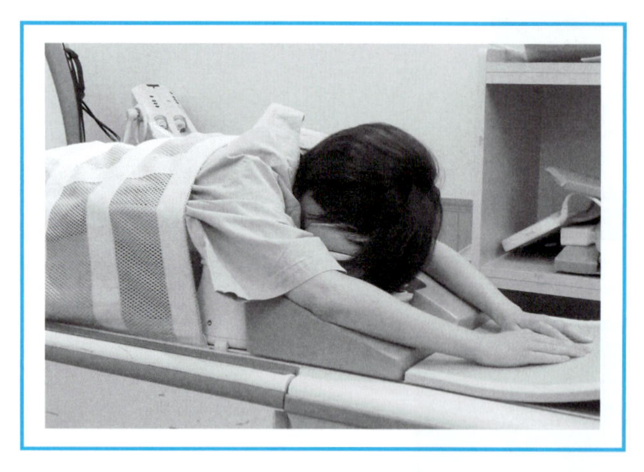

- 受信コイルは乳房専用受信コイルを用いる。
- 検査の体位は腹臥位である。
- 両側乳房がコイル内に自然下垂させ，変形しないようにセットする。
- 乳房MR検査はGd造影剤を使用する。そのため，あらかじめ末梢ルートの確保をしておく。

B 撮像断面

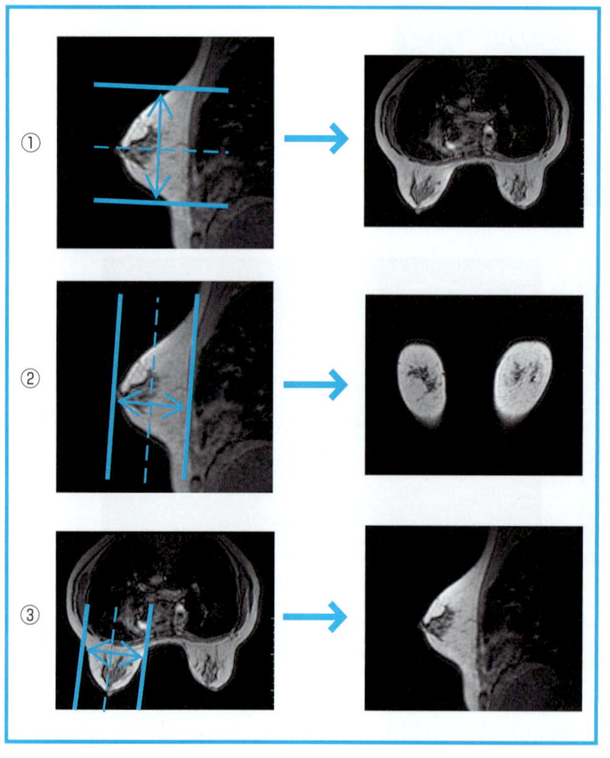

①横断像：原則的には大胸筋と乳頭を結んだ線に対して垂直な断面が望ましいが，3D撮像の場合はmulti planner reformation（MPR）処理によって任意の断面が作成可能であるため，体軸に対して垂直でも構わない。両側乳房を同時に観察可能な断面である。

②冠状断像：①の垂直断面で乳房を正面から断面で観察する断面。乳房内の乳腺は乳頭を中心に房状に分布しており，乳腺の区域の観察がしやすく，横断面同様，左右を同時に観察できる。

③矢状断像：乳頭と大胸筋を結んだ断面。マンモグラフィーのMLO画像と対比しやすい。左右の乳房を撮像する場合は，左右それぞれ撮像する必要があり，検査時間が長くなる。また，造影検査では造影開始からの時間情報が左右で異なるために推奨されていない。

- 乳腺MRIでは多方向からの病変の観察が望ましいため，造影ダイナミックMRIでは3D撮像法にて脂肪抑制T_1強調画像を高分解能撮像し，得られた画像からMPR像を作成し，診断に利用するケースが多い。

C 撮像シーケンス・プロトコル例

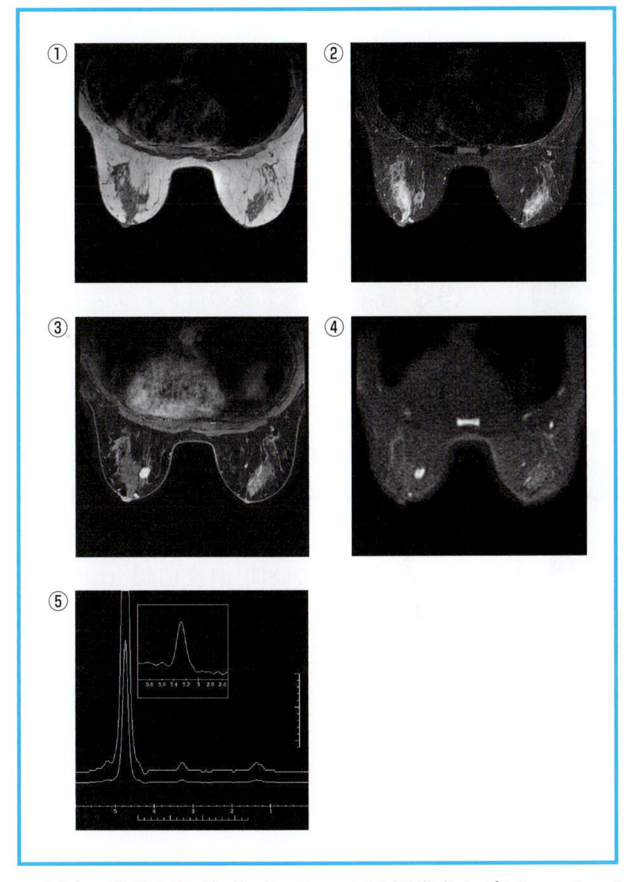

①T_1強調画像：脂肪病変の有無，乳房全体の構造の把握，腫瘍周囲の脂肪織の確認などに用いる。

②脂肪抑制T_2強調画像：多くの乳癌はT_2強調画像で高信号を示さないために，乳癌検出の目的というよりも粘液癌，一部の線維腺種，または嚢胞性病変などの診断に用いる。

③造影ダイナミックMRI：乳腺MR検査の中で最も重要な撮像であり，腫瘍の検出，広がり診断，良悪性の鑑別に用いられる。通常は造影前，造影後2分以内，造影後5分以降の3回以上の撮像が必要である。

④拡散強調画像：脳梗塞診断に用いられる撮像法を応用した撮像。主な目的は病変の拾い上げである。見かけの拡散係数（ADC）を測定し，診断に付加情報を加えることができる。

⑤proton MRS：乳癌から代謝されるコリン含有物質を観察に用いられる。画像診断で得られる形態情報，血流情報に加えて，代謝情報を付加することができる。

- 現在，乳腺MR検査プロトコルは標準化に向かっている。上記①～⑤のうち，②脂肪抑制T_2強調画像，③造影ダイナミックMRIは強く撮像が勧められており，プロトコルの中心となる。
- ①T_1強調画像は，②，③のみでは脂肪成分が反映された画像が存在しなくなるために，撮像が勧められている。
- ④，⑤に関しては，単独では十分な臨床的有用性を示すことは難しく，あくまで②，③を中心とした診断に付加情報として役立てる。特に④拡散強調画像については，広く臨床応用されている。

コラム 乳房MR検査は片側検査か両側検査か？

以前は，患側のみの造影ダイナミックMRIを施行した後，遅延相などで両側乳房の撮像が行われていた。しかし，病変の血流情報が乏しくなるため，現在では両側同時の造影ダイナミックMRIが推奨されている。

乳癌の場合，両側同時多発発生が3～6%にみられるという報告があり，これらは他のモダリティで検出するのが難しいという報告もあることから，両側検査が推奨される。さらに，両側乳房にあらかじめ疾患が疑われる場合には，両側検査であれば一回の検査で診断が可能になるため，患者負担が大幅に低減するメリットもある。

また，乳腺症の場合も両側を同時に比較することで診断の一助になる場合がある。

D 画 像

1. 造影ダイナミックMRI（乳癌症例）

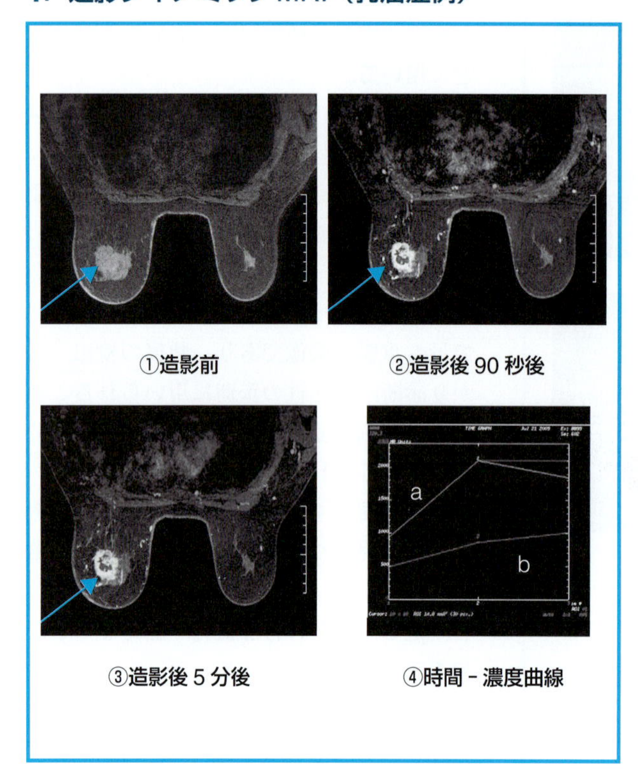

①造影前　②造影後 90 秒後　③造影後 5 分後　④時間 - 濃度曲線

- 多くの乳癌はGd造影剤にて2分以内に造影効果を示す。また，造影パターンを解析することで良悪性の鑑別に有用な情報を付加することが可能である。
- 左の画像は典型的な乳癌の造影ダイナミックMRIである。造影後90秒後の画像（②）では，腫瘍と正常乳腺のコントラストが非常に高く，腫瘍の存在，または広がりを容易に判断できる。また，時間-濃度曲線（④）を作成することで，腫瘍の時間－濃度曲線（a）が造影後90秒後に高い造影効果を示し，5分後には造影剤の洗い出し（washout）がみられることが客観的に観察できる。一方，正常乳腺の時間-濃度曲線（b）では腫瘍に比べ造影効果に乏しく，緩やかな信号上昇していることが観察できる。
- ただし，これはすべての乳癌で観察できるわけではないため，他の画像と比較して観察していく必要がある。

8 腹 部

A 検査の準備

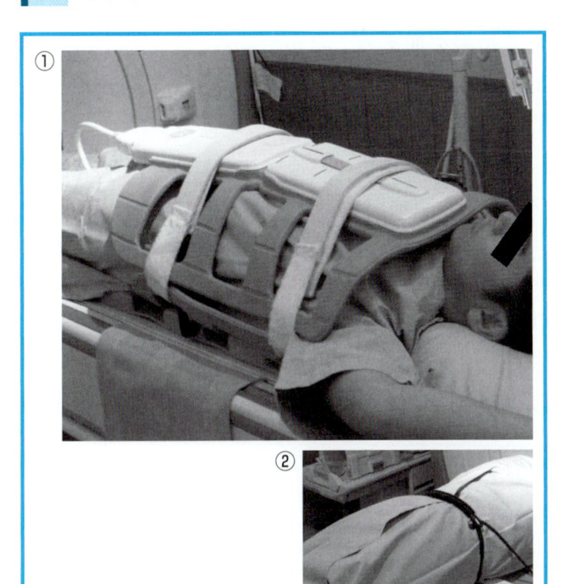

- 受信コイルは**腹部用受信コイル**を用いる（①）。
- 上腹部の検査では吸気時，呼気時で横隔膜の高さが変わる。そのため，コイルの受信感度がいずれの呼吸時でも十分であるか位置決め画像などで確認しておく。
- 腹部の撮像では**呼吸の影響**を受けるので，**呼吸同期用のベローズ**を患者に装着する（②）。装着の際は患者の呼吸状態を観察しながら，できるだけ動きが大きな場所に装着すると呼吸波形を得られやすい（横隔膜同期を使用する際は必要ではない）。
- **呼吸停止下の撮像**も想定されるため，あらかじめ患者に説明を行う（吸気停止なのか，呼気停止なのか。また，おおよその呼吸停止時間，回数など）。
- **造影剤**を使用する際はあらかじめ末梢ルートを確保しておく。

B 撮像断面

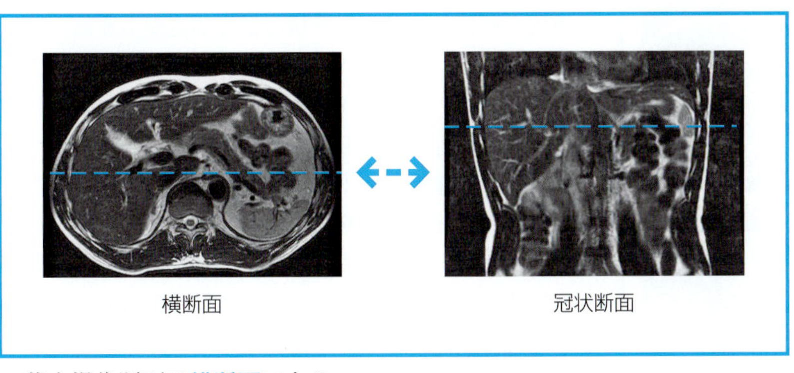

- 基本撮像断面は**横断面**である。
- 横隔膜に近い領域（S8 領域）などを観察する場合は**冠状断面（または矢状断面）**などを追加撮像する場合もある。
- 胆道系，門脈の走行などは冠状断面が観察しやすい。

C 肝臓MR検査

- **単純MR検査**：T_1強調画像，T_2強調画像の画像コントラストの組み合わせで診断を行う。腫瘍などの血流情報は得られない。Heavy T_2強調画像，拡散強調画像（DWI）などを組み合わせて撮像すると腫瘤性病変の性状，病変の検出などにさらなる情報を加えることができる。
- **Gd造影MR検査**：単純MRIに加え，細胞外液性Gd造影剤を用いて，肝動脈優位相，門脈相，平衡相を撮像することで，造影ダイナミックCT検査同様の血流情報を得ることができる。
- **Gd-EOB造影MR検査**：Gd-EOB-DTPAは肝細胞に特異的に取り込まれる造影剤である。細胞外液性Gd造影剤同様に血流情報を得ることができるのに加えて，造影後20分程度で造影剤が正常肝細胞に取り込まれ，T_1強調画像にて正常肝が高信号になり，肝細胞が存在しない腫瘍とのコントラストが向上した画像（肝細胞相）が得られる。
- **SPIO造影MR検査**：超常磁性酸化鉄微粒子（SPIO）を造影剤として用いる。造影剤を投与すると，正常肝にある網内系細胞（Kupffer（クッパー）細胞）に貪食され，正常肝はT_2（T_2*）短縮効果にてT_2（T_2*）強調画像にて低信号になり，Kupffer細胞が存在しない腫瘍は信号強度が低下しないため，正常肝と腫瘍のコントラストが向上した画像が得られる。

1. 撮像シーケンス・プロトコル（Gd-EOB-DTPA検査の例）

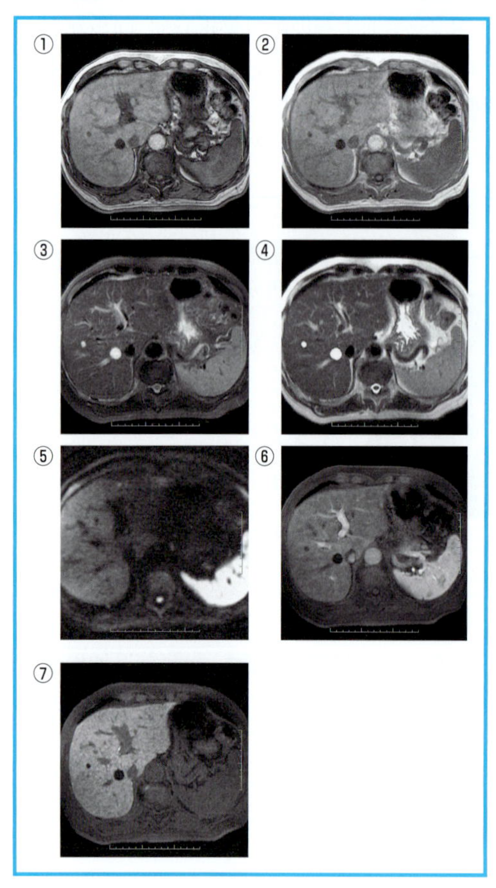

①，②**T_1強調画像**：高速GREシーケンスを用いて，呼吸停止下にて撮像する。2種類のTE（①opposed phase，②in phase）の信号をdual echo法にて取得することで，脂肪肝や高分化肝細胞癌などの脂肪変性の検出，または肝臓の鉄沈着の状態などを観察できる。

③**T_2強調画像**：肝臓の腫瘤性病変の診断に最も基本で重要な画像。その高信号域の信号強度から腫瘍の性状を評価する。高速SE法で撮像するのが一般的である。高速SE法では脂肪が高信号になりやすいため，脂肪肝などの場合は脂肪抑制法を併用する場合がある。

④**Heavy T_2強調画像**：シングルショット高速SE法で撮像することで，嚢胞など自由水を多く含む腫瘤を非常に高い信号として描出する。通常のT_2強調画像と組み合わせると，腫瘤の性状がより診断しやすい。

⑤**拡散強調画像**：脳梗塞診断に用いられる撮像法を応用した撮像。主な目的は病変の拾い上げである。見かけの拡散係数（ADC）を測定し，診断に付加情報を加えることができる。

⑥，⑦**造影ダイナミックMRI**：造影剤投与後に経時的に撮像をすることで腫瘤性病変の血流状態を把握できる。造影剤投与前，肝動脈優位相（⑥），門脈相などを撮像する。また，造影剤投与後20分程度で肝細胞相（⑦）を撮像する。

2. 肝臓 Gd-EOB MR 検査（多発肝細胞癌症例：同一患者）

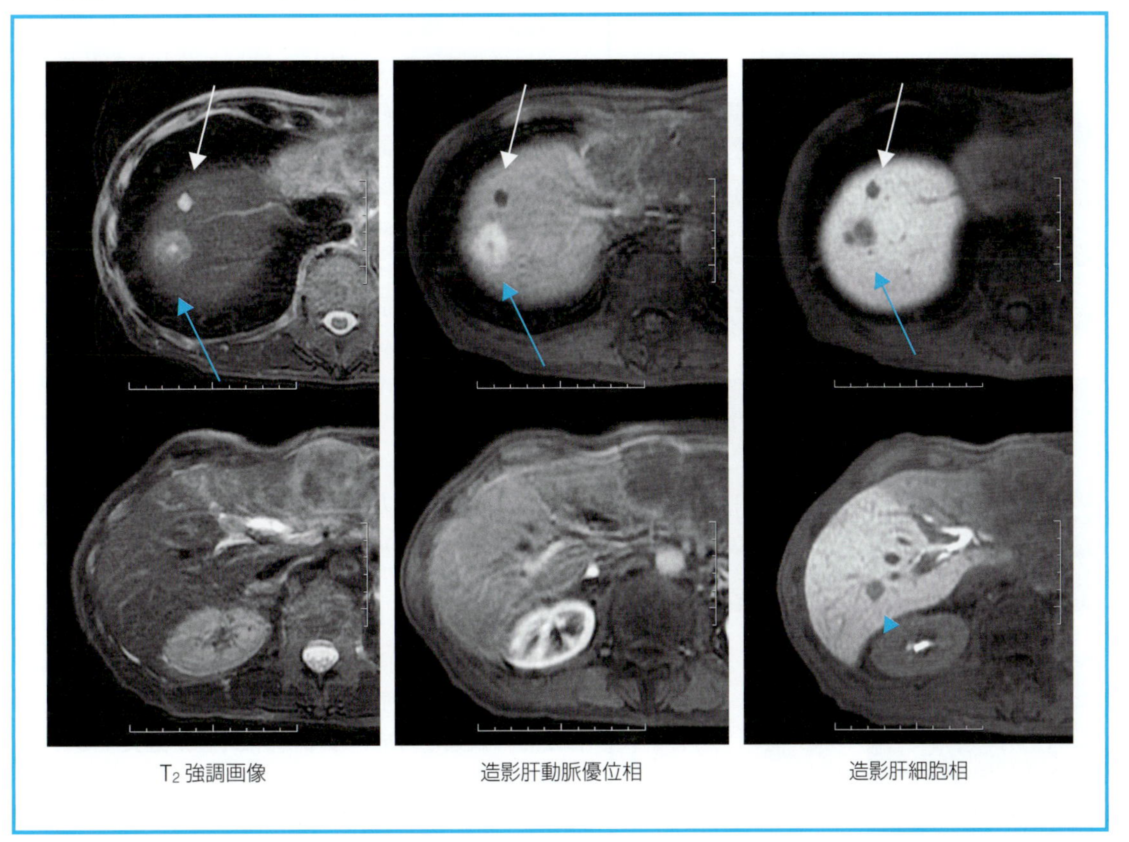

T₂強調画像　　造影肝動脈優位相　　造影肝細胞相

- 上段の画像では T_2 強調画像で高信号の腫瘤（⇒）と淡い高信号の腫瘤（→）の2つの病変を認める。高信号の病変は造影効果がなく嚢胞である。淡い高信号の病変は肝動脈優位相にて濃染し，肝細胞相で造影効果が認められないことから，多血性（血流に富んだ）肝細胞癌を疑う。
- 下段の画像では，T_2 強調画像，肝動脈優位相などでは腫瘍を検出できないが，肝細胞相にて腫瘍（矢頭）が描出されている。乏血性（血流に乏しい）肝細胞癌が疑われる。

D　MRCP 検査

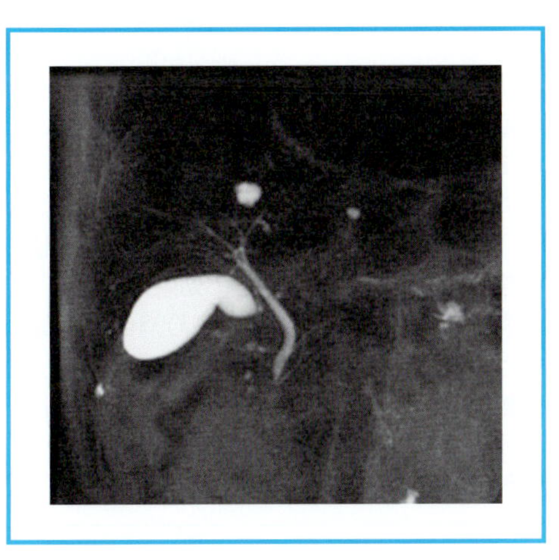

- MRCP（MR cholangio-pancreatography）は胆嚢，胆管，膵管を描出し結石などの病変を描出する手法である。
- 胆嚢，胆管，膵管内は胆汁または膵液が存在するため，強い T_2 強調画像（Heavy T_2 強調画像）で撮像することで，胆汁，膵液の水成分を強調して描出する。
- 胃液などの消化管内の消化液が障害陰影となる可能性があるために，検査前にクエン酸鉄アンモニウム，または塩化マンガン水溶液を経口造影剤として検査前に服用する。

1. 撮像シーケンス・プロトコル例

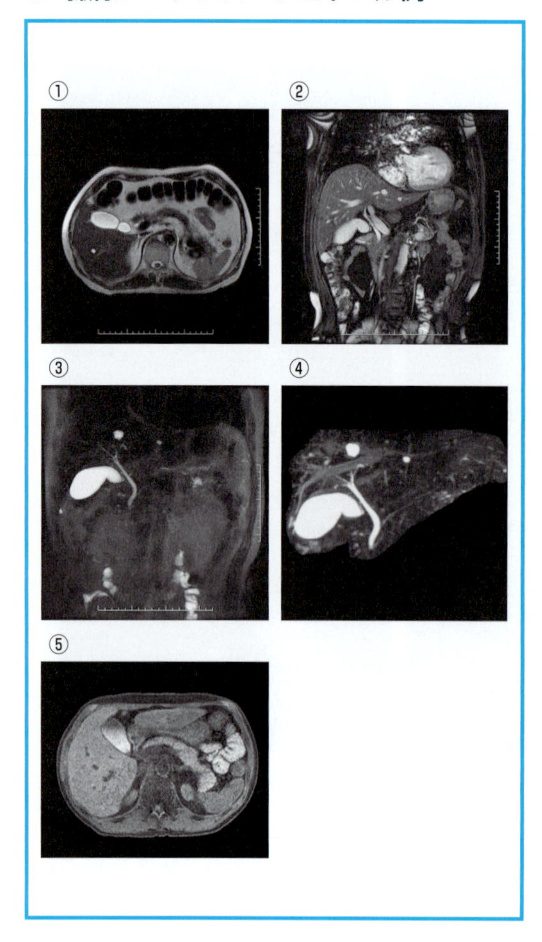

①**Heavy T_2強調画像**：シングルショット高速SE法で撮像することで，胆汁，膵液など自由水を多く含む成分を非常に高い信号として描出する。膵臓などの嚢胞性病変の診断にも用いられる。

②**Steady state free precession（SSFP）型GRE画像**：定常状態（steady state）を利用した3軸すべての方向にリワインダーが印加されたシーケンス。T_2値が長い水，血液などが高信号になり，短時間撮像で，高分解能，高SNRの画像が取得できる。

③**2D thickslice MRCP**：Heavy T_2強調画像にて厚いスライス厚を設定し(50 mm程度)，非常に長いTEを設定することで胆嚢,胆管,膵管を描出する。2Dであるため，多方向からの観察をする場合は複数の角度での断面設定が必要である。撮像時間は1秒程度である。

④**3D MRCP**：薄いスライス厚（2 mm程度）で3D撮像し，得られた画像からMIP（maximum intensity projection）処理を行う。処理した画像から多方向からの観察が可能になる。撮像時間が延長するため，呼吸同期法を併用する。

⑤**脂肪抑制T_1強調画像**：正常な膵臓はT_1強調画像で比較的高信号を示し，膵癌，嚢胞性腫瘤などは低信号に描出される。また，濃縮胆汁はT_1値が短縮されるために高信号として描出される。

コラム 経口造影剤の造影効果

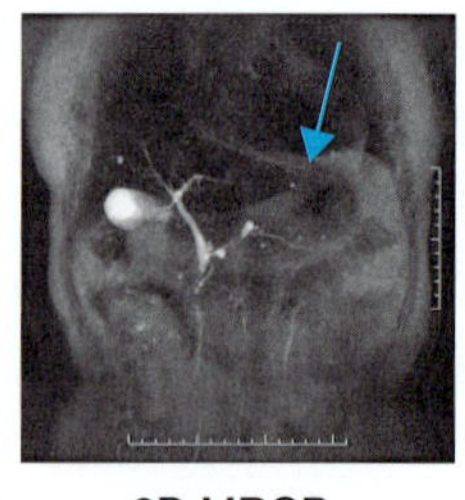

2D MRCP

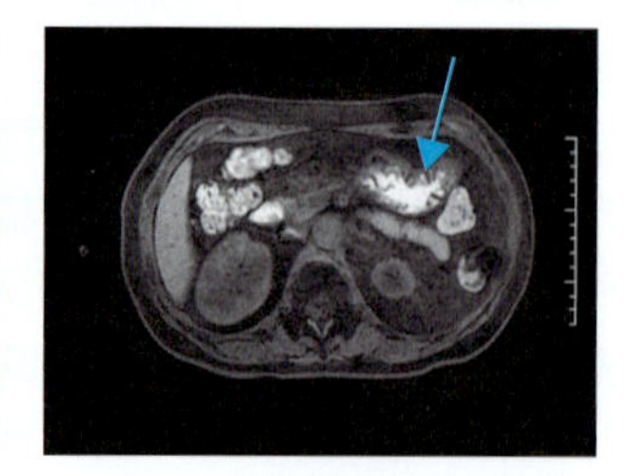

T_1強調画像

造影剤の効果によって，MRCP像（T_2強調画像）では消化管は低信号，T_1強調画像では高信号を示す。

- 経口造影剤にはクエン酸鉄アンモニウムまたは塩化マンガン水溶液を用いる。
- 造影剤により消化液はT_2短縮効果により，MRCP（T_2強調）画像にて低信号となり描出されない（陰性造影剤としての効果）。
- T_1強調画像ではT_1短縮効果により消化液は高信号となる（陽性造影剤としての効果）。
- 十二指腸や消化管を描出したい場合は，消化液の信号をどのように描出した方がよいのか，造影剤の適応について臨床医と相談する。

E 腎臓MR検査

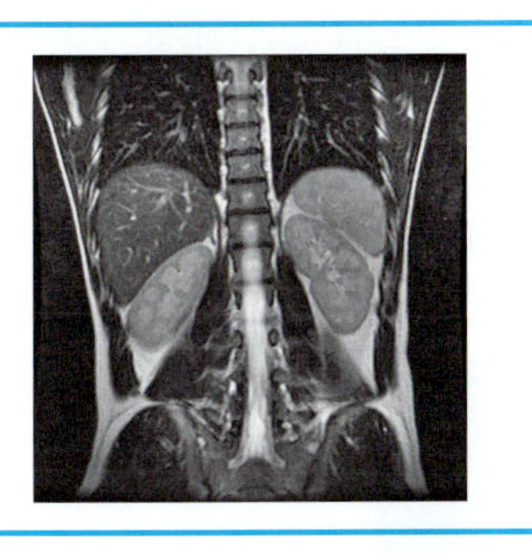

- 腎臓の画像診断では**腎細胞癌**などの腫瘤性病変の検索，**腎血管性高血圧**などの血管性病変，Gd造影剤の排泄経路でもある**尿路系疾患，移植腎などの術後評価**など多岐にわたる。
- 腎疾患の患者には腎機能障害を有する患者も多く，造影剤の適応には慎重を要する。他の検査でも同じであるが，腎機能のチェックを怠らないようにする。

1. 撮像シーケンス・プロトコル例

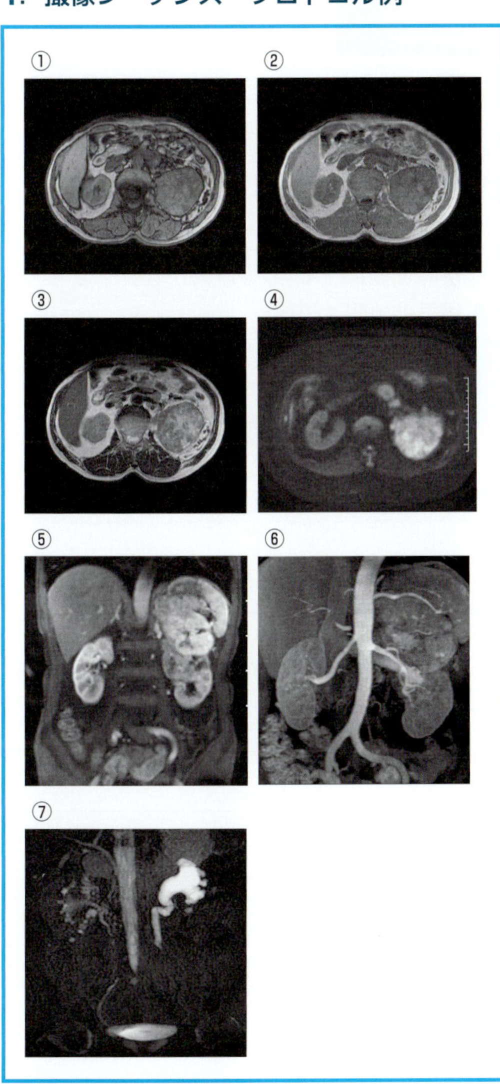

①，②**T_1強調画像**：高速GREシーケンスを用いて，呼吸停止下にて撮像する。2種類のTE（①opposed phase，②in phase）の信号をdual echo法にて取得することで，腎血管筋脂肪腫（AML：angiomyolipoma）などの脂肪を含んだ病変の描出も可能になる。

③**T_2強調画像**：通常は高速SE法で撮像する。病変の性状を観察する目的で撮像する。囊胞性病変（変化）など水を含む病変，拡張した腎盂（尿管）などは高信号となる。

④**拡散強調画像**：脳梗塞診断に用いられる撮像法を応用した撮像。囊胞性腫瘤の性状評価などに用いられる。見かけの拡散係数（ADC）を測定し，診断に付加情報を加えることができる。

⑤，⑥**造影ダイナミックMRI**：通常は脂肪抑制法を併用した高速GREシーケンスで撮像する。腫瘤性病変の血流動態の観察（⑤），またはGd造影剤の排泄動態を観察する目的で撮像する。動脈相の画像を画像処理することでMR angiography（MRA）像（⑥）を取得可能であり，術前情報に利用される。

⑦**Heavy T_2強調画像**：MRCP同様シングルショット高速SE法で撮像することで，腎盂，尿管などの尿路系の描出をすることができる（MR urography：MRU）。

コラム 腎動脈MRAの現状（非造影MRAについて）

腎臓疾患の患者には腎機能障害を持つ人が多く，Gd造影剤が使用できない場合がある。近年は非造影MRAの技術が進歩し，様々な手法が臨床の場で広く応用されるようになっている。

非造影MRAではGd造影剤が不要であること，造影タイミング不良がないことなどの長所はあるが，動脈の血流速や呼吸同期不良などに画質が左右される場合もある。

現在，腎動脈の非造影MRAではTime-SLIP法が広く臨床で利用されている。Time-SLIP法はIRパルスによって撮像領域の背景信号を抑制し，TI中に流入する動脈を高信号で描出する手法である。

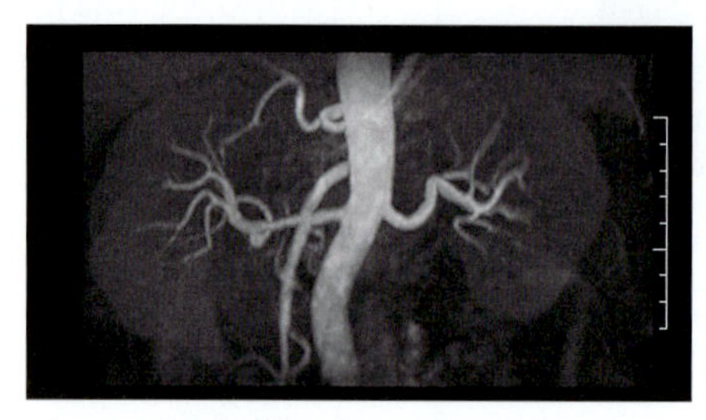

Time-SLIP画像（MIP表示）

【撮像原理】

- 動脈血はIRパルスを印加されていないため，最大の縦磁化で撮像範囲に流入する。
- 静止組織と静脈血はIRパルスが印加され，null pointに近づき信号が抑制される。

⇒ 動脈血のみが描出される。

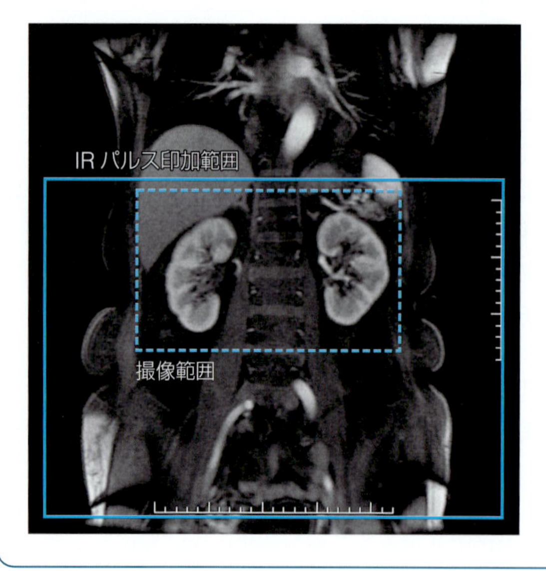

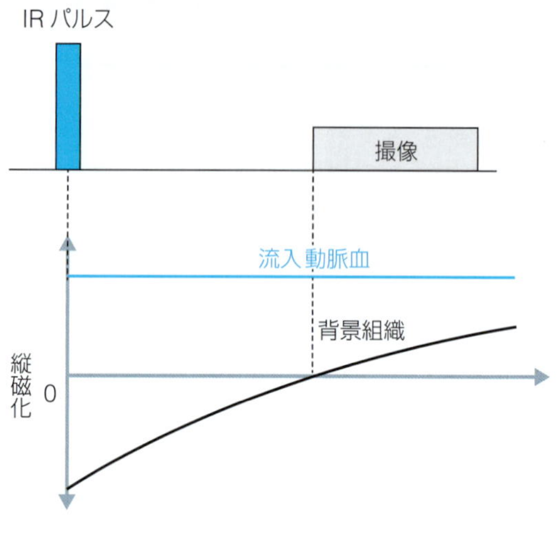

9 骨盤部

A 検査の準備

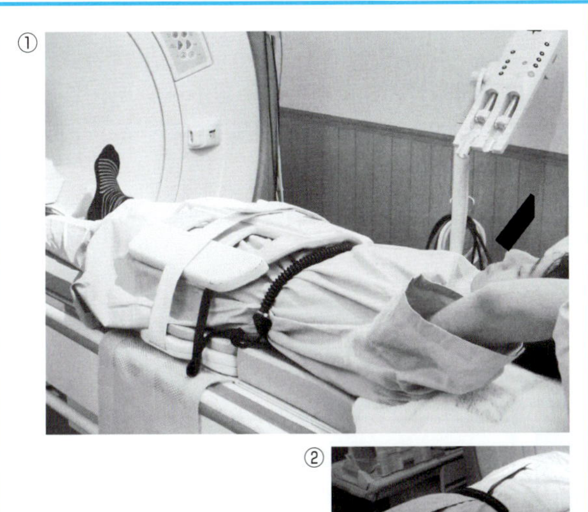

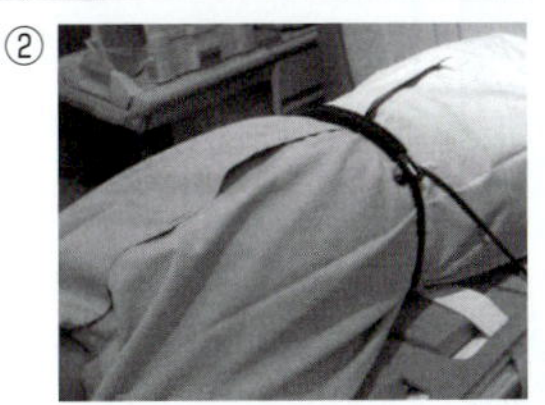

- 受信コイルは腹部用（または骨盤部用）受信コイルを用いる（①）。
- 骨盤部の撮像では呼吸の影響を受ける場合があるため，呼吸同期用のベローズを患者に装着する（②）。装着の際は患者の呼吸状態を観察しながら，できるだけ動きが大きな場所に装着すると呼吸波形を得られやすい。
- 呼吸停止下の撮像も想定されるため，あらかじめ患者に説明を行う（吸気停止なのか，呼気停止なのか。また，おおよその呼吸停止時間，回数など）。
- 骨盤部の検査では消化管の蠕動運動によるアーチファクトを抑制するために鎮痙剤を筋注投与する場合がある。必要な場合は準備しておく。
- 造影剤を使用する際はあらかじめ末梢ルートを確保しておく。
- 骨盤領域では男性と女性では解剖が異なるために，検査の内容（特に生殖器対象）によっては，断面設定が異なる場合がある。

B 撮像断面

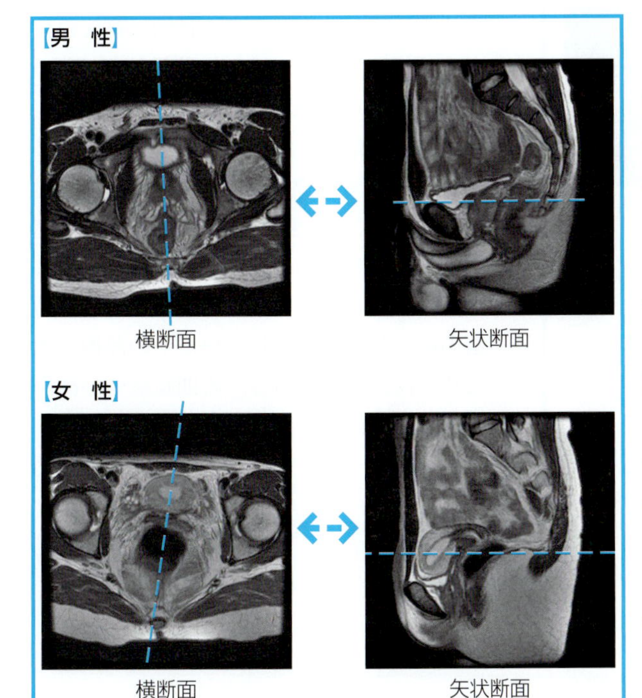

【男性骨盤部の撮像断面】

- 基本断面は横断面である。
- 矢状断面または冠状断面を追加撮像することが多い。いずれも膀胱～尿道までを観察しやすい。
- 膀胱の検査などでは腫瘍に対して直交断面を設定することがある。

【女性骨盤部の撮像断面（特に婦人科疾患の場合）】

- 基本断面は横断面である。
- 矢状断面は，子宮内腔に対して斜断面で設定し，子宮体部（または頸部）が観察しやすいように設定する。
- 子宮体部（または頸部）を観察する時は，子宮体部（または頸部）の軸位断面（子宮の輪切り断面）を追加撮像する場合がある。

C 膀胱領域のMR検査

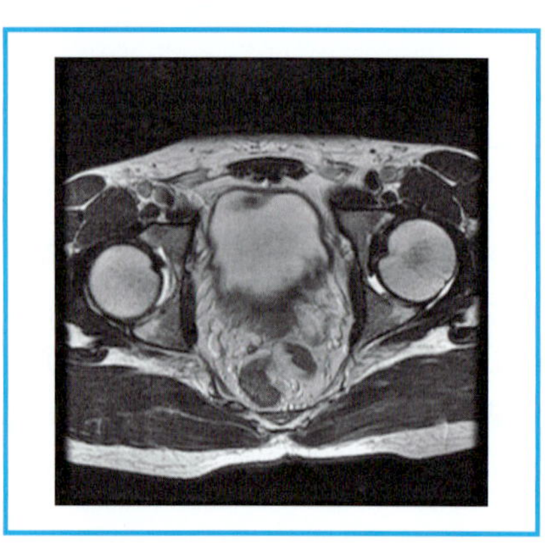

- 膀胱MRI検査の代表的な対象疾患は**膀胱癌**である。膀胱癌のMRI診断では，膀胱癌の描出のみならず，**膀胱壁の筋層**のどこまで浸潤しているかなど，高分解能な画像が要求される。
- 一方，膀胱は周囲腸管の蠕動運動によるモーションアーチファクトの影響を受けやすい。そのため，モーションアーチファクトへの対策が必要である。
- 膀胱内に尿が溜まっている方が病変を観察できる。

1. 撮像シーケンス・プロトコル例

①
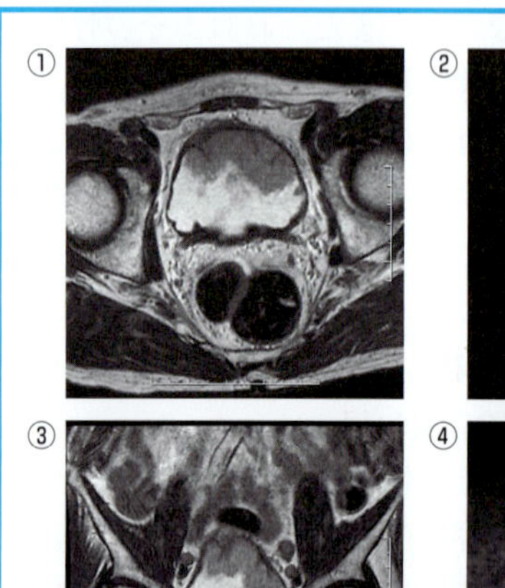
②
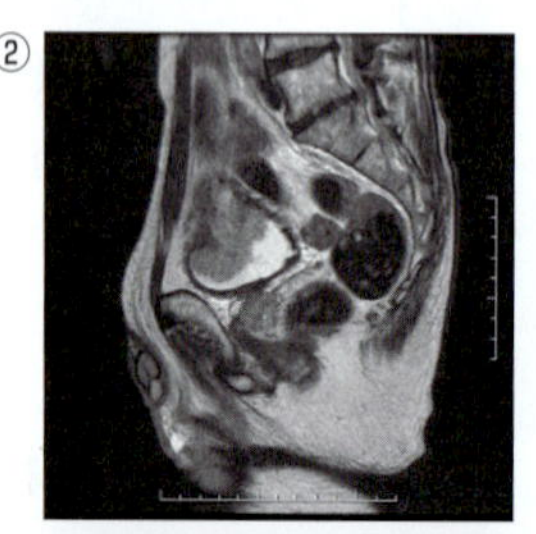
③
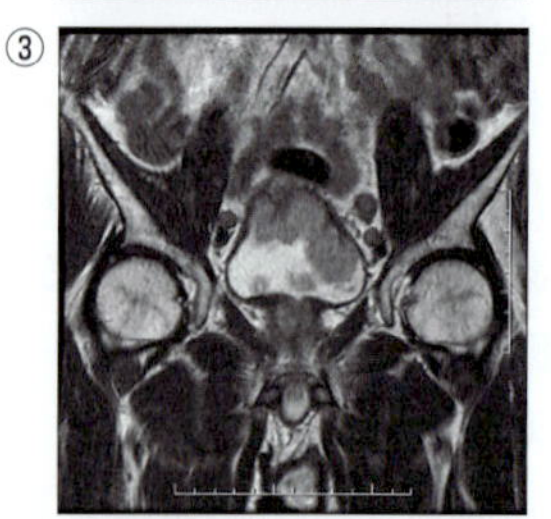
④
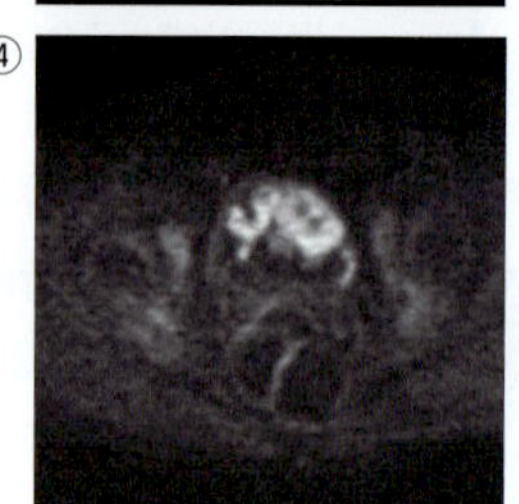
⑤
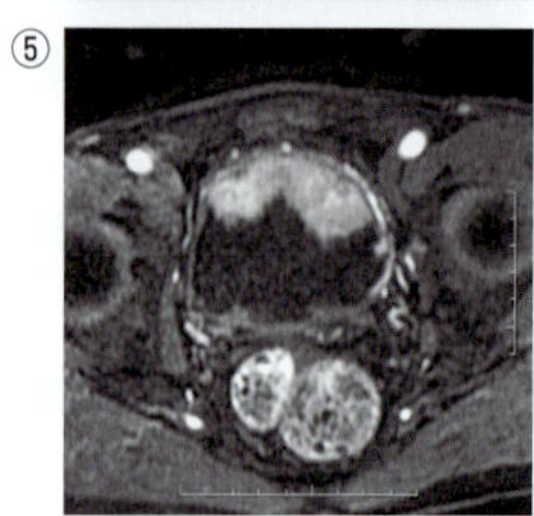

①～③**T_2強調画像**：高速SE法で撮像する。膀胱内は尿が存在するために高信号に描出される。そのため膀胱壁に発生する膀胱癌などの腫瘍は，尿に比較し低信号領域で描出される。多方向からの観察が必要であるが，特に腫瘍に対して斜断面を設定すると観察がしやすい。腫瘍の壁内進展範囲の評価はT_2強調画像のみでは困難である。

④**拡散強調画像**：脳梗塞診断に用いられる撮像法を応用した撮像。主な目的は病変の拾い上げである。見かけの拡散係数（ADC：apparent diffusion coefficient）を測定し，診断に付加情報を加えることができる。

⑤**造影ダイナミックMRI**：Gd造影剤を急速注入した後，高速GRE法にて脂肪抑制T_1強調画像を経時的に撮像する。膀胱壁内に腫瘍が限局している場合に腫瘍が膀胱壁筋層内にどれだけ浸潤しているかの評価，また壁外浸潤を疑う場合，周囲組織への浸潤の程度を評価するために撮像する。

D 前立腺領域のMR検査

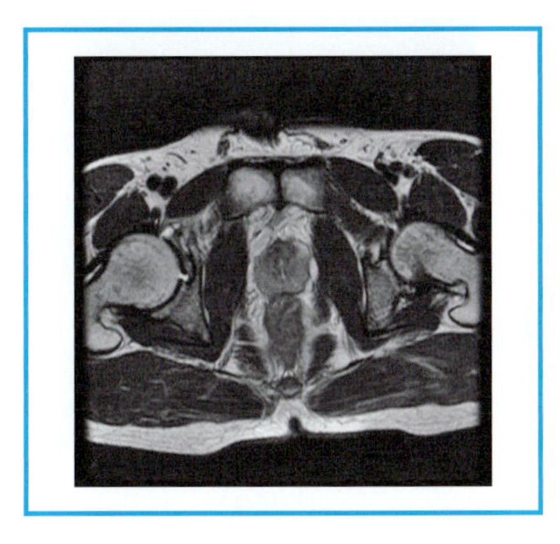

- 前立腺MR検査の依頼目的の多くは前立腺癌である。前立腺のMR検査は腫瘍の存在診断，局所浸潤，周囲臓器への浸潤の評価など，病期診断をする上で非常に重要な位置づけとなっている。
- 近年は拡散強調画像，またはproton MRSなどの撮像法が臨床応用され，さらに前立腺領域のMR検査が注目されている。

1. 撮像シーケンス・プロトコル例

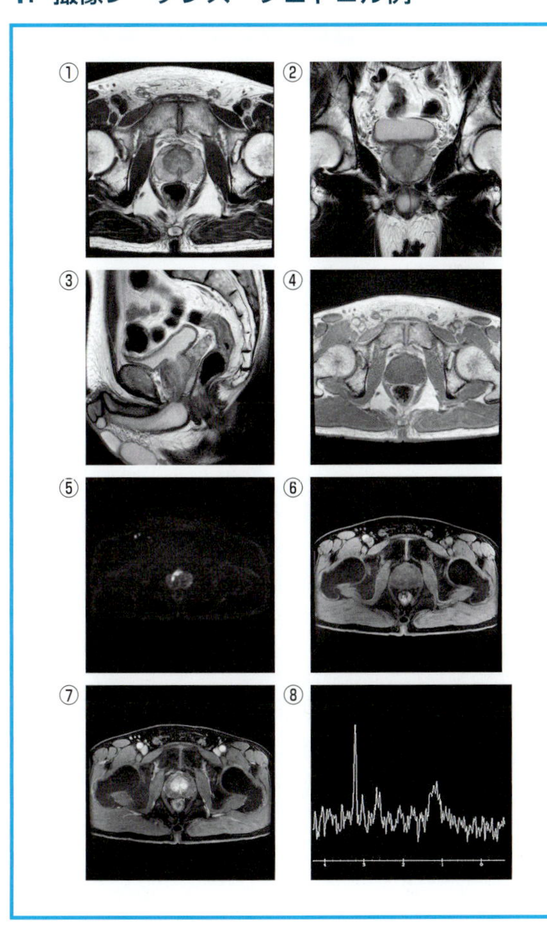

①〜③T_2強調画像：高速SE法で撮像する。横断面（①）での観察が中心であるが，尖部や底部に病変が疑われる場合や，膀胱，尿道，精嚢，直腸などとの関係を観察するために冠状断面（②）および矢状断面（③）を撮像する。前立腺癌の病巣診断に非常に重要な撮像である。

④T_1強調画像：（高速）SE法または高速GRE法で撮像する。前立腺の周囲構造の把握が主な目的である。また，前立腺内の針生検後の出血などが高信号として描出される。

⑤拡散強調画像：脳梗塞診断に用いられる撮像法を応用した撮像。主な目的は病変の拾い上げである。見かけの拡散係数（ADC）を測定し，診断に付加情報を加えることができる。撮像が推奨されている。

⑥，⑦造影ダイナミックMRI：Gd造影剤を急速注入した後，高速GRE法にて脂肪抑制T_1強調画像を経時的に撮像する。前立腺癌の局在を評価する目的で撮像する。

⑧proton MRS：前立腺癌から代謝される物質を測定することで診断に役立てる。特に前立腺癌ではコリン（3.25 ppm）のピークが高く，クエン酸（2.6 ppm）のピークが減少する。

2. 画像（前立腺癌症例）

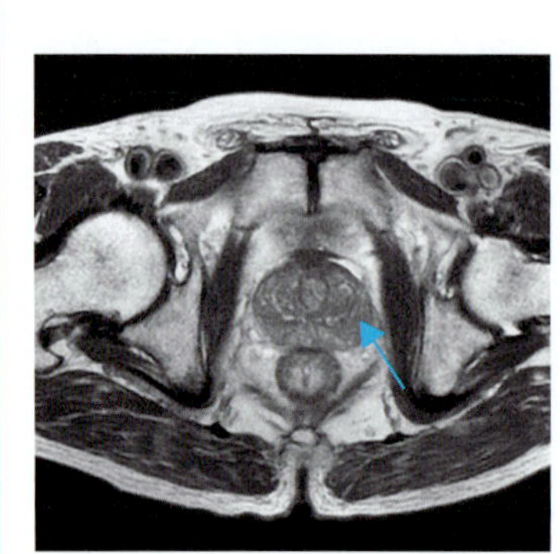

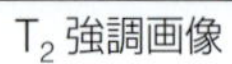

T_2強調画像

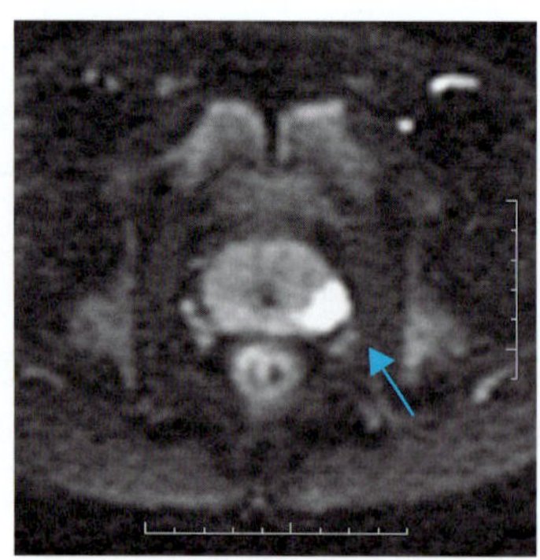

拡散強調画像

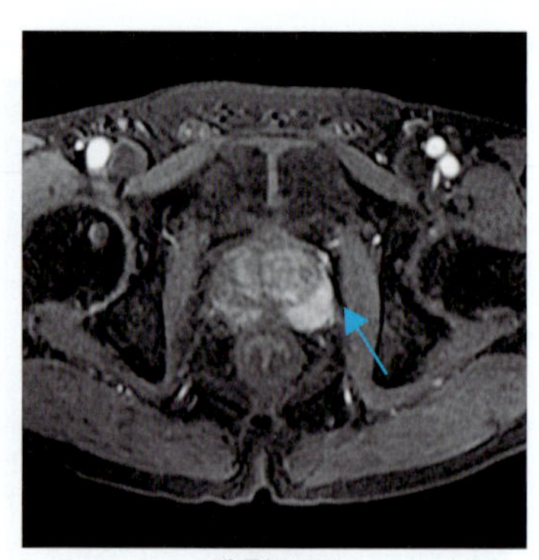

造影 MRI
（早期像）

- 一般的に前立腺癌はT_2強調画像で正常な前立腺よりやや低信号領域で描出される（⟶）。この症例の場合，拡散強調画像，造影ダイナミックMRIを撮像することで，腫瘍の同定がさらに容易となる。この症例は辺縁域（前立腺の外側の領域）に発生した前立腺癌で前立腺を取り囲む被膜の外への浸潤が疑われた。

E 婦人科領域のMR検査

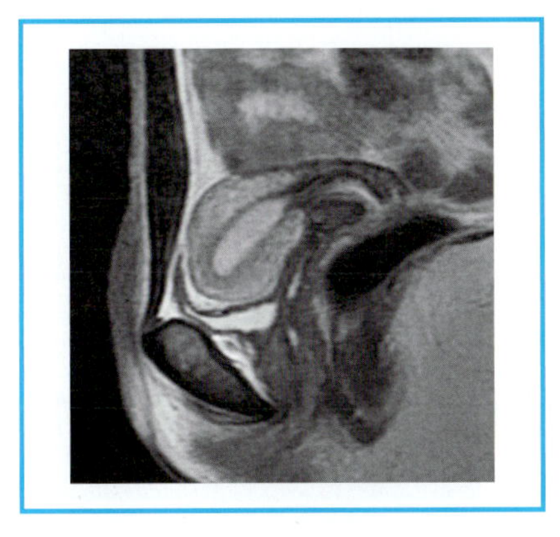

- 婦人科領域のMRIでは，子宮，卵巣などの疾患に対して行われる。検査目的は**子宮頸癌**，**子宮体癌**，**卵巣癌**などの悪性疾患，**子宮筋腫**，**卵巣嚢胞**などの良性疾患など多岐にわたる。
- MRIは他のモダリティに比較し，非常に優れたコントラスト分解能を有しているため，子宮体部の層構造などをより詳細に描出できるなど，婦人科疾患の検査ではなくてはならない存在である。

1. 撮像シーケンス・プロトコル例

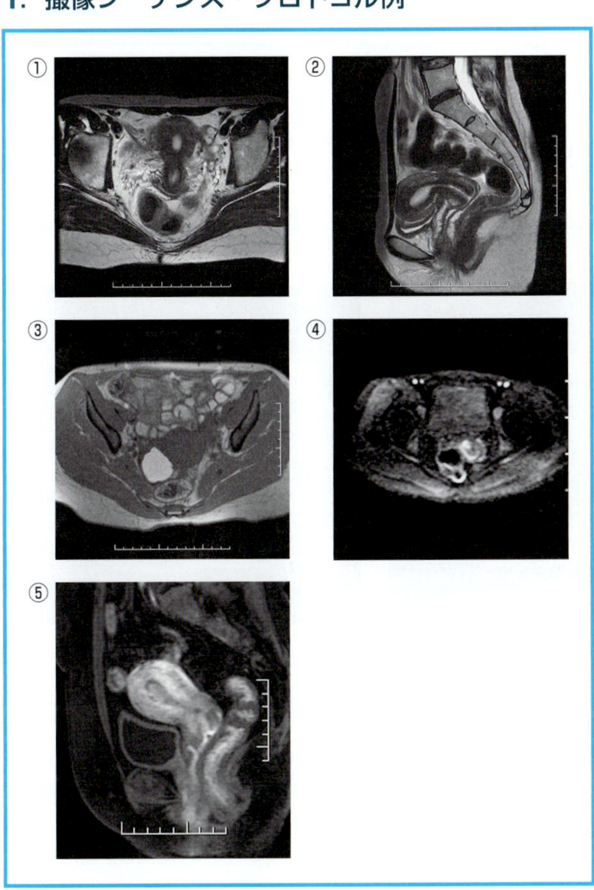

①, ②**T_2強調画像**：高速SE法で撮像する。横断面（①）と子宮体部内腔に沿った斜矢状断（②）を撮像する。子宮体部，または頸部病変を疑うときは，子宮体部，または頸部の軸位断面を追加する。正常像では子宮体部内側から高信号の内膜，低信号のjunctional zone，中等度信号の筋層の三層構造が描出される。

③**T_1強調画像**：（高速）SE法または高速GRE法で撮像する。子宮筋腫など変性などを観察する。また，卵巣嚢胞などで脂肪抑制法を追加することで，脂肪成分と出血成分との鑑別が可能である。

④**拡散強調画像**：脳梗塞診断に用いられる撮像法を応用した撮像。主な目的は病変の拾い上げである。見かけの拡散係数（ADC）を測定し，診断に付加情報を加えることができる。

⑤**造影MRI**：Gd造影剤を投与後に脂肪抑制T_1強調画像を撮像する。病変の充実成分の評価が主な目的である。子宮体癌を評価するときにはダイナミックMRIが施行される。

2. 画像

【子宮体癌症例】

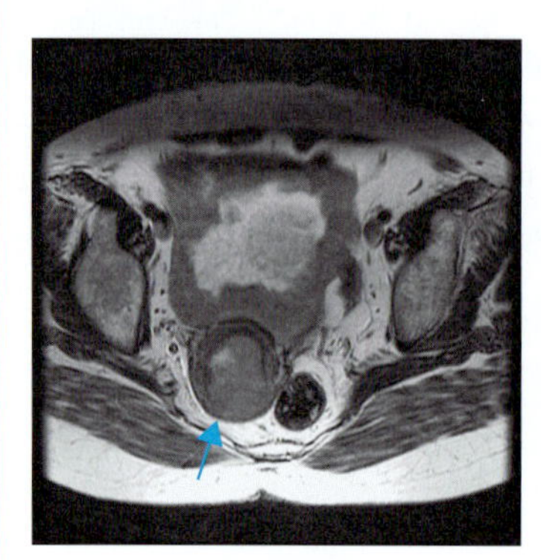
T_2 強調画像
横断像

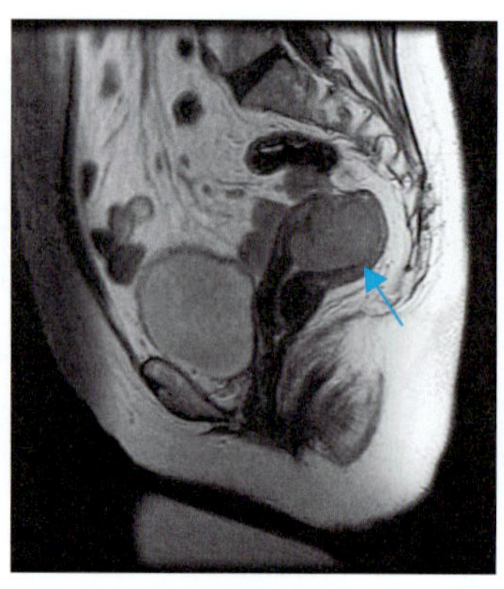
T_2 強調画像
斜矢状断像

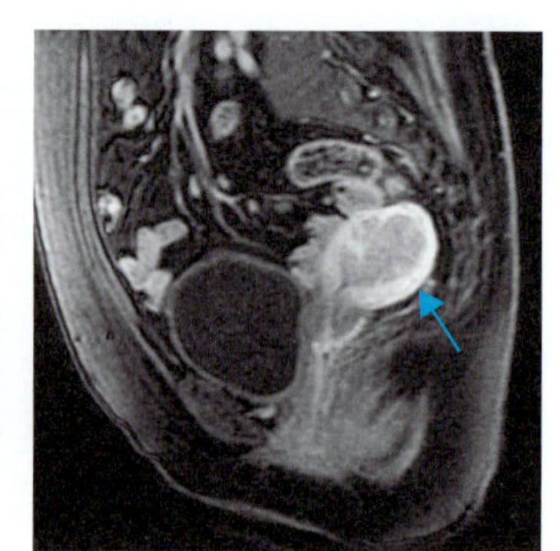
造影 T_1 強調画像

- **T_2 強調画像**にて子宮体部に等信号な腫瘍を認める（—▶）。腫瘍近傍では子宮体部の三層構造が確認できない。T_2 強調画像での多方向の観察により，腫瘍の範囲を同定しやすくなる。**Gd 造影**を用いることで正常部が増強され，より腫瘍の同定が容易となる。

【卵巣囊胞（奇形腫）症例】

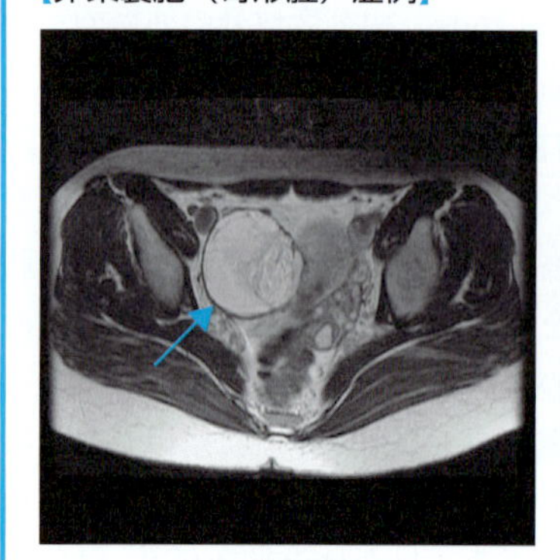
T_2 強調画像

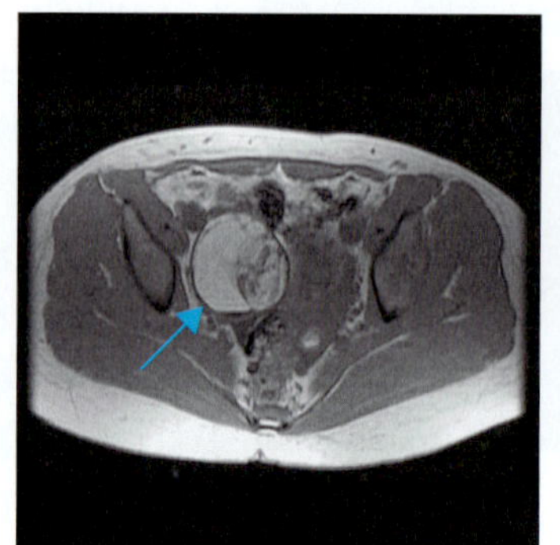
T_1 強調画像

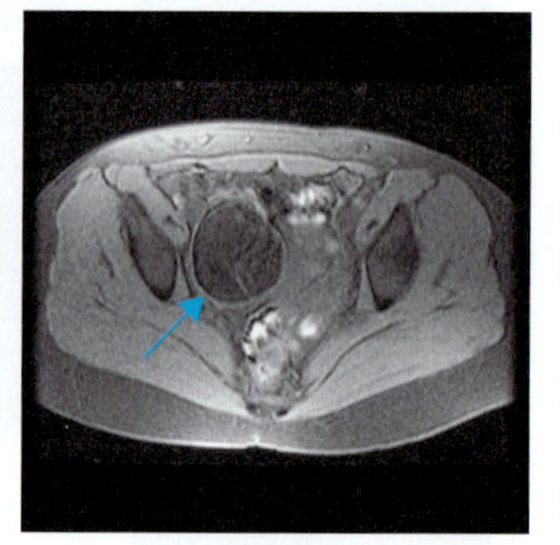
脂肪抑制
T_1 強調画像

- 卵巣奇形腫(矢印)は脂肪成分を含む病変である。**高速 SE 法 T_2 強調画像**では脂肪信号が高信号になる。**T_1 強調画像**においても高信号である。脂肪抑制（**この場合は周波数選択的脂肪抑制法：CHESS 法**）T_1 強調画像を撮像することで病変が低信号になり，病変に脂肪が含まれることがわかる。

10 四肢・関節

◉膝関節のMR検査

A 検査の準備

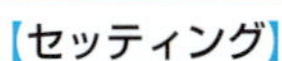

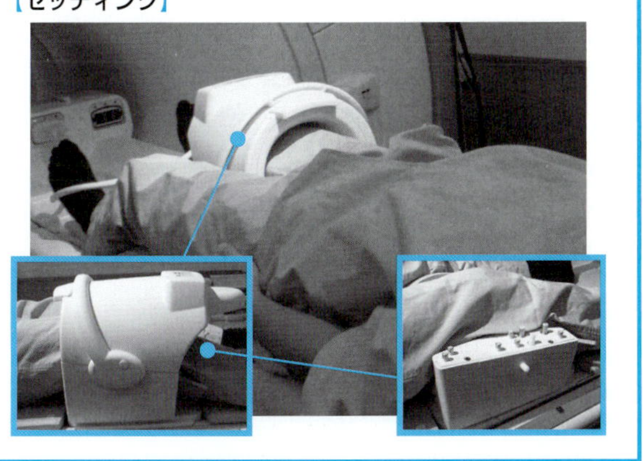

- 膝関節用コイルを検査側（右または左）に合わせて検査台に設置する。
- 検査台に被検者を仰臥位で寝かせ，コイルの中央に膝関節の中心を合わせる。
- 前十字靱帯（ACL：anterior cruciate ligament）を明瞭に描出するため，スポンジなどを用いて膝関節を約20度に屈曲させ，しっかりと固定する。その際，膝関節が過伸展しないように気をつける。
- MR装置のレーザー投光器を用いて目的部位に応じたゼロ（0）位置を設定する。

B 撮像断面

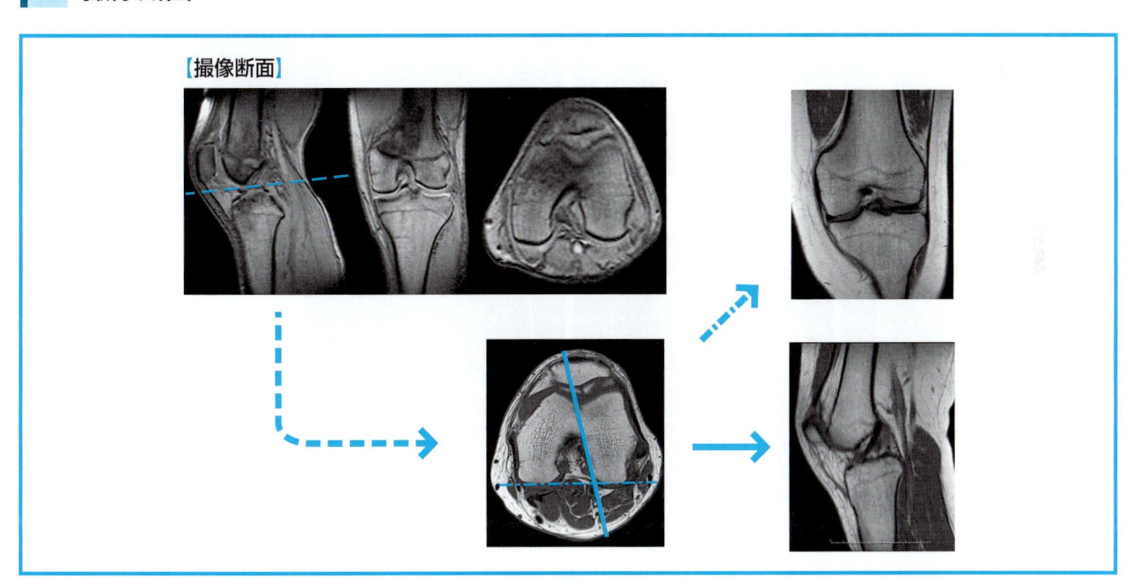

- 位置決めは，一度に3方向（冠状断・横断・矢状断）を撮像できるシーケンスが有効である。
- 膝関節MR検査では，靭帯・半月板を対象とすることが多く，この場合は矢状断像と冠状断像が主体となる。しかし，MR検査の適応となる疾患は多彩であるため，各疾患に応じた適切な撮像断面の選択が重要となる。
- 靭帯損傷では，ACL損傷の頻度が高い。ACLを描出するため，矢状断の断面設定は大腿骨遠位端の横断像にてACLの走行に合わせる。撮像範囲は，外側側副靭帯から内側側副靭帯までとする。冠状断の断面設定は，大腿骨内外顆後面を結ぶラインに平行とし，撮像範囲は大腿骨内外顆後面から膝蓋骨までとする。

C 撮像シーケンス・プロトコル例

- T_1WI [Axial]
- PDWI [Sagittal]
- T_2*WI [Sagittal]
- STIR [Sagittal]
- PDWI [Coronal]
- T_2*WI [Coronal]

- 膝関節MR検査では，スライス厚を3 mm，スライス数を矢状断像と冠状断像では20～24枚，横断像では20枚程度に設定する。
- 矢状断像と冠状断像のそれぞれで，靭帯・半月板を含むように撮像範囲を設定する。
- 靭帯や半月板を対象とする検査が多いため，靭帯・半月板と周囲組織および関節液とのコントラストが高いPDWIやT_2*WIを主体とする。
- 腫瘍性病変等があった場合も評価できるように，1断面はT_1WIを撮像しておくとよい。

D 各種画像

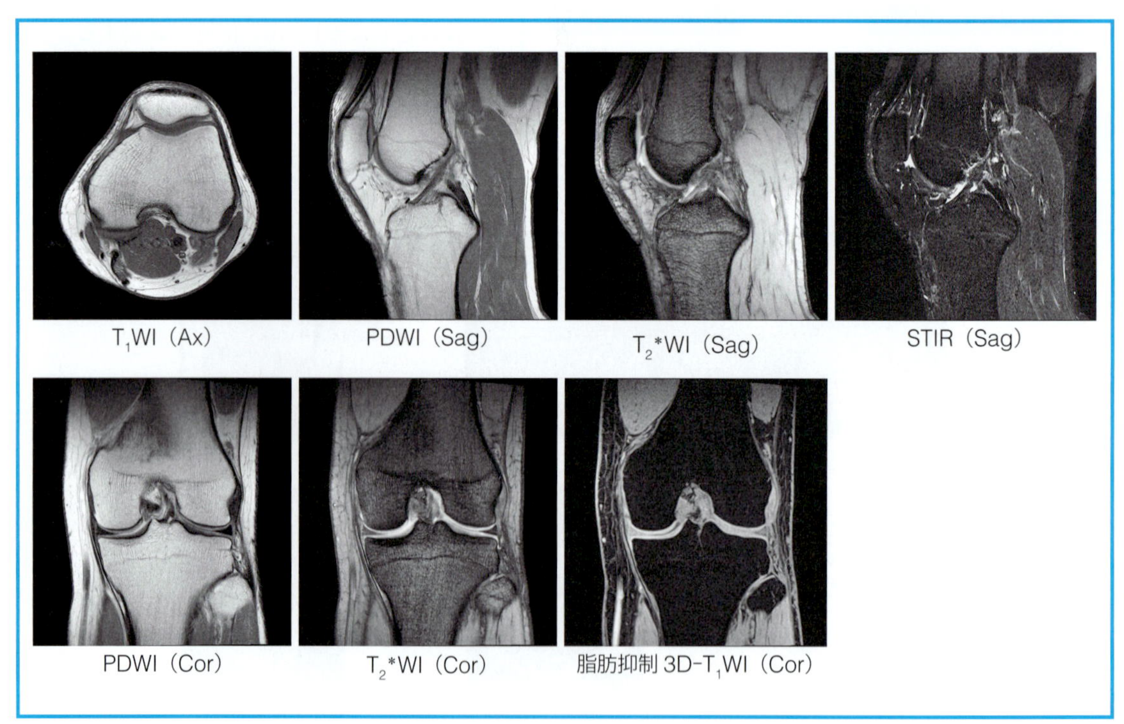

- 正常な靭帯・半月板は，T_1WI・T_2WI・PDWI・T_2*WIの全てにおいて低信号を呈するが，損傷がある場合は高信号を呈する。T_2*WIは半月板損傷に対する感度が高いが，正常でも高信号を呈する場合があるため，T_2*WIのみによる評価は避けるべきである。
- TEの短いPDWI・T_2*WIでは，magic angle effectにより正常靭帯が高信号に描出され，あたかも損傷しているように描出されることがある。TEの長いSTIRやT_2WIはmagic angle effectが見られないため，靭帯部分の高信号が損傷によるものかmagic angle effectによるものかを判別するのに有用である。
- 軟骨を評価する場合は，脂肪抑制3D-T_2*WIや，脂肪抑制3D-T_1WIが有用である。

◉肩関節のMR検査

A 検査の準備

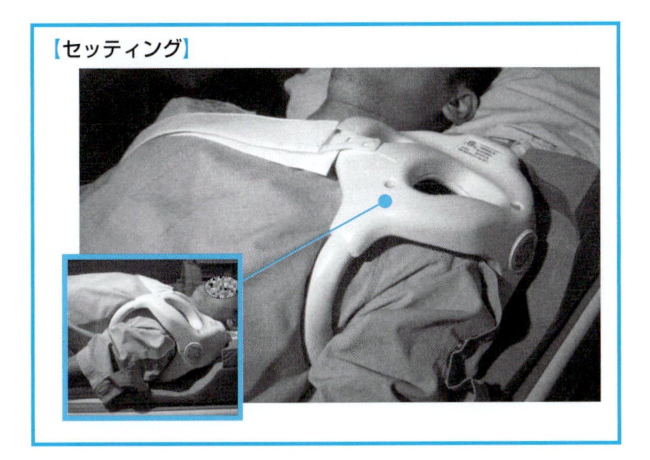

- 肩関節用コイルを被検者の検査側（右または左）に装着する。
- 腕は中間位とし，検査部が検査台の中央（ガントリー中央）に位置するように体全体を寄せて仰臥位で寝かせる。
- 検査部が動かないように，固定バンド等でしっかりと固定する。
- MR装置のレーザー投光器を用いて目的部位に応じたゼロ（0）位置を設定する。

B 撮像断面

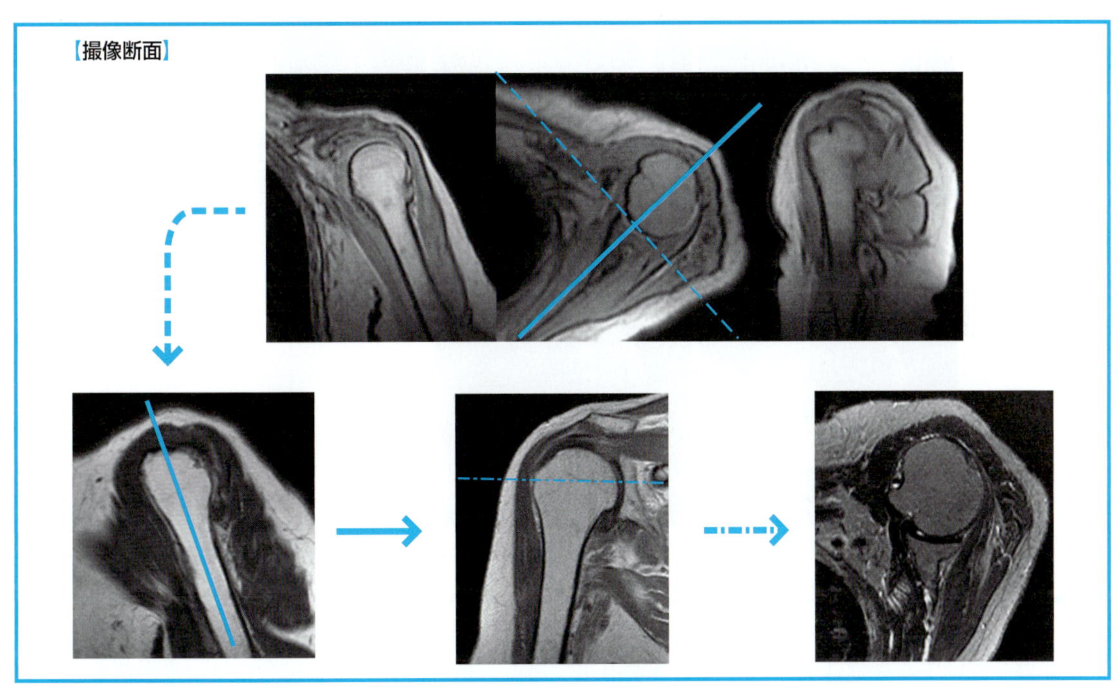

- 肩関節MR検査では，初めに一度に3方向（冠状断・横断・矢状断）を撮像できるシーケンスを用いて位置決め撮像を行い，斜矢状断像→斜冠状断像→横断像の順で撮像する。
- 腱板を対象とする検査が多く，斜矢状断像・斜冠状断像が主体となる。横断像は反復性肩関節脱臼，腫瘍性病変，上腕二頭筋長頭腱等の評価に有用であり，横断像をルーチンに加えることで，種々の疾患に対応できる。
- 斜矢状断像は横断像から棘上筋腱の走行に垂直に，斜冠状断像は棘上筋腱の走行（斜矢状断面）に垂直に，横断像は体軸に水平に設定する。

C 撮像シーケンス・プロトコル例

- T_1WI [Oblique Coronal]
- **脂肪抑制** T_2WI [Oblique Coronal]
- **脂肪抑制** T_2WI [Axial]
- T_2*WI [Axial]
- **脂肪抑制** T_2WI [Oblique Sagittal]

- 肩関節MR検査では，スライス厚を3 mm，スライス数を15～20枚程度に設定する。
- 全ての撮像断面において，上腕骨頭から関節窩が十分に含まれるように撮像範囲を設定する。
- 腱板を対象とする検査が多く，脂肪抑制T_2WIの斜矢状断像・斜冠状断像・横断像を主体に撮像する。
- 腫瘍性病変等があった場合も評価できるように，1断面はT_1WIを撮像しておくとよい。

D 各種画像

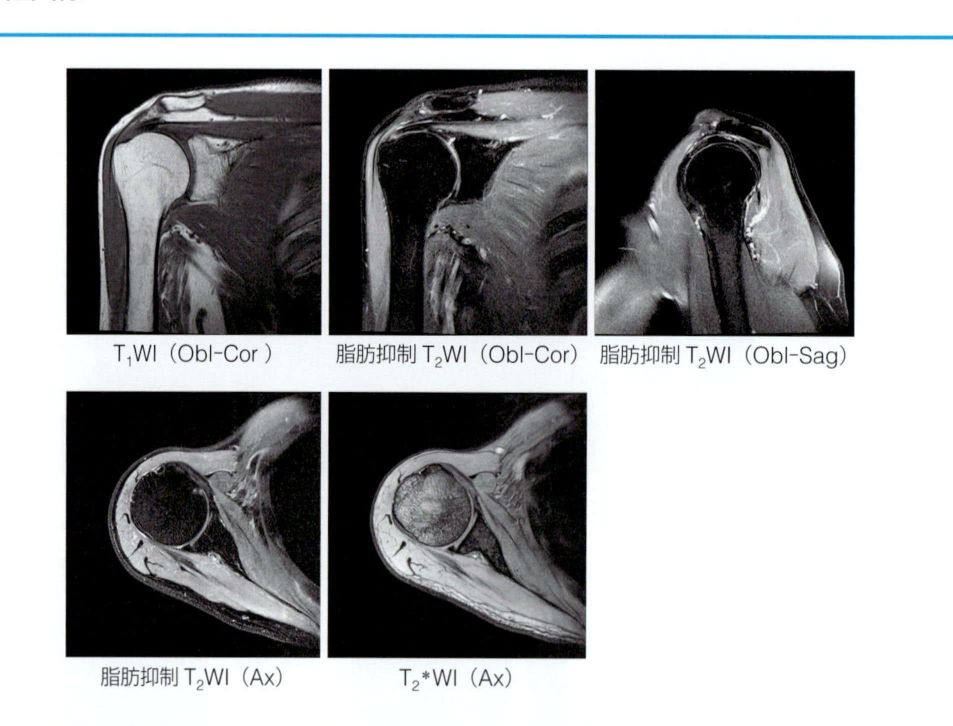

T_1WI（Obl-Cor） 脂肪抑制 T_2WI（Obl-Cor） 脂肪抑制 T_2WI（Obl-Sag）

脂肪抑制 T_2WI（Ax） T_2*WI（Ax）

- 正常な腱板は上記全てのシーケンスで低信号を呈するが，腱板断裂がある場合は高信号を呈する。
- 関節唇を評価する場合はT_2*WIの横断像が有用である。損傷が疑われる場合には，造影剤を希釈して関節腔に注入するMR arthrographyを施行し，脂肪抑制を併用したT_1WIで確認する場合もある。
- 膝関節MR検査と同様，TEの短いシーケンスでは，靱帯や腱が高信号となるmagic angle effectが発生することがある。

11 血 管

◉頭頸部のMRA

A 検査の準備

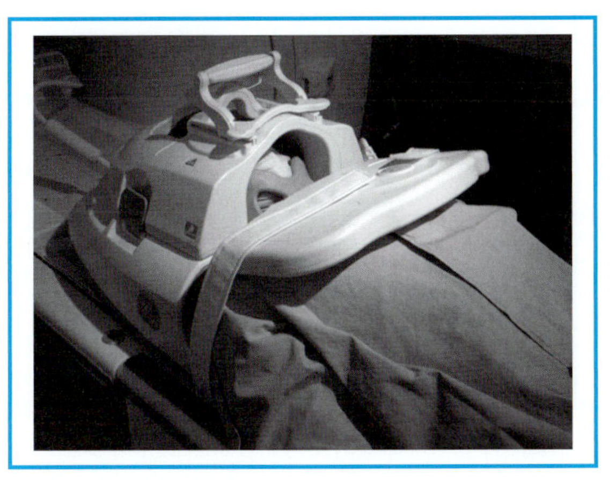

- 受信コイルは**頭頸部用受信コイル**を用いる。
- 撮像範囲は**大動脈弓部〜ウィリス動脈輪**とする。
- MRAは造影剤を用いなくとも（非造影MRA），造影剤を用いても（造影MRA）撮像可能であるため，造影MRAを依頼された場合は造影剤投与のための末梢ルートを確保しておく。

B 非造影MRA（3D Time of flight法）

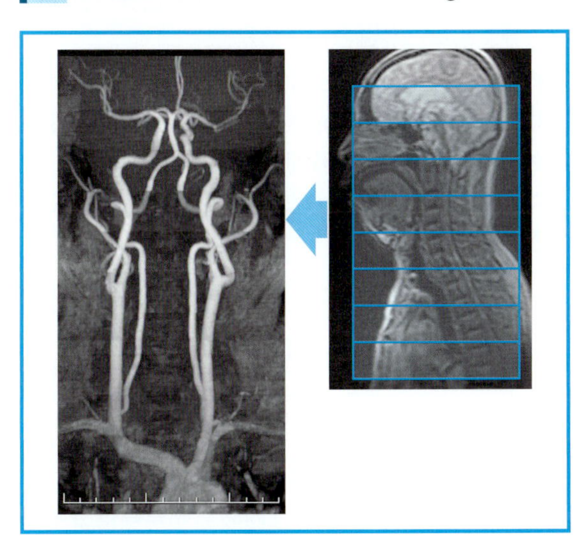

- **3D-TOF法**にて複数のスラブ（3D撮像法の撮像範囲）に分割して撮像する。

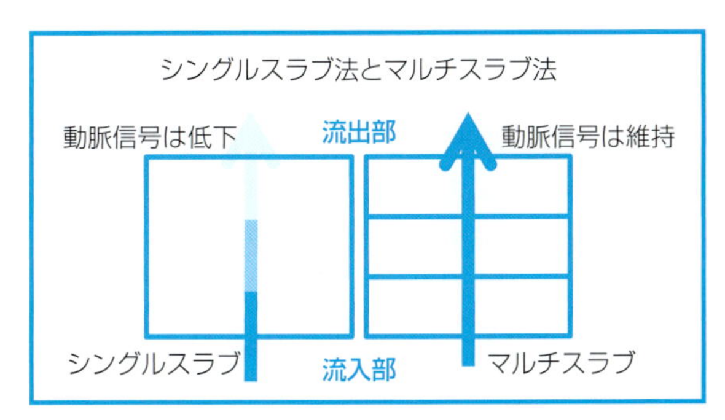

- 頭頸部MRAは広範囲な撮像であるために，シングルスラブ法では動脈の飽和効果により流出部での信号低下を招く。複数に分割して収集（**マルチスラブ法**）することで動脈の信号低下を抑え，良好なMRA画像を得る。

C 造影MRA（3D高速GRE法）

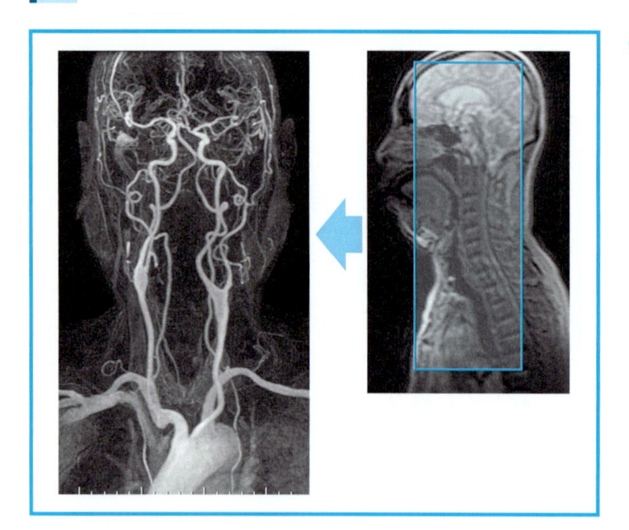

● Gd造影剤急速注入後，冠状断3D高速GRE法にて撮像する。

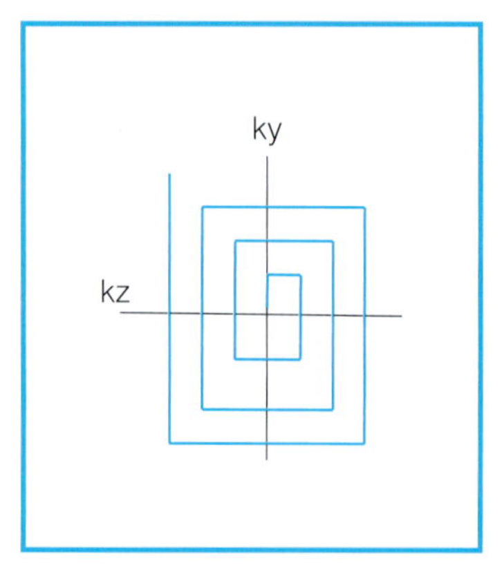

【データ収集の例】

Eliptical centric view ordering

● k-space中心から渦巻き状に収集する方法では，撮像時間の最初の数秒で画像コントラストを決定できるため，比較的長い撮像時間においても頭頸部動静脈の分離が可能になる。

● 頭頸部領域は動脈から静脈への灌流が非常に早く，動静脈分離をするためには高時間分解能撮像が要求される。同時に高空間分解能の画像も要求されるため長い撮像時間を必要とする。左図の手法を用いることで，動静脈が分離された高空間分解能MRAを撮像することができる。

◉下肢のMRA

A 検査の準備

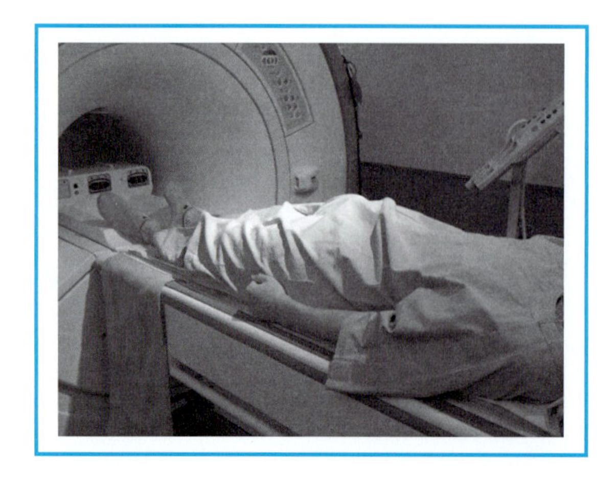

● 受信コイルはガントリー内蔵受信コイル（ボディコイル），または四肢血管用受信コイルとする。

● 撮像範囲は腹部（骨盤部）大動脈～下腿動脈。

● 頭頸部同様に造影剤を用いなくとも（非造影MRA），造影剤を用いても（造影MRA）撮像可能であるため，造影MRAを依頼された場合は造影剤投与のための末梢ルートを確保しておく。

● 動脈を対象とした非造影MRAでは，脈波（心電図）同期を用いる。

B 非造影MRA

1. 2D Time of flight（2D-TOF法）

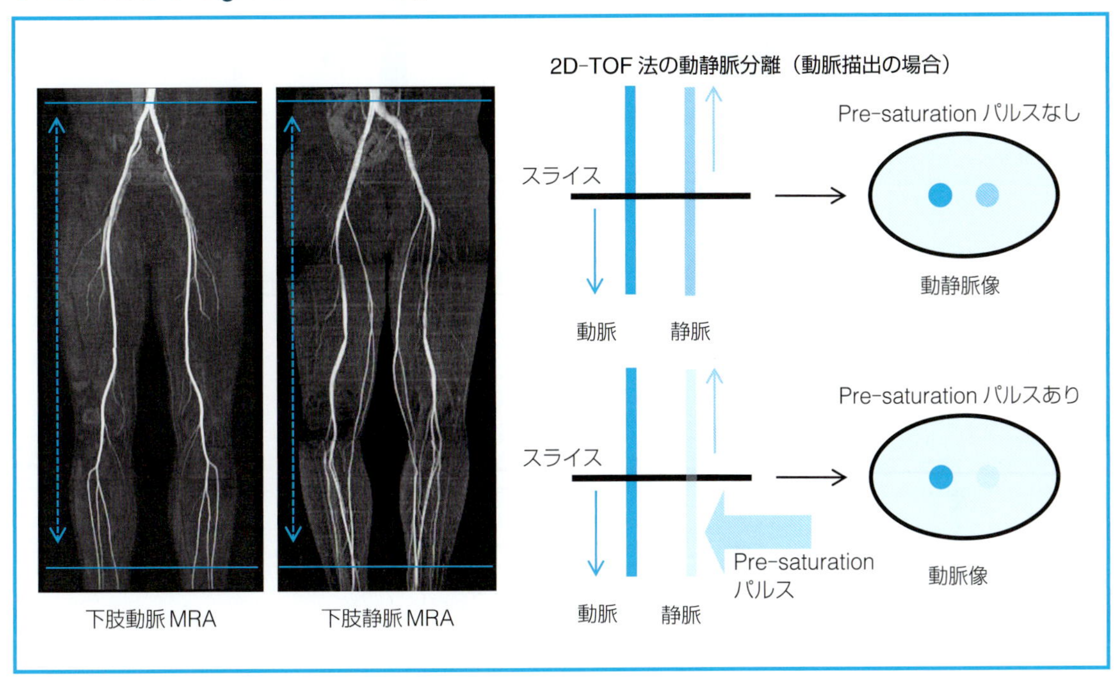

下肢動脈MRA　下肢静脈MRA

- 下肢血管のMRAでは，2D-TOF法を用いる。
- 撮像が広範囲になるために複数回に分割して撮像し，すべての画像からmaximum intensity projection：MIP法にて全体像を作成する。
- 動静脈の分離は，信号を抑制したい血管の流入方向に対してpre-saturationパルスを印加することで抑制し，動静脈の分離を行う。
- 動脈を目的とする場合，心電図（脈波）同期法を用いて，流速が早い（inflow効果が高い）時相のデータをk-space中心付近に効率よく充填すると，より描出能が向上する。

2. FBI（Fresh Blood Imaging）

【FBIの仕組み】

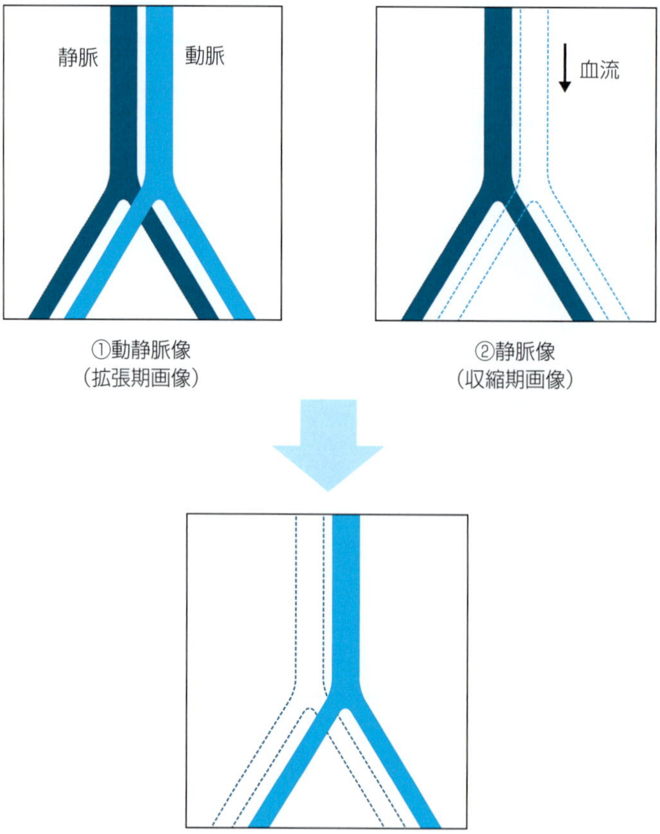

①動静脈像
（拡張期画像）

②静脈像
（収縮期画像）

③動脈像
（差分画像：①－②）

- 近年，下肢血管の非造影MRAでは，3D-T_2強調画像をベースにしたFBI[16]が臨床応用されている。
- FBIは拍動周期による動脈血の信号変化をもとにMRA画像を作成する方法であるため，心電図もしくは脈波に同期して撮像する。
- 下肢全体を3分割程度に分けて撮像を行い，すべての画像を結合して評価を行う。
- 下肢全体を覆うことのできるコイルを使用することが望ましいが，体幹部用コイルをスライドさせて使用するか，ガントリー内蔵コイルと組み合わせて撮像することも可能である。

【撮像の原理】

- 心拡張期では，動脈血，静脈血ともに血液の流れが遅いため，すべての血管が描出される（①）。
- 心収縮期では，動脈血の流れが速いため，flow void効果により動脈は描出されず，静脈のみが描出される（②）。
- 拡張期画像と収縮期画像を差分すると，動脈のみの画像が取得できる（③）。

・FBI 撮像の流れ

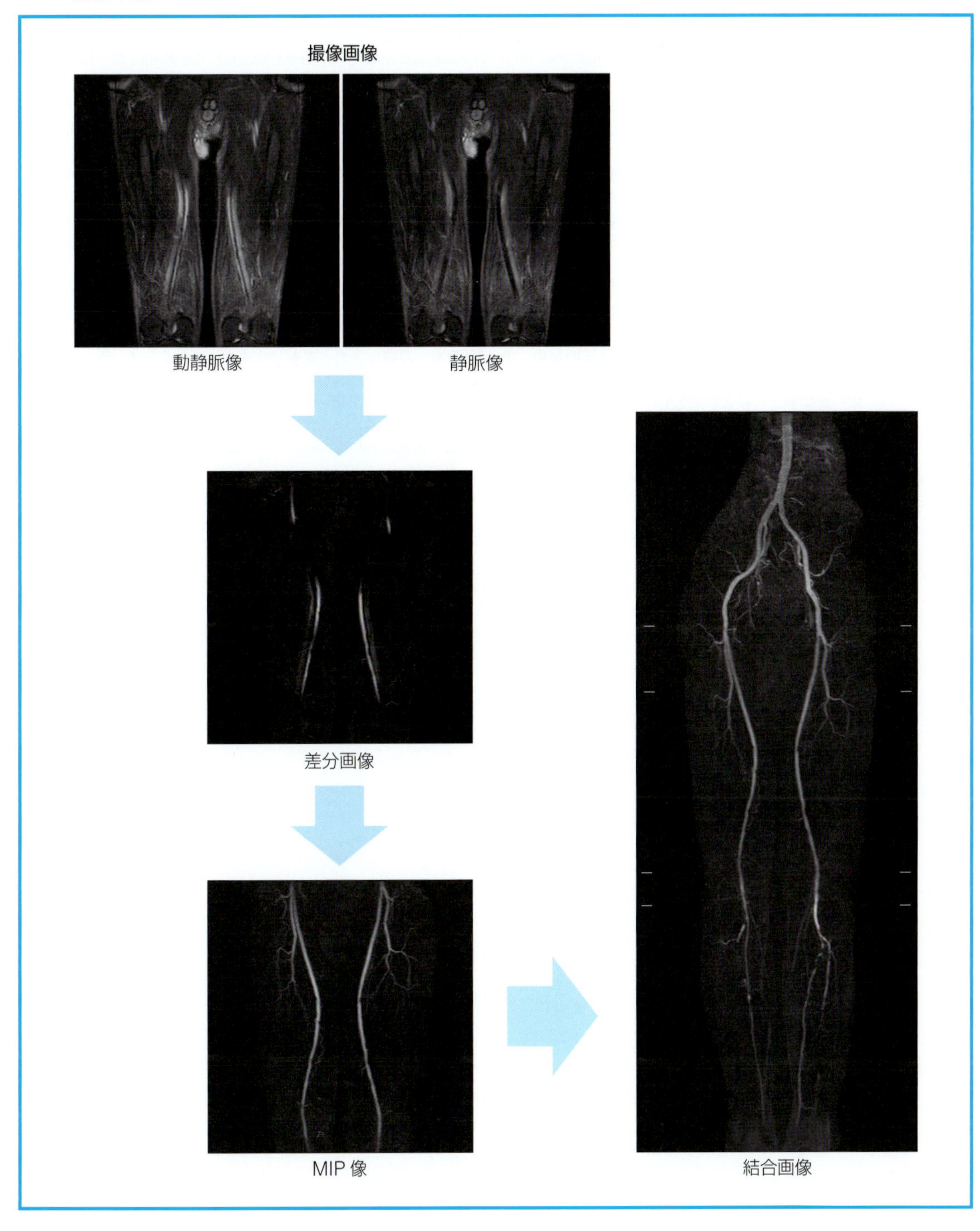

■参考文献

1）佐久間肇：心臓MRIの撮影法．心臓血管疾患のMDCTとMRI（栗林幸夫，佐久間肇編），医学書院：pp222-232，2005
2）Breast Imaging Reporting and Data System（BI-RADS）：4th ed. Reston, VA：American College of Radiology, 2003
3）Mann RM, et al：Breast MRI：guidelines from the European Society of Breast Imaging. Eur Radiol 18：1307-1318, 2008
4）門澤秀一：乳腺MRIの撮像法．日獨医報 54(1)：27-37，2009
5）Orel SG, Schnall MD：MR imaging of the breast for the detection, diagnosis, and staging of breast cancer. Radiology 220：13-30, 2001
6）Lehman CD, et al：MRI evaluation of the contralateral breast in women with recently diagnosed breast cancer. N Engl J Med 356：1295-1303, 2007
7）兼松雅之，他：肝MRIの基本講座―MRIは解らないという人のために．日獨医報 54(2)：7-17，2009
8）市川智明：肝腫瘤性病変．腹部のMRI 第2版（荒木 力編），メディカル・サイエンス・インターナショナル：pp45-101，2008
9）谷本伸弘，上野彰久：代表的な肝腫瘤性病変のEOB・プリモビスト造影MR画像．日獨医報 54(2)：66-79，2009
10）入江裕之：MRCP．腹部のMRI 第2版（荒木 力編），メディカル・サイエンス・インターナショナル：pp179-198，2008
11）山下康之：腎・副腎・後腹膜．腹部のMRI 第2版(荒木 力編)，メディカル・サイエンス・インターナショナル：pp253-302，2008
12）高橋順士：非造影MRAの新たな展開～Time-SLIP法を使った腎動脈の描出．映像情報Medical 38(14)：72-77，2007
13）楫 靖：男性泌尿生殖器．腹部のMRI 第2版（荒木 力編），メディカル・サイエンス・インターナショナル：pp323-364，2008
14）小山 貴，上田浩之：女性生殖器．腹部のMRI 第2版（荒木 力編），メディカル・サイエンス・インターナショナル：pp365-408，2008
15）高橋光幸：ECVO．MRI応用自在 第2版（蜂屋順一監，高原太郎，扇 和之編），メジカルビュー社：pp80-89，2004
16）Miyazaki M, et al：Non-contrast-enhanced MR angiography using 3D ECG-synchronized half-Fourier fast spin echo. J Magn Reson Imaging 12：776-783, 2000

撮像の実践

MRの画質に影響する因子は種々ある（87頁参照）が，本章ではより実践的に重要である受信コイルの選択，ポジショニング，撮像パラメータについて画質の変化を中心にまとめた。

はじめに

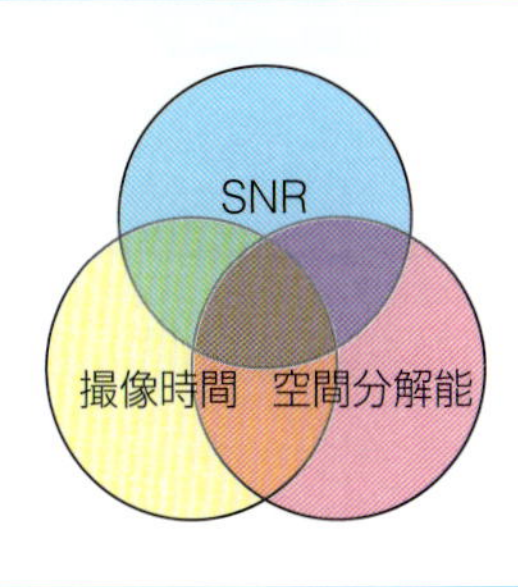

・例1（SNRを向上）
SNRは向上させるには，NEXを大きくする。
NEXを大きくすると，撮像時間が延長する。

・例2（空間分解能を向上）
空間分解能を向上させるには，位相エンコードマトリックス数を大きくする。
位相エンコードマトリックス数を大きくすると，撮像時間が延長し，SNRが低下する。

- 画質とはSNR，コントラスト，空間分解能の総合的な評価である。
- 画質と撮像時間は密接に関わりがある。
- SNR，撮像時間及び空間分解能の決定にはバランスが重要である。
- 実際の撮像においては検査時間枠に制限があるため，より短時間撮像で診断に必要な画質が求められる。
- 事前に装置ごとの画質を理解しておくことが重要である。

コラム　まとめ

●SNRの式

$$\mathrm{SNR} \propto (\text{voxel volume})\sqrt{\frac{(\mathrm{Ny})\times(\mathrm{NEX})}{\mathrm{BW}}}$$

$$\text{voxel volume} = \left(\frac{\mathrm{FOVx}}{\mathrm{Nx}}\times\frac{\mathrm{FOVy}}{\mathrm{Ny}}\times\Delta z\right)$$

Ny：位相エンコードステップ数
NEX：加算回数
BW：受信バンド幅
FOV：撮像視野
ETL：エコートレイン数

●撮像時間の式

SE法：$\mathrm{TR}\times\mathrm{Ny}\times\mathrm{NEX}$

FSE法：$\dfrac{\mathrm{TR}\times\mathrm{Ny}\times\mathrm{NEX}}{\mathrm{ETL}}$

●空間分解能（1 voxelあたりの体積）

$$\frac{\mathrm{FOVx}}{\mathrm{Nx}}\times\frac{\mathrm{FOVy}}{\mathrm{Ny}}\times\Delta z$$

1 受信コイル

A 受信コイルの置き方

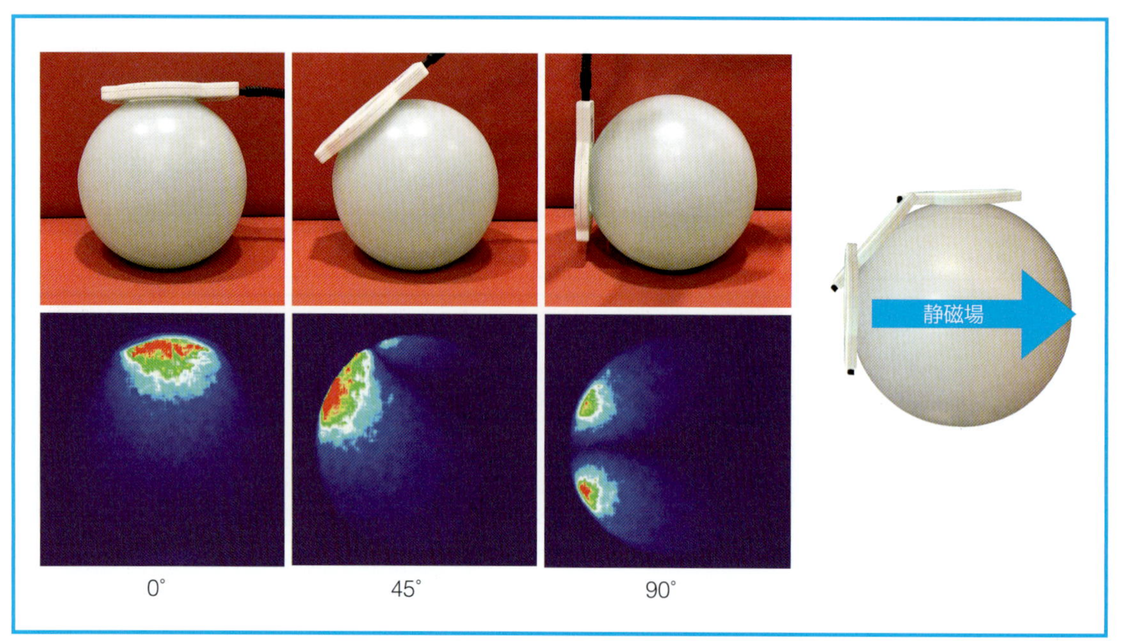

- サーフェスコイルの配置によりSNRは変化する。
- 静磁場に対して水平に置くことで，信号強度が最大となる。
- コイルの配置は，静磁場の向きを考慮し，限りなく静磁場に対して水平に置くように心がける。

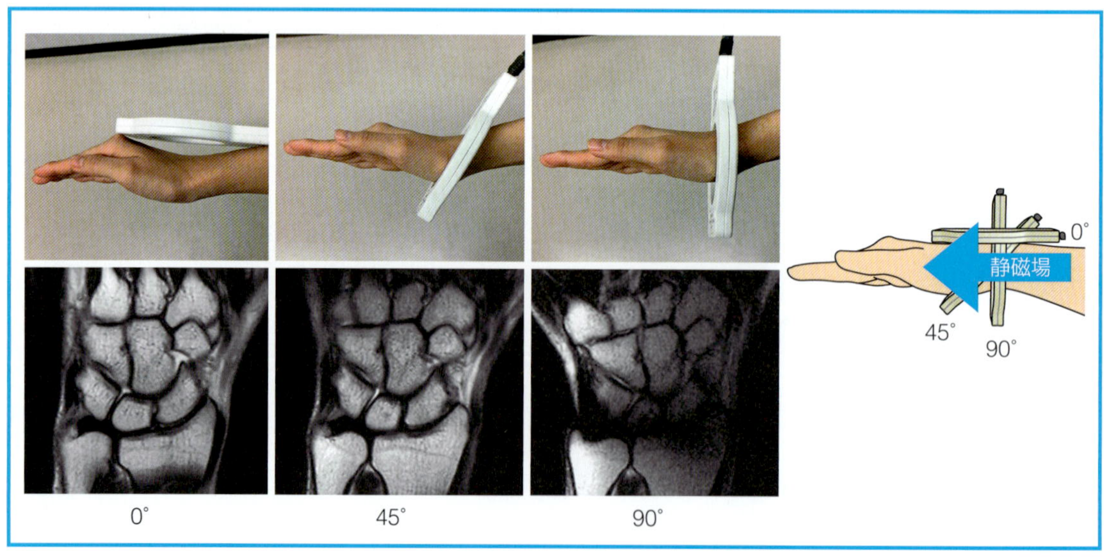

- 臨床画像では多少の傾きによるSNRの低下はわかりにくいが，原理を理解して正確なコイルの配置が必要である。
- 0°と45°との比較では，見た目の差は小さいが，原理的にはSNRが低下している。
- 0°と90°との比較では，SNRの低下が見てとれる。

B 受信コイルの違い

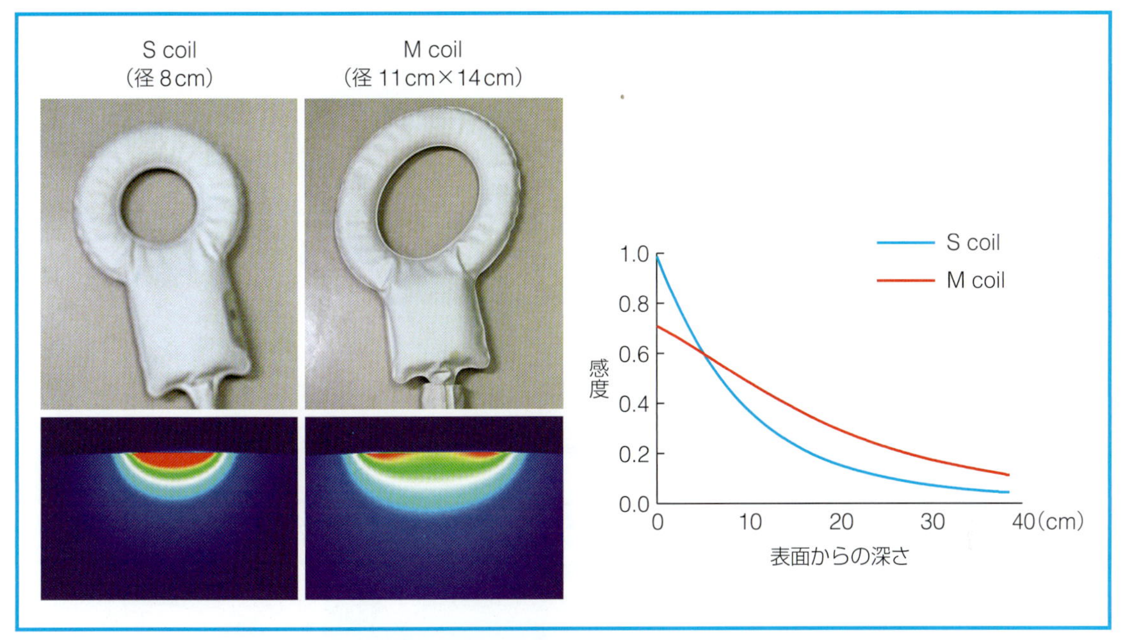

- コイル径の小さい方が，コイル近傍の感度は高い。
- グラフは，表面からの深さと各コイルの感度（S coilの最大信号強度を1に正規化）を示す。コイル径の小さいS coilの方が，M coilに比べ，コイル表面の感度は高い（感度領域は狭い）が，深くなるにつれて急激に感度が低くなる。

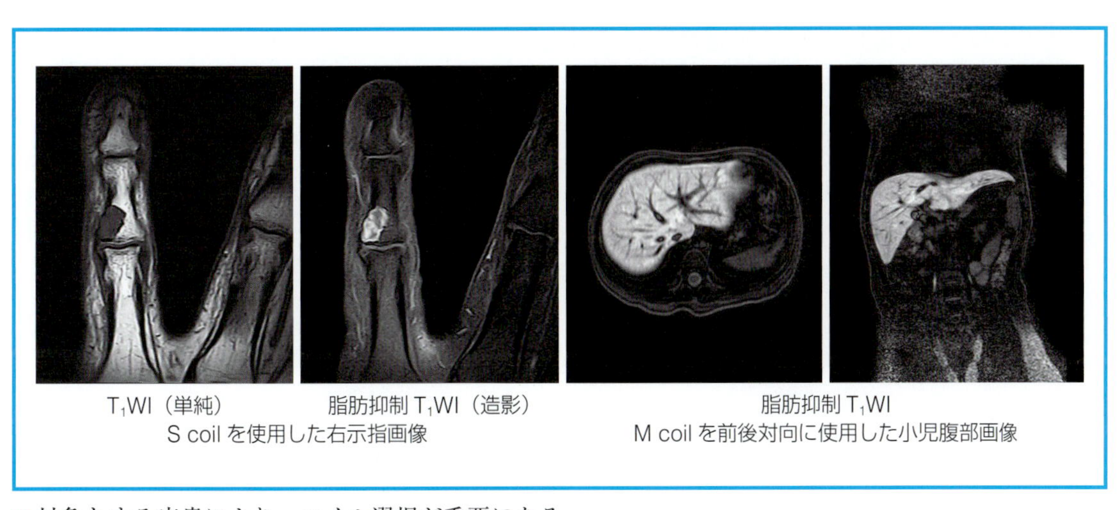

T_1WI（単純）　脂肪抑制 T_1WI（造影）
S coil を使用した右示指画像

脂肪抑制 T_1WI
M coil を前後対向に使用した小児腹部画像

- 対象とする疾患により，コイル選択が重要になる。
- 径の小さいコイルを四肢などの限局した部位に用いると，高空間分解能・高SNRの画像が得られる。

C 複数コイルの組み合わせ

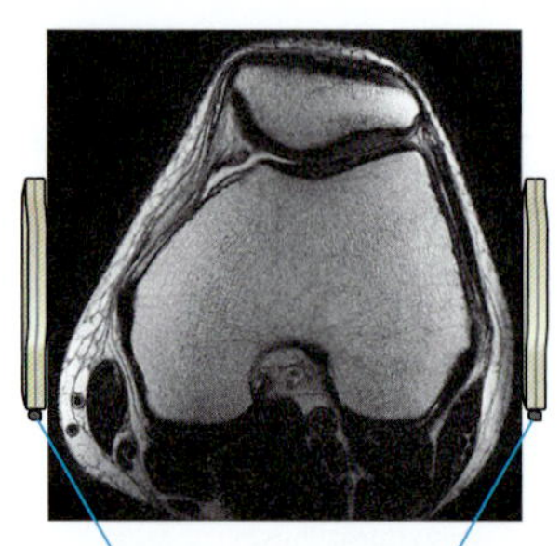

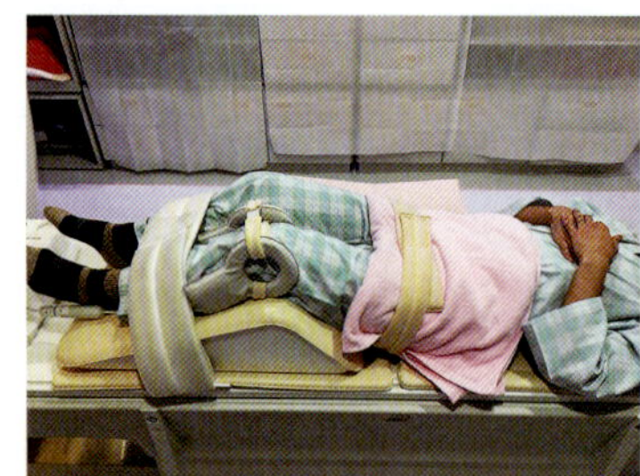

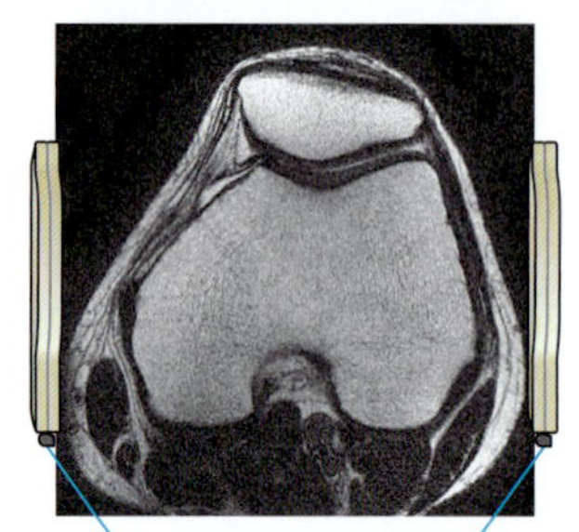

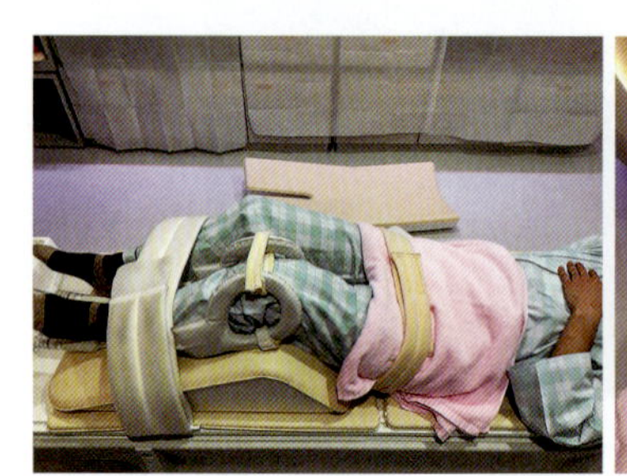

- コイルは，複数を組み合わせて使用可能である。
- S coil は，表面の感度は高いが，中心部の信号強度は低下している。
- M coil は，中心部も均一な信号強度である。
- 被写体の厚さを考慮したコイルの選択が必要である。

D 適切な受信コイル選択

TORSO コイル

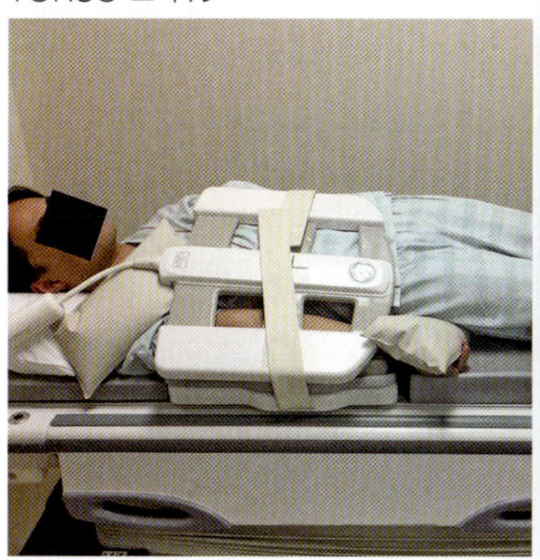

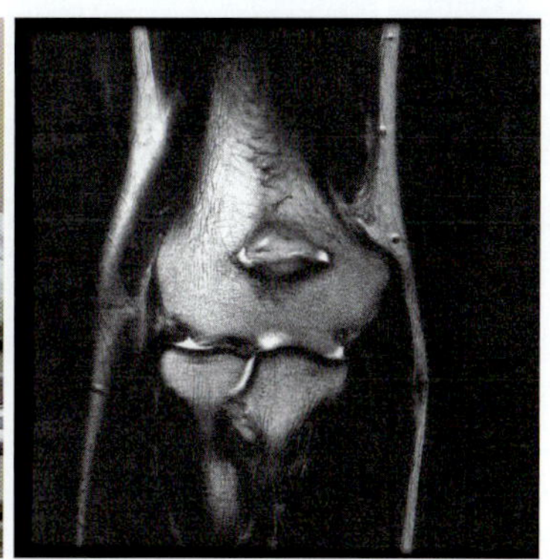

フレックスコイル（2ch）

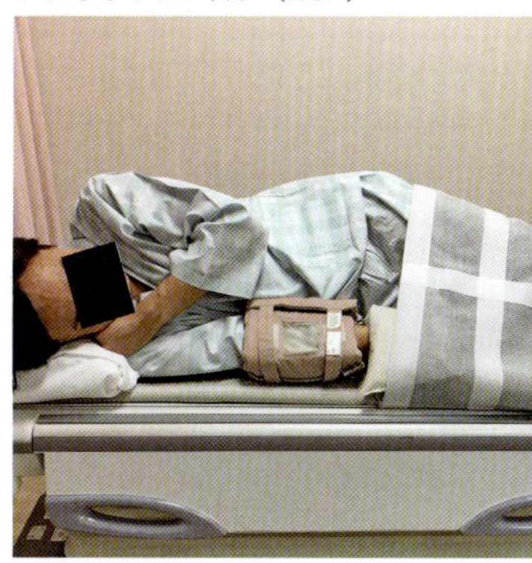

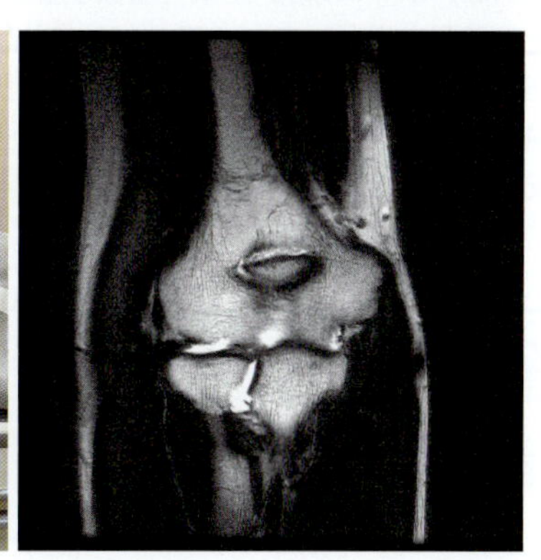

膝用コイル

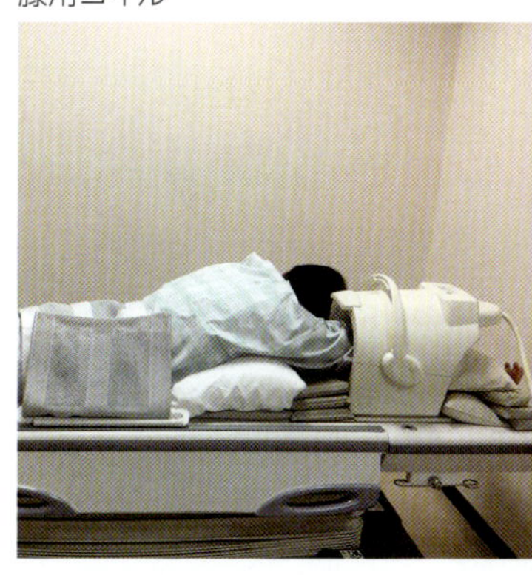

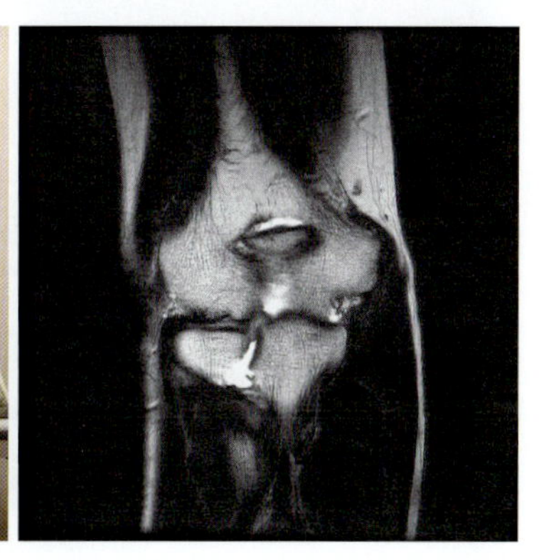

- 受信コイルの選択によりSNRは変化するため，対象部位に適した受信コイルを選択する。
- 上図は，肘関節の撮像に3種類の受信コイル（TORSOコイル，フレックスコイル，膝用コイル）を用いた例である。
- 肘用コイルがない場合は，他のコイル（例：TORSOコイル，フレックスコイル，膝用コイル）を選択する。
- TORSOコイルやフレックスコイルで撮像すると，SNRがやや低下する。
- 膝用コイルを使用することで，高SNRの画像が得られるが，体勢は辛い。

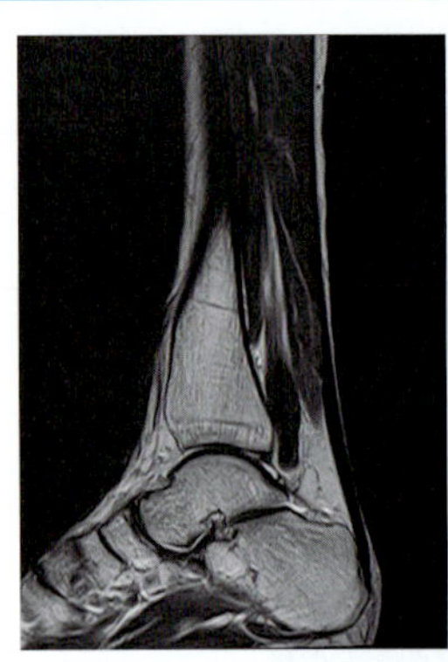
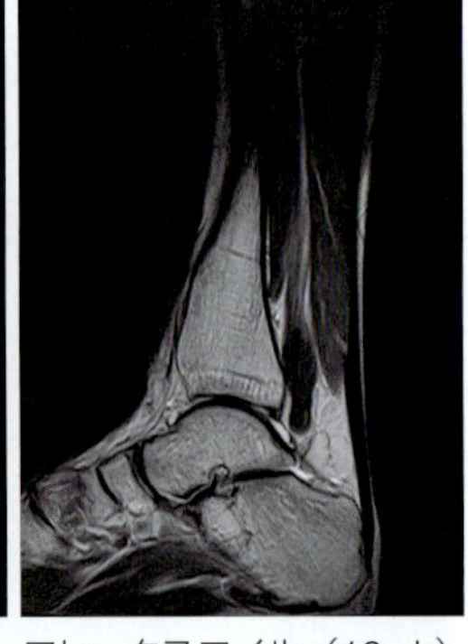

ヘッドコイル　フレックスコイル（16 ch）

- 同一撮像パラメータで撮像した足関節のPDWIである。
- フレックスコイル（16 ch）は，膝関節や肩関節などにも使用可能であり，高いSNRを担保できる。
- ただし，フレックスコイル（16 ch）は感度領域が狭いため，頭側の信号が低下している。
- 広範囲を対象とする場合は，感度領域の広いヘッドコイルなどを代用する。

ポイント：受信コイルのまとめ

- 受信コイルの選択は，SNRの高い画像を撮像するのに重要である。
- 受信コイルごとに感度を把握しておくことが望ましい。
- 撮像前（検査室に患者を入れる前）に検査目的を確認して，症例ごとに受信コイルを選択する。
- 受信コイルの選択ミスにより，病変の見落としや検査時間延長の可能性があることを忘れてはいけない。
- 受信コイルの配置を含めたポジショニングは，時間をかけてでも正確に行う。

2 ポジショニング

A 患者の固定

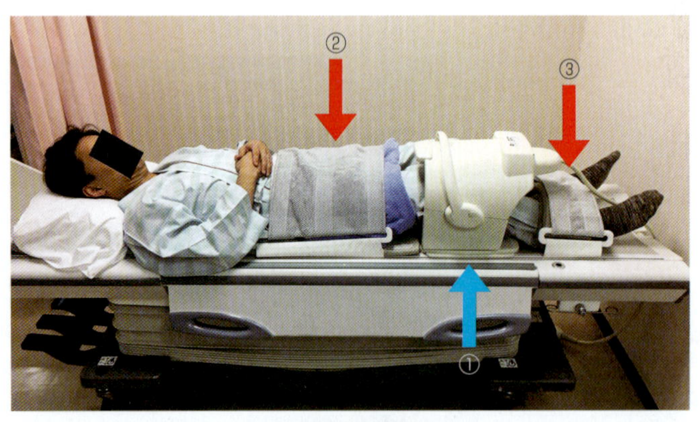

3点固定の原則
制御したい関節とその周りの2点（逆向きの力）合わせて3点を固定する

- MRI検査は時間がかかるため，動きの影響を受けやすい。
- 受信コイルの選択や撮像パラメータが適切であっても，動きによるアーチファクトを含んだ画像は診断に影響を与える。
- そのため，適切な固定を行い，動きの少ない撮像を心がける必要がある。
- 部位や受信コイルにより固定法は異なるが，固定具等を工夫し，楽な体位で検査を受けてもらえるよう心がける。

B ポジショニングの違い

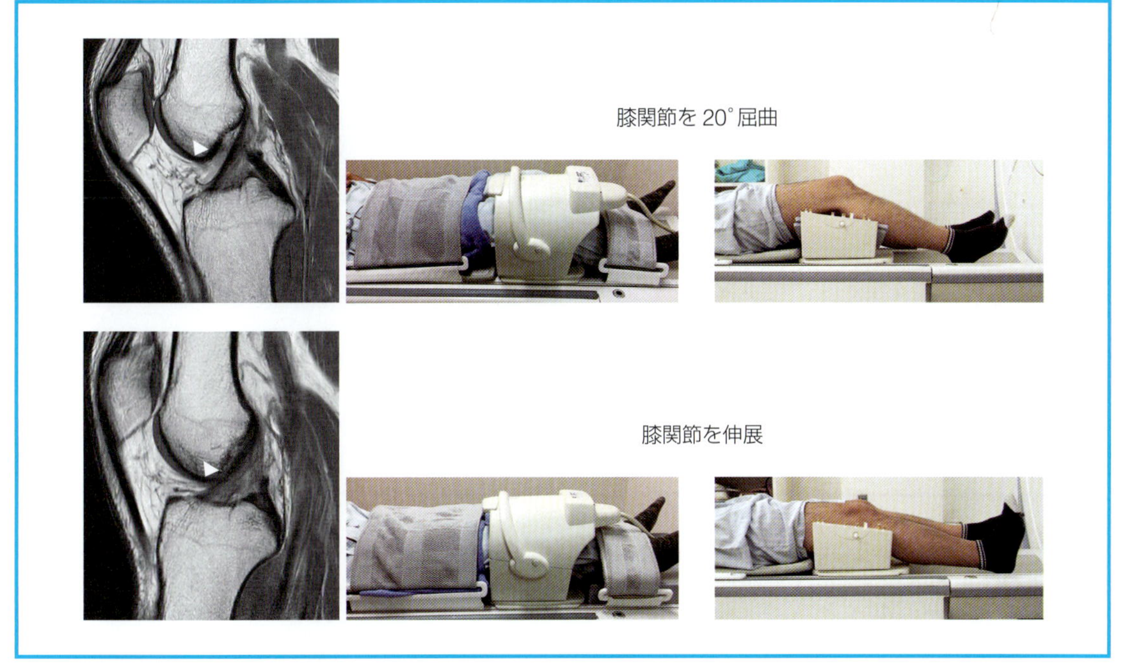

- 前十字靱帯（ACL）の描出能はポジショニングに依存し，一般的に20°屈曲させる。
- 屈曲させることにより，ACL前縁と大腿骨付着部が分離して描出できる。

C 検査の説明

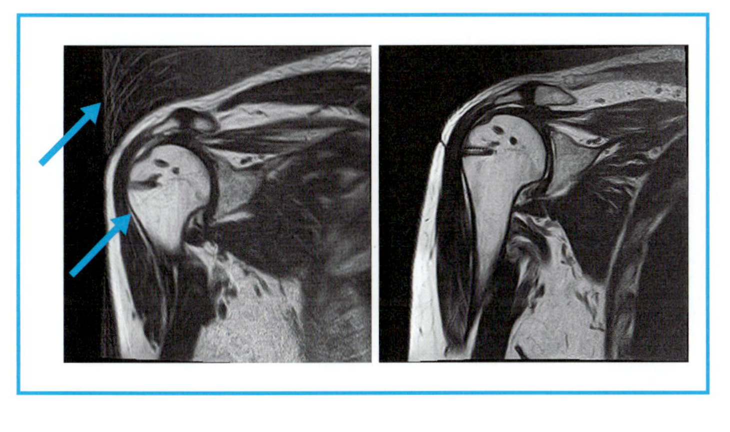

- MR検査は動きの影響を受けやすいため，検査室に入る前に動かないようにしっかりと説明する。
- また，動きの影響を可能な限り抑えるため，固定にも注意する。
- 画像（左）は，固定不良と説明不足によって動きが生じ，モーションアーチファクトが見られる。
- 画像（右）は，再度説明を行い，固定し直したことによってモーションアーチファクトが改善した例である。

3 撮像パラメータ

撮像パラメータと「SNR，空間分解能，撮像時間，コントラスト」の関係
（他の撮像パラメータは固定）

	SNRを向上させるには	空間分解能を向上させるには	撮像時間を短縮するには	コントラストの変化について
NEX	増加		減少	
位相方向のマトリックス数	小さく	大きく	小さく	
周波数方向のマトリックス数	小さく	大きく		
スライス厚	厚く	薄く		
FOV	大きく	小さく		
BW	狭い	※		
TR	延長		短縮	影響あり
TE	短縮			影響あり
ETL		※	大きく	
SENSEの有無	無		有	
FA	影響あり			影響あり
プレパルス				影響あり
ポストパルス				影響あり

※：空間分解能の式（317頁コラム参照）には含まれないが，実際には画像に影響が出る。

A NEX（加算回数）

- NEXは，SNRと撮像時間に影響する。

ポイント：加算回数の増加分とSNRの増加率

- NEX1をNEX2に増加すると，SNRは41%増加する。
- NEX2をNEX3，NEX3をNEX4に増加しても，SNRはそれぞれ22%および15%しか増加しない。
- すなわち，同じようにNEXを1増加しても，元のNEXに対してSNRは変化するため，SNRの増加率は同じにはならない。

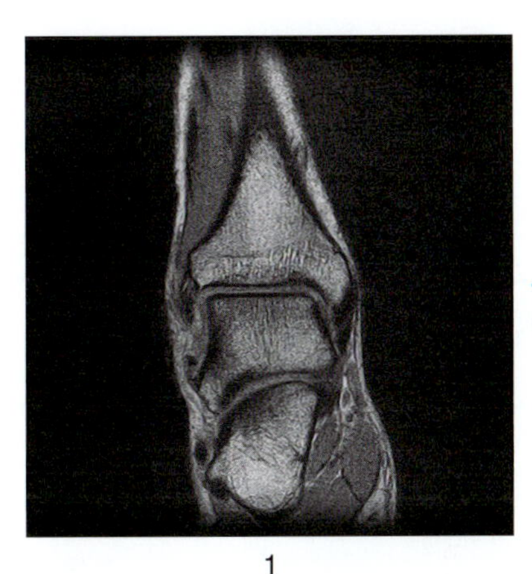

1

SNR：41% 増加
$\left(\sqrt{\frac{2}{1}}\text{倍}\right)$

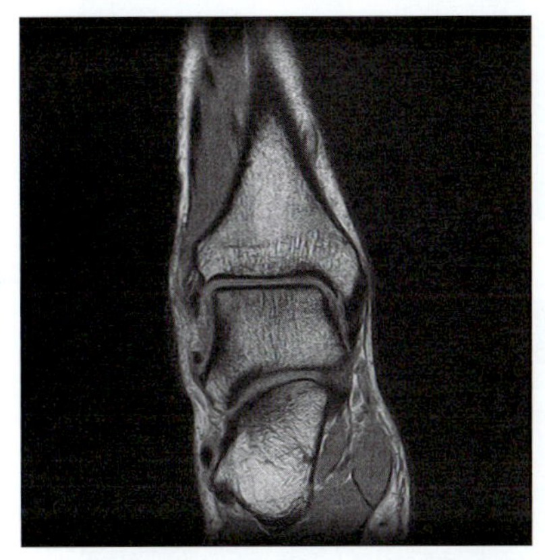

2

SNR：22% 増加
$\left(\sqrt{\frac{3}{2}}\text{倍}\right)$

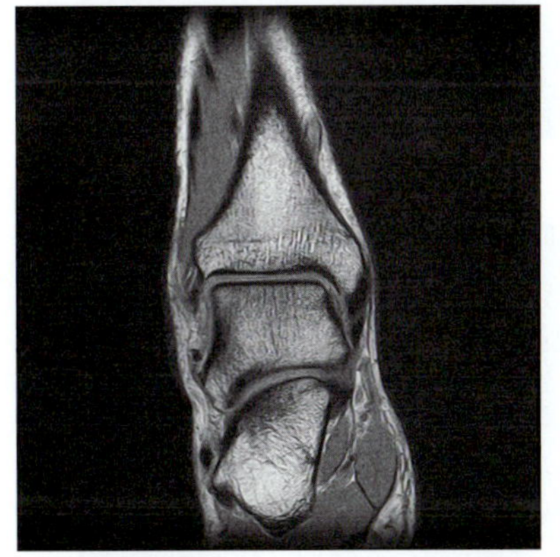

3

SNR：15% 増加
$\left(\sqrt{\frac{4}{3}}\text{倍}\right)$

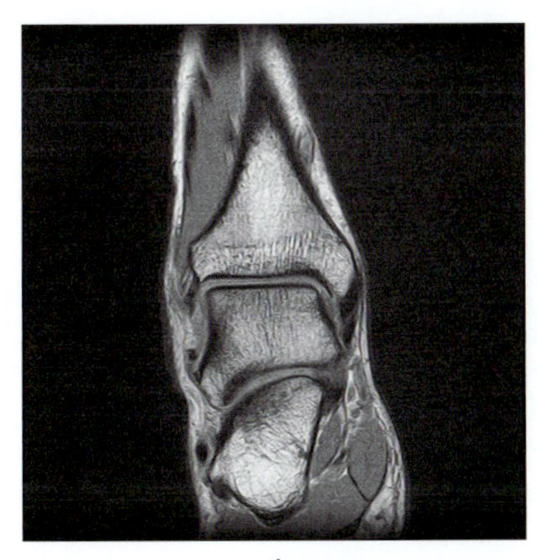

4

B 位相方向のマトリックス

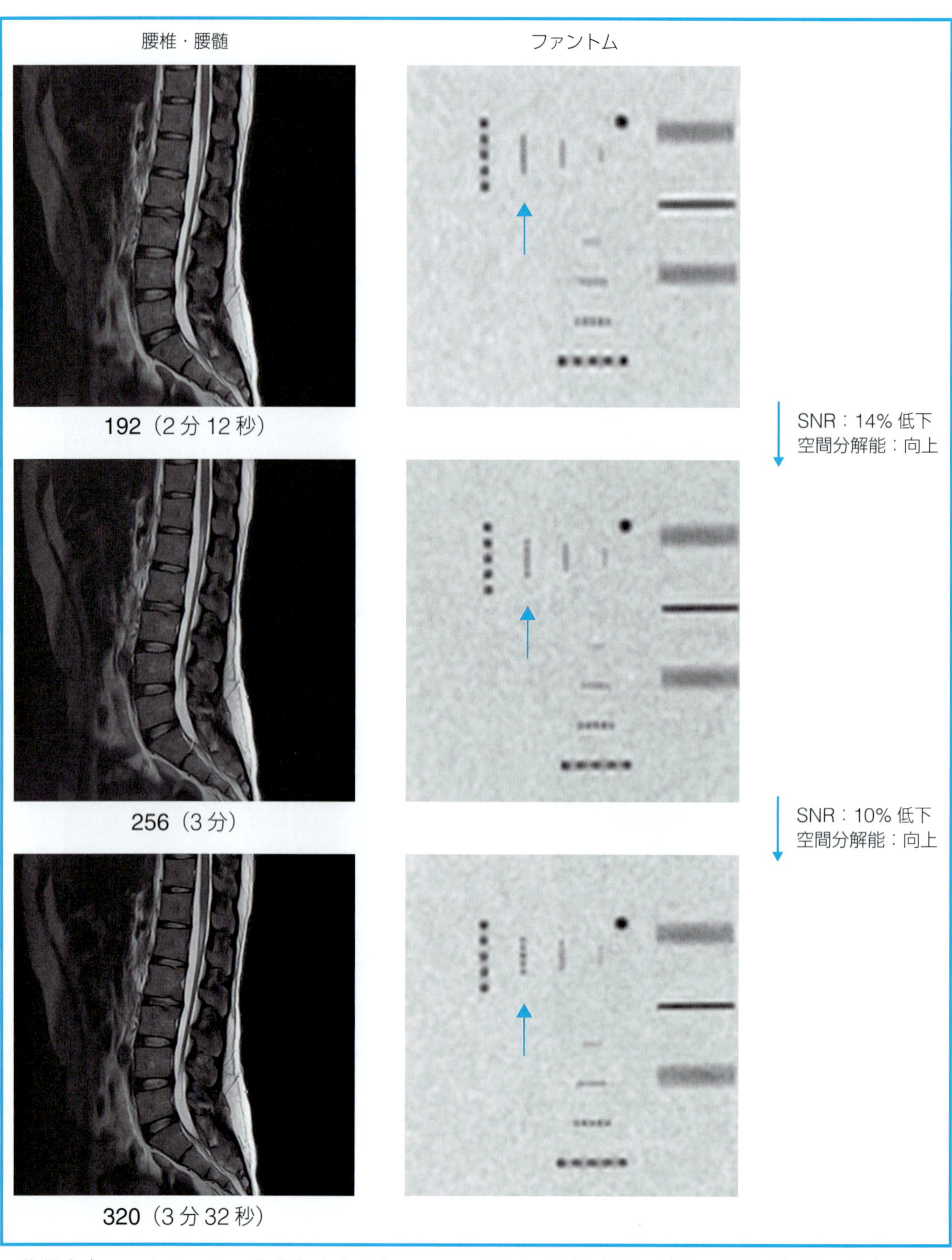

- 位相方向のマトリックスを大きくすると，SNRの低下，撮像時間の延長，空間分解能の向上が認められる。
- 上下方向に位相エンコードしているため，ファントム内の左から2列目のピン（→）に注目すると，マトリックス数320で分離して描出されている。

C 周波数方向のマトリックス数

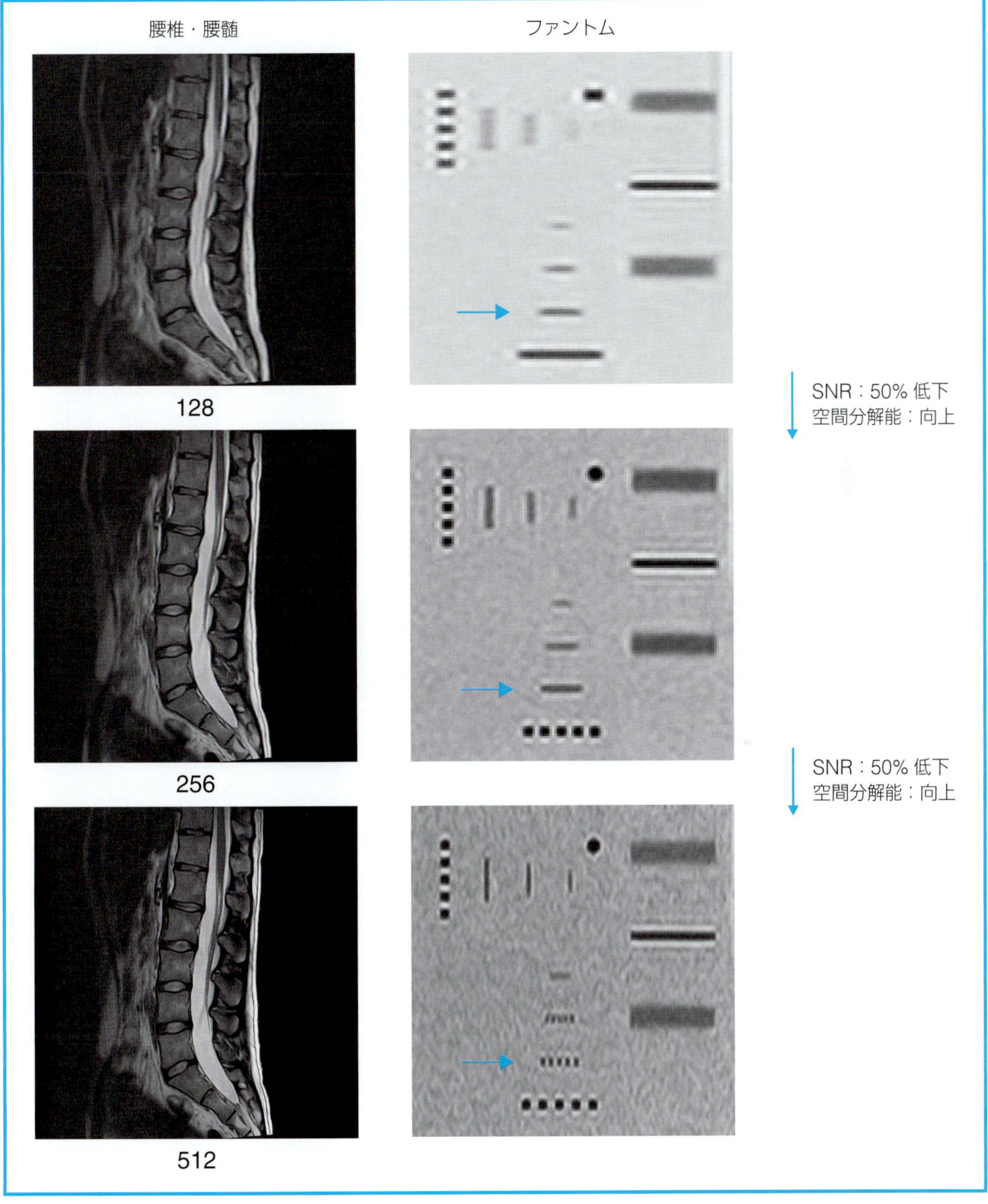

- 周波数方向のマトリックスを大きくすると，SNRの低下，空間分解能の向上が認められる。
- 左右方向に周波数エンコードしているため，ファントム内の下から2段目のピン（→）に注目すると，マトリックス数512で分離して描出されている。

D スライス厚

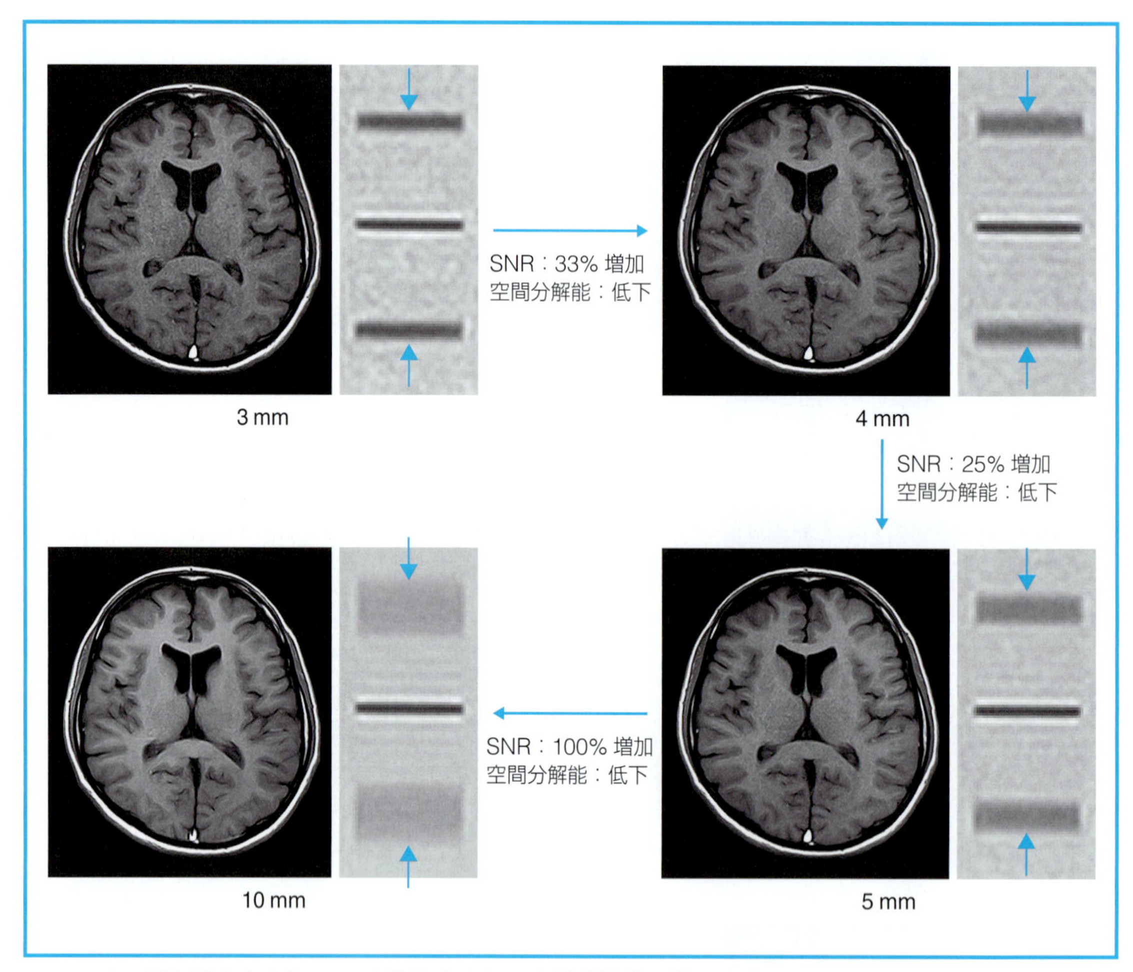

- スライス厚を厚くするとSNRは増加するが，空間分解能は低下する。
- 各スライス厚におけるファントム画像に着目すると，スライス厚の増加に伴いファントム端（→）の広がりは大きくなっている。これは，パーシャルボリュームの影響である。
- したがって，スライス厚を厚くする場合には，空間分解能に注意する必要がある。
- 一方，スライス厚を薄くする場合には，SNRの低下を防ぐためにNEXを増加させるなどの工夫が必要となる。ただし，NEXの増加は撮像時間の延長を伴う。

E FOV

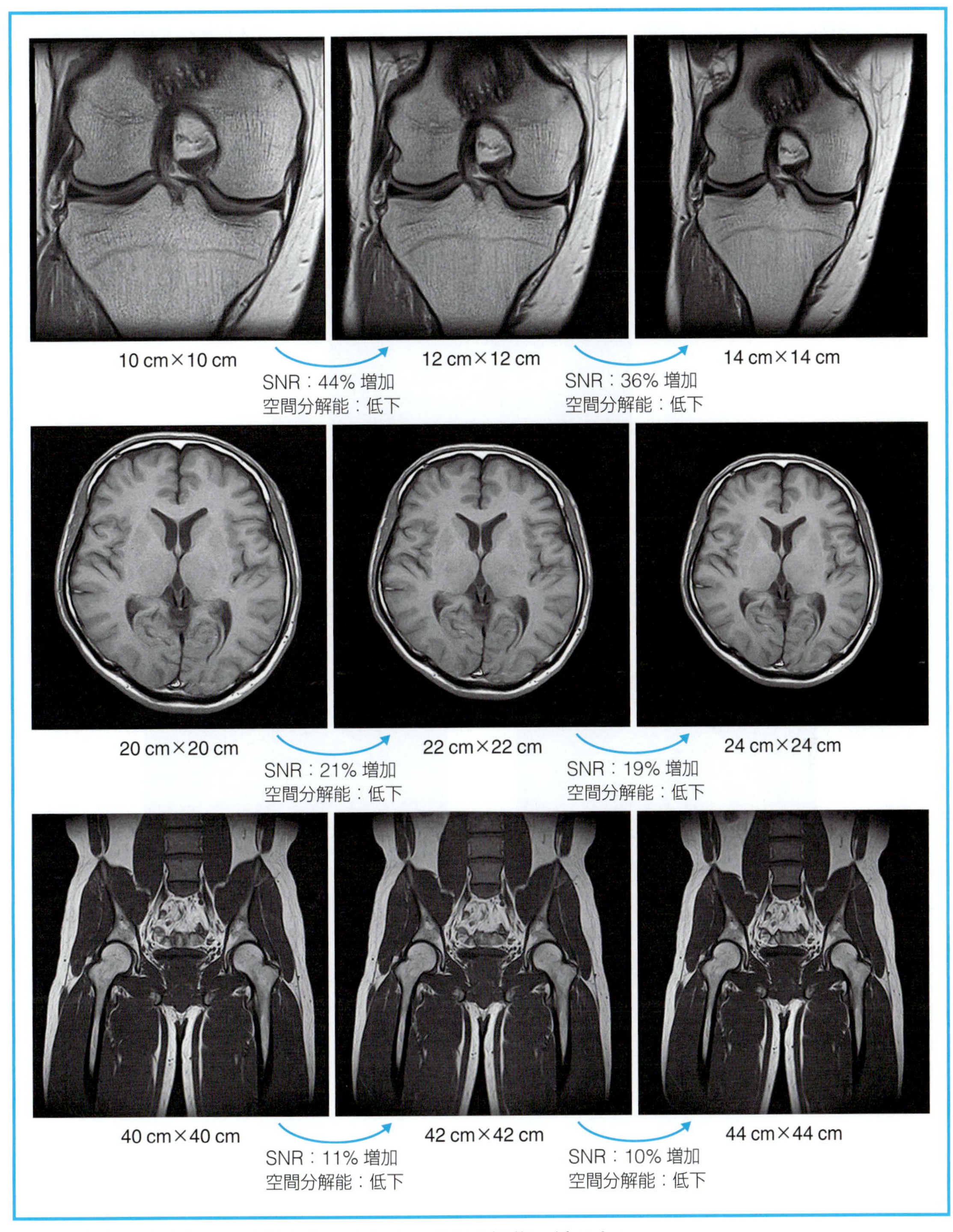

- FOVを大きくすると，SNRは増加するが，空間分解能は低下する。
- 同じようにFOVを2 cm増加しても，元のFOVに対してSNRは変化するため，SNRの増加率は同じにはならない。

ポイント：小児撮像のFOV設定

- 小児と成人とでは，体型（大きさ）が異なる。
- 小児の撮像において，成人と同一のFOVとマトリックス数で撮像すると，成人に比べて画像上は小さく表示される。
- 大きく表示するためにFOVを小さくすると，画像は大きく表示されるが，SNRは低下する。
- 成人と同等のSNRを担保するためには，FOVに合わせてマトリックス数を小さくする必要がある。

成人と同一のFOVとマトリックス数で撮像

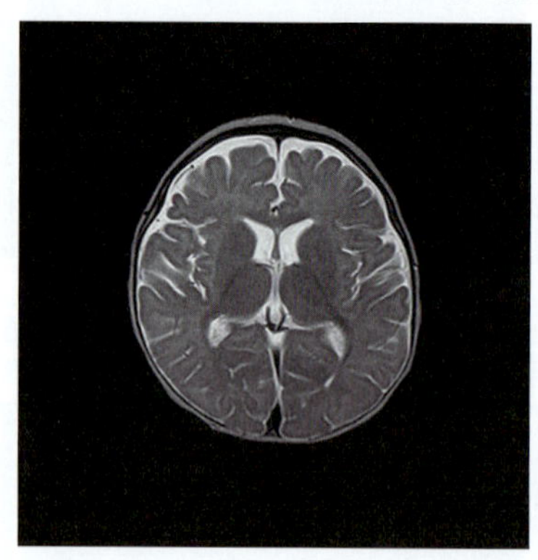

22 cm×22 cm
320×256

SNR：33% 低下

SNR：同等
空間分解能：同等

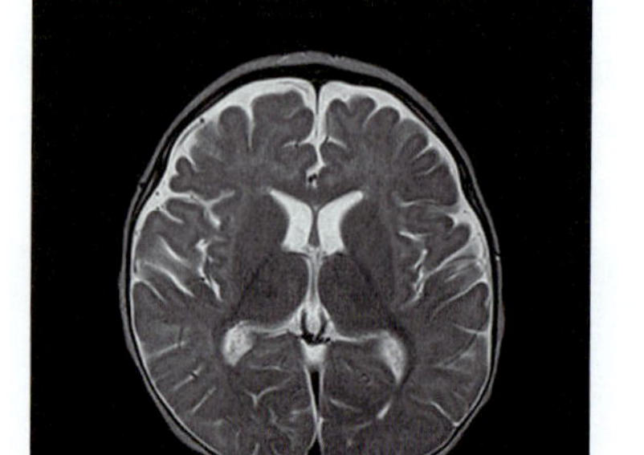

18 cm×18 cm
320×256

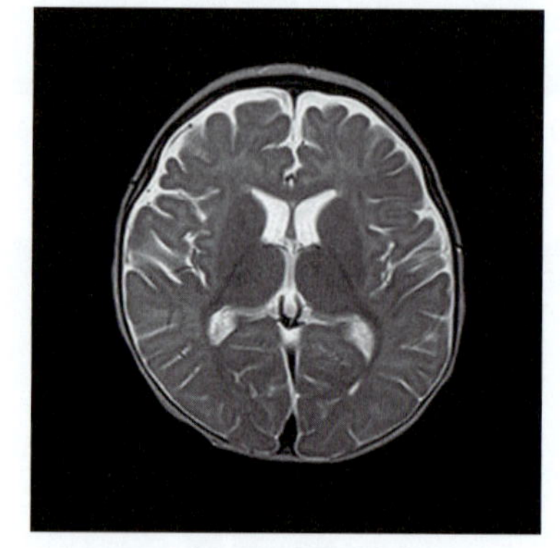

18 cm×18 cm
256×208

F BW（受信バンド幅）

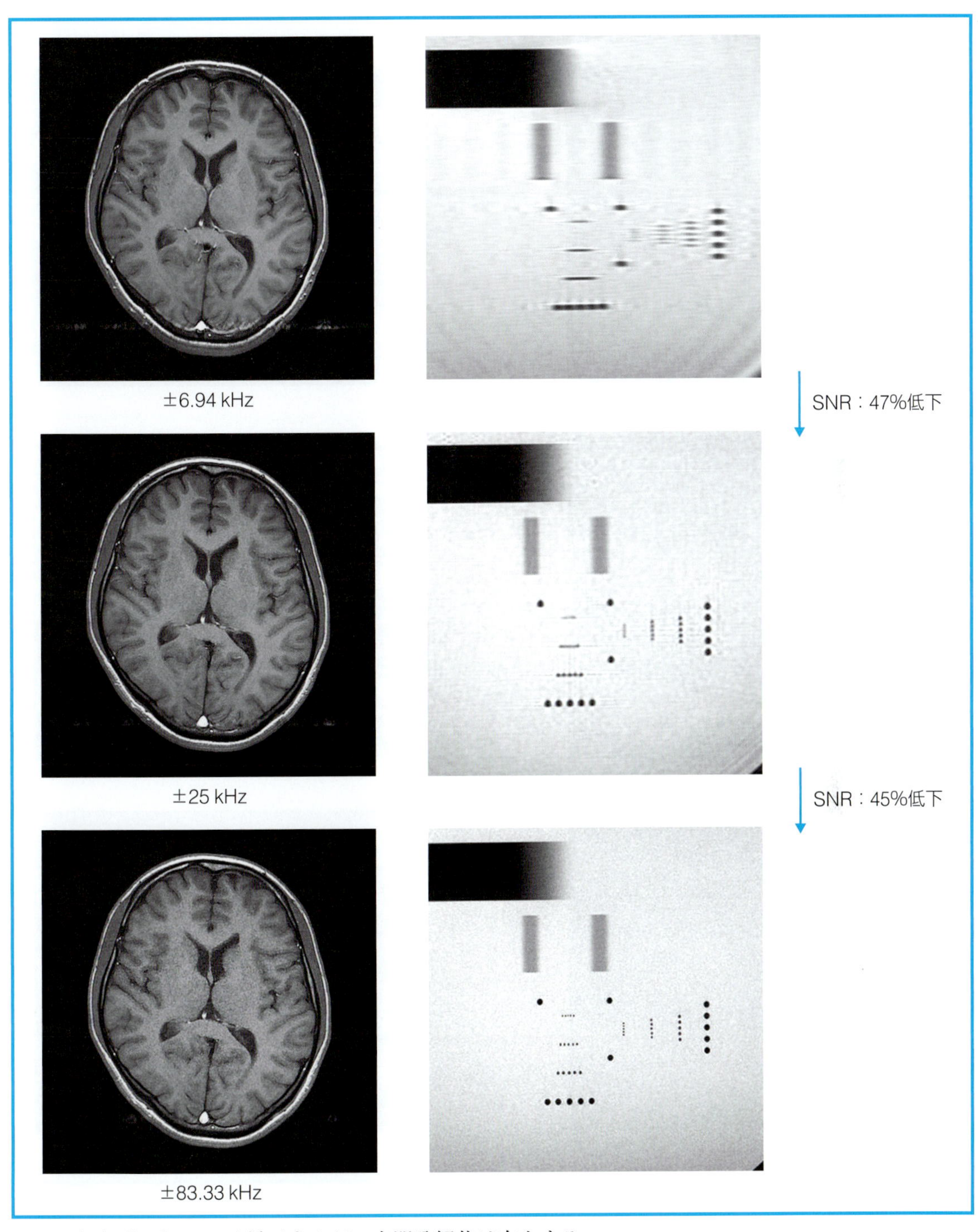

- BWを広げるとSNRは低下するが，空間分解能は向上する。
- 臨床では，SNRと空間分解能とのバランスを考慮してBWを設定する必要がある。

G TR

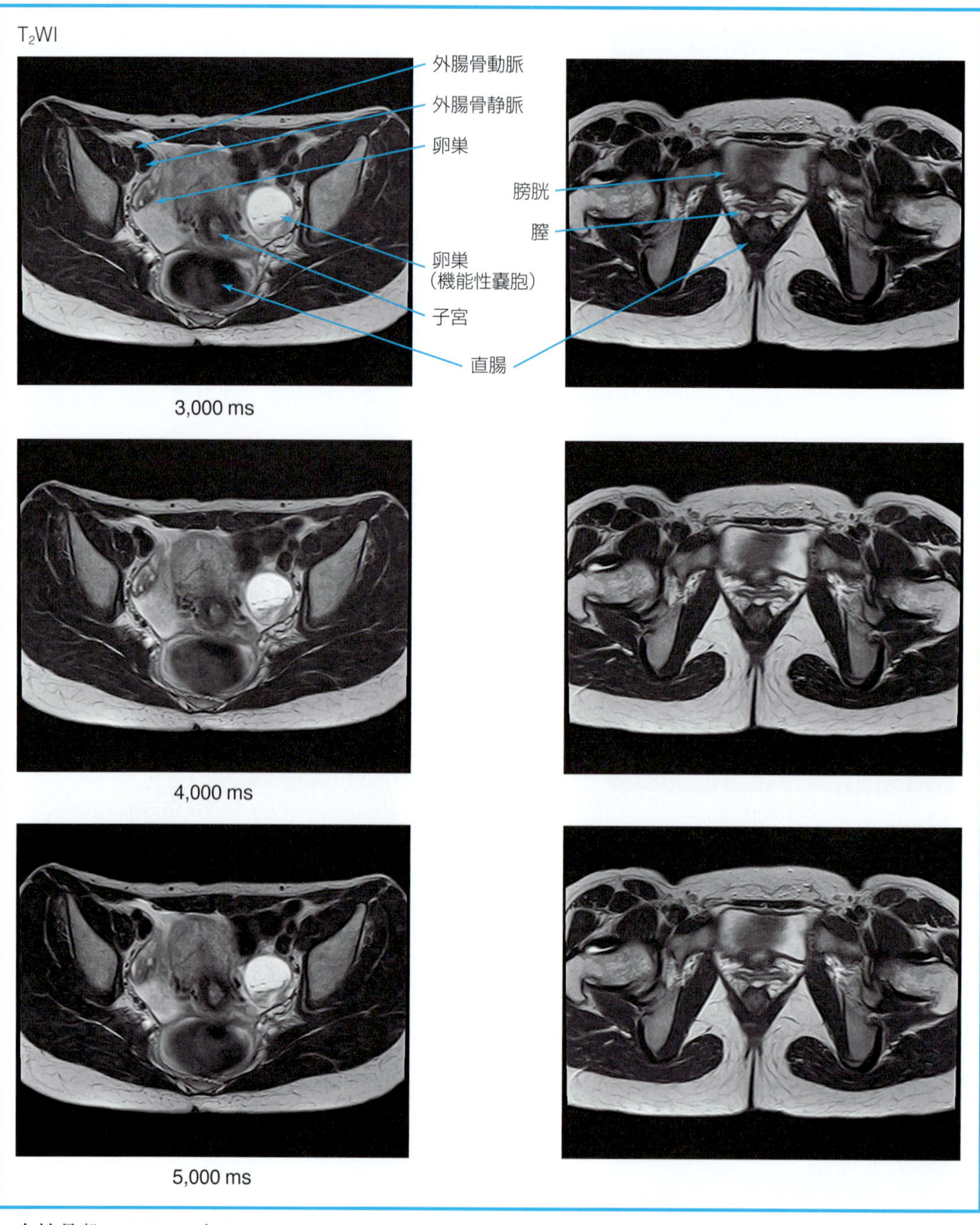

- 女性骨盤のT_2WIである。
- 卵巣（機能性嚢胞）に着目すると，TRによるコントラストの変化は認められない。
- 膀胱に着目すると，TR 4,000 ms以上で高信号を呈している。

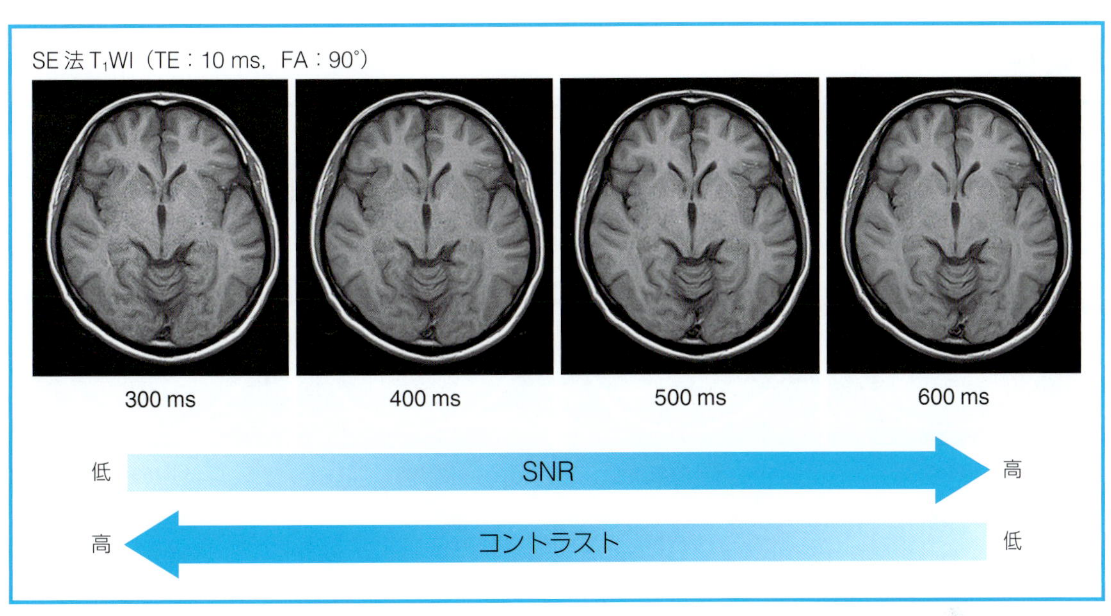

- TRの延長に伴い，SNRは増加するが，コントラストは低下する。

ポイント：GRE法におけるTRの違い

- GRE法の場合は，エルンスト角（111頁参照）によるTRとFAの設定が必要となる。
- 白質（T_1値760 ms）におけるエルンスト角の計算では，FA20°の至適TRは48 msとなり，SNRが高い。
- しかし，コントラストは低下するため，SNRとコントラストの両者を考慮すると，TR 30 ms程度がよい。

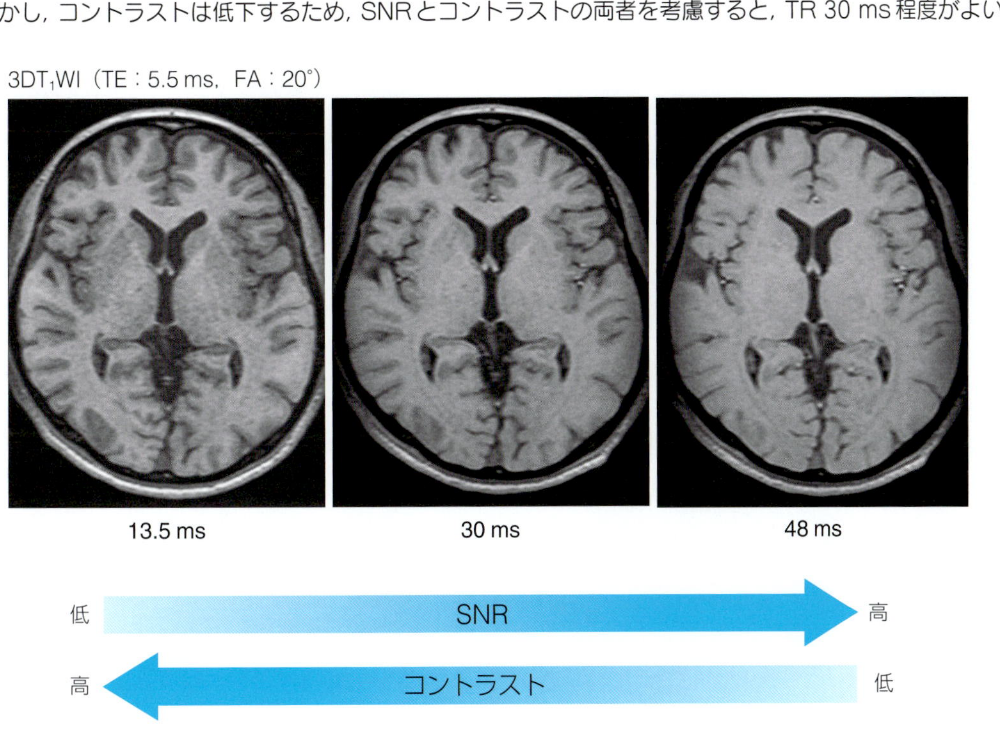

H TE

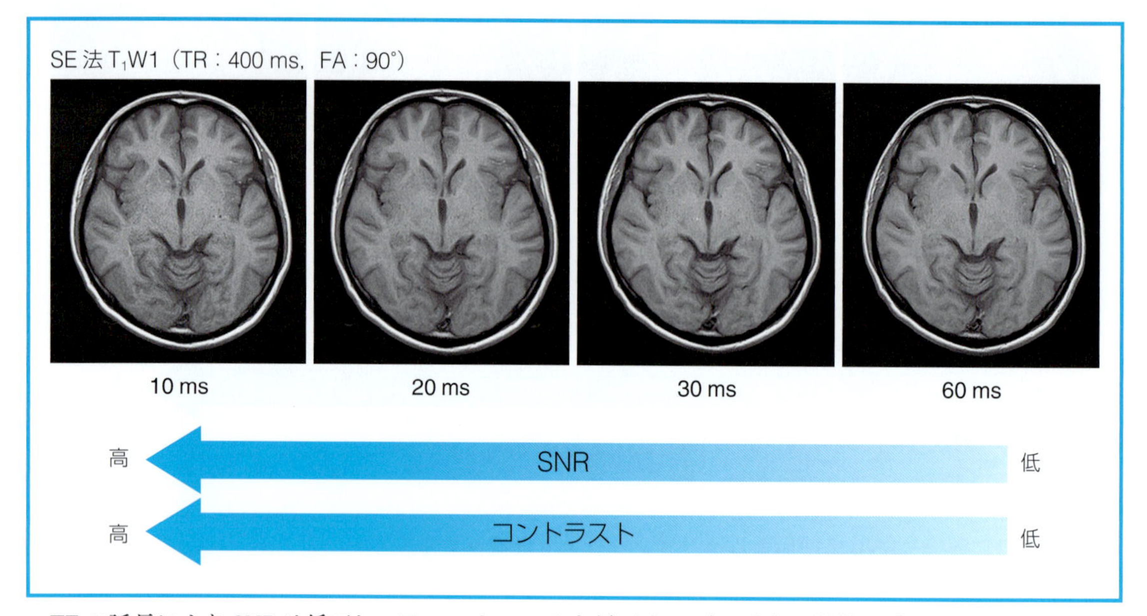

● TEの延長によりSNRは低下し，T_1コントラストも低下する（T_2減衰の影響を受けるため）。

I ETL

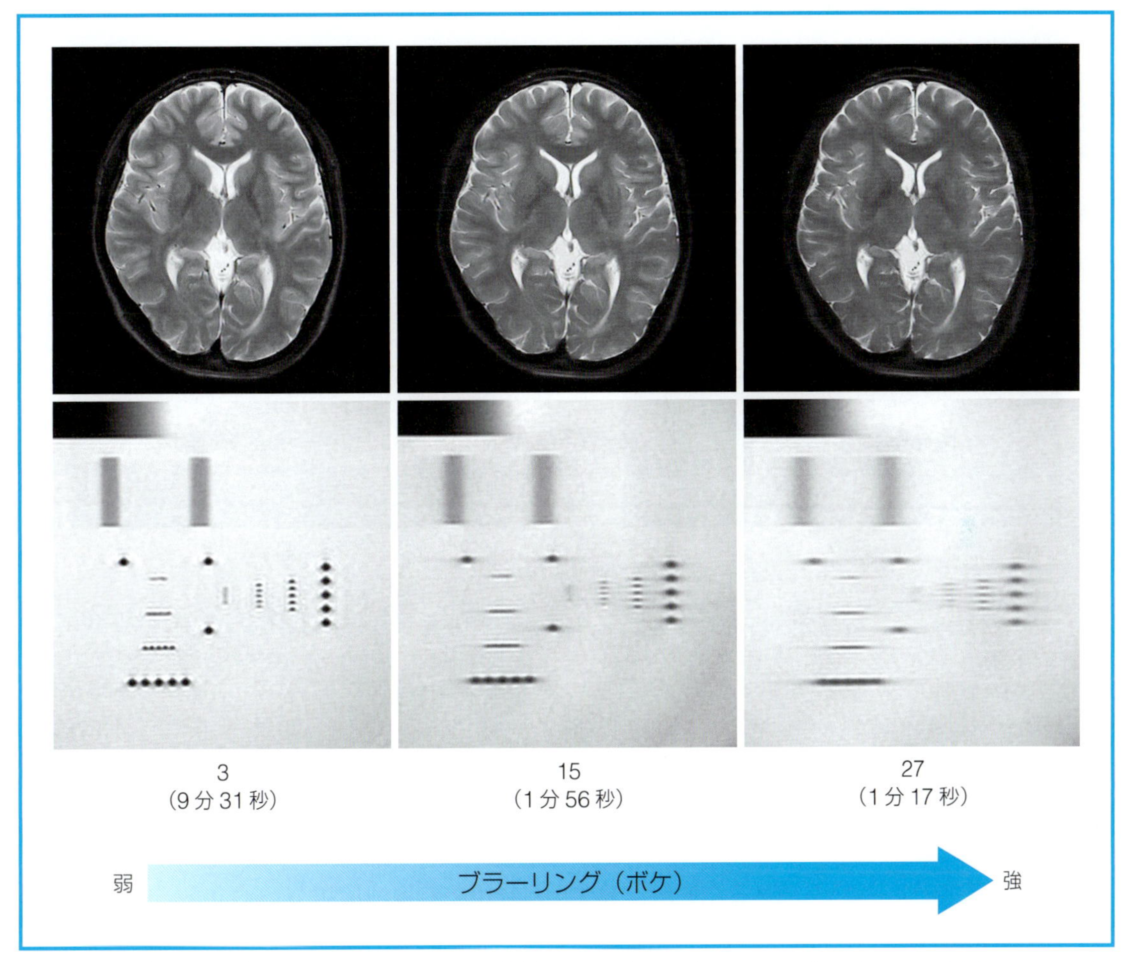

- ETLを大きくすると，複数のTEから画像が構成されるため，ブラーリング（ボケ）の影響が強くなる。
- ETLを大きくすると，撮像時間は短縮される。

ポイント：臨床の実際—ETL

TR 4,000 ms 以上に設定して撮像した T_2WI を例に示す。

撮像時間の短縮例

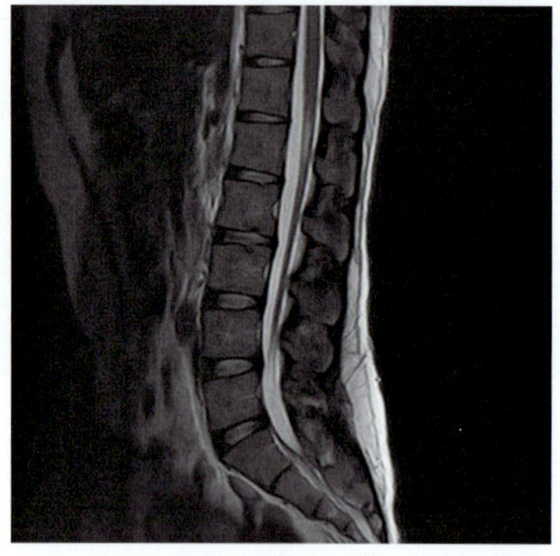

スライス数：13 枚

ETL	15	17	19	23
設定TR (最小TR)	4000 (2715)	4000 (2975)	4000 (3235)	4000 (3755)
scan time	4:36	4:04	3:32	3:00

スライス数が少ない場合，ETLが小さいとTRを4000 msまで延長しなけらばならない。よって，撮像時間が延長する。

撮像時間が変化しない例

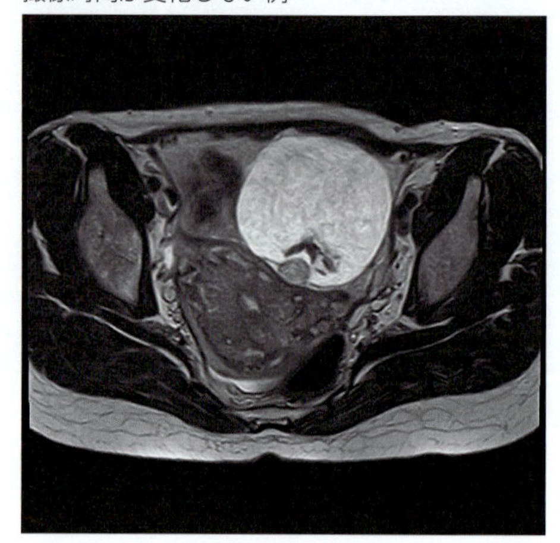

スライス数：24 枚

ETL	15	17	19	23
設定TR (最小TR)	4000 (3932)	4410 (4410)	4892 (4892)	5852 (5852)
scan time	1:55	1:51	1:53	1:52

スライス数が多い場合，ETLを大きくしてもその分TRが延長するため，撮像時間は変わらない。

- 一般に，TRを固定してETLを大きくすると，撮像時間は短縮される（左図）。
- しかし，スライス数が多い場合，ETLを大きくしてもその分だけTRが延長するため，撮像時間が短縮されない場合もある（右図）。

J SENSE

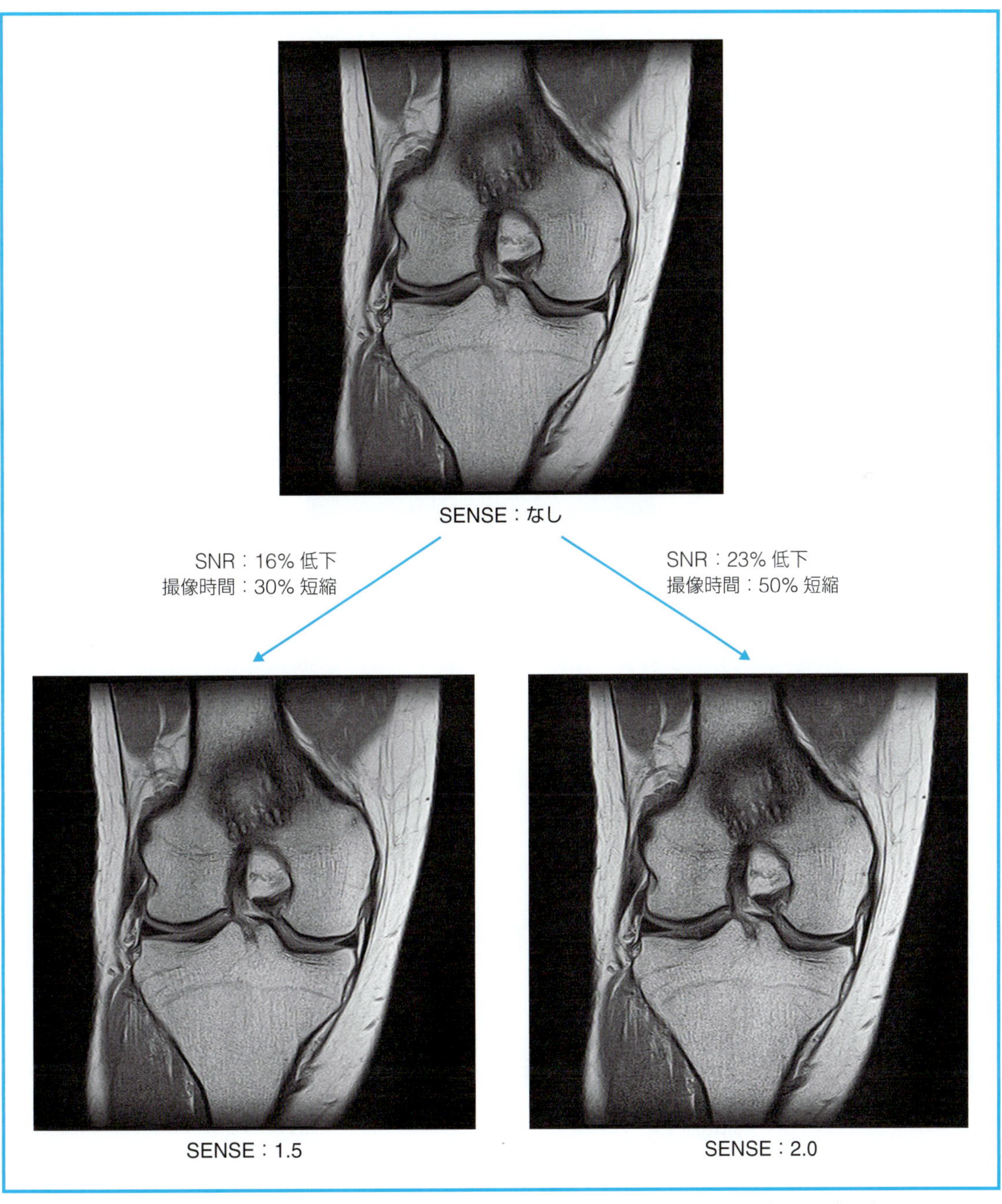

- Reduction factor を増加させると，撮像時間は短縮するが，SNR は低下する（127 頁参照）。

ポイント：SENSE 法の使い方

- FOV を絞った場合，折り返しアーチファクトが出現する（図 A）。
- NPW（196 頁参照）を使用することで，折り返しアーチファクトを抑制できるが，撮像時間は延長する（図 B）。
- NPW を使用しても，SENSE を利用すれば，撮像時間の延長なしに，折り返しアーチファクトを抑制できる（図 C）。

左右の皮下脂肪

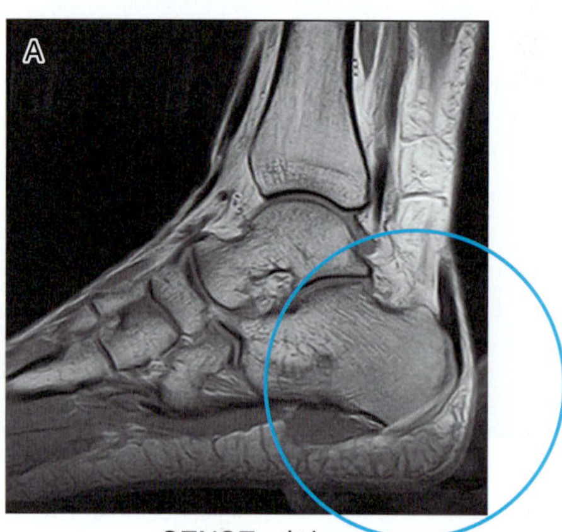

SENSE：なし
NPW：なし

SNR：23% 増加
撮像時間：50% 延長

SNR：同等
撮像時間：同等

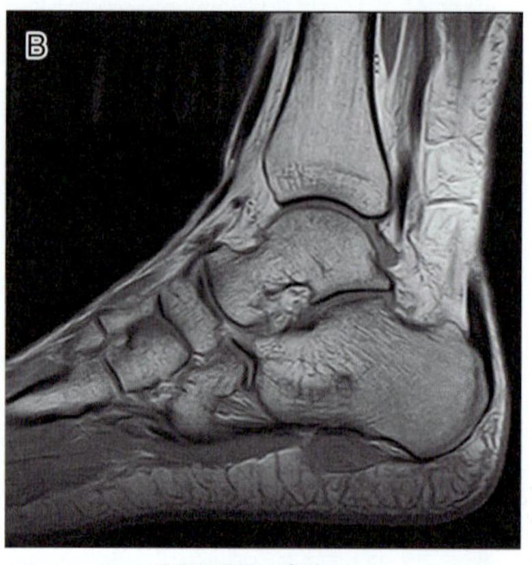

SENSE：なし
NPW：1.5

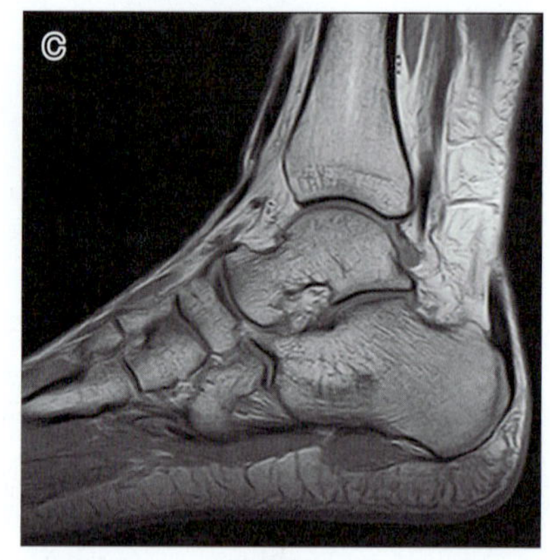

SENSE：1.5
NPW：1.5

K FA

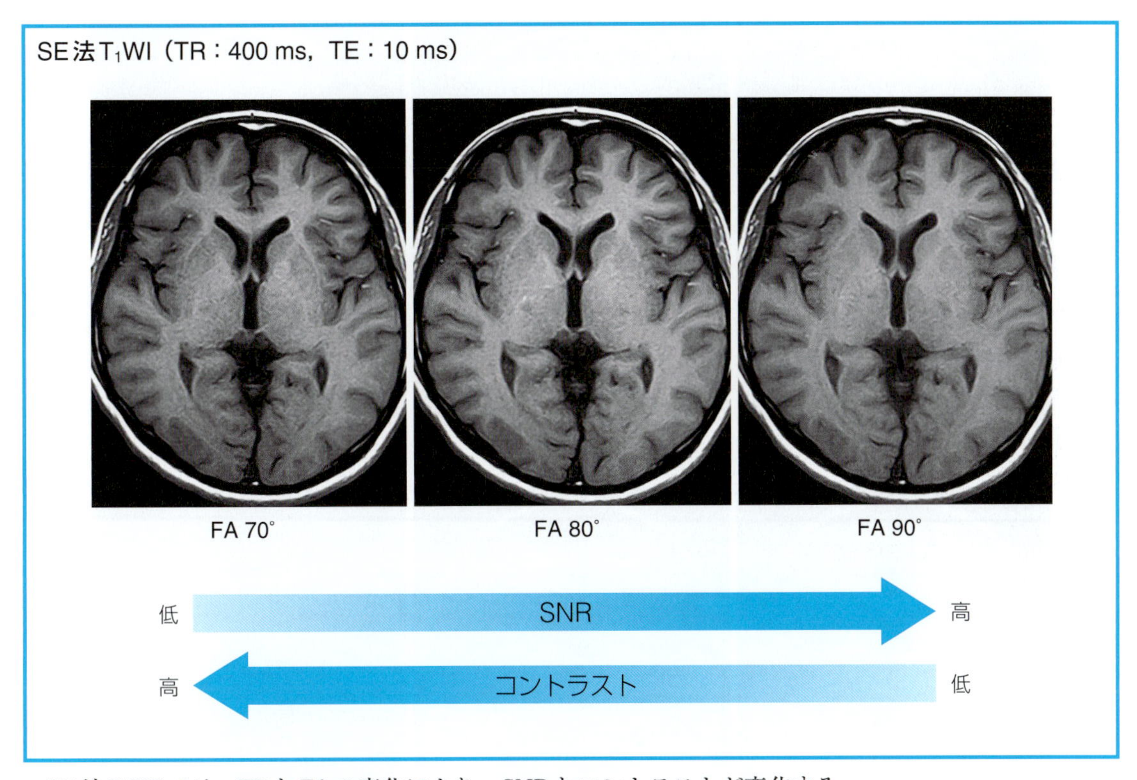

- SE法T_1WIでは，TRとFAの変化により，SNRとコントラストが変化する。
- 一般的なTR（400～600 ms）では，FAを90°よりもやや低くした方がコントラストが向上する。
- しかし，SNRは低下するため，コントラストとのバランスが重要になる。

ポイント：GRE法3D T_1WI（TR：13.5 ms，TE：5.5 ms）

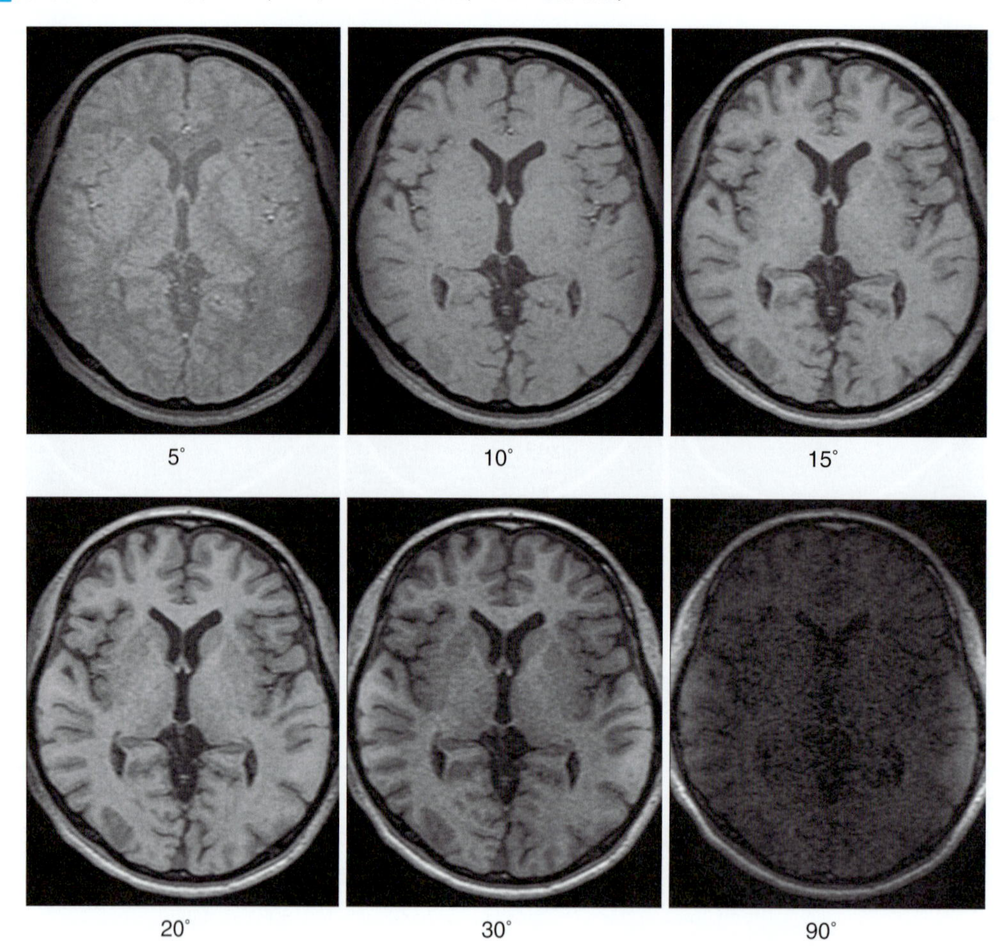

- GRE法の場合は，エルンスト角（111頁参照）によるTRとFAの設定が必要となる。
- 白質（T_1値760 ms）におけるエルンスト角の計算では，TR 13.5 msの至適FAは10°になり，SNRが高い。
- しかし，臨床では白質と灰白質のコントラストも重要であるため，至適FAはエルンスト角と一致しない。
- この撮像条件下では，コントラストを考慮して至適FAは20°と考える。

L プレパルス

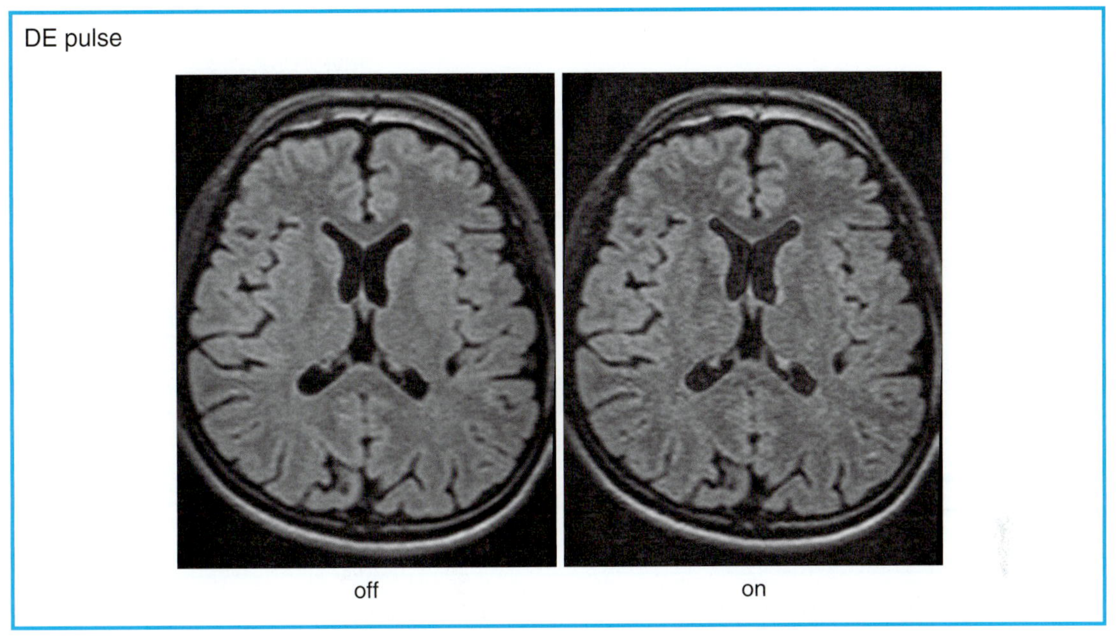

- プレパルスの代表例として，DE pulse（149頁参照）によるコントラストの変化を提示する。
- 3D FLAIR撮像において，プレパルスとしてDE pulseを印加することで，T_2コントラストが改善される。

M ポストパルス

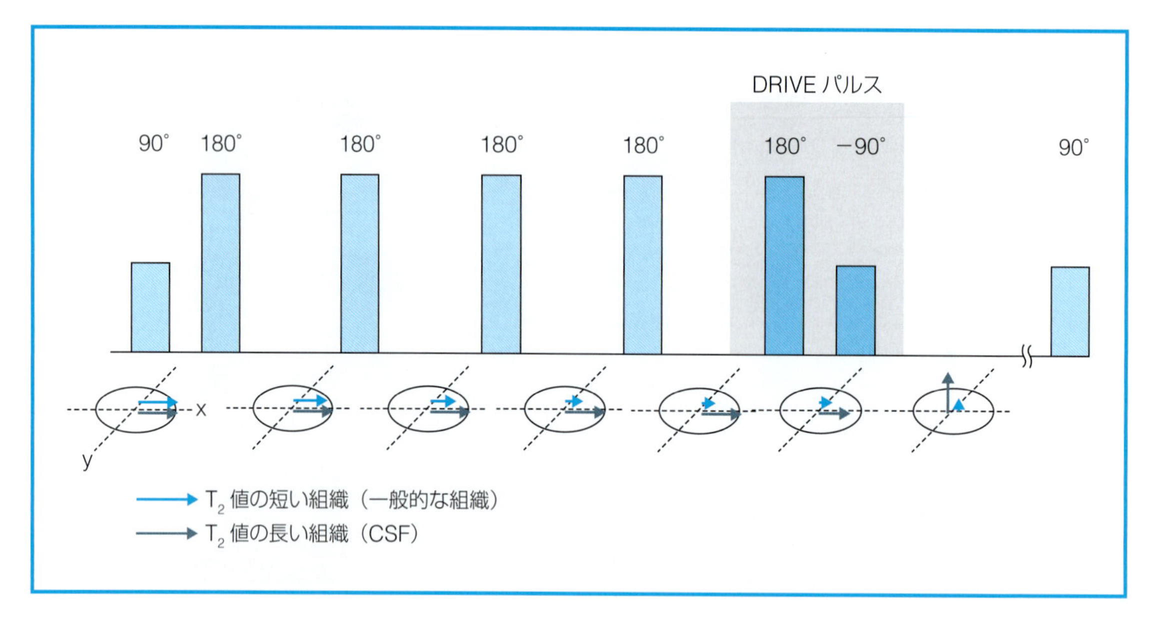

- ポストパルスとは，各TRの最後に残存した横磁化を縦磁化に強制回復するパルスのことである。
- ポストパルスの代表例として，DRIVE（DRIVen Equilibrium）を説明する。
- FSE法では，180°パルスによってx軸を中心に再収束されるが，最後に残存する横磁化はT_2値の長い組織ほど大きい。
- 最後のエコー収集後に，180°パルスと－90°パルスを印加して戻す。
- このように，DRIVEは水のようなT_2値の長い組織であっても短いTRで強調できる。

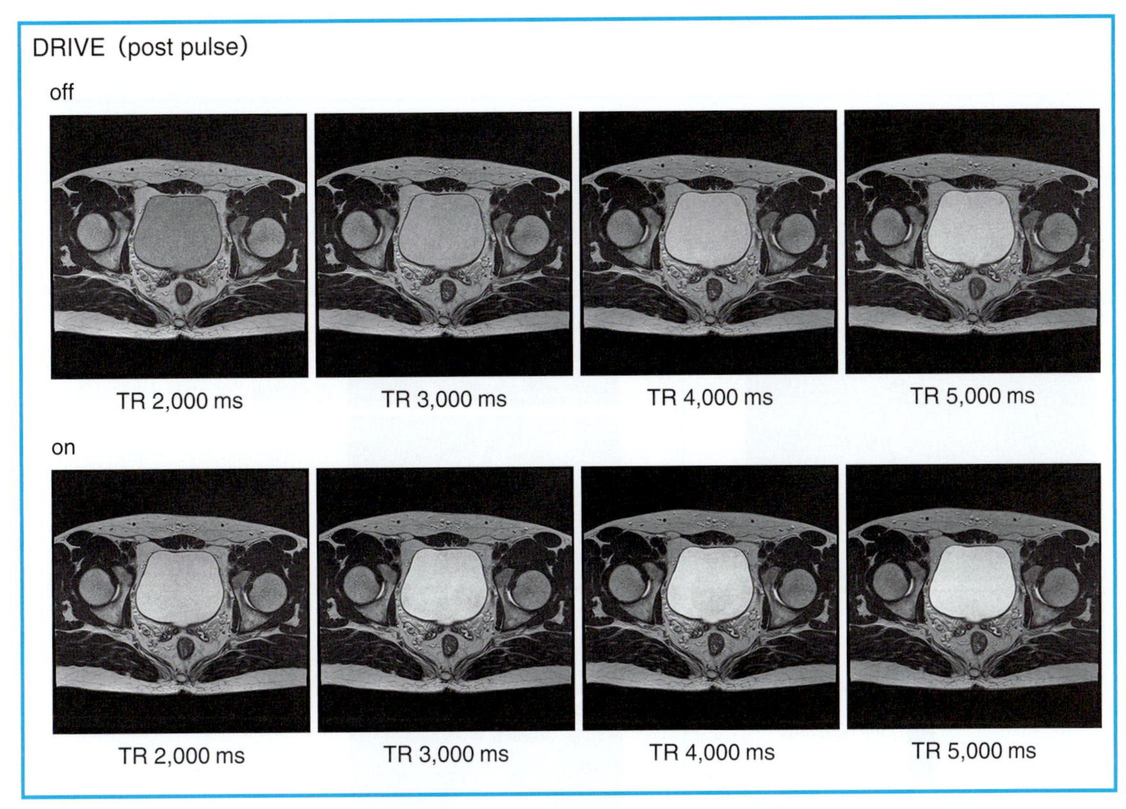

- DRIVE offでは，TRが短くなるほど膀胱の信号強度は低下している。
- DRIVE onでは，TRの長い場合と比較しても，TRの短い膀胱の信号強度は低下していない。
- DRIVEは，水成分（脊髄，内耳，膀胱など）を観察したい場合に有用である。
- しかし，通常のT_2WIとはコントラストが異なる場合があるため，使用には注意を要する。

N 撮像パラメータのまとめ（SNRをそろえるためには）

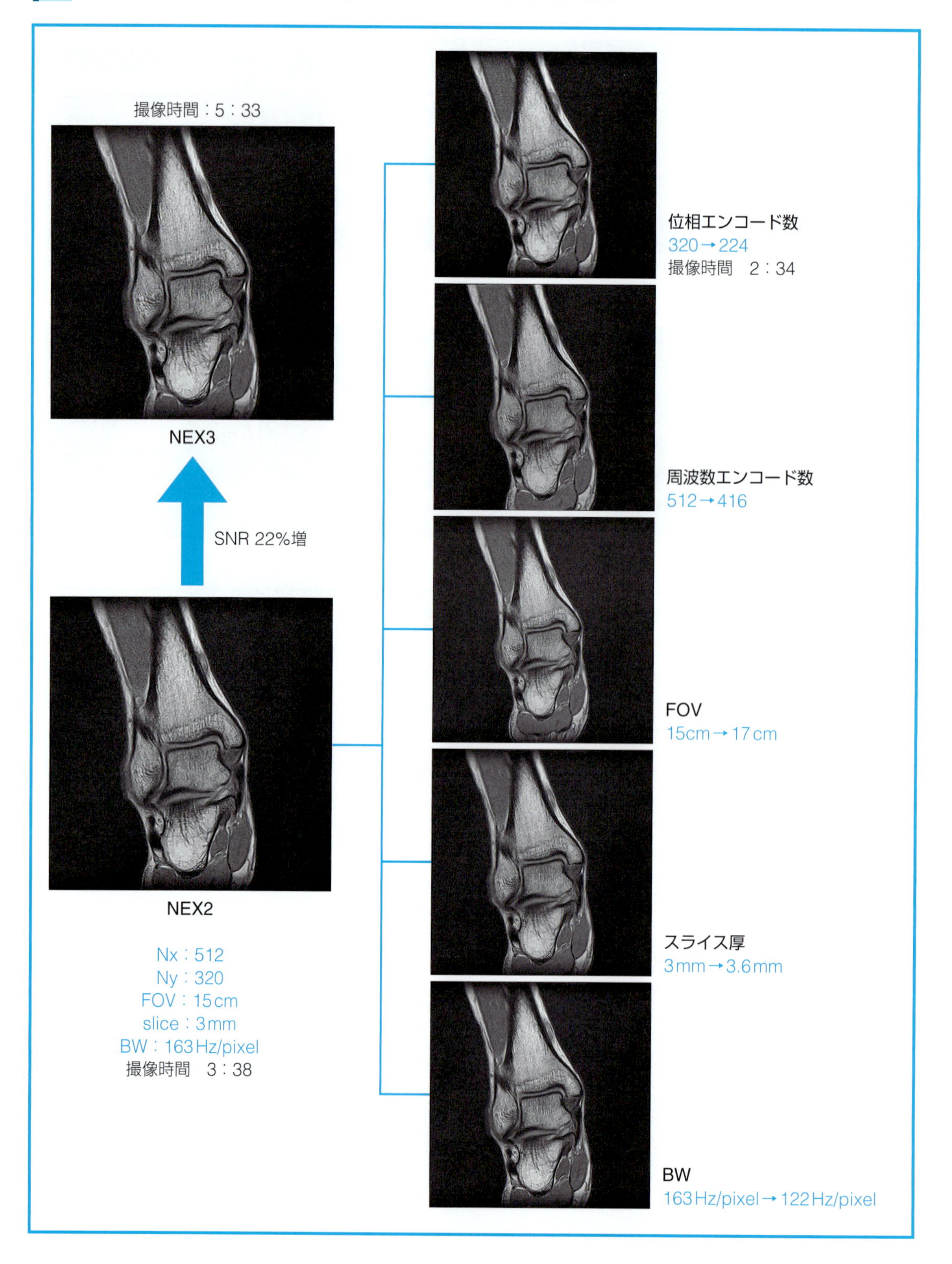

- NEX2の画像をNEX3の画像と同等のSNRにするため，撮像パラメータを変更させる。
- 位相方向のマトリックス数，周波数方向のマトリックス数，FOV，スライス厚でSNRを向上させると，空間分解能は低下する。
- BWを小さくすると，echo spaceが延長して実効TEが変化するため，コントラストは変化する。

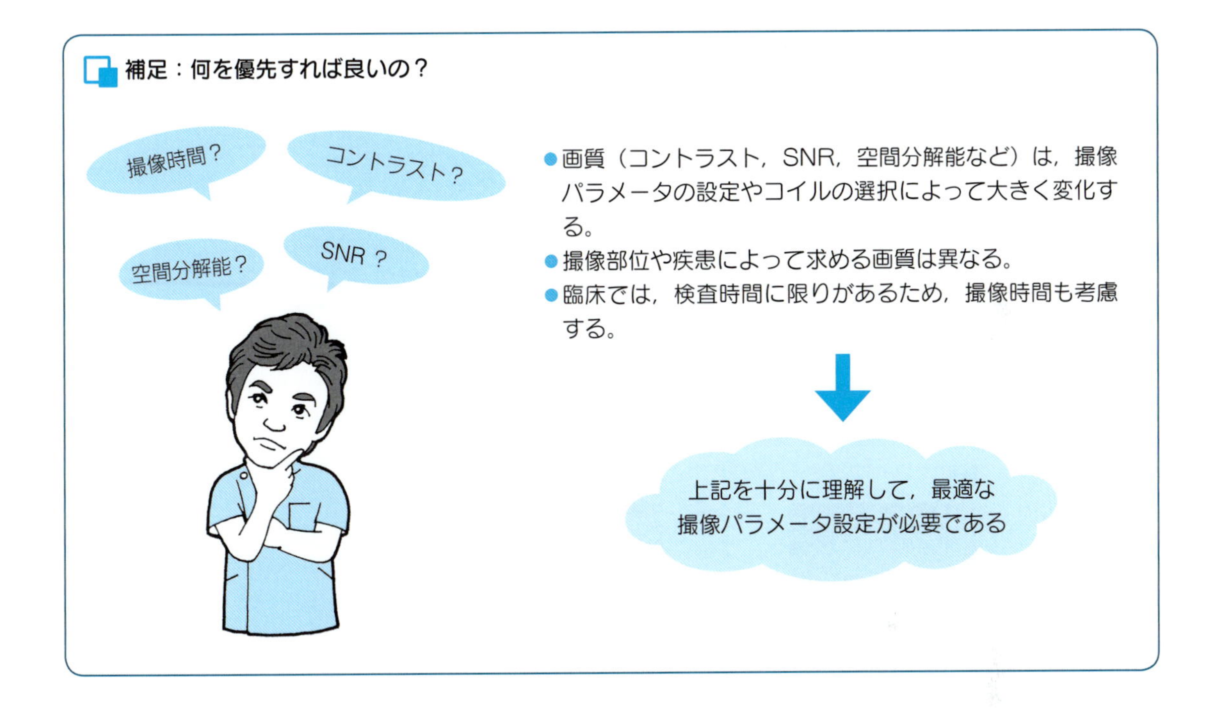

Part 2

超音波

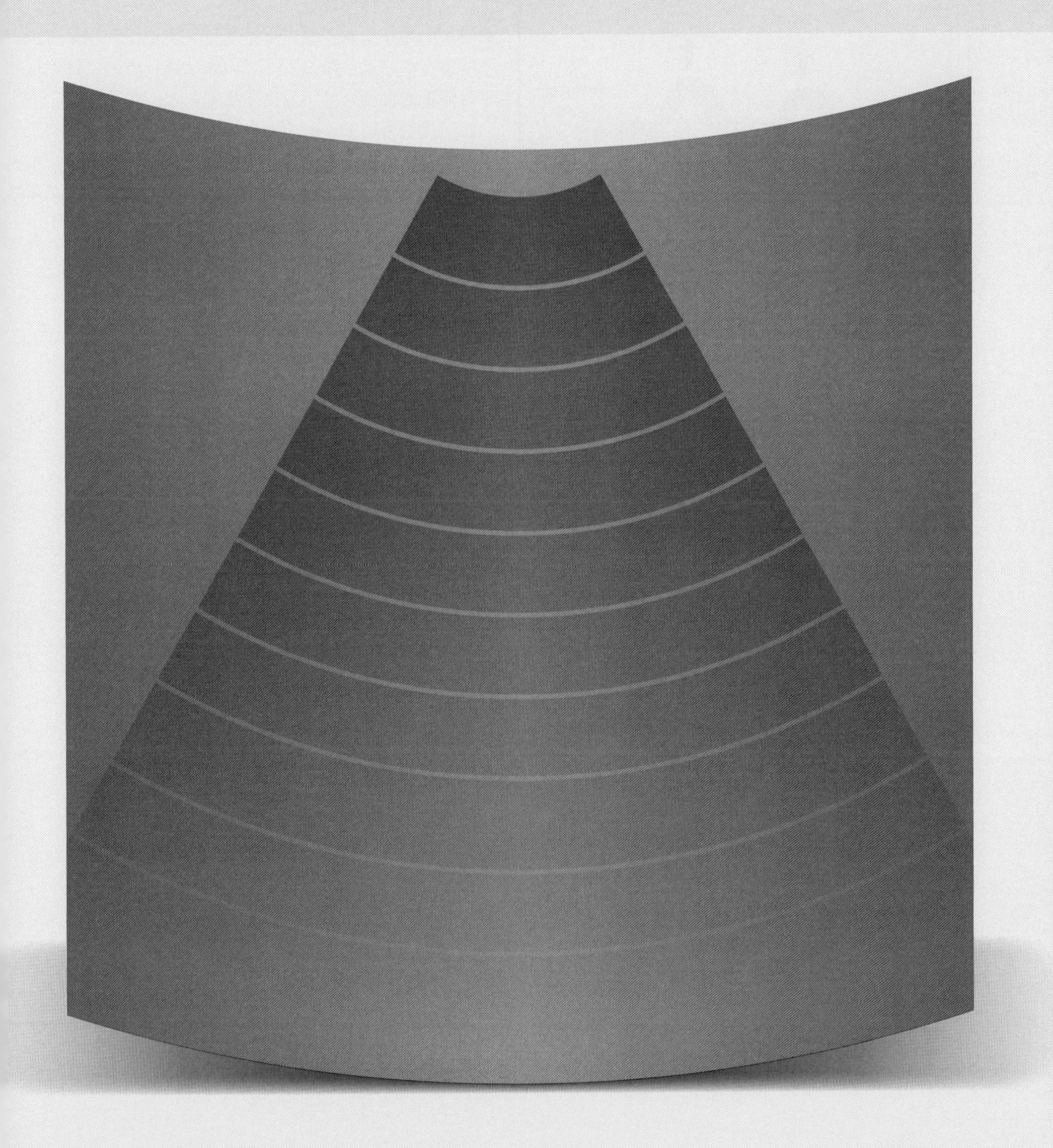

1章 超音波の基礎

1 縦波と横波

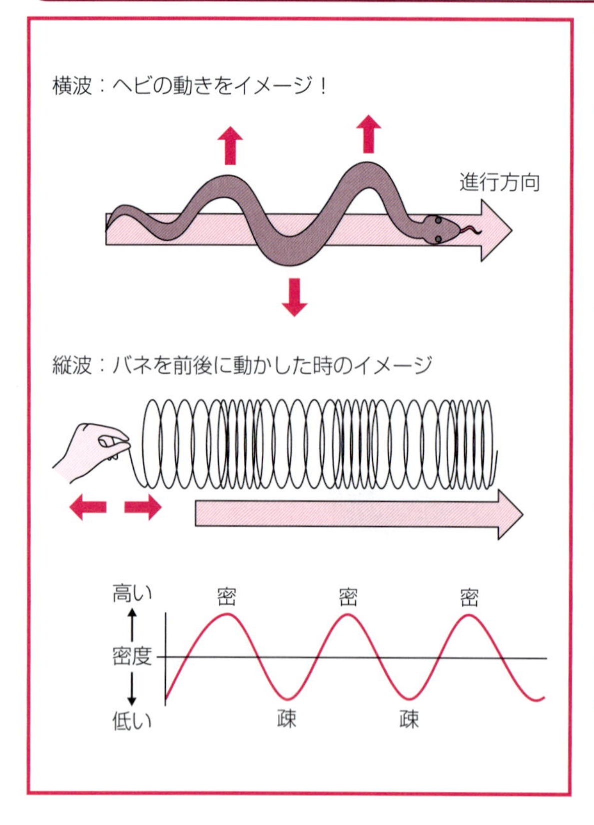

- 波とは，物質の振動が伝播する現象である。波には横波と縦波が存在する。
- ヘビが進むときの動きをイメージすると，ヘビはまっすぐ進む際に，ヘビの体は進行方向に対して垂直に動いているように見える。このように，媒質の振動が波の進行方向に対して垂直であるものを横波という。
- 次にバネを前後に動かした時をイメージすると，バネの進行方向に対して平行に動かしたとき，バネがまとまったり広がったりして進んでいく。このように，媒質の振動が波の進行方向に対して平行であるものを縦波という。
- 音波は，バネの縦波のように，振動が伝わる時に物質が圧縮されて密度が高くなっている（密な）部分と，まばらな（疎な）部分が交互に繰り返して存在する。
- 超音波の伝搬は縦波であり，**疎密波**と呼ばれる。
- 音波は縦波であるが，このままだと理解しにくい。よって，便宜上**サインカーブ**を使って表されることが多い。

2 超音波とは

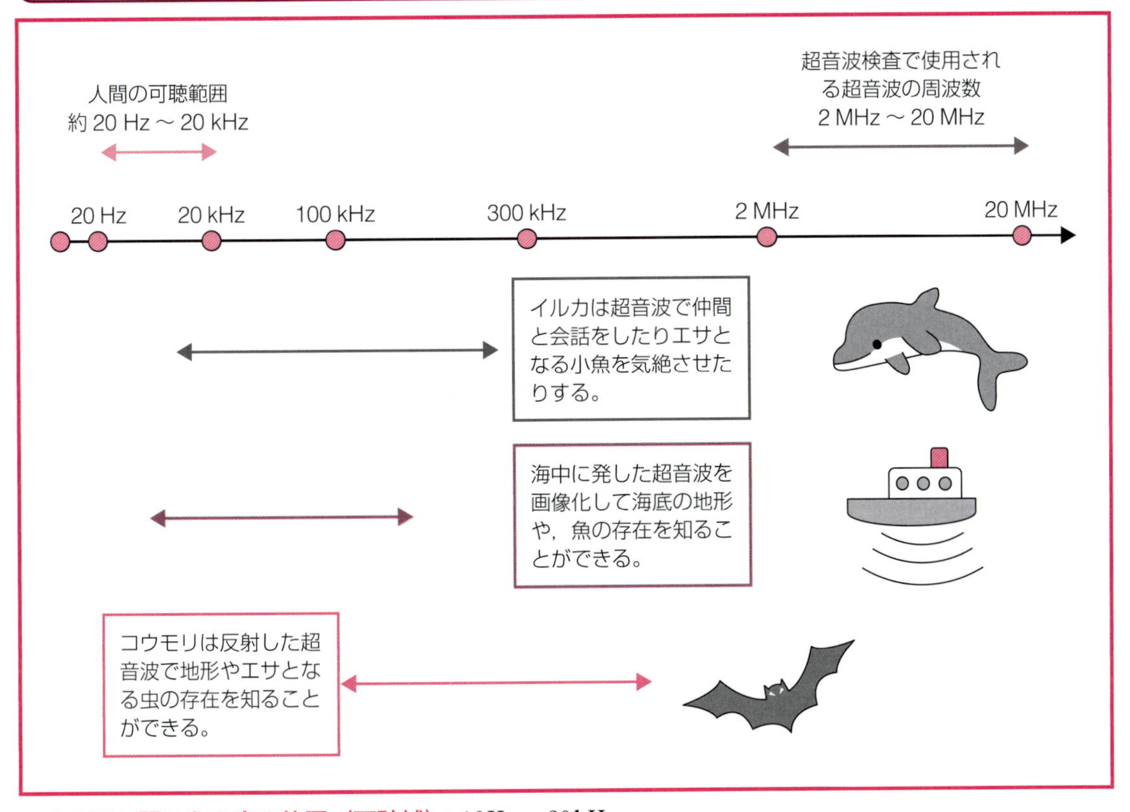

- **人の耳に聞こえる音の範囲（可聴域）**：16 Hz ～ 20 kHz
  - ▶これより高い音：**超音波（ultrasonic）**
  - これより低い音：**超低音（infrasonic）**
- 超音波とは“人が聞くことを目的としない音”で，**通常は周波数 20 kHz 以上の音**を超音波ということが多い。
- 自然界でも，イルカやコウモリのように超音波を利用して生活をしている生物も存在する。
- 人の生活でも海底探査や魚群探知，医療のために超音波を用いられる。
- 超音波診断装置に使用されているのは，2 MHz ～ 20 MHz の周波数帯である。

3 超音波の発生

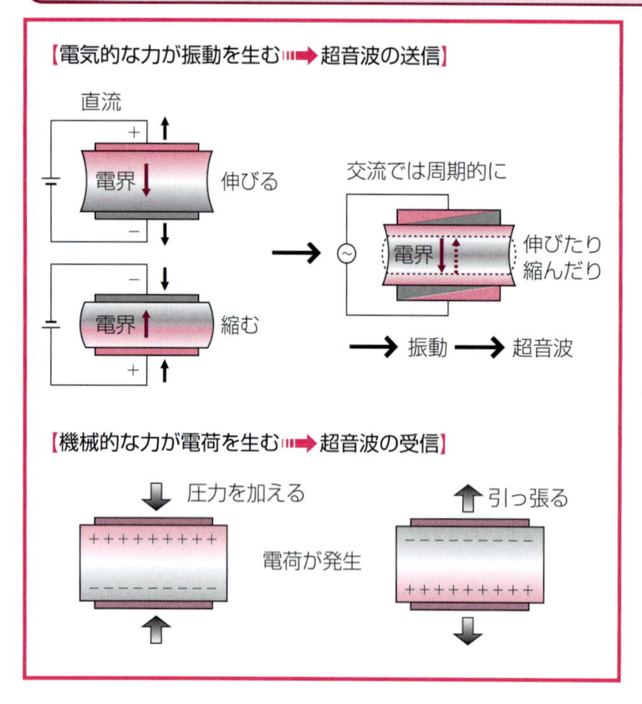

- 超音波診断装置では，プローブ（別称：探触子，探査子）内部に組み込まれた圧電素子から超音波を発生する仕組みになっている。
- 圧電素子〔強誘電体：水晶，ジルコン酸チタン酸鉛（PbZnTi：PZT）など〕は圧電効果（別称：ピエゾ電気効果）を有しており，この効果が超音波の送受信をつかさどっている。
- 圧電効果：強誘電体を電界中に置くと，電界の方向によって伸びたり縮んだりする。これを利用して超音波の送信を行っている。また，強誘電体に圧力を加えると，その表面に正・負の電荷を発生して起電力を生じ，強誘電体を引っぱると逆の極性の電荷を生じる。この現象を利用して超音波の受信を行っている。

4 超音波の伝搬速度（別称：音速）

● **超音波の伝搬速度は，以下の1～3に依存する。**

1．媒質の「弾性度（物質の硬さ）」・「密度」

$$c=\sqrt{\frac{k}{\rho}}$$

c：伝搬速度〔m/s〕
k：媒質の弾性度（体積弾性率）
ρ：媒質の密度〔kg/m³〕

【主な生体組織などの伝搬速度（単位：m/s）】

骨	2,500～4,000	脳	1,560
腱	1,750	腎臓	1,558
軟骨	1,665	筋肉	1,540
脾臓	1,591	水（37℃）	1,530
血液	1,571	脂肪	1,476
肝臓	1,570	空気（20°）	344

● 超音波の伝搬速度は**媒質の弾性度（硬さ）**に比例し，**密度**に反比例する（正確にはルート）。

● **生体組織中の伝搬速度は 1,500 m/s 前後**である。骨では非常に速く，空気では遅い。

2．媒質の「温度」

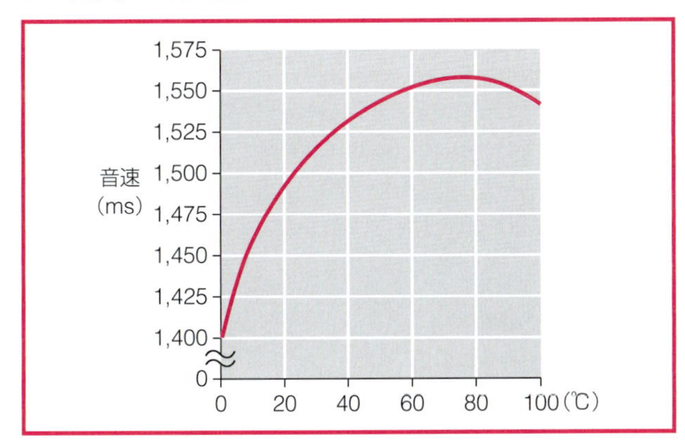

● **水温と伝搬速度との関係**：一定の範囲内ではあるが，同一媒質では**温度が高いほど超音波の伝搬速度は速くなる**。

補足 75℃を超えたあたりから，水の伝搬速度が遅くなっている。これは，温度上昇に伴い，水の体積弾性率が低下することに起因している。
ちなみに，空気中の音速 c（m/s）は，温度を t［℃］とすると，0℃を境にして±100℃程度は，以下の近似式で表すことができる（直線的変化）。

$$c = 331.5 + 0.61t \ \text{(m/s)}$$

（気温が0℃の時は331.5m/s，1℃の上昇で1秒間に0.61m進む距離が増す）
t = 25℃の音速は，この近似式より約347（m/s）となる。

3．超音波の周波数

$$c= f\cdot\lambda$$

c：伝搬速度〔m/s〕
λ：波長〔m〕
f：超音波の周波数〔Hz〕

● 超音波の周波数（プローブ周波数）が大きいほど超音波の伝搬速度は速い。

● 媒質に入った超音波の周波数は，ドプラ効果以外では変化しない。しかし，波長は組織の伝搬速度の違いによって変化する。よって，左式から，波長の長さは媒質の伝搬速度で決定される。

【計算してみよう！】

［問］

超音波の音速が 1530 m/s，右の波形の場合の，
周波数 f［Hz］と波長 λ［m］は？

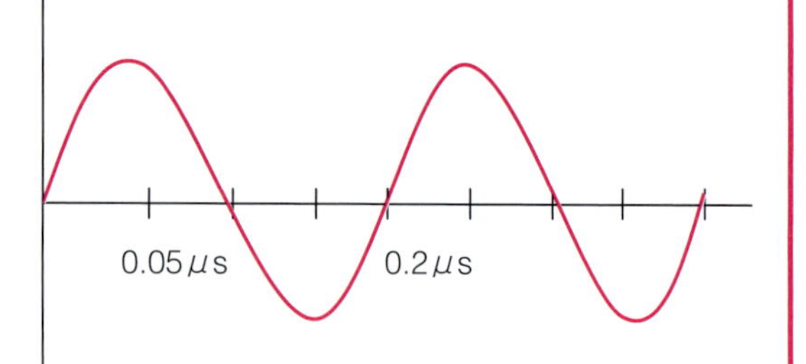

［答］

右の波形より，1周期［T］は 0.2 μs
周波数［f］は 1/T なので，

$$1/T = 1/(0.2 \times 10^{-6}) = 5 \times 10^{6} = \underline{5\ \mathrm{MHz}}$$

速さ［c］と周波数［f］と波長［λ］には，以下の関係が成り立つ。

$$c = f \times \lambda$$

よって波長 λ［m］は

$$\lambda = c/f = 1530\,[\mathrm{m/s}] / 5 \times 10^{6}\,[\mathrm{Hz}] \fallingdotseq \underline{3.06 \times 10^{-4}\,[\mathrm{m}]}$$

生体内における音速は 1530 m/s だとすると，
周波数がわかれば，波長がわかる。

⇒ 例えば 2 MHz の場合…

$$\lambda = \frac{1530\,[\mathrm{m/s}]}{2 \times 10^{6}\,[\mathrm{Hz}]} = 0.000765\,[\mathrm{m}] = 0.765\,[\mathrm{mm}]$$

周波数［MHz］	波長［mm］
2.0	0.765
2.5	0.612
3.0	0.510
3.5	0.437
5.0	0.306
7.5	0.204
10.0	0.153

コラム 周期・波長・周波数

● 音波はサインカーブを使って表されることが多い。サインカーブを表現するために，周期：T，波長：λ，周波数：f がよく使われる。ここでは，イメージとして捉えてみよう！

▶ **周期：T（s）**
山と谷の1セットに要する時間

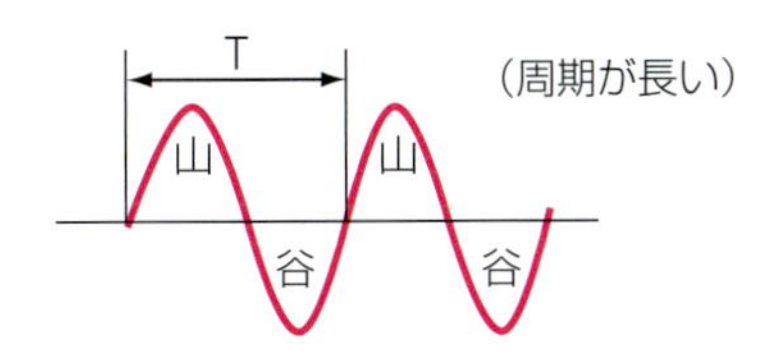

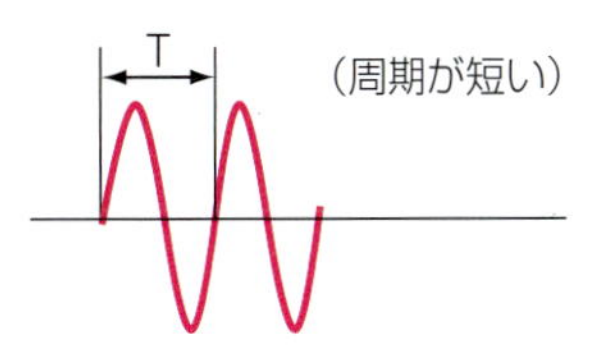

▶ **波長：λ（m）**
山と谷からなる1セットの距離

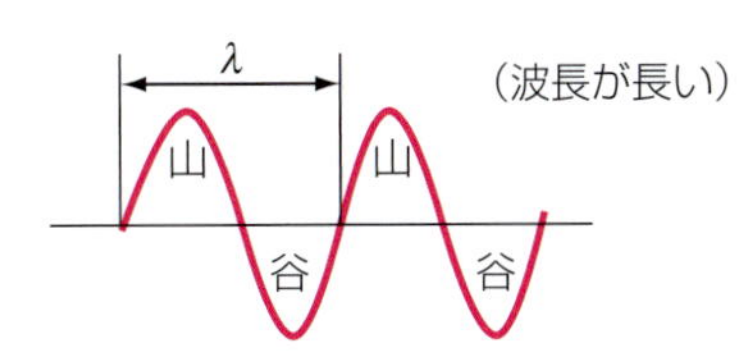

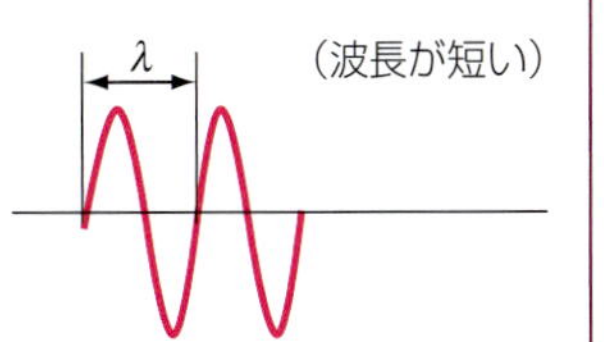

波長と周期は同じようなものを指しているが，それぞれの違いは横軸を「長さで表すのか」それとも「時間で表現するのか」ということである

▶ **周波数：f（Hz）**
1秒あたりに山と谷の1セットが繰り返される回数

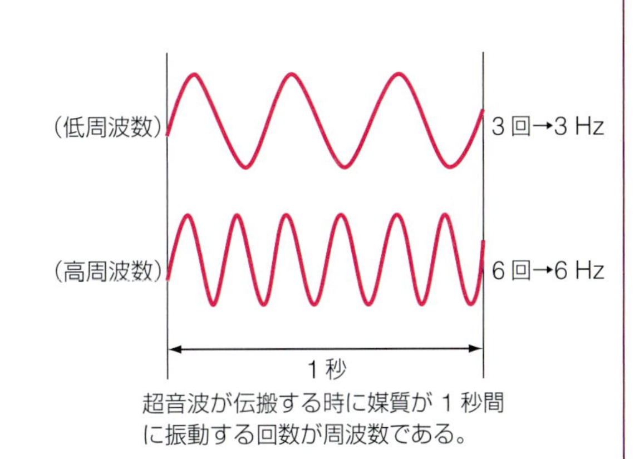

超音波が伝搬する時に媒質が1秒間に振動する回数が周波数である。

音　場

● 音波の伝搬する領域を音場という。
● 平面振動子から発生した超音波は，近距離では干渉して平面波として直進するが（近距離音場），遠距離では球面波となって広がって伝わる（遠距離音場）。
● 平面波と球面波の境界は図に示す通りである。D（振動子径）が大きいほど，λ（波長）が短いほど（高周波ほど）近距離音場が長い！

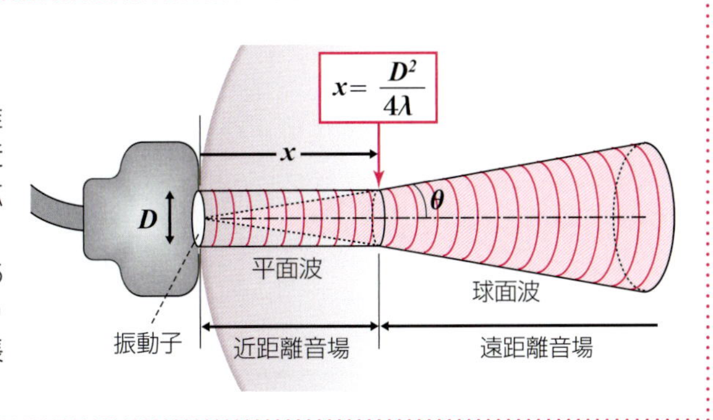

5　超音波の物理特性

超音波は，組織中を進んでいく過程で“減衰・反射・屈折”を起こす。

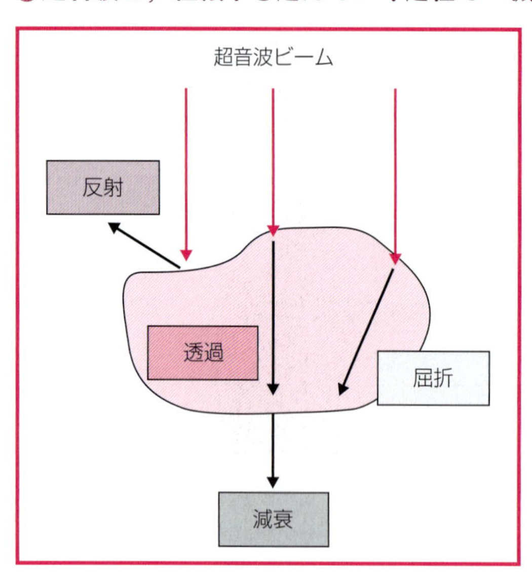

A　減　衰

- 超音波は組織中を進んでいく過程で「吸収・拡散・散乱」によってその強度が弱まる。

1. 減衰過程

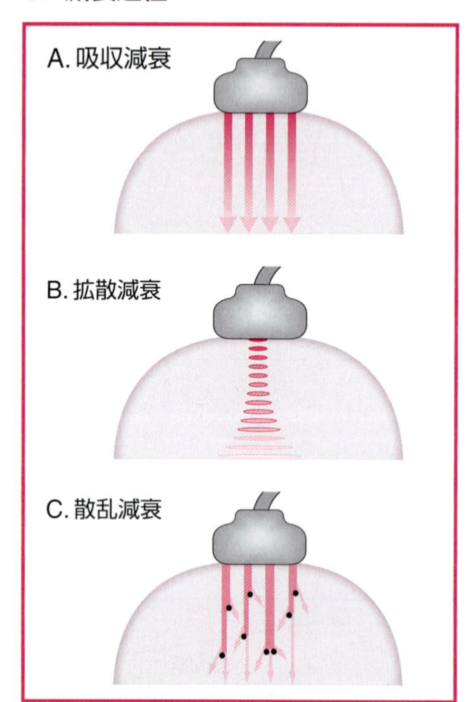

A：吸収減衰
- 超音波が生体内で吸収されるために起こる減衰。
- 音波のエネルギーの一部が熱エネルギーに変換される。
- 周波数に依存する。
  - ▶ 周波数が高くなるにつれて減衰が増加する。
- 組織に依存する。
  - ▶ 液体（血液・胆汁・嚢胞など）は小さい。
    脂肪や筋肉，ガスでは大きい。

B：拡散減衰
- 超音波が生体内で広がることによって起こる減衰。
- 小さな音源から音波が球面状に拡散するために，遠方では強度が距離の2乗に反比例して減衰する。
- 遠距離音場で起こる現象であり，近距離音場では拡散減衰はない。

C：散乱減衰
- 散乱とは，超音波が多数の小反射体に当たって種々の方向へ散ることであり，進行方向におけるこの現象による減衰を散乱減衰と呼ぶ。
- 超音波がその波長よりも十分に小さい対象物に当たったときに発生する。

2. 減衰量

減衰量(dB)＝減衰係数(dB/cm・MHz)×周波数 (MHz)×通過距離(cm)

【周波数［MHz］】

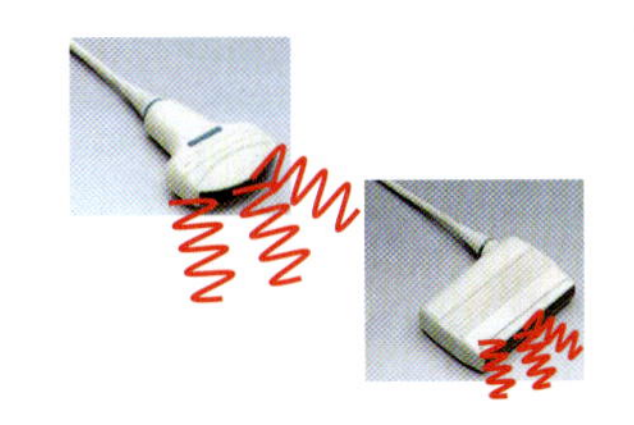

【通過距離［cm］】

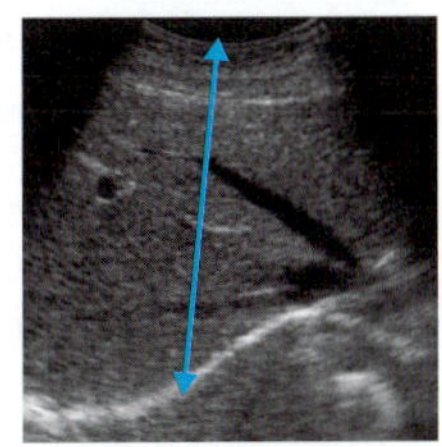

【減衰係数［dB/cm・MHz］】

組　織	1 MHz の減衰係数［dB/cm］
水	0.002
血　液	0.1
脂　肪	0.6
軟部組織	0.3～1.5
筋　肉	1.5～2.5
骨	3～10
肺	40

- 超音波が生体内を伝搬する過程での減衰量は，上の式で表される。すなわち，**超音波ビームの減衰は，「組織の減衰係数が大きく，プローブ周波数が高く，深度が深くなる」ほど大きくなる。**
- 左表の減衰定数をみると，肺（気体）と骨は著しく減衰しやすいことがわかる。この2つは，音響インピーダンスも他の組織と大きく差があるため，ガスや骨の後方に超音波が届かない理由は，強い反射と減衰の2つの原因によることが理解できる。

B 反　射

$$Z = \rho \cdot c$$

$$Ri = \left(\frac{Z_2 - Z_1}{Z_2 + Z_1}\right)^2$$

Z：音響インピーダンス〔kg/m^2s〕
ρ：媒質の密度〔kg/m^3〕
c：伝搬速度〔m/s〕
Ri：反射強度

主な組織（物質）	音響インピーダンス
空気（20℃）	0.388
骨	7.80×10^6
水（25℃）	1.49×10^6
血液	1.62×10^6
脂肪	1.35×10^6
軟部組織（平均）	1.63×10^6

- 超音波検査では**反射**が信号となる。
- 反射とは，音波が異なった2つの物質（媒質）の境界面に当たったときに生ずる現象である。
- 反射は，異なる2つの媒質面の**音響インピーダンス**（物質固有の値）の差が大きく異なるほど強い。
- 音響インピーダンスは，**媒質（組織）の密度と伝搬速度の積**で表現される。また，反射強度は2つの媒質の音響インピーダンスから求めることができる。
- **音響インピーダンスは物質中を超音波が伝搬する際の「伝わりにくさ」を表現している。左表**に主な組織の音響インピーダンスを示す。

C 屈 折

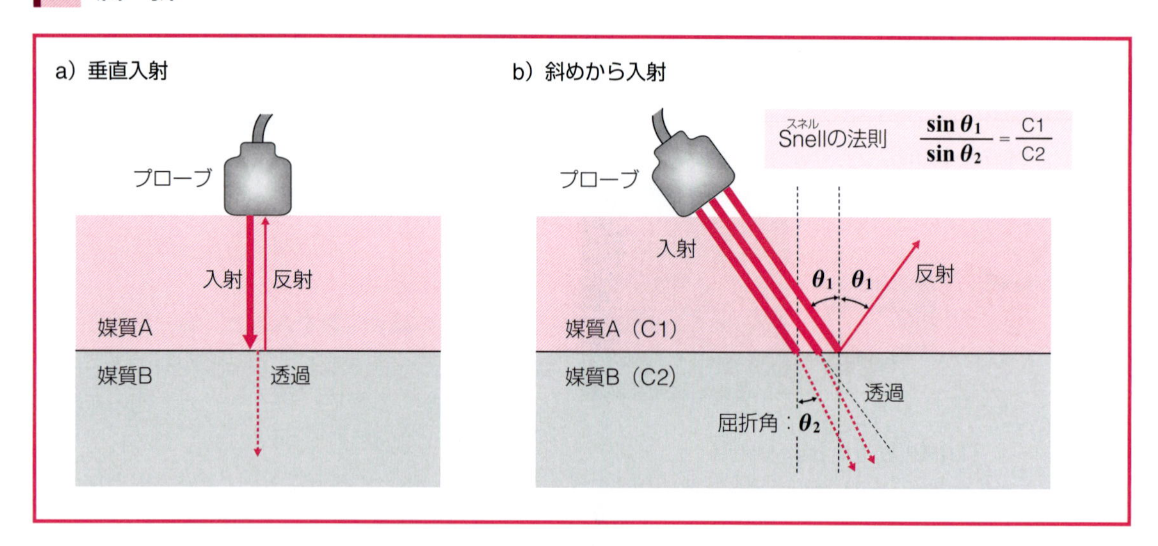

- 生体に入射した超音波は反射するだけではなく，場合によっては**屈折**する。
- 屈折とは，**超音波ビームが伝搬速度の異なる2点の媒質を進行するとき，組織の形状によりその進行方向が変更される現象**である。
- 伝搬速度が異なる2点の媒質であっても，**超音波ビームが垂直に入射した場合には屈折は起こらない**（**図a**）。斜めに入射した場合に発生する（**図b**）。
- 屈折のため，断層像が実際より歪んだり，組織の位置がずれたりする。また，外側陰影（lateral shadow）や，レンズ効果によるアーチファクトが認められることがある（5章384頁参照）。

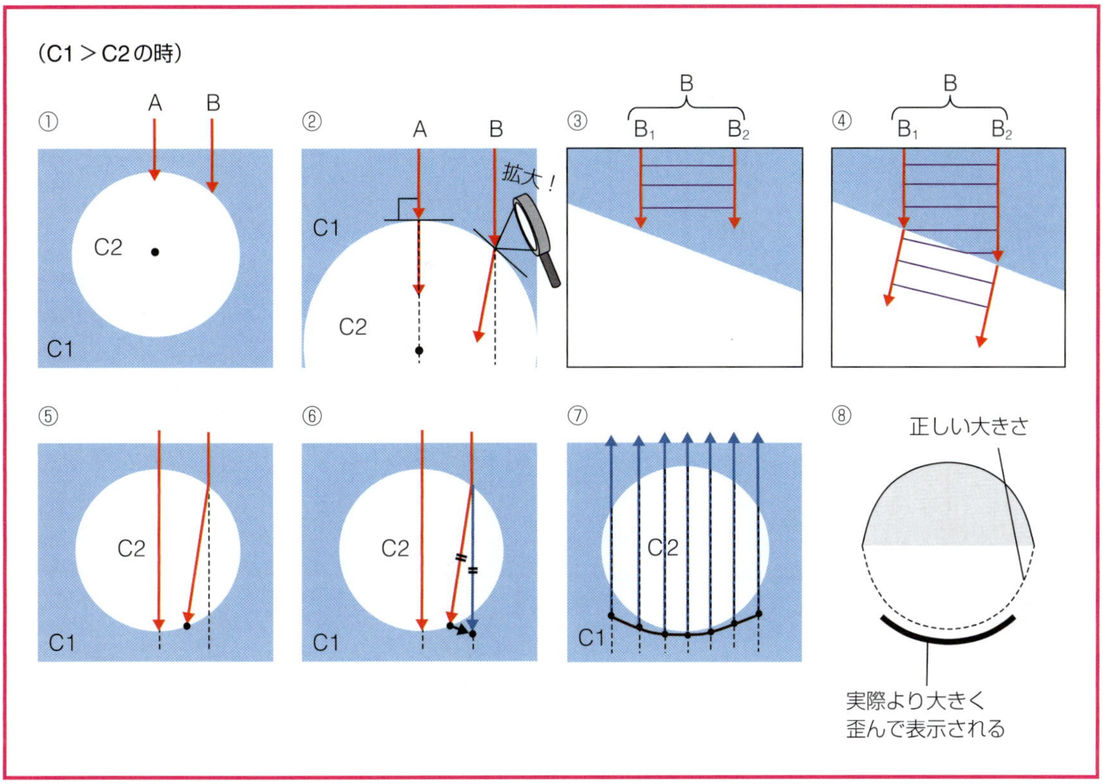

(C1＞C2の時)

① A B C2 C1
② A B C1 C2 拡大！
③ B B1 B2
④ B B1 B2
⑤ C2 C1
⑥ C2 C1
⑦ C2 C1
⑧ 正しい大きさ 実際より大きく歪んで表示される

- 図は音速の早い媒質C1から，音速の遅い媒質C2へ超音波が進んでいくことを表している（①）。
- AもBもある幅を持ったビームとし，この2つのビームに関して説明する（②）。
  - A：円の中心に向かって入射している。→ 屈折しない。
  - B：円の頂点からずれているため斜めに入射する。→ 屈折する。
- Bのビームが入射した部分の拡大を③〜④に示す。音速の異なる媒質の境界に入射してきた超音波ビームは，B_1側から先に音速の遅いC2へ入る。
- B_1が境界に差し掛かった時点で，B_2はまだ媒質C1を進んでいる。よってB_1は急速にスピードが落ちるが，B_2は速いままのスピードで進んでいく（③）。ビームはスピードの遅いB_1に向かって屈折を起こす（④）。
- よってビームは赤線のような軌跡で進んでいく（⑤）。しかし，装置はビームがまっすぐ進んでまっすぐ戻ることを前提として画像を作っているため，点線の部分をビームが通ると考える。そのため，装置上では屈折したビームが青線のような軌跡を描いていると判断する（⑥）。
- このとき，屈折したビームと青線は同じ距離となるため，黒点が媒質C2の外に出ているように見える。他の屈折したビームも同じようになるため，装置上は⑦の青線の軌跡でビームが返ってくると判断する。
- そのため，媒質C2を超音波画像で表示した場合，実際の大きさよりも大きく歪んで表示される（⑧）。

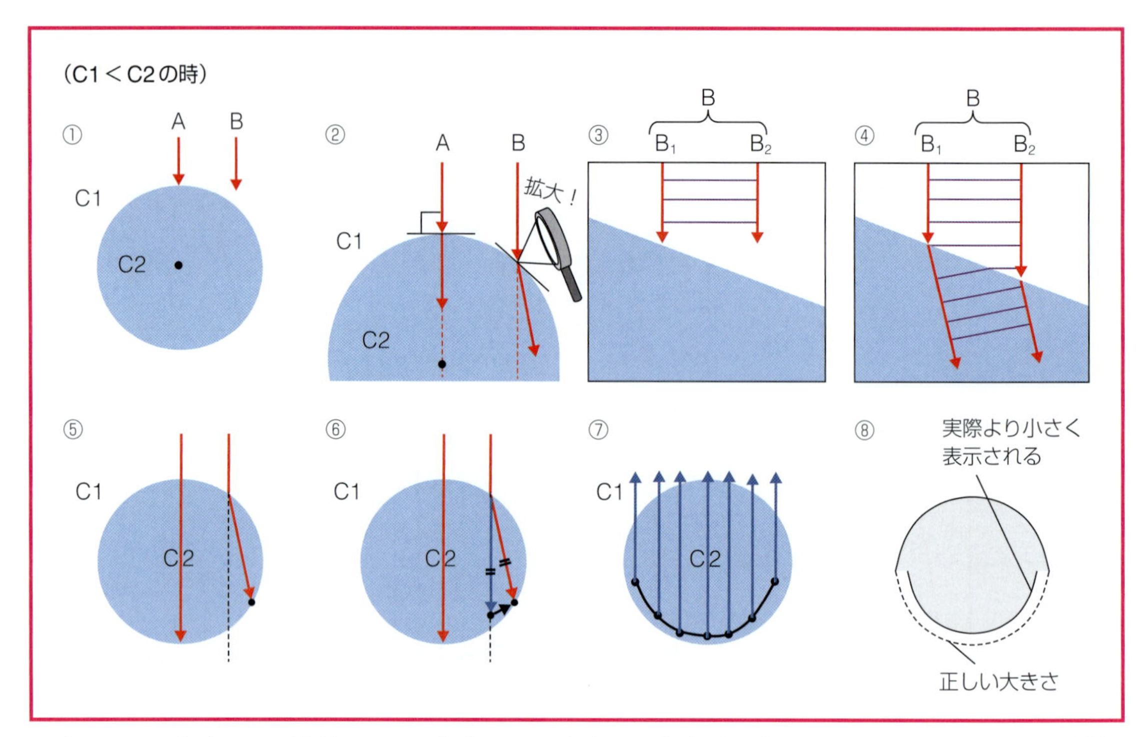

- 逆に上図は音速の遅い媒質C1から，音速の早い媒質C2へ超音波が進んでいくことを表している(①)。
- AとBの2つのビームを見ていくと，B側のビームが屈折を起こす（②)。B側のビームが入射した部分の拡大を③～④に示す。
- B_1が境界に差し掛かった時点で，B_2はまだ音速の遅い媒質内を進んでいる（③)。
- B_1は急速にスピードを上げるが，B_2は遅いままのスピードで進んでいく。**ビームの幅は変わらない**ので，スピードの遅いB_2に向かって屈折を起こす（④)。よって超音波ビームは⑤のように屈折する。
- よってビームは⑤の赤線のような軌跡で進んでいく。しかし，前述のように装置はビームがまっすぐ進む前提で画像を作るため，装置上では屈折したビームが青線のような軌跡を描いていると判断する(⑥)。
- このとき，屈折したビームと青線は同じ距離となるため，黒点が媒質C2の内側に入っているように見える。他の屈折したビームも同じようになるため，装置上は⑦の青線の軌跡でビームが返ってくると判断する。
- そのため，媒質C2を超音波画像で表示した場合，実際の大きさよりも小さく表示される（⑧)。

6 空間分解能

- 近接する2点を識別する能力を空間分解能といい，この能力の高い診断装置が望まれる。
- 空間分解能には，「距離分解能」「方位分解能」「スライス方向の分解能」がある。

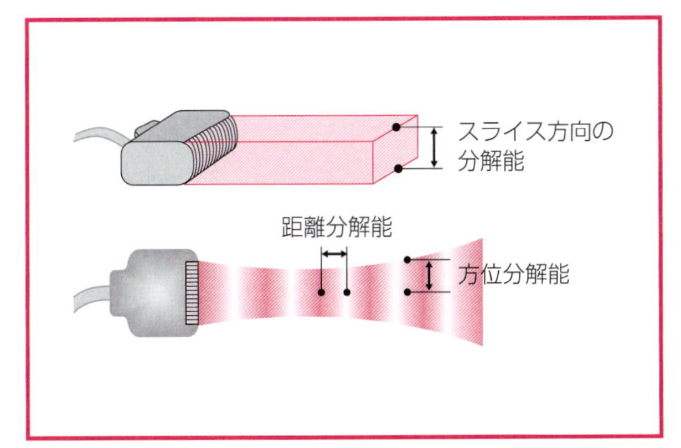

a）周波数と距離分解能の関係

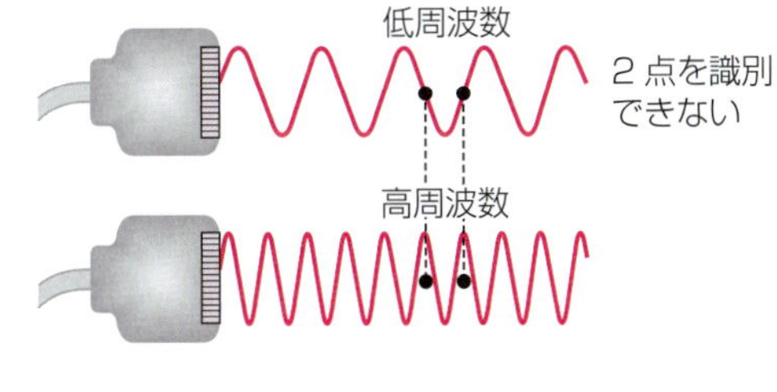

b）ビーム幅と方位分解能の関係

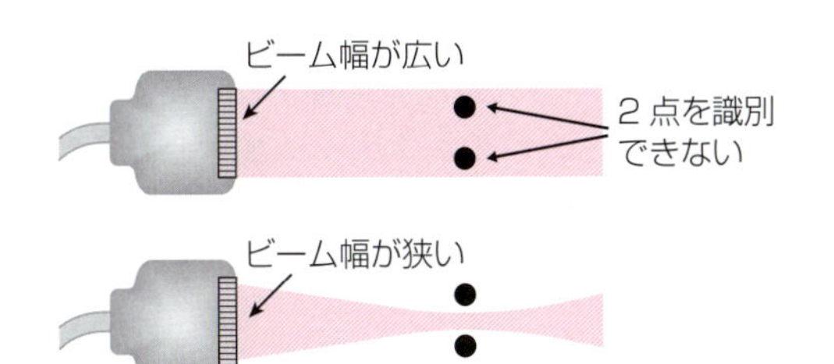

【距離分解能】

- 超音波ビームの進行方向（深さ，縦方向）の空間分解能のこと。
- 超音波の周波数が低い（波長が長い）と，波長より短い距離の2点を分解することはできない（図a）。
- 超音波の周波数が高いほど距離分解能は向上する。

【方位分解能】

- 超音波ビームの進行方向に垂直方向（走査方向，横方向）の空間分解能のこと。
- 超音波ビームの幅が広いと，2点を識別できなくなってしまう（図b）。超音波ビームの幅が狭いほど方位分解能は向上する。
- 方位分解能を上げるには，
  - 超音波の周波数を高くする：周波数が高くなると，音波の直進性が向上する（指向性の向上）。そのため，同じ直径の振動子では，高周波数の方が超音波ビームは狭くなる。
  - フォーカシング機能により制御する（3章370頁参照）。

【スライス方向の分解能】

- プローブの厚み方向と同方向の空間分解能のこと。
- 音響レンズ（2章361頁参照）を使用することでビームを絞り込んで改善する。

コラム 指向性

- 指向性とは，音波の広がり具合のこと。指向性が強い（＝狭い）場合，音の広がりは少ない。
- 指向性を表現する方法として，指向角（θ）がある。振動子から直線を引き，音圧が中心軸上の音圧に対して1/2に減少する範囲の角度である。
- 指向角は——
  - 周波数との関係：周波数が高くなるほど小さく，周波数が低くなるほど大きくなる。
  - 振動子の口径との関係：反比例の関係。口径が小さいほど指向角は大きく，口径が大きくなるほど指向角は小さくなる。

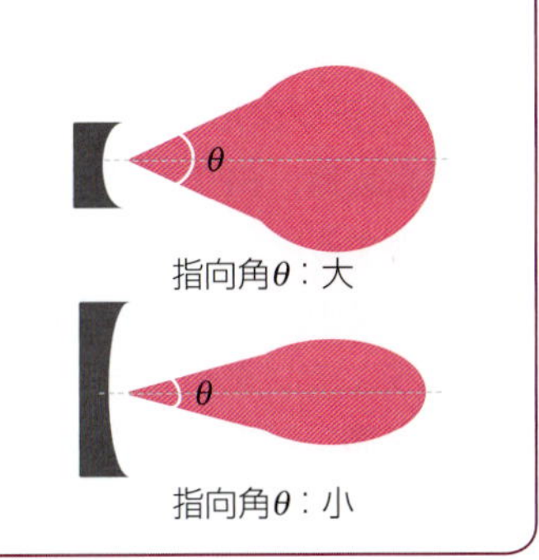

2章 超音波診断装置の基礎

1 システム構成

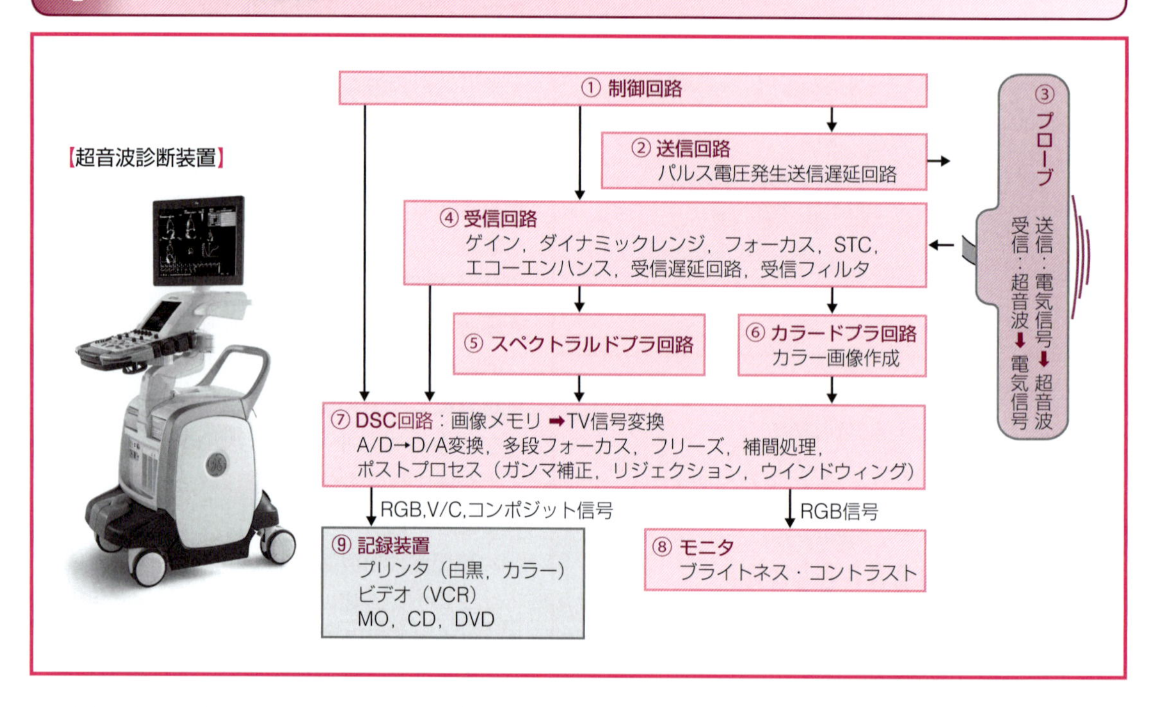

①**制御回路**：超音波診断装置全体の送受信のタイミングを制御する。

②**送信回路**：各振動子の駆動タイミングを計り，順番に振動子にパルス電圧を印加する。

③**プローブ（探触子）**：先端に超音波振動子が多数配列されている。パルス電圧が印加された振動子から超音波が送信され，また生体からの反射エコーを受信する。

④**受信回路**

- 探触子各々の振動子で受信された反射信号を加算する。
- ゲイン，ダイナミックレンジ，フォーカス，STC，エコーエンハンス，フィルタ処理などの調節を行う。

⑤**スペクトラルドプラ回路**：受信された信号から取り出した信号の周波数分析を行い，その結果をデジタルスキャンコンバータ回路に送る。

⑥**カラードプラ回路**：信号の周波数分析を行い，デジタルスキャンコンバータに送る。

⑦**DSC（デジタルスキャンコンバータ）回路**

- 受信回路，FFTドプラ処理回路，CFM処理回路で処理された信号メモリに記録しTV信号などに変換する。
- 多段フォーカス，フリーズ，ガンマ補正など画像処理も行う。

⑧**モニタ**：デジタルスキャンコンバータ回路からの画像を表示する。

⑨**記録装置**：最近ではCDやDVD等での記録や画像ファイリングシステムを用いた記録が進んでいる。

2 プローブ

A 構成とその役割

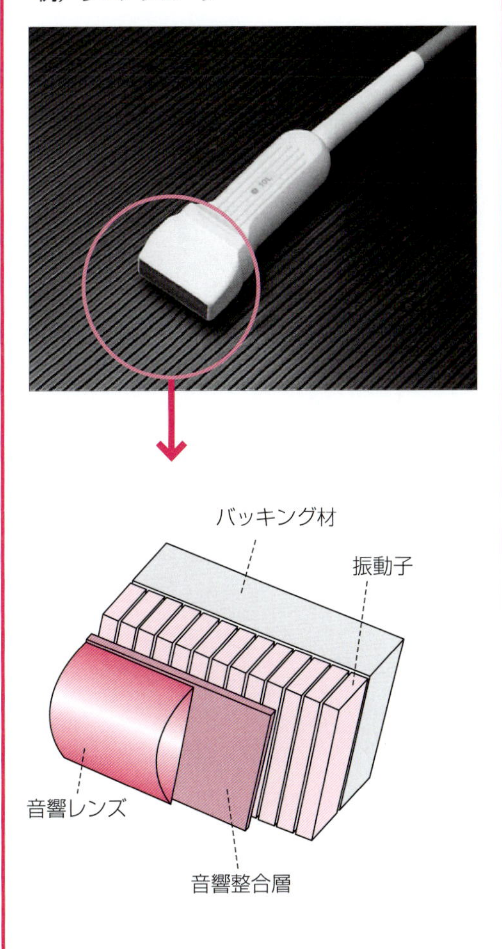

【振動子（別称：transducer（トランデューサー））】

- 振動子は電気をかけると歪んで超音波を発生し，一方，超音波が当たって歪むと電気を発生する性質をもっている。この現象を**圧電効果**または**ピエゾ電気効果**という（1章350頁参照）。
- 電圧 ⟷ 音を相互に変換する。
  - ▶ 電圧➡音：超音波装置で作られる規則正しい送信パルス電圧を，超音波に変換して体内に送信する。
    パルス電圧を振動子に加えると振動する。このとき1秒間の振動数は振動子の厚さに反比例する（約0.5 mmで2 MHz程度）。
  - ▶ 音➡電圧：体内で反射して返ってきた反射エコーを，電気信号に変換して受信する。
- 材料
  - ▶ **PZT（チタン酸ジルコン酸鉛）**：電子スキャンプローブに使用。
  - ▶ PVDF（ポリフッ化ビニリデン）：一部の機械式セクタスキャナに使用。

【音響整合層】

- **マッチング層**ともいう。厚さは通常，$\frac{\lambda}{4}$ mに設定。
- 振動子と生体内では音響インピーダンスが大きく異なるため，超音波エネルギーを効率的に生体内に送信できない。
- **振動子と生体の中間的な音響インピーダンスをもつ物質を間に入れ，音響インピーダンスの差を小さくする**ことで，超音波エネルギーを効率よく伝える。

【バッキング材】

- ダンパー材，音響吸収剤ともいう。
- 振動子の余分な振動を抑えパルス幅を短くする。

【音響レンズ】

- **超音波ビームを集束し（屈折を利用）スライス方向の分解能を向上する**ために配置されている。
- 一般的には凸型で，生体内音速よりも遅い素材（1,000 m/s程度：シリコンゴム）を使用している。
- 検査時に生体表面との摩擦を少なくする目的もある。

B　超音波ビームの走査方式

走査（スキャン）方法は，大別して，①「どのような方式か（走査方式：超音波ビーム，すなわち振動子の移動方法）」，②「どのような形に走査するか」という2つに分けられる。

1. 方　式

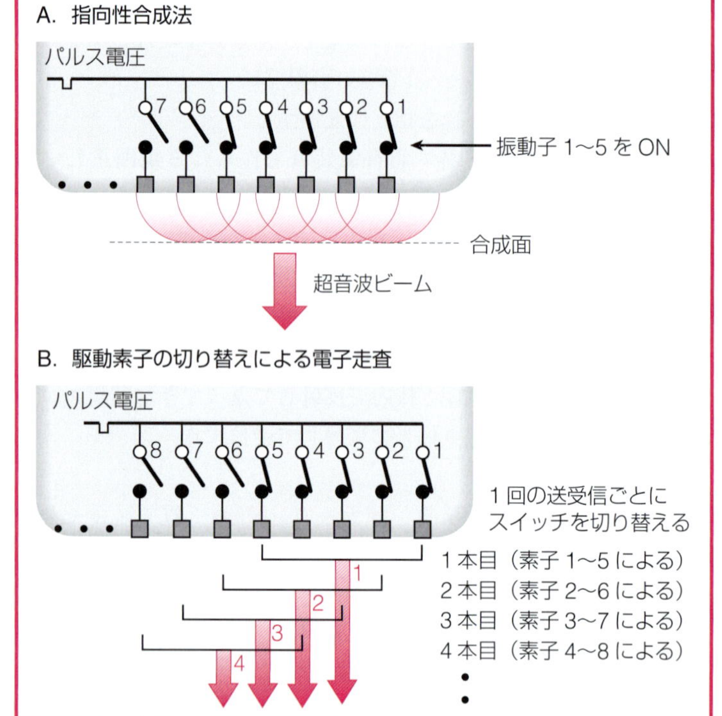

【電子走査方式】

- 短冊状の振動子を多数装着したプローブを用い，**指向性合成法（beam forming）**により超音波ビームを作成する（A）方式。
- 特徴
  - ▶メリット：Bモード/Mモード，ドプラ，可変フォーカスが容易。
  - ▶デメリット：構造が複雑で高価。
- **最も一般的に使用**されている。

コラム　口径はどこ？

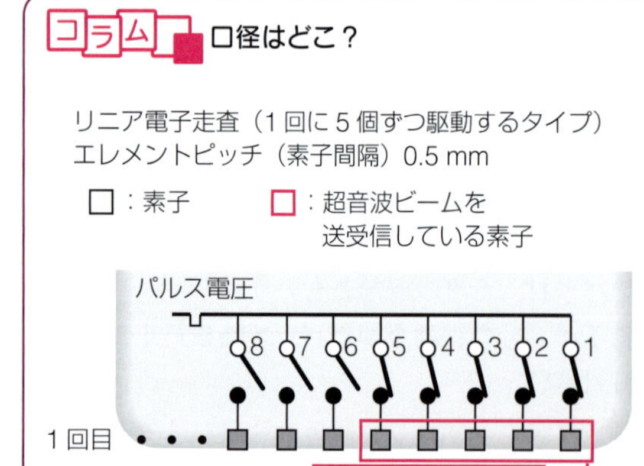

- 口径は，一般的に丸い形の単振動子の直径のことを指すが，電子走査式の場合はプローブで一本の超音波ビームを送受信する素子の幅（開口幅）も口径という。
- 図のように1回の送受信に対して5個単位で超音波ビームを扱ってる場合は，その5個の素子幅を口径として考えればよい。

口径＝同時励起素子数×素子間隔

- 図の場合の口径は，5×0.5＝2.5 mmということになる。

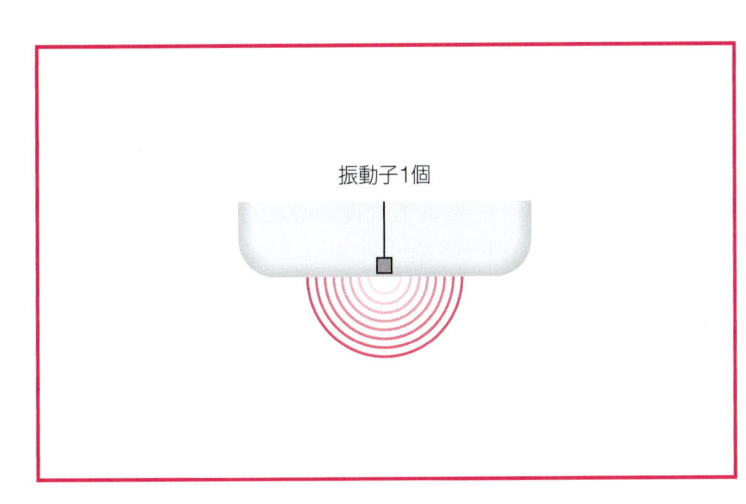

【機械走査方式】
- 振動子を先端に1つだけ装着したプローブを，モーターなどで動かしモニタに表示する方式。
- 特徴
  - メリット：構造が簡単で安価。
  - デメリット：Bモード/Mモード，ドプラ，可変フォーカスが困難。
- 現在は特殊な検査に使用されている。

【手動走査方式】
- 現在では使用されていない。

2. プローブの種類と主な用途

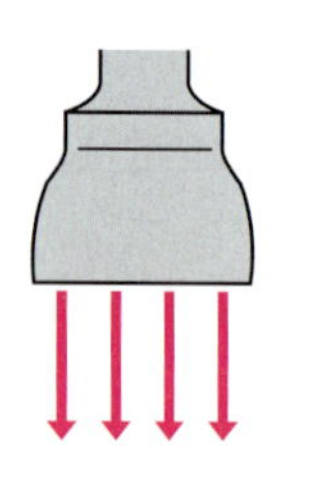

【リニア電子スキャンプローブ】
- 振動子が64個～256個程度配列されている（電子走査方式）。
- ある程度同時にパルス電圧を駆動する。
- 特徴：近距離で広視野が得られる。
- 用途：乳腺・甲状腺・表在性臓器

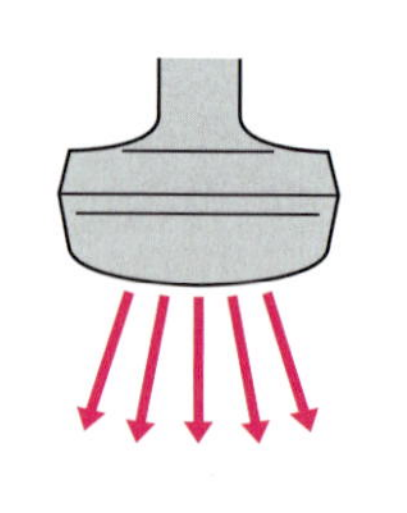

【コンベックス電子スキャンプローブ】
- 振動子を凸状に配列（電子走査方式）。
- 特徴：深部で広視野。圧迫走査がしやすい。
- 用途：腹部全般

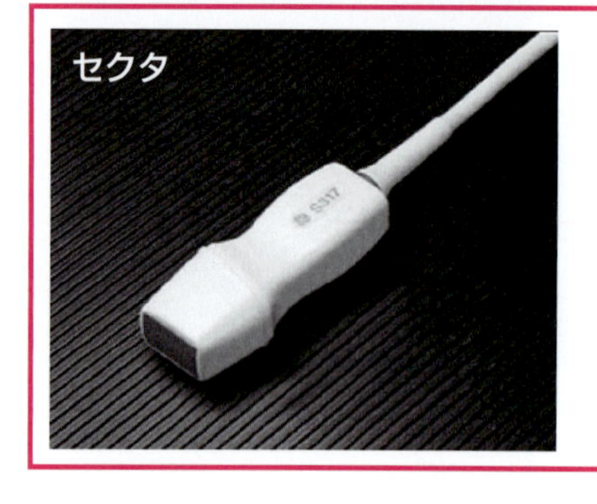

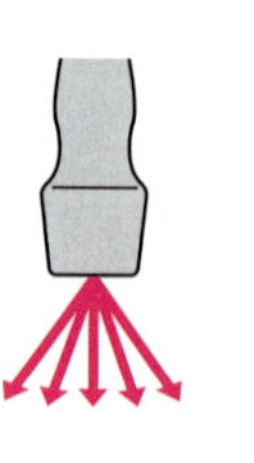

【セクタ電子スキャンプローブ】
- 振動子が48個～128個程度配列されている（主に電子走査方式。機械走査方式もある）。
- 常にすべての振動子を用いて送受信を行う。
- 特徴：視野が広くとれる。肋間走査しやすい形状である。
- 用途：循環器・頭部・眼科

特殊プローブ

- **穿刺プローブ**：リニアプローブやコンベックスプローブの中央部分に溝を設け，画像を観察しながら穿刺を行えるように作られている。
- **術中プローブ**：手術中に腫瘍の位置や切除範囲の確認などの用途のために作られたプローブ。
- **体腔内プローブ**
  体腔内から周囲臓器を観察する用途で作られたプローブ。検査の分野に応じて以下のような様々なものが作られている。
  - ・経食道プローブ　・経腟プローブ
  - ・経直腸プローブ　・経尿道プローブ
  - ・腹腔鏡プローブ　・その他

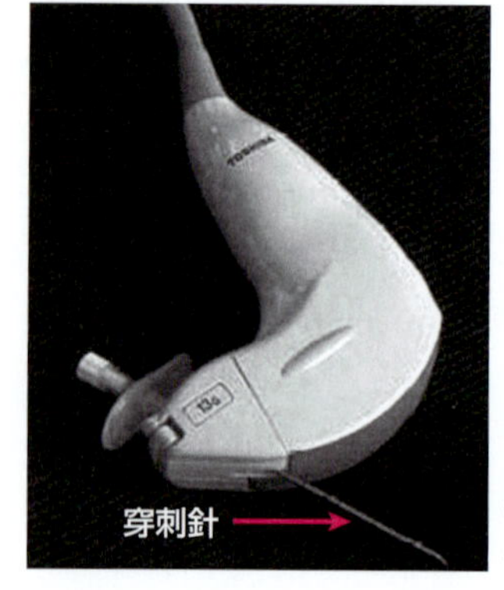

コンベックス穿刺プローブ

穿刺孔がプローブの内側に位置するため，穿刺針が体内に挿入された直後から観察可能である。

3章 超音波の検出・画像表示

1 パルス反射法

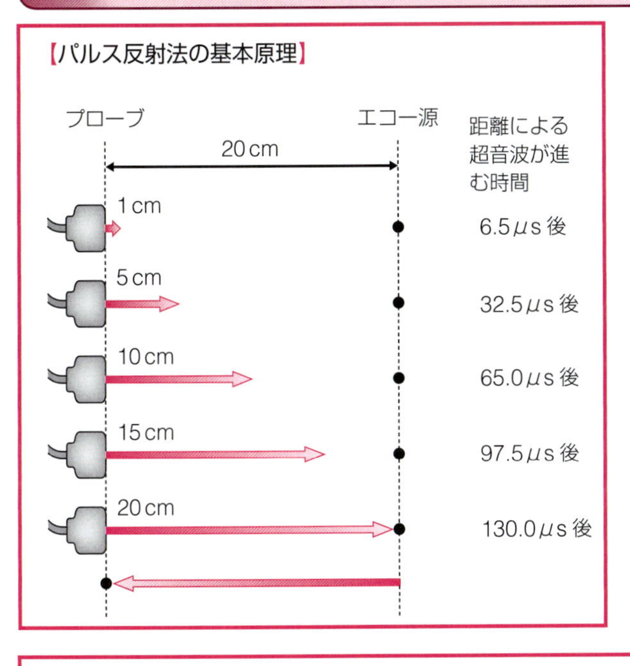

- 超音波診断装置は，反射の強弱を利用して(パルス反射法)輝度に変換して画像を構築したり，指定した深さや範囲内の血流をそれぞれ波形やカラー画像に表示している。
- **パルス反射法**はやまびこの原理を利用している。**パルス波を送り，反射波の戻ってくる時間を測定することで距離を把握**できる。

【音が進む時間】

生体中の音速を 1,530 m/s で一定と仮定すると

$$1\text{ cm 進むのに必要な時間} = \frac{1\ (\text{cm}) = 0.01\ (\text{m})}{1{,}530\ (\text{m/s})} = 約\ 6.5\,(\mu\text{s})$$

$$20\text{ cm 進むのに必要な時間} = \frac{20\ (\text{cm}) = 0.2\ (\text{m})}{1{,}530\ (\text{m/s})} = 約\ 130\,(\mu\text{s})$$

【20 cm の深さまでのエコー信号を検出するまでの時間】

$$20\,(\text{cm}) \times 6.5\,(\mu\text{s}) \times 2 = 260\,(\mu\text{s})$$

【超音波の送受信回数】

例えば深度 20cm とすると

$$\frac{1\ (\text{s})}{260\ (\mu\text{s})} = \frac{1\ (\text{s})}{260 \times 10^{-6}} \fallingdotseq 3{,}800\ 回/\text{s}$$

- 超音波診断装置では生体中の音速を 1,530 m/s で一定であると仮定して画像を表示している。
- 一般的な超音波診断装置はおよそ 20 ～ 25 cm の深度まで診断できるように作られている。
- 以上のように，1 秒間に約 4,000 回の超音波の送受信を行っていることになる。

2 画像表示法

- **画像表示方法にはAモード，Bモード，Mモード，Dモード（ドプラ法）がある。ドプラ法については4章で述べる。**

1. Aモード（amplitude mode）

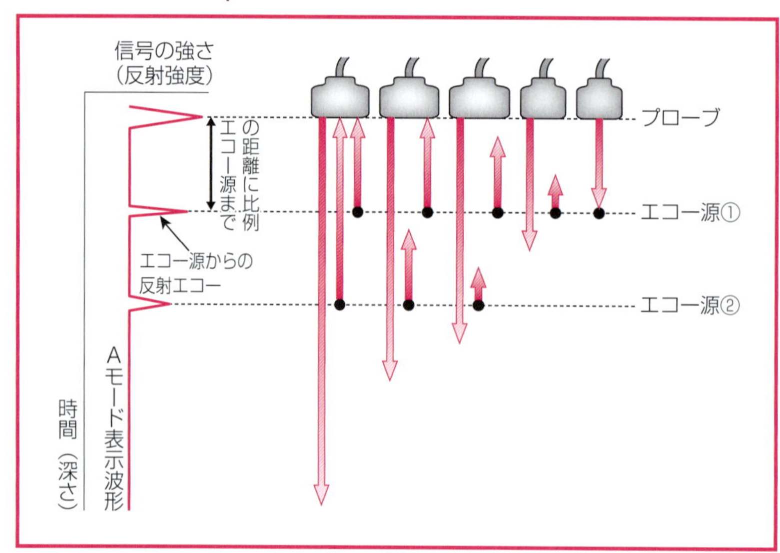

- 生体中に音を繰り返し，様々な深さからの反射エコーを受信し，その強さをグラフ状に表示したものである。
- Aモード表示では**横軸が時間（深さ），縦軸が反射強度**で表示される。
- Aモード表示は反射エコーの深さと，その強さの情報しかもっていない。
- 以前は脳室を調べる検査で用いられていたが，**現在は使用されていない。**

2. Bモード（brightness mode）

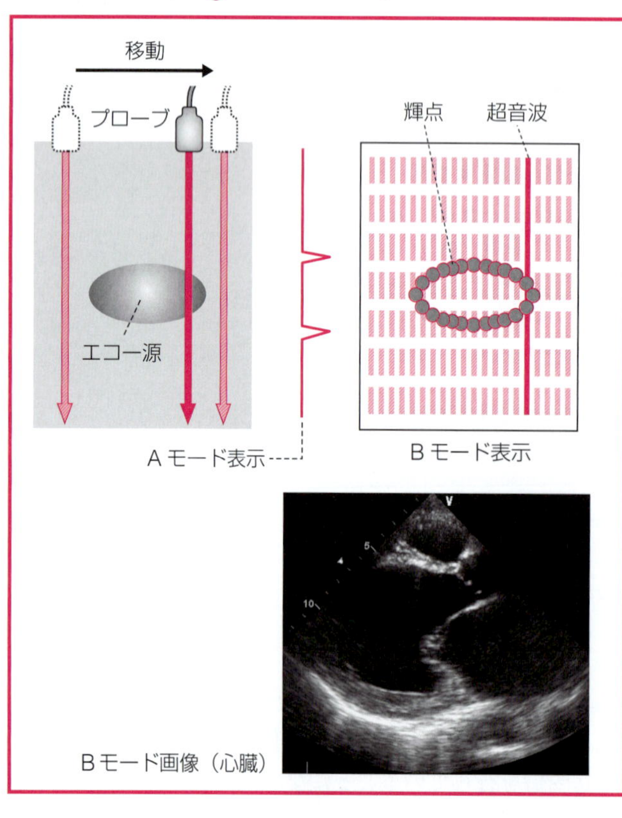

Bモード画像（心臓）

- Aモード表示同様，様々な深さからの反射エコー信号を得る。
- 反射エコーの強さの変化を**明るさ（輝度）の変化に変換（輝度変調）**し，画面に表示する。このとき，反射エコーが得られた位置（深さ）にのみ**輝点**が表示される。
- 1回の送受信で輝点が表示される場所の線を**輝線（走査線，ラスター）**と呼ぶ。
- 一度超音波を送受信した後に，プローブの位置を少し動かし，再度送受信を行い，繰り返し**反射エコーの強さの変化を輝度変調することで，エコー源となるものの位置や形状を画像として得る**ことができる。
- 現在の超音波検査において，**すべての領域で使用**されている。

3. Mモード（motion mode）

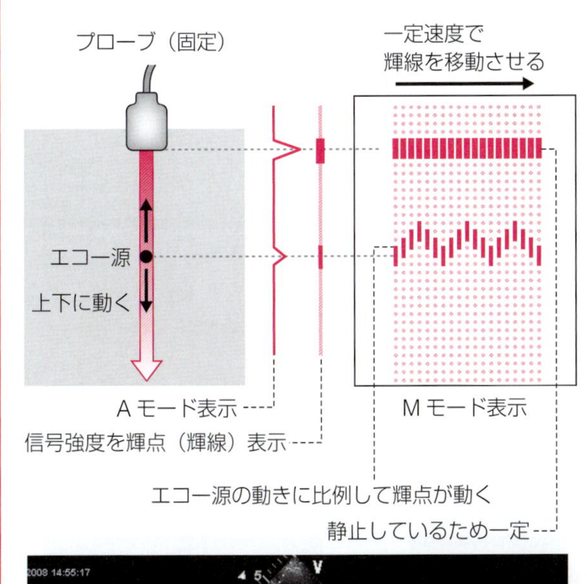

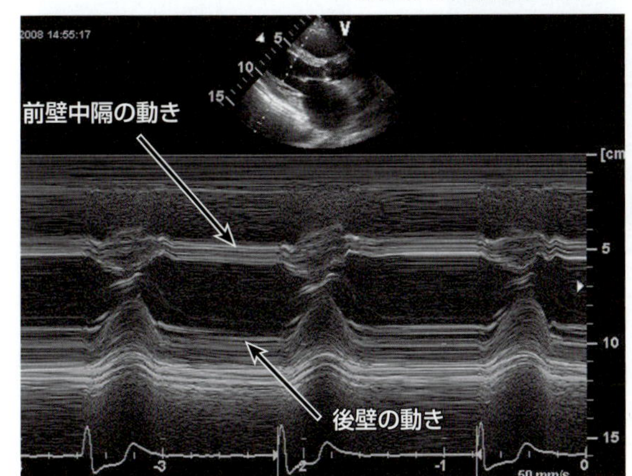

Mモード表示（心臓の動き）
心臓の左心室（破線）の断面を縦軸には輝度表示，横軸には時系列で表示している。

- Aモード表示同様，様々な深さから反射エコー信号を得る。
- 反射エコーの強さの変化を，明るさに変換（輝度変調）し，画面に表示する。
- Bモードとは異なり，一度超音波を送受信した後はプローブの移動を行わず，同じ位置で再度送受信を行う。画面の輝線の位置は少し横に動かし，再度画面に表示する。
  - これを繰り返すと，静止しているエコー源からの反射エコー信号は常に同じ深さから得られるため，画面上では横一直線に表示される。
  - 動いているエコー源からの信号は，その深さが変化するため，動きに応じた深さに表示され，**動いているものの時間的な変化や変化のパターンを見ることができる**。
- 縦軸に反射強度を輝度に変換したものを，横軸には縦軸で輝度表示したものを時系列で表示する。
- **主に心臓超音波検査において使用**されている。

3 画像調整

1. ゲイン（gain）

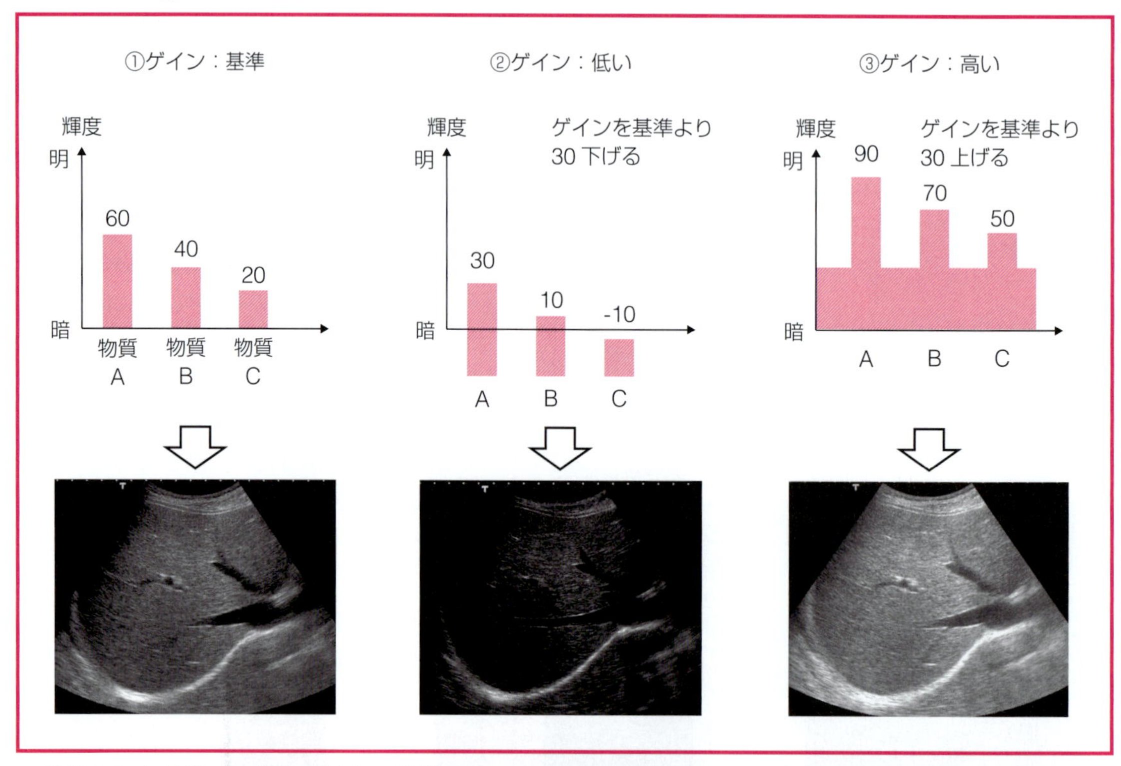

- 受信された信号は，様々な強さの情報を含んでいる。対数増幅された信号のうち，ある程度弱いあるいは強い信号はカットされ，必要な信号を選択的に画面に表示する。
- ゲインとは，このような入力信号のうち，画面に表示したい信号レベルの部分を選び最適に調節する処理である。
- 図の棒グラフは，それぞれの物質における輝度（明るさ）を示している。例として，基準のゲインの場合の物質Aの輝度を60，物質Bの輝度を40，物質Cの輝度を20とする（①）。そして，画面に表示できる輝度の範囲を0～100とする。
- 例えば，ゲインを30下げた場合，すべての物質の輝度が30下がるため，出力された輝度は全体的に暗く表示される（②）。物質Cの輝度は－10になるが，画面に表示できる輝度の範囲は0～100なので，0と表示される。そのため，物質Cはノイズに埋もれてしまう。
- 逆にゲインを30上げた場合は，すべての物質の輝度が30上がるため，出力された輝度は全体的に明るく表示される（③）。全体的に明るく表示されるため、ノイズの輝度も同時に高くなる。
- ゲインは，基準の信号に足し算や引き算をしているだけなので，低輝度信号と高輝度信号の相対的な輝度差は変わらず，画像全体の輝度が変化する。

2. ダイナミックレンジ（DR：dynamic range）

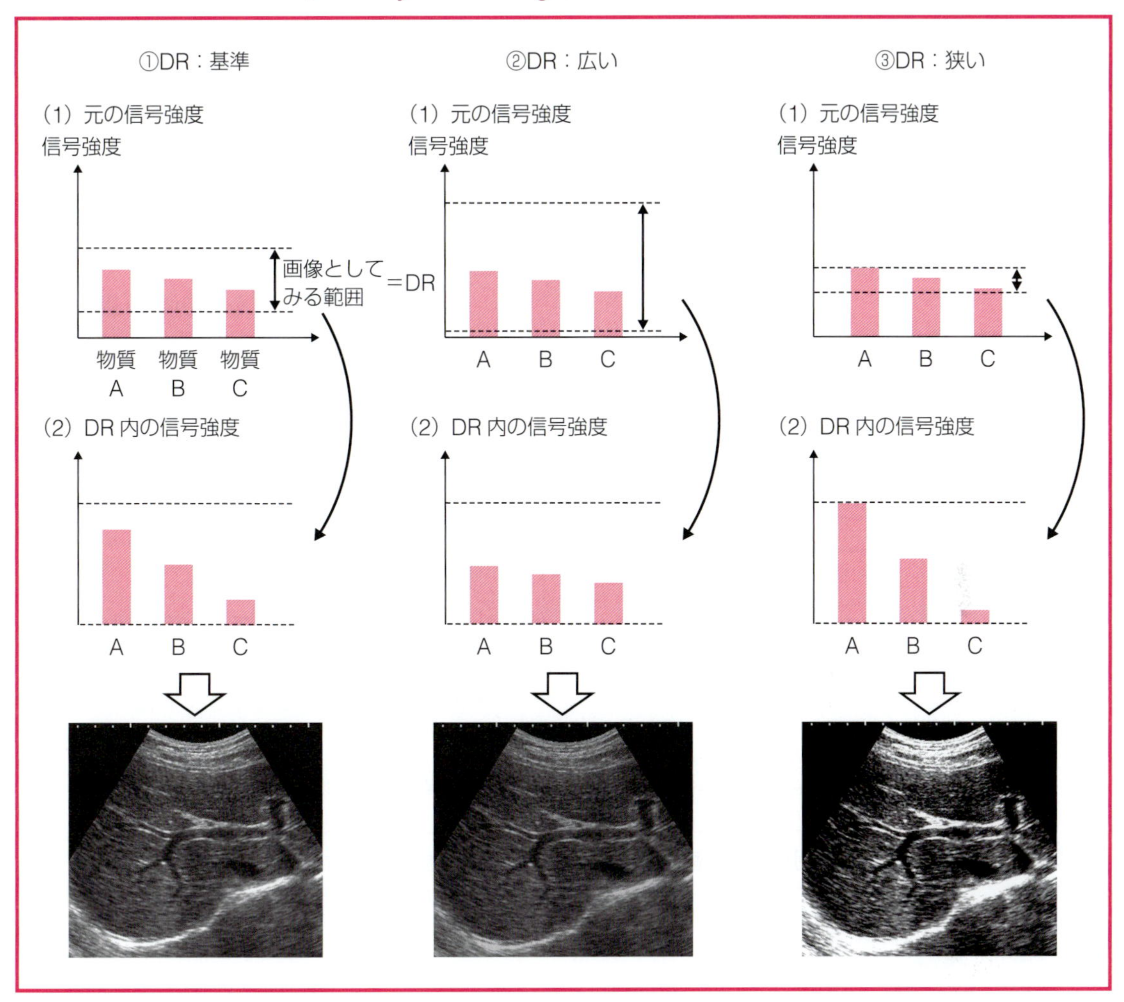

- ダイナミックレンジとは，エコーがノイズに埋もれたり，かつ飽和しないように増幅または表示できる入力範囲で，ゲインの説明で信号をカットした窓の広さのことを指す。
- 図の棒グラフは，それぞれの物質A，B，Cにおける信号の強さを示している。そして，点線と点線で囲まれた画像としてみる範囲をダイナミックレンジとする（(1)）。ダイナミックレンジの部分だけを抜き出した信号強度を（2）とする。
- ダイナミックレンジを広げると，輝度差が小さくなるため，エッジが見えづらい淡い画像になる（②）。
- 逆にダイナミックレンジを狭めると，輝度差が大きくなるため，輝度のばらつきが大きい粗い画像に変化する（③）。
- このように，ダイナミックレンジを変化させることで，画像の白黒調整すなわちコントラストの調整を行うことができる。
- 最近の装置では他のパラメータと組み合わせて調節することが多く，ダイナミックレンジと表記されていないことも多い。

3. フォーカス（focus）

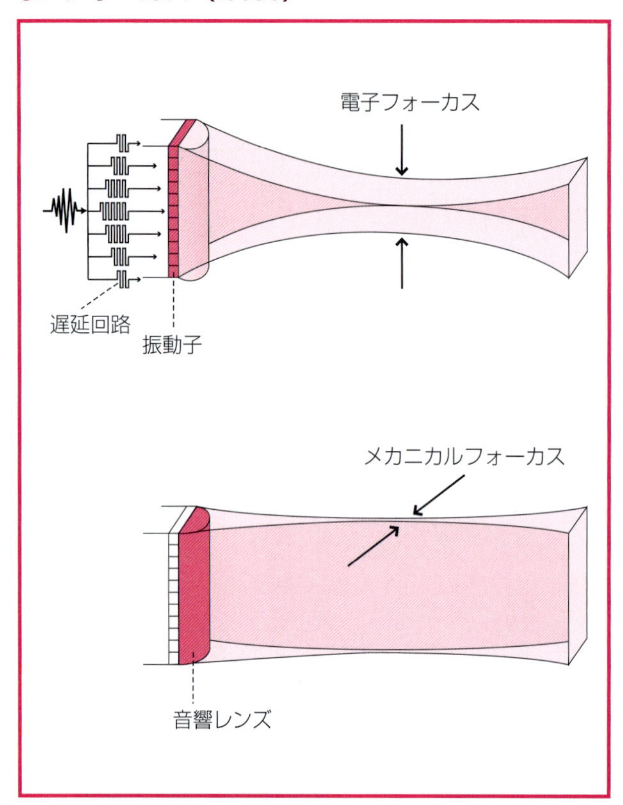

- 超音波ビームの広がりを防いで分解能を向上させ，総合的な感度をよくするために，**超音波ビームを収束させることをフォーカシング（focusing）という**。
- フォーカスの方法として，**電子フォーカス，メカニカルフォーカス**がある。

【電子フォーカス】

- 複数の振動子をわずかな時間差（遅延時間）をつけて振動させることにより，先の方で長さ方向に超音波ビームを細くする（収束する）技術。
- 中央部に配置されている振動子の励起を外側より遅らせることで，進む超音波の波面を凹状にする。

【メカニカルフォーカス】

- 音響レンズを用いてプローブの厚み方向の超音波を収束させる技術。
- 電子フォーカスでは深さを変えることができるが，メカニカルフォーカスでは深さを変更できない。

4. 多段フォーカス（multi focus）

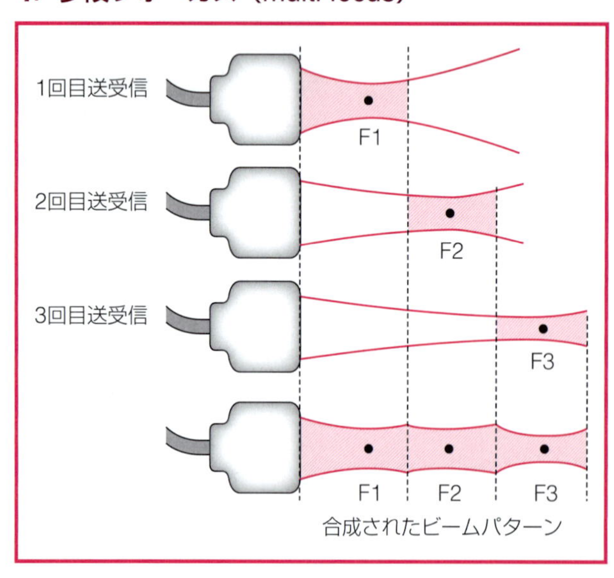

- 遅延時間を変えることによって，フォーカス点の距離を調節する機能。
- フォーカス点をいくつか設けることで，**任意の各位置に最適な超音波ビーム幅を構成することができる**。
- 電子的なフォーカシングは，送信側だけでなく受信側でも行うことが可能である。

5. STC（sensitivity time control）

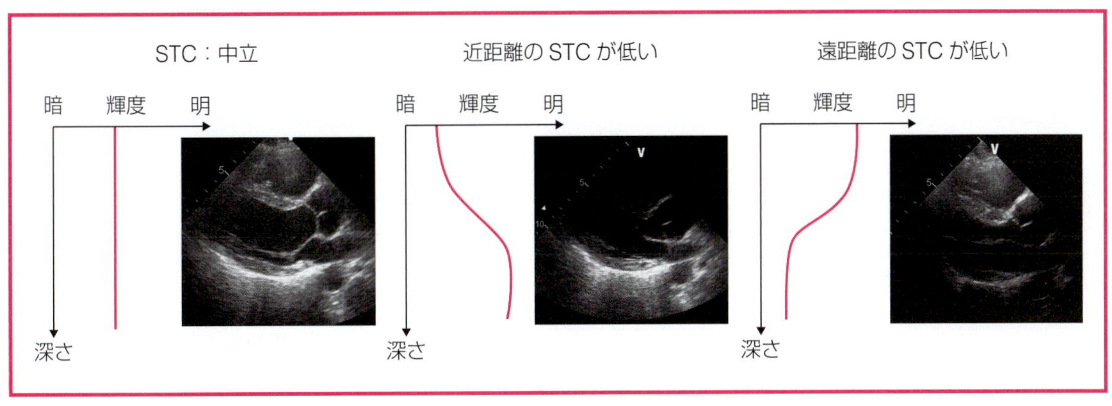

- TGC（time gain compensation）ともいう。
- 超音波ビームは進む距離が長いほど減衰する。体の深い部分では超音波が減衰するため，浅い部位に比べて反射波の強さが弱くなる。
- STCとは，画像上の特定の深さのゲインを調整する機能である。
- 縦軸を深さ，横軸を輝度とした場合のゲインの変動した曲線のことをSTC（TGC）カーブという。
- ほとんどの装置では，STCの調整は深さごとに対応したスライドボリュームレバーによって行う。
- ちなみにSTCの調整では，特定の深さの輝度が上昇しているだけなので，撮影している部位自体の輝度差が変化しているわけではない。

6. エコーエンハンス（EE：echo enhance）

【心臓におけるエコーエンハンスの違い】

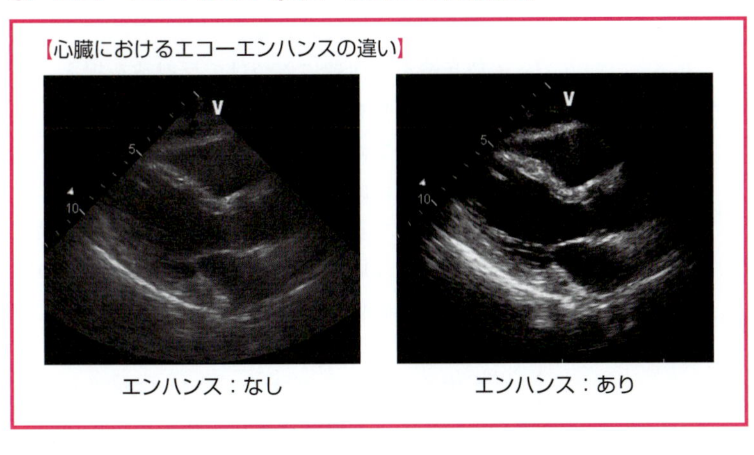

エンハンス：なし　エンハンス：あり

- **信号のエッジ強調を行う画像処理**のことで，信号の立ち上がりのみを強調する処理や，両エッジを強調する処理がある。
- 輪郭が明瞭となる，計測が行いやすいなどの利点がある。

4章 ドプラ法

1　ドプラ法の原理

A　ドプラ効果の概念

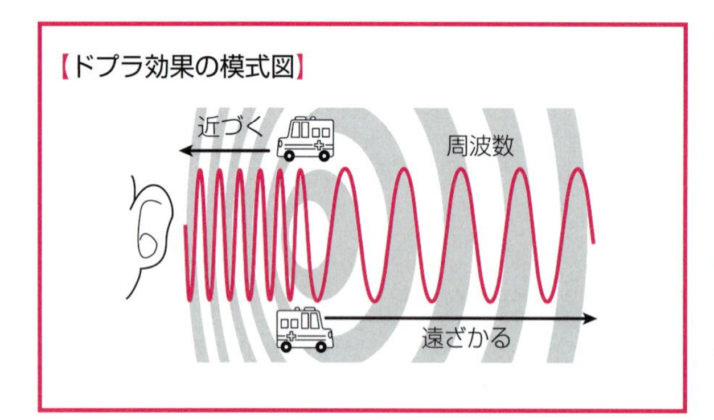

- 近づいて来る救急車のサイレンの音の高さが高く，遠ざかるときには低くなる。このように**「音源」または「観測者」が動くときに，音（超音波）の波長や周波数が速度に依存して変化する現象を「ドプラ効果」という。**
- オーストリアの物理学者Dopplerによって発見された現象。
- ドプラ効果を利用して「**血流速度**」を求めることができる。

B　ドプラ法

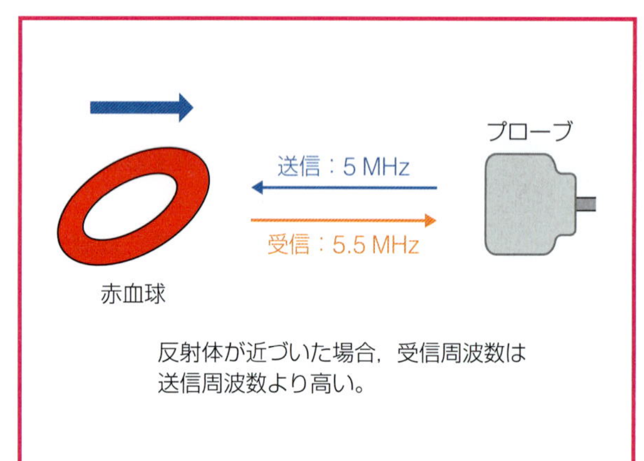

- 超音波ドプラ法の対象物：「**赤血球**」
- 超音波を赤血球にぶつけて反射波を捉え，周波数の変化を調べる。
  ①プローブから発射した超音波は流れている赤血球にあたる。
  ②反射して返ってきた超音波はドプラ効果によって「周波数が変化」している。この周波数の変化量を「**ドプラシフト周波数**」「**ドプラ偏位周波数**」という。
  ③周波数がどれだけ「シフト（変化）」したかによって血流速度を求める。

C ドプラ効果の原理

- **波が物体に当たると反射する。物体が動いていると，ドプラ効果により反射後の波長が変化する。波長の変化の度合いを調べることで，物体の速度を知ることができる。ドプラ法では波（超音波）を反射するのは赤血球だが，ここでは簡単のため壁が波を反射する場合を例にとって考える。**

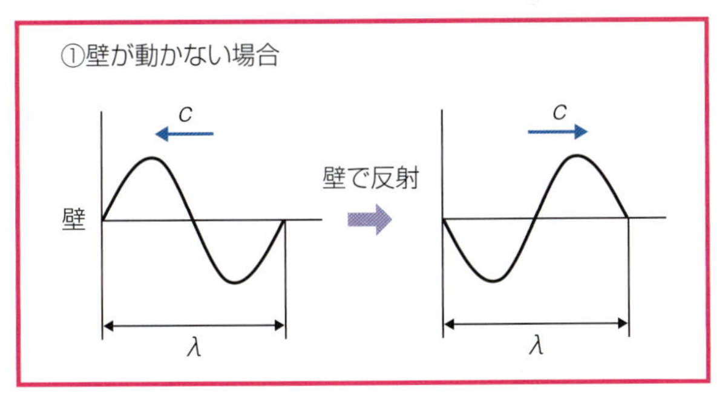

- 壁による波の反射を考える。
- 壁が動かない場合，波の速さや波長は変化しない。

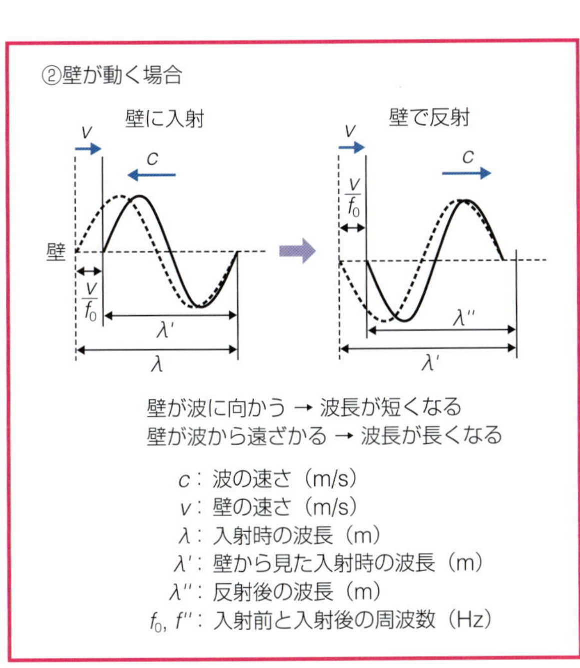

- 移動する壁に波が反射される場合を考える。
- 波の速さを c，波長を λ，壁の速さを v とする。
- 移動する壁から見た入射時の波長 λ' は

$$\lambda' = \lambda - \frac{v}{f_0} = \frac{c-v}{f_0}$$

- 反射している間にも壁は動くので，波長はさらに短くなる。

$$\lambda'' = \lambda' - \frac{v}{f_0} = \frac{c-2v}{f_0}$$

- 反射波の周波数は

$$f'' = \frac{c}{\lambda''} = \frac{f_0 c}{c-2v}$$

- ドプラ偏位周波数 f_d は

$$f_d = f'' - f_0 = \frac{f_0 c}{c-2v} - f_0 = \frac{2 f_0 v}{c-2v}$$

$c >> v$ の場合は

$$f_d = 2 f_0 \frac{v}{c}$$

D　イメージ

超音波の反射の様子をイメージで考えるとき，周波数よりも波長の方がイメージしやすい。超音波の入射方向に赤血球が向かっている場合，反射する際に超音波が押しつぶされる形となり波長が短くなる。入射方向と逆向きに赤血球が向かっている場合は，反射する際に超音波が引き伸ばされるため波長が長くなる。

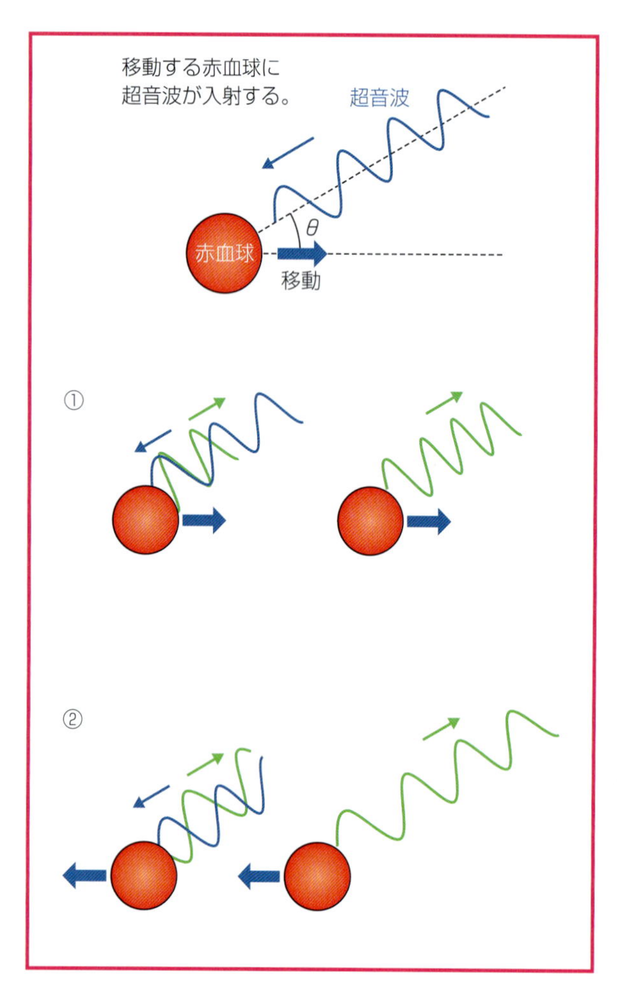

- 超音波が血液で反射される様子をイメージで考える。
- 血流の方向によって波長が短くなるか長くなるかが決まる。
- 血流の速度が速いほど波長の変化の度合いが大きい。

①血流の方向が超音波と向かい合せの場合

- 超音波が押しつぶされて反射される。(波長が短くなる)
- 式で書くと，$0 \leq \theta < \pi/2$ より

$$\lambda'' = \lambda - \frac{2v}{f_0}\cos\theta < \lambda$$

②血流の方向が超音波と逆向きの場合

- 超音波が引き伸ばされる。(波長が長くなる)
- 式で書くと，$\pi/2 < \theta \leq \pi$ より

$$\lambda'' = \lambda - \frac{2v}{f_0}\cos\theta > \lambda$$

* 式中の$\cos\theta$については，後に詳しく述べる。

E 血流の向きとみかけの速度

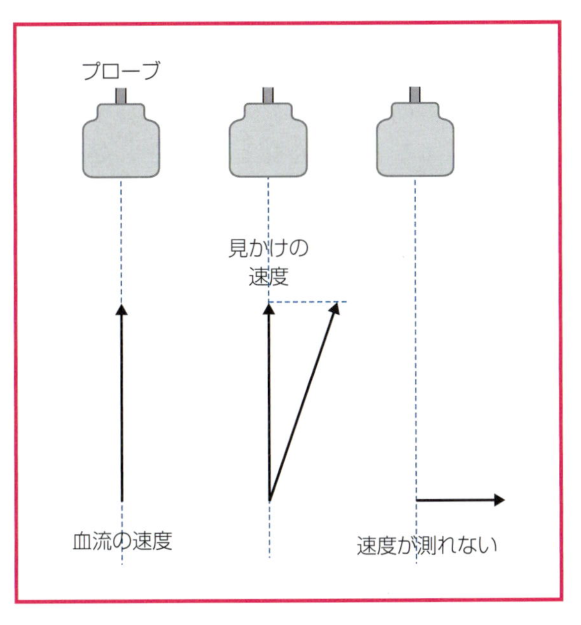

- 血流に対する超音波の入射角度により，実際とは異なる見かけの速度が測定される。ドプラ角度補正により補正できる。
- 血流に対して正面または真後ろから超音波ビームを入射したとき，最も正確に血流速度を測ることができる（100%のドプラ効果が得られる）。
- 血流に対して90°の角度で超音波を入射すると，この時に血球の動きはプローブに対して遠ざかる動きでもなければ，近づく動きでもない（ドプラ効果はゼロ）。すなわち，反射波の周波数は変化しないため，血流速度を測ることができない。

F 血流によるドプラ効果

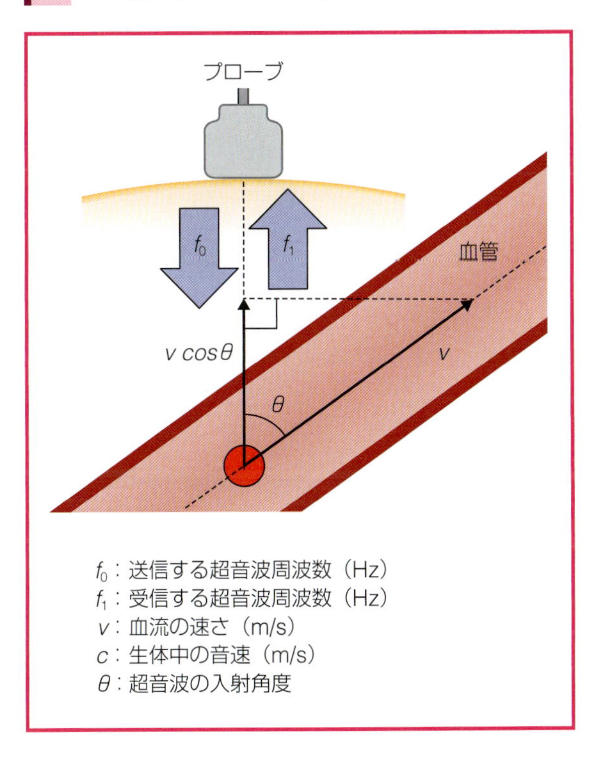

f_0：送信する超音波周波数（Hz）
f_1：受信する超音波周波数（Hz）
v：血流の速さ（m/s）
c：生体中の音速（m/s）
θ：超音波の入射角度

- プローブ方向への血流の速さは $v\cos\theta$。
- 超音波が血管内の赤血球に反射すると，ドプラ効果により受信周波数 f_1 は送信周波数 f_0 からわずかに偏移する。
- 偏移した周波数（f_d: ドプラシフト周波数）は，

$$f_d = f_1 - f_0 = \frac{2v\cos\theta}{c} f_0$$

- c を一定とすると，残る $\cos\theta$ を計測することで血液の流速 v を求めることができる。上の式を変形すると次式が成り立つ。

$$v = \left(\frac{c}{2\cos\theta}\right)\frac{f_d}{f_0}$$

G 誤差の角度依存性

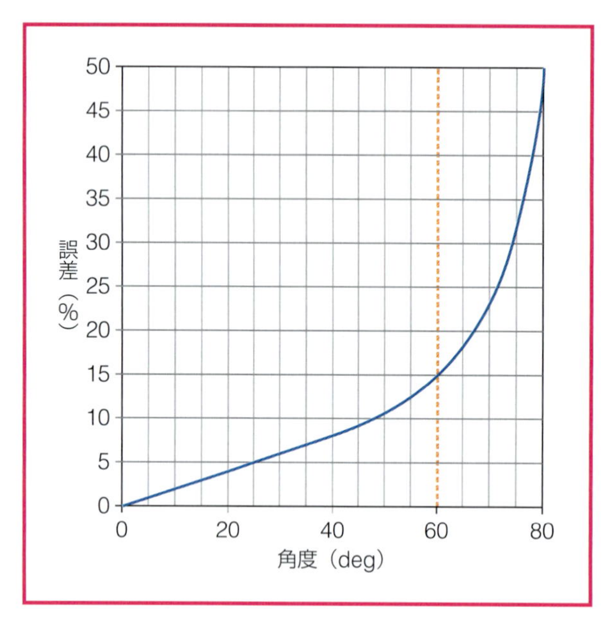

- **ドプラ角度補正の誤差は，超音波ビームと血流の向きとの角度に依存**する。
- 角度が60°以内で計測すれば誤差は20％程度に収まるが，60°を越えると急激に誤差が大きくなる。
- 60°以上の角度で計測したデータは誤差が大きく信頼性が低い。

2 ドプラ法の種類

- **ドプラ法は大きく，連続波ドプラ法（CWD：continuous wave Doppler），パルスドプラ法（PWD：pulsed wave Doppler），カラードプラ法（CDI：color Doppler imaging）に分類できる。**

A 連続波ドプラ法（CWD：continuous wave Doppler）

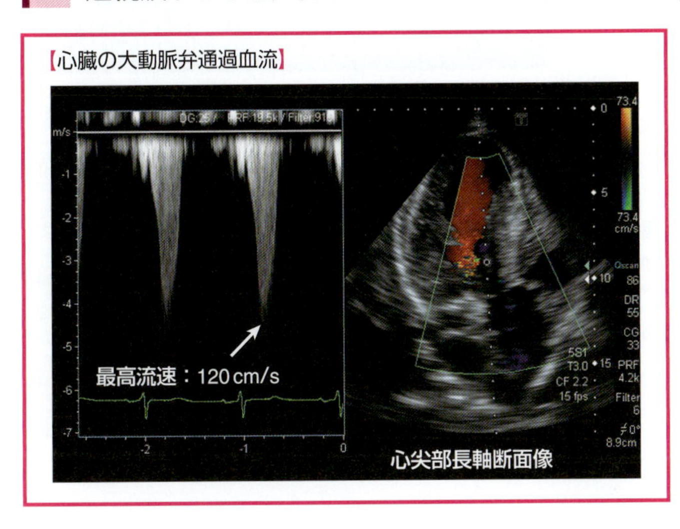

- 1つのプローブの中で送信用素子と受信用素子に分けて機能させ，送信・受信を別々の素子で一方向に連続して送受信する。
- FFT解析を用いてスペクトルを表示している。
- 反射波が連続波となるため，距離を認識することができず（距離分解能がない），送信した方向のすべてのドプラ情報を表示することになる。
- 測定できる流速の制限は理論上ないため，ビーム上の最高流速の計測に用いられている。

B パルスドプラ法（PWD：pulsed wave Doppler）

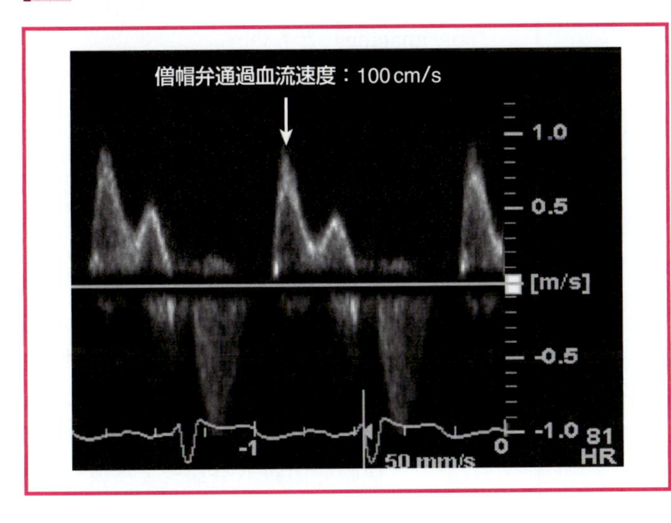

- 超音波を間欠的に（パルス状に）送信・受信する。
- FFT解析を用いてスペクトルを表示する。
- ある特定の深度のみのドプラ信号の検出が可能なため，細い血管1本1本のドプラ情報を得ることができる。
- 超音波パルスの繰り返し周波数の制限で，計測できる速度に限界がある。すなわち，測定できる最高流速は繰り返し周波数の半分までであり，それを越えると「折り返し現象（aliasing）」が生じる。

折り返し現象（aliasing）

- 連続波ドプラでは超音波の送受信を別々の素子で行っているため，検出限界は理論的に音速の1/2まで可能である。
- パルスドプラでは同一の素子で送受信を行うため，計測可能な血流速度（ドプラシフト周波数）に制限がある。
- パルスドプラで検出可能なドプラシフト周波数を超えた場合，逆流方向に折り返って流速波形が表示される。

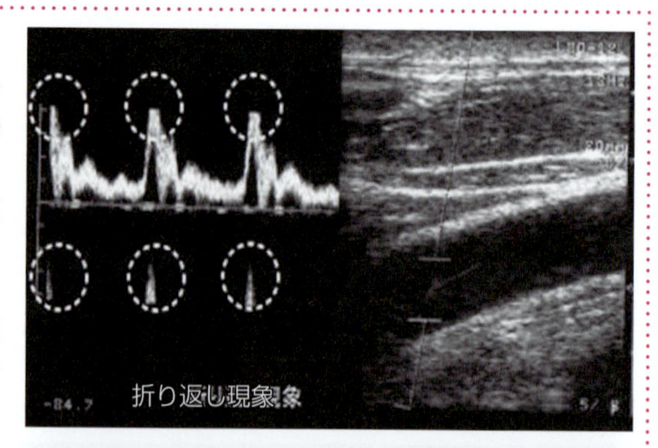
折り返し現象

HPRF（high pulse repitition frequency）法

- パルスの繰り返し周波数を高くしたパルスドプラ法。
- CWDでは距離を認識できないため，高速血流が2つ以上存在する場合鑑別することができない。一方，HPRF法は距離を認識でき，高速血流を測定することができる（左室流出路狭窄と僧帽弁逆流波形の鑑別など）。

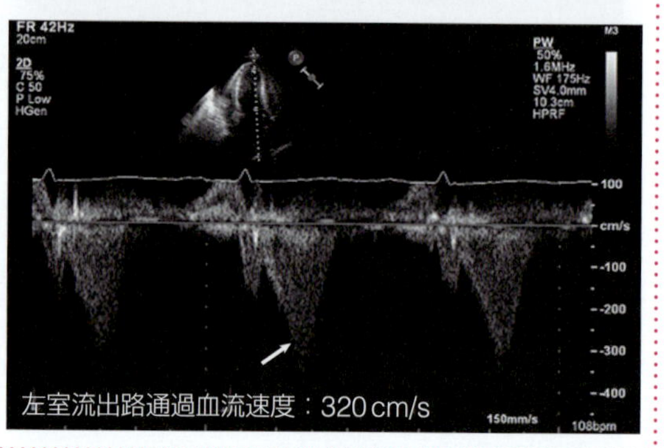

左室流出路通過血流速度：320 cm/s

C カラードプラ法（CDI：color Doppler imaging）

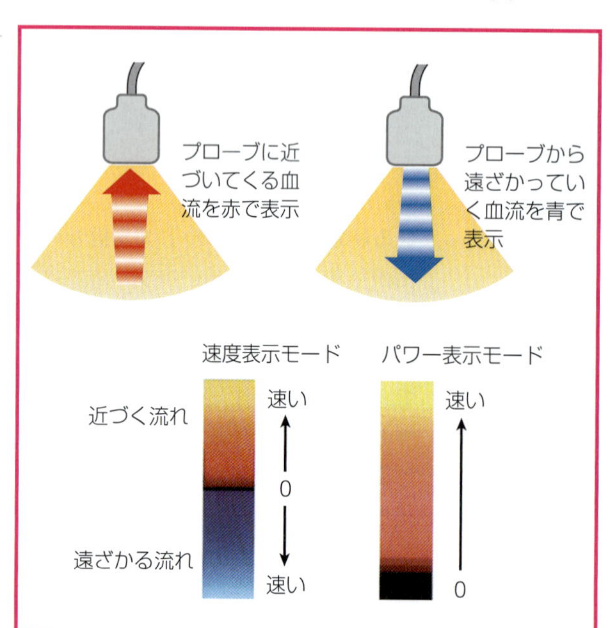

- カラー血流イメージング法（CFI：color flow imaging）ともいう。
- カラードプラ法は**受信ビーム上の血流平均速度，血流方向，パワー，血流の乱れ（分散）などの情報を色で表現**し，Bモード画像上に重ね合わせることで視覚的に認識できる方法である。
- 周波数分析には**自己相関法**を用いている（次頁のコラムを参照）。
- **血流の存在診断や，半定量的な診断に使われる**。
  - ▶心臓：大動脈弁閉鎖不全症および狭窄症，僧帽弁閉鎖不全症および狭窄症，三尖弁閉鎖不全症，先天性心疾患など
  - ▶腹部：腫瘤，腎血流など
  - ▶乳腺・甲状腺：腫瘤，バセドウ病など
- **速度表示モード**と**パワー表示モード**がある。

1. 速度表示モード

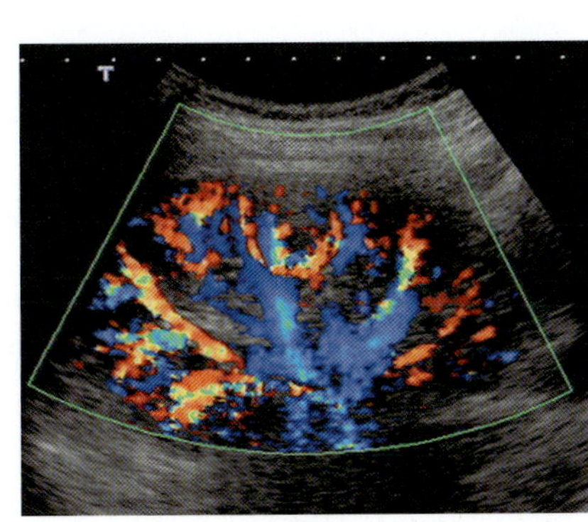

腎臓

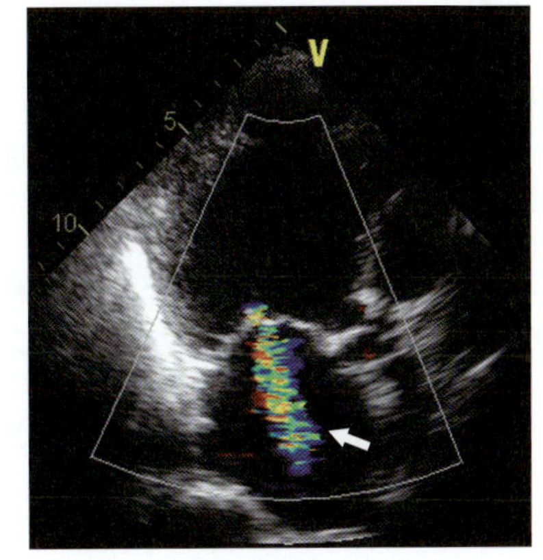

僧帽弁逆流（⇨）

- **探触子に近づいてくる血流を赤系（暖色系），遠ざかる血流を青系（寒色系）で表示することで，血流の方向が把握できる。**
- 折り返し現象があることに注意する必要がある。
- **角度依存性**，すなわち送信波と直角（90°）に走行している血管については色が表示されないため，あたかも血流がないかのように捉えてしまうことがある点にも注意する必要がある。

2. パワー表示モード

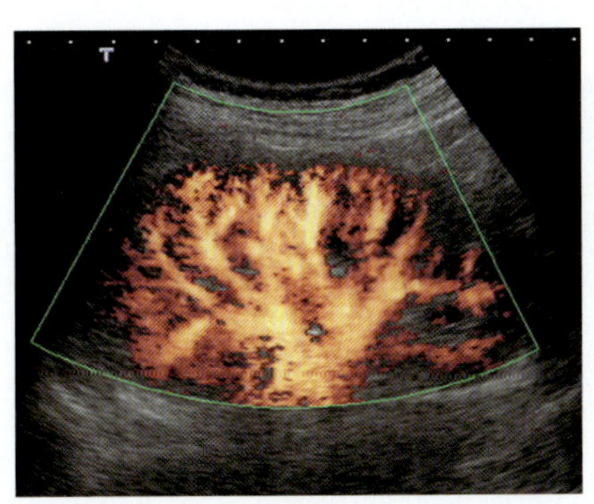

腎臓

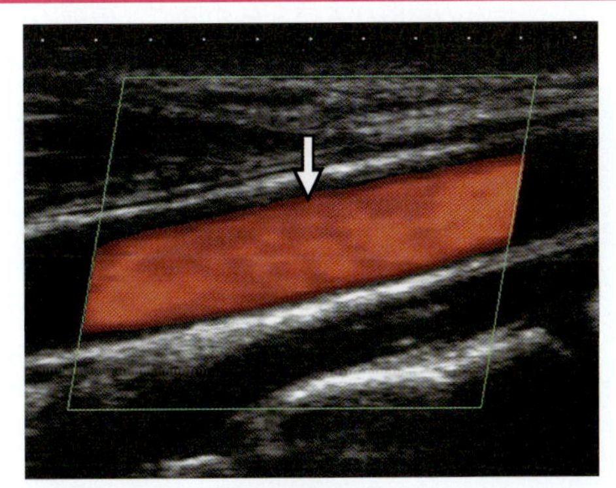

総頸動脈（⇨）

- **血流の方向に関係なく，動きがあれば赤系（暖色系）で表示する。**
- 低流速の検出感度が高い。
- 角度依存性や折り返し現象がないが，血流の方向はわからない。

コラム 自己相関法

- 上段の絵（1枚目）を見ただけでは，車が止まっているのか，動いているのかわからない。
- 上段の絵を基準にして，下段の絵を見ると「Aは近づいている，Bは止まっていることが理解できる。このように，2つ以上の情報を利用して比較する方法を自己相関法という。

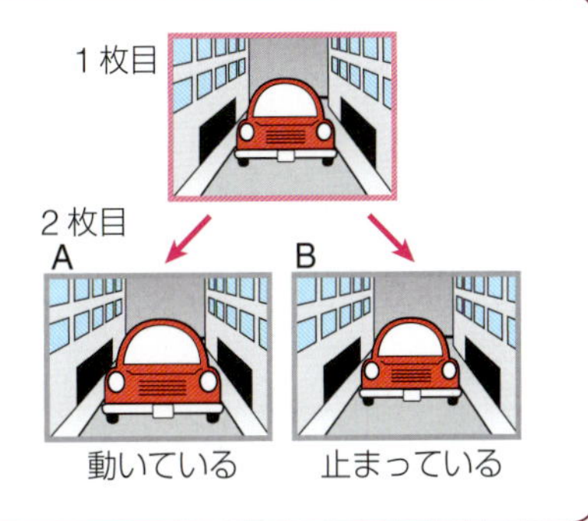

MTIフィルタ

- 動きと信号
  - ▶血流：弱い反射信号レベルかつ速いスピード。
  - ▶クラッタ成分（要するにノイズのこと。呼吸による臓器の動き・心臓の動き・腸の動きなど）：強い反射信号レベルでかつ遅いスピード。
- カラードプラでは，血流のみを動いているものとして表示する必要があるが，クラッタ成分もドプラ信号を発生してしまうため，低流速の血流を描出するときにクラッタ成分がアーチファクトとして表示されてしまう。
- クラッタ成分の動きを除去するために使用されるのが，MTI（moving target indication）フィルタである。

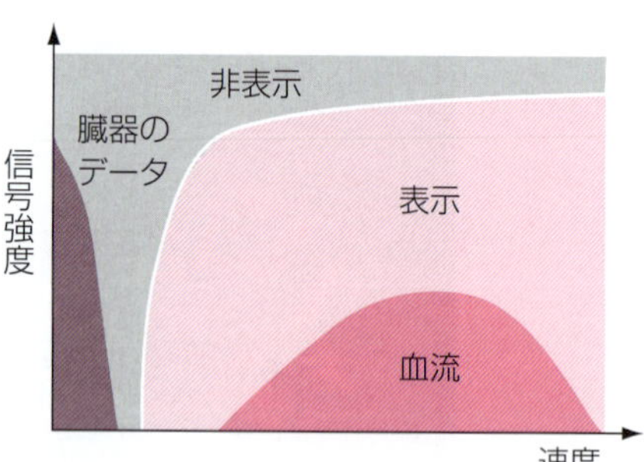

角度補正（angle correction）

- ドプラ法の基本原理式のように，流れの速度を求めるためには，超音波ビームと流れのなす角度を正しく求める必要がある。
- 超音波診断装置には，モニタ上角度を指定することで，自動的に流れの速度を補正する機能が内蔵されている。
- 下図に実例を示す。総頸動脈の実際の最大血流速度は約 80 cm/s である。
- 流れとビームの角度が大きくなるほど，実際の流速との誤差は大きくなる。

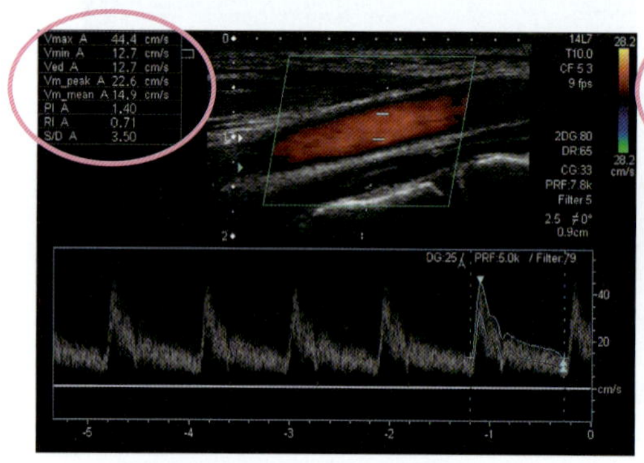

総頸動脈血流波形（角度補正 0°）
最大血流速度：44.4 cm/s
➡ 流速を過小評価してしまう

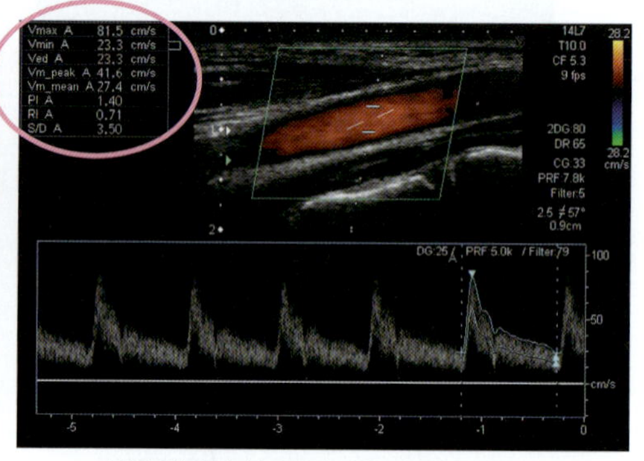

総頸動脈血流波形（角度補正 57°）
最大血流速度：81.5 cm/s

5章 アーチファクト

●**アーチファクト（artifact）とは，実際に存在しない虚像が表示されてしまう現象をいう。**

1 音響陰影（acoustic shadow）

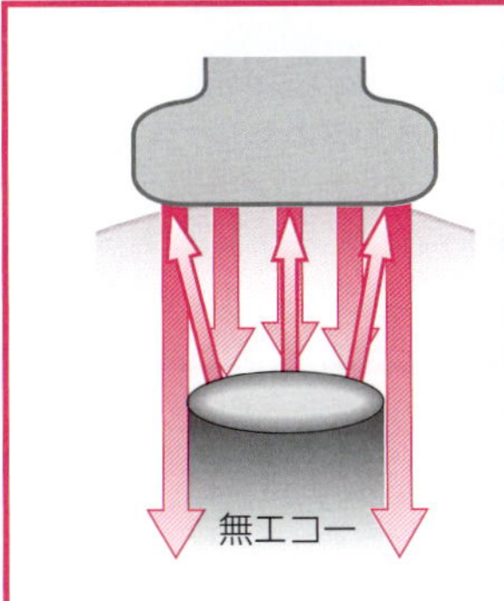

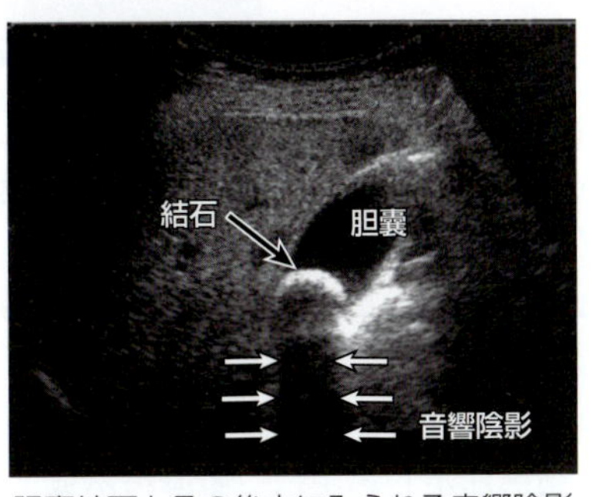

胆嚢結石とその後方にみられる音響陰影

- 超音波が透過しない組織の後方（ほとんどすべての超音波が反射を起こすような音響インピーダンスに差がある組織境界面）は**帯状の無エコー野**になるが，これを**音響陰影**と呼ぶ。
- **消化管ガス，胆石，石灰化巣などの後方**に認められる。

2 後方エコー増強（back echo enhance，tadpole-tail sign）

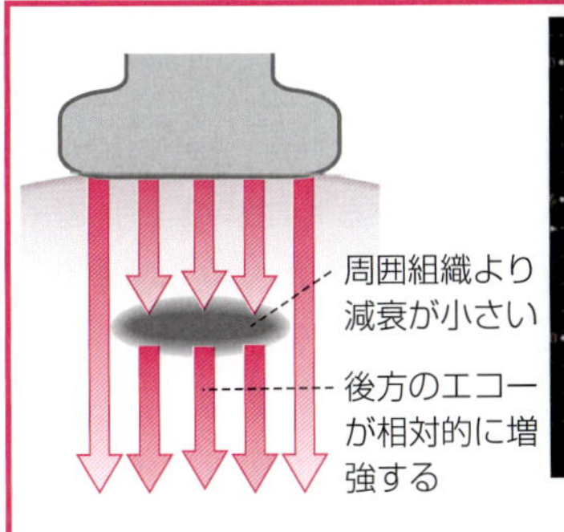

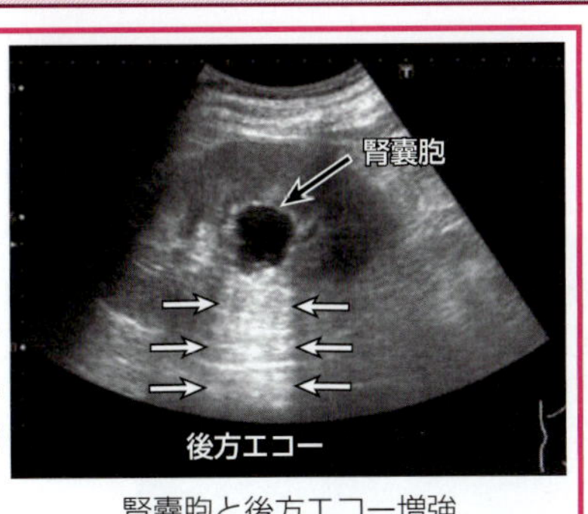

腎嚢胞と後方エコー増強

- 超音波の減衰・反射の少ない組織や，減衰・反射の起こらない部位の後方には周囲組織より相対的に輝度の高い領域ができる。この高輝度域は**後方エコー増強**といわれる。
- **胆嚢，嚢胞などの後方**に認められる。
- 音響陰影とは逆の現象。

3 多重反射

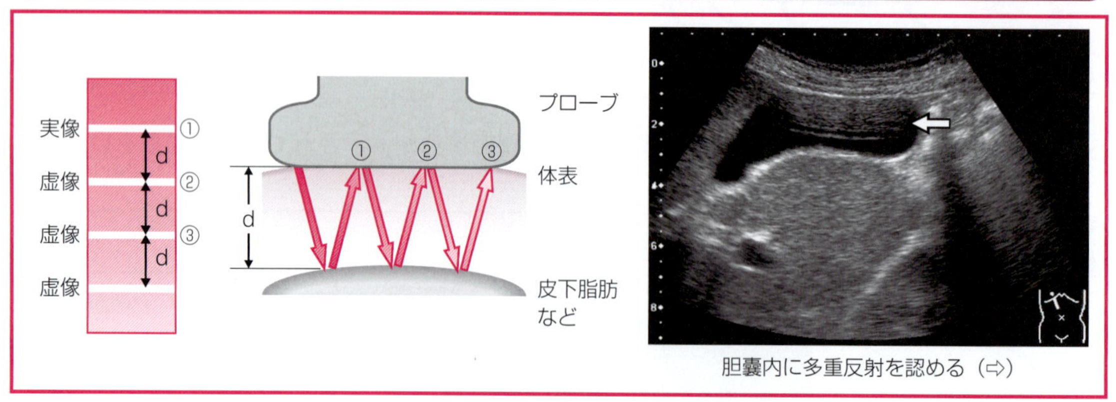

胆嚢内に多重反射を認める（⇨）

- 超音波が平行に向かい合った狭い反射体同士の間で，何回も反射を繰り返すことによって発生するアーチファクト。
- **2回（3回，4回…）往復したものは，実物の2倍（3倍，4倍…）の距離に表示**されることになる。
- 多重反射は，以下の2つにより発生する。

  ①皮膚と生体組織（脂肪，筋肉など）間で発生：

  超音波減衰の少ない近距離の皮下組織で発生しやすい（腹壁での多重反射など）。腹部において，探触子と腹膜の間で多重反射が起こった場合，胆嚢内に帯状のアーチファクトが現れることがある。

  ②組織内（血管壁，胆嚢壁など）で発生：

  組織内において，強い反射体が近接する場合には，反射体の間で多重反射が起こり，虚像が反射面の後方に線上に現れる。これを**コメット様エコー（comet like echo）**と呼んでいる（次頁参照）。

4 サイドローブ

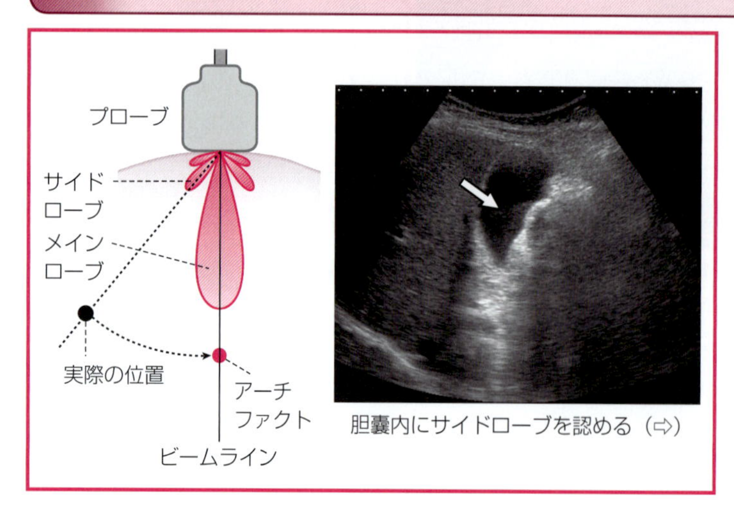

胆嚢内にサイドローブを認める（⇨）

- 超音波ビームには，送信方向の中心軸上に出る音圧の高い**メインローブ**（主極）と，中心軸から外れた方向に出る音圧の低い**サイドローブ**（副極）がある。
- サイドローブの音圧はメインローブの10分の1程度の低さである。
- **サイドローブ上に位置する反射体からの信号とメインローブからの反射信号が，同時に受信されることによってできる**アーチファクトである。

5 グレーティングローブ

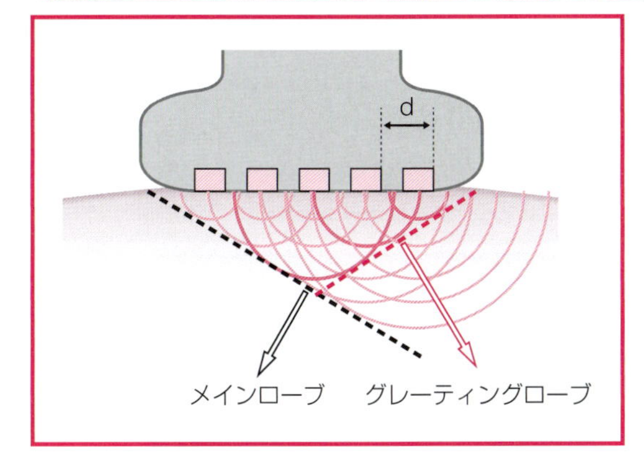

- 振動子において合成される波面が，隣り合う振動子との間で1波長ずれて合成され，目的の方向以外の向きにビームを形成するものをグレーティングローブという。
- サイドローブの一種。
- グレーティングローブを発生させない条件は，以下の式となる。

$$d < \frac{\lambda}{1+\sin\theta M}$$

d：振動子の間隔，λ：波長
θM：メインローブの走査角度

- サイドローブと同様，グレーティングローブが反射体に当たると，**メインローブの進行上に反射体があるように虚像を形成**することになる。

6 ミラー効果

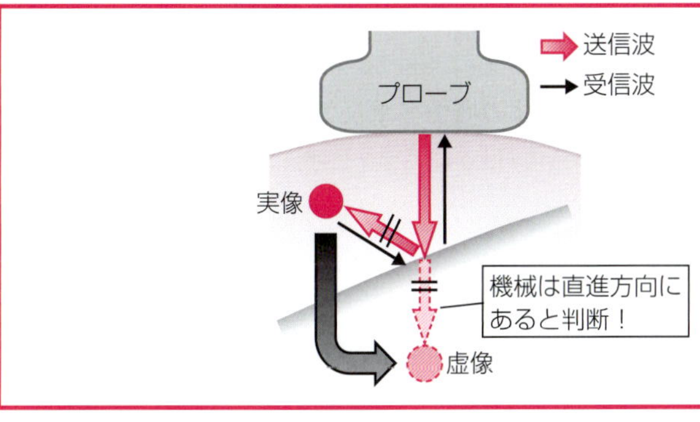

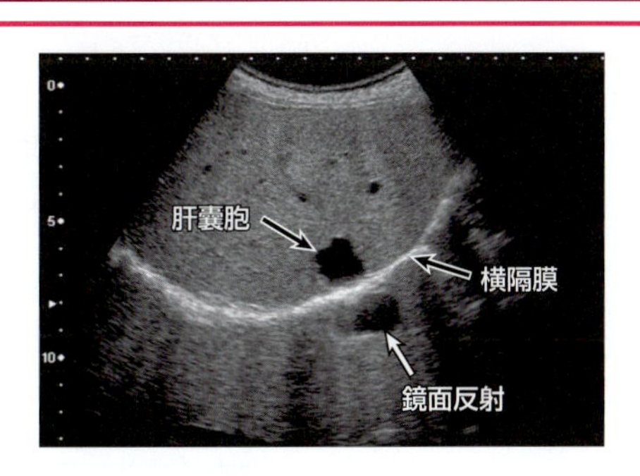

- 鏡面反射ともいう。
- 横隔膜のような強い反射体になる組織は，超音波ビームを強く反射する。
- その反射したビームがある構造物で再び反射され，さらに同じ経路で探触子に戻る。
- 装置は超音波がまっすぐ戻ってくることを前提として画像を作っているため，受信されたエコーは入射した超音波の延長線上に虚像を描出する。これがミラー効果である。

comet like echo（コメット様エコー）

- 彗星の尾の部分に似ていることから「comet like echo」と呼ばれるアーチファクトも，多重反射が原因となって発生するアーチファクトの1つである。
- コメット様エコーは，胆嚢の壁内結石，胆嚢のコレステロールポリープ，胆嚢腺筋腫症などで認められることがある。

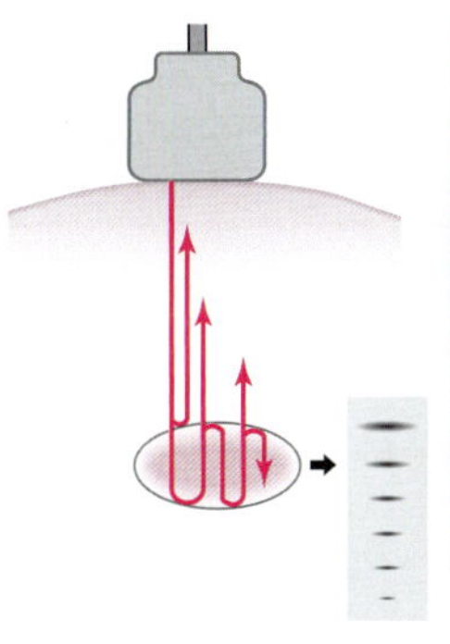

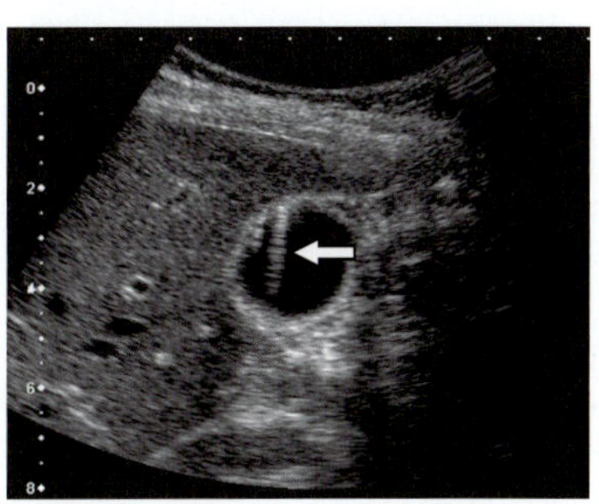

胆嚢内にcomet like echoを認める（⇨）

7 屈折によるアーチファクト

●屈折は，音響インピーダンスの異なる組織に，超音波が斜めに入射したときに発生する。

●屈折によるアーチファクトには，外側陰影とレンズ効果がある。

1．外側陰影（lateral shadow）

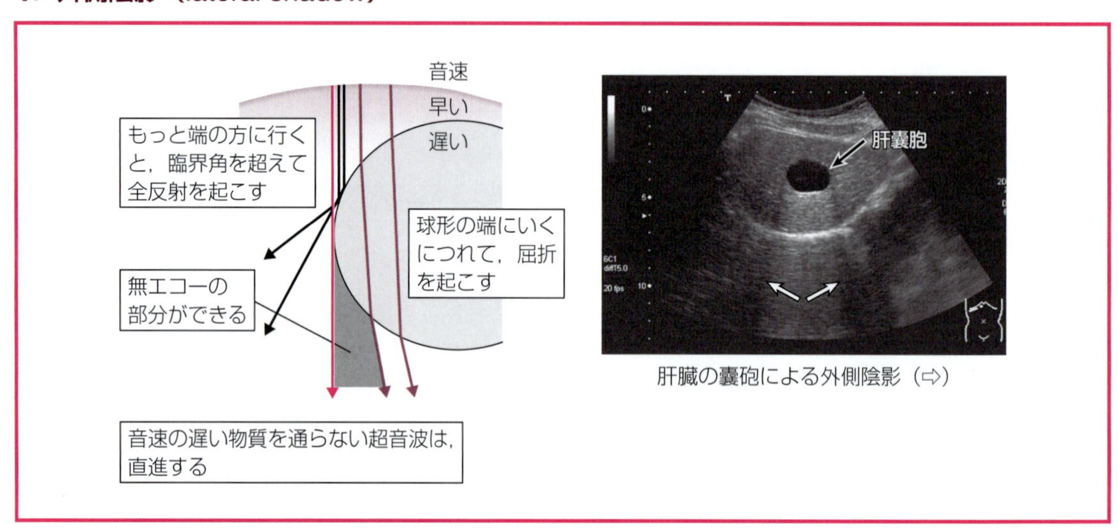

肝臓の囊砲による外側陰影（⇨）

- 円形や楕円形の組織の側面では，超音波ビームが浅い角度で入射される。
- すると，超音波ビームが全反射や屈折を起こすため，それより後方にビームが到達しないため無エコーになる。これを外側陰影（lateral shadow）という。

2．レンズ効果

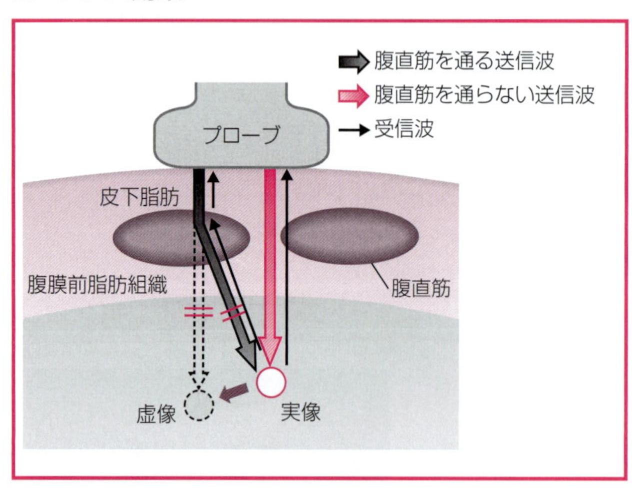

- 上腹部検査時に直下の組織が二重に見える現象がある。
- それは腹直筋の伝搬速度が高いため，入射した超音波ビームを屈折させるからである。
- 装置は超音波がまっすぐ戻ってくることを前提として画像を作っているため，受信されたエコーは入射した超音波の延長線上に虚像を描出する。

6章 そのほか知っておきたい知識

1 ハーモニックイメージング

超音波の伝搬

（伝搬速度の式）

$$C = C_0 + \frac{(B/A+2)P}{\rho_0 C_0} \quad \cdots (\mathrm{i})$$

C：物質を通過した超音波の音速
C_0：入射した超音波の音速
B/A：非線形パラメータ
ρ_0：平衡状態での密度
P：音圧

(B/A) は非線形パラメータといい，媒質中の非線形効果の起こりやすさを示す。たとえば，生体組織では血液が約6，脂肪では約10である。

- 超音波の伝搬速度について，式（i）に示す。
- 左図より，超音波は生体内で，媒質を伝搬する速度が圧力に依存することがわかる。
- 音圧の影響は，
  ①音圧Pが大きい場合，物質を通過した超音波の測度Cは速くなる。
  ②音圧Pが小さい場合，物質を通過した超音波の測度Cは遅くなる。

高調波の発生

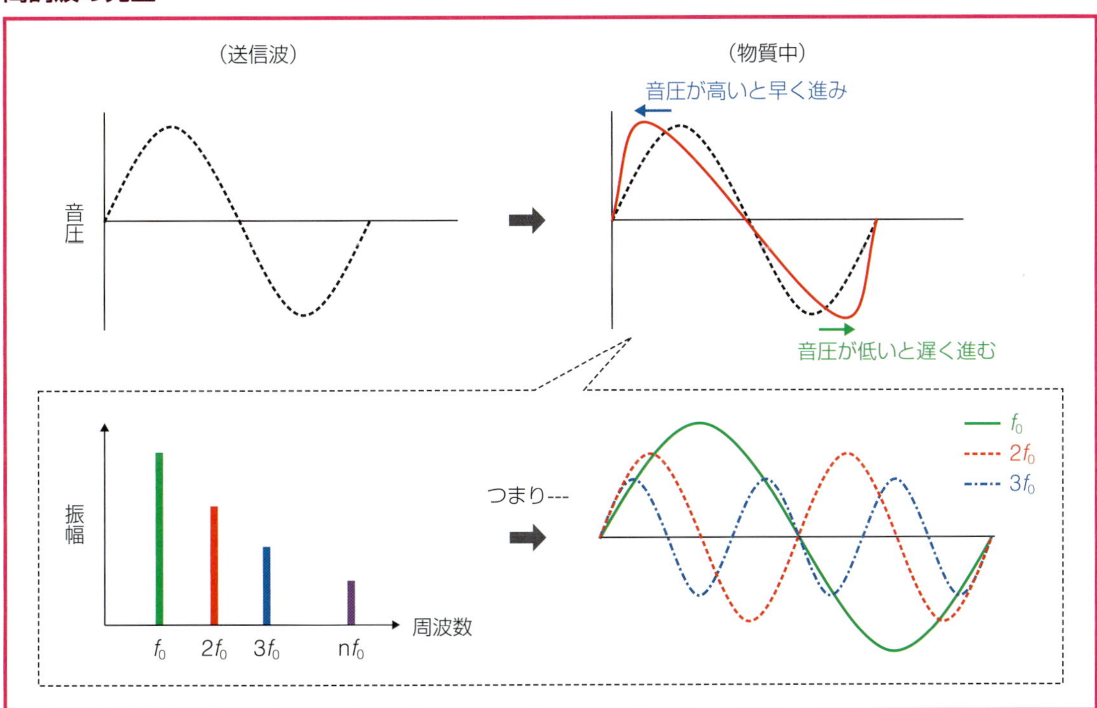

- 超音波は音圧が高いと速く進み，低いと遅く進むため，徐々にひずみが生じる。これを非線形効果という。これにより高調波（ハーモニック）が発生する。
- 歪んだ波形を成分ごとにみると，送信した基本波の周波数f_0の整数倍にあたる高調波（基本波の2倍の周波数$2f_0$の高調波を2次高調波，3倍のものを3次高調波と呼ぶ）が発生している。

深さと高調波発生量の関係

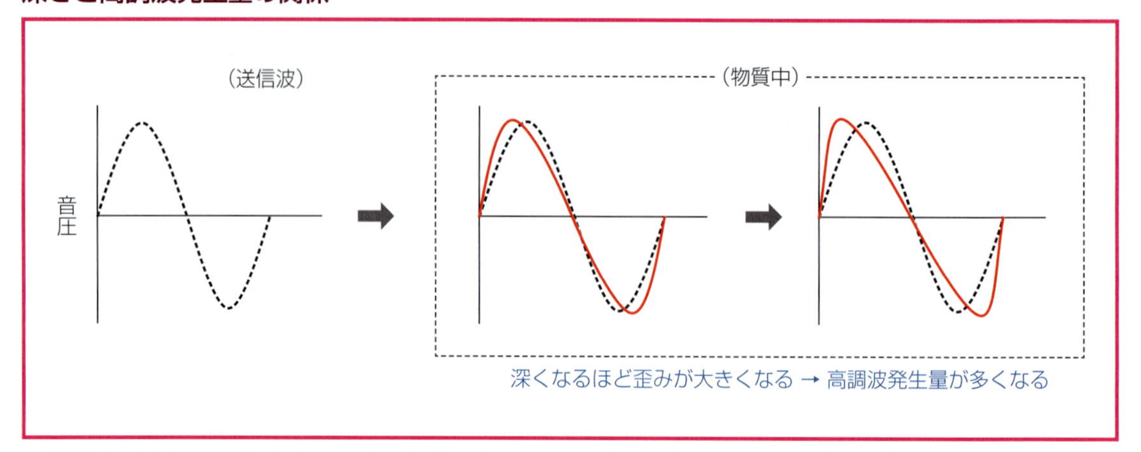

- 超音波が身体の中を伝搬する時，非線形効果により歪みが生じる。この歪みは徐々に蓄積する。つまり，身体の深くへ進むほど高調波の発生量は多くなる。
- このことは，式 (ii) からも説明できる。基本波となる入射する超音波成分 $P_{0(x)}$ と 2 次高調波成分 $\Delta P_{(x)}$ の関係は，式 (ii) の通りである。これより，$\Delta P_{(x)}$ は基本波が進んだ距離 Δx と比例関係にあることがわかる。繰り返しとなるがポイントは，“2 次高調波成分は進んだ距離（深さ）に比例して増加する” という点である。

$$\Delta P_{(x)} = \frac{(B/A+2)\,P_{0(x)}{}^2\,\omega_0\,\Delta x}{4\rho_0\,C_0{}^3} \quad \cdots \text{(ii)}$$

$\Delta P_{(x)}$：2 次高調波成分
B/A：生体組織の非線形パラメータ
$P_{0(x)}$：基本波成分
ω_0：基本波の角周波数
Δx：距離
ρ_0：平衡状態での密度
C_0：入射した超音波の音速

高調波発生量のイメージ

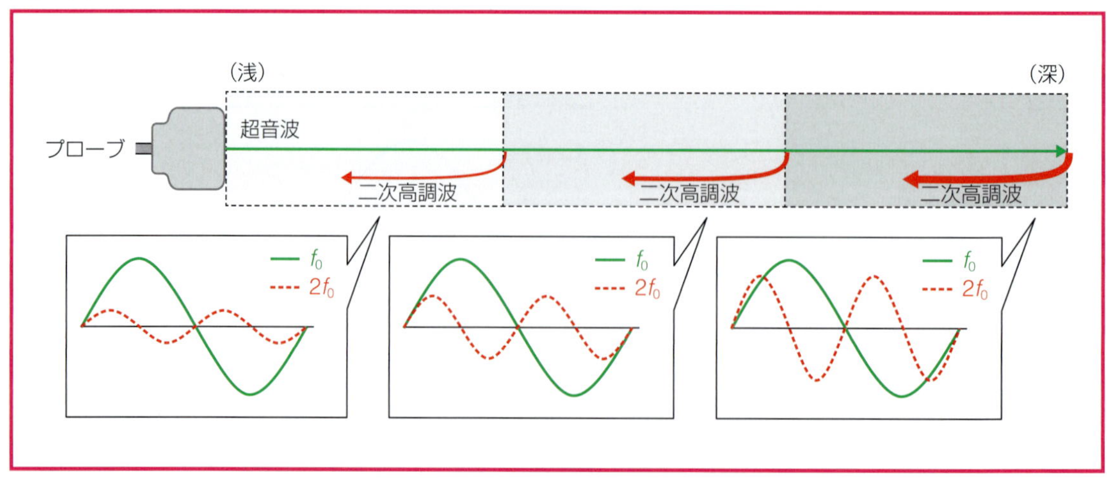

- 以上をふまえた，高調波発生量のイメージを上図に示す。プローブから発生した超音波は，その到達距離に比例して高調波発生量が増えていることが直感的にわかる。

基本画像とティッシュハーモニックイメージング（tissue harmonic imaging：THI）

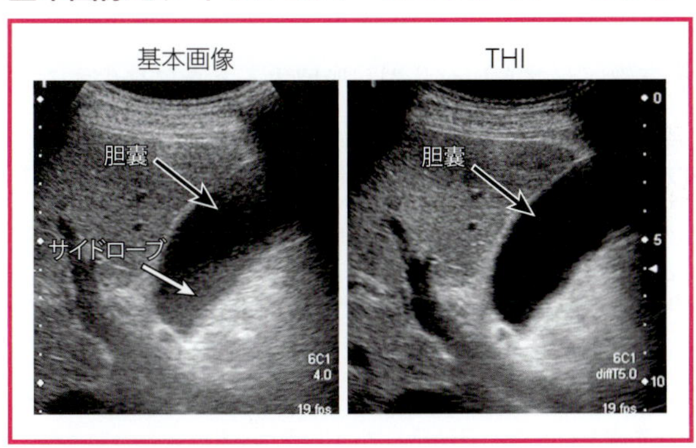

- 組織ハーモニックイメージングともいう。
- 超音波が組織を伝搬するときに，組織自身から発生する高調波を映像化するものをTHIという。
- THIはfundamental（基本画像）と比較し，胆嚢内腔のサイドローブが低減し，内腔が鮮明に描出されている。

高調波の発生位置

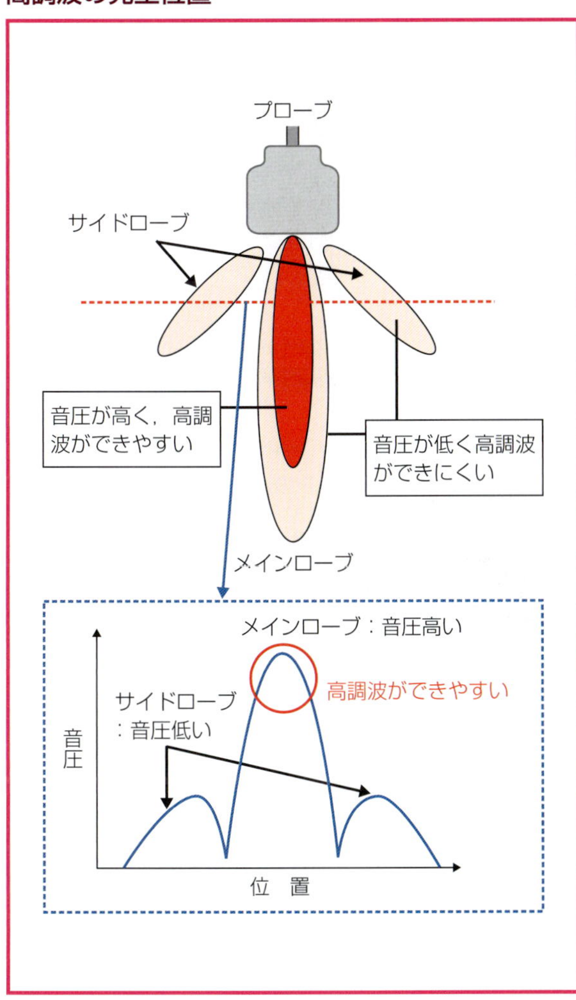

- THIの利点として，以下の2点が挙げられる。

①サイドローブの影響を低減し，メインローブの幅が狭くなる

- 高調波が音圧の高い部分にできやすい。つまり，高調波は「メインローブの中央部分」あたりにできやすく，外側やサイドローブにはできにくい。左図でいうと，メインローブ中心部の赤い部分に高調波ができやすい。よって，サイドローブアーチファクトの発生を低減でき，画質向上が期待できる。
- 特に，胆嚢や血管，心臓などの管腔構造を観察する場合は「もやっと」したサイドローブアーチファクトが減り，くっきりとした画像ができる。
- また，THIは上記の理由により「ビーム幅を細く」使うことが可能となり，結果として方位分解能が高くなる。

②多重反射によるアーチファクトが低減できる

- 高調波発生のイメージ（前頁）で示したが，高調波成分ができるまでには，超音波が組織内をある程度進まなくてはならない。つまり，胸壁等の体表付近で高調波はほとんど発生しない。
- よって，プローブに近い浅い部分にできやすい「多重反射」を減らすことができる。

基本画像とコントラストハーモニックイメージング（contrast harmonic imaging：CHI）

- 造影ハーモニックイメージングともいう。
- 超音波造影剤である赤血球レベルの大きさの微小気泡（バブル）が共振，崩壊するときに発生する高調波を映像化するものである。
- バブルは血液の流れに沿って体内を循環するため，形態診断とは異なる情報を含むものと期待されている。
- 造影剤にはレボビスト，ソナゾイドなどがある。

超音波造影剤

レボビスト（第一世代）は，全身の超音波造影が可能な薬剤として広く用いられていたが，レボビストのマイクロバブルは超音波ビームにより壊れやすく，造影時間が短いことが欠点であった。また，レボビストは血栓の検出を目的として心臓エコー検査に用いられていたが，超音波診断装置の画質や技術の向上により，レボビストを使わずとも診断が可能になった。2022年5月現在，メーカーの都合によりレボビストの製造は中止されている。

ソナゾイド（第二世代）のマイクロバブルはレボビストよりも壊れにくく，長時間の超音波造影が可能である。また，造影能が高いなどの利点もあり，現在はソナゾイドが普及している。

	レボビスト（第一世代）	ソナゾイド（第二世代）
一般名	ガラクトース・パルミチン酸混合物	ペルフルブタン
製造販売元	バイエル薬品株式会社	GEヘルスケア
発売日	1999年9月	2007年1月
造影部位	心臓血管 頭・頸部 躯幹部・四肢 子宮卵管	肝臓腫瘤性病変 乳腺腫瘤性病変
禁忌	ガラクトース血症	卵または卵製品にアレルギーのある患者
特徴	バブルを間欠的に超音波で破壊しながら画像を得る。	微少気泡を共振させその信号を連続的に観察することで血流を評価する。 肝臓ではマイクロバブルの一部はクッパー細胞に取り込まれることから，投与後5～10分以降において，クッパー細胞を有さない肝腫瘍と正常組織のコントラストを増強することで肝腫瘍の診断が可能である。

②ソナゾイド

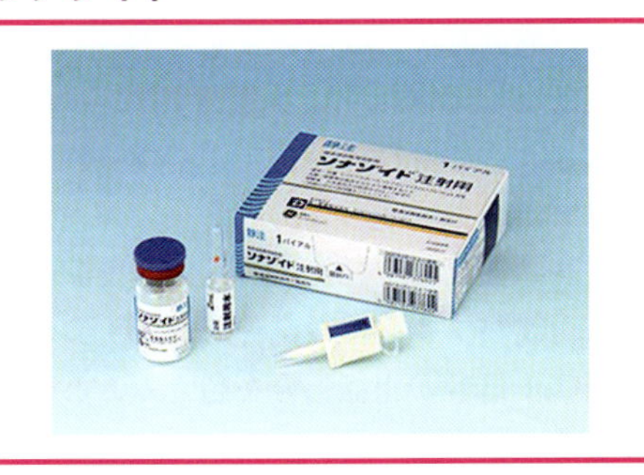

- 第2世代の超音波造影剤の1つであるSonazoid（ソナゾイド®）が世界に先駆けて2007年1月よりわが国で使用可能となった。
- ソナゾイドは超音波による微小気泡の崩壊が少なく，一回の投与で長時間の造影画像の撮影が可能となり，腫瘍の診断や治療支援が可能である。
- 皮膜（安定化剤）が鶏卵由来なので，卵または卵製品アレルギーのある患者には原則禁忌である。

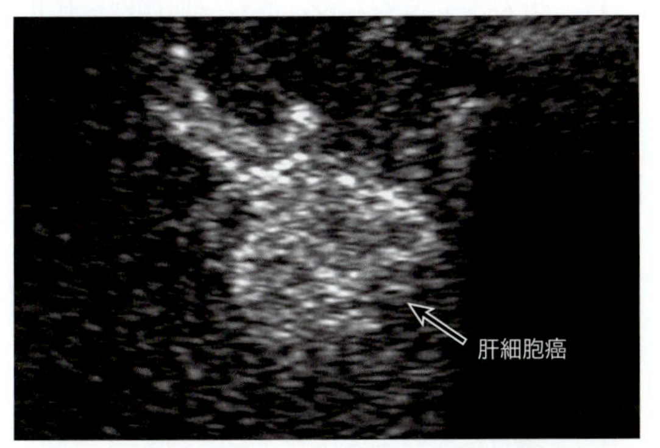

ソナゾイド静注後15～20秒のvascular imaging（血管早期相）で，肝腫瘤の早期濃染を認めた。

- ソナゾイド静注直後から2分ぐらいまでのvascular imaging（血管早期・後期相）での造影効果，およびその後10分以降のKupffer（クッパー）imaging（実質相）での欠損像を観察する。
- vascular imaging（血管早期相）では，次世代造影剤用に開発されたMFI（micro flow imaging）などの微細血流画像化技術が利用できるようになり，**肝臓の実質内や腫瘍の血管構築を詳細に把握することができる**。これにより腫瘍の鑑別診断が可能である。

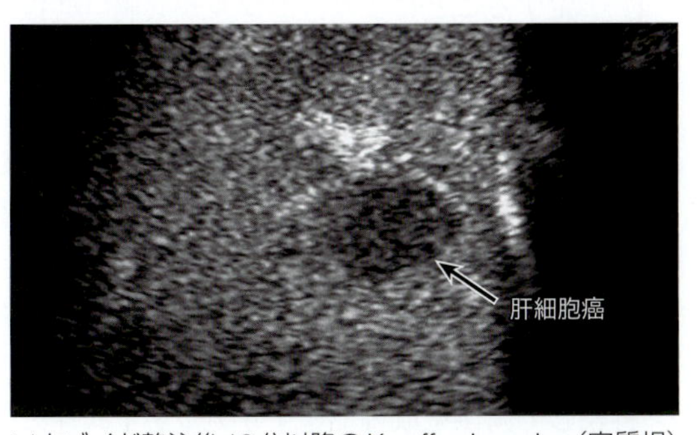

ソナゾイド静注後10分以降のKupffer imaging(実質相)では，腫瘤の欠損像を認め肝細胞癌と診断した。

- ソナゾイドは**Kupffer（クッパー）細胞**に貪食されやすいことから，実質相においてKupffer imagingが得られ，肝臓の造影超音波検査における有用性が他の造影剤よりも高い。
- Kupffer imaging（実質相）が持続的に得られることから，肝スクリーニング検査を反復して行うことができるので，1 cm以下の小さな腫瘍，特に転移性肝癌の検出に有用である。

組織信号とバブル信号の違い

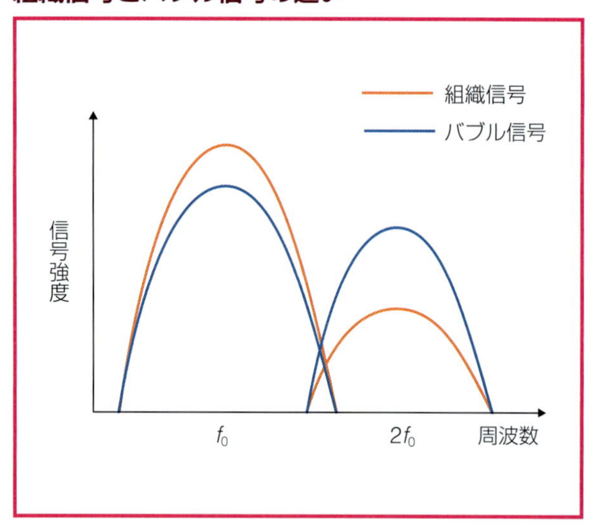

- 基本波成分f_0と二次高調波成分$2f_0$において，基本波成分では組織信号の方がバブル信号より大きい。これは，バブルから得られる散乱エコーが小さいからである。
- 二次高調波成分では，①非常に強い非線形効果と，②バブルが強散乱体となり，これによりバブル信号が組織信号を超えることが可能となる。
- バブルが存在する量によって信号強度が増減される。そのため，脈打つ血流内に存在するバブルをより効率的に検出する必要があり，心拍同期など，撮影タイミングの設定が重要である。

バブルの散乱による信号強度の向上

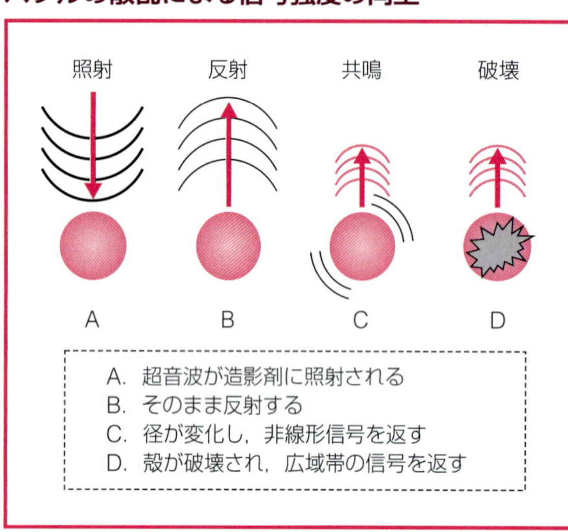

- バブルの散乱による信号増強について，左図にまとめた。
- バブルに対して超音波を照射した時（A），通常はそのまま反射する（B）。
- ここで，送信波の音圧を変化させる。
- 超音波の音圧や出力を表すメカニカルインデックス（MI）を0.2～0.3程度の低音圧に設定することにより，バブルが共鳴（共振）を起こし，高調波を発生する（C）。ソナゾイドが低音圧系造影剤として用いられる。
- 共鳴の特徴として，超音波を当てても造影剤が残るため，持続的なリアルタイムの観察が可能である。
- 一方，MIを1.0以上の高音圧にすると，バブルを破壊して，この時に高調波が発生する（D）。高音圧系造影剤にはレボビストが用いられる。
- 破壊の特徴として，一瞬で造影剤が無くなるため，持続して画像を取得できずリアルタイム性に欠ける。また，ランダム方向に高調波を発生するため分解能が低下する。

コラム　メカニカルインデックス

- 超音波の音響出力を定める指標のひとつ。生体に対する超音波の機械的作用に関する指標。

$$MI = \frac{P_r'}{\sqrt{f_e}}$$

P_r'：生体減衰を考慮した最大負音圧（MPa）
f_e：パルス波の中心周波数（MHz）

高調波の描出技術

フィルタ法

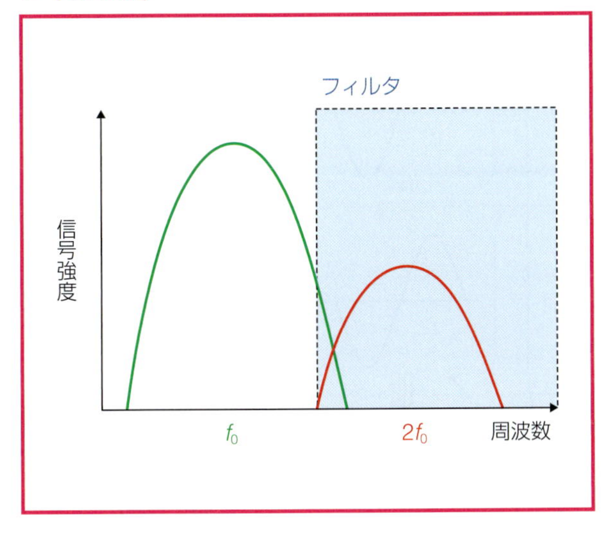

- 基本波成分f_0と二次高調波成分$2f_0$の信号強度分布は左図のようになる。
- これに対して，二次高調波成分のみ選択的に検出するフィルタ（バンドパスフィルタ：特定の周波数のみを透過するフィルタ）を用いることにより，選択的に信号取得が可能となる。
- ただし，基本波，二次高調波ともに周波数には幅を有しており，それぞれの信号が重複する部分が存在し，完全に信号を分離することは出来ない。
- この重複を避けるためには，パルス幅を長くする必要があるが，パルス幅を長くすると奥行き方向の物体の識別精度が落ちる。つまり，距離分解能が低下してしまい，注意が必要である。

振幅変調法（Amplitude Modulation：AM法）

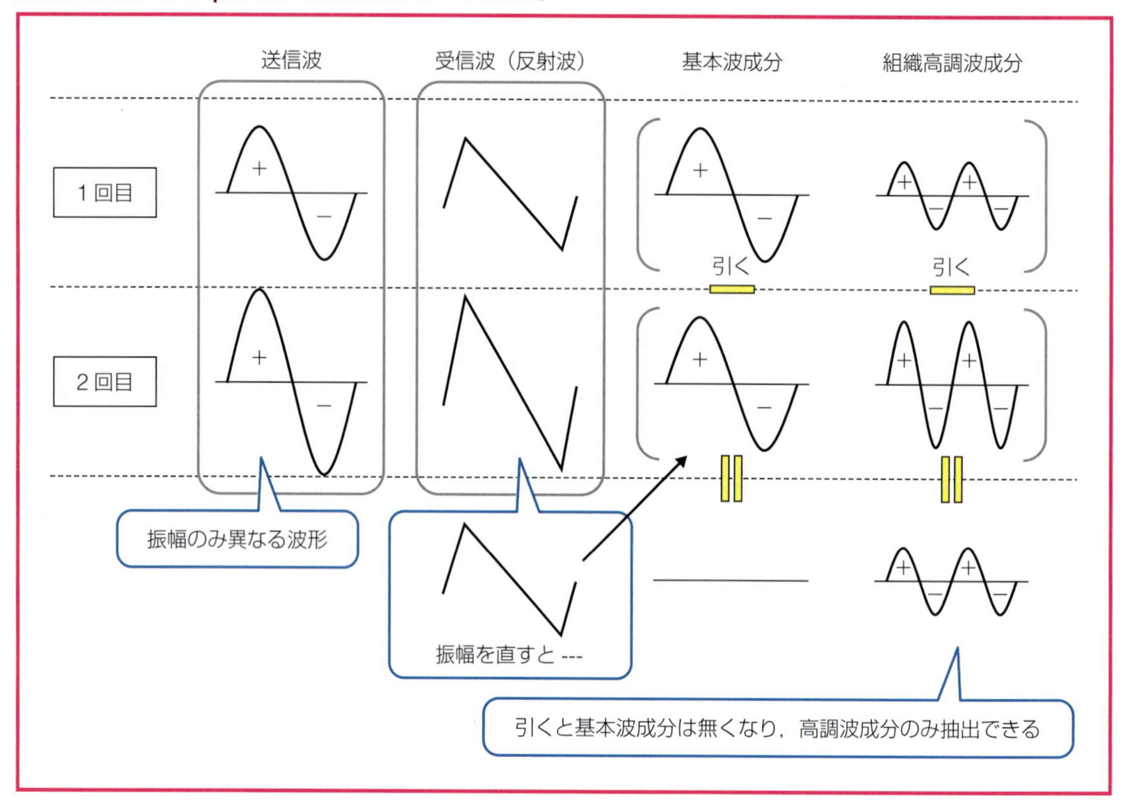

- AM法の画像化手順を以下に示す。
  - 位相は同じで振幅が異なる2つのパルス波を送信する。
  - 帰ってきた2つの受信波のうち，はじめに送信したパルス波の反射波を基準に，2度目に送信したパルス波の反射波の振幅を調整する。
  - 基本成分は1回目と2回目で合致する。そのため，減算することで打ち消す事ができる。
  - 組織高調波成分については，386頁の式 (ii) より，組織高調波発生量は基本波成分の2乗に比例する。そのため，反射波の振幅を調整しても，2回目の反射波に含まれる組織高調波成分の方が信号強度が強くなり，引き算をしても組織高調波成分は残る。
  - 以上により得られた組織高調波成分の波を画像化するのがAM法である。
- AM法は基本波成分の相殺不足が起こりにくい。しかし，信号強度を増減するため分解能の低下が問題となり，また，多重反射等の影響を受けやすい。

位相変調法（Phase Modulation：PM 法）

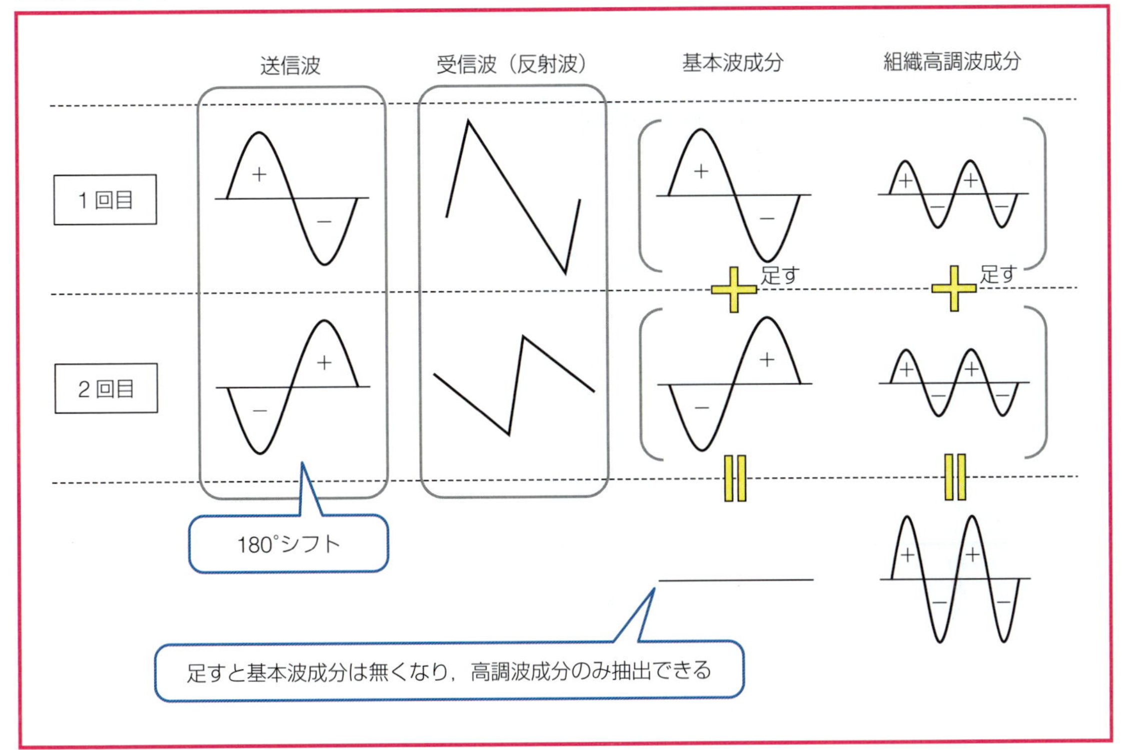

- PM 法の画像化手順を以下に示す。
  - ▶位相が異なり振幅が同じ 2 つのパルス波を送信する。
  - ▶基本波成分について，1 回目の送信波を基準に，2 回目の送信波は 1 回目に比べ位相が 180° 異なるものを用いる。これにより，得られた基本は成分を加算すれば，信号強度はゼロとなる。
  - ▶組織高調波成分について，発生する組織高調波は 386 頁の式（ii）より送信波の 2 乗で発生する。つまり，“2 乗の非線形性”で発生する組織高調波は，いずれの反射波でも位相が同じで発生する。これを加算することで，組織高調波成分は 2 倍の信号強度で抽出できる。
  - ▶以上により高調波成分を選択的に得ることができ，これを画像化するのが PM 法である。
- PM 法は位相反転法（パルス（フェイズ）インバージョン法）とも呼ばれることがある。
- PM 法は組織高調波成分の加算により信号強度が増幅され分解能に優れている。しかし，1 回目と 2 回目の送信波が生体内を伝達する時の強度や体動等によりずれが生じることや，臓器の生理的動きによるキャンセル不足により基本波を完全に相殺することができないという弱点もある。
- 近年では AM 法と PM 法を組み合わせた位相振幅変調法（AMPM 法）が考案されている。これにより，リアルタイムでかつ従来法に比べ高い SNR の画像を得ることが可能となった。

2 IVUS（血管内超音波診断法）

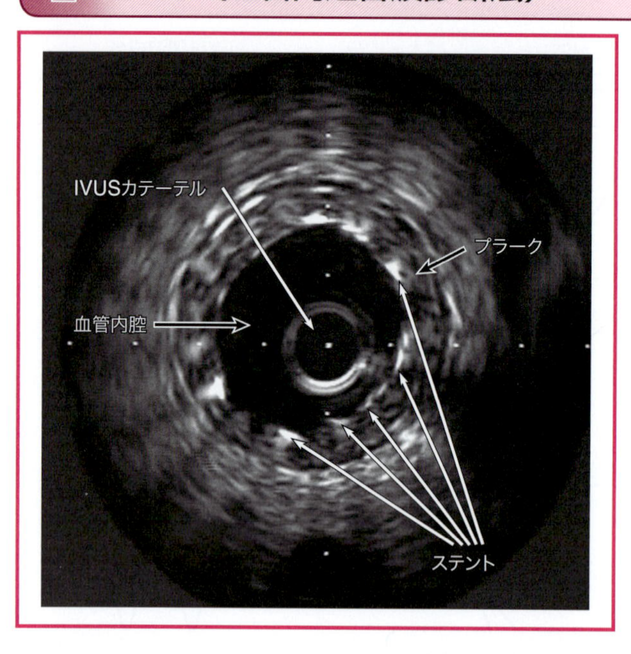

- IVUS（intravascular ultrasound imaging）とは，超小型の**超音波振動子を血管内腔に誘導**し，その**振動子から 360° 方向に超音波を射出**して，**血管の短軸方向の断層像を得る手法**である。
- 血管内部の 360° の断層画像は病態の評価・診断や治療方法の決定に役立ち，通常の血管造影画像では得られにくい血管自体の性状や血管内血栓などの評価も可能である。
- 長軸画像での長さの計測を用いて，病変の長さ，プラークの分布，デバイスのサイズなどを決定することができる。

3 三次元表示，四次元表示

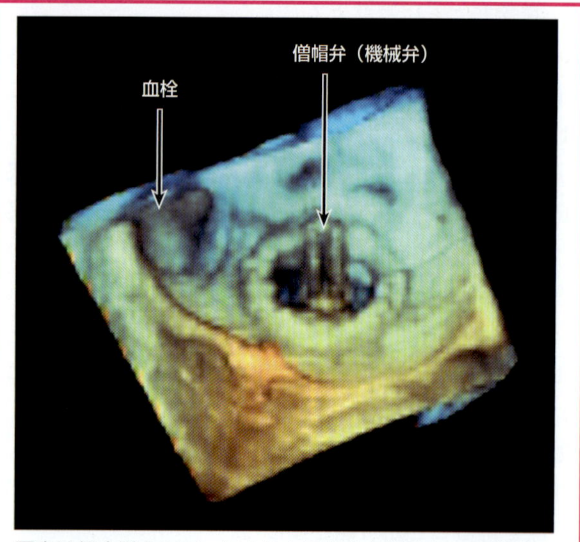

写真は経食道心エコーにより左房側より観察した置換後の僧帽弁（機械弁）である。さらに，左心耳から突出する血栓が鮮明に描出されている。

- 超音波診断装置による三次元表示は，CT，MRI と同様に，複数の断層から立体的な三次元画像を再構成し，さらにフィルムやモニタなどの二次元画像として表示するものである。
- ほかに，4D（リアルタイム 3D）という表示方法があり，これは三次元表示に時間軸を付加し，動画として表示させる手法である。
- 主に，**産科領域（胎児の観察，計測），心臓領域（弁膜疾患ほか）で利用**されている。

7章 超音波検査の実際

1 超音波検査の準備

A 装置の設定

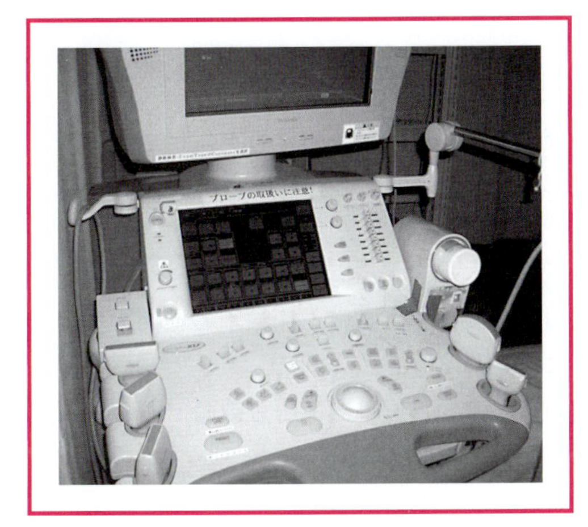

- 検査環境に合わせ，モニタやプリンタなどの記録装置を調整し，被検者および検査対象臓器ごとに，ゲイン，STC（sensitivity time control），フォーカスなどを調整しながら適正な画質で検査を進める。
  - ▶ **モニタ**：検査室の明るさに合わせてブライトネスとコントラストを調整する。
    室内の明るさは必要以上に暗くせず，モニタに直接光が映り込まないように注意する。
  - ▶ **記録装置**：モニタに描出された超音波画像が忠実に記録できるよう調整する。
  - ▶ **ゲイン**：画像全体の増幅感度を調整するつまみで，被検者ごとに調整する。
  - ▶ **STC**：深さによる超音波の減衰を補正するつまみで，画像全体が均一に表示できるように調整する。
  - ▶ **フォーカス**：観察する領域に随時フォーカスを合わせ，明瞭な描出ができるように調整する。

B エコーゼリー

- 探触子と体表の間に空気の層があると，強い反射が起こり，超音波の効率的な送受信ができない。**エコーゼリーは，反射を極力抑え効率のよい送受信を行うために体表面に塗布する**ものである。
- エコーゼリーには**探触子のすべりを円滑にする働き**があり，探触子を広範囲に走査する必要がある検査ではソフトタイプを，狭い範囲を走査する検査ではハードタイプを用いることが多い。
- 超音波検査に用いるゼリーの主成分は一般的に水であり，流れ落ちないように適度な粘度を与える粘性剤や，乾燥を抑える保湿剤などが加えられている。
- エコーゼリーは検査前に**適度に保温**しておくとよい。
- 超音波誘導下に穿刺などを行う場合に用いる滅菌ゼリーも市販されている。

C　走査の種類

1. 平行走査

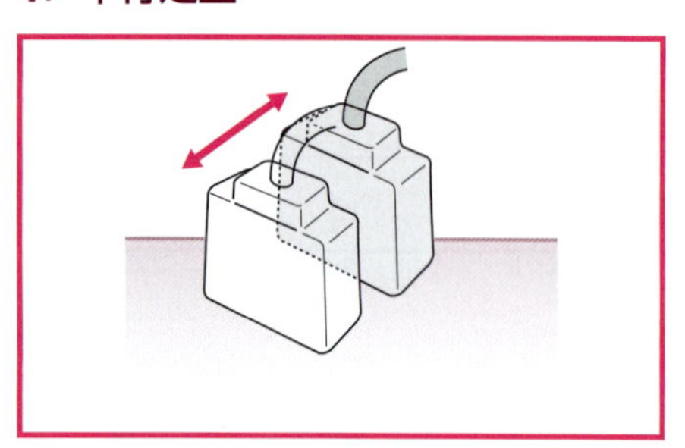

- 探触子の位置を左右あるいは前後に平行移動させて観察する方法。
- 血管や体表臓器の検査，肝臓左葉，膵臓頭部から尾部を心窩部縦走査で観察する際に使用することが多い。

2. 扇動走査

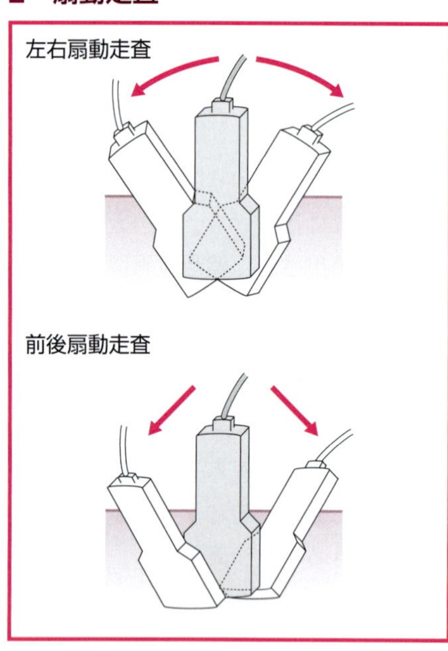

- 心臓超音波検査で使用する探触子の走査方式は**セクタ走査（ビームが扇状に走査する）**であり，扇動走査により観察する。

【左右扇動走査】

- 探触子と体表面の接触部を支点に，探触子の上部を横（左右）に扇動させて観察する方法。
- 骨などの障害物により，目的臓器に超音波ビームが入りにくい場合に使用する。

【前後扇動走査】

- 探触子と体表面の接触部を支点に，探触子の上部を前後に扇動させて観察する方法。
- 肋骨弓下・心窩部横走査・右季肋部走査により肝臓や腎臓，胆嚢，膵臓の観察を行う際に使用することが多い。
- 右肋間走査により肝臓や胆嚢を，左肋間走査により脾臓を観察する際に使用することが多い。

3. 回転走査

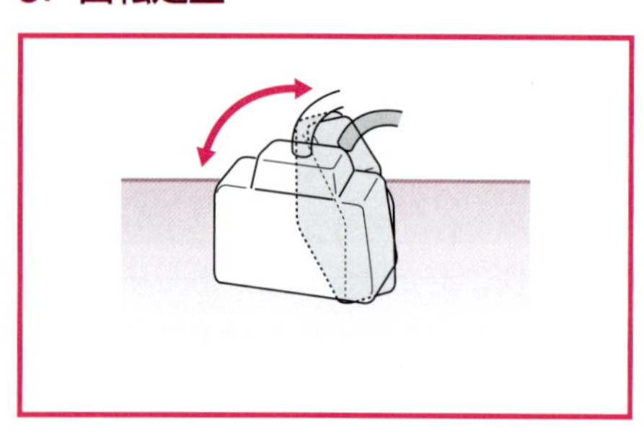

- 体表面と接触している探触子の一部を支点に，探触子を回転させて観察する方法。
- 乳腺では，探触子の乳頭側を支点に，探触子を360°回転させて観察する。
- 乳房の乳管と腺葉走行を意識した走査で，限局する乳管拡張像や構築の乱れの検出，病変が腺葉と一致するかどうかの判断に有効である。
- 乳腺の広がりを十分に把握し，末梢乳腺まで確実に走査することが必須である。

探触子走査のポイント

観察したいところまでは速く，観察したいところが描出されたらゆっくり動かすようにする。詳細な観察をするために探触子は強く握りすぎず，微妙な動きができるように心がける。

D 検査の体位

●**観察しようとする臓器をできる限り鮮明に描出し，病変の検出，性状および周囲組織との関係を把握するために体位変換を行う。仰臥位・側臥位・半坐位・坐位・四つん這い・立位・腹臥位がある。**

1. 仰臥位による検査

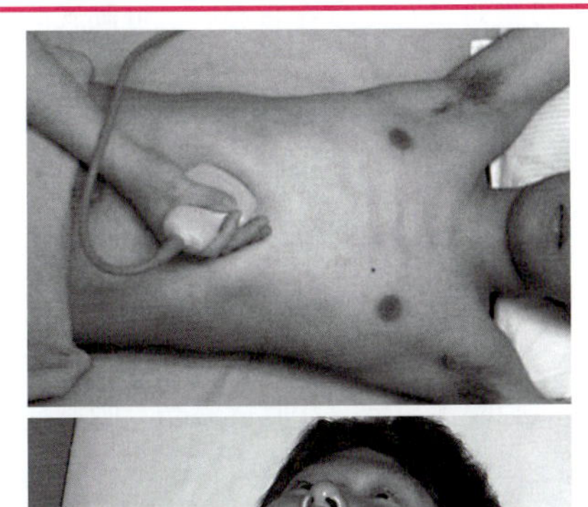

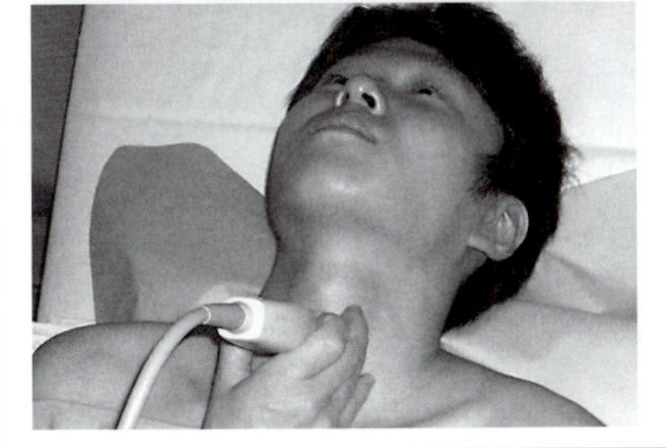

- **腹部・泌尿器全般**：両腕は頭上で組む。両腕が検査の邪魔にならず，肋間が開くため探触子が当てやすく，超音波ビームの投入が容易になる。また，より鮮明な画像描出のために，探触子を強めに押して消化管ガスを排除するようにする。
- **乳腺**：観察する乳房の背部に枕を当てがい，乳房が胸郭に均等に広がるようにする。腕は脇が軽く開くようにするか，または頭上に挙げる。
- **甲状腺**：頸背部に枕を置き，頸部を十分に伸展させる。
- **頸部血管**：枕は使用せず，顎を軽く上げ，探触子と反対側に顔を傾ける。
- **心臓超音波**：心窩部や鎖骨上窩からの記録を行う際に用いる。強い圧迫は禁忌。
- **血管超音波**：鼠径部から下肢にかけての血栓の有無を検索する際，通常は立位や坐位により行うが体位の保持が難しい場合に用いる。

2. 左右側臥位による検査

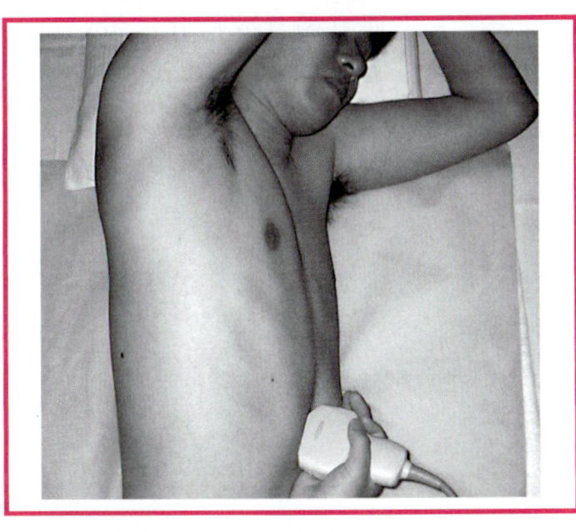

- **左腎臓・脾臓が仰臥位では描出しにくい場合**：右側臥位（右横向き，両腕は頭上で組む）とすることで描出しやすくなることがある。
- **右腎臓・肝臓・胆嚢・胆管が仰臥位では描出しにくい場合**：左側臥位（両腕は頭上で組む）とすることで描出しやすくなることがある。
- **胆嚢結石や胆泥の可動性が判別しにくい場合**：可動性を捉えられることがある。
- **心臓超音波**：左側臥位で行うのが原則である。必要に応じて右側臥位や仰臥位で検査する。

3. 半坐位による検査

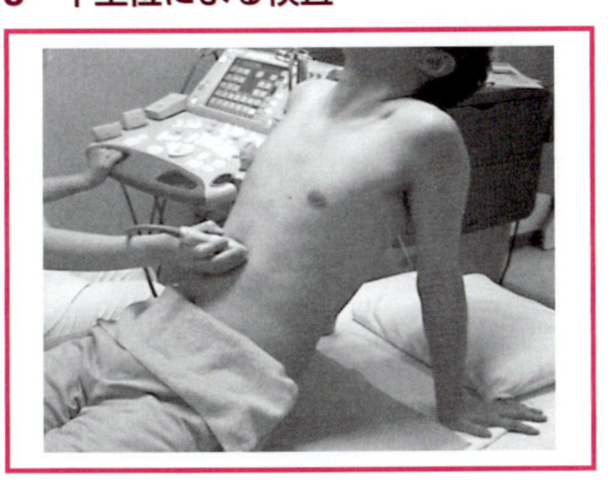

- **膵臓が描出しにくい場合**：半坐位になることで肝臓が尾側へ下がり，膵臓の音響窓となることで描画しやすくなる。また，体位変換に伴って，消化管ガスが移動するため，膵臓の描出能が向上する。
- **胆嚢結石や胆泥の可動性が判別しにくいとき**：半坐位になることで可動性を捉えられることがある。

4. 坐位による検査

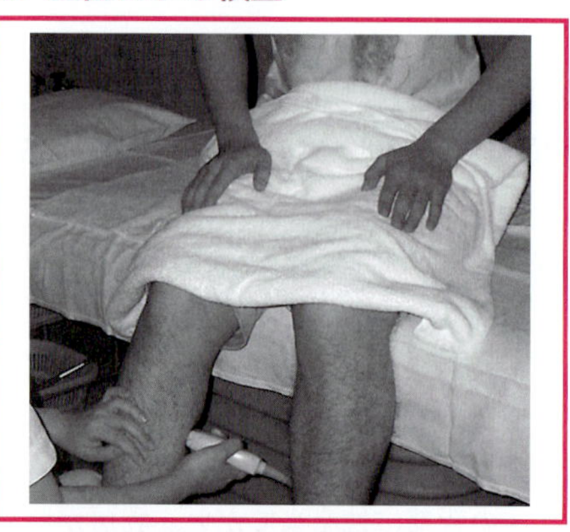

- 下腿静脈および下腿動脈の血管超音波検査時には，坐位になり足を下垂させて検査を施行する。
- 静脈が怒張し，血管の同定や観察が容易になる。
- 診察台に椅子を乗せて坐位の姿勢をとらせることは，落下の危険を伴うため絶対にしてはならない。可動式診察台の使用が望ましい。

5. 四つん這いによる検査

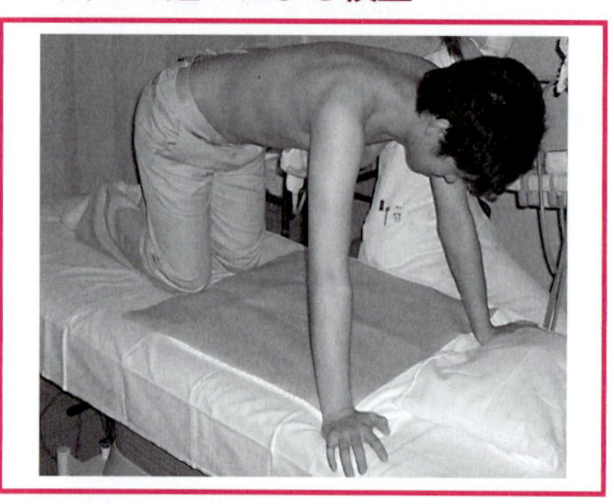

- **音響陰影を認めず，胆嚢ポリープか胆嚢結石，胆泥かの判別が難しい場合**：四つん這いになることで，可動性の有無を確認することにより，鑑別診断が可能となる。
- この姿勢をとってもらうにあたっては，被検者に趣旨説明を行い協力してもらうこと。

6. 立位による検査

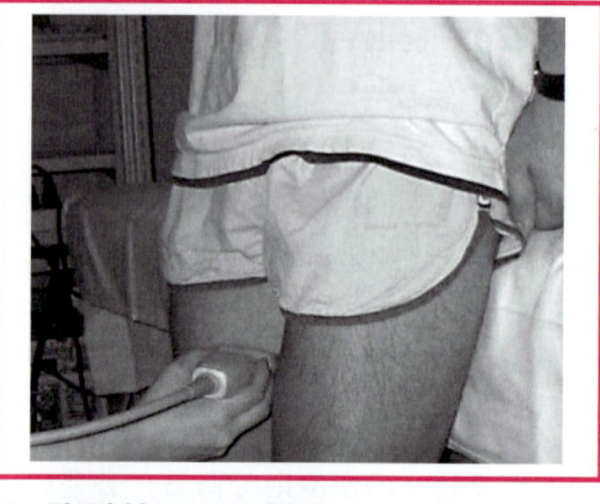

- 鼠径部から下肢にかけての血管超音波検査に用いられる。
- 静脈が怒張するため血管の同定が容易になる。
  - ▶ 逆流が促進されやすいため，逆流の有無を主な目的とする表在静脈の描出に適している。
- 探触子の固定が難しく，検査中この体位を保持するのは，術者・被検者ともに負担となる欠点がある。

7. 腹臥位による検査

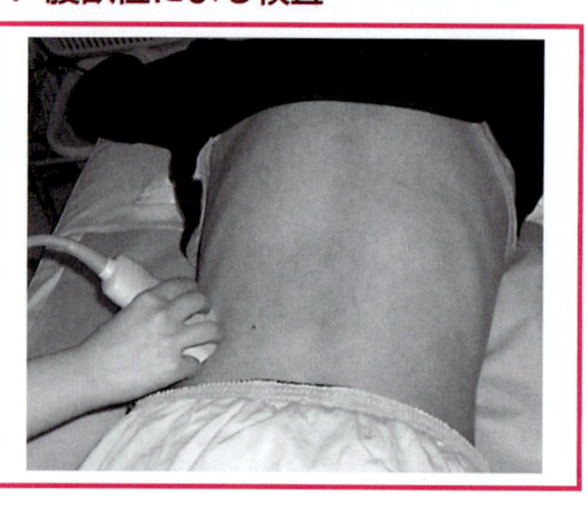

- 仰臥位では腎臓の描出が不良なとき，腹臥位とし背中側から探触子を当て観察する。
- この体位では，腎臓のサイズ計測や全体の観察が容易になる。
- 若年者は鮮明で詳細な断面像が得られるため有効な体位であるが，成人では背筋や腎臓周囲の脂肪により十分な観察が困難になることがあり，あまり有効ではない。

E 呼吸法

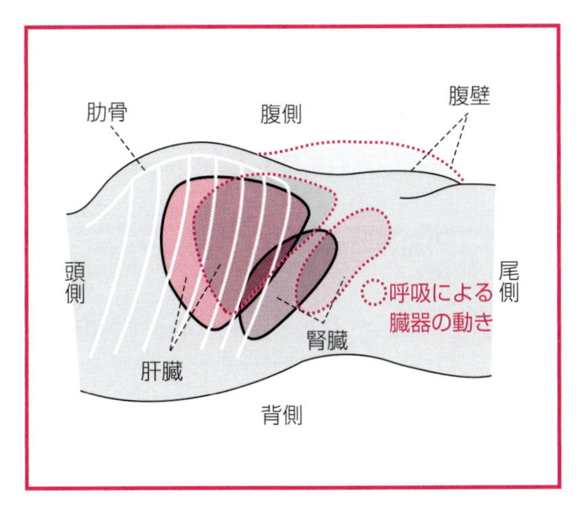

- 腹部超音波検査において，呼吸性変化による臓器の観察は，**描出能の向上**と**見落としを防ぐ**上で有用である。
- **腹式呼吸による深吸気**時が一般に描出能を高める。
- 女性では腹式呼吸が困難で胸式呼吸になりやすく，臓器および症例により呼気時の方が描出が良いこともある。
- 右肋間走査による肝臓の観察や左肋間走査による脾臓の観察など，横隔膜下付近の観察には，吸気時より呼気時の方が肺の影響が少なくなるため描出範囲が広くなる。
- 膵臓の描出は，吸気で肝臓を尾側に移動させ，肝を音響窓として利用すると観察しやすくなる。
- 走査は画面を見ながら，呼吸性変化による臓器の動きを観察することが大切である。
- 甲状腺下部が鎖骨下に入り込んで描出困難な場合，呼気により観察が可能になる。

F 前処置（検査にあたっての前処置と注意点）

1. 前処置

- 腹部超音波検査や上腹部の血管超音波検査では，食事の摂取により食物の貯留や消化管ガスの影響で上腹部臓器の描出が不良になるため，絶食で午前中に検査を施行する。
  - 午後に検査を施行する場合には，朝食は軽くとり昼食を絶食とする。
  - 食事の摂取により，胆囊が収縮して壁が肥厚するため，胆囊病変の診断ができなくなる。
  - 水やお茶などの少量の水分は摂取してよいが，牛乳などの脂肪質は胆囊を収縮させるため控える。
- 経食道心臓超音波検査は，胃内視鏡と同様に直径1cm弱の探触子を食道内に挿入するため，検査前は絶食とする。
- 膀胱，子宮，卵巣，前立腺の観察は，下腹部の消化管ガスの影響をさけるため，尿を溜めて検査を施行する（膀胱充満法）。
- 胃や膵臓周囲の観察を容易にするため，胃に脱気水を充満させて検査を施行する（胃脱気水充満法）。
  - 水道水を5分程度煮沸して冷ました水を脱気水とし，検査直前に500～800mL飲用する。

2. 注意点

- 胃内視鏡検査や胃・腸X線透視検査で使用する，発泡剤や硫酸バリウムは，超音波の透過を妨げるので，これらの検査の前に超音波検査を行う。
- 被検者に不快感を与えないように，エコーゼリーは事前に温めておく。
- 検査終了後エコーゼリーを拭き取るペーパータオルや軽く湿った温タオルを準備する。

2 超音波検査の特徴

1. 長　所

- 非侵襲的な検査である。
  - ▶X線検査と異なり被ばくがなく，繰り返しの検査が可能であり，経過観察にも適している。
- 手軽に行える検査である。
  - ▶特別な前処置を必要とせず操作が簡便で，1回の検査で多くの臓器の形態や血流情報を得ることができる。
  - ▶スクリーニングから精密検査，さらには装置が小型で移動性に優れておりベッドサイドでの緊急時まで検査の幅が広い。
- 多方向からリアルタイムで目的臓器とその周囲臓器との位置関係を把握できる。
  - ▶病変部を任意の方向から観察することができ，周囲組織や血管との連続性などが把握できる。
  - ▶血管や胆管など管腔構造の連続性を追って観察することができる。
  - ▶臓器の呼吸性移動を確認することで，周囲臓器への直接浸潤の有無を評価することができる。
  - ▶探触子で病変や臓器を圧迫し，変形の有無を観察することができる。
  - ▶心臓の弁の動きや壁運動の観察に適している。
- ドプラ法を併用することで，心血管系の血行動態や腫瘍内の血流情報が得られる。
  - ▶狭窄病変や逆流，シャントなどの心血管病変の診断に必須な検査法である。
  - ▶腫瘍内血流の有無や血流が拍動性か定常性かなどの情報は，腫瘍の良悪性の鑑別に有用である。
- 超音波誘導下で経皮的に穿刺することで，細胞や組織を安全かつ確実に採取することができる。
  - ▶ラジオ波焼灼療法など肝悪性腫瘍の治療にも応用される。

2. 短　所

- 骨や空気は，体内臓器との**音響インピーダンス**が大きく異なるため，超音波が反射され，骨，頭部，肺などの検査には適さない。
- 肥満や消化管ガスなど，被検者の条件が描出能に影響を及ぼす。
- 術者の技量により，見落としが生じたり，診断能に差が起こりうる。

8章 腹部領域における検査

1 肝臓 (liver)

A 予備知識

1. 解 剖

Couinaud（クイノー）の肝区域分類

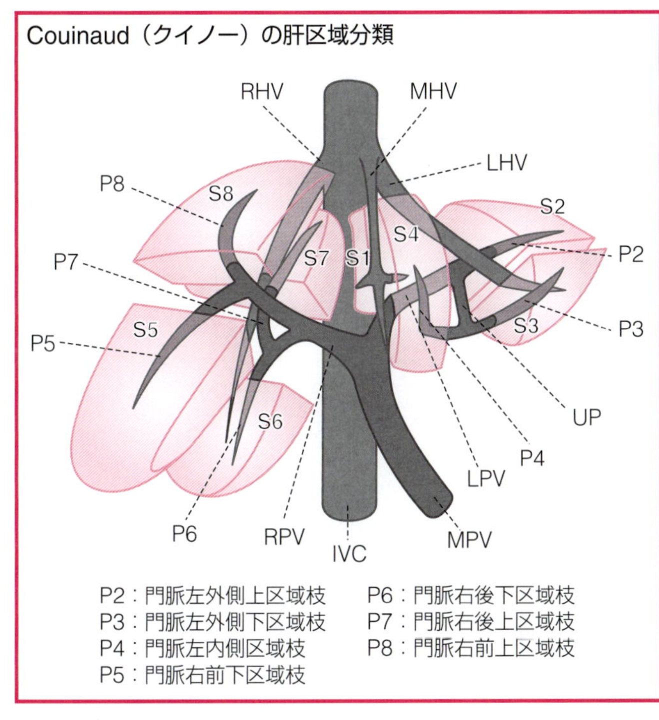

P2：門脈左外側上区域枝　P6：門脈右後下区域枝
P3：門脈左外側下区域枝　P7：門脈右後上区域枝
P4：門脈左内側区域枝　P8：門脈右前上区域枝
P5：門脈右前下区域枝

- 肝臓は，門脈の血流支配領域により8区域に区分される（Couinaud（クイノー）の肝区域分類）。
  - S1：尾状葉
  - S2：左葉外側上区域
  - S3：左葉外側下区域
  - S4：左葉内側区域
  - S5：右葉前下区域
  - S6：右葉後下区域
  - S7：右葉後上区域
  - S8：右葉前上区域
- 超音波検査では，門脈，肝静脈，肝円索，静脈管索などを指標として，区域を理解しながら描出する。

2. 肝臓のチェック項目

①大きさ（左葉，右葉）：**正常，腫大，萎縮**
②肝縁（左葉，右葉）：**鋭角，鈍化**
③肝表面：**整，不整，凹凸不整**
④実質エコー：**微細均一，不均一，粗雑，エコーレベル上昇，エコーレベル低下**
⑤肝内脈管（肝動脈，肝静脈，門脈）：**狭小，不明瞭化，拡張，内部エコー**
⑥肝腫瘤性病変：**嚢胞性・充実性病変の有無**

略語　Ao：aorta 大動脈，CEA：celiac artery 腹腔動脈，GB：gallbladder 胆嚢，IVC：inferior vena cava 下大静脈，LHD：left hepatic duct 左肝管，LHV：left hepatic vein 左肝静脈，LPV：left portal vein 門脈左枝，MHV：middle hepatic vein 中肝静脈，MPV：main portal vein 門脈本幹，PHA：proper hepatic artery 固有肝動脈，PV：portal vein 門脈，RHA：right hepatic artery 右肝動脈，RHD：right hepatic duct 右肝管，RHV：right hepatic vein 右肝静脈，RPV：right portal vein 門脈右枝，SMA：superior mesenteric artery 上腸間膜動脈，UP：umbilical portion 門脈左枝臍部

B 基本断面

1. 心窩部縦走査

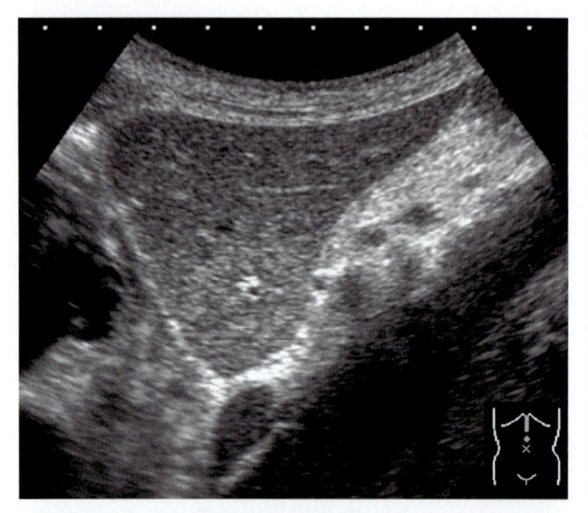

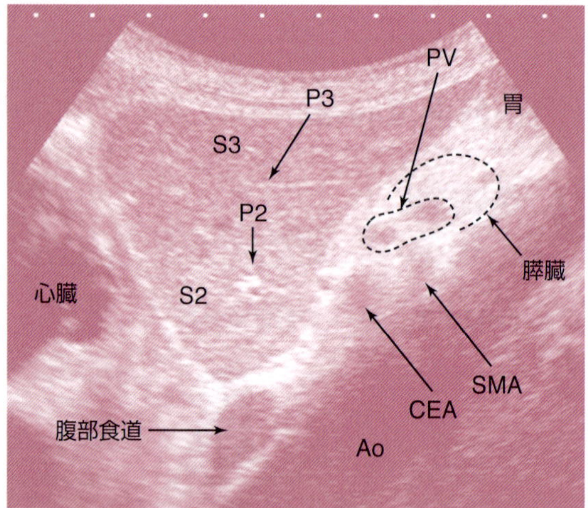

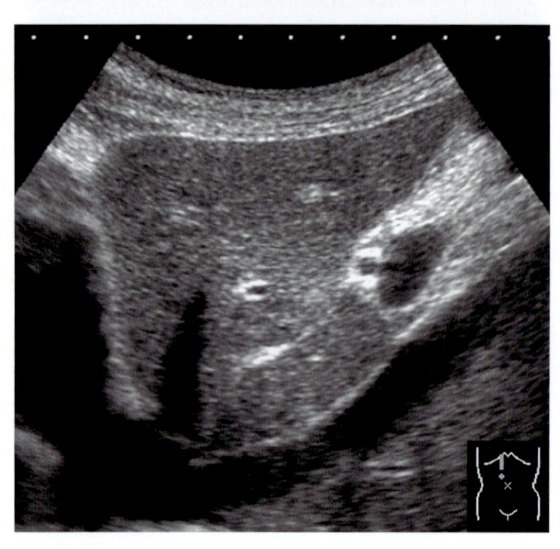

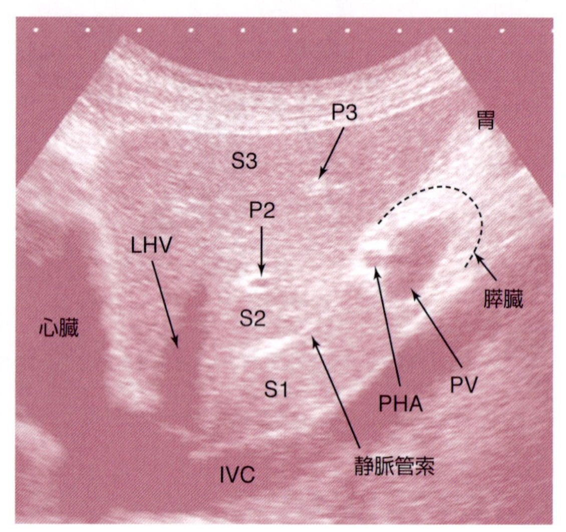

描出区域 S1：尾状葉，S2：左葉外側上区域，S3：左葉外側下区域

基本断面

- **心窩部縦走査**で正中に探触子を当てた大動脈面では門脈左側上・下区域枝の短軸像および，その支配領域である左葉外側上・下区域（S2，S3）が描出される。
- 探触子を患者（被検者）右側に動かした下大静脈面では，左葉外側上区域（S2）と静脈管索で区分される尾状葉（S1）が描出される。

2. 心窩部横走査

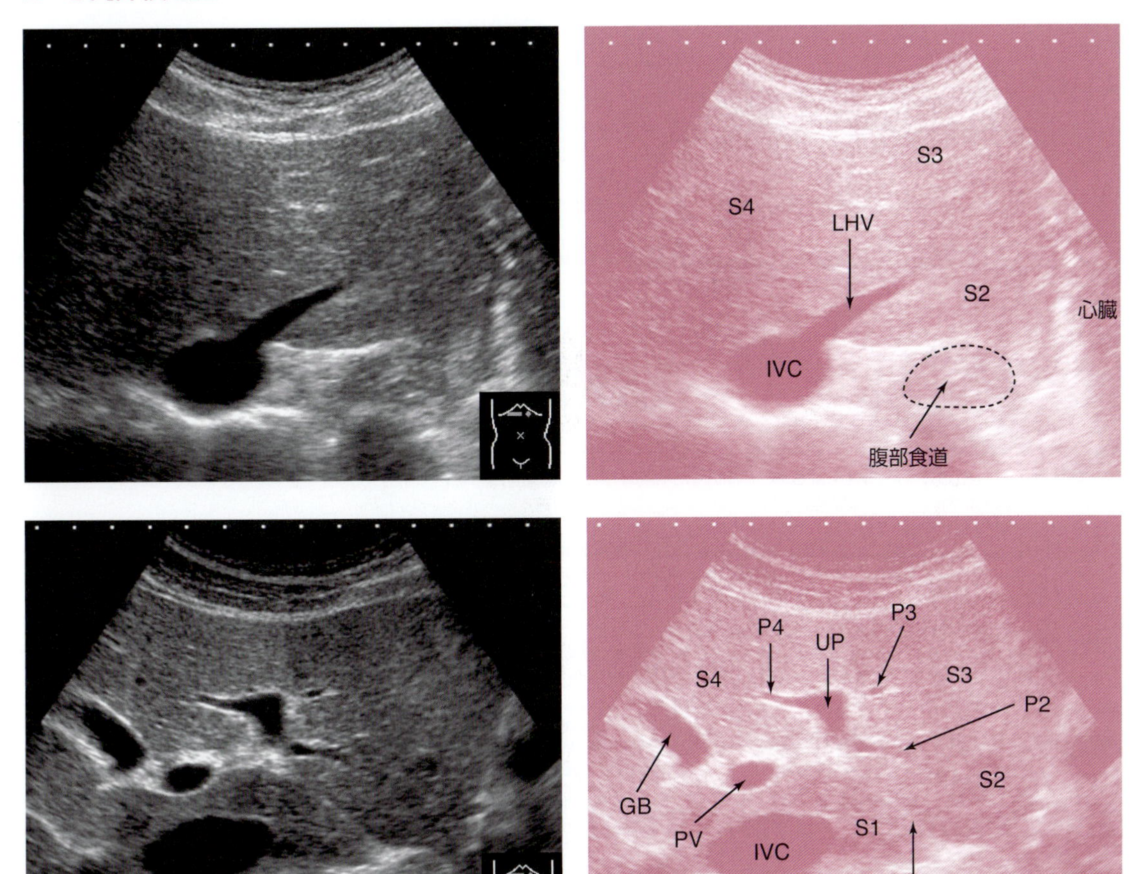

描出区域 S1：尾状葉，S2：左葉外側上区域，S3：左葉外側下区域，S4：左葉内側区域

基本断面

- 心窩部横走査で探触子を頭側に傾けた断面では，左葉外側上・下区域（S2, S3）および，その間を走行する左肝静脈が描出される。
- 探触子を尾側に傾けると，門脈左枝臍部から分枝する外側上・下区域枝と内側区域枝，およびその支配領域である左葉外側上・下区域（S2，S3）と左葉内側区域（S4）が描出される。尾状葉（S1）は下大静脈の腹側に位置し，左側は静脈管索で区分される。

3. 右肋骨弓下走査

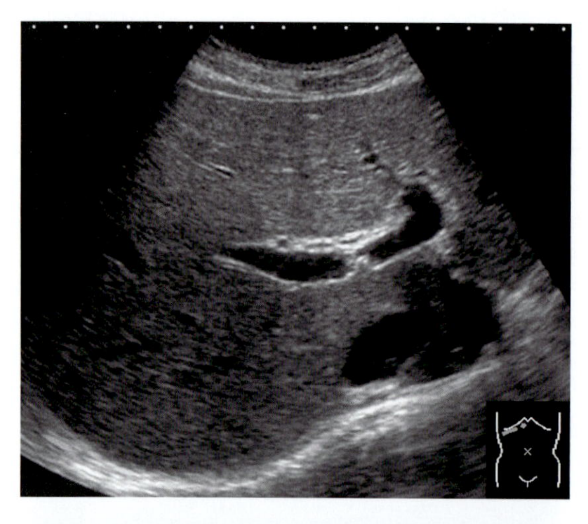

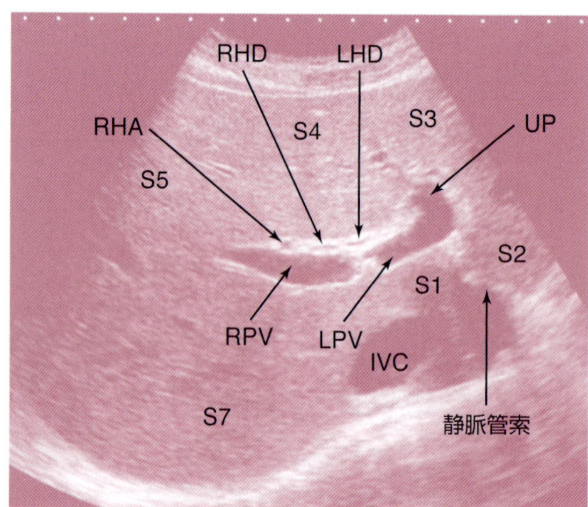
RHD
LHD
RHA
S4
S3
UP
S5
S2
S1
RPV
LPV
IVC
S7
静脈管索

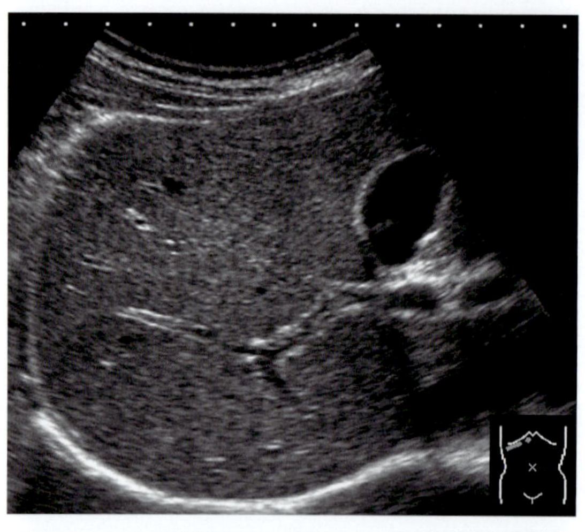

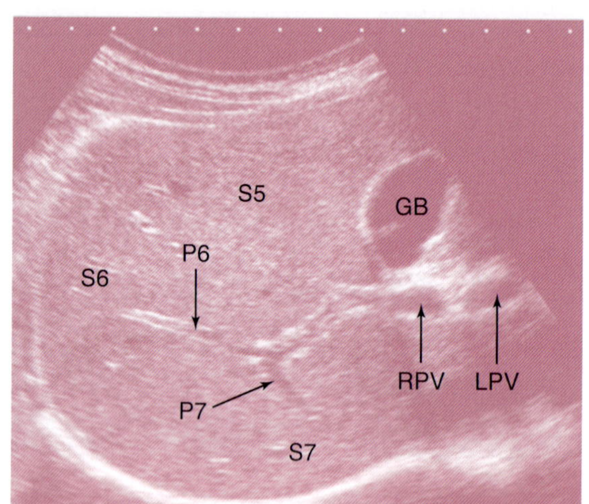
S5
GB
P6
S6
RPV
LPV
P7
S7

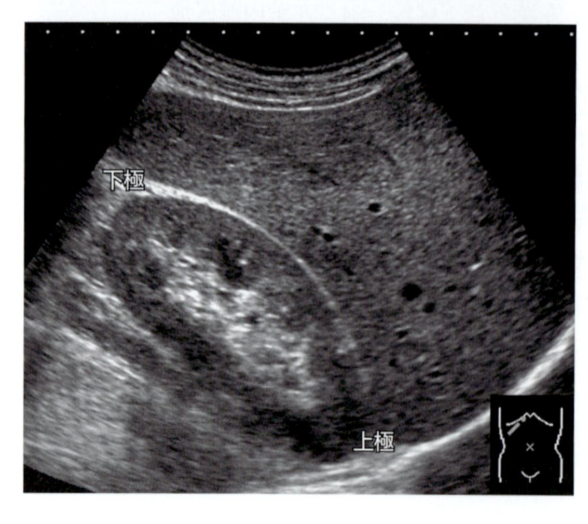
下極
上極

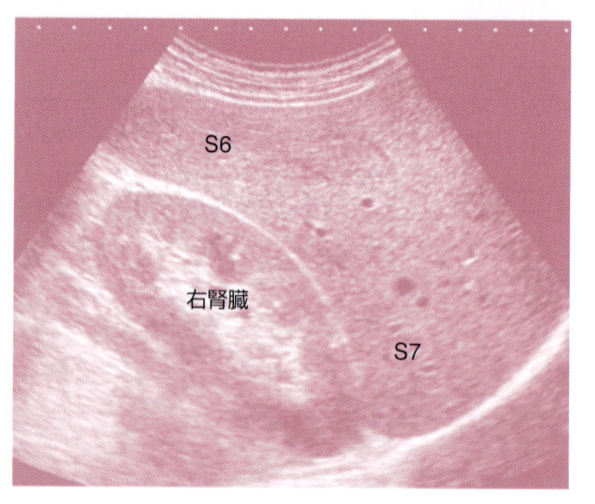
S6
右腎臓
S7

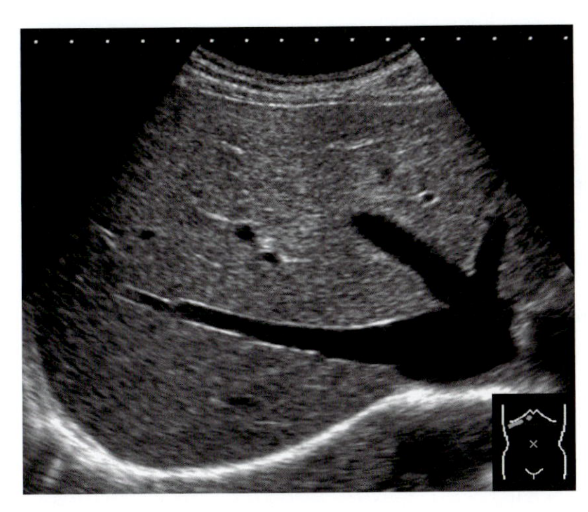

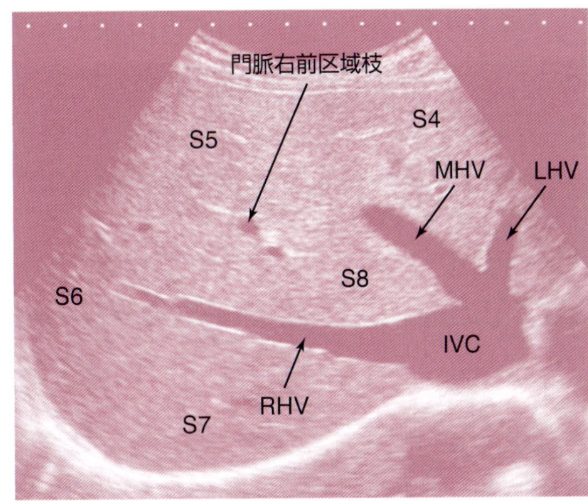

描出区域 S4：左葉内側区域，S5：右葉前下区域，S6：右葉後下区域，S7：右葉後上区域，S8：右葉前上区域

基本断面

- **右肋骨弓下走査**では，門脈左枝水平部と連続する門脈右枝，左葉内側区域（S4）および右葉前下区域（S5），右葉後上・下区域（S7，S6）が描出される。
- 探触子を右側に動かすと，門脈右枝から連続する後区域枝，後上・下区域枝が描出される。
- 探触子を縦方向に回転させると，右腎臓が描出される。
- 門脈右枝から探触子を頭側に傾けた断面では，前区域枝の短軸像および右・中・左肝静脈が描出される。右肝静脈は右葉後上・下区域（S7，S6）と右葉前上・下区域（S8，S5）を区分し，中肝静脈は右葉前上・下区域（S8, S5）と左葉内側区域（S4）を区分する。

コラム 肝臓と右腎臓の同一断面

- 肝実質と腎皮質のエコーレベルを比較して，脂肪肝の有無が確認できる。
- 肝臓と右腎臓の間に存在するスペース（Morrison窩（モリソン））は，仰臥位で検査する時少量の腹水でも貯留を確認できる場所。

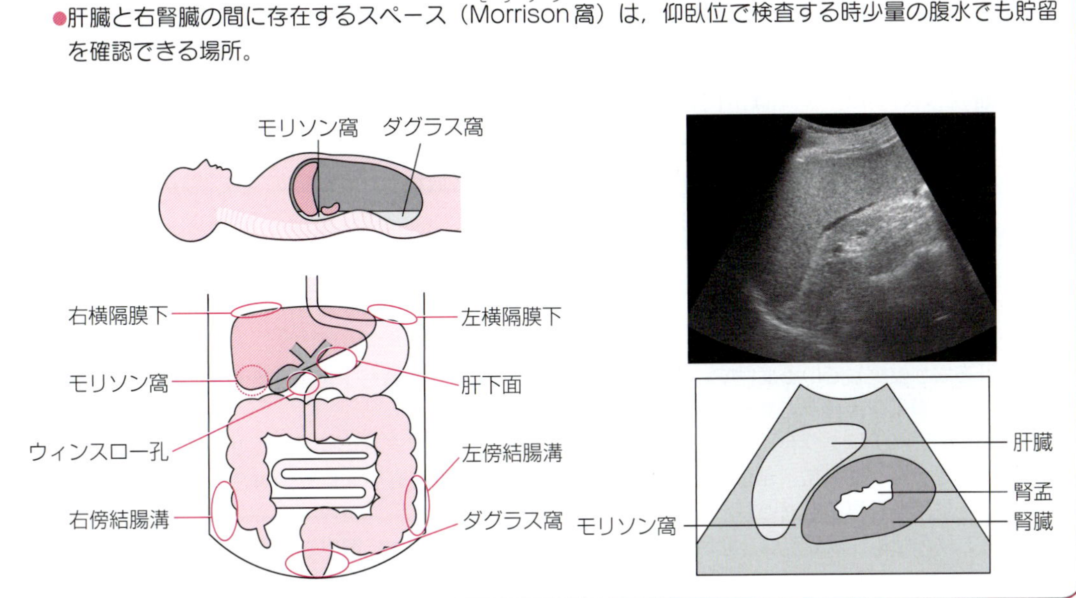

4. 右肋間走査

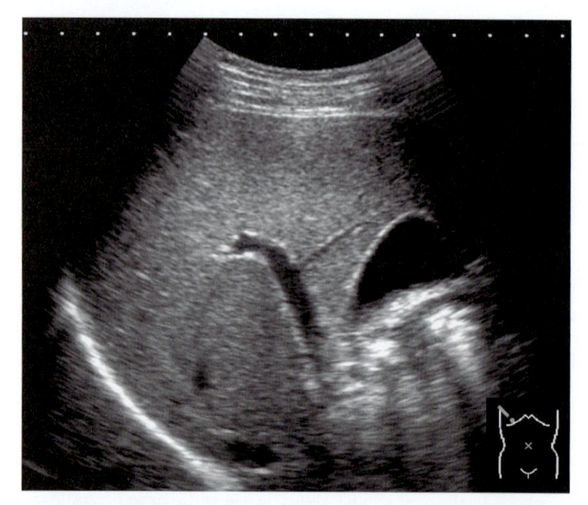

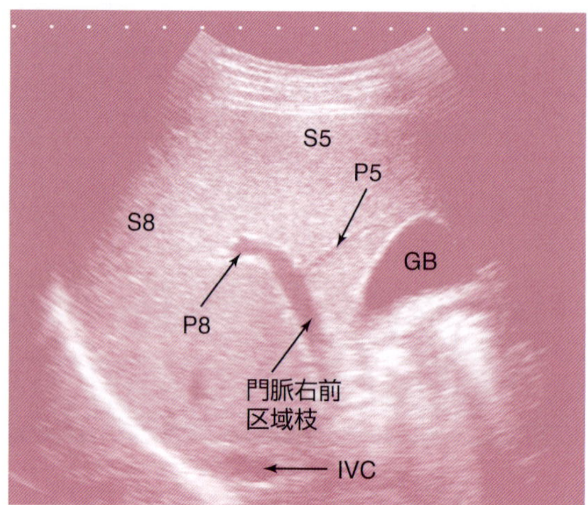

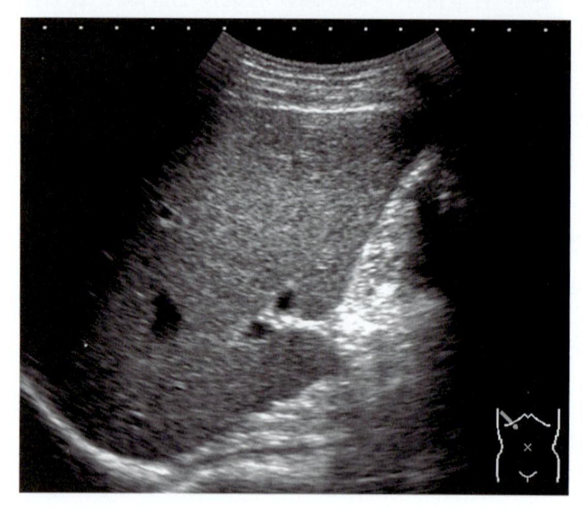

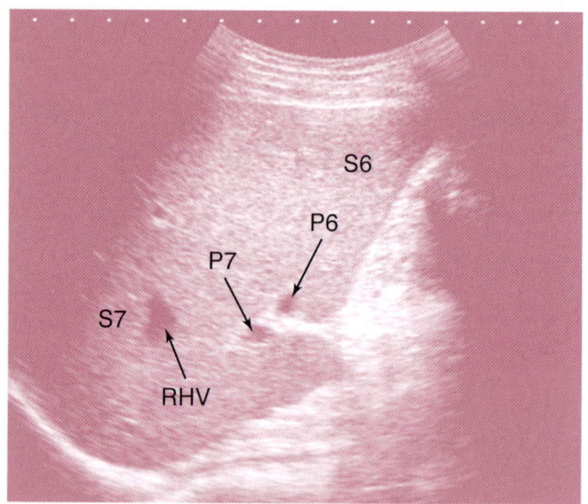

描出区域 S5：右葉前下区域，S6：右葉後下区域，S7：右葉後上区域，S8：右葉前上区域

基本断面

- 右肋間走査では，門脈右前区域枝から分枝する前上・下区域枝，およびその支配領域である右葉前上・下区域（S8，S5）が描出される。
- 探触子を1肋間尾側の断面では，後上・下区域枝，およびその支配領域である右葉後上・下区域（S7，S6）が描出される。

コラム 右肋間走査の特徴

- 肝右葉が委縮している症例や，消化管ガスの影響により右肋骨弓下走査で肝右葉の描出が困難な場合には，有用な走査法である。
- 肋骨のアーチファクトや肺の影響を受けやすいため，少しでも抽出範囲が広がるように積極的な体位変換を行う（側臥位，部位によっては座位）。また，それでも見えにくい場合には，セクタ型プローブを使用する場合もある。
- 肝右葉の腫瘤性病変では，肋骨弓下走査と肋間走査の2方向から観察し，確診所見を得る。

C 代表的症例の超音波所見

1. 脂肪肝（fatty liver）

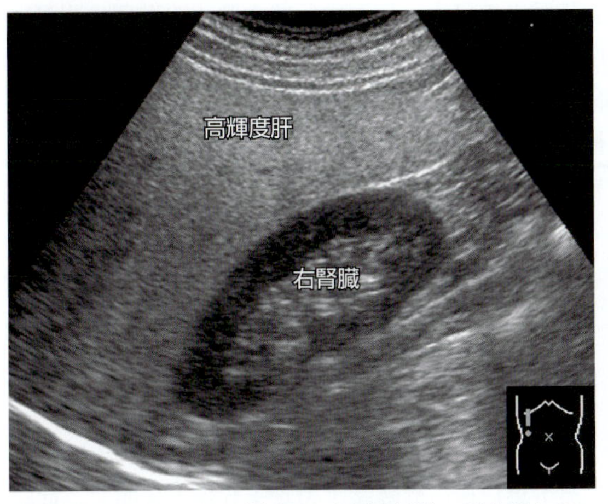

肝実質のエコーレベルが上昇し（高輝度肝），腎皮質とのエコーレベルの差が大きい（肝腎コントラストの上昇）。

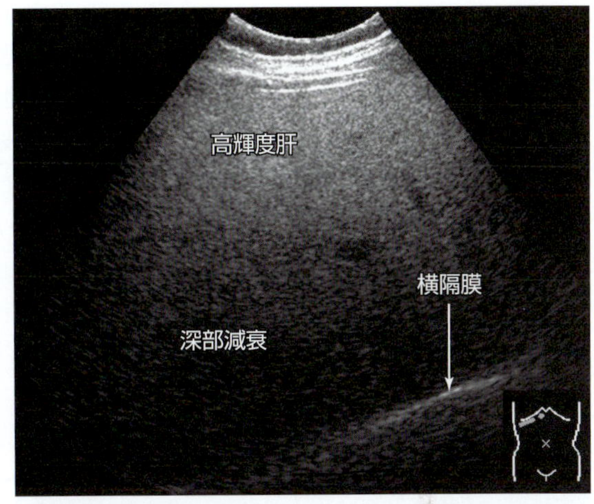

高度の脂肪肝では，肝実質の深部で反射波の強い減衰を認める（深部減衰）。

脂肪肝とは，肝細胞の胞体内にトリグリセリドなどの脂肪滴が蓄積した状態である。脂肪滴と周囲の組織との間に大きな音響インピーダンスの差を生じ，脂肪滴の表面では強い反射が起こり，特徴的な超音波所見を呈する。

超音波所見

①高輝度肝
②肝腎コントラストの上昇
③肝内脈管の不明瞭化
④深部減衰

- 肝血流の分布状態により，非びまん性に脂肪が沈着する例も多く，肝腫瘤と鑑別を要する場合もある。
- 脂肪滴は正常な肝細胞内にも5%程度存在するが，約10%以上蓄積するとUSで異常所見として検出され，CTよりも鋭敏な検査である。

2. 肝硬変（liver cirrhosis）

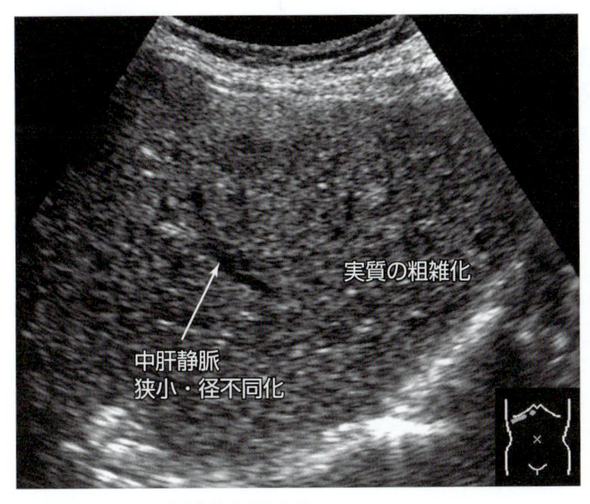

肝実質エコーの粗雑化を認める。

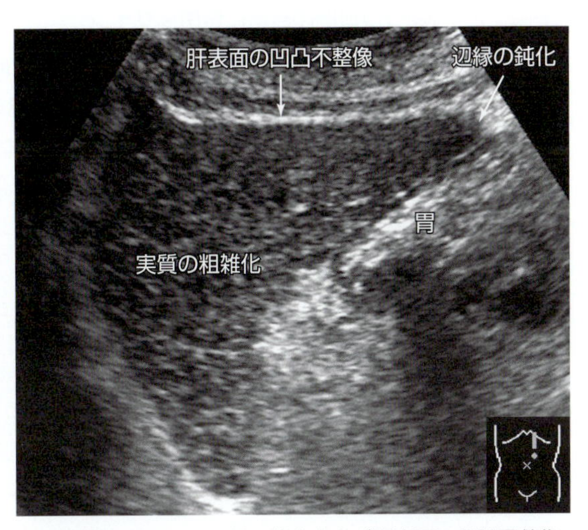

左葉外側区域では，肝縁の鈍化および肝表面の凸凹不整像，肝実質の粗雑化を認める。

肝硬変は，C型肝炎など慢性的な肝障害の終末像で，肝小葉が破壊され，線維化や差異性結節の形成を反映した特徴的な超音波所見を呈する。

超音波所見

①肝実質エコーの粗雑化
②肝縁の鈍化
③肝表面の凸凹不整
④肝静脈の狭小，径不同化
⑤右葉萎縮と左葉腫大。進行すると両葉が萎縮する。

- 肝機能障害が進行すると，低蛋白血症や門脈圧亢進症により脾臓腫大のほか，側副血行路や腹水の貯留，胆嚢壁の肥厚など肝臓以外にも異常所見を認める。
- C型肝炎やC型肝硬変は肝細胞癌の発生母地であり，超音波検査では肝臓の形態の観察だけでなく肝細胞癌の早期発見を心がけて検査する。

3. うっ血肝（congestive liver）

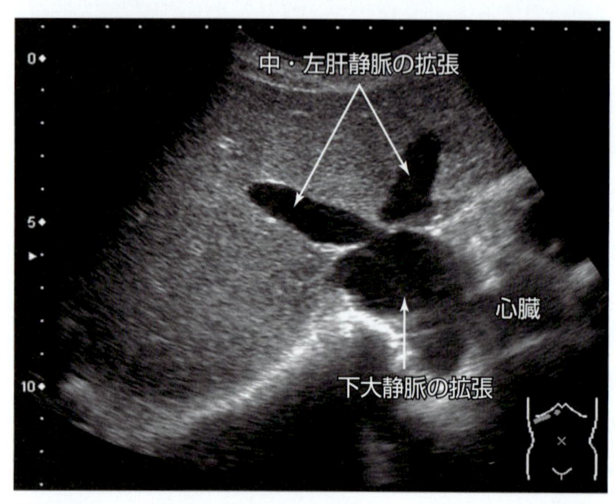

中肝静脈，左肝静脈が著明に拡張し，下大静脈の拡張も認める。

うっ血肝は，主に右心不全が原因で，右心房圧の上昇に伴い肝静脈圧が高まり径が拡張し，肝臓が腫大して肝機能障害を生じる。

超音波所見

①肝静脈の怒張。深呼吸によって肝静脈径が変化しない。
②肝腫大
③下大静脈の拡張

コラム うっ血肝の診断に有用なサイン

- うっ血肝では肝静脈の怒張のため，肋骨弓下走査で拡張した中肝静脈（MHV）および左肝静脈（LHV）が，playboy bunny（プレイボーイ バニー）の耳（上症例画像）に類似して見える所見である。

4. 肝囊胞（hepatic cyst）

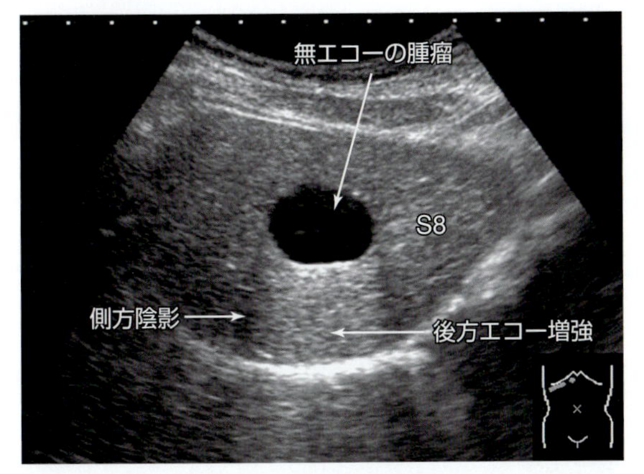

右葉前上区域（S8）に径25 mmの内部無エコーの腫瘤を認める。辺縁は平滑で，側面から音響陰影（側方陰影）を生じ，後方エコーは増強している。

肝囊胞は，内部に漿液を含んだ囊胞で，壁は細胞成分に乏しい線維組織である。また，肝内に多発する例も多い。

超音波所見

①内部無エコーで類円形
②辺縁は平滑
③後方エコー増強
④内部に隔壁を有するものも多い。

- 隔壁を有する囊胞では，隔壁の肥厚や充実性部分がないことを確認する。

コラム 肝囊胞の診断に有用なサイン

- **後方エコー増強**：肝囊胞など音の透過性の良い腫瘤では，腫瘤の内部が周囲の肝実質よりも超音波の減衰が少ないために，腫瘤後方の音響が増強する所見である。
- **側方陰影**：囊胞や被膜を有する腫瘍など，球状で表面が平滑な腫瘤の側面で生じる屈折により，側方から後方に音響陰影を生じる所見である。

5. 肝血管腫（hepatic hemangioma）

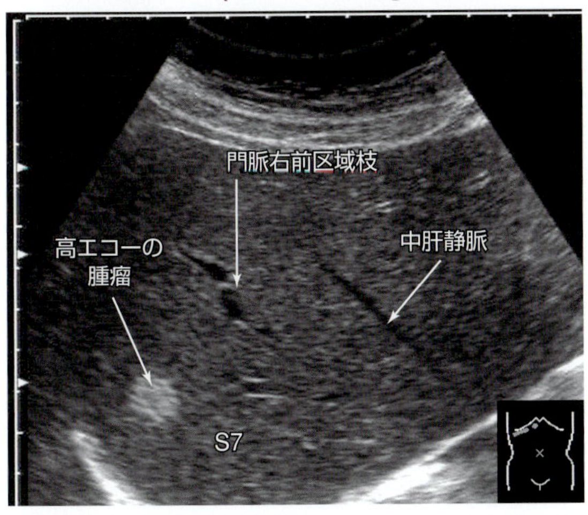

右葉後上区域（S7）に径10 mmの充実性腫瘤を認める。内部は高エコー，辺縁は凹凸不整である。

肝臓の非上皮性腫瘍のなかで最も頻度の多い良性の腫瘍で，大部分が**海綿状血管腫**（cavernous hemangioma）である。

超音波所見

①内部は高エコーレベル
②辺縁凹凸不整
③体位変換や圧迫，経時的に内部のエコーレベルが変化することがある。

- 高エコーパターンを呈する腫瘤が最も多い（70～80%）が，辺縁高エコーや腫瘍内部が混合エコーパターンを示す場合には，悪性腫瘤と区別しにくい場合もあり，注意が必要である。

コラム サイン集

肝血管腫では，特異的な血行動態を反映し内部エコーが変化する。

- chameleon sign（カメレオン サイン）：体位変換により内部エコーが変化する。
- disappearing sign（ディスアピラリング サイン）：深吸気や腹壁圧迫により内部エコーが変化する。
- wax and wane sign（ワックス アンド ウェイン サイン）：経時的に内部エコーが変化する。

6. 肝細胞癌（hepatocellular carcinoma：HCC）

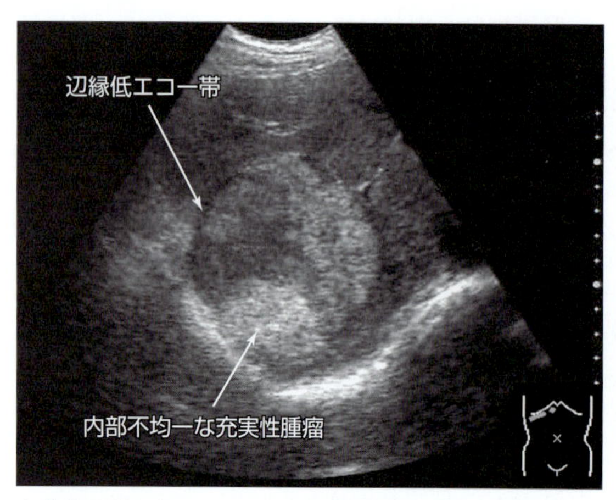

右葉後区域に径９cmの充実性腫瘤を認める。内部は不均一（モザイクパターン）で，辺縁の一部に薄い低エコー帯を認める。

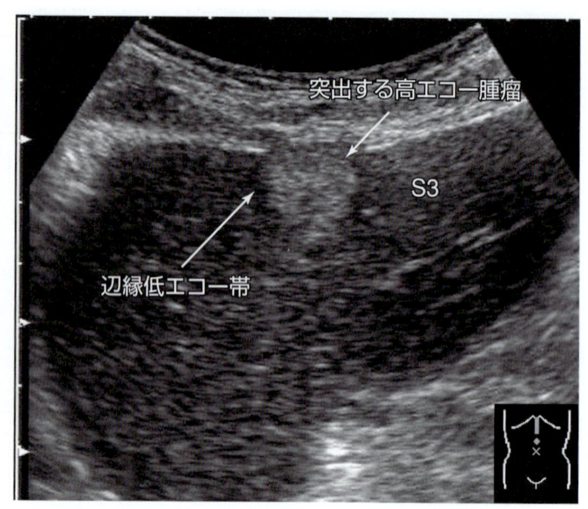

左葉外側下区域（S3）に径２cmの充実性腫瘤を認める。腫瘤は辺縁低エコー帯を有し，肝表面から突出像（hump sign）を呈する。

肝細胞癌は上皮性悪性腫瘍で，C型肝炎やC型肝硬変から発生することが多い。腫瘤径が2cm以上のものは，特徴的な超音波所見を呈する。

超音波所見

①内部エコーの不均一化（Mosaic pattern（モザイクパターン））
②薄い辺縁低エコー帯
③側方陰影
④後方エコーの増強
⑤肝表面への腫瘤の突出像（hump sign（ハンプサイン））
⑥門脈や肝静脈に腫瘍塞栓

- 肝細胞癌は多段階発育の概念が推定されている。再生結節から腺腫様過形成が発生し，異型腺腫様過形成，高分化型肝細胞癌，中・低分化癌を含む早期肝細胞癌へと発育し，最終的に悪性度の高い古典的な肝細胞癌に進行する。

コラム 肝細胞癌の診断に有用なサイン

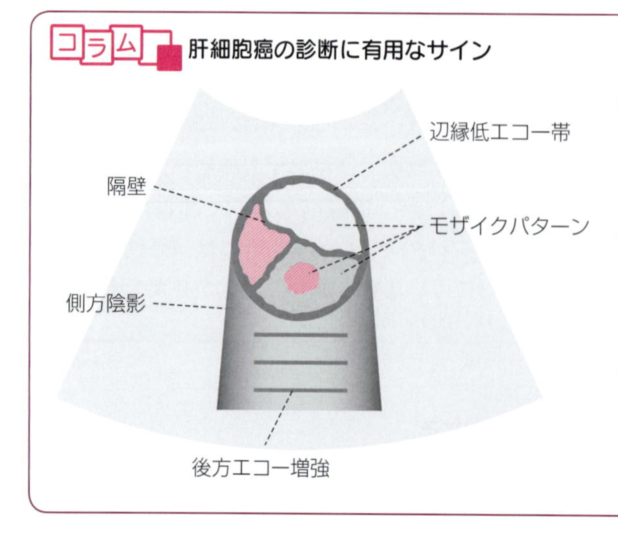

- **辺縁低エコー帯**：腫瘤の辺縁に認められる薄い低エコー帯で，線維性被膜の存在を意味する。転移性肝癌では辺縁の細胞浸潤により，厚みのある低エコー帯となる。
- **Mosaic pattern（モザイクパターン）**：被包型肝細胞癌の特徴の一つで，内部構造が多数の線維性隔壁により分割されて，種々のエコーレベルの小結節像として描出される。
- **hump sign（ハンプサイン）**：肝表面に腫瘤の突出を認める所見で，肝細胞癌で多くみられ，血管腫ではまれである。

7. 転移性肝癌（metastatic liver tumor）

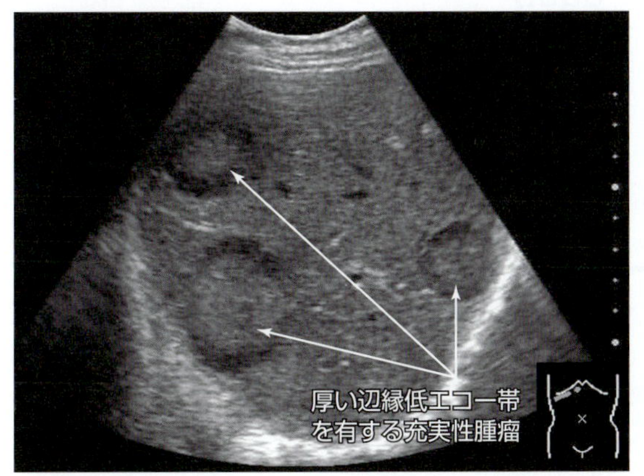

肺癌からの肝転移例である。右葉に厚い辺縁低エコー帯（bull's eye sign）を有する充実性腫瘤を３個認める。

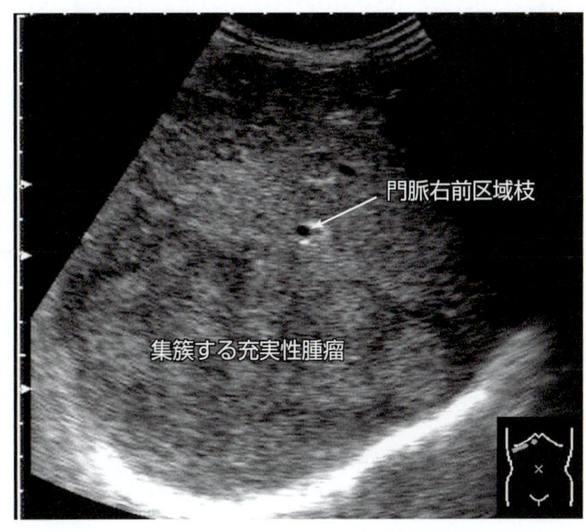

肺癌からの肝転移例である。右葉に充実性腫瘤の集簇像（cluster sign）を認める。

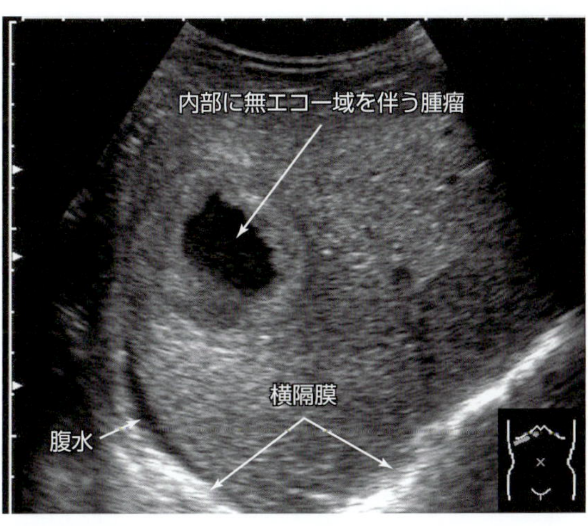

胃癌からの肝転移例である。右葉後下区域（S6）に径４cmの腫瘤で，中心部に壊死を反映する無エコー域を認める。また，横隔膜と肝臓の間に少量の腹水が存在する。

転移性肝癌は，原発巣の組織像を反映して多彩なUS像を呈する。

超音波所見

①類似した腫瘤が多発
②厚い辺縁低エコー帯（bull's eye sign（ブルズ アイ サイン））
③多数の腫瘤の集簇像（cluster sign（クラスター サイン））
④中心部壊死
⑤石灰化変性

- 腫瘤が肝表面にできた場合は，辺縁が陥凹像（癌臍：umbilication）を呈することがある。
- 肝転移の経路は，血行性転移・リンパ行性転移・直接浸潤がある。胃癌・膵臓癌・大腸癌などからは経門脈性，肺癌・乳癌・腎癌などからは経肝動脈性の血行性転移である。

コラム 〈サイン集〉転移性肝癌の診断に有用なサイン

- bull's eye sign（ブルズ アイ サイン）：腫瘤中心部の変性した領域が高エコーとなり，辺縁に厚みのある低エコー帯を有する所見である。雄牛の目にも似ていることからbull's eye signと呼ばれている。肝細胞癌でみられる辺縁低エコー帯と比較して，低エコー帯の幅が厚いのが特徴である。
- cluster sign（クラスター サイン）：腫瘍が増大していく過程で，多数の腫瘍が集簇して一塊となった所見である。

2 胆嚢（gallbladder），胆管（bile duct）

A 予備知識

1. 解 剖

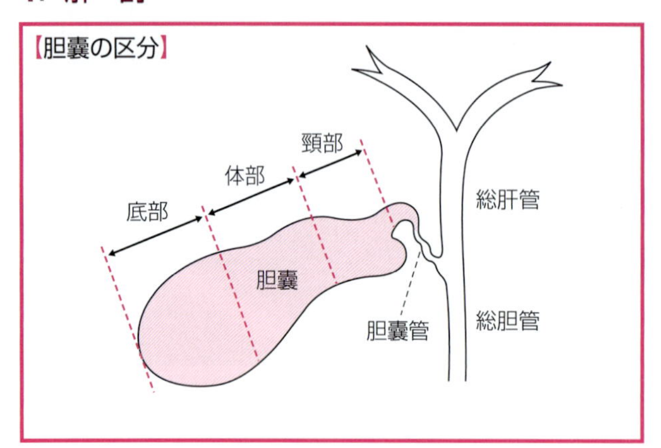

- 胆嚢は，洋梨型・長茄子型の形状で頸部，体部，底部に区分され，大きさは長径6～8 cm，短径2～3 cmである。
- 頸部は屈曲し，胆嚢管を経て総胆管へ連続する。
- 胆嚢壁の厚さは3 mm以下である。

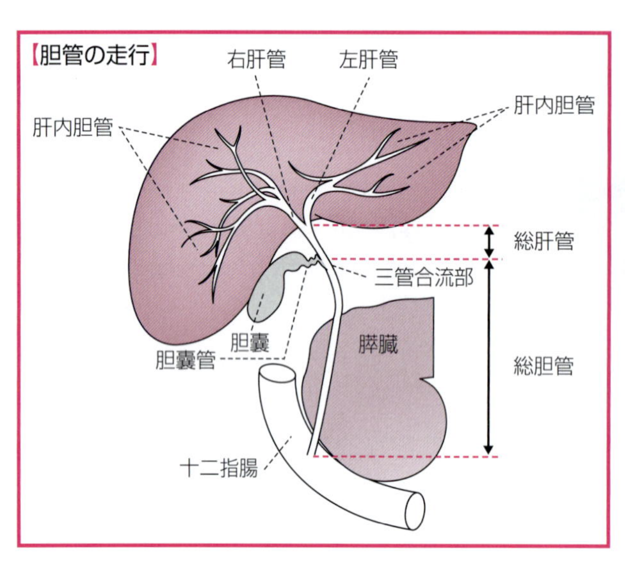

- 肝内に細かく広がる肝内胆管は，左右の肝管を経て，肝門部で合流し総肝管となる。
- さらに，胆嚢管と合流し（三管合流部）総胆管となり，膵頭部内を走行し十二指腸乳頭部に開口する。
- 左右肝管から総肝管，総胆管は肝外胆管と総称される。
- 胆管の正常径は，総肝管から総胆管で7 mm以下，左右肝管で3 mm以下で，これより末梢の肝内胆管はほとんど管腔構造として描出されない。

2. 胆嚢・胆管のチェック項目

【胆嚢のチェック項目】

①大きさ：**正常，腫大，萎縮**

②壁：**肥厚の有無，肥厚した壁の3層構造，comet like echo（コメット様エコー）やRokitansky（ロスタンスキー）-Aschoff（アショフ） sinus（RAS）の有無**

③内腔（異常エコーの可動性を確認）：**結石・胆砂・胆泥の有無，隆起性病変の有無**

【胆管のチェック項目】

①拡張所見の有無：**肝内胆管，左右肝管，総肝管，総胆管**

②閉塞の原因：**結石，腫瘤性病変，炎症，周囲リンパ節腫大**

B 基本断面

1. 右季肋部縦走査（胆嚢）

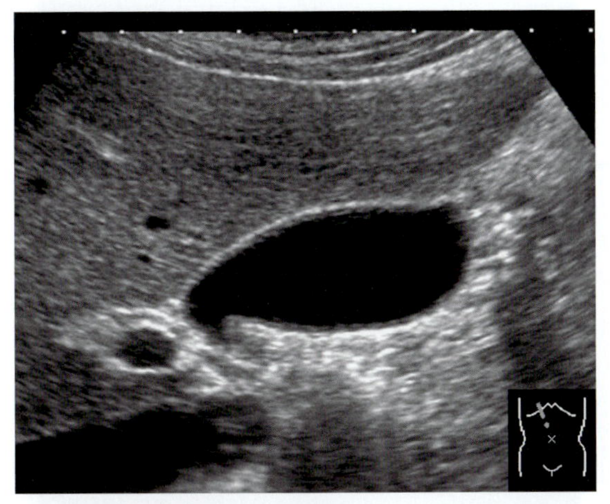

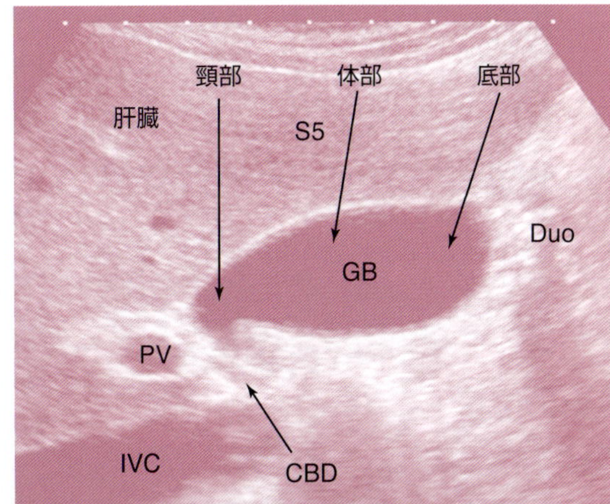

2. 右季肋部横走査（胆嚢）

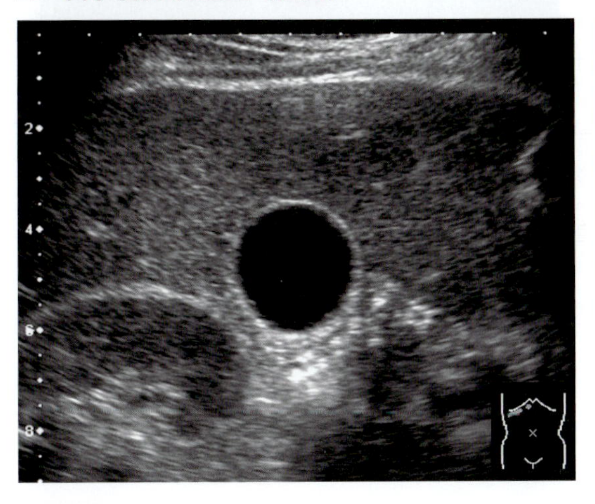

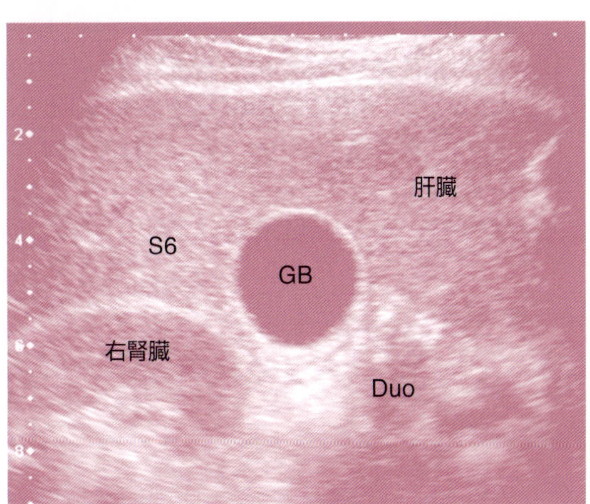

基本断面

- **右季肋部縦走査**では，肝臓下面に胆嚢長軸像が描出される。頭側から頸部，体部，底部に区分され，体部や頸部で屈曲していることが多く，探触子を回転させながら描出する。
- **右季肋部横走査**では，短軸像を確認しながら頸部から底部まで連続的に描出する。

検査時の注意点

胆嚢は内腔が無エコーなため，多重反射やサイドローブのアーチファクトが出現しやすい。体位変換をしたり多方向から観察する必要がある。

- 多重反射：腹壁や腹膜，筋膜などの反射体から生じるため，体表面に近い胆嚢底部で観察される。
- サイドローブ：隣接する消化管のガスが原因で，体部や頸部で観察される。

略語　CBD：common bile duct 総胆管，CHD：common hepatic duct 総肝管，Duo：duodenum 十二指腸，GB：gallbladder 胆嚢，IVC：inferior vena cava 下大静脈，LHD：left hepatic duct 左肝管，LPV：left portal vein 門脈左枝，MPV：main portal vein 門脈本幹，Pancreas：膵臓，PV：portal vein 門脈，RHA：right hepatic artery 右肝動脈，RHD：right hepatic duct 右肝管，RPV：right portal vein 門脈右枝

コラム　食事による胆嚢の形状の生理的変化

絶食時

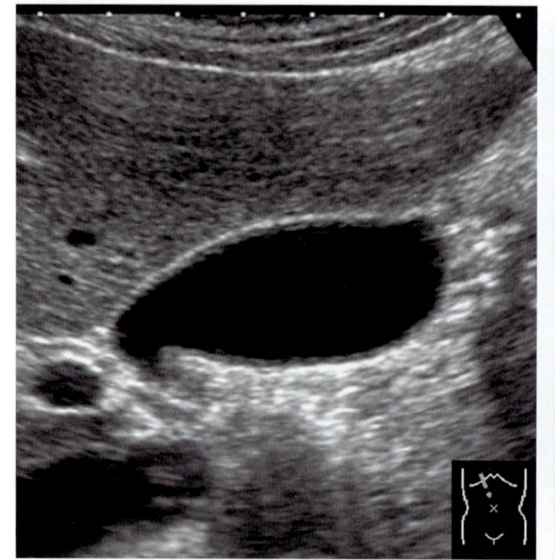

食後２時間経過

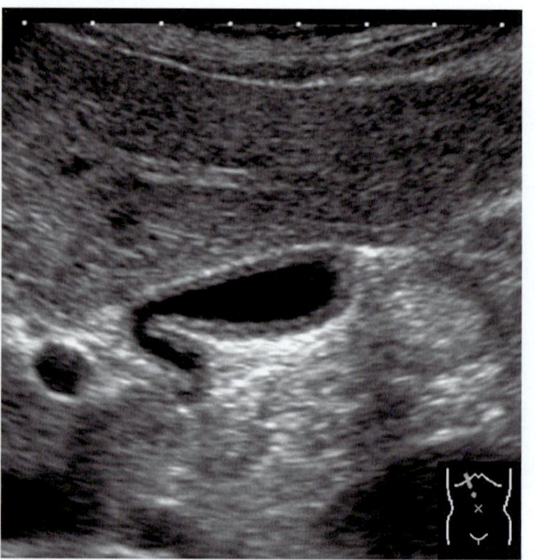

検査前に食事を摂取すると，胆嚢に貯められた胆汁が十二指腸に流出し，胆嚢が収縮して壁が厚くなり，大きさや壁・内腔の病変の評価が困難になるため，検査直前の食事をとらずに検査を施行する。

3. 右肋骨弓下走査（左右肝管）

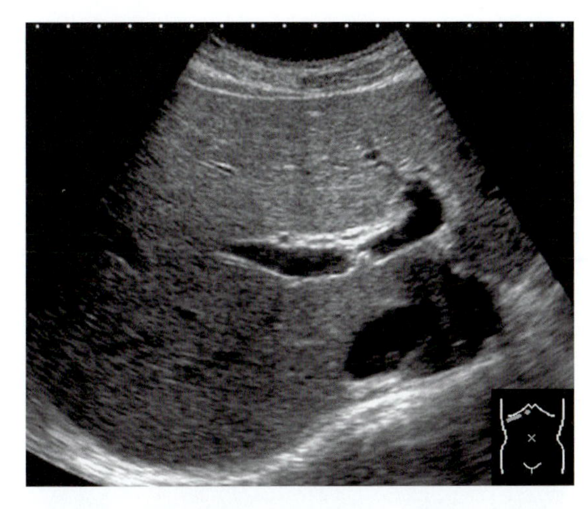

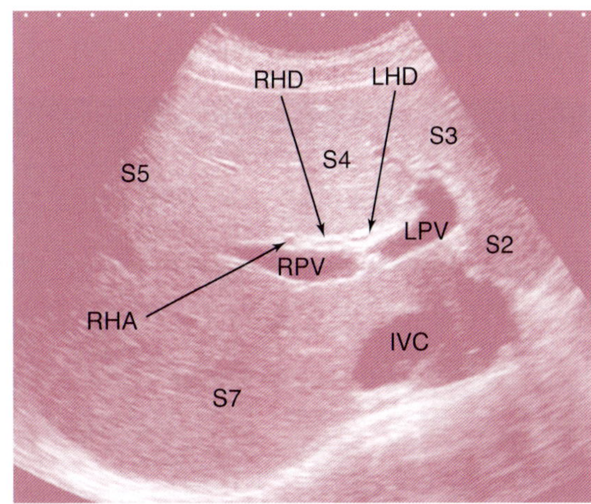

4. 右季肋部縦走査（総肝管～総胆管）

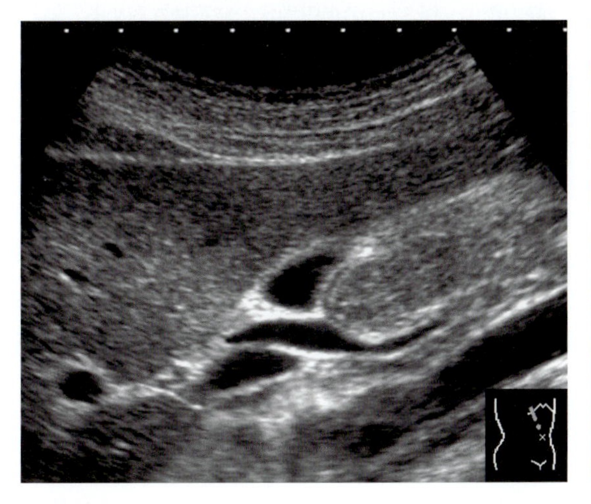

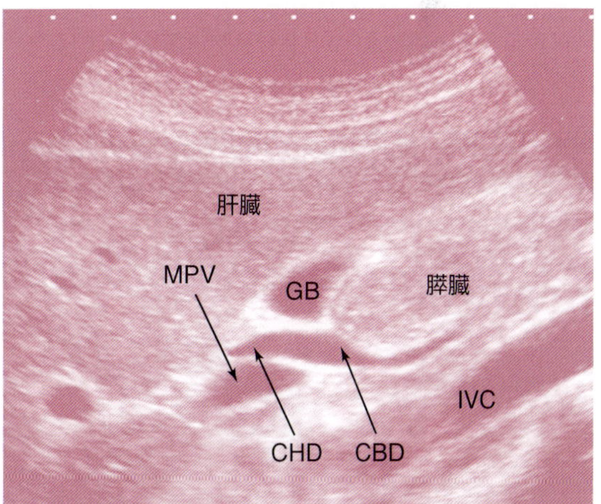

基本断面

- **右肋骨弓下走査**では，左右肝管が門脈左枝と門脈右枝の腹側に細い管腔構造として描出される。
- **右季肋部縦走査**では，門脈本管の腹側に総肝管から総胆管の長軸像が描出される。さらに，探触子をわずかに時計方向に回転させ，総胆管末端部まで描出する。

検査時の注意点

- 消化管ガスの影響や肥満体型で胆管が明瞭に描出できない場合には，左側臥位など体位変換を行い良好な描出を心がける。
- 加齢や胆囊摘出後，胃切除後では，総肝管から総胆管が生理的に拡張することが多く，病歴なども考慮しながら判断する。
- 十二指腸乳頭部付近や膵頭部に病変がある場合には，胆管のほか膵管も拡張することがある。

C 代表的症例の超音波所見：胆囊

1. 胆囊結石（cholecystolithiasis）

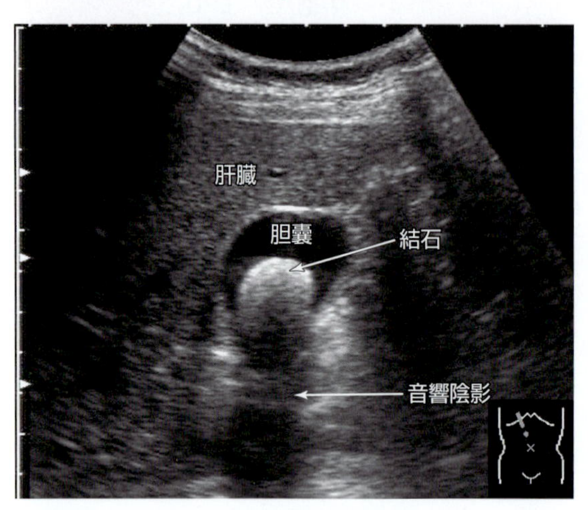

胆囊内腔に，径2cmの円形の結石像を認める。結石前面の高エコーが徐々に弱くなり音響陰影に移行している（純コレステロール石）。

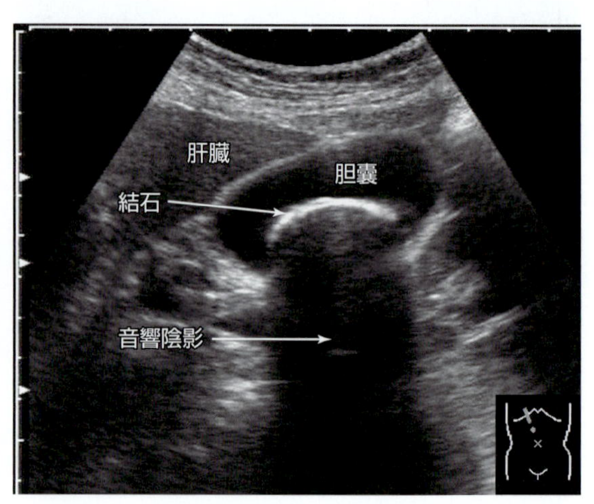

胆囊内腔に，径3cmの半円周状の結石像を認める。結石像の直後から音響陰影がみられる（混成石）。

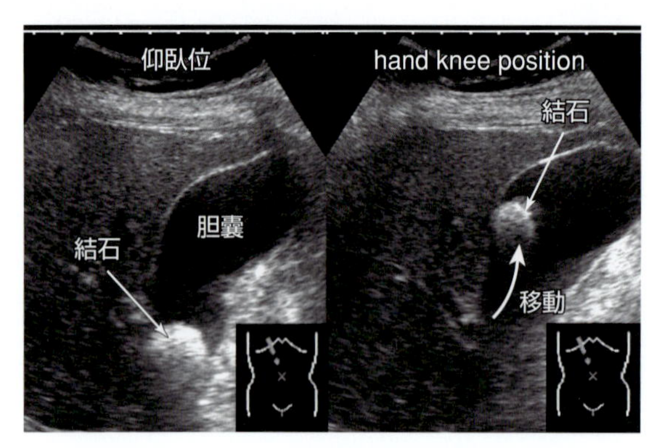

左：仰臥位では，頸部に音響陰影を伴う結石を認める。
右：hand knee position（四つん這い）に体位変換すると結石は体部に移動した。

胆囊結石は胆囊内で胆汁成分より形成される。大きくコレステロール系と色素系および稀石に分類され，それぞれ特徴的な超音波像を呈する。

超音波所見

①音響陰影を伴う高エコー像
②体位変換による可動性

- 音響陰影を伴わない結石も多く，胆囊ポリープ様病変と鑑別を要することがあり，必ず体位変換で可動性があることを確認する。
- 結石の後面が音響陰影で観察できない場合には，必ず体位変換をして結石を移動させ，胆囊壁の性状や腫瘤性病変の有無を確認する。

コラム 胆石の診断に有用なサイン

- **音響陰影**（acoustic shadow）：超音波は，結石や骨，消化管ガスなど音響インピーダンスの異なる境界で反射し，その後方は無エコー帯となる。胆囊結石のほか胆管内の結石，腎結石，尿管結石などの診断に有用な所見である。

2. 急性胆嚢炎（acute cholecystitis）

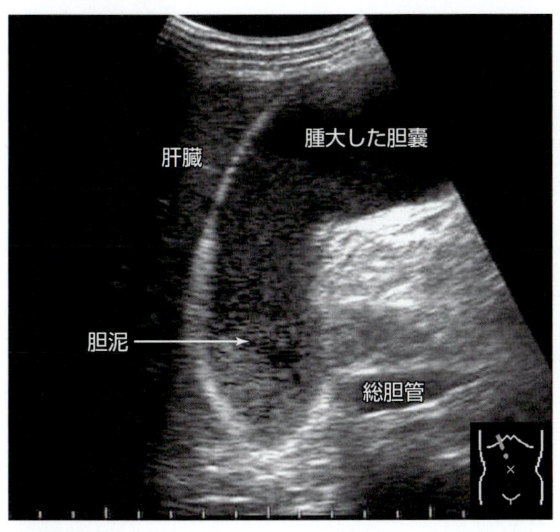

胆嚢は長径 11 cm，短径 4.5 cm と腫大し，内腔の半分以上に胆泥が貯留している。

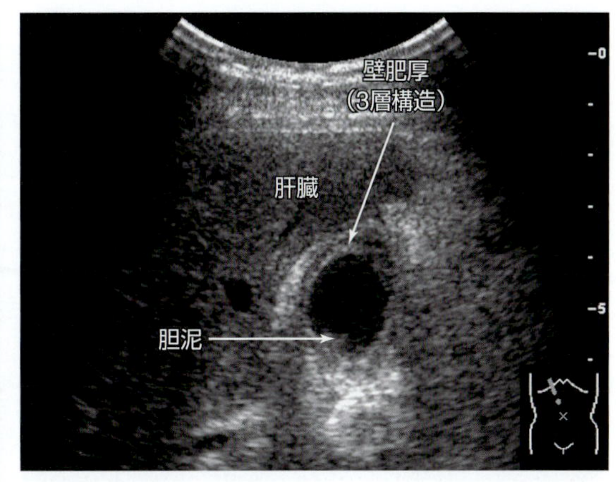

胆嚢壁は肥厚し，3 層構造（sonolucent layer）が認められる。胆嚢の腫大はないが，内腔に少量の胆泥がみられる。

急性胆嚢炎は，胆嚢頸部や胆嚢管に結石が嵌頓し，胆汁の通過障害が原因で発生するものが多く，病態や超音波像は経時的に変化する。

超音波所見

①胆嚢の腫大
②胆嚢壁の肥厚。炎症が高度の場合には3層構造（sonolucent layer（ソノルーセント レイヤー））を呈する。
③胆泥の貯留
④結石。結石が存在しない無石胆嚢炎もある。
⑤胆嚢周囲に液体貯留

- 症状は，持続性の右上腹部痛，発熱で，黄疸を伴うこともある。
- 右季肋部の触診で，吸気時に痛みのために呼吸が止まる現象をみることがあり，**Murphy（マーフィー）徴候**という。

コラム　急性胆嚢炎の診断に有用なサイン

- **3 層構造（sonolucent layer（ソノルーセント レイヤー））**：急性胆嚢炎などで炎症が高度の場合に，胆嚢壁が高・低・高エコーの 3 層構造を呈する所見である。sonolucent layer は粘膜と漿膜との間の低エコー層のことで，漿膜下の浮腫や壊死を反映する。

3. 慢性胆嚢炎（chronic cholecystitis）

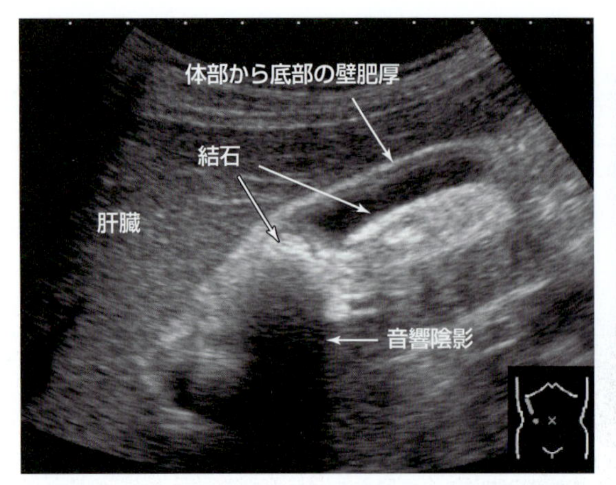

胆嚢は萎縮し，壁は全周性に3～4 mmの肥厚を認める。体部から底部には小結石，頚部には音響陰影を伴う結石がみられる。

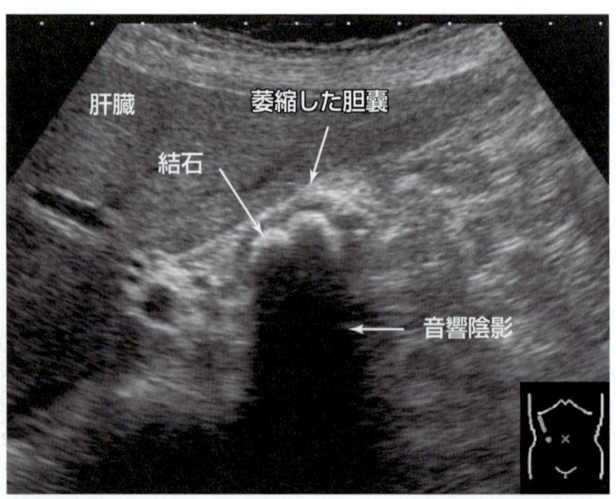

胆嚢は萎縮し，壁は全周性に3～4 mmの肥厚を認める。内腔には径10 mmの音響陰影を伴う2個の結石が充満している。

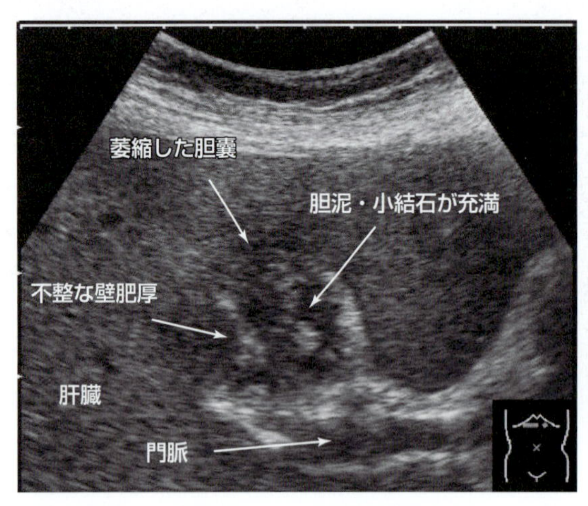

胆嚢は萎縮し，壁は高エコーの不整な肥厚を認める。内腔には胆泥および小結石が充満している。

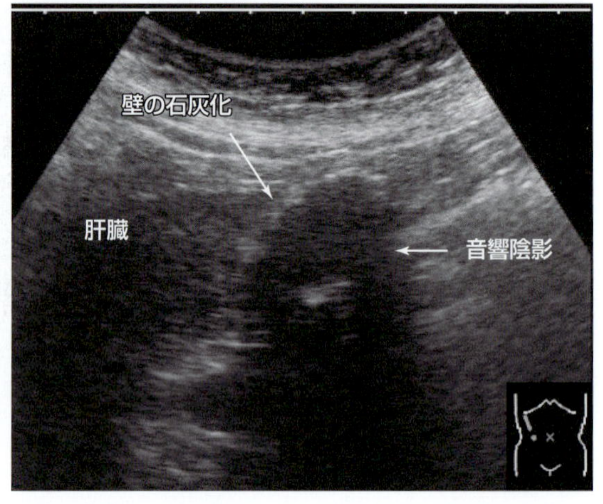

胆嚢は萎縮し，壁は高エコーで全体から音響陰影がみられる。内腔は音響陰影のため観察できない（陶器様胆嚢）。

慢性胆嚢炎は，胆嚢壁の全層が慢性的に炎症性変化を生じた病態である。結石を合併していることが多く，壁が結石により機械的に刺激され炎症細胞が壁に浸潤し，結合織が増生して線維性肥厚を呈する。

超音波所見

①胆嚢の萎縮
②胆嚢壁の平滑な全周性肥厚
③壁のエコーレベルの上昇
④結石や胆泥が高頻度に合併

- 急性胆嚢炎から続発するものと，最初から慢性的に経過するものがある。
- 壁が不整に肥厚したり内腔に胆泥が充満していると，胆嚢癌との鑑別を要する。
- 慢性胆嚢炎がさらに進行し壁全体が石灰化を生じたものは陶器様胆嚢（磁器様胆嚢）という。

4. 胆嚢腺筋腫症（adenomyomatosis）

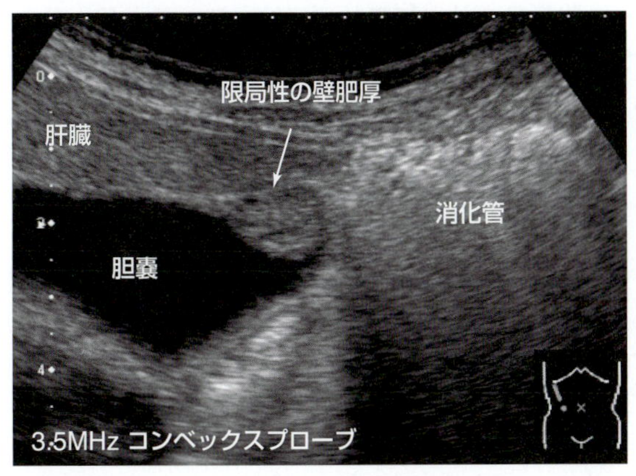

胆嚢底部に限局性の壁肥厚と思われる充実性部分が認められる。内部には小嚢胞が数カ所みられる。

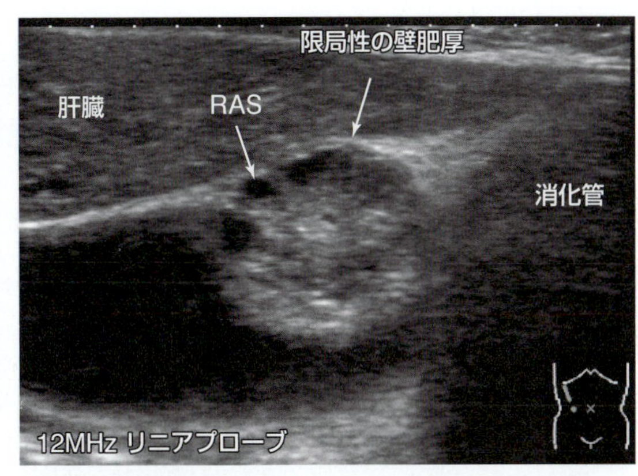

左図の壁肥厚部を高周波プローブで観察すると，Rokitansky-Aschoff sinus（RAS）と思われる小嚢胞が明瞭に描出される。底部型の胆嚢腺筋腫症の超音波像である。

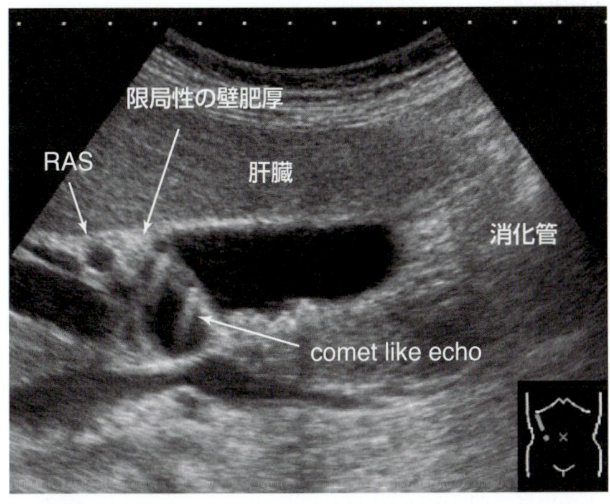

胆嚢体部～頸部のくびれの部分の壁肥厚を認める。肥厚した壁内にはRASと思われる小嚢胞とcomet like echo（383頁参照）がみられる。分節型の胆嚢腺筋腫症の超音波像である。

胆嚢腺筋腫症は，壁内のRokitansky-Aschoff（ロタンスキーアショフ） sinus（RAS）が増殖・拡張して胆嚢粘膜上皮と筋組織の過形成を認める疾患で，特有の壁肥厚と変形を示す。

RASは正常の胆嚢壁にも存在するが，胆嚢粘膜上皮が筋層内あるいは漿膜下層まで憩室様に陥入したもので，超音波では小嚢胞として描出される。

病理組織標本上，長さ1 cm以内に5個以上のRASが増生し，その部位の壁が3 mm以上肥厚している病変を胆嚢腺筋腫症とする。

超音波所見

①胆嚢壁のびまん性あるいは限局性肥厚
②肥厚した壁内にRASやcomet like echo
③病変の部位や広がりから，3つの型に分類される

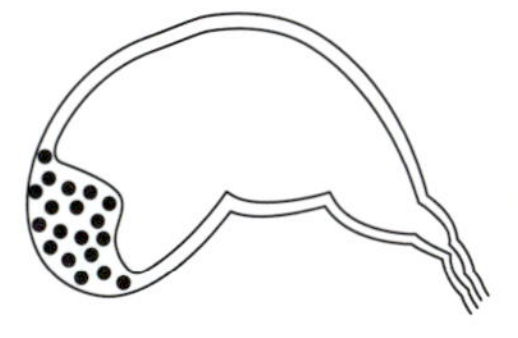

底部型
（限局型）
・底部の壁が限局性に肥厚

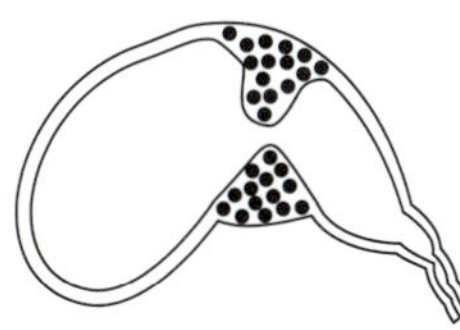

分節型
（輪状型）
・体部から頸部の壁が部分的に全周性に肥厚

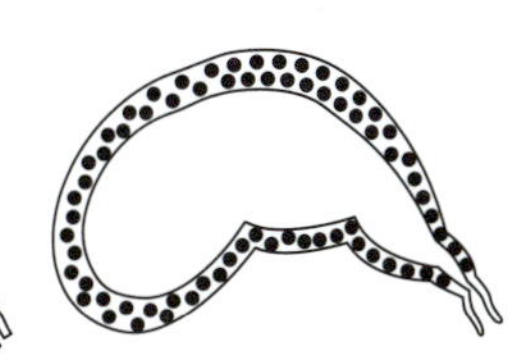

広範型
（びまん型）
・胆嚢全体の壁が肥厚

5. コレステロールポリープ（cholesterol polyp）

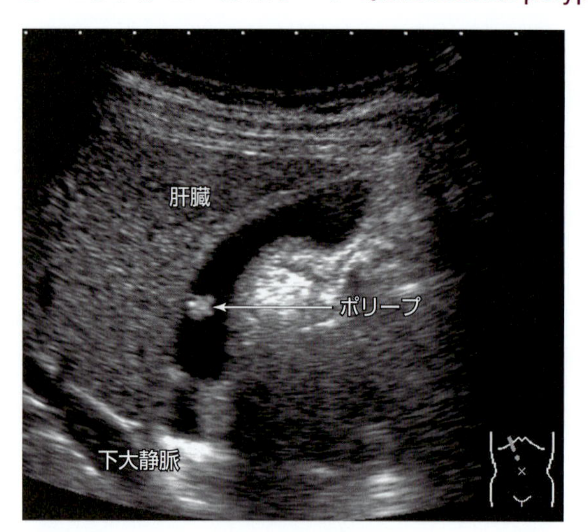

胆嚢体部に径6mmで茎を有する桑実状のポリープを認める。

胆嚢のポリープ様病変には，コレステロールポリープのほか，腺腫，過形成ポリープ，炎症性ポリープなどがある。

径5mm以下の病変のほとんどがコレステロールポリープで，成人の数%にみられる。

超音波所見

①粒状あるいは桑実状の高エコー像
②糸状の細長い茎を有する。胆嚢壁とわずかに接するか，遊離しているように描出されることもある。
③大きさは10mm以下で，多発することも多い。

- エコーレベルの高いポリープでは，胆石と鑑別を要することがあり，必ず体位変換で可動性がないことを確認する。

6. 胆嚢癌（carcinoma of gallbladder）

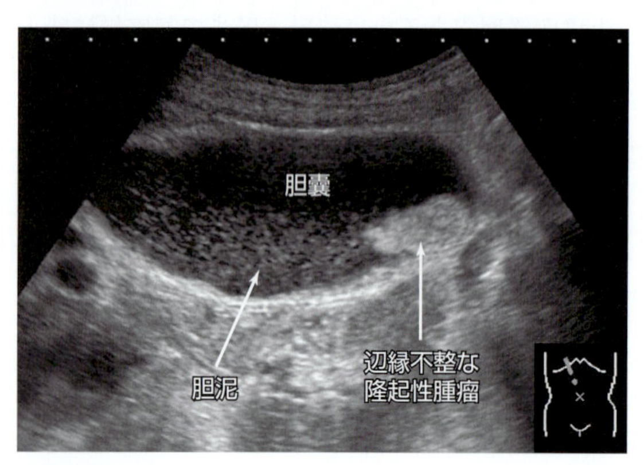

胆嚢底部に径2.5cmの内腔に隆起する腫瘤を認める。壁からは広基性に隆起し，辺縁は不整である。また，内腔に胆泥の堆積を認める。

胆嚢のポリープ様病変の大きさが10mm以上で，かつ経過観察で増大傾向を認める場合は，胆嚢癌の可能性が高い。

超音波所見

①胆嚢内腔へ隆起する腫瘤
②胆嚢壁から広基性に隆起
③内部は低エコーで不均一
④腫瘤の辺縁は不整
⑤胆嚢壁の不整な肥厚（浸潤型）

- 胆嚢癌は，形態的に限局型，浸潤型，混合型に大別される。
  ①限局型は胆嚢内腔へ腫瘤状に隆起し，比較的早期癌のことが多い。
  ②浸潤型は胆嚢壁内に浸潤性に発育し，不整な壁肥厚像を呈し，肝臓や周囲の消化管に直接浸潤することもある。

D 代表的症例の超音波所見：胆管

1. 総胆管結石（choledocholithiasis）

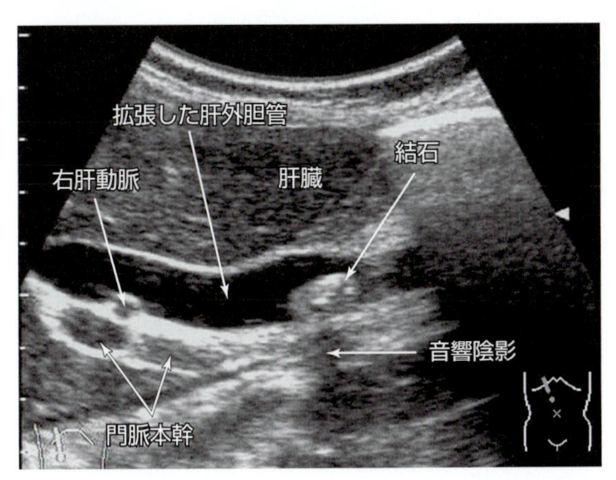

肝外胆管が拡張し（径 12 mm），内部に弱い音響陰影を伴う結石を認める。

総胆管結石は，左右肝管の合流部より下流にある結石の総称で，胆嚢内の結石や肝内結石が落下したものが多い。

超音波所見

①肝外胆管の拡張
②肝外胆管内の結石像

- 結石により胆管が閉塞した場合には，胆汁の通過障害により肝内胆管が拡張したり胆嚢が腫大し，閉塞性黄疸をきたす。

2. 胆管癌（bile duct carcinoma）

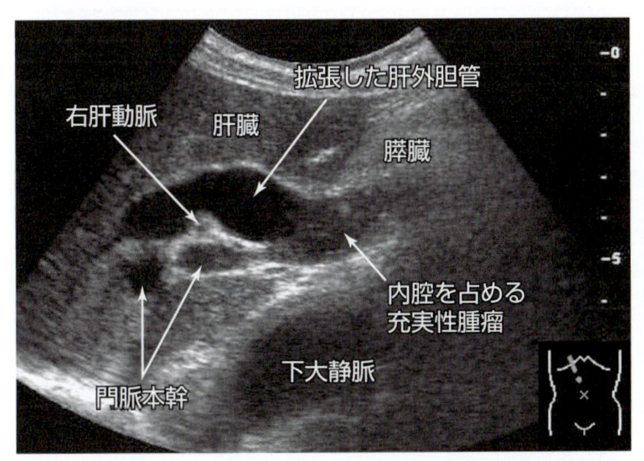

肝外胆管が拡張し（径 18 mm），下部の胆管内腔を占める充実性腫瘤を認める。

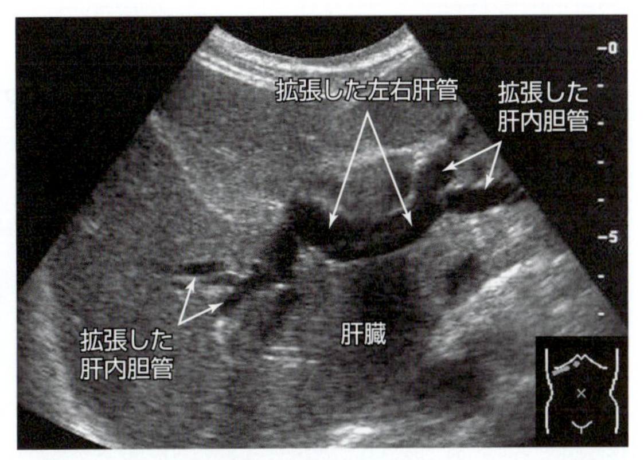

左右肝管から肝内胆管の著明な拡張を認める。

超音波所見

①肝外胆管の拡張
②肝外胆管内の腫瘤像
③胆嚢の腫大
④肝内胆管の拡張

胆管癌は，胆嚢や胆嚢管以外の肝外胆管から発生する癌の総称で，閉塞性黄疸をきたすことが多い。

- 胆管癌は形態的に乳頭型，結節型，平坦型に大別される。
- 壁内を浸潤性に発育し，腫瘤として描出できないこともある。

コラム 〈サイン集〉閉塞性黄疸の診断に有用なサイン

- shotgun sign（ショットガン サイン）：総胆管結石や胆管癌，膵頭部腫瘍などが原因で，拡張した肝外胆管が門脈本幹と並走する像は2連銃に似ており，ショットガンサインと呼ばれる。
- parallel channel sign（パラレル チャンネル サイン）：拡張した肝内胆管と肝内門脈枝が並走する像は，パラレルチャンネルサインと呼ばれる。

3 膵臓（pancreas）

A 予備知識

1. 解 剖

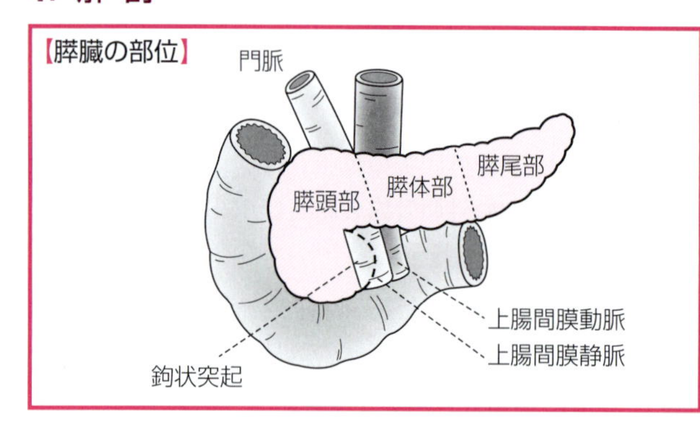

- 膵頭部と体部の境界は門脈・上腸間膜静脈の左側縁とする。
- 膵体部と尾部の境界は，頭部を除いた尾側膵を2等分する線とする。
- 膵頸部（門脈・上腸間膜静脈の前面）と鉤状突起は頭部に含める。
- 大きさは個人差があるが，頭部の厚み25 mm，体部・尾部の厚み15 mmほどである。

2. 膵臓のチェック項目

①大きさ：正常，腫大，限局性腫大，萎縮
②実質エコー：正常，高エコーレベル，低エコーレベル，均一，不均一（点状・斑状）
③主膵管：拡張の有無
④腫瘤性病変：嚢胞性・充実性病変の有無

B 基本断面

1. 心窩部横走査

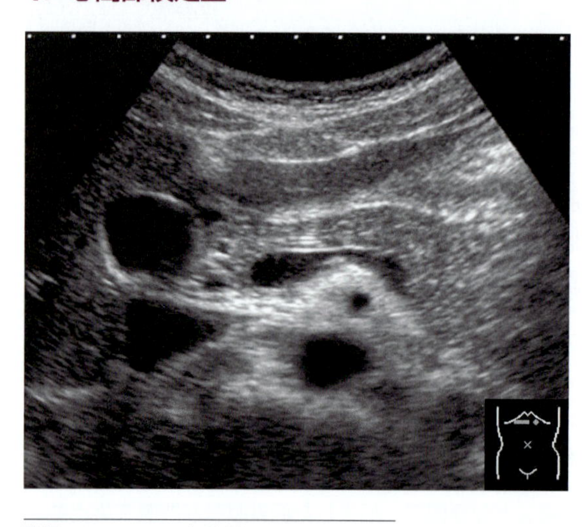

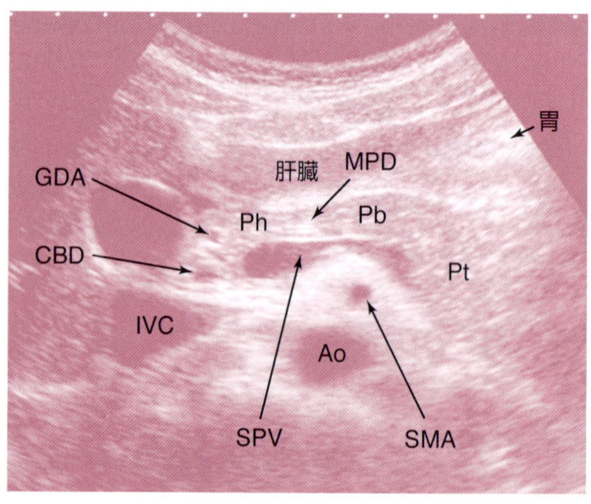

略語 Ao：aorta 大動脈，CBD：common bile duct 総胆管，GDA：gastroduodenal artery 胃十二指腸動脈，IVC：inferior vena cava 下大静脈，MPD：main pancreatic duct 主膵管，Pb：pancreas body 膵体部，Ph：pancreas head 膵頭部，Pt：pancreas tail 膵尾部，PV：portal vein 門脈，SMA：superior mesenteric artery 上腸間膜動脈，SMV：superior mesenteric vein 上腸間膜静脈，SPV：splenic vein 脾静脈，UP：uncinate process 鉤状突起

2. 心窩部縦走査

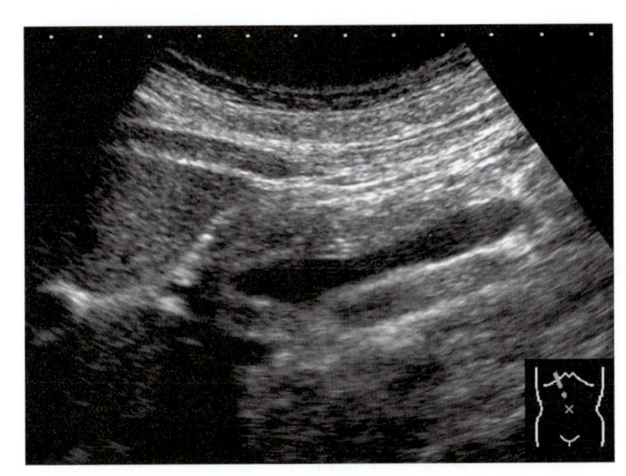

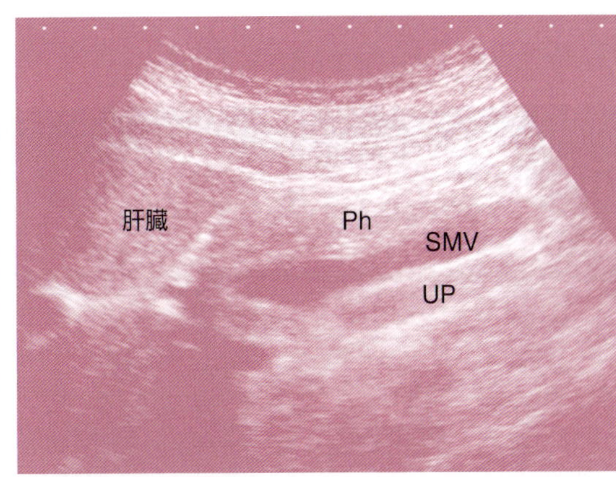

3. 左肋間走査

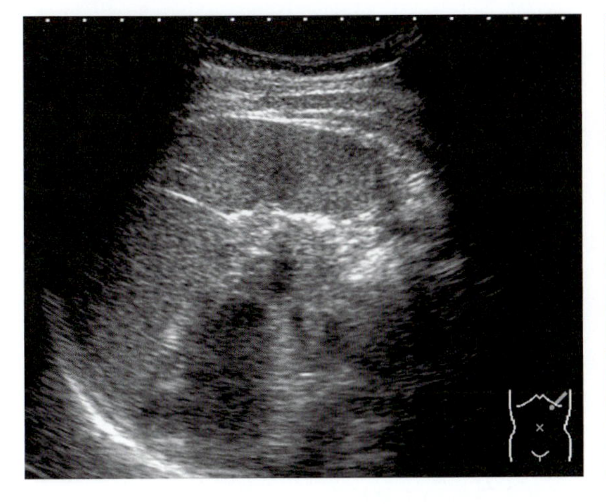

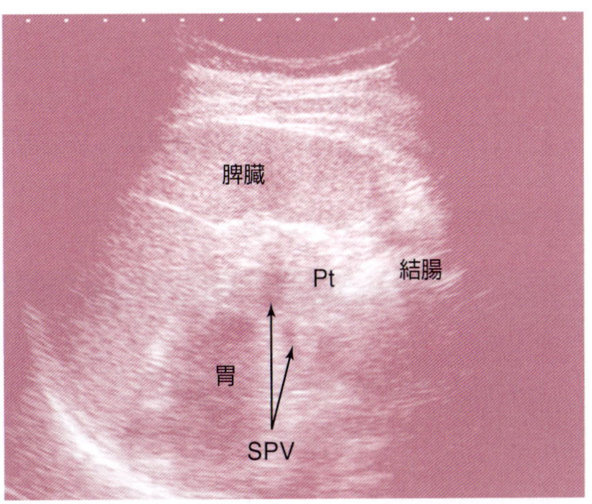

基本断面

- 心窩部横走査で，脾静脈の腹側に膵頭部から体部が描出される。探触子を反時計方向に少し回転させると尾部が描出される。主膵管は，正常径は2 mm以下であり，管腔構造として描出できないことが多い。
- 心窩部縦走査の上腸間膜静脈の断面では，膵頭部が描出される。上腸間膜静脈の背側は鉤状突起である。
- 左肋間走査では，脾門部で脾静脈に接する膵尾部が描出される。

検査時の注意点

膵臓の描出は，体型や消化管ガスの影響を受けやすく，全体像の観察が最も難しい臓器である。

- 呼吸の調整や探触子で圧迫しながらの走査と体位変換（座位や左右の側臥位）は，描出の改善に有用なことが多い。
- 胃内のガスの影響で膵臓の描出が困難なときには，脱気水を500 mL以上飲用して検査を行う。
- 膵尾部先端の病変は，腹側からの走査では描出できないことが多く，脾臓を描出する左肋間走査で脾門部を十分に観察する必要がある。

C 代表的症例の超音波所見

1. 急性膵炎（acute pancreatitis）

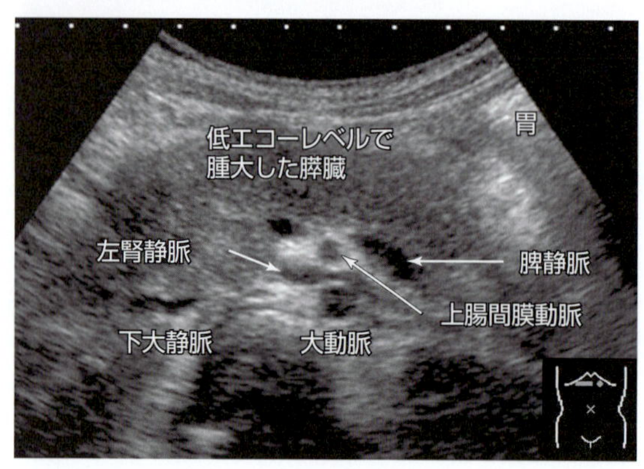

膵頭部から体部にかけて膵実質が腫大し，エコーレベルは低下している。主膵管の拡張はない。

急性膵炎は，胆道系疾患やアルコール過飲などが原因で，膵組織から酵素の逸脱により，組織の自己消化によって起こる炎症である。

超音波所見

①膵臓のびまん性腫大または限局性腫大
②膵実質のエコーレベル低下
③膵輪郭の不明瞭化
④膵臓周囲の液体貯留
⑤膵仮性囊胞

- 上腹部痛や背部痛，嘔吐など症状が重く，周囲組織に炎症が波及し，消化管の麻痺によりガスが滞留して，膵臓自体の描出が困難になることも多い。
- 炎症が軽度の場合には，画像検査で膵の形態異常をとらえられないこともある。

2. 慢性膵炎（chronic pancreatitis）

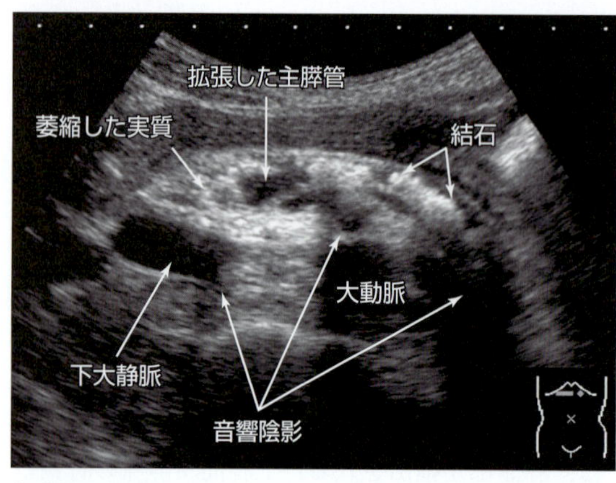

主膵管は拡張し（径6 mm），体部から尾部にかけては主膵管内に音響陰影を伴う多数の結石を認める。膵実質はびまん性に萎縮している。

慢性膵炎は，胆道系疾患やアルコール過飲，急性膵炎の続発などによる膵実質の破壊や線維化など，膵組織の不可逆的な変化である。

超音波所見

①膵石
②主膵管の不整拡張
③膵の萎縮ないし限局性腫大
④仮性囊胞

- 線維化が進行すると実質の萎縮が著明となり，拡張した主膵管や膵石だけしか描出できないこともある。
- 膵の限局性腫大を呈する腫瘤形成性膵炎では，膵癌との鑑別を要する。

3．漿液性囊胞腫瘍（serous cystic neoplasm：SCN）

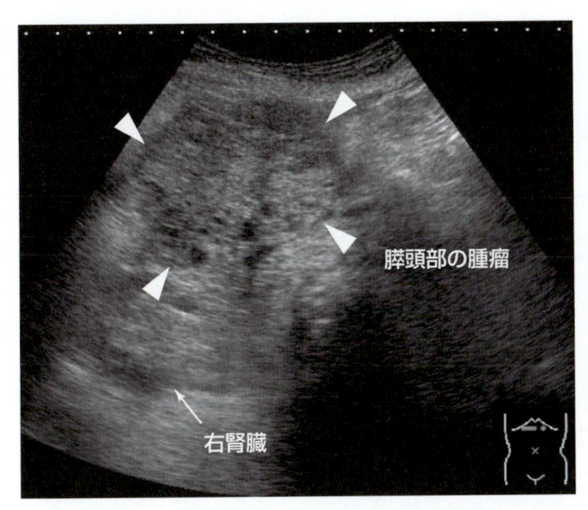

膵頭部に径7～8 cmで比較的境界が明瞭な類円形の腫瘤を認める。膵実質は描出されていないが，腫瘤の内部エコーは膵実質とほぼ同等のエコーレベルで，内部には多数の小囊胞がみられる。

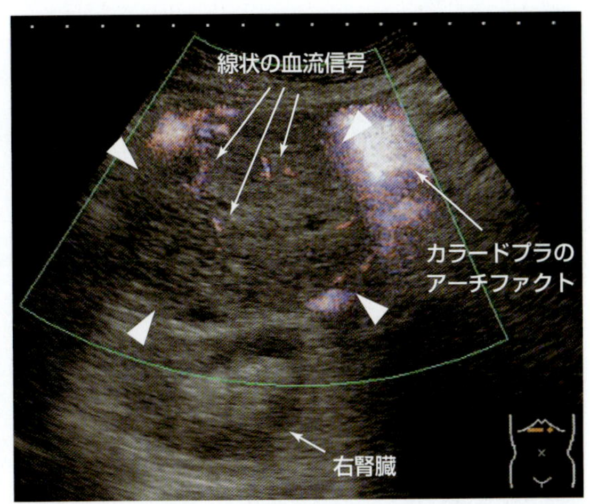

カラードプラでは，腫瘤内部に細かい線状の血流信号が検出される。

漿液性囊胞腫瘍は，線維性の被膜に包まれ，内部は小囊胞の集簇で構成されるスポンジ様の囊胞性腫瘍である。本腫瘍のほとんどは良性である。

超音波所見

①腫瘤の境界は明瞭で，辺縁平滑
②内部は充実性で高エコー（集簇する小囊胞の後方エコーの増強のため）
③腫瘤内部に石灰化を伴うことがある

- 血流豊富な腫瘍であり，カラードプラでは隔壁部分に血流信号が検出されることが多い。
- 膵管との交通はなく，腫瘤の尾側膵管が拡張することは少ない。

4. 粘液性囊胞腫瘍（mucinous cystic neoplasm：MCN）

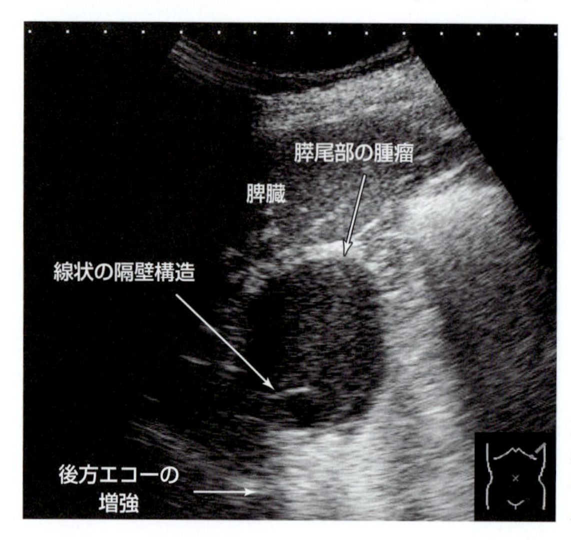

左肋間走査の脾臓を介した膵尾部の描出で，尾部先端に径5 cmで境界明瞭な類円形の腫瘤を認める。膵実質は描出されていないが，腫瘤の内部エコーは膵実質より低エコーレベルで，線状の隔壁構造もみられる。

粘液性囊胞腫瘍は，厚い線維性被膜を有し単房性あるいは多房性の類円形の腫瘍である。内部は薄い隔壁を有し，内溶液は粘液性あるいは粘血性である。病理組織学的には卵巣様間質を有するといわれており，女性の膵体尾部に好発し男性の発症はまれである。

超音波所見

①腫瘤の境界は明瞭で，辺縁平滑
②内部エコーは粘液の成分により様々
③囊胞壁や隔壁に石灰化を伴うことがある

- 囊胞壁や隔壁の不整な肥厚や，乳頭状に隆起する壁在結節の存在は悪性を疑う所見である。
- カラードプラでは，肥厚した隔壁や壁在結節から血流信号が検出されることがある。
- 膵管との交通はなく，腫瘤の尾側膵管が拡張することは少ない。

5. 膵管内乳頭粘液性腫瘍（intraductal papillary mucinous neoplasm：IPMN）

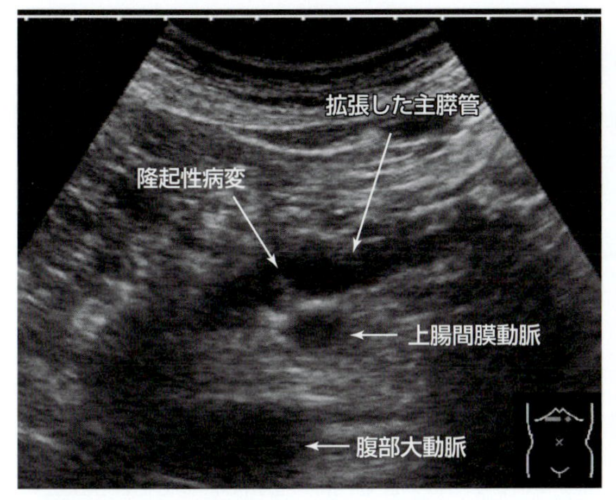

主膵管型IPMNの超音波像である。主膵管の径は10 mmと不整に拡張し，主膵管内には乳頭状に隆起する充実部を認める。

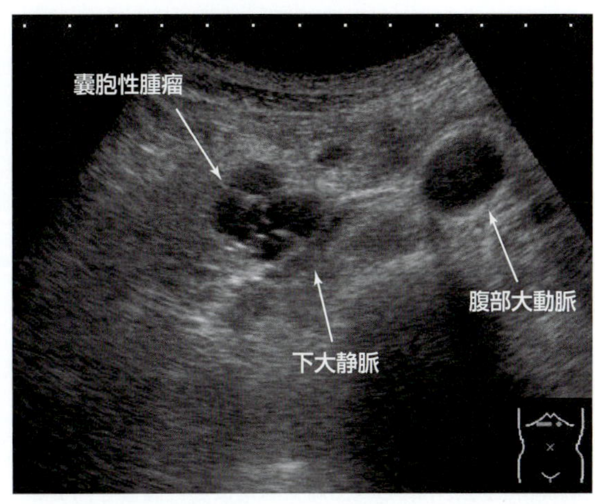

分枝型IPMNの超音波像である。膵頭部に径25 mmの嚢胞性腫瘤を認める。形状は小嚢胞が集簇しブドウの房状である。腫瘤の尾側膵管の拡張はみられない。

膵管内乳頭粘液性腫瘍（IPMN）は膵管上皮由来の粘液を産生する腫瘍で，主膵管あるいは分枝膵管が粘液の貯留により拡張する。主膵管型，分枝型，混合型に分類されるが，主膵管型は悪性の頻度が高い。IPMNは比較的高齢の男性の膵頭部に発生することが多い。

主膵管型IPMN

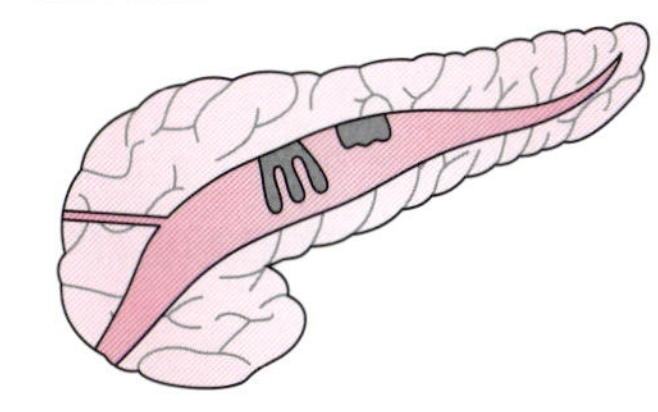

分枝型IPMN

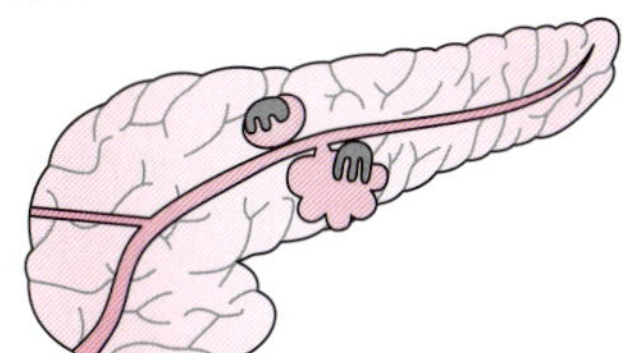

混合型IPMN

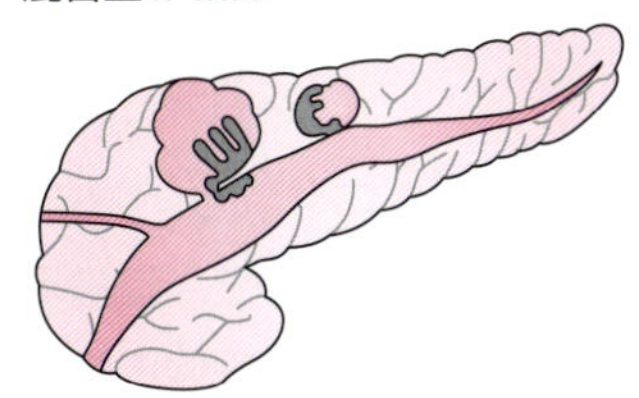

超音波所見

主膵管型

①主膵管の著明な拡張

②拡張した主膵管の内腔に乳頭状の結節を認めることがある

分枝型

①分枝膵管が拡張し小嚢胞の集簇像（ブドウの房状）

②通常は主膵管の拡張はない

- 分枝型は無症状で発育速度も遅く，主膵管型に比べ悪性の頻度は低い。
- 分枝型で壁在結節の存在や主膵管の拡張，腫瘤径が30 mm以上では悪性を疑う。

6. 神経内分泌腫瘍（neuroendocrine tumor：NET）

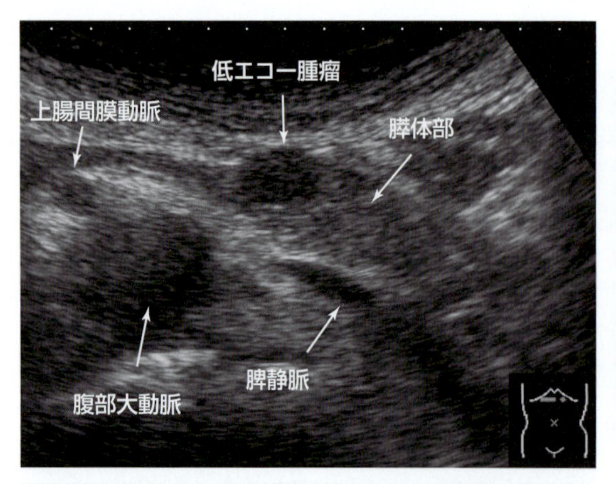

膵体部に径20 mmの内部均一な低エコー腫瘤を認める。類円形で境界は明瞭，尾側膵管の拡張はみられない。

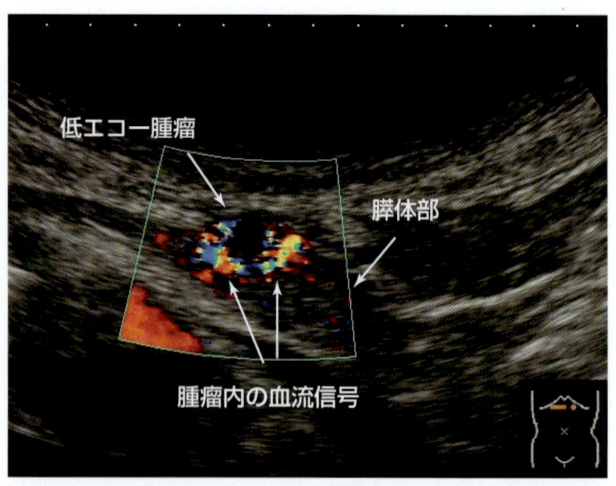

カラードプラでは，腫瘤内部に豊富な血流信号が検出される。

膵臓の**神経内分泌腫瘍**とは，膵神経内分泌細胞に由来する腫瘍のことであるが，膵臓のほか下垂体，消化管，肺，副甲状腺，甲状腺，副腎，胸腺，子宮頸部など全身のさまざまな臓器に発生する。ホルモンの過剰産生で症状を来す機能性とホルモン産生症状のない非機能性に大別される。

非機能性腫瘍は膵神経内分泌腫瘍全体の15～20％といわれている。

機能性の膵神経内分泌腫瘍には，低血糖発作を症状とするインスリノーマや胃・十二指腸潰瘍を症状とするガストリノーマのほかグルカゴノーマ，VIPオーマ，ソマトスタチノーマなどがある。

超音波所見

①腫瘤の境界は明瞭で，辺縁平滑
②内部は比較的均一で低エコー
③腫瘤径が大きくなると，内部エコーは不均一になることが多い
④カラードプラで，腫瘤内に豊富な血流信号が検出されることが多い

- 機能性腫瘍のうちインスリノーマは80～90％が良性であるが，他の機能性腫瘍は半数以上が悪性といわれている。
- 非機能性腫瘍は良性，悪性の比率が同程度といわれている。

7. 浸潤性膵管癌（invasive ductal carcinoma）

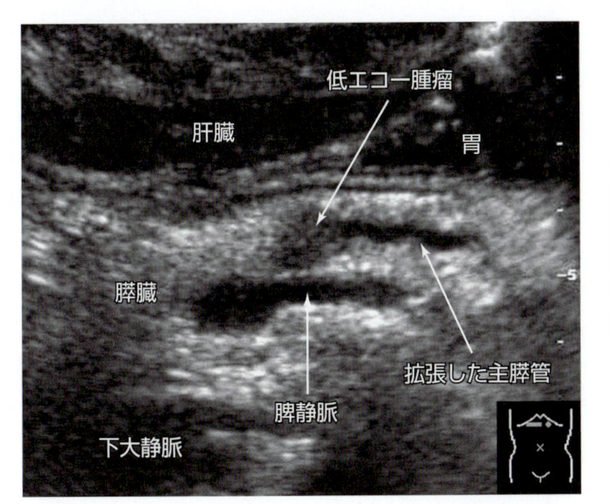

膵体部に径 12 mm の内部均一な低エコー腫瘤を認める。境界はやや不明瞭で，腫瘤の尾側膵管は径 3 mm と軽度拡張している。

浸潤性膵管癌は膵管上皮から発生し，膵実質から周囲組織に浸潤性に発育する予後不良の疾患である。

超音波所見

①内部低エコー
②境界不明瞭
③腫瘤の尾側膵管の拡張

- 主膵管の拡張所見が小膵癌発見の契機になるが，鉤部に腫瘤が存在する場合には膵管拡張を認めないことが多い。
- 尾部に腫瘤が存在する場合には，正中からの走査では描出しづらいこともあり，左肋間走査が有用である。
- 浸潤性に発育するため，周囲の血管や後腹膜，胃，十二指腸，リンパ節など周囲組織への浸潤の有無も観察する。

4 腎臓（kidney）

A 予備知識

1. 解 剖

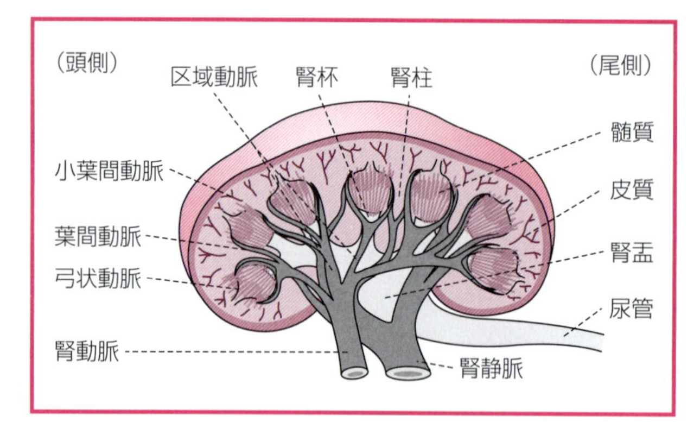

- 腎臓はソラマメ型の形状で，大きさは長径は約 10 cm，短径は約 5 cm で，右腎より左腎の方がやや大きい。
- 腎実質は皮質と髄質に区別され，中心部の腎盂腎杯，腎動静脈，脂肪結合組織などは，腎洞部と呼ばれる。

2. 腎臓のチェック項目

①大きさ：正常，腫大，萎縮
②実質エコー：正常，エコーレベル上昇，エコーレベル低下
③腎洞部：腎盂・腎杯拡張の有無，結石の有無
④腫瘤性病変：嚢胞性・充実性病変の有無

B 基本断面

1. 右側腹部縦走査

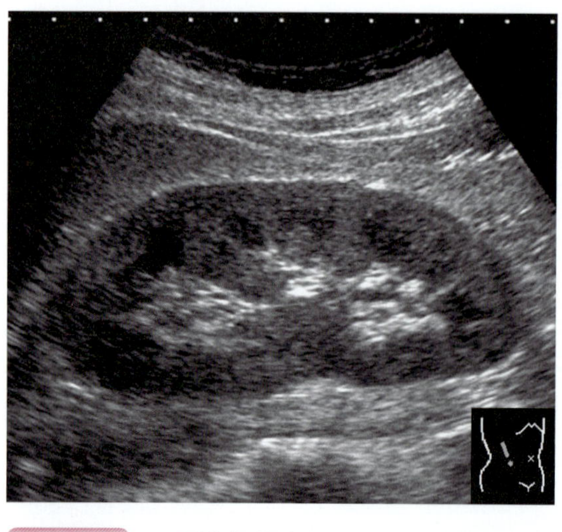

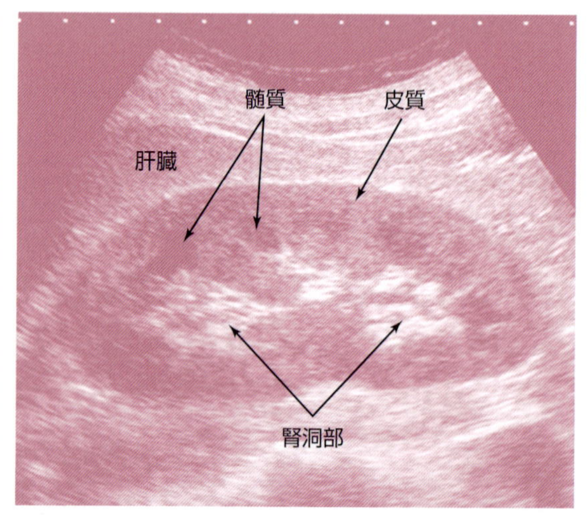

基本断面

- 側腹部縦走査で腎臓の長軸像が描出される。実質は皮質と髄質に区別され，皮質のエコーレベルは正常肝と同等かやや低エコーレベルで，髄質はさらに低エコーレベルを呈する。
- 腎洞部は，腎盂腎杯，腎動静脈，脂肪結合組織など強い反射体を反映し，高エコーレベルに描出され，CEC（central echo complex）と呼ばれる。

C 代表的症例の超音波所見

1. 腎嚢胞（renal cyst）

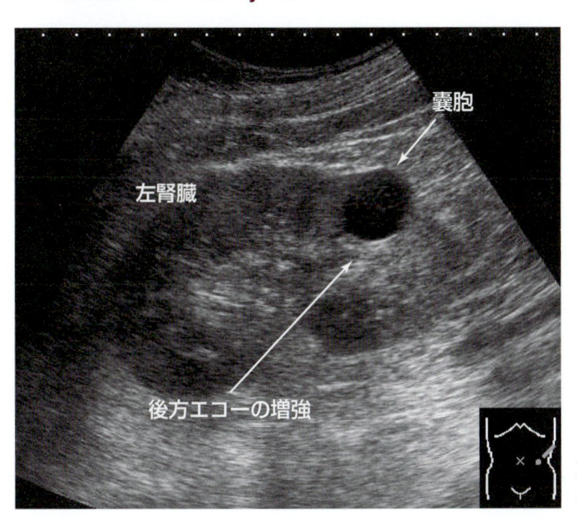

左腎下部に径 22 mm，境界明瞭，内部無エコーの嚢胞を認める。嚢胞の後方エコーはわずかに増強している。

腎嚢胞は，尿細管の閉塞に起因し腎皮質に発生する後天性の病変であり，内部は漿液で満たされている。腎腫瘤性病変の中で最も頻度が高く，加齢とともに増加する傾向がある。

超音波所見

①類円形で境界明瞭，辺縁平滑
②内部は無エコー
③後方エコーの増強

- 嚢胞は一側性または両側性で，単発または多発することも多い。
- 壁に石灰化を認めたり，内部に隔壁を認める嚢胞もある。
- 嚢胞内に出血や感染などを伴った場合，内部エコーを有する。

2. 急性腎不全（acute renal failure）

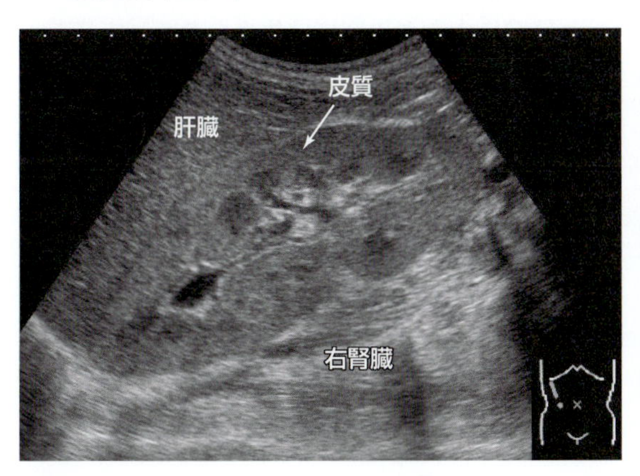

右腎は 13×5 cm と腫大している。皮質のエコーレベルは上昇し，肝実質のエコーレベルと同等〜やや高くなっている。

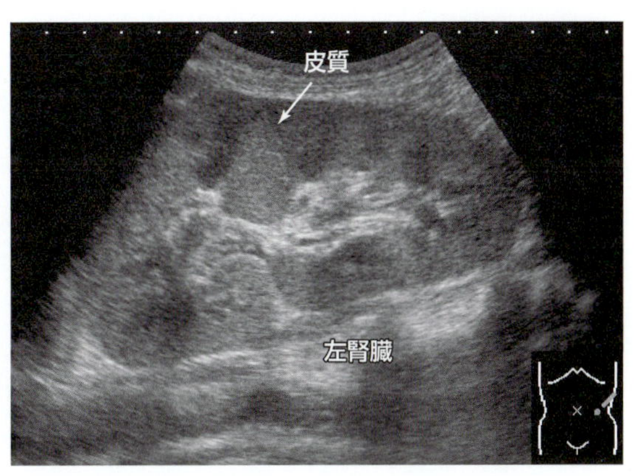

左腎は 13×6 cm と腫大している。皮質のエコーレベルは上昇し，肝実質のエコーレベルと同等〜やや高くなっている。

急性腎不全とは，急激に腎機能が低下し老廃物の排泄や水電解質調節，酸塩基平衡維持などが障害された状態である。腎機能の低下の原因は，腎前性（腎への血流低下），腎性（腎自体の機能低下），腎後性（腎より下部の尿路系の閉塞）に大別される。

超音波所見

①腎全体の腫大（長径 12 cm 以上）
②腎皮質のエコーレベルの上昇
③皮質と髄質の境界が明瞭化

- 腎臓の大きさの評価は，体格を考慮して判断する。
- 皮質のエコーレベルが肝実質のエコーレベルより高くなる（逆肝腎コントラスト）。

3．慢性腎不全（chronic renal failure）

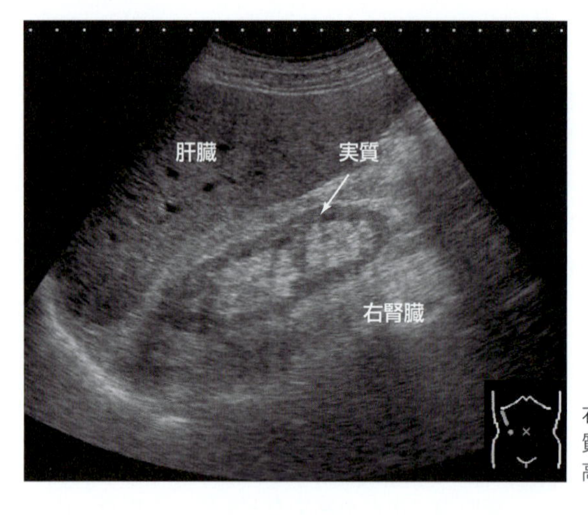

右腎は 9 cm×3 cm と萎縮し，実質は菲薄化している。皮質のエコーレベルは上昇し，肝実質のエコーレベルよりやや高くなっている（左腎も同様の萎縮を認める）。

慢性腎不全は，腎機能が徐々に低下する病態で，原因は様々であるが糸球体を障害する慢性糸球体腎炎や糖尿病性腎症，間質を障害する間質性腎炎，血管を障害する高血圧などがあげられる。

超音波所見

①腎全体の萎縮（長径 9 cm 以下）
②腎実質の菲薄化
③腎皮質のエコーレベルの上昇

- 腎臓の大きさの評価は体格を考慮して判断する。
- 皮質のエコーレベルが肝実質のエコーレベルより高くなる（逆肝腎コントラスト）。
- 糖尿病性腎症では，発病の初期には腫大し，進行するに従い萎縮するため，慢性糸球体腎炎に比べ萎縮の程度は軽度である。

4. 馬蹄腎（horseshoe kidney）

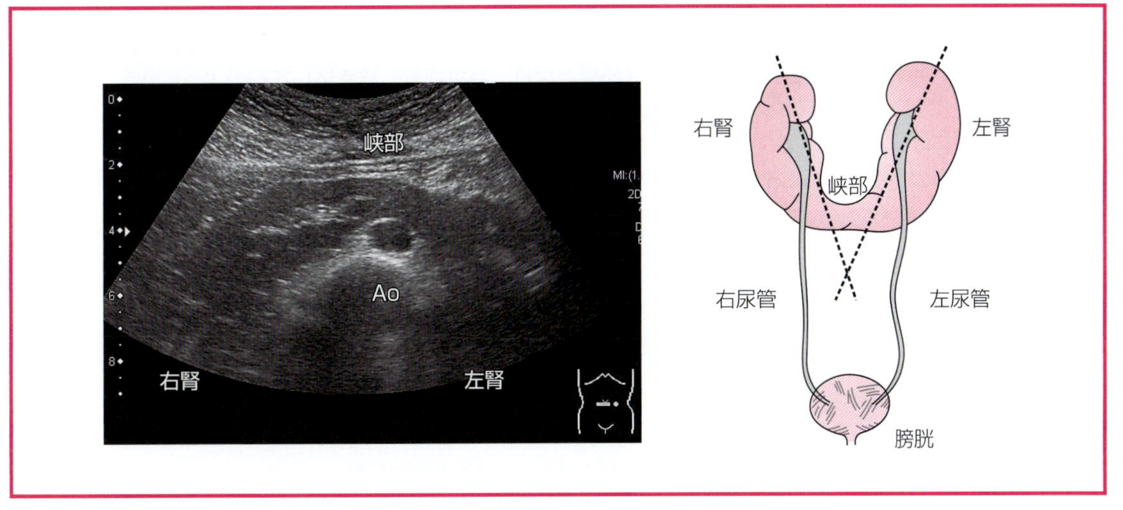

- 腎の先天異常で，最も多い融合奇形である。
- 左右の腎が下極側で融合するものが多い。
- 尿管が峡部の腹側を走行するため，尿停滞を生じやすく，感染や水腎症，結石などの合併症が起こりやすい。

コラム 尿路結石症

- 「尿路」に石ができる病気で，その素材は尿に溶けこんでいるカルシウムやシュウ酸，リン酸など。これらのミネラル物質が何らかの原因で結晶となり，有機物質も巻き込んで石のように固まってしまう。
- 尿路結石には**腎結石，尿管結石，膀胱結石**がある。
  →結石のできる場所によって呼び方は違うが総称で「尿路結石」と呼んでいる。

名　称	結石のできる場所	症　状
腎結石	腎臓・腎盂にできる結石	血尿，腰の重たい感じ，または鈍痛程度
尿管結石	尿管にできる結石	血尿，疝痛発作（腎部，背部～側腹部全体の突然の激痛） 顔面蒼白，冷汗，吐き気，嘔吐
膀胱結石	膀胱にできる結石	血尿・疼痛（膀胱痛や重圧感，排尿痛） 頻尿，尿の出が悪くなる * 膀胱憩室には石ができやすい
尿道結石	尿道にできる結石	血尿・疼痛（尿道部痛や排尿痛） 排尿困難や頻尿

- 結石が嵌まりやすい場所：腎盂尿管移行部，総腸骨動脈交差部，尿管膀胱移行部
- 日本人の場合，**95%以上は腎または尿管結石**。
- 結石の種類については下表の通りである。

結石の種類	説　明
シュウ酸カルシウム結石 （全体の80～90%）	● X線透過性：非透過（画像で白く写る） ● 高Ca尿症，副甲状腺機能亢進症，長期臥床などが原因
リン酸カルシウム結石	● X線透過性：非透過（画像で白く写る） ● 尿のアルカリ化が誘因（基礎疾患として遠位尿細管性アシドーシスがある場合が多い）
リン酸マグネシウムアンモニウム結石	● X線透過性：中程度（画像で淡く写る） ● 基礎疾患として尿路感染症がある ● 老人に多い
尿酸結石	● X線透過性：透過（画像で写らない） ● 尿の酸性化が誘因（基礎疾患として高尿酸血症がある） ● 男性に多い
シスチン結石	● X線透過性：透過（画像で写らない） ● 尿の酸性化が誘因（基礎疾患としてシスチン尿症がある） ● 遺伝が関与 ● 日本人にはまれな結石

※ちなみに，胆石は主成分がX線透過性のコレステロールやビリルビンであるため（水のX線吸収と同程度），単純X画像では検出できない。

4. 腎結石（renal stone）

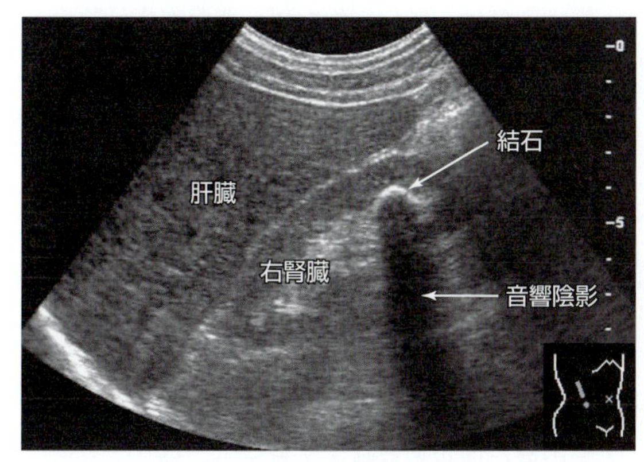

右腎の腎洞部に，径 13 mm の音響陰影を伴う結石像を認める。

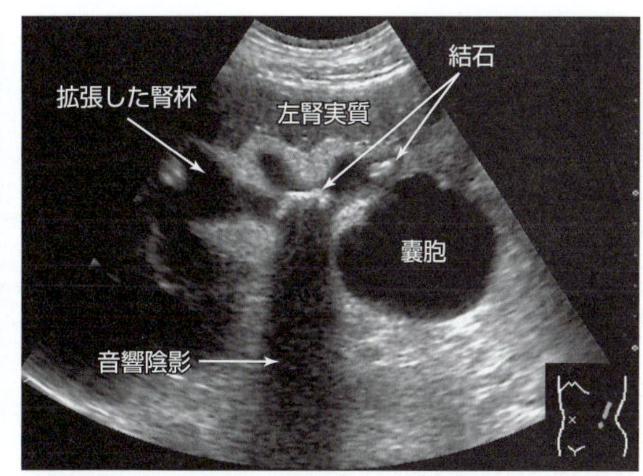

左腎の腎盂に径 20 mm の音響陰影を伴う結石像を認める。腎杯は拡張し（水腎症 hydronephrosis），下極側の腎杯内には小結石も描出されている。また，腎下極には，径 5 cm の嚢胞を認める。

腎結石は，腎盂や腎杯に存在する結石で，腰背部痛や血尿などを主症状とする。結石が尿管に移動したものは**尿管結石**（ureteral stone）という。

超音波所見

①腎洞部の高エコー像
②音響陰影を伴う

- 小さい結石では音響陰影が不明瞭で，石灰化した動脈壁のエコーと鑑別を要することもある。
- 腎結石の成分はシュウ酸カルシウム，リン酸カルシウムなどであるが，尿酸やシスチン，キサンチンを主成分とする結石はX線透過性であり，超音波検査が有用である。
- 腎盂腎杯が拡張している場合には，尿管や膀胱まで観察し，結石や腫瘤など閉塞の原因を検索する。

5. 腎血管筋脂肪腫（angiomyolipoma：AML）

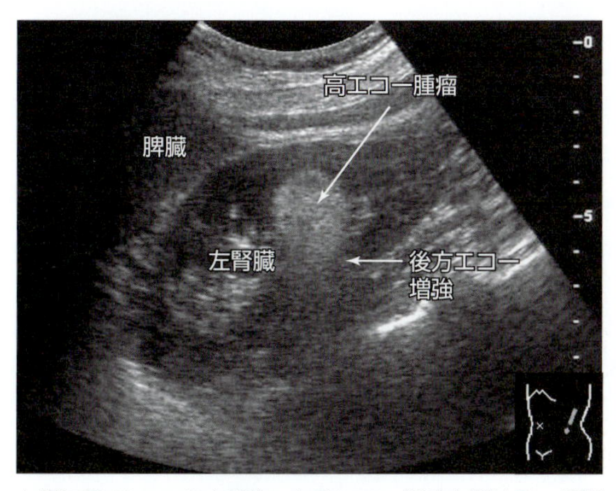

左腎に径 20mm の内部均一な高エコー腫瘤を認める。境界は明瞭で，わずかに後方エコーが増強している。

腎血管筋脂肪腫は，血管，平滑筋，脂肪よりなる良性の過誤腫である。自然破裂により出血しやすく，腰痛や背部痛などの自覚症状が出現することがある。

超音波所見

①内部高エコーで類円形
②境界は明瞭
③後方エコー増強

- 脂肪成分が少ない腫瘤では，典型像よりエコーレベルが低く，腎細胞癌との鑑別を要する。
- 腫瘤内部に出血がある場合や径が大きい腫瘤では，内部エコーが不均一となる。

6. 腎細胞癌（renal cell carcinoma：RCC）

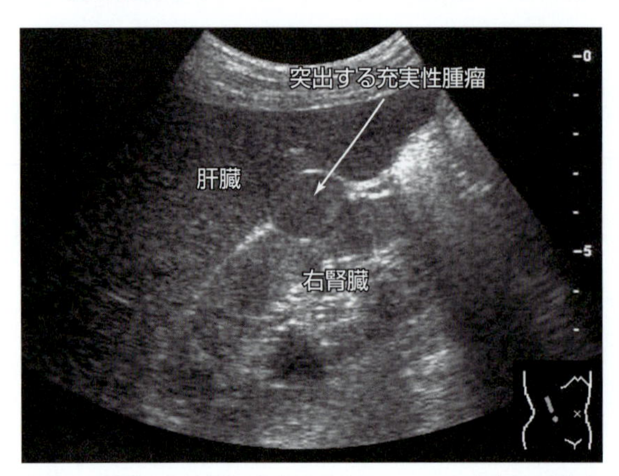

右腎の実質から外側に突出する径 20 mm の充実性腫瘤を認める。境界は明瞭で，線維性被膜の存在を示唆する。

腎細胞癌は，無症候性血尿，側腹部痛，腫瘤の触知を症状とし，腎尿細管上皮より発生する悪性腫瘍である。

超音波所見

①腎実質内の充実性腫瘤
②内部エコーは様々
③被膜を有し，辺縁低エコー帯を認めることが多い
④腎表面の外側に突出するものが多い
⑤内部に壊死を反映する無エコー域

- 小さい腎細胞癌は高エコーを呈するものが多く，腎血管筋脂肪腫との鑑別を要する。
- 腎細胞癌は腎静脈内に進展傾向があるため，腎静脈および下大静脈の腫瘍栓の有無を検索する。

5 脾臓（spleen）

A 予備知識

1．解剖

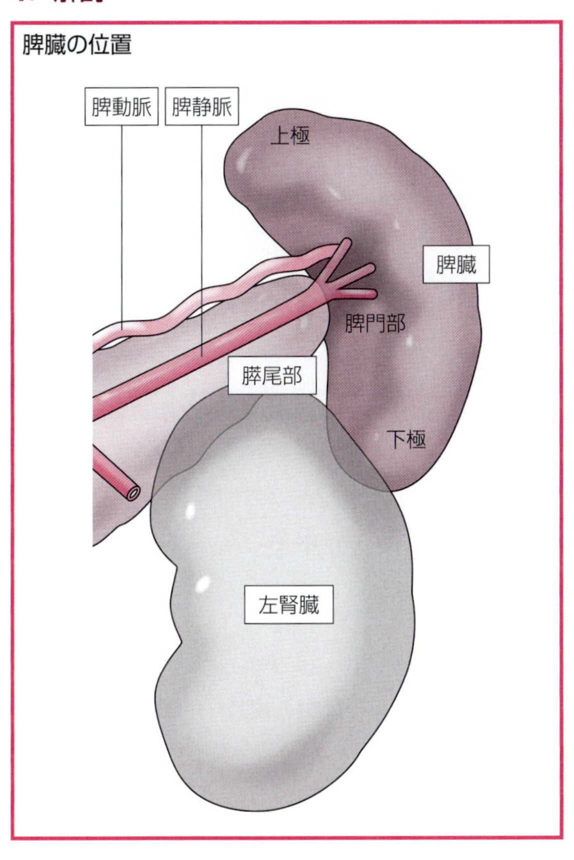

- 脾臓は左第9～11肋間の高さで左横隔膜と左腎の間に位置し，形状は外側は凸面，内側は凹面を形成している。
- 大きさは長径が約10 cm，短径が約4 cm，厚みが約3 cmほどであるが個人差が大きい。
- 脾門部は脾動脈と脾静脈，リンパ管が出入りしている。

2．脾臓のチェック項目

①大きさ：**正常，腫大**
②実質エコー：**均一，不均一，点状高エコー**
③腫瘤性病変：**嚢胞性・充実性病変の有無**

B 基本断面

1. 左肋間走査

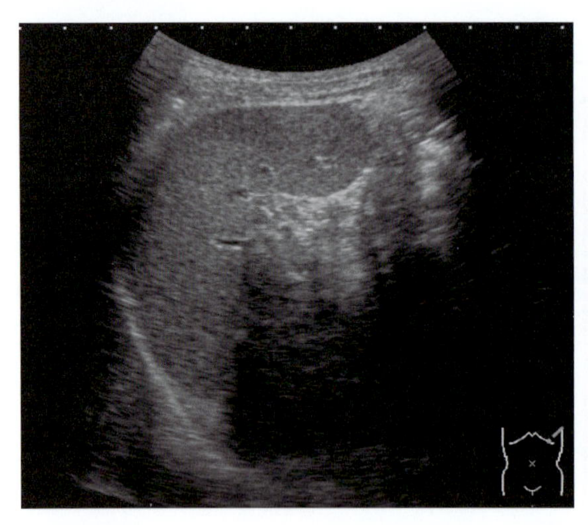

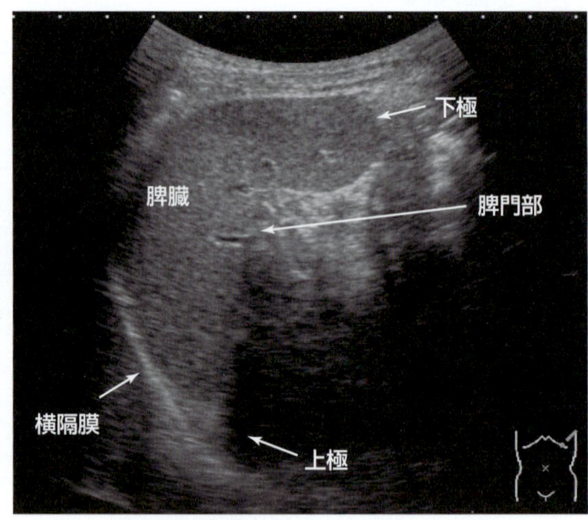

基本断面

- 左肋間走査で，脾門部を中心に長軸像が描出される。
- 頭側は肺の影響で実質の一部が欠損像になることがある。
- 実質のエコーレベルは，正常肝と同等のエコーレベルを呈する。
- 脾門部には脾静脈や脾動脈が管腔構造として描出される。

副脾（accessory spleen）

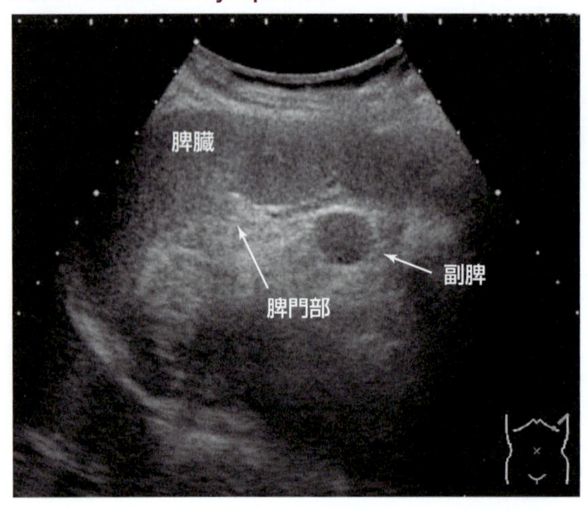

副脾は，本来の脾臓の周辺に脾臓と同じ働きをする径1～2 cmの腫瘤のことで，脾臓の発生異常である。病的意義はなく，健常人の10％くらいに認められる。

超音波所見

①脾臓に接する円形の腫瘤
②脾門部に多く存在し，複数個認める例もある
③内部エコーは脾実質と同等

- 脾腫を認める例では，副脾も大きい傾向がある。
- 脾摘出後副脾が遺残していると，代償性に肥大することがある。
- 副脾が膵内に発生することもあり（膵内副脾），膵腫瘍との鑑別を要する。

C 代表的症例の超音波所見

1. 脾腫（splenomegaly）

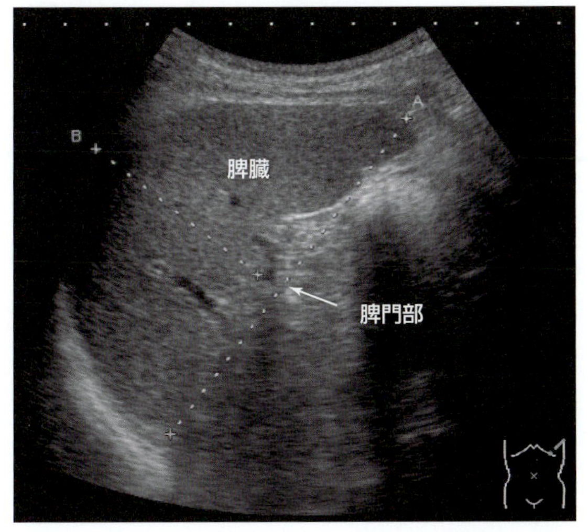

長径 A：9.6 cm，短径 B：5.0 cm で腫大を認める。

脾腫は，脾臓が腫大した病態で肝硬変や急性肝炎などのび慢性肝疾患や門脈圧亢進症，血液疾患，感染症，代謝性疾患，腫瘍などが原因となることが多い。

超音波所見

①脾臓の腫大
②脾門部の脾静脈の拡張

- 脾臓の大きさは10代後半で最も大きく，年齢や性別，体格を考慮して判断する。
- 脾腫が著しい場合には，画面に表示しきれない場合がある。
- 脾腫を認めた場合には，肝硬変などの肝疾患，血液疾患，感染症などを疑う必要がある。

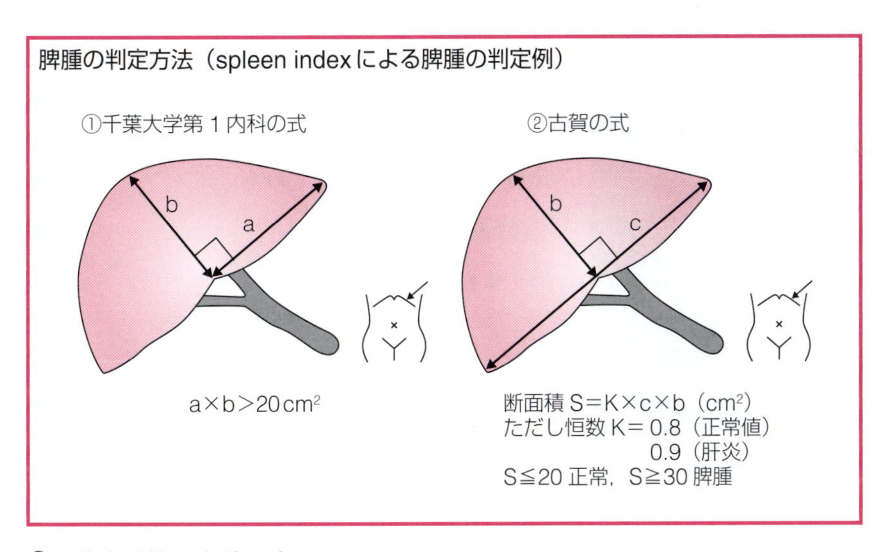

①千葉大学第 1 内科の式

脾門部から脾前縁までの径（a）と，これに直交する径（b）の積で求められる面積（a×b cm^2）を大きさの指標とする。20 cm^2 以上を脾腫と判定する。

②古賀の式

後上縁と前下面の距離（c）と脾門部を起点とするこれに直交する径（b）の積で求められる面積（c×b cm^2）を大きさの指標とする。30 cm^2 以上を脾腫と判定する。

- spleen index を参考にして身長や年齢，性別，脾臓の形態も考慮して総合的に判断する。

2. 脾囊胞（splenic cyst）

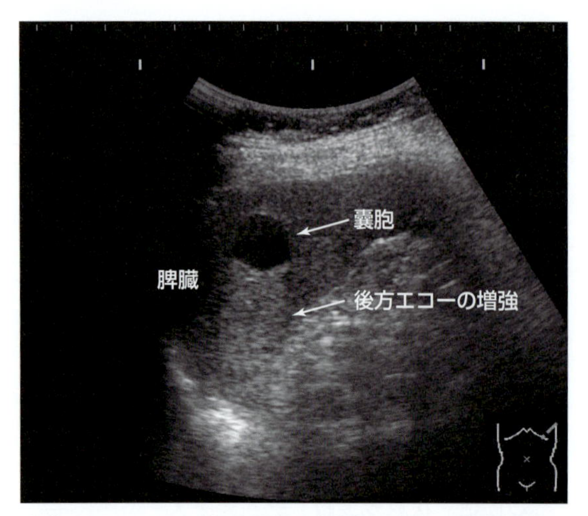

脾臓に径 15 mm の境界明瞭，内部無エコーの囊胞を認める。後方エコーは増強している。

脾囊胞は，真性囊胞と仮性囊胞に分類され，真性囊胞は囊胞壁が内皮細胞で覆われ，仮性囊胞は外傷によるものが多い。

単発で類円形のものが多いが，多発したり不整形，多房性のものもある。

超音波所見

①円形で内部は無エコー
②辺縁は平滑で，境界は明瞭
③後方エコーの増強を伴う
④壁に石灰化を伴うことがある

- 大きな囊胞では腫瘤の触知，左季肋部痛，上腹部圧迫症状などを伴うことがある。
- 囊胞の内部に出血を伴うと内部エコーが出現する。

3. 脾リンパ管腫（splenic lymphangioma）

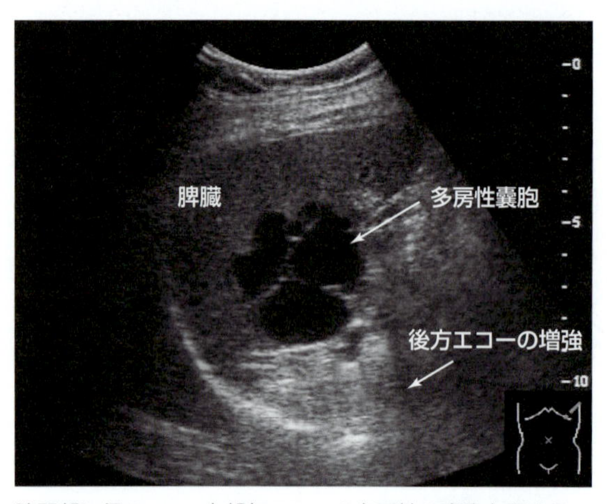

脾門部に径 5 cm，内部無エコーの多房性の囊胞を認める。

脾臓のリンパ管腫は，リンパ管の増殖をきたす疾患で，内皮細胞に覆われた多房性の囊胞性病変である。

多くは先天性で良性腫瘍であるが，脾臓での発生はまれで発育は緩徐である。

超音波所見

①境界明瞭な無エコー腫瘤
②多房性あるいは隔壁構造を認める

- リンパ管が集中する被膜と脾柱を侵すことが多く，被膜下に見られる頻度が高い。

4．脾血管腫（splenic hemangioma）

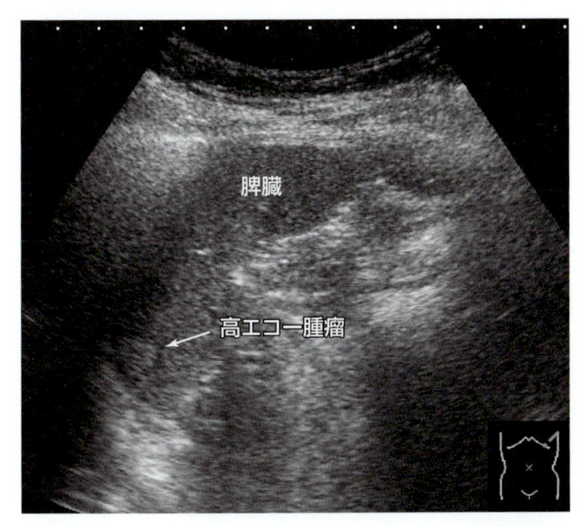

脾臓に径 10 mm，類円形で内部均一な高エコー腫瘤を認める。

脾血管腫は，脾原発の良性腫瘍のなかで最も発生頻度が高く，2 cm 以下の小さなものが多い。組織学的に海綿状血管腫と毛細管血管腫に分類されるが，ほとんどは海綿状血管腫である。

超音波所見

①境界明瞭な高エコー腫瘤。
②内部に出血や変性壊死を伴うと，低エコー域や無エコー域が出現する。

- 多くは無症状で，検査で偶然発見されることが多い。

5．転移性脾腫瘍（metastatic splenic tumor）

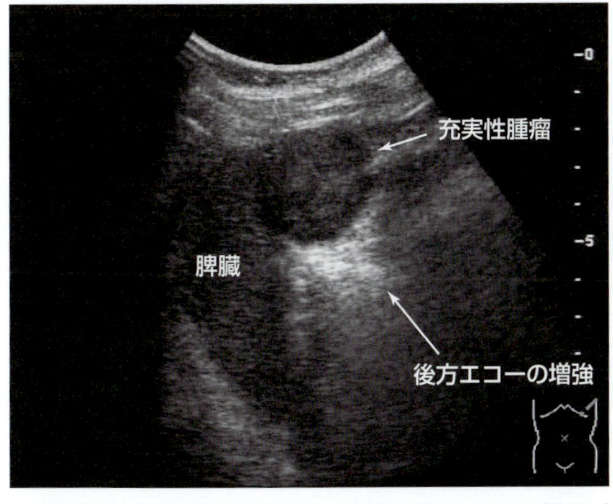

左腎癌からの脾転移例である。脾臓に径 35 mm，類円形で辺縁低エコー帯を有する等エコーの充実性腫瘤を認める。腫瘤は外側に突出し，後方エコーは増強している。

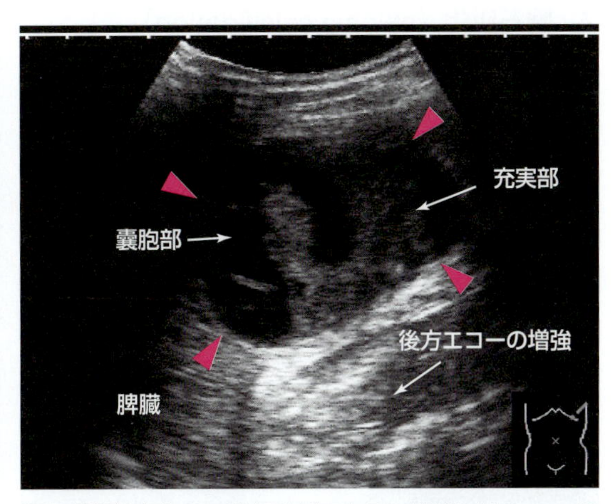

肝門部胆管癌からの脾転移例である。脾臓に径 7 cm，類円形の腫瘤を認める（►）。内部は不整形な充実部と嚢胞部が混在し，後方エコーは増強している。

悪性腫瘍の脾臓への転移は血行性転移であることが多いが，その頻度は他臓器への転移と比べると低い。

超音波所見

①辺縁低エコー帯を有する高エコー腫瘤が比較的多い。
②低エコーや高エコーを呈する腫瘤もあり，超音波像は様々である。

- 内部に石灰化を認めたり，中心部に融解壊死を認めることもある。
- 白血病や悪性リンパ腫など血液疾患からの脾転移では，低エコー腫瘤が多い。

6. 脾膿瘍（splenic abscess）

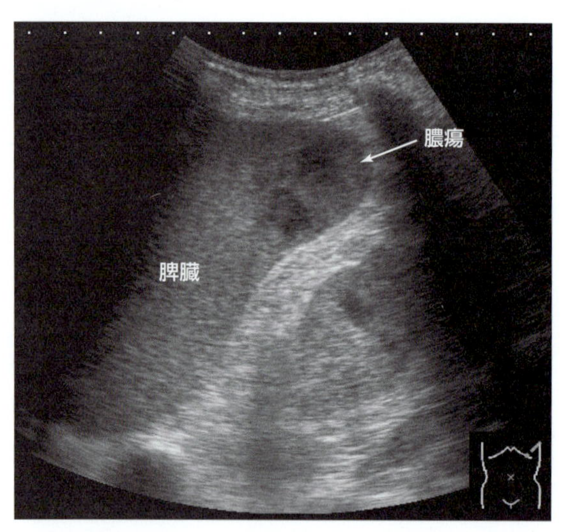

脾臓の下極に径 3 cm，境界不明瞭で内部不均一な低エコー腫瘤を認める。

脾膿瘍は，敗血症や脾梗塞，外傷，周囲臓器からの波及などが原因で生じ，発熱や左季肋部痛などの症状を伴う。

超音波所見

①辺縁不整，境界不明瞭で不整形な低エコーまたは無エコー腫瘤
②膿瘍内部に細かな点状～線状高エコーを認める
③後方エコーの増強

- 膿瘍の内部エコーは，発症から経時的に変化する。
- 発症初期は充実性に描出されることが多いが，経過とともに嚢胞性に変化することが多い。

7. 脾石灰化（splenic calcification）

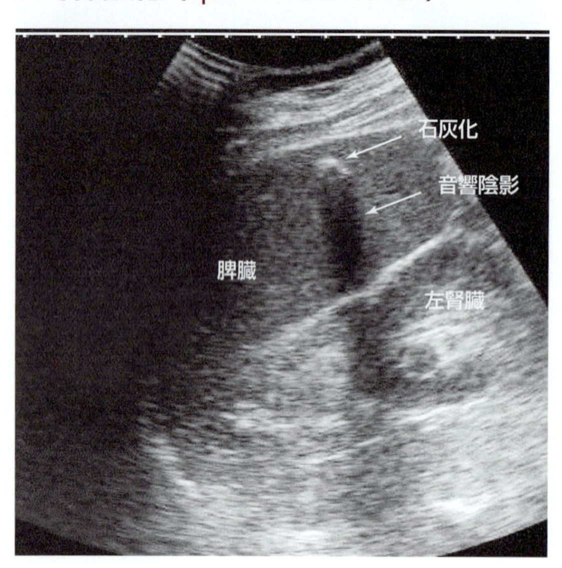

脾臓に音響陰影を伴う径 10 mm の高輝度エコーを認める。

脾石灰化は，脾臓の実質内にカルシウムが沈着したもので結核性肉芽腫や陳旧性膿瘍，ヒストプラズマ症，静脈石などで認められることが多い。

超音波所見

①脾実質に高輝度エコー
②音響陰影を伴う

8. Gamna-Gandy結節（Gamna-Gandy nodule）

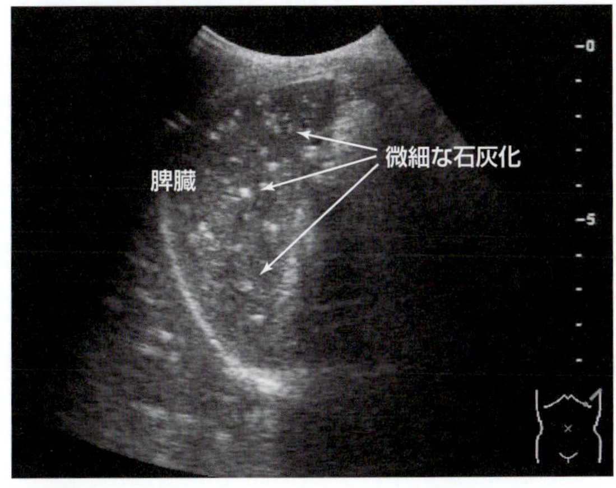

脾臓全体に小さな点状高輝度エコーが多数認められる。音響陰影は認めない。

Gamna-Gandy結節は，脾臓の慢性的なうっ血により脾被膜や脾柱の動脈周囲に出血が生じ，これにヘモジデリン沈着や石灰沈着が生じた小結節である。

門脈圧亢進を来す肝硬変や特発性門脈圧亢進症などでみられる。

超音波所見

①脾実質に多数の点状高輝度エコー
②音響陰影は伴わない

- 門脈圧亢進を反映して脾腫を伴うことが多い。
- 脾石灰化と比べると，高輝度エコーが微細で多発し，音響陰影を伴わないのが特徴である。

9. 脾過誤腫（splenic hamartoma）

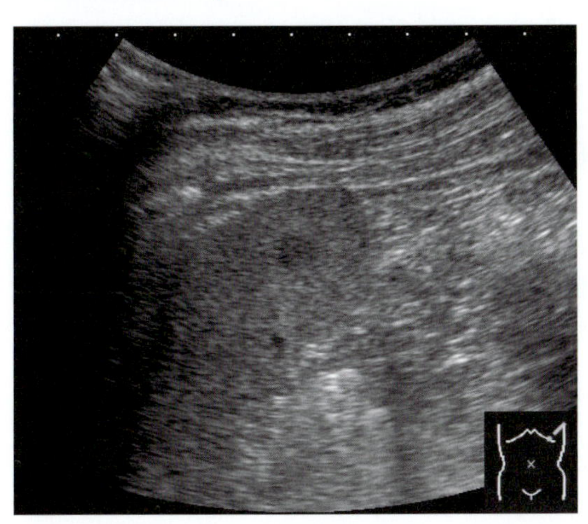

脾臓の下極に径8 mm，境界明瞭な低エコー腫瘤を認める。

脾過誤腫は，脾臓の正常な構成組織が発生過程で量的な異常あるいは構造の異常を伴って増殖する組織学的な奇形とされている。

構成される組織により赤脾髄型，白脾髄型，混合型，線維型に分けられるが，赤脾髄型の頻度が最も多い。

超音波所見

①境界明瞭な類円形の腫瘤
②内部エコーは様々であるが，比較的低エコーの腫瘤が多い

- 多くは無症状で，検査で偶然発見されることが多いが，腫瘤が大きくなると腹痛や脾機能亢進を示すようになる。
- 脾臓原発の過誤腫はまれな疾患であるが，特徴的な超音波所見はなく，悪性腫瘤と区別しにくいこともあり注意が必要である。

9章 体表臓器（乳腺・甲状腺）における検査

1 乳房

A 超音波操作条件

- 探触子は各機器メーカーが乳腺用超音波探触子として指定する電子リニア式探触子（周波数 10 MHz 以上を推奨）を使用する。
- 表示幅は 35 mm 以上とする。
- フレームレートは 15 フレーム / 秒以上とする。
- 表示深度は 50 mm 程度とし，大胸筋まで明瞭に描出できるように設定する。
- ゲインは各組織の構造が明瞭に描出できるように調節し，STC はつまみが全て中央位置にある状態を基本とする。
- フォーカスは関心領域の深さに応じて調節する。
- 適宜拡大・縮小を行ってもよいが，過度な拡大は避ける。

B 検査法

- 体位は被験者を仰臥位にし，検査をする側の背中に枕を入れて軽い斜位にする。必要に応じて上腕を挙上させる。
- 検査の順番に決まりはないが，スクリーニングであれば患者とのコミュニケーションの観点や，ゼリーがコードに付着しないなどの利点があるため，左側から検査することが望ましい。
- 精査機関の場合，健側から検査することがあるが，健側にも病変がある可能性を念頭に入れ，見落としがないように注意する。

C 走査法

- 探触子はできるだけ下部を把持し，ビームが常に皮膚に対して垂直に入るように注意する。
- 必要以上の圧迫を加えない。
- 探触子の動かし方（操作法）は状況に応じて使い分ける。通常は縦操作（乳房上部→下部）→横操作の順で行う。
- 乳頭直下や腋窩近傍は病変を見落としやすい場所（pitfall（ピットフォール））であるため，特に注意して検査する。
- フレームレートの遅い装置では，探触子を動かすスピードが速すぎると微小病変を検出できないことがあるので注意する。
- 必要に応じて周囲リンパ節の評価を行う（腋窩，鎖骨下，鎖骨上，傍胸骨リンパ節）。

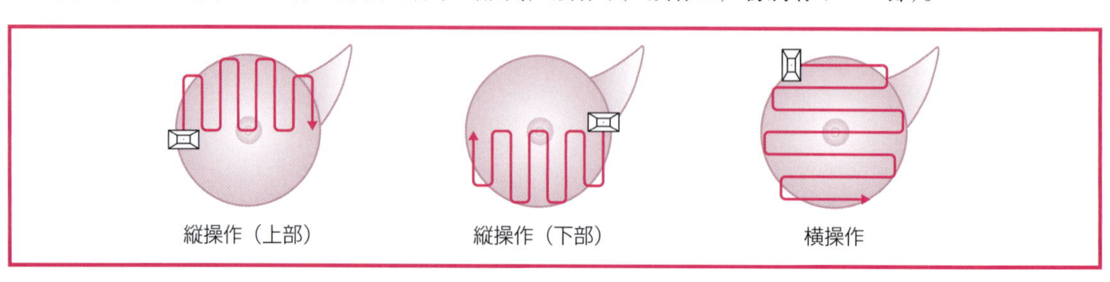

D 病変存在部位の表記法

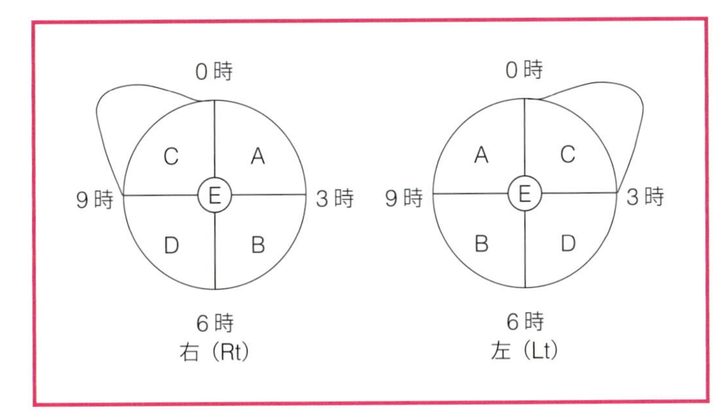

- 患側乳房の表記法は，左は（Lt），右は（Rt）とする。
- 病変の存在する領域の表記法は，内上を（A），内下を（B），外上を（C），外下を（D），乳頭下を（E）とする。
- 病変の存在部位を時計盤表示とする際は，乳頭を時計盤の中心とし，乳頭と病変とを結ぶ直線の示す時刻で表記する。
- 時計回りに12時間制30分表記とする。（例：6時30分位置）

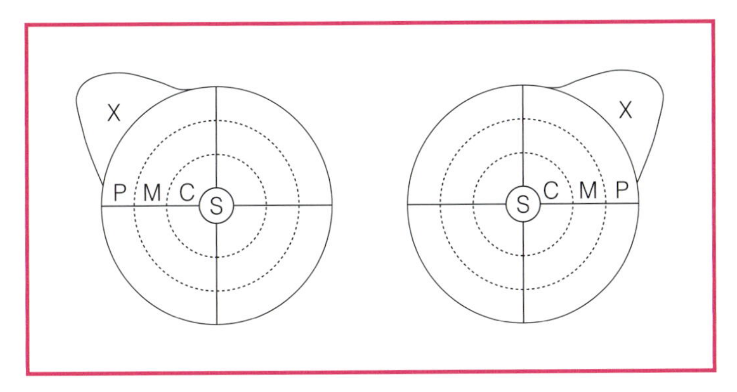

- 乳頭からの距離における表記法は，乳頭と乳房外縁までを3等分し，乳輪部をsubareolar（S），中央部をcenter（C），中間部をmiddle（M），周辺部をperipheral（P），腋窩部をaxilla（X）とする。
- 検診時に推奨されている表記法である。

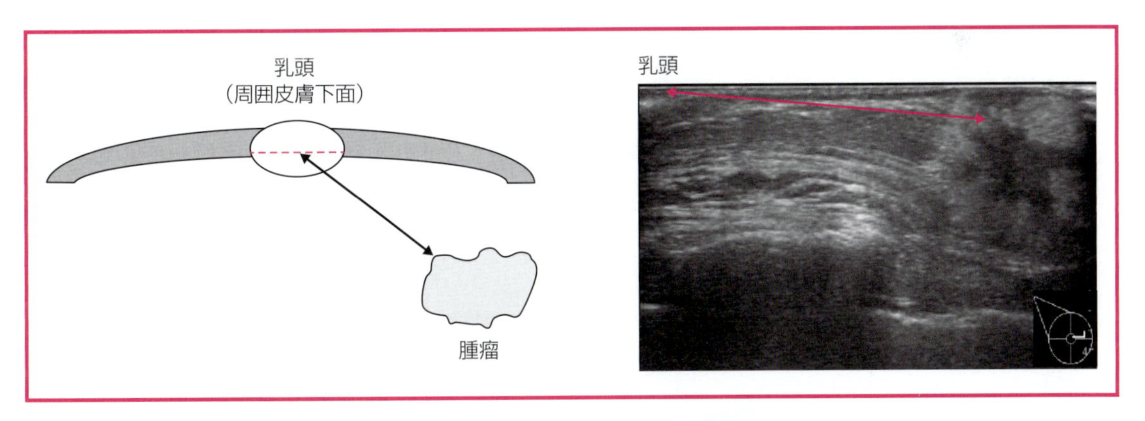

- 乳頭（周囲皮膚下面）から腫瘤までの直線距離を乳頭腫瘤間距離という。

E 病変の計測法

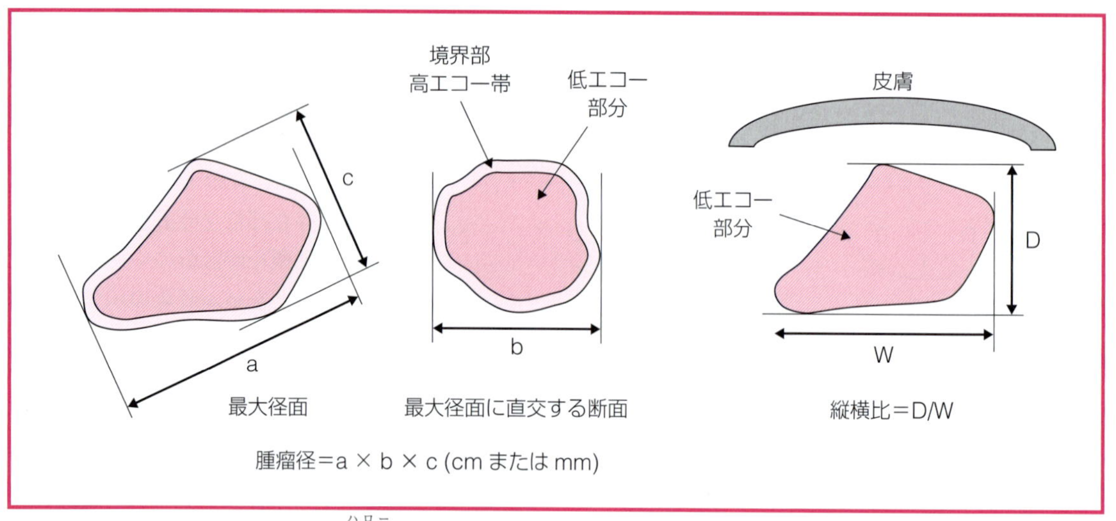

- 腫瘤径は境界部高エコー像（halo）を含め計測する。病変の最大径（a）とこれに直交する断面の最大径（b）と，最大径における高さ（c）を計測し，a×b×c（cm または mm）で表記する。
- 腫瘤の縦横比（D/W, DWratio）は最大径面において，halo を含まない低エコー域部分を計測する。この時の径は皮膚面と垂直および水平に計測する。最大縦径（D）/ 最大横径（W）で算出される。縦横比は良・悪性を鑑別するための診断基準の1つであり，0.7 以上の場合に悪性が多いとの報告がある。

F 乳房の解剖と超音波画像

1. 乳房基本構造と超音波像

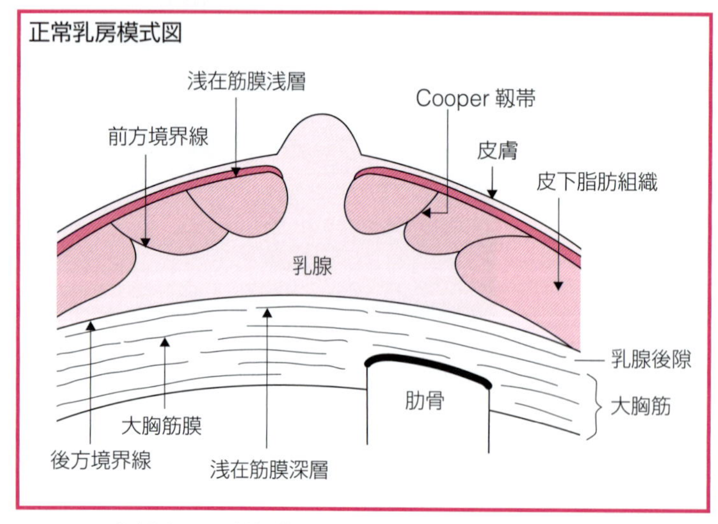

- 皮膚は高エコーで3層構造を呈する。
- 脂肪織は低エコーであり，そこにCooper靱帯とそれに連続する浅在筋膜浅層が線状の高エコーとして描出される。
- 乳腺は脂肪に比べ高エコーであり，内部に乳管や間質などの不規則な低エコー像が散在する。
- 乳腺は年齢や妊娠などホルモン環境に応じて変化する。初経前は均質であるが，成熟すると乳腺の厚みが増すとともに斑状や豹紋状のエコーを呈する。妊娠期では特に乳腺が肥厚し，比較的均質な低エコー像を呈する。加齢とともに退縮し，脂肪に置換される。
- 乳腺後隙の浅在筋膜深層には，低エコーの中に波打つ線状高エコーを認める。
- その深部に線状高エコーを有する大胸筋が存在する。

正常乳房（中年期）の超音波像

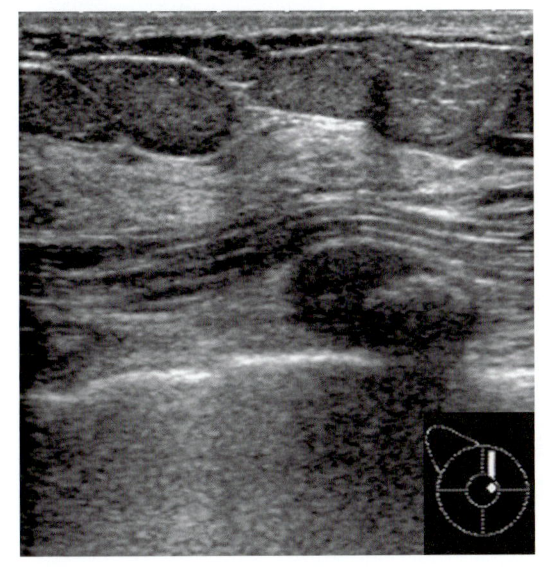

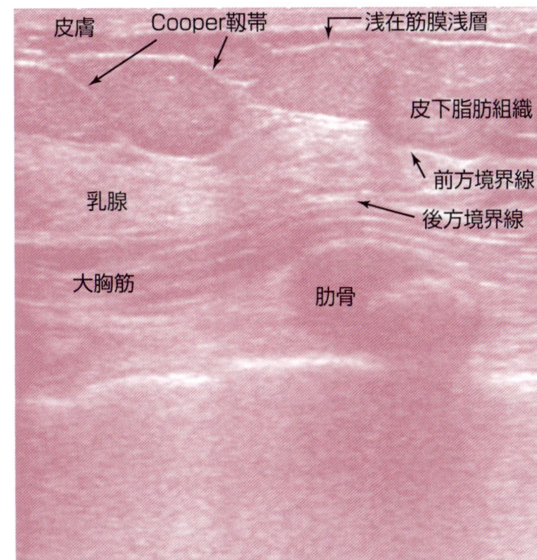

乳腺のバリエーション

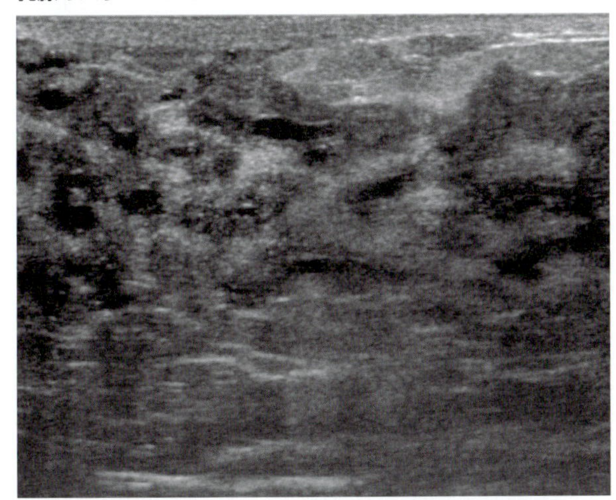

35歳　授乳期乳腺

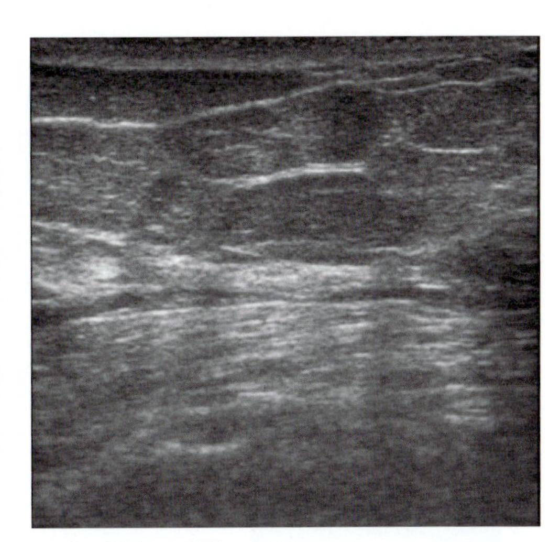

80歳　退縮した乳腺

2. 乳房超音波における所見用語

腫瘤の形状

	くびれ	かど
①円形・楕円形	あり／なし	なし
②分葉形	あり	なし
③多角形	なし	あり
④不整形	あり	あり

円形　楕円形　分葉形　不整形　多角形

境界の定義

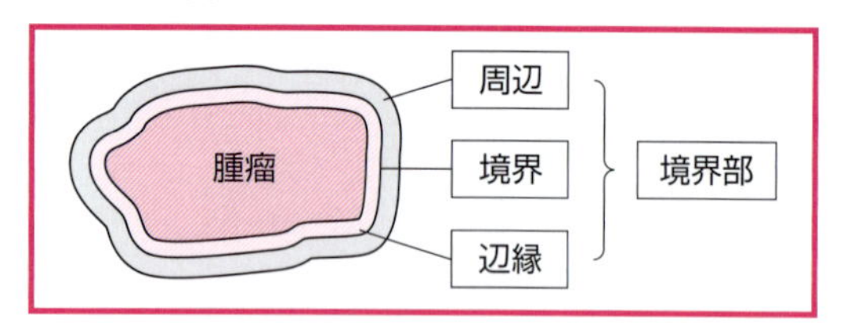

- 周辺：腫瘤に近い非腫瘤部分
- 境界：腫瘤と非腫瘤部との接する面
- 辺縁：境界付近の腫瘤部分

※境界不明瞭でこれらの識別が困難なときは境界部としてもよい。

境界の分類

- 明瞭平滑：境界がはっきりと一本の線で表され，滑らかである。大きなくびれはあってもよい。
- 明瞭粗ぞう：境界ははっきりしているが，滑らかでない。
- 不明瞭：辺縁と周辺との区分が明確でない。境界部高エコー像の有無を確認する。

※境界部高エコー像（ハロー，halo*）腫瘤と周辺組織との境界部に認められる，淡く不明瞭な高エコー像である。脂肪組織内に癌細胞が浸潤し，後方散乱が生じたものであるといわれており，強く悪性を示唆する所見である。

エコーレベル

皮下脂肪織のエコーレベルと比較し，無，低，等，高に分類する。

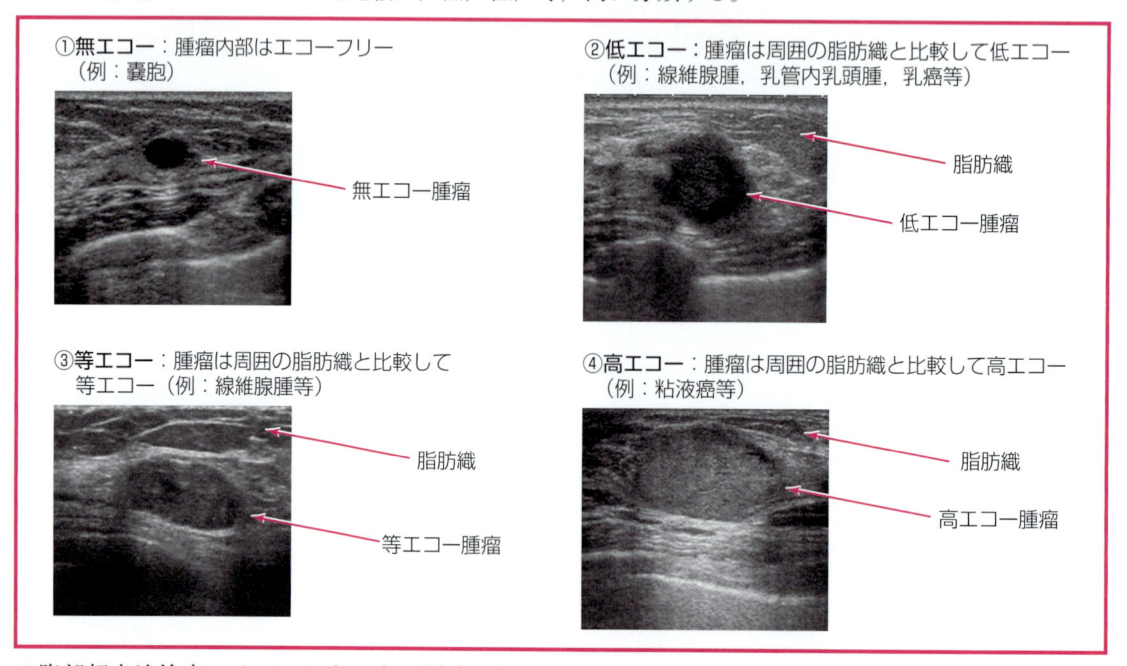

※腹部超音波検査では，haloといえば腫瘤辺縁の低エコー帯を指すが，乳腺超音波検査でhaloとは腫瘤の周囲にある高エコー帯を指す。

G 症　例

1. （単純性）嚢胞

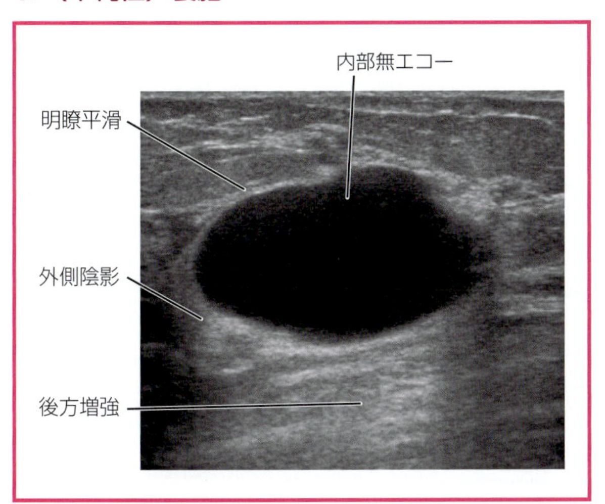

- 乳管が拡張し，液体が貯留したものである。頻度は高く，多くは多発性，両側性である。
- 嚢胞内に腫瘍性病変がないかを観察する必要がある。

超音波所見

- 形状：円形～楕円形
- 境界：明瞭平滑
- 内部エコー：無
- 音響的所見：後方エコー増強。外側陰影を伴う。
- 縦横比：通常小さいが，小嚢胞では大きい。

2. 線維腺腫

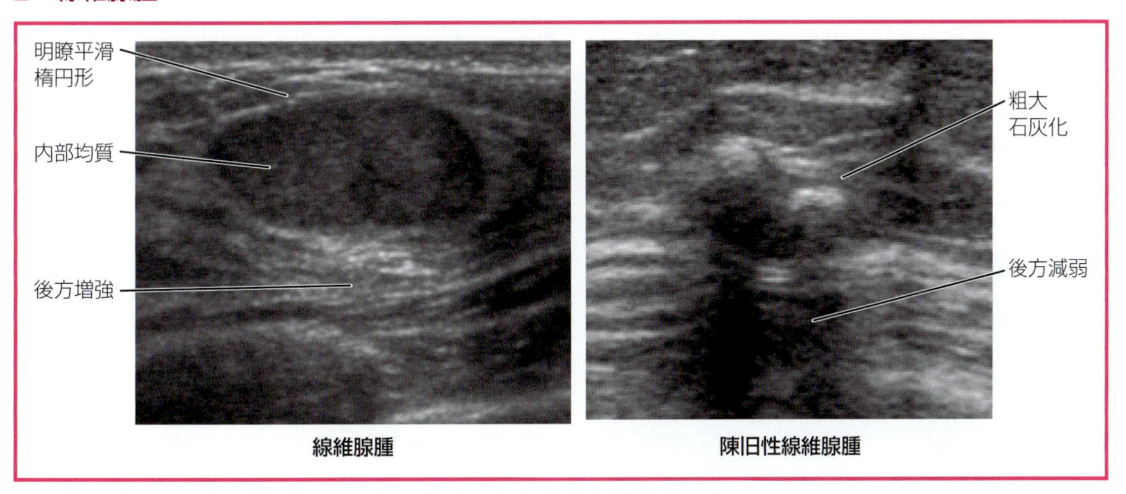

線維腺腫　　陳旧性線維腺腫

- 上皮（腺）と間質（線維）の両方が増殖した良性混合性腫瘍である。
- 若年者（10～20歳台）に好発し，しばしば多発性，両側性に見られる。

超音波所見

- 形状：楕円形～分葉形
- 境界：明瞭平滑
- 内部エコー：低～等，均質
  しばしば音響陰影を伴う粗大高エコー（石灰化）を認める。
- 音響的所見：水分に富む線維腺腫は後方エコーが増強する。
  時間と共に硝子化・石灰化し，後方エコーは減弱する。（陳旧性線維腺腫）
- 縦横比：小さい

※2 cm以下で縦横比が十分に小さく，境界明瞭平滑な場合のみ良性と診断される。縦横比が大きい，境界がやや不明瞭，内部不均質などの場合，悪性との鑑別が必要である。

3. 葉状腫瘍

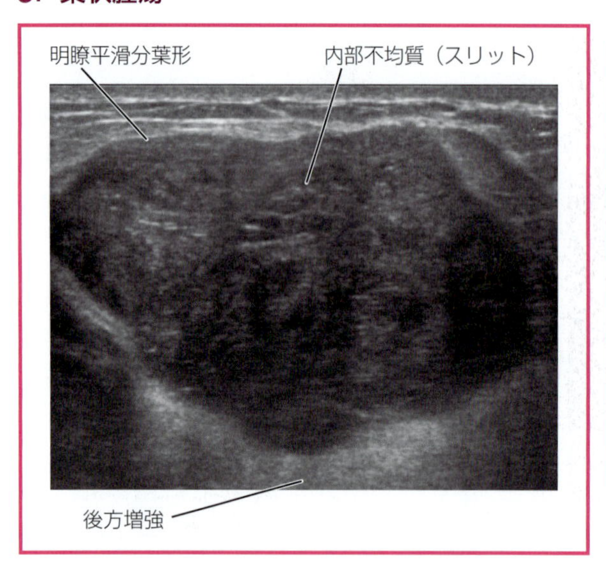

超音波所見

- 形状：円形～分葉形
- 境界部：明瞭平滑
- 内部エコー：低く，不均質
  液体が貯留した裂隙（スリット）を形成することが多い。
- 音響的所見：後方エコーは増強することが多い。
- 血流信号：豊富

※良性・境界病変・悪性の診断は，超音波の画像上では困難である。

- 線維腺腫と同様，上皮と間質の混合性腫瘍で，結合織の増生が著しい。2 cm 以上で発見されることが多く，急速に増大し，術後も局所再発しやすい。
- 間質の成分から良性，境界病変，悪性の3つに分類する。線維腺腫より発症年齢は高く，30 ～ 50 歳台に好発する。

4. 乳管内乳頭腫・嚢胞内乳頭腫

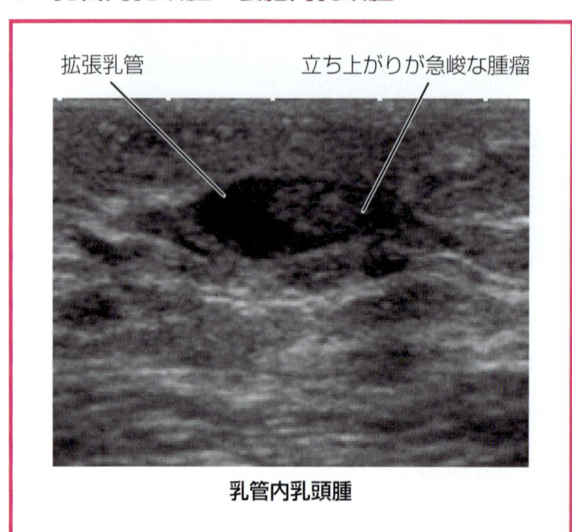

乳管内乳頭腫

超音波所見

- 乳管内腫瘤：拡張乳管内に立ち上がりが急峻な隆起する腫瘤として認められることが多い。腫瘤が小さい場合拡張乳管を認めないことがある。
- 嚢胞内腫瘤：嚢胞内に充実性の乳頭状で有茎性の，壁より急峻に隆起する腫瘤を認める。
- 内部エコー：（乳管内腫瘤）低～等
  （嚢胞内腫瘤）高（～低）

※乳管内乳頭腫は非浸潤性乳癌と，嚢胞内乳頭腫は嚢胞内乳癌との鑑別が困難なことがある。

乳管内に樹枝状の血管結合織を伴って乳管内に増殖する良性上皮性腫瘍である。
40 ～ 50 歳台に好発する。しばしば血性の乳頭分泌物を認める。

5．非浸潤性乳管癌（ductalcarcinomainsitu：DCIS）

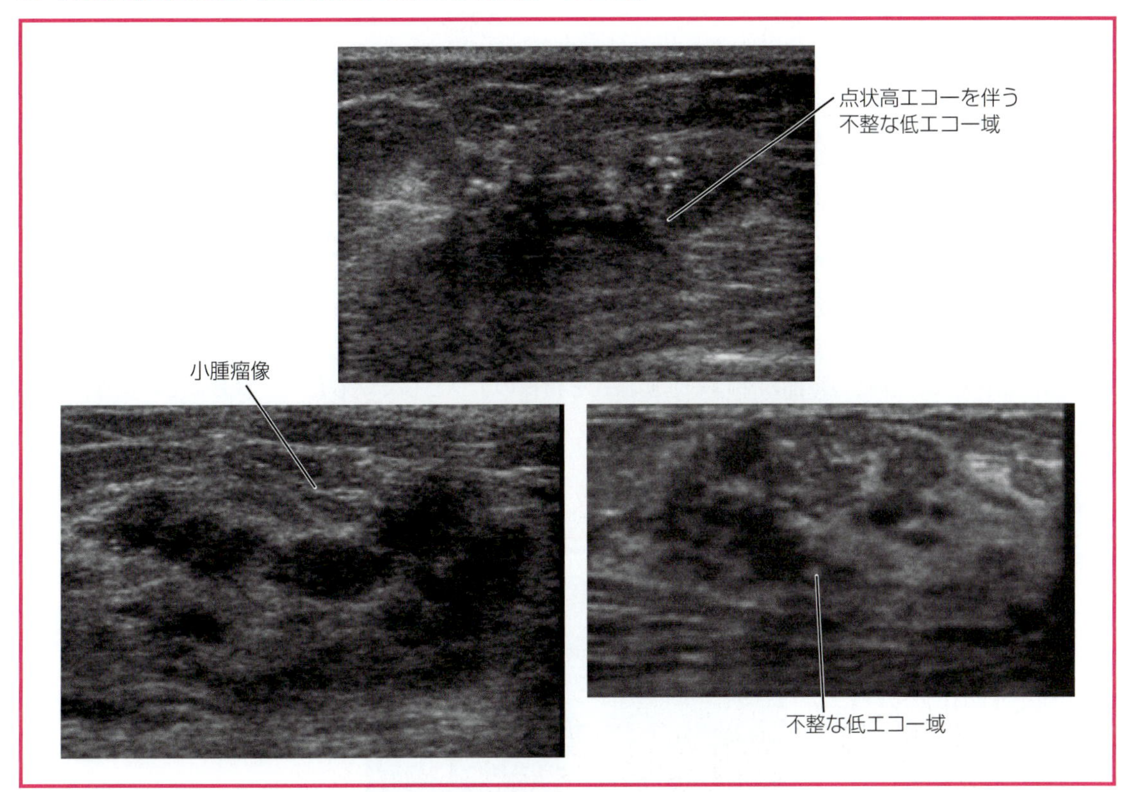

- 乳管上皮由来で，癌細胞が乳管内にとどまり間質への浸潤を認めない癌である。リンパ節転移もなく，病巣を完全に切除すれば予後は極めて良好である。
- DCISの約8割は臨床症状を伴わず，マンモグラフィで発見される。好発年齢は50歳台である。

超音波所見

病変によって様々な像を呈するが，腫瘤と非腫瘤性病変に大別される。

①腫瘤

小腫瘤像や，嚢胞内腫瘤像を呈する

②非腫瘤性病変

- 乳管の拡張を主体とする病変
- 区域性，局所性の低エコー域に，点状高エコーを伴う病変
- 小嚢胞の集簇（しゅうぞく）（まれ）
- 構築の乱れ

6. 浸潤性乳管癌

	形状	D/W	後方エコー	その他
乳頭腺管癌	不整形	小さい	不変	石灰化を伴う
充実腺管癌	分葉・多角形	大きい	増強	中心壊死がみられる
硬　癌	不整形	大きい	減弱	halo や周囲の引き攣れを伴う

- 浸潤性乳管癌は，乳頭腺管癌，充実腺管癌，硬癌の3つの亜型に分類され，全乳癌の70～80%を占める。
- 日本独自の組織型による分類であるが，それぞれ波及度，リンパ節転移率などが異なり，硬癌＞充実腺管癌＞乳頭腺管癌の順で予後不良である。
- 浸潤性乳管癌は，腫瘍辺縁部における進展様式を指標の1つとしているため，おおよその画像所見における対比が可能である。

①硬癌

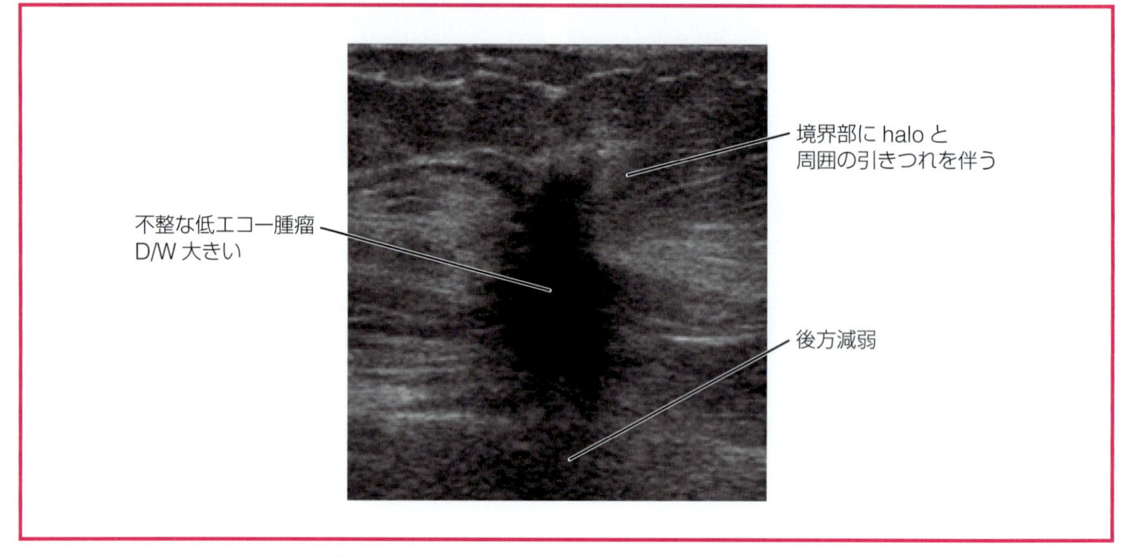

乳管外への発育がびまん浸潤性であり，浸潤性乳管癌の中で予後は最も不良である。全乳癌の32%，浸潤性乳管癌の約43%と，最も頻度の高い癌である。

超音波所見

- 形状：不整形
- 境界部：不明瞭でhaloを伴うことが多い
- 内部エコー：低い
- 音響的所見：減弱（間質結合織の量による）
- 縦横比：大きい

※超音波およびマンモグラフィで周囲の引きつれ（spicula（スピキュラ））を伴うことがある。不整な低エコー腫瘤として，浸潤性小葉癌と類似の所見を示すが，一般に硬癌はよりD/Wが高い傾向にある。

②乳頭腺管癌

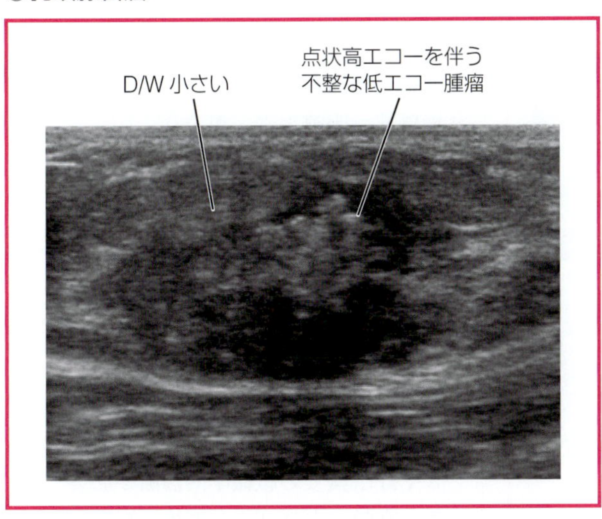

超音波所見

- 形状：不整形
- 境界部：明瞭粗ぞう
- 内部エコー：低エコーで，点状高エコーを伴うことが多い。
- 音響的所見：後方エコーは不変
- 縦横比：小さい（乳管内進展を反映する）

※腫瘤周囲に乳管内病巣を伴いやすい。時に非腫瘤性病変としてみられることもある。

- 浸潤病巣が乳頭状増殖および管腔形成を示す，あるいは乳管内成分優位の浸潤癌である。発生頻度は全乳癌の約25%，浸潤性乳管癌の約33%である。比較的予後が良好とされている。

③充実腺管癌

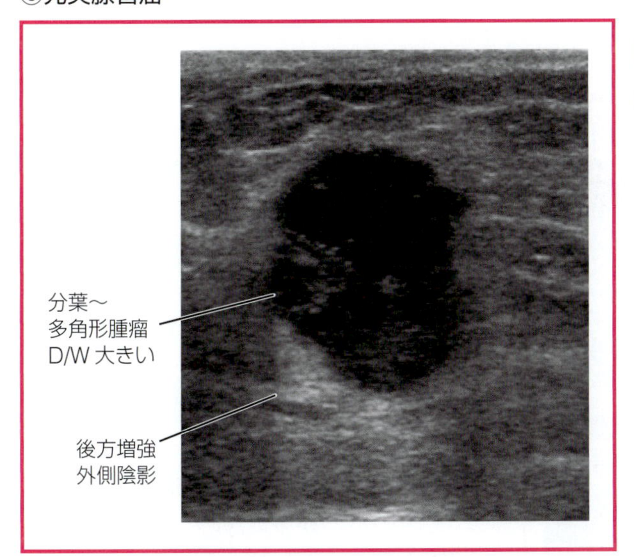

超音波所見

- 形状：円形，分葉形，多角形
- 境界部：明瞭平滑，粗ぞう
- 内部エコー：極低～低，中心壊死を伴うことがある。
- 音響的所見：後方エコー増強，外側陰影を伴う
- 縦横比：大きい

- 充実性で大型の浸潤癌巣が周囲組織に対し，圧排性・膨張性発育を示す。
発生頻度は全乳癌の約14%，浸潤性乳管癌の約18%である。

7. 粘液癌

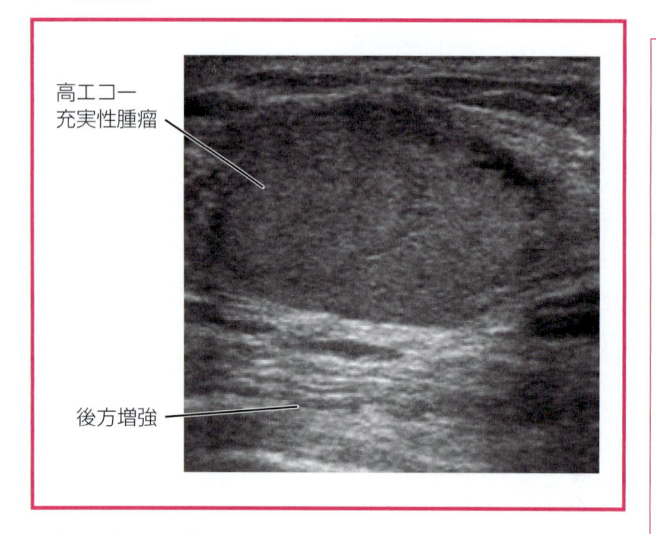

超音波所見

- 形状：楕円形，分葉形
- 境界部：明瞭平滑・粗ぞう
- 内部エコー：高～等エコー
- 音響的所見：後方エコー増強
- 縦横比：大きい

※脂肪織と同等のエコーレベルのため，腫瘤として認識しにくい場合があり注意を要する。
線維腺腫や乳管内乳頭腫と類似のエコー所見を呈することがあり，穿刺吸引細胞診や針生検での組織学的診断が必要である。高齢であればより悪性を疑う。

- 浸潤癌の特殊型に分類される。粘液産生を特徴とし，粘液湖内に癌巣が浮遊する粘液結節の形態をとる。
- 全乳癌の約3%で，リンパ節転移が少なく，予後は良好である。

8. 浸潤性小葉癌

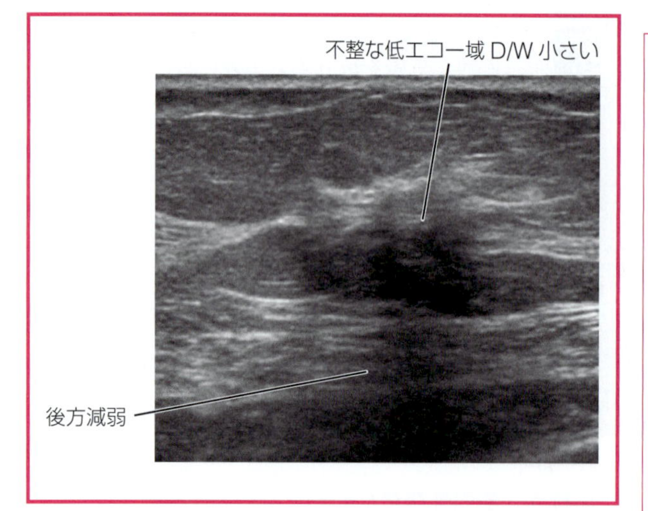

超音波所見

超音波像は多彩であるが，以下が通常型とされる。

- 形状・後方エコー減弱を伴う不整な低エコー
  - ・腫瘤像構築の乱れを伴う低エコー域
- 境界部：不明瞭で halo を伴う
- 内部エコー：低エコー
- 音響的所見：後方エコーが減弱することが多い
- 縦横比：硬癌と比較し小さい

※乳腺の収縮や，周囲組織の牽引などの構築の乱れ，斑状構造の極性の乱れなどを伴うことが多く，画像では病変をとらえにくいことがあるため注意を要する。

- 浸潤癌の特殊型に分類される。癌細胞は小型で極性がなく，索状または孤立散在性に間質へ浸潤し，間質結合織の増生を伴うことが多い。
- 全乳癌の約4%で，日本より欧米に多い。
- 画像診断より，腫瘤や硬結を触知して発見されることがある。

2 甲状腺

A 正常甲状腺の超音波像

1. 正常甲状腺横断面模式図

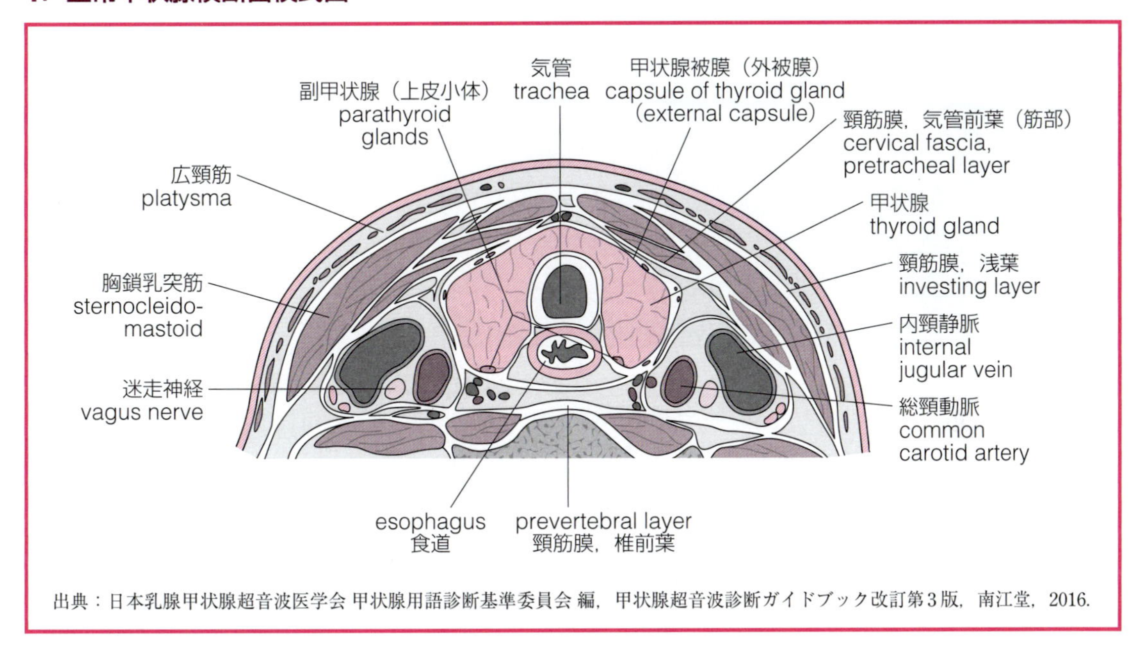

出典：日本乳腺甲状腺超音波医学会 甲状腺用語診断基準委員会 編，甲状腺超音波診断ガイドブック改訂第3版，南江堂，2016.

- 甲状腺は，喉頭から気管（第3～4気管軟骨）の前面と側面に気管を取り巻くように位置する。
- 左右の側葉とそれをつなぐ峡部からなる。
- 峡部から上方に向かう錐体葉が認められることがあるが，薄いためあまり認識されることはない。
- 一般的に男性は女性に比べ咽頭の位置が低く，甲状軟骨が前方に突出しているため甲状腺の位置が低く観察される。

2. 正常甲状腺の超音波画像（横断像）

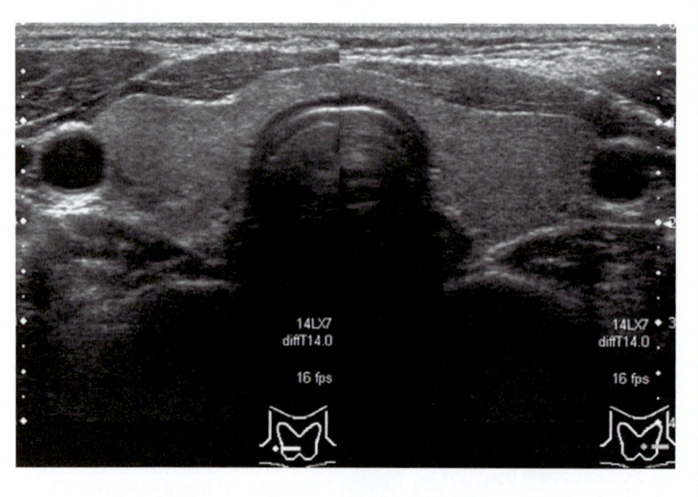

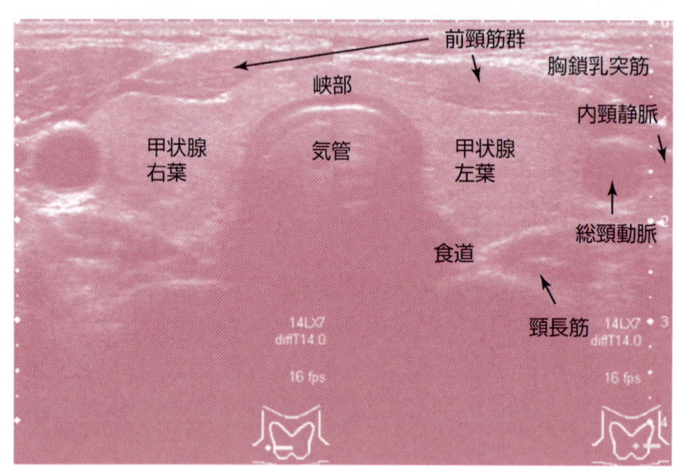

- 甲状腺は前頸筋群よりエコーレベルが高く，内部エコー均質な充実性臓器として描出される。
- 形状は峡部を中心になめらかな山型を呈する。
- 横断像では両葉前面に前頸筋群（胸骨舌骨筋と胸骨甲状筋）が描出され，この前頸筋群に圧迫されるように背側に凹の形状をとる。
- 気管の前面は強い反射を示し，その後方は陰影欠損となる。
- 甲状腺前面外側には胸鎖乳突筋が存在する。
- 甲状腺外側には総頸動脈が存在しさらにその外側に内頸静脈がほぼ左右対称に描出される。
- 左葉内側後方には頸部食道が描出される。
- 正常の副甲状腺は長径3 mm，重量30～50 mg程度で小さい。
- 脂肪組織に富んでいるため甲状腺や周囲脂肪との音響インピーダンスの差がなく，超音波像として描出されない。

コラム バセドウ病・慢性甲状腺炎（橋本病）の血液生化学検査所見

びまん性甲状腺腫大をきたす代表的疾患にバセドウ病と慢性甲状腺炎（橋本病）がある。超音波所見はその病態により異なるため臨床経過と血液生化学検所査所見，身体所見と合わせてはじめて臨床的有用性を持つと考えられる。

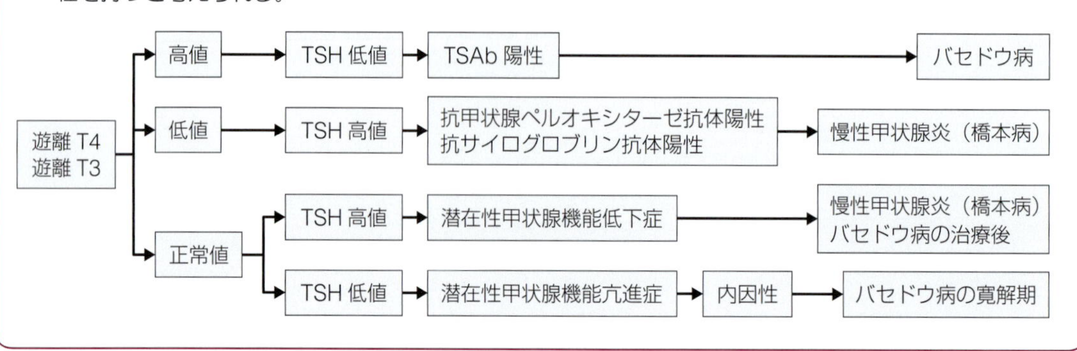

B 走査法

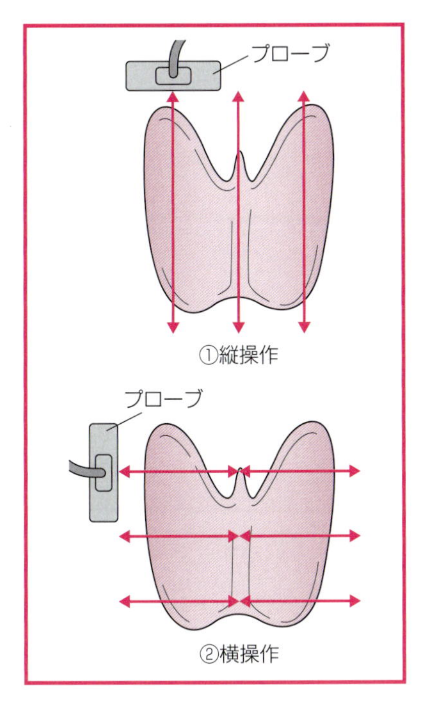

①プローブは10 MHz以上の周波数成分を含み，中心周波数は7 MHz以上の電子式リニアプローブを使用する。
②検査時の体位は，仰臥位で頸部から肩背部に枕を入れて頸部を伸展させ，視野を確保する。
③探触子（プローブ）のコードは肩にかけ被験者の顔面に触れないように注意する。
④プローブはできるだけ下部を軽く把持し，手首の力を抜いてフェザータッチ（必要以上の圧迫は加えない）で操作し，ビームが皮膚に対して垂直に入るように配慮する。
⑤プローブを頭尾方面に動かす縦操作（横断像が得られる）およびプローブを左右方向に動かす横操作（縦断像が得られる）でくまなく評価する。

ワンポイント

側葉の観察時には検査部位と反対側に顔を向けてもらうと観察が容易である。甲状腺下極側では，副甲状腺（上皮小体）や縦隔内甲状腺腫，縦隔腫瘍などがまれに観察されることがあるため，鎖骨で描出しにくい場合は，被験者に大きく息を吐いてもらったり，探触子（プローブ）を小児用コンベックス型に変えるなどの工夫も大切である。

C 断面像の表示方法

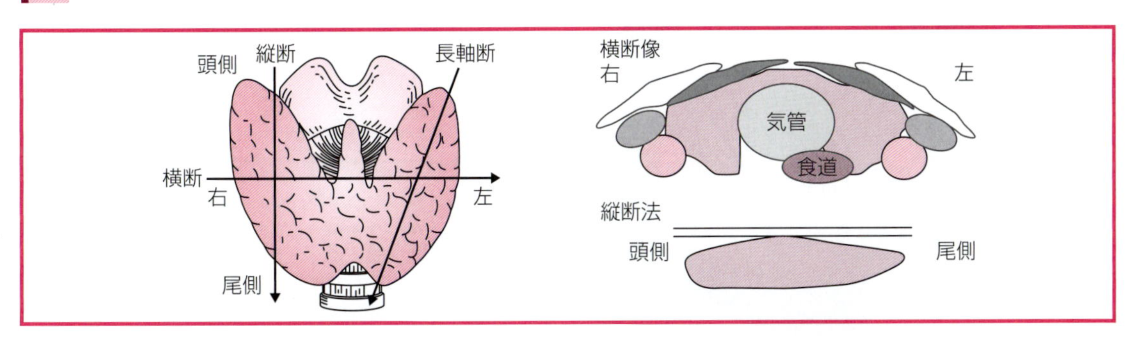

- 横断像は断面を被験者の尾側からみた形とする。画像の左側が被験者の右側となる。
- 縦断像は断面を被験者の右側からみた形とする。気管の走行に平行な断面像となり，画像の左側が被験者の頭側，画像の右側が尾側となる。
- 長軸断像は甲状腺両葉の長軸に平行する断面像である。甲状腺体積を推計する際に，甲状腺の最大長径を測定して用いる。

D 甲状腺観察項目

操作は，鎖骨から顎下部まで前頸部全体をできるだけ広く観察する。

①甲状腺の同定（異所性甲状腺，片葉欠損，錐体葉などの有無）
②甲状腺の大きさ（正常，萎縮，腫大）・形状（表面凹凸不整などの有無）
③甲状腺内部変化（エコーレベル，粗密差，均質性）
④血流状態：ドプラ法による甲状腺の血流状態の評価
⑤結節，嚢胞の観察
⑥甲状腺周囲の頸部リンパ節の評価

> エコーレベルの評価
> 　甲状腺実質：胸鎖乳突筋と比較　（高・等・低）
> 　腫瘤性病変：同一深度の正常甲状腺組織と比較　（高・等・低・無）

【甲状腺の所属リンパ節】

- 甲状腺疾患において，所属リンパ節の評価は診断・治療に役立つため，以下に示すリンパ節を観察し評価する。

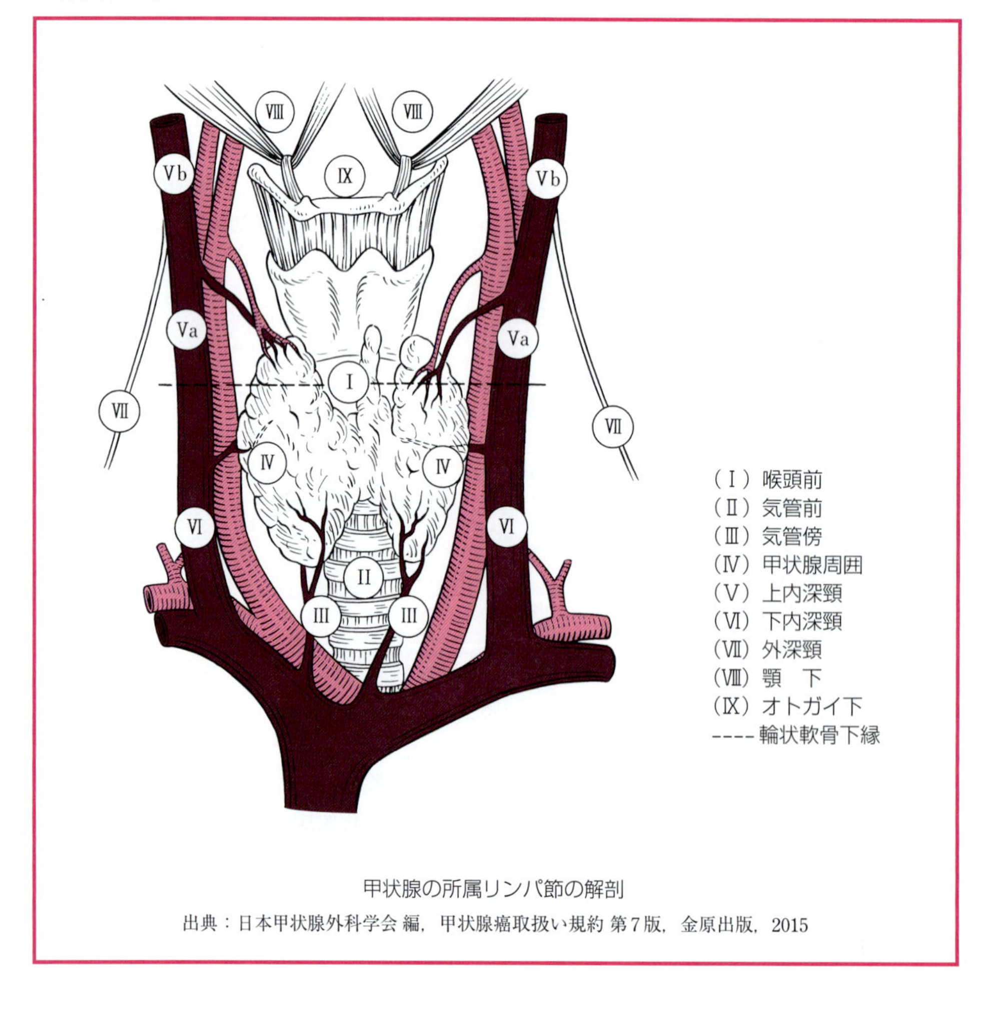

甲状腺の所属リンパ節の解剖

出典：日本甲状腺外科学会 編，甲状腺癌取扱い規約 第7版，金原出版，2015

E 甲状腺の計測

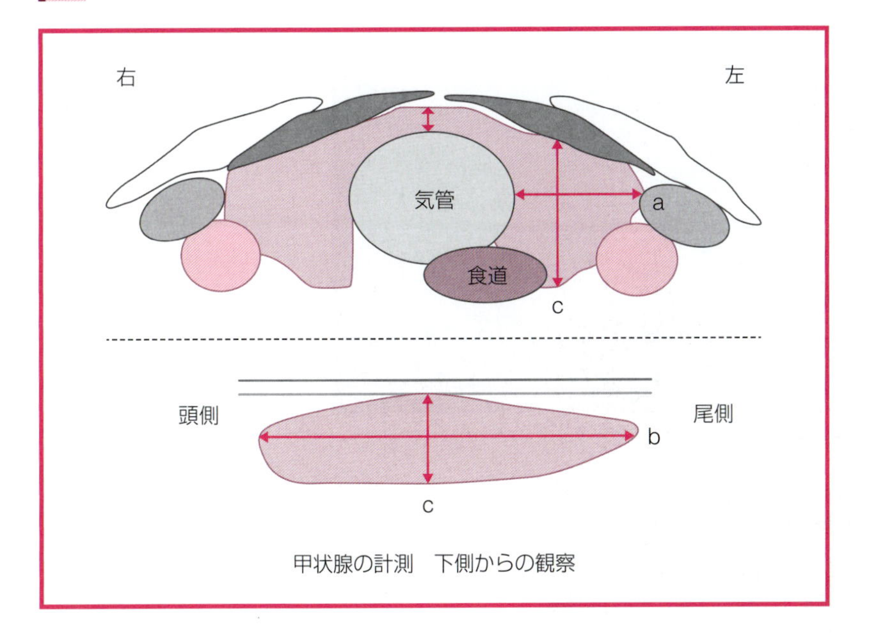

甲状腺の計測　下側からの観察

1. 甲状腺の大きさ（健常成人）

横径1～2 cm，縦径4～5 cm，厚み1～2 cm，重量は約20 g（男性：18～20 g，女性：15～18 g）

2. 甲状腺の体積

- 右葉と左葉と峡部をそれぞれ楕円体として最大長径(b)×横径(a)×厚み(c)×π/6(≒0.52)cm^3で算出する。
- 甲状腺の比重は，ほぼ1.0であることから，体積（cm^3）の代わりに重量（g）で表記してもよい。

甲状腺のびまん性腫大
峡部4 mm以上，片葉の厚さ2 cm以上，重量20 g以上

F 代表症例の超音波所見

1. バセドウ病 Basedow's disease

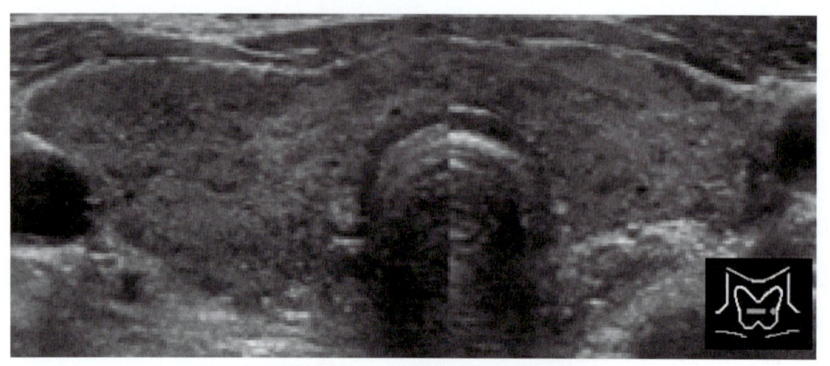

甲状腺は腫大し，実質は不均質である。

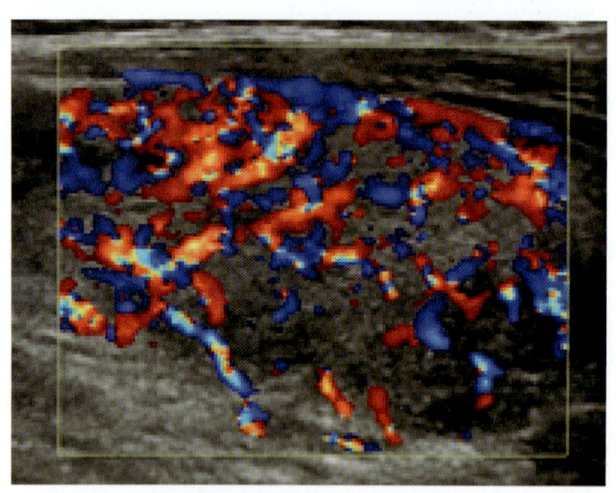

甲状腺内の血流信号は増加している。

- 甲状腺中毒症の原因として最も多い自己免疫疾患である。
- 甲状腺刺激活性を持つ抗甲状腺刺激ホルモン（TSH）受容体抗体（TRab）によって甲状腺機能が亢進し，びまん性腫大をきたす。
- 臨床症状として，甲状腺機能亢進症に伴ったMerseburg（メルゼベルク）の三徴（甲状腺腺腫，眼球突出，心悸亢進）がみられることがある。
- 一般に柔らかく触知する。

超音波診断

- 甲状腺の大きさは腫大していることが多い。
- 内部エコーは不均質で，エコーレベルが低下する。
- カラードプラで血流信号のびまん性の増加を認める。
- **病態によりバセドウ病の超音波像は多彩であるため診断には，注意を要する。**

2. 慢性甲状腺炎（橋本病）chronic thyroiditis

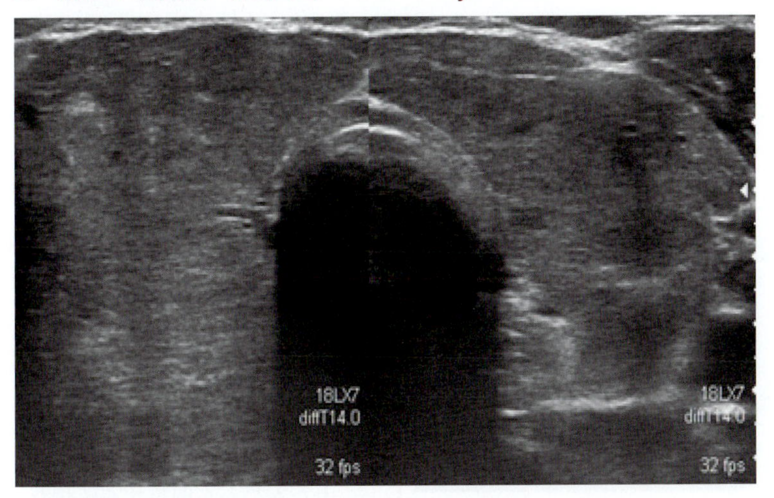

辺縁は鈍化し，甲状腺の表面は凹凸を呈する。甲状腺はびまん性に腫大し，実質は粗雑である。

- 自己免疫疾患の1つで，成人男性に比べ30～60歳台の女性に好発する。
- 抗甲状腺マイクロゾーム抗体（または，抗甲状腺ペルオキシターゼ抗体（thyroid peroxidase：TPO））陽性，抗サイログロブリン抗体陽性，細胞診でリンパ球浸潤の1つ以上を認める。
- 病態の進行により甲状腺ホルモンが低下し，易疲労感，寒がり，発汗現象，便秘，脱毛など甲状腺機能低下症状が出現する。
- 破壊性の甲状腺中毒症や，悪性リンパ腫を合併することがあるので注意する。

超音波診断

- 甲状腺組織の障害をきたすため硬く，辺縁が鈍化し表面が凹凸を呈する。
- 典型的な慢性甲状腺炎（橋本病）ではびまん性の甲状腺腫大を認めるが，末期の慢性甲状腺炎（橋本病）では線維化が進行し甲状腺が萎縮する。その場合は高度の甲状腺機能低下症が疑われる。
- 実質内部のエコーレベルはリンパ球浸潤，濾胞構造の破壊，間質の線維化により全体的に低下し，病態の進行により粗雑，または不均質になる。
- 悪性リンパ節を合併することが多い。内部エコーがきわめて低く，後方エコーの増強する病変を限局性またはびまん性に認める場合は，悪性リンパ腫の合併を疑う。
- **病態により慢性甲状腺炎（橋本病）の超音波像は多彩であるため診断には注意を要する。**

3. 腺腫様結節 adenomatous nodule・腺腫様甲状腺腫 adenomatous goiter

甲状腺の良性疾患の多くを占める過形成（結節性過形成）疾患である。

- 腺腫様結節：甲状腺の大きさが正常で，内部に数個の小結節しか認められない病態
- 腺腫様甲状腺腫：甲状腺は非対称性に腫大し，大小様々な結節が多発している病態

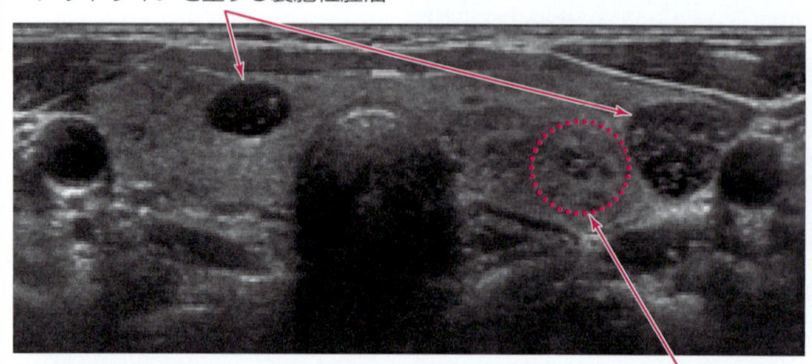

甲状腺は左右非対称（左葉>右葉）に腫大している

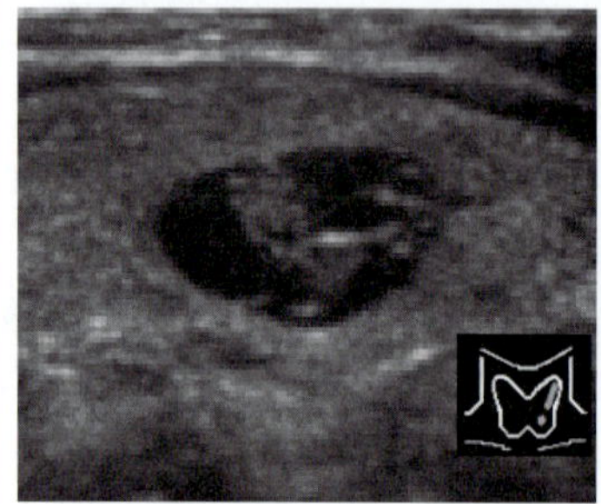

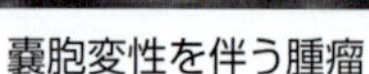

嚢胞変性を伴う腫瘤

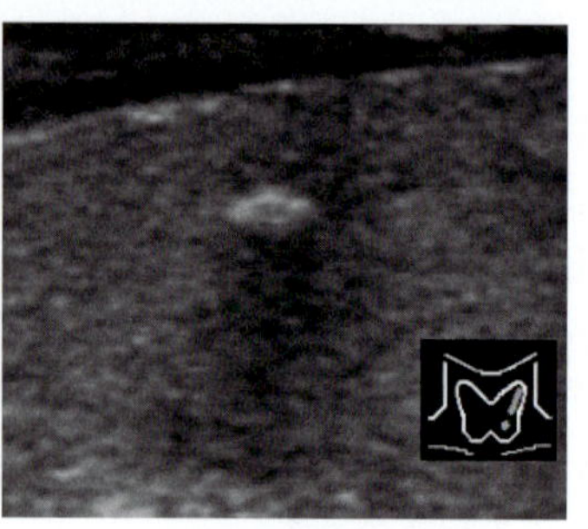

粗大石灰化

超音波所見

- 結節の境界は一部不明瞭なものが多く，全周性の境界部低エコー帯を認めることは少ない。
- 結節内部のエコーレベルは甲状腺とほぼ同じかやや低い。
- 結節は嚢胞変性や石灰化（粗大なものから卵殻状石灰化など）を伴うことが多い。
- 嚢胞内に微細高エコーが描出されることがあるが，コメットサインを伴う場合はコロイド嚢胞と考える。
- 等エコーで血流に乏しい場合やSpongiform pattern（多数の微小嚢胞の集合体として描出される）は良性を示唆する所見である。

- 形状不整な低エコー域や微細石灰化が認められる場合は，乳頭癌を合併している可能性もあるので注意する。

コラム　腺腫様結節と濾胞性腫瘍

- 甲状腺内に腫瘤を形成する疾患のほとんどは腺腫様結節，濾胞性腫瘍（濾胞腺腫，濾胞癌）である。
- 片葉のみや単発の腺腫様結節は，濾胞性腫瘍（濾胞腺腫，濾胞癌）との鑑別が困難なことが多い。
- 腺腫様結節は被膜が薄いため周囲との境界がはっきりしないが，濾胞性腫瘍（濾胞腺腫，濾胞癌）は全周性に被膜が認められる。
- 超音波上では濾胞腺腫と濾胞癌との鑑別は困難であり注意が必要となる。

	腺腫様結節	濾胞性腫瘍	
		濾胞腺腫	濾胞癌
内部エコー	多彩，嚢胞変性	充実性	充実性
境界部低エコー帯	＋/－	全周性，薄い	全周性，薄い～不整
石灰化	＋/－	少ない	＋/－
血流	結節周囲	あり	豊富
二重構造	—	—	認める
その他	多発することが多い	増大に伴い嚢胞変性	エラストグラフィで硬い

4. 濾胞性腫瘍 follicular abscess（濾胞腺腫 follicular adenoma，濾胞癌 follicular carcinoma）

濾胞性腫瘍（濾胞腺腫，濾胞癌）は，臨床および画像診断上鑑別が困難（濾胞癌の最終診断は切除された腫瘍から得られた永久病理標本により確定される）であり，まとめて記載する。

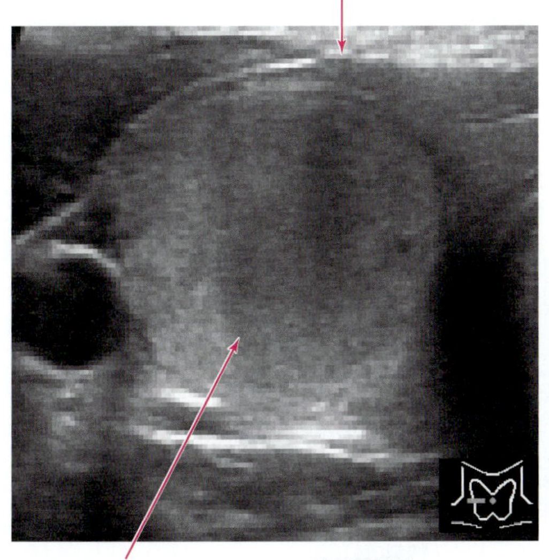

濾胞腺腫

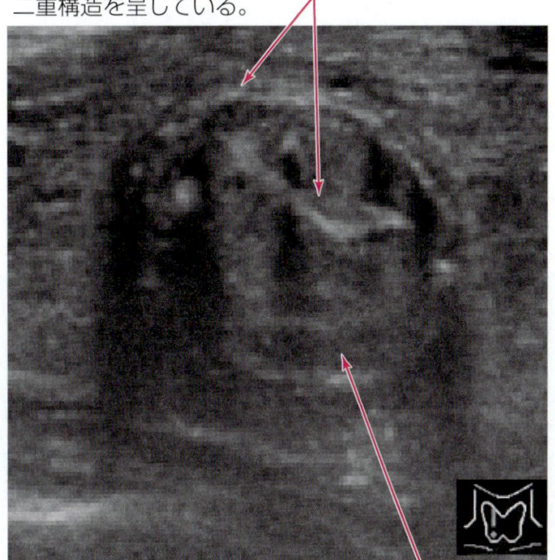

濾胞癌

- 被膜に囲まれた腫瘤を形成し，大きさの一様な濾胞の増殖よりなる。
- 濾胞癌は悪性の腫瘍の5～10%を占める病変である。
- 濾胞癌は女性が男性に比べ2～3倍かそれ以上多いとされている。
- 転移は血行性転移であり，肺，骨などに遠隔転移を伴う。濾胞癌と診断された10～15%は，肺や骨による症状から発見されるともいわれている。

超音波所見

- 円形または楕円形を呈し，形状は整である。
- 境界部低エコー帯（被膜）を有する。
- 腫瘤は充実性で均質であるが，腫瘍径の増大に伴って不均質になることがある。
- 嚢胞変性を伴うことは少ない。
- 内部に高エコー（石灰化）を認めることはまれである。（濾胞癌では内部に二重構造を呈するリング状石灰化を認めることがある）

5. 乳頭癌 papillary carcinoma

- 乳頭癌は甲状腺の悪性腫瘍の90%以上を占めており，発育は緩徐であり，手術後の予後はよい。
- 甲状腺機能はほとんどの症例で正常である。
- 微細多発の石灰化沈着は乳頭癌に特徴的であり，砂粒小体と呼ばれる。
- 腺内転移腫瘤を認めることがある。
- 転移はリンパ行性転移で頸部リンパ節へ転移することが多い。
- 原病巣が気管，反回神経，前頸筋群に浸潤することがある。
- 15歳以下の若年者に出現することがある。
- 高齢者の乳頭癌は未分化癌に転化することがあるので注意を要する。

境界粗雑な不整形の低エコー腫瘤

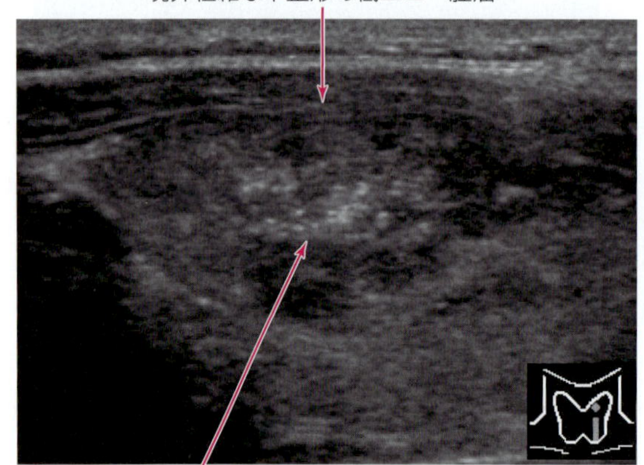

微細多発の高エコー

乳頭癌の原発巣　乳頭癌の腺内転移

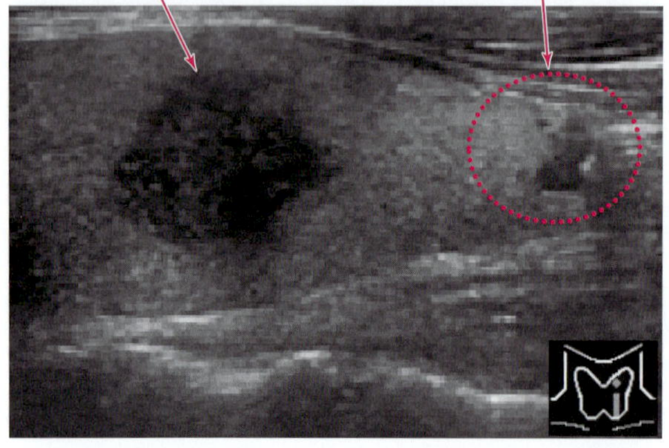

多発する微細点状高エコーを伴う不整形な低エコー腫瘤

超音波所見

〔通常型〕乳頭癌症例の大部分を占める。
- 形状は不整形，境界は粗雑である。
- 内部のエコーレベルは低く，性状は不均質である。微細多発高エコーの存在が特徴的である。
- 境界部低エコー帯は通常認めない。

〔特殊型〕
- 「びまん性硬化型乳頭癌」
  甲状腺内に明らかな結節を形成せず微細多発高エコーが片葉全体，あるいは甲状腺全体に出現する。
- 「嚢胞形成乳頭癌（嚢胞化乳頭癌）」
  大きな嚢胞内に突起状の微細多発高エコーを有する充実性部分を形成する。

甲状腺乳頭癌による転移性リンパ節と正常リンパ節

甲状腺乳頭癌による転移性リンパ節	正常リンパ節
●縦横比が高い類円形の腫大 ●リンパ門は圧排，変形，消失 ●微細高エコーを伴うことがある	●縦横比が小さく扁平である ●皮質のエコーレベルは低い ●リンパ門領域は高エコーである
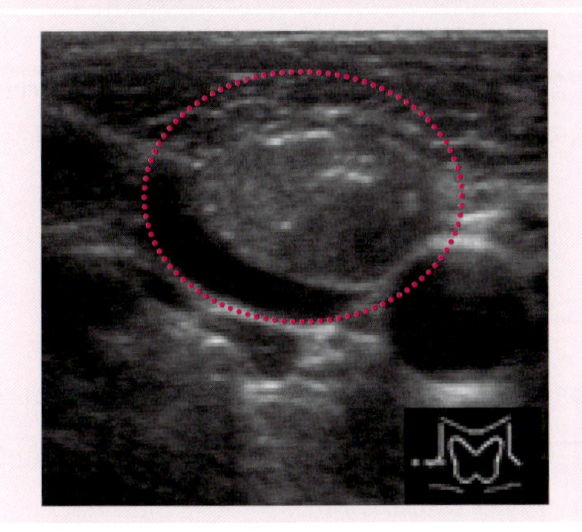	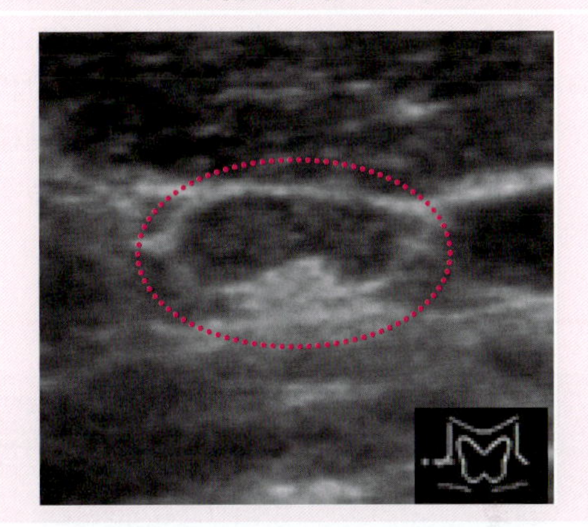

6. 甲状腺髄様癌 medullary carcinoma

- 甲状腺癌の1～2%を占めるまれな腫瘍である。
- 甲状腺傍濾胞上皮細胞（C細胞）由来の腫瘍で，C細胞の密度が高い甲状腺上極より1／3の部分に発生することが多い。
- 腫瘍組織内にアミロイド沈着を伴う。
- 遺伝性（常染色体優性遺伝）を約25～30%に認め，それ以外は散発性（非遺伝性）である。
- 遺伝性の場合は，多発性内分泌腺腫症2型（Multiple Endocrine Neoplasia type 2：MEN2）の一部分症，または家系内に髄様癌のみが発生する家族性甲状腺髄様癌（Familial Medullary thyroid Carcinoma：FMTC）のいずれかが考えられる。遺伝性の髄様癌の場合は，副甲状腺過形成や副腎褐色細胞腫を合併することがあるので積極的な検査が必要である。
- 比較的早期から高率にリンパ節転移をきたす。

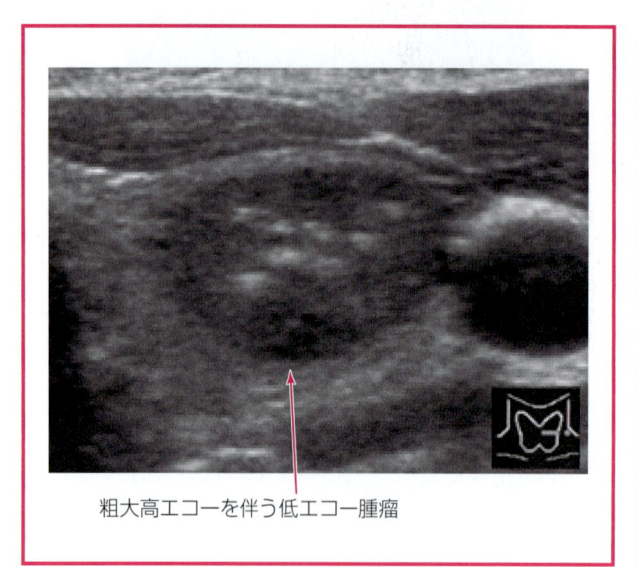
粗大高エコーを伴う低エコー腫瘤

超音波所見

超音波像は多彩であるが，石灰化を示唆するような高エコーの有無で2種類のタイプに分かれる。

- **タイプ1（約50～70%）**：低エコーの充実性腫瘤の中心部に牡丹雪状高エコーを有する特徴的な所見を呈する。
- **タイプ2（約30～50%）**：腫瘍は充実性結節様で，高エコーは無いがわずかに一部みられる程度である。内部はやや低エコーを示し，境界部低エコー帯は伴わず，辺縁は整～不正である。良性腫瘍との鑑別は非常に困難である。

- **髄様癌に特異的な超音波所見はなく，腫瘍マーカーのカルシトニンやCEAの異常高値が参考となる。**

■参考文献
1）日本乳腺甲状腺超音波医学会 甲状腺用語診断基準委員会：甲状腺超音波診断ガイドブック 改訂第3版，南江堂，2016
2）日本乳腺甲状腺超音波医学会 甲状腺用語診断基準委員会：甲状腺超音波診断ガイドブック 改訂第2版，南江堂，2012
3）高梨 昇著：コンパクト超音波αシリーズ 甲状腺・唾液腺アトラス 第5版，ベクトル・コア，2014

心臓領域における検査

1 経胸壁心エコー検査のアプローチ部位（エコーウインドウ）

● 通常のスクリーニング検査では基本断面としてA～Cのアプローチが用いられるが，疾患や依頼目的によってはD，Eのアプローチからも行われる。

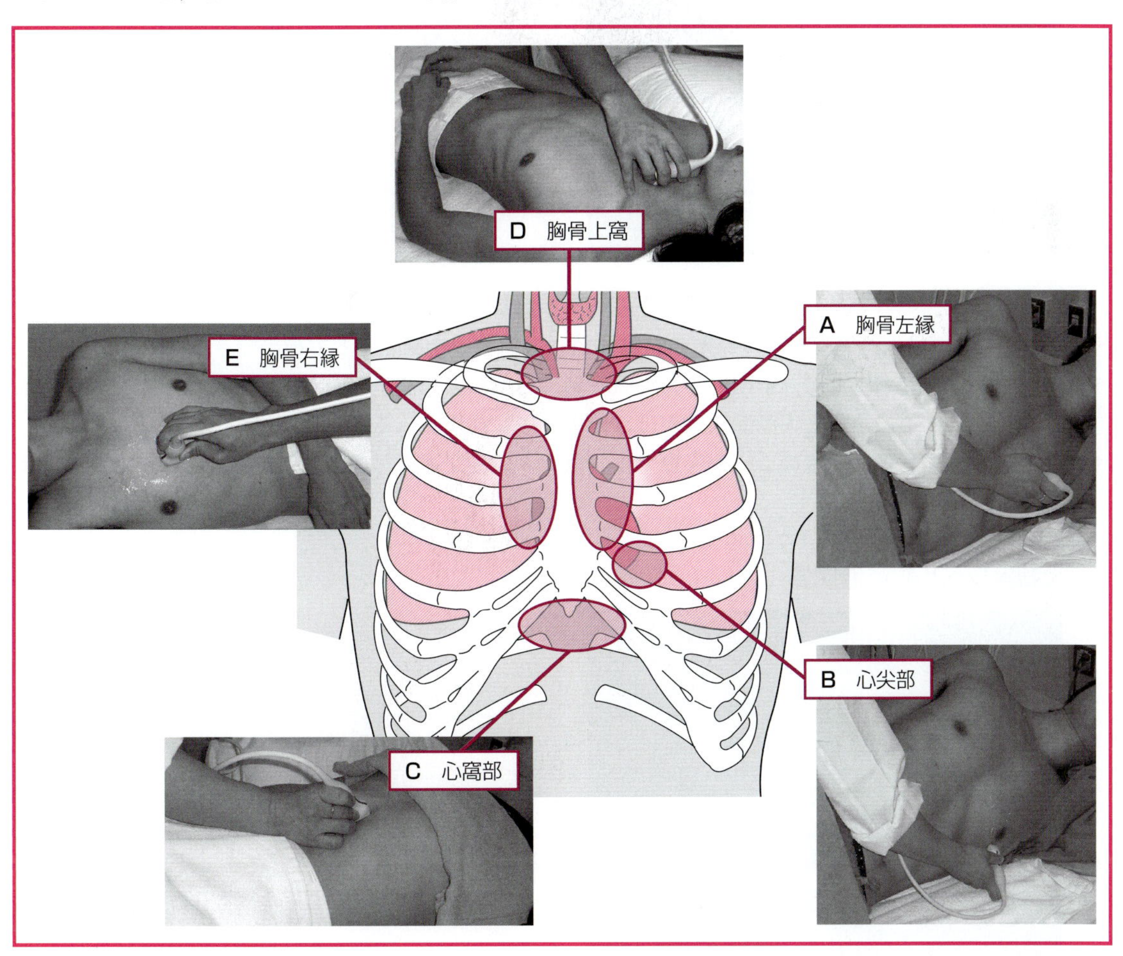

本章で使われる略語

AML：僧帽弁前尖，Ao：大動脈，APM：前乳頭筋，AV：大動脈弁，BCA：腕頭動脈，IAS：心房中隔，IVC：下大静脈，IVS：心室中隔，LA：左房，LAA：左心耳，LCA：左総頸動脈，LCC：左冠尖，LSA：左鎖骨下動脈，LV：左室，LVOT：左室流出路，LVPW：左室後壁，MV：僧帽弁，MVO：僧帽弁口，NCC：無冠尖，PA：肺動脈，PML：僧帽弁後尖，PPM：後乳頭筋，RA：右房，RAA：右心耳，RCC：右冠尖，RPA：右肺動脈，RV：右室，RVOT：右室流出路，SVC：上大静脈

2 基本断面とチェックポイント

A 胸骨左縁からの断層像

1. 胸骨左縁左室長軸断層像

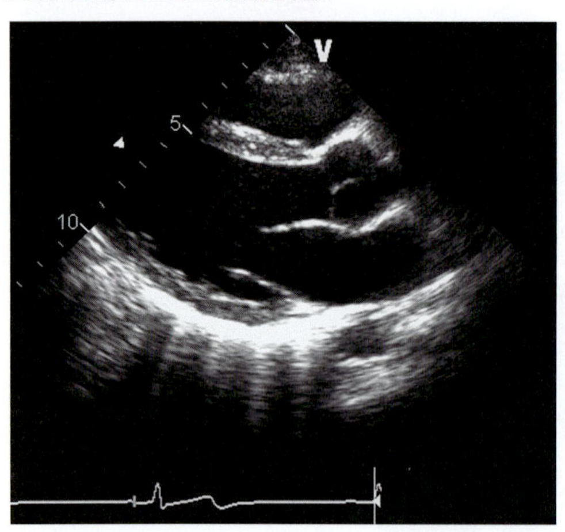

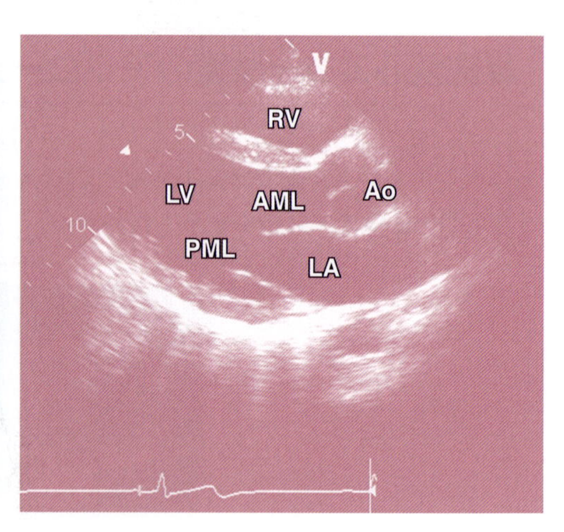

- 胸骨左縁左室長軸断層像は心エコー図検査の基本となる断面である。
- 第3または第4肋間胸骨左縁に，左室の長軸に沿って探触子を置くことで描出できる。
- この断面により左室，左房，僧帽弁，大動脈基部，右室および心室中隔が観察される。左室内径が最も大きく，かつ心室中隔と大動脈前壁がほぼ同じ高さに描出されるように記録する。
- 僧帽弁狭窄症や僧帽弁逸脱のような疾患では，前交連，後交連側および弁下組織についても記録および観察をする必要がある。

2. 大動脈レベル短軸断層像

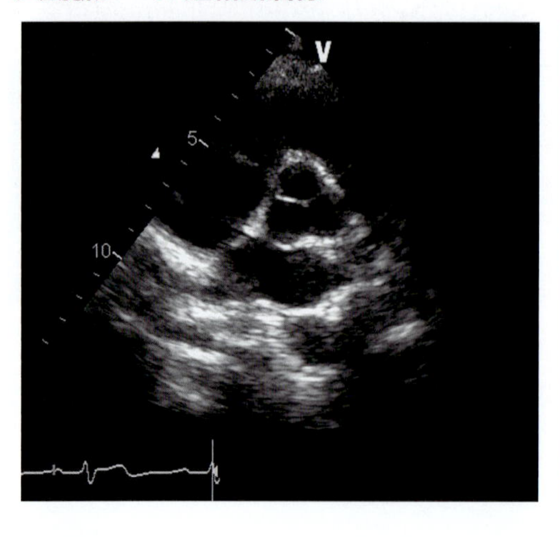

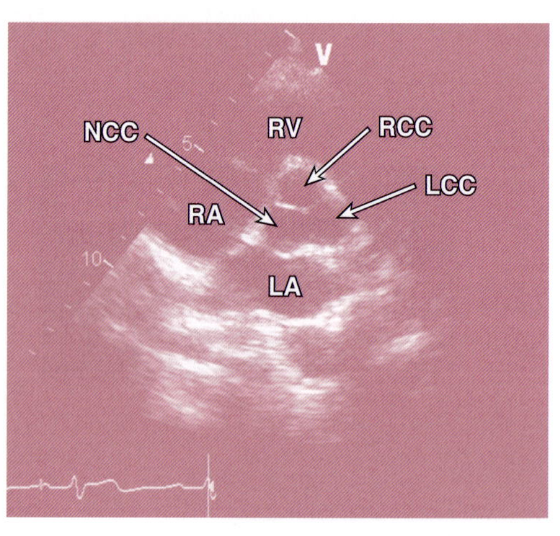

- 左室長軸断層像の描出位置から探触子を90°時計方向に回転し，探触子先端を斜め上方に傾けると得られる断面である。
- この断面では大動脈弁，肺動脈弁，三尖弁，右房，左房，心房中隔，主肺動脈および右室流出路などが観察される。
- 大動脈弁は通常3枚に描出されるが，時に2枚，ごく稀に4枚に観察されることもあり注意を要する。

3. 左室流出路短軸断層像

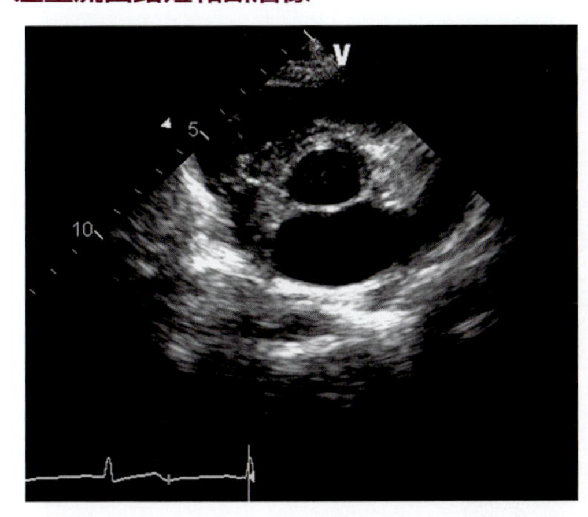

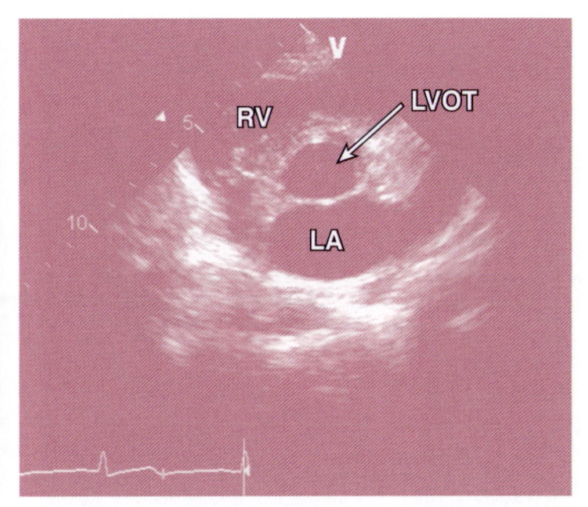

- 大動脈弁短軸断層像の描出位置から左室心尖部方向へわずかに探触子を傾けると観察される断面である。
- この断面で左室流出路，左房，ときに左心耳が観察される。
- 大動脈弁逆流評価の参考となる断面である。

4. 僧帽弁レベル短軸断層像

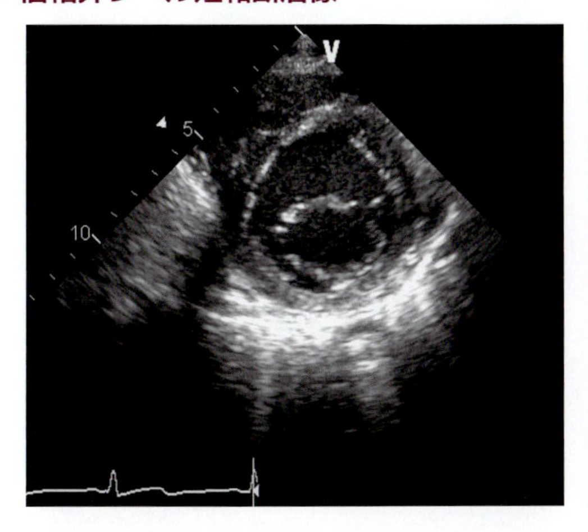

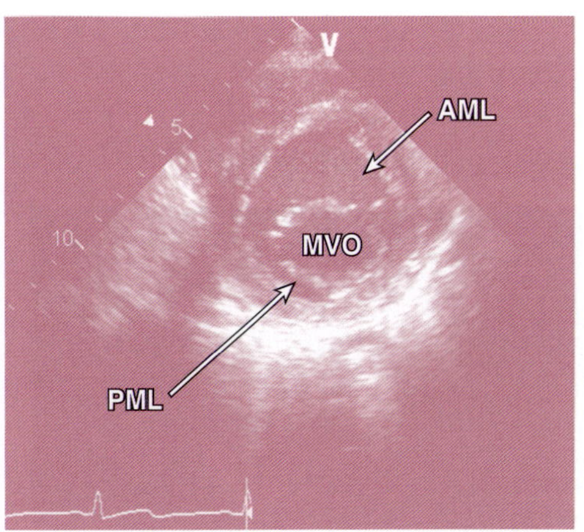

- 大動脈弁短軸断層像の描出位置から左室長軸に沿った方向へ探触子を軽度傾けると観察される。画面向かって右側が前交連部，左側が後交連部である。
- この断面で僧帽弁前尖および後尖が同時に観察され，弁の石灰化の状況や逸脱などについて評価可能となる。

5. 乳頭筋レベル左室短軸断層像

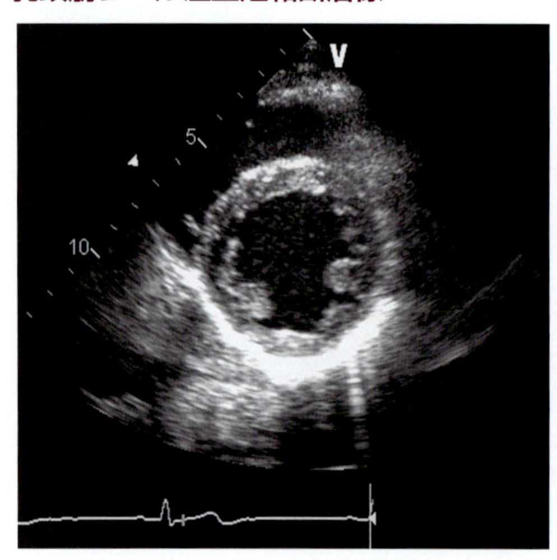

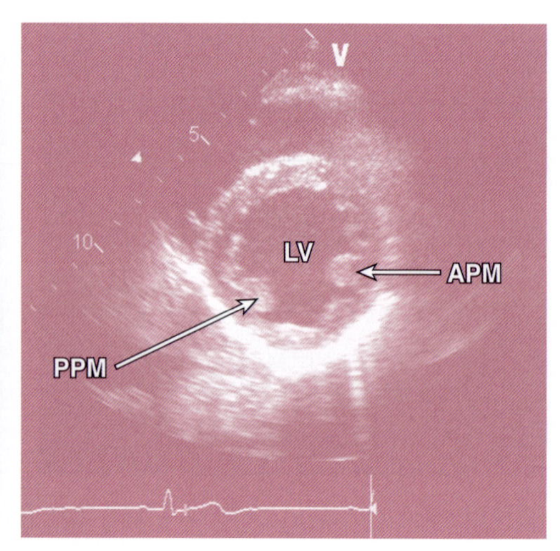

- 僧帽弁レベル短軸断層像の描出位置から探触子先端を軽度斜め外側下方へ傾けると観察される。
- ほぼ正円形になるよう長軸像で軸の確認を行いながら描出する。ときには断層面に応じて探触子を心尖部方向へ移動させて描出する。
- この断面では右室，前乳頭筋および後乳頭筋が観察される。
- **壁厚や壁運動評価**を行ううえで基本となる断面である。斜め切りにならないよう注意して描出することが重要である。

6. 心尖部レベル左室短軸断層像

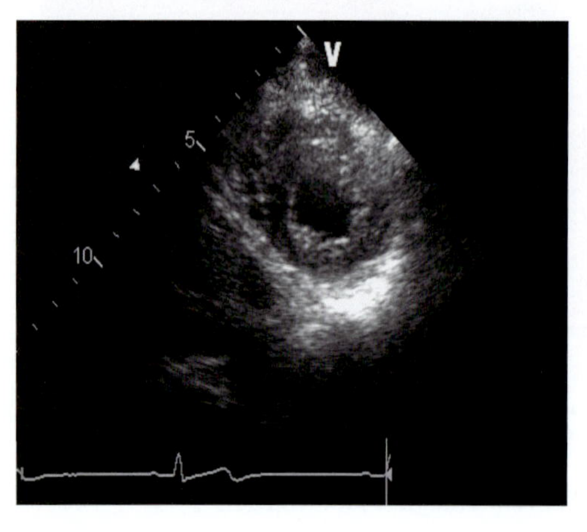

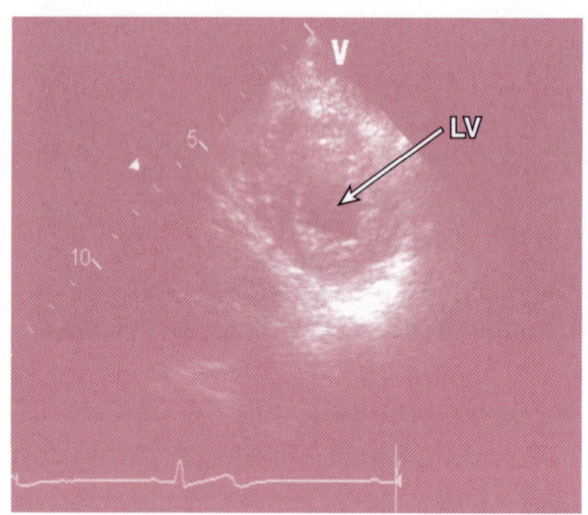

- 乳頭筋レベル短軸断層像の描出位置から探触子先端をさらに斜め外側下方へ傾けると観察される。
- 心尖部方向へ探触子を移動させることでほぼ円形の描出が可能になる。
- この断面は**左室先端の壁厚や壁運動評価**，また**心室瘤や血栓の評価**をするうえで重要な断面である。

B 心尖部断層像

1. 心尖部左室長軸断層像

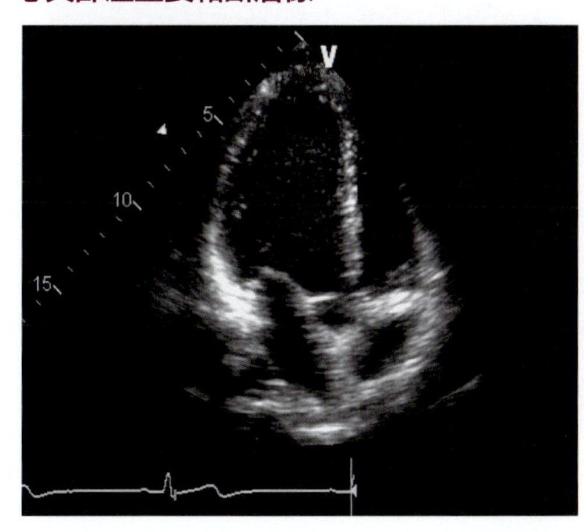

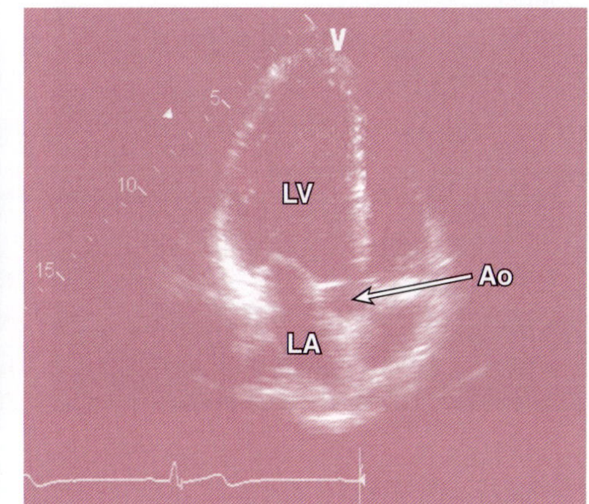

- 胸骨左縁左室長軸断層像を描出した際の探触子の向きと同一方向で得られる断面である。
- この断面で前壁中隔および後壁の左室基部から心尖部にかけての**壁運動評価**が可能である。
- 血流と超音波ビーム方向がほぼ平行になるため**ドプラ法に有用**な断面である。

2. 心尖部四腔断層像

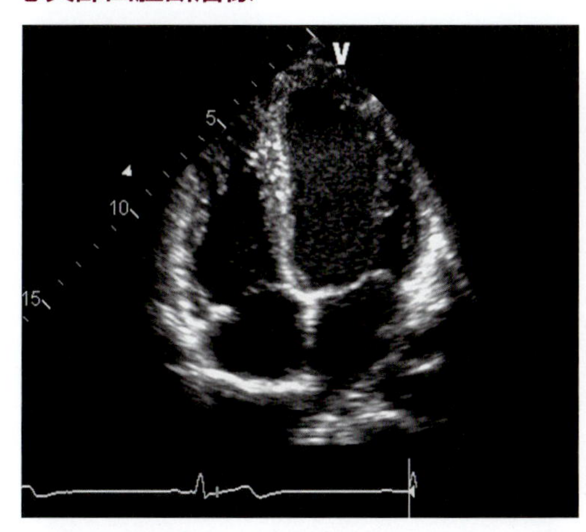

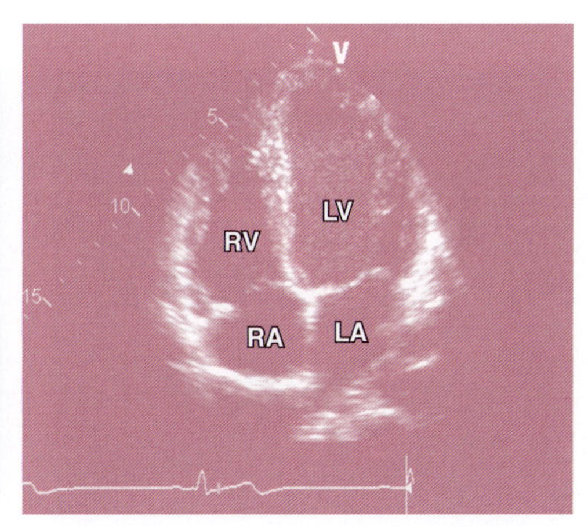

- 心尖部左室長軸断層像と同部位に探触子を置き，探触子側面のマーカーを外側に向ける（約120°時計方向に回転させる）と描出される。
- この断面で右房，右室，左房および左室の4つの腔と三尖弁および僧帽弁が観察される。
- 探触子を上方に傾けすぎると大動脈弁も観察され五腔断層像となる。心房中隔の卵円窩部分はエコーが脱落しやすいため注意を要する。
- 下壁中隔，側壁および心尖部の**壁運動評価や右心負荷**，および**先天性心疾患の評価**に有用な断面である。

3. 心尖部二腔断層像

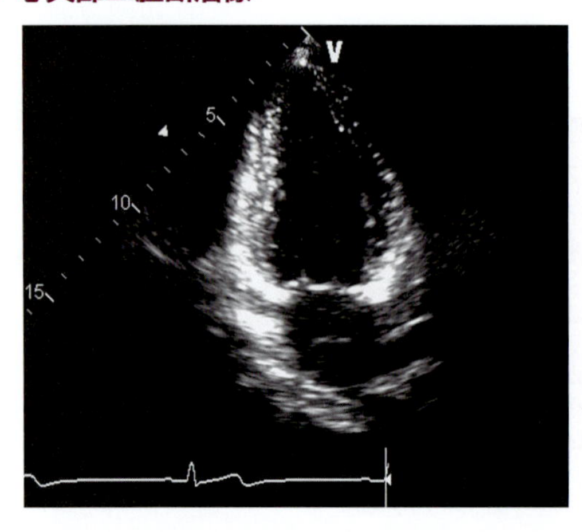

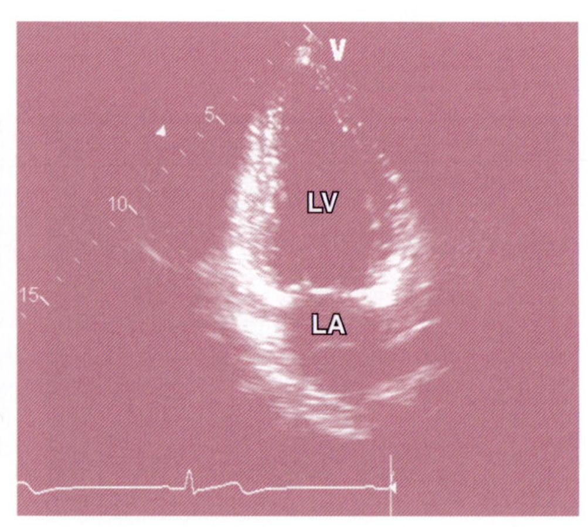

- 心尖部四腔断層像の描出位置と同じ部位に探触子を置き，反時計方向に約30°回転させると得られる断面である。
- この断面では前壁，下壁および心尖部の**壁運動評価**が可能である。
- 心尖部先端は探触子を心尖部方向へずらしながら，ときにズーム機能を利用し注意して評価を行う。

C　心窩部断層像

1. 心窩部矢状断層像

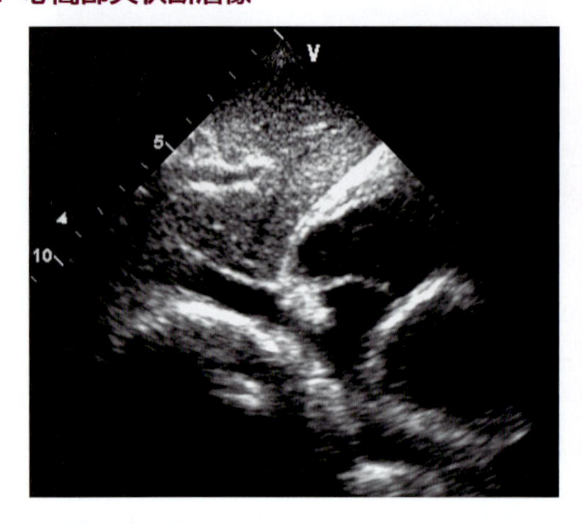

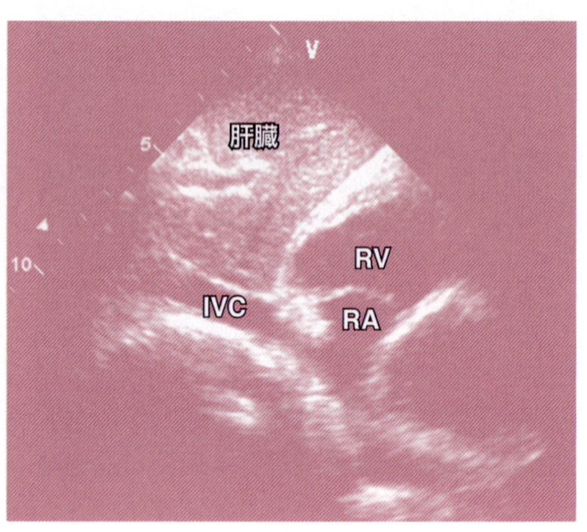

- 心窩部（剣状突起下）の探触子を，正中線からやや右にずらし左上方に傾け腹部を圧迫する。
- 下大静脈，肝静脈，右房および右室のつながりが観察できる。
- **右心負荷の重症度評価**や**先天性心疾患の評価**に有用な断面である。また，下大静脈と併走する腹部大動脈においても**解離や逆流評価**に用いられる。
- 被検者を仰臥位にさせ下肢を屈曲させると描出しやすくなる。また，ときに吸気位で息止めしてもらうと観察しやすくなる。

2. 心窩部四腔断層像

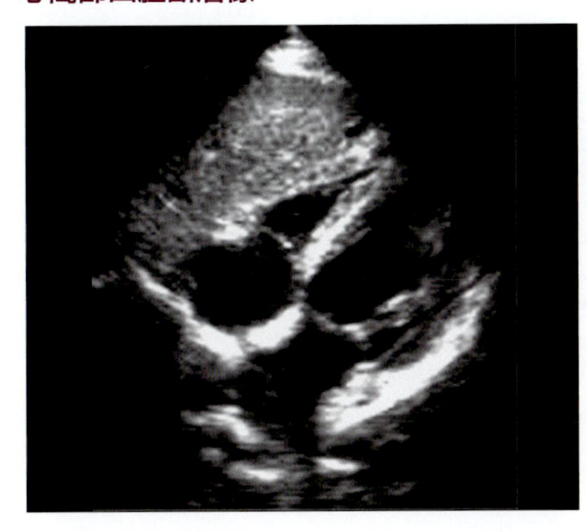

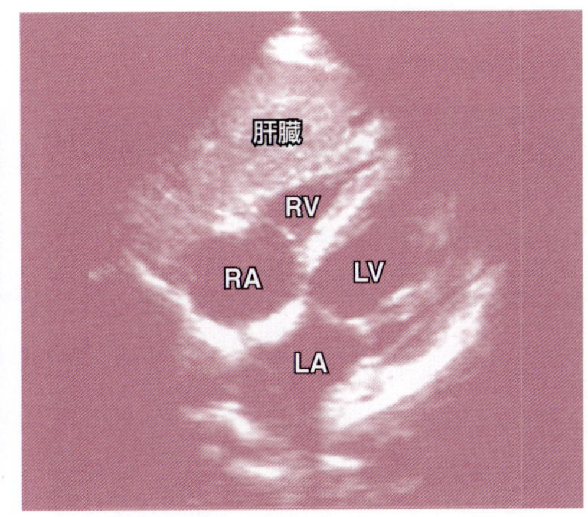

- 心窩部矢状断層像とほぼ同様にして，心窩部（剣状突起下）の探触子マーカーを検者の反対側へ向け，肋骨弓に平行に当てて，やや斜め上方に傾ける。
- 吸気位で画像が観察しやすくなることが多い。

3. 心窩部短軸断層像

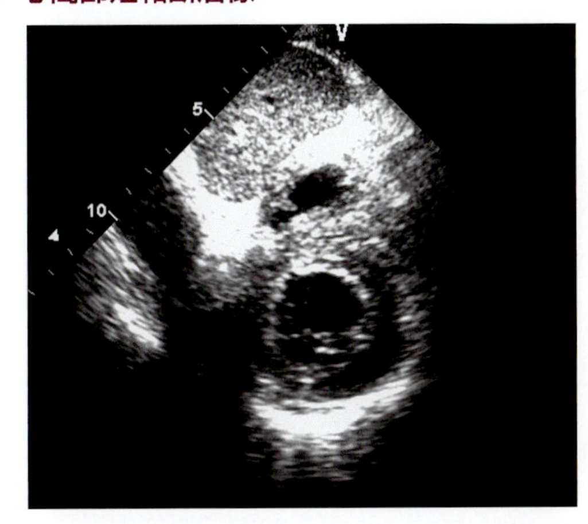

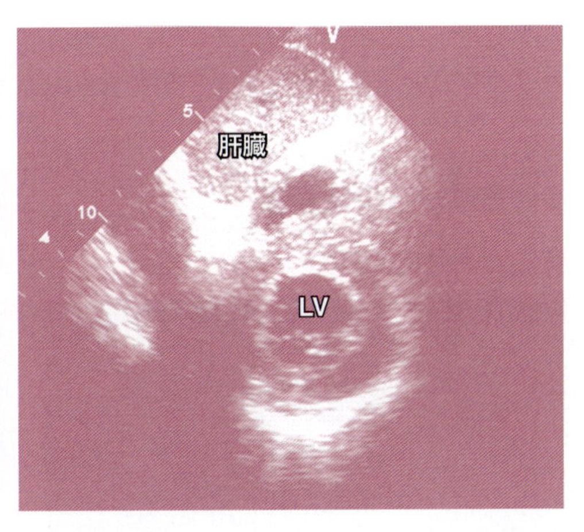

- 心窩部四腔断層像から探触子を反時計方向に90°回転させる。回転や傾ける角度で大動脈弁レベルから心尖部レベルまでの短軸像が観察される。
- 左室形態や動きの評価が可能であるが，胸壁から遠いため弁や左心機能の詳細な評価には不向きである。胸骨左縁からのアプローチが明瞭でない場合は試みる必要がある。
- **心タンポナーデの評価**には必要な断面であり，**心嚢水穿刺が可能であるかを判断する際には特に重要**である。

D 胸骨上窩断層像

1. 胸骨上窩長軸断層像

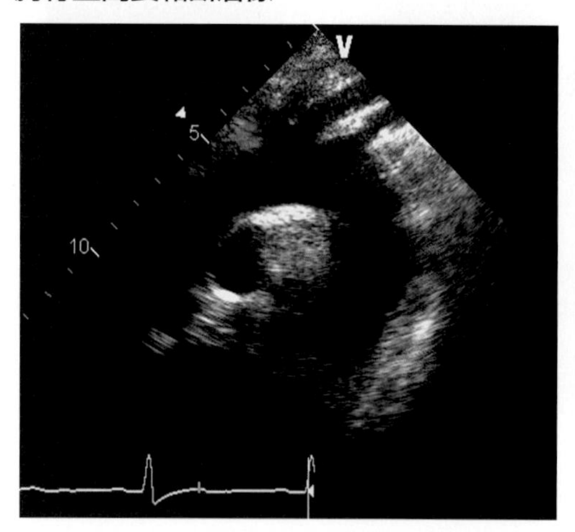

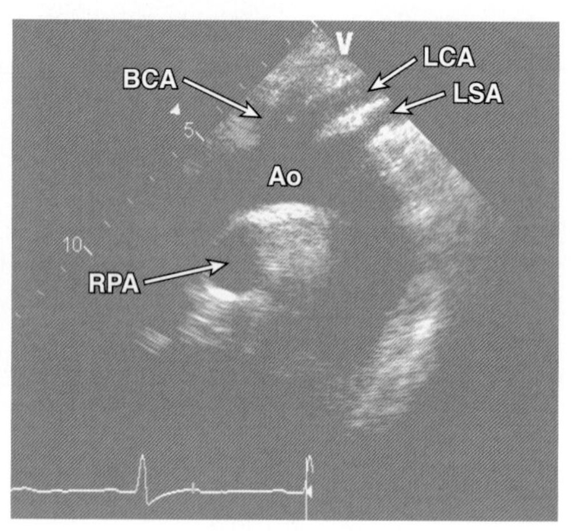

- 胸骨上窩に探触子を置き，左室短軸断層像描出時とほぼ同じ方向に向けることで観察される断面である。
- 上行および下行大動脈，大動脈弓，左鎖骨下動脈，左総頸動脈および腕頭動脈などの起始部が観察できる。
- **大動脈解離や大動脈縮窄症の診断に有用である。**
- 被検者を仰臥位にさせ，枕などを使用し首を軽く後屈させて行うと画像が描出しやすくなる。

E 胸骨右縁からの断層像

1. 胸骨右縁長軸断層像

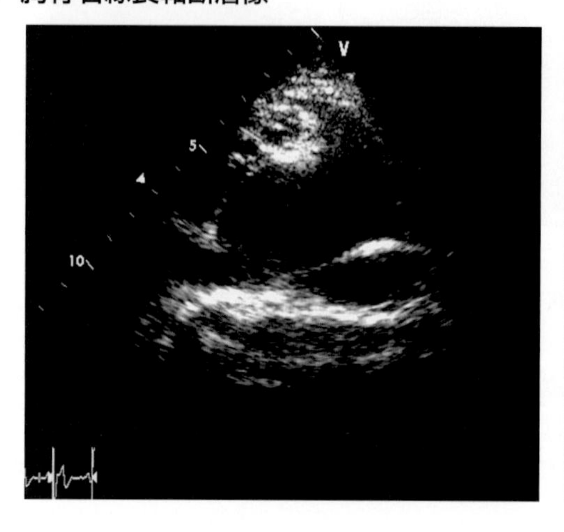

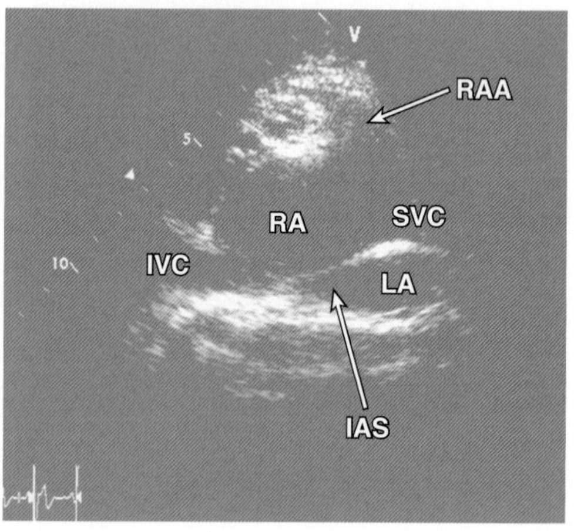

- 被検者を右側臥位にし，胸骨右縁第3～5肋間胸骨右縁，右鎖骨中線，ときには右前腋窩に探触子を置き，超音波ビームを心房中隔に投入すると観察できる断面である。
- 長軸像では右房─心房中隔─左房と上大静脈，下大静脈が描出される。
- **静脈洞型心房中隔欠損症の診断に有用である。**
- 若年者や右心系の拡大のある症例，左房拡大のある症例で比較的描出しやすいことが多い。

3 基本的な記録波形（Mモード像およびパルスドプラ像）

A Mモード（距離分解能および時間分解能に優れている）

1. 僧帽弁Mモード像

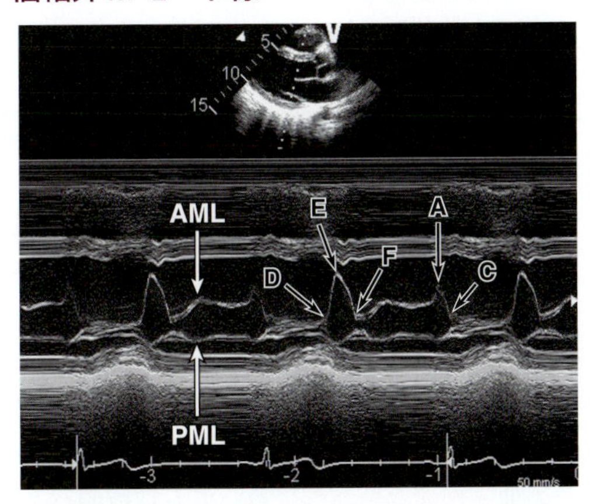

- 通常，左室長軸断層像をガイド下に，僧帽弁Mモード像を描出する。拡張早期のE波（振幅大），拡張末期のA波（振幅小），他にC，F，Dの変曲点を認める。
- 頻脈時にはE波A波は重なり，融合化または単峰化を呈する。
- **僧帽弁狭窄症および逸脱症，心不全や閉塞性肥大型心筋症**の症例で特徴的動態を示す。

2. 大動脈弁Mモード像

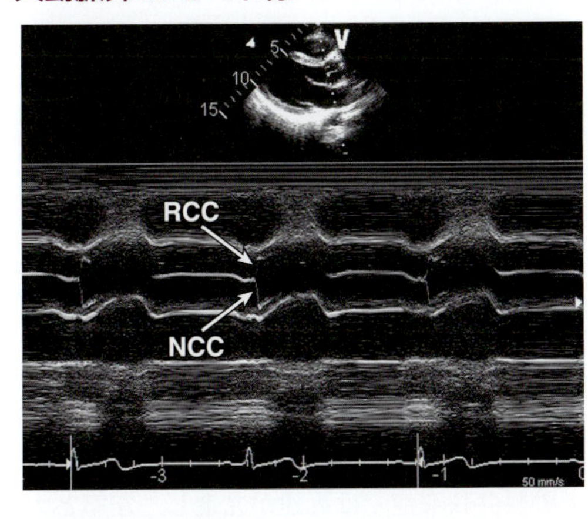

- 大動脈弁Mモード像は，大動脈前壁と後壁に囲まれた領域で，対照的に開放するボックス型のエコー像として記録される。
- 健常者ではエコー輝度が低いために明瞭に記録されないことも多い。
- **閉塞性肥大型心筋症**の症例で，ときに収縮期半閉鎖の形を示す。

3. 左室Mモード像

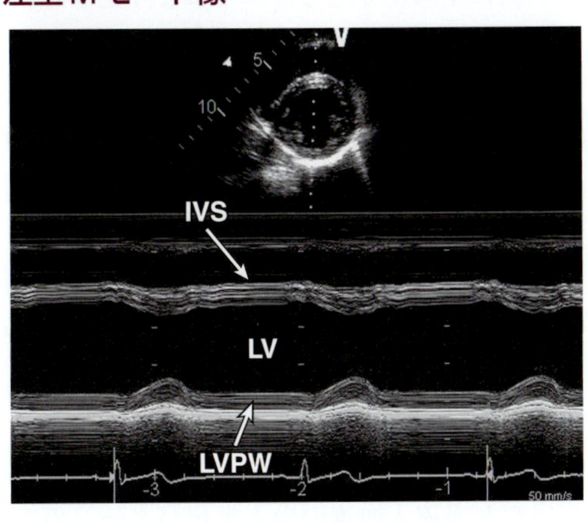

- 左室Mモード像は**左室壁運動を把握するうえで重要なエコー像**である。
- 正確な記録には，左室正中位置を通る断面設定を行い，エコービームと直行させた計測が重要である。それには左室短軸断面が適しているが，呼気止めや丁寧な断面設定を心がける必要がある。
- 左室Mモード法で**心機能評価**が可能である。
- 前壁中隔および後壁に限定されるが，**心筋梗塞や狭心症時の局所壁運動異常評価**が可能である。
- 心房中隔欠損をはじめとする右心負荷疾患や術後における中隔の奇異性運動，収縮性心膜炎における後壁の**diastolic plateau**は特徴的所見である。

B ドプラ法

（カラードプラ，パルスドプラ，連続波ドプラおよび組織ドプラなどがあり，目的により使い分けられる）

1. 左室流入血流速波形

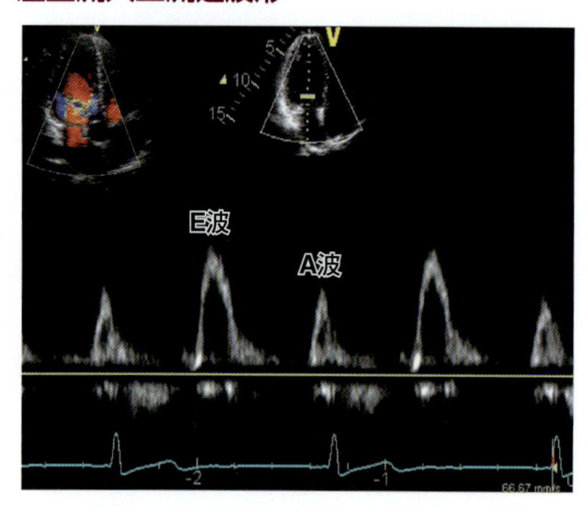

- 左室流入血流速波形の記録は，心尖部左室長軸断層像もしくは四腔断層像にてサンプルボリュームの位置を僧帽弁尖先端に設定して行う。
- ドプラビームは可能な限り血流に対し平行に設定する。
- 健常者の血流速波形は，拡張早期血流速度（E波）と心房収縮期血流速度（A波）により形成され，年齢によりE，A波の速度は変化する。
- **拡張能評価の基準となる重要な波形**で，拡張不全が疑われる場合には速度や持続時間に変化が現れる。
- その他，**僧帽弁狭窄症**においても特徴的パターンを示し，また**心房細動例**ではA波が消失しE波のみとなる。

2. 大動脈弁血流速波形

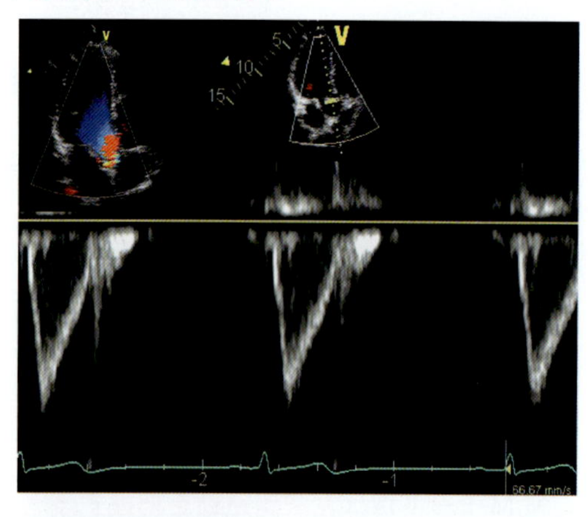

- 記録は大動脈弁直下にサンプルボリュームを設定し，ビームと血流が平行になるような断面設定をする。
- 特にS字状中隔の場合には注意し，大動脈走行とビーム方向が平行になるよう努力を払う。
- 通常，健常者ではパルスドプラ法での計測が主に行われるが，高速血流の場合は連続波ドプラ法に切り替えて計測する。
- **大動脈弁狭窄症**では流速が亢進し，左室と大動脈との間に圧較差を生じるようになり定量評価が必要となる。

3. 肺静脈血流速波形

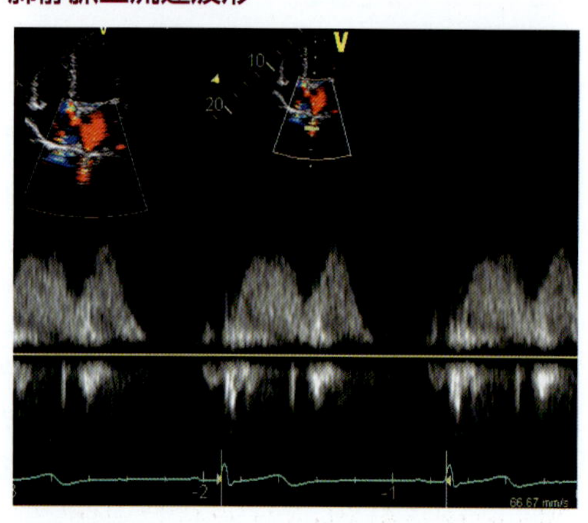

- 通常，肺静脈血流速波形の記録は四腔断層像において，右上肺静脈内約1cm付近にサンプルボリュームを設定して行う。
- 肺静脈血流速波形は収縮期順行波（S波），拡張期順行波（D波）および心房収縮期逆行波（PVa波）からなり，それぞれの速度とPVa波の持続時間を測定する。
- **左室拡張能評価に重要な波形**で，左室拡張末期圧推定や左室流入血流の偽正常化パターンの鑑別などに用いられる。

4 症 例

A 弁膜疾患

1. 僧帽弁狭窄症（mitral stenosis：MS）

胸骨左縁左室長軸断層像

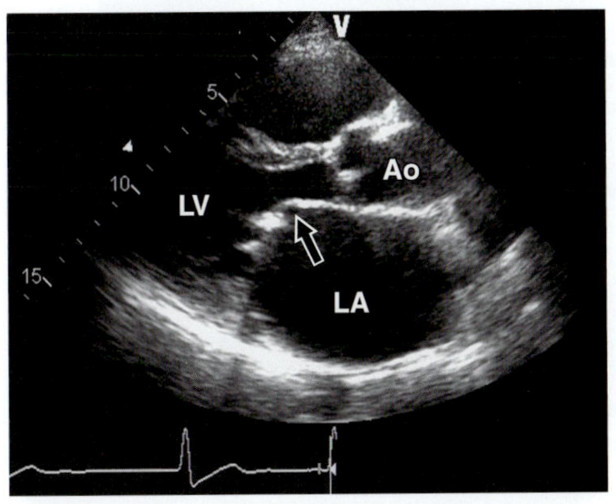

僧帽弁前尖のドーミングを認める（➡）。

僧帽弁レベル短軸断層像

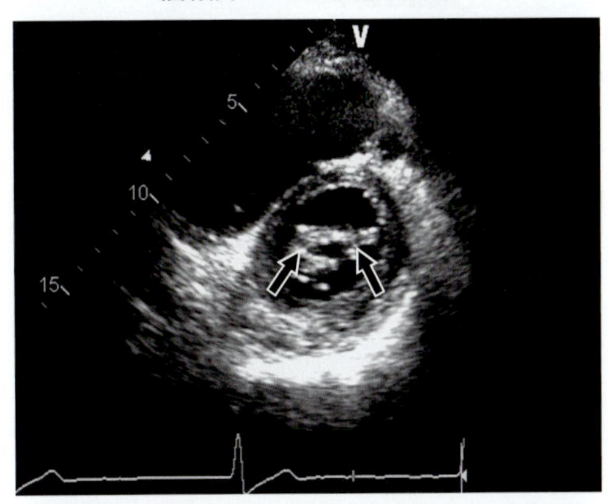

交連部癒合（➡）による僧帽弁口の狭小化を認める。

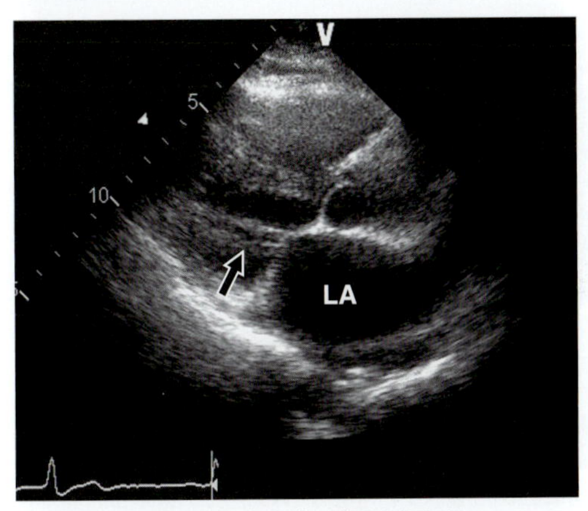

弁下組織の肥厚短縮（➡）が認められる。

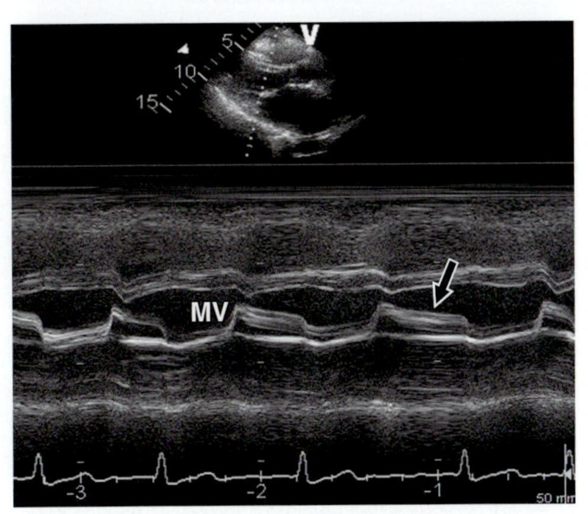

Mモード像にて僧帽弁後退速度(DDR)の低下(➡)を認める。

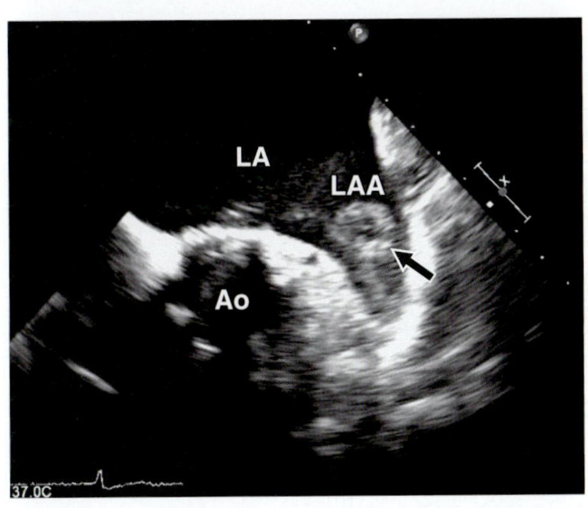

経食道エコー検査において左心耳内血栓（➡）が認められることがある。

- 成因の多くが**リウマチ熱**に基づき，僧帽弁複合体全体が病的変化を示すことが多い。
- しかし，近年では，狭窄が加齢性変化に伴う**弁輪部石灰化**に起因する例も多くみられたり，先天性の病態によっても狭窄が生じることがある。
- **僧帽弁前尖のドーミング，交連部癒合，弁尖，弁腹および弁下組織の肥厚，石灰化**を認める。
- 弁の開放制限により**拡張期流入血流の亢進**を認め，圧較差および弁口面積の定量評価が必要となる。
- 左房拡大とともに，**もやもやエコー**や**左房内血栓**を認めることがあるが，血栓評価には経食道エコー検査が適している。

2. 僧帽弁閉鎖不全症（mitral valve regurgitation：MR）
〔下図画像は僧帽弁逸脱（mitral valve prolapse：MVP）の一例〕

胸骨左縁左室長軸断層像

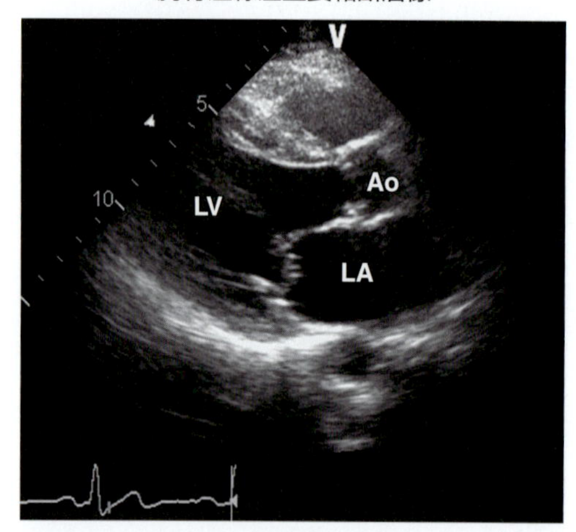

左室長軸断層像（僧帽弁拡大図）

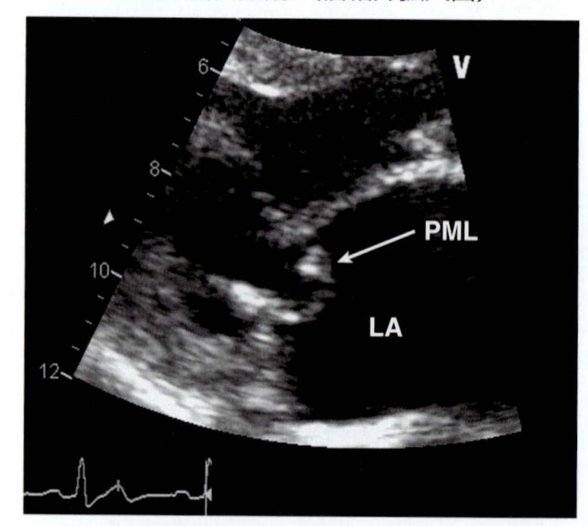

僧帽弁後尖の著明な逸脱が観察される。

左室長軸断層像

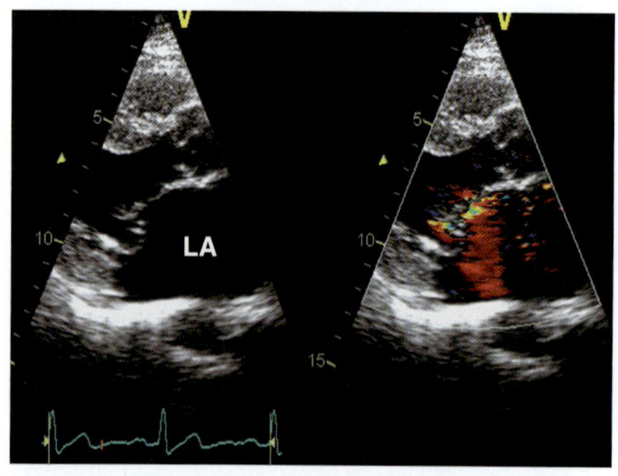

カラードプラ法では前尖方向へ向かう逆流シグナルが認められる。

僧帽弁レベルカラー短軸断層像

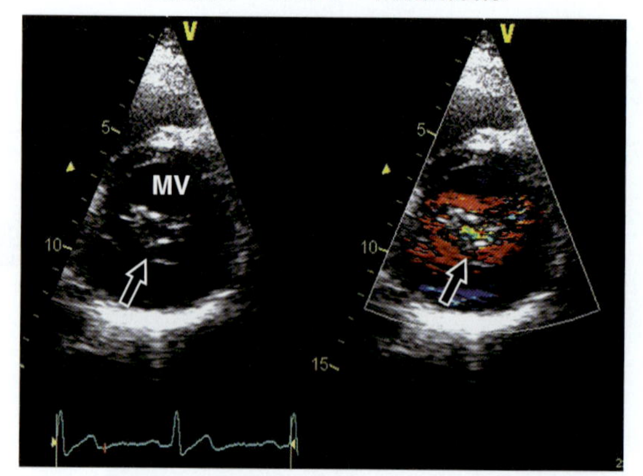

短軸断面において後尖P2付近からの逆流が認められる（➡）。

心尖部左室長軸カラー断層像

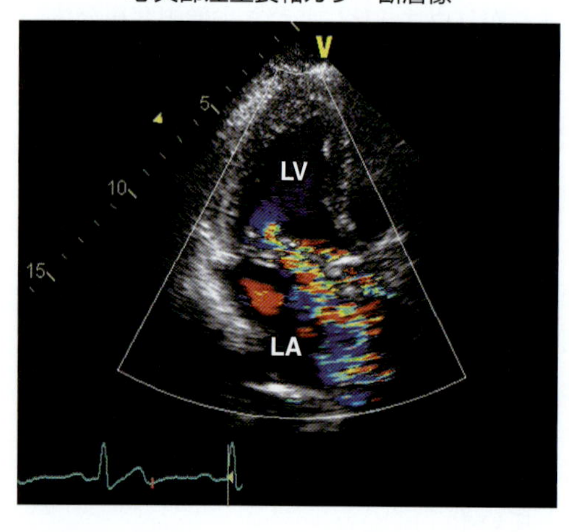

- 左室長軸断面で僧帽弁後尖は弁輪を越えて左房側に落ち込んでいる。
- 逆流ジェットが落ち込んだ弁尖と反対側（左房前壁）方向に検出される。
- 短軸像では後尖の**P2領域（middle scallop）の逸脱**が疑われる。
- 腱索断裂との鑑別のために**浮遊腱索**を同定することは重要である。

3. 大動脈弁狭窄症（aortic stenosis：AS）

胸骨左縁左室長軸断層像

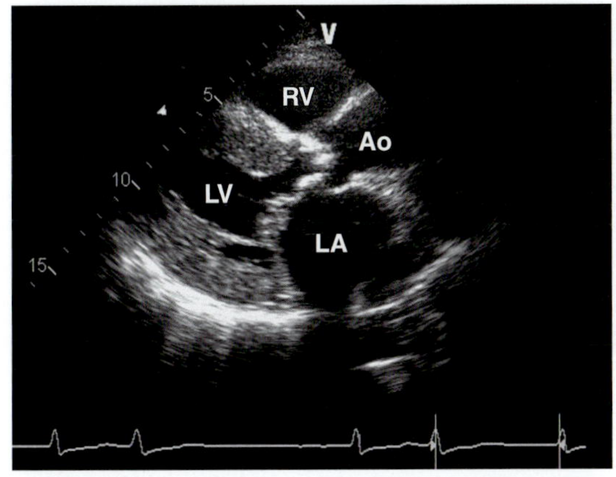

長軸像では弁尖の石灰化および左室肥大と左房拡大が認められる。

大動脈弁レベル短軸断層像

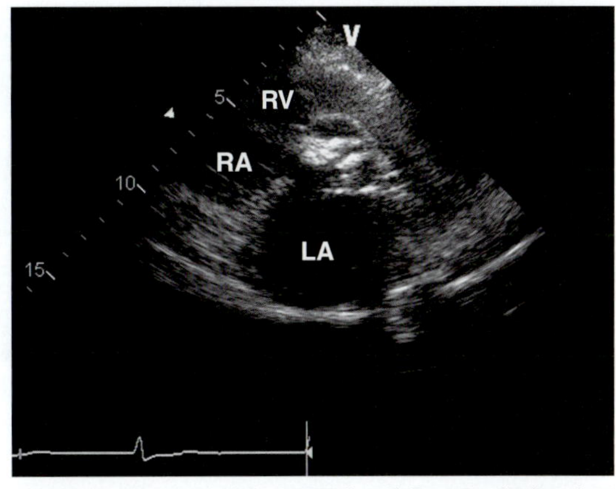

短軸像では弁尖と交連部の石灰化に伴うエコー輝度の上昇が認められる。

大動脈二尖弁によるAS

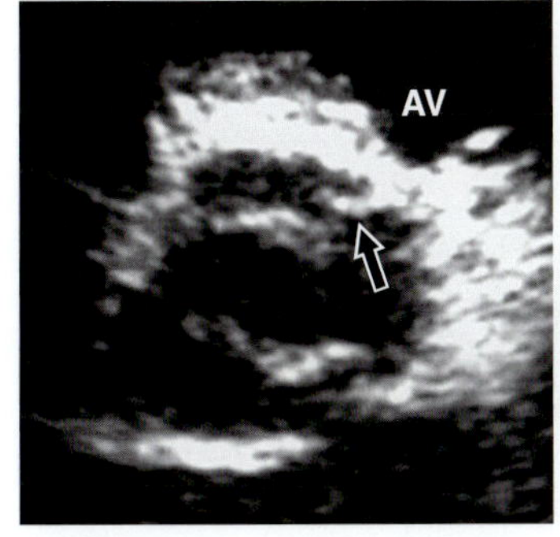

短軸像では弁尖は大きさの異なる二尖弁からなり，その大きい弁尖にraphe（➡）を有する。

リウマチ性AS

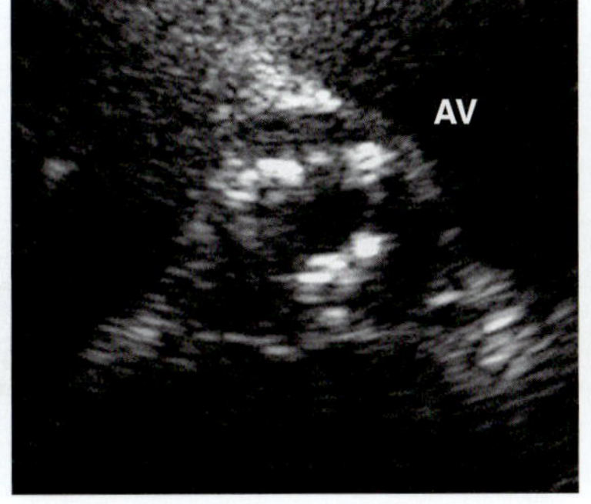

交連部の癒合と弁尖の肥厚を認め，弁口部は円形または三角形を示すことが多い。早期に弁石灰化が進行する。

加齢による石灰化変性のAS

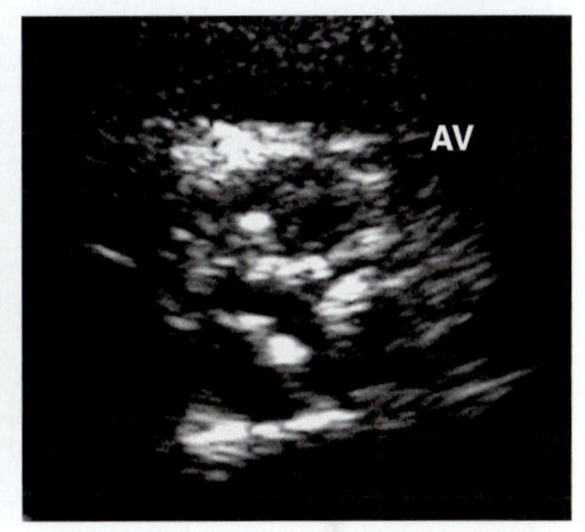

一般的に弁尖の肥厚，石灰化を認め，交連部の癒合は少ない。動脈硬化の危険因子と関連性が高い。

連続波ドプラ法による大動脈弁圧較差推定

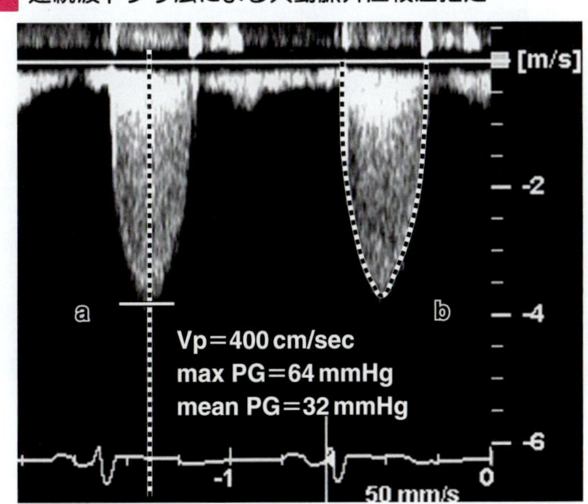

左図は連続波ドプラ法を用いて心尖部アプローチにて記録された，大動脈弁口での収縮期駆出血流速波形である。血流速波形のトレースにより，簡易ベルヌーイ式（$PG = 4 \times V^2$）から最大および平均圧較差が推定される。

収縮期最大血流速度は400 cm/secで，最大圧較差64 mmHg，平均圧較差32 mmHgと推定される。

4. 大動脈弁閉鎖不全症（aortic regurgitation：AR）

胸骨左縁左室長軸断層像

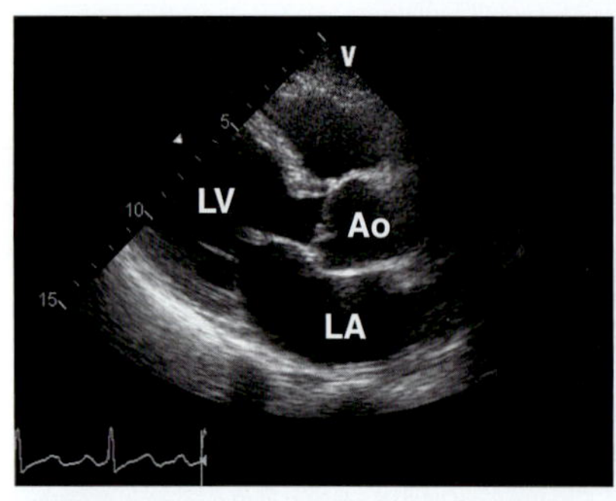

長軸像において体格に見合わない左室の拡大を認める。

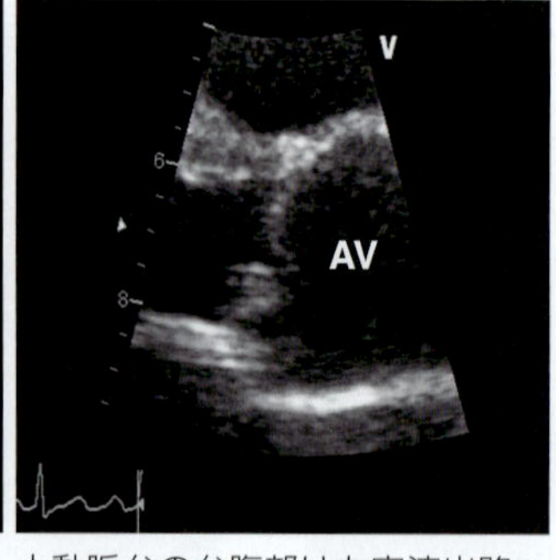

大動脈弁の弁腹部は左室流出路へ逸脱している。

大動脈弁レベル短軸断層像

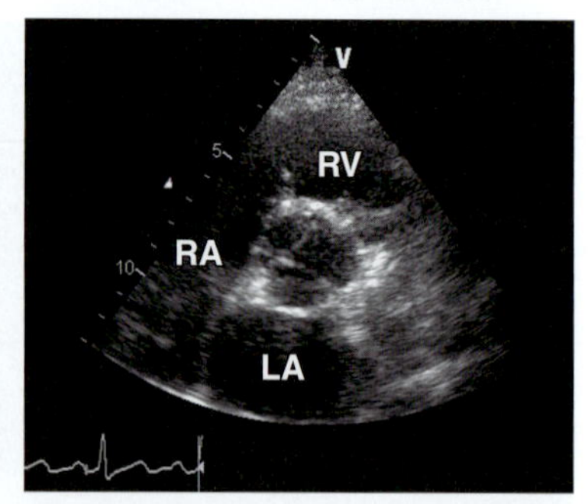

収縮期に三弁尖の中央に隙間を認めており，弁の接合不全が生じている。

胸骨左縁左室長軸カラー断層像

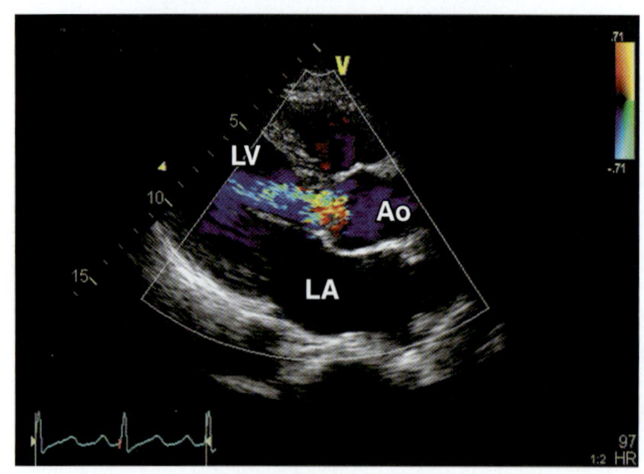

明らかな吸い込み血流を認める。

心尖部左室長軸カラー断層像

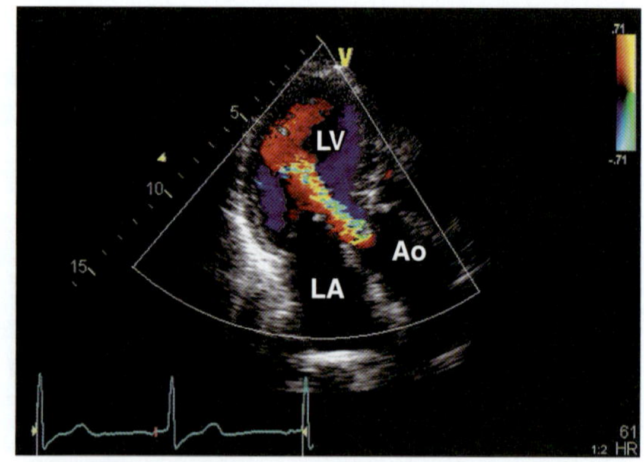

心尖部付近まで到達する大動脈弁逆流を認める。

下行大動脈におけるAR

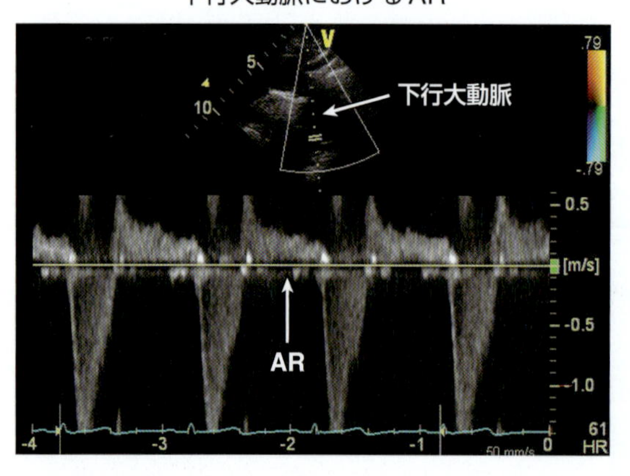

腹部大動脈におけるAR

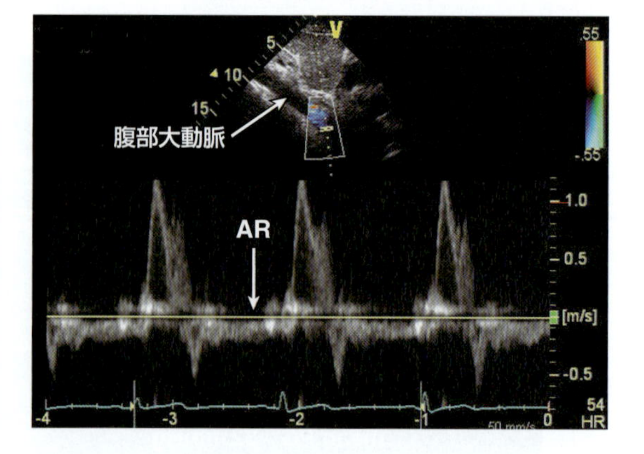

B 心筋疾患

1. 肥大型心筋症（hypertrophic cardiomyopathy：HCM）

〔下図画像は閉塞性肥大型心筋症（hypertrophic obstructive cardiomyopathy：HOCM）の一例〕

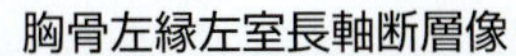
胸骨左縁左室長軸断層像

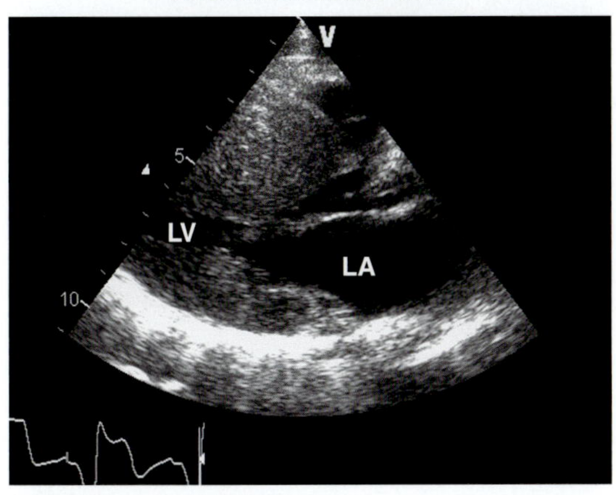

心室中隔の著明な肥厚を認める。

僧帽弁Ｍモード像

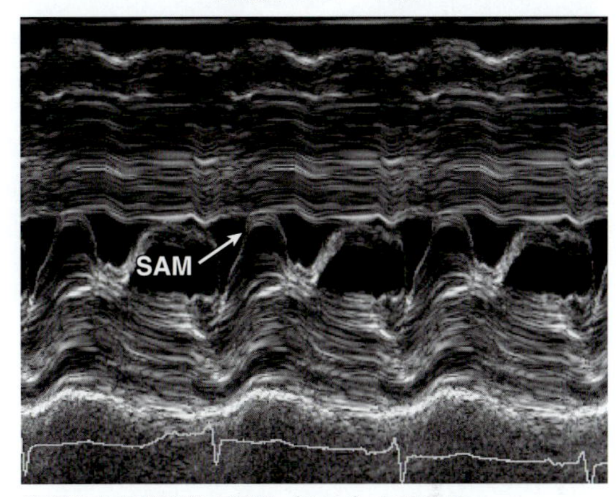

僧帽弁の収縮期前方運動（SAM）を認める。

胸骨左縁左室短軸断層像

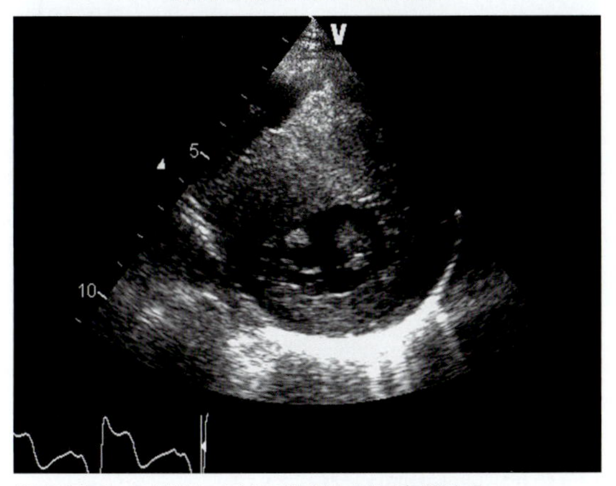

心室中隔から前壁にかけて著明な肥厚を認める。

大動脈弁Ｍモード像

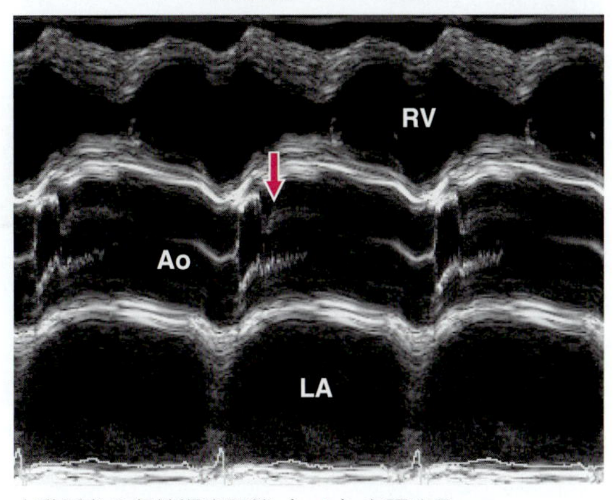

大動脈弁の収縮期半閉鎖（➡）を認める。

- 左室後壁に比べ中隔は著明な肥厚を呈しており，ASH（asymmetric septal hypertrophy）が認められる。
- 僧帽弁ではSAM（systolic anterior motion）が認められる。
- 大動脈弁では**収縮期半閉鎖**を認める。
- 左室流出路狭窄を定量化する際には，僧帽弁逆流の存在に注意する。

左室Ｍモード像

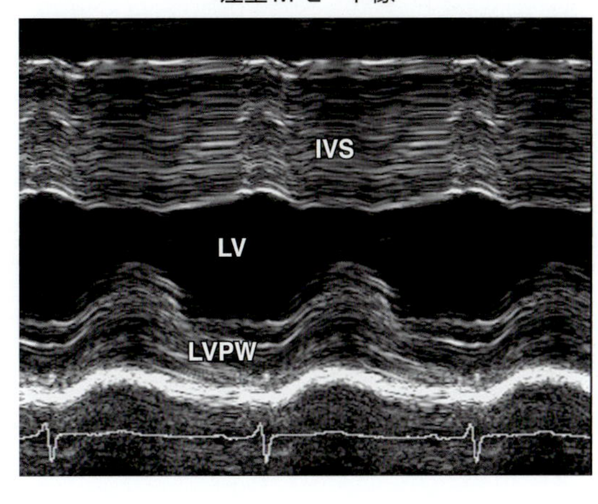

2. 拡張型心筋症（dilated cardiomyopathy：DCM）

胸骨左縁左室長軸断層像

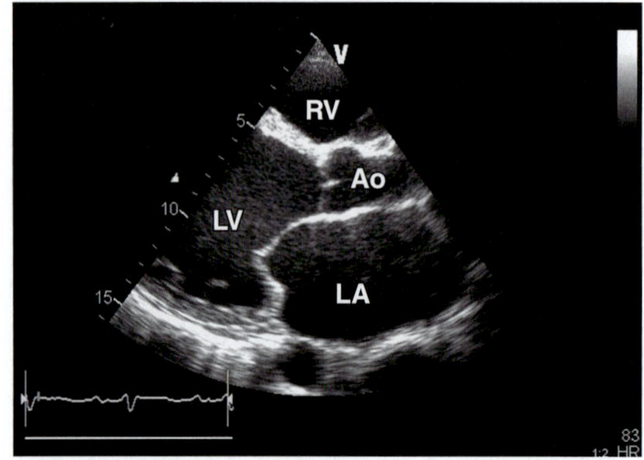

左室および左房の拡大を認める。
左室壁の菲薄化を伴うことが多い。
僧帽弁の著明な牽引（tethering）が認められる。

胸骨左縁左室短軸断層像

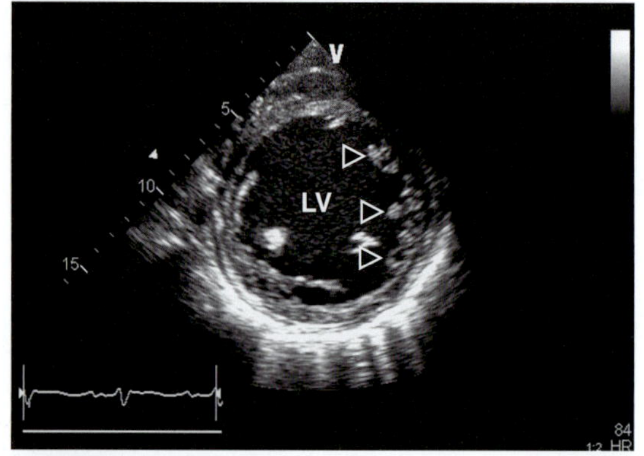

左室拡大を認める。
内腔の肉柱様所見は左室の緻密化構造を疑わせる（▶）。

胸骨左縁左室長軸カラー断層像

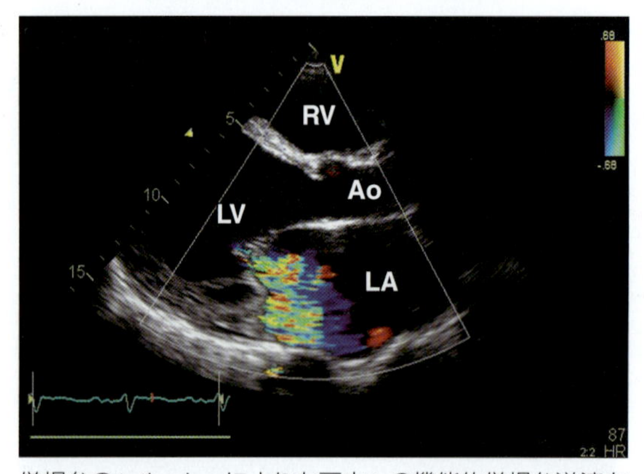

僧帽弁のtetheringにより左房内への機能的僧帽弁逆流を認める。

左室Mモード像

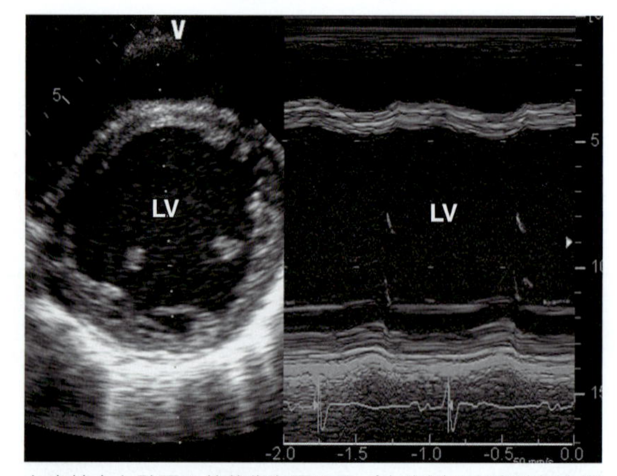

左室拡大と壁厚の菲薄化を認める（本症例の左室拡張末期径は約80 mmと著明に拡張している）。

C 虚血性心疾患（ischemic heart disease：IHD）

左室前壁中隔梗塞に伴った心尖部心室瘤

心尖部長軸断層像

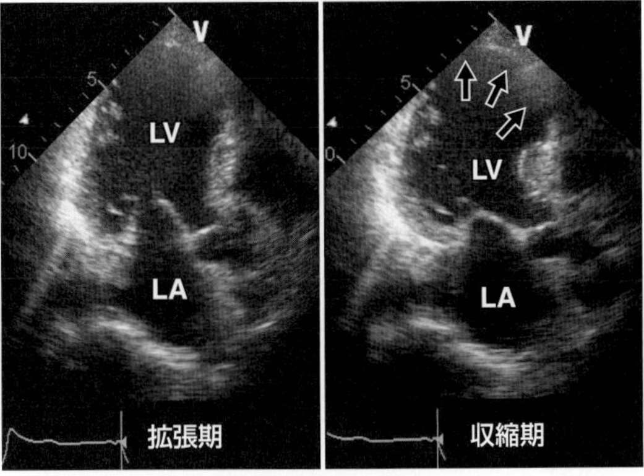

心尖部に巨大な心室瘤を認める（➡）。

左室後壁梗塞に伴った後壁の心室瘤

胸骨左縁左室長軸断層像

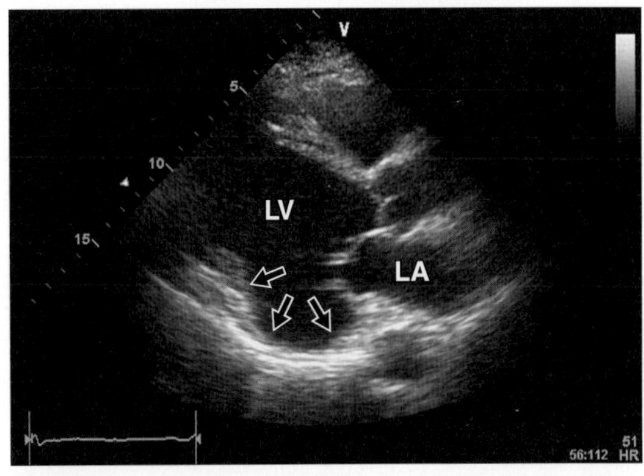

後壁基部の突出を認める（➡）。

心尖部四腔断層像

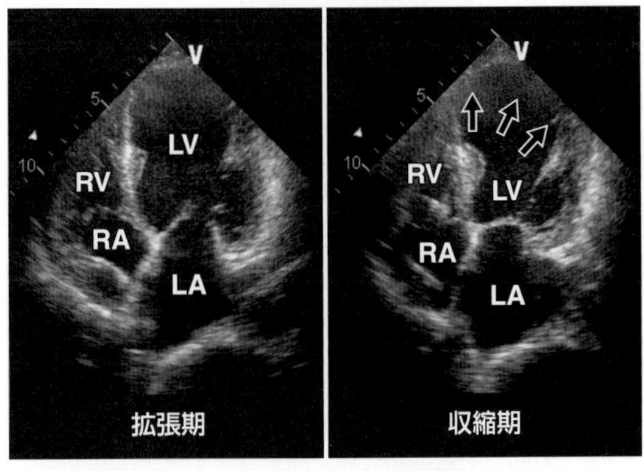

➡は四腔断層像における心尖部心室瘤を示す。
心尖部の壁は無収縮でakinesis～dyskinesisを呈する。この瘤内にもやもやエコーを認めることも多く，ときには血栓が検出される。

胸骨左縁左室短軸断層像

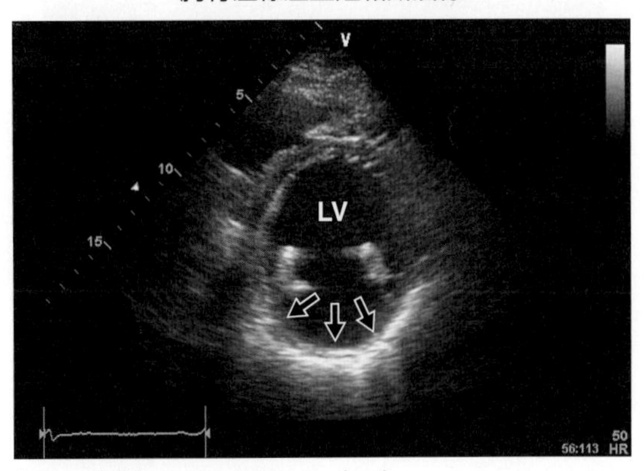

後壁の菲薄化と突出を認める（➡）。

D 先天性心疾患

1. 心室中隔欠損症（ventricular septal defect：VSD）

胸骨左縁左室長軸断層像

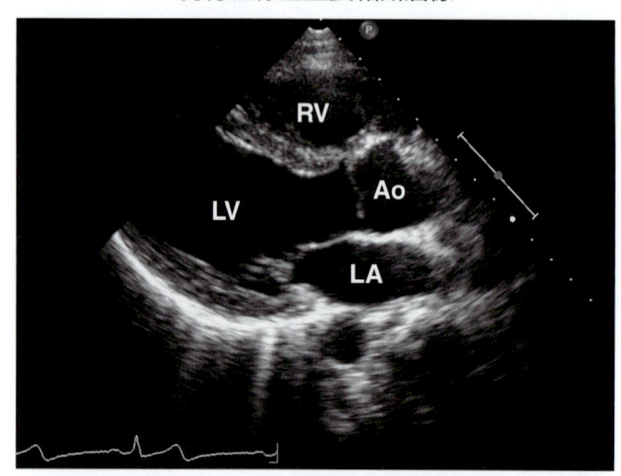

左室，左房の拡大および左室壁運動増大を認めることが多い。

胸骨左縁左室長軸断層像

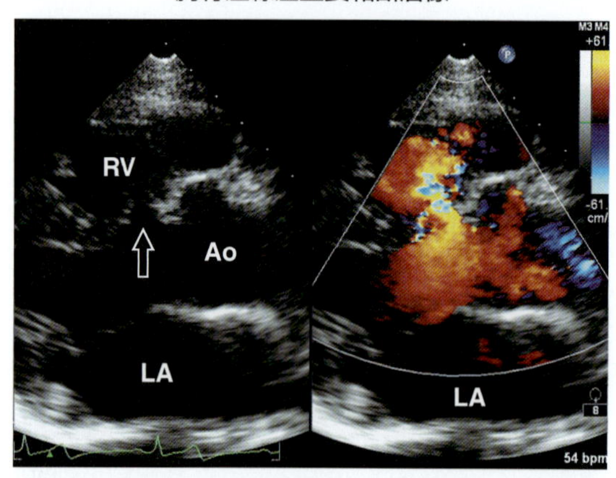

➡が示す部分に欠損孔を認め，この部位から短絡血流が検出される。

左室流出路短軸断層像

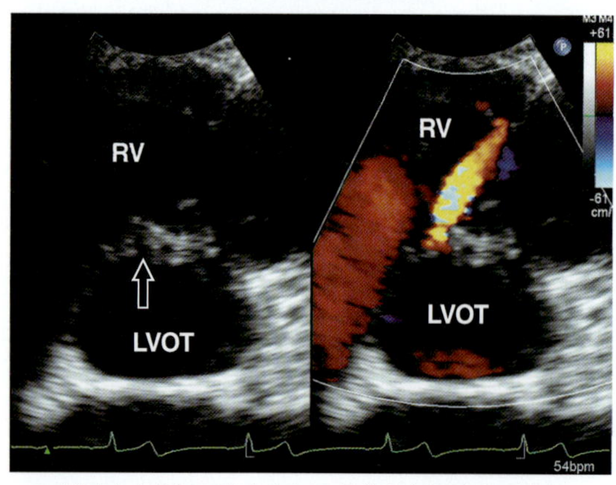

➡が示すように三尖弁寄りの部位に欠損孔を認める。

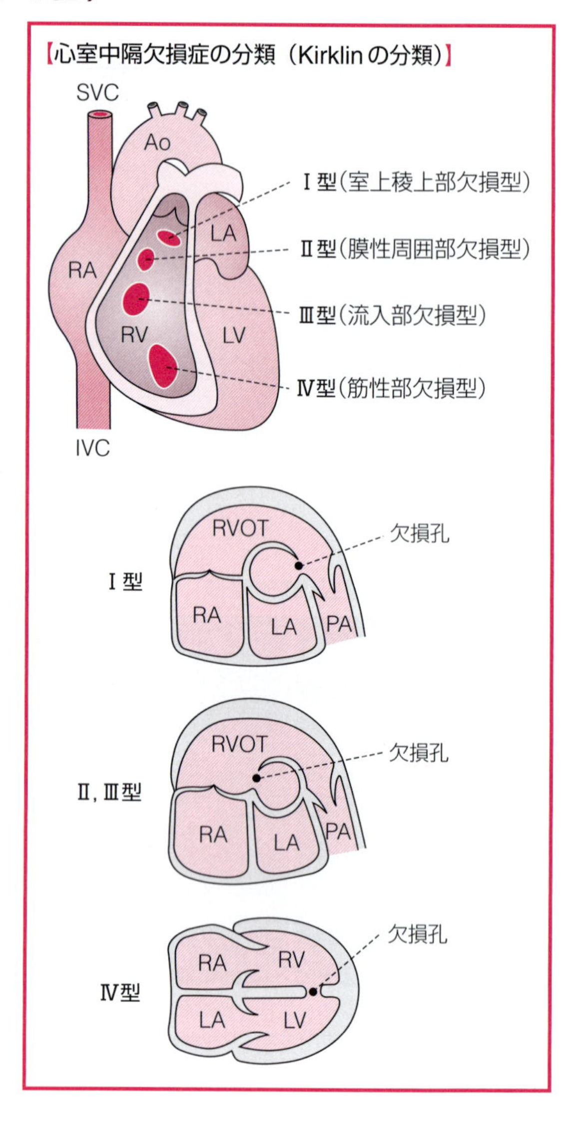

- 欠損孔の部位によって分類され，一般的にKirklinの分類が使用されることが多い。
- 左の症例はⅡ型VSDの一例である。

2. 心房中隔欠損症（atrial septal defect：ASD）

胸骨左縁左室長軸断層像

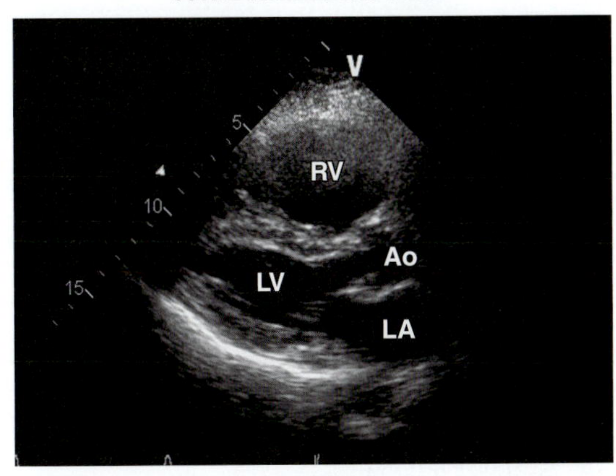

右室が拡大し左室への圧排を認める。

四腔断層像

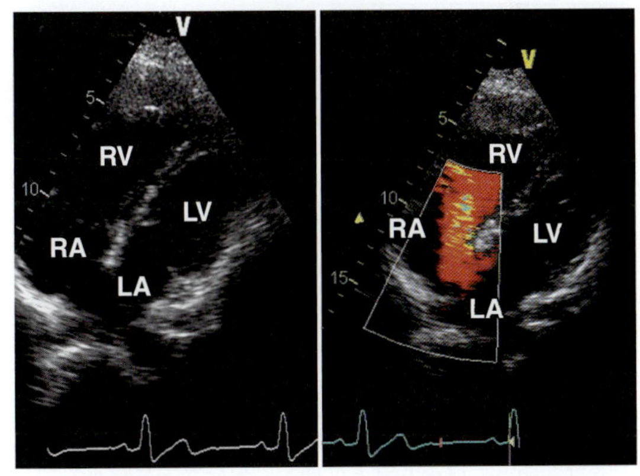

右室，右房の拡大と径が約 2 cm の二次孔欠損を認める。この欠損孔を通り，左房から右房へ通過する短絡血流を検出する。

【心房中隔欠損症の分類】

SVC
Ao
静脈洞型（上位）
PA
二次孔欠損型
一次孔欠損型
RA
静脈洞型（下位）
IVC

二次孔欠損型
RA RV LA LV
欠損孔

静脈洞型
RA RV LA LV
欠損孔

一次孔欠損型
RA RV LA LV
欠損孔

欠損孔の部位により，二次孔欠損型，一次孔欠損型，静脈洞型に分類される。最も多いのが二次孔欠損型であり，本症例もその一例である。

心窩部断層像

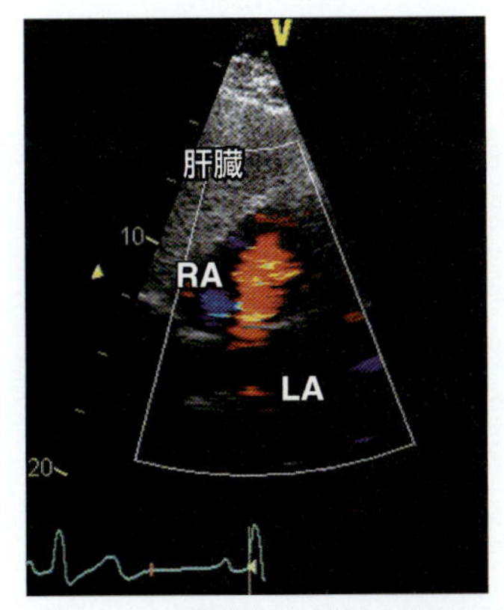

ビームとの至適角度が得られやすい心窩部アプローチにより短絡血流が明瞭に検出できる例がある。

左室 M モード像

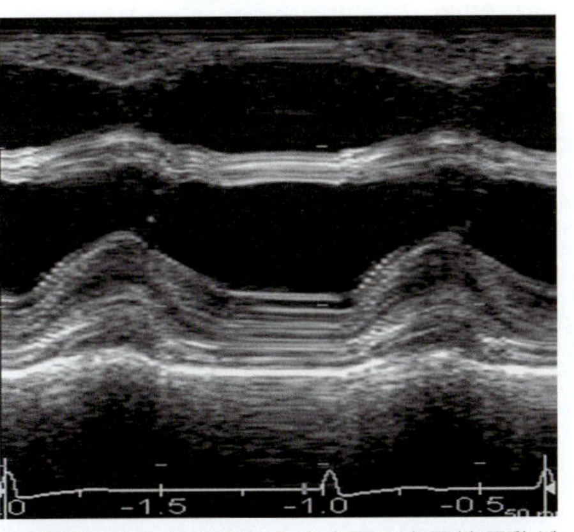

収縮期に前方に向かう心室中隔の奇異性運動が認められる。

3. Ebstein 奇形（Ebstein anomaly）

胸骨左縁左室長軸断層像

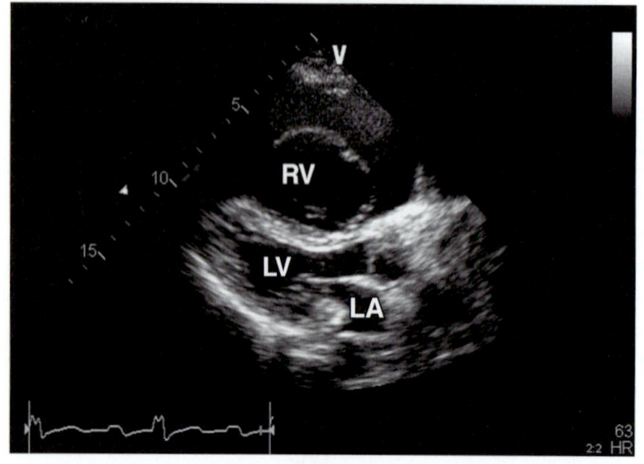

拡大した右室により左室は著明な扁平化をきたしている。

大動脈弁短軸断層像

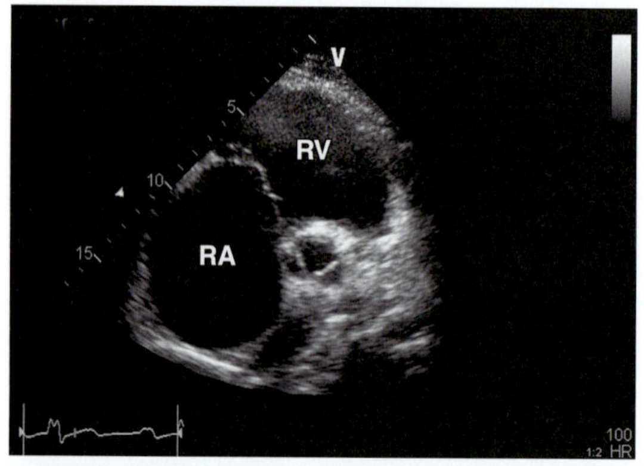

RA，RV の拡大を認める。

四腔断層像

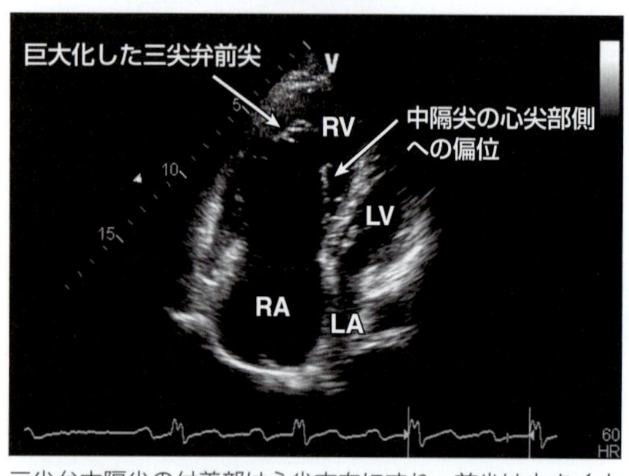

三尖弁中隔尖の付着部は心尖方向にずれ，前尖は大きく大振幅運動を示す。大きな右房と右房化した右室が特徴的である。

四腔カラー断層像

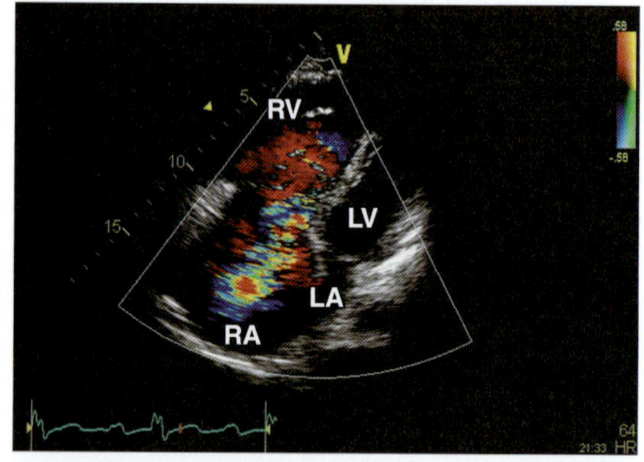

大きな右房と右房化右室との間で三尖弁逆流を認める。

E 大動脈疾患

1. 大動脈解離（aortic dissection）

胸骨左縁左室長軸断層像

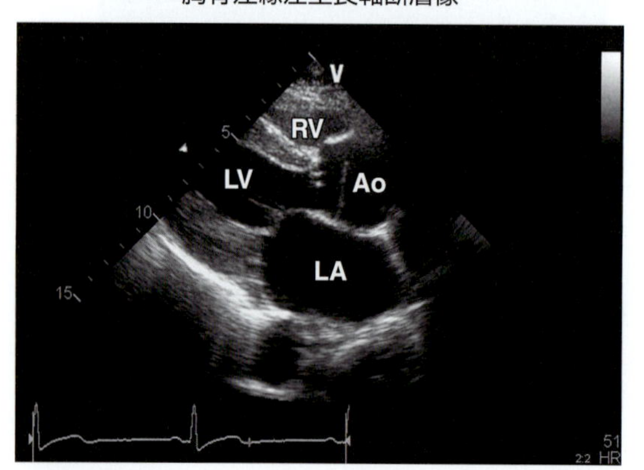

大動脈基部が拡大し，剥離した内膜（intimal flap）が認められる。

胸骨左縁左室長軸断層像

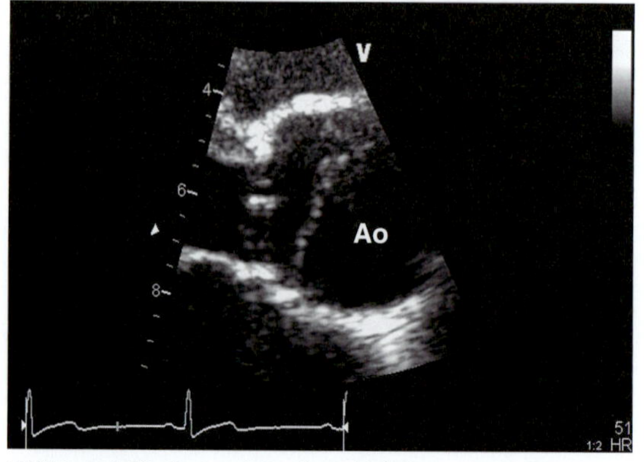

剥離した内膜（intimal flap）の拡大像。

心尖部長軸カラー断層像

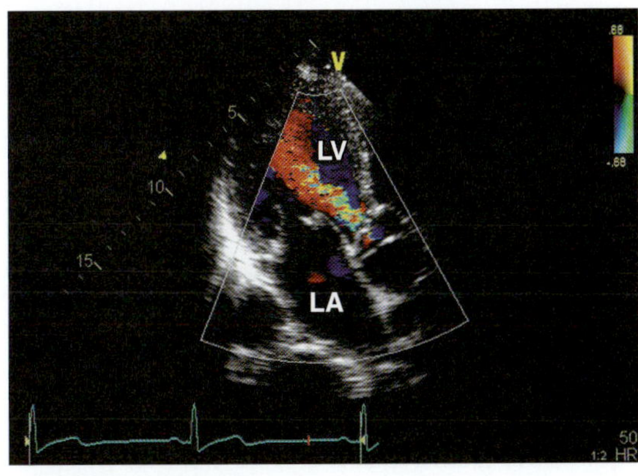

大動脈弁逆流を認める。

腹部大動脈断層像

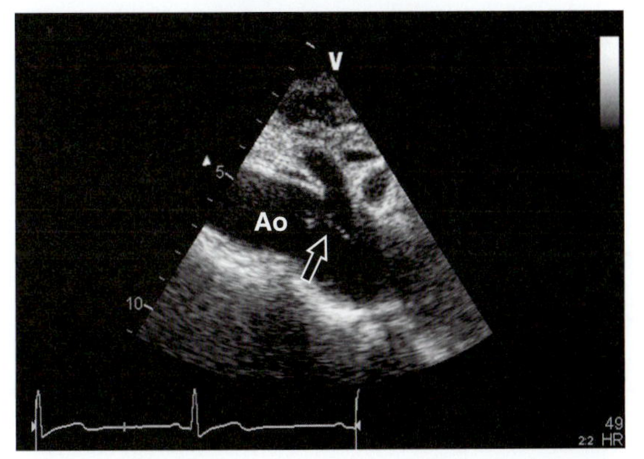

拡大した腹部大動脈内にintimal flapが認められる(➡)。

腹部大動脈カラー断層像

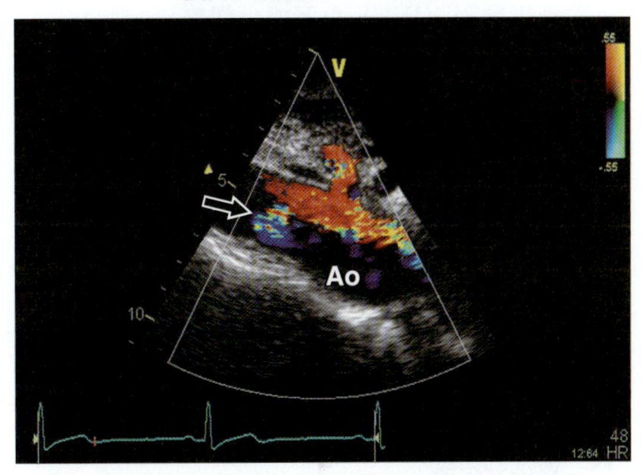

intimal flapより偽腔内へ向かう血流を認める（➡）。

Stanford分類とDebakey分類

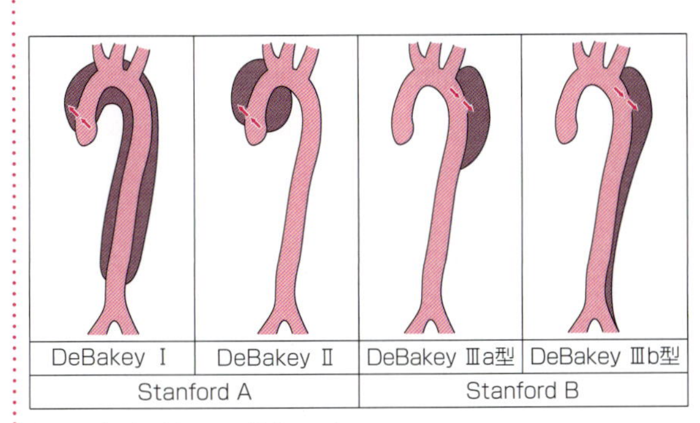

矢印（➡）は入口部を示す。

- 解離領域や入口部によりStanford分類，DeBakey分類が用いられる。

【Stanford分類】

Stanford A：上行大動脈に解離が及んでいる状態

Stanford B：上行大動脈に解離が及んでいない状態

【Debakey分類】

Debakey Ⅰ：上行大動脈に入口部があり，腹部大動脈まで解離が及ぶ状態

Debakey Ⅱ：上行大動脈のみ解離している状態

Debakey Ⅲa：下行大動脈に入口部があり，腹部大動脈に解離が及ばない状態

Debakey Ⅲb：下行大動脈に入口部があり，腹部大動脈に解離が及ぶ状態

11章 血管領域における検査

【動　脈】
- 頭蓋内血流
- 頸動脈（動脈硬化，解離）
- 上肢動脈（透析用シャントなど）
- 腹部大動脈（大動脈瘤，大動脈解離）
- 腎動脈（狭窄症）
- 冠動脈（IVUSなどでの観察）
- 下肢動脈（閉塞性動脈硬化症）

【静　脈】
- 上肢静脈（透析用シャントなど）
- 下肢静脈（静脈瘤，深部静脈血栓症）

- 生活習慣病の増加によって血管疾患が増加しており，動脈硬化の早期発見，早期治療の必要性が指摘されるようになった。
- エコノミークラス症候群として注目される深部静脈血栓症など静脈疾患も近年注目を集めている。
- 血管領域では全身の血管を検査する。

1 頸動脈（carotid artery）

A 観察領域

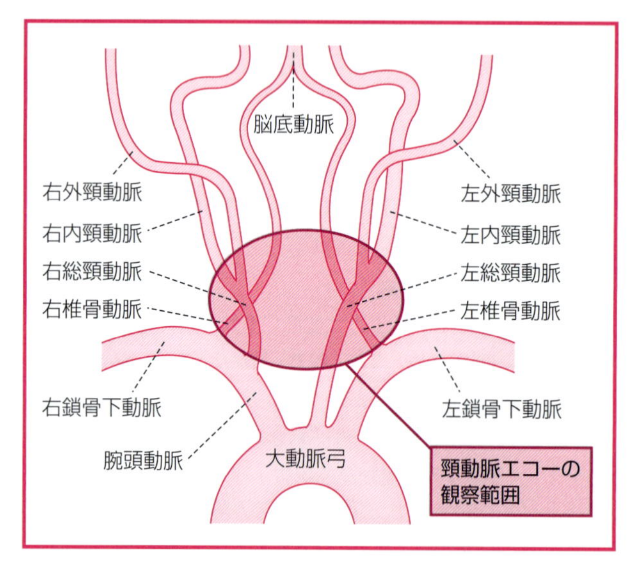

- 総頸動脈（common carotid artery：CCA）
- 頸動脈球部（bulbus：Bul, bifurcation：Bif）
- 内頸動脈（internal carotid artery：ICA）
- 椎骨動脈（vertebral artery：VA）

必要に応じて
- 外頸動脈（external carotid artery：ECA）
- 鎖骨下動脈（subclavian artery：SCA）

B 観察断面の設定

血管短軸断面

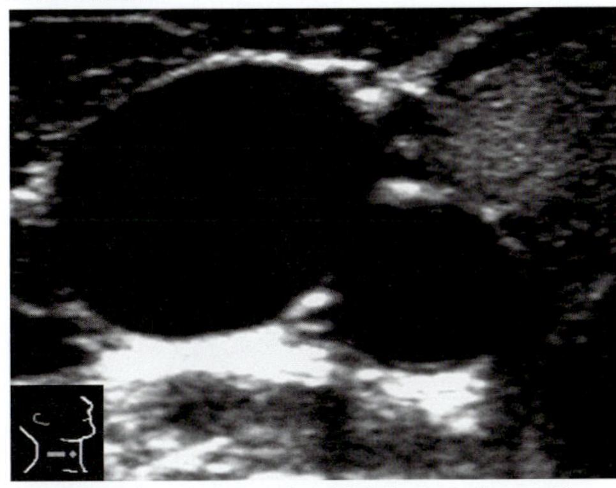

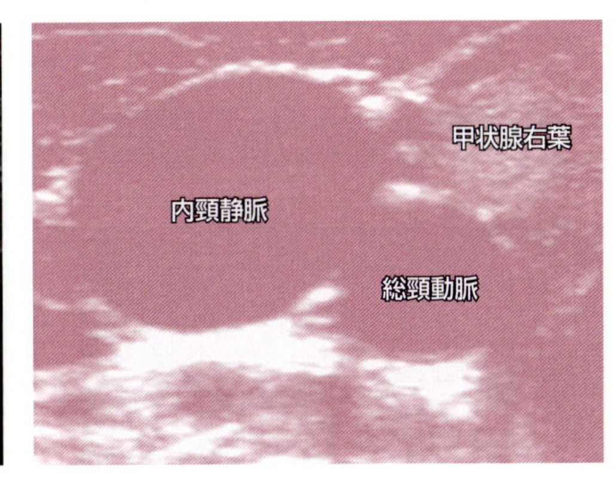

（前方と側方，後方の2方向以上からアプローチ）

血管長軸断面

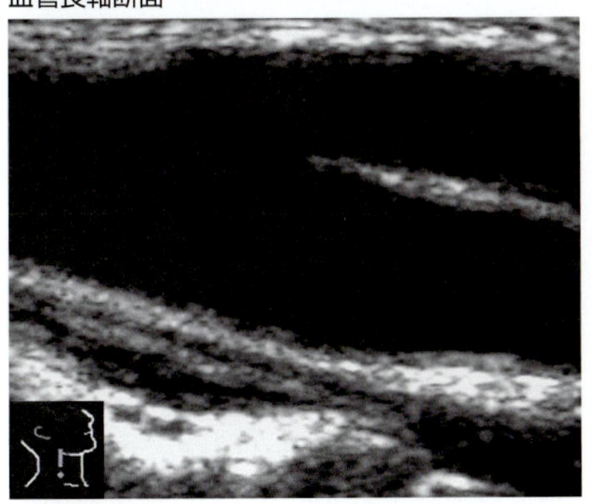

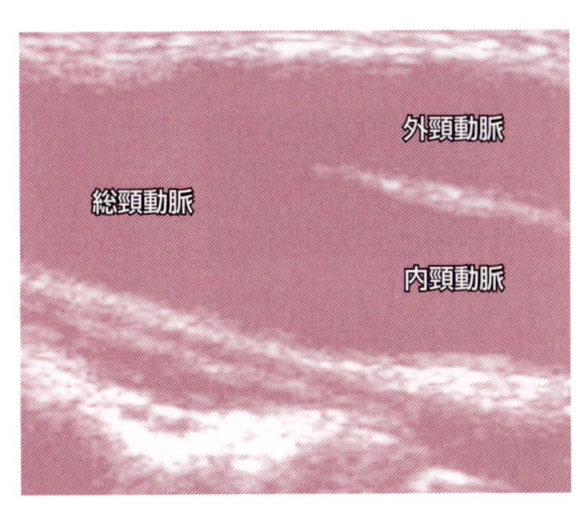

【断層像】

- 探触子は一般に中心周波数7 MHz以上の高周波のリニア型探触子を用い，必要に応じて5 MHz前後のコンベックス型やセクタ型を使用。
- 表示法は学会などで異なっており統一されていない。
- 総頸動脈系はまず横断走査（血管短軸断面）で観察し，分岐の高さや形態，狭窄や閉塞のチェックをする。その後，縦断走査（血管長軸断面）で多方向から観察すると血管の全体像を把握しやすい。

観察できる範囲をゆっくりと観察することが大切。特に，内頸動脈は末梢まで観察するように心がける。

C 頸動脈評価項目

1. 内膜中膜複合体（intima media complex：IMC）・内膜中膜複合体厚（intima media thickness：IMT）

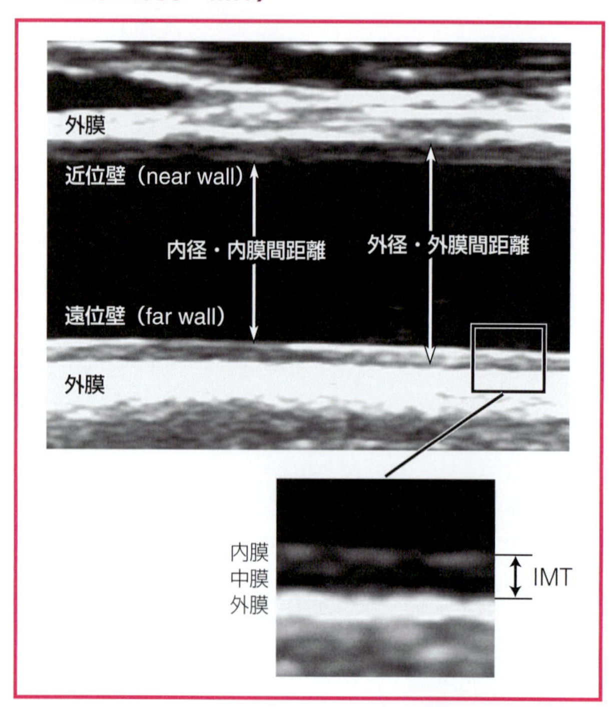

- 総頸動脈，頸動脈球部，内頸動脈で横断像，縦断像で肥厚している部分を探す。
  - ▶ max IMT（プラークを含めた最大計測値）
  - ▶ mean IMT（自動計測法，その他）
- 動脈径は計測した場所を記載する。

頸動脈洞の押し過ぎには注意しよう！
過度の圧排は血圧降下，徐脈をきたす。

2. プラーク（plaque）

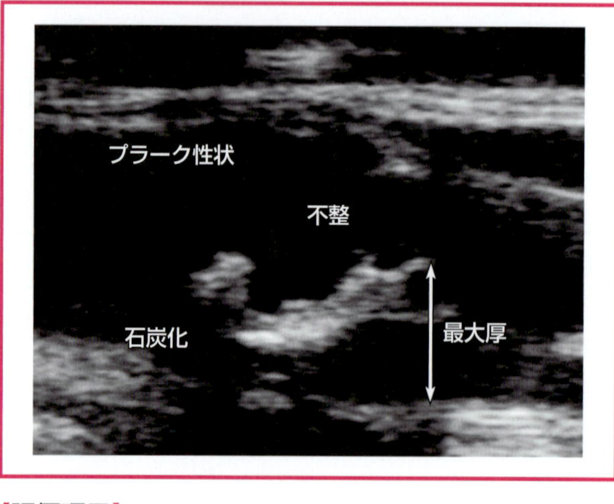

- **プラークとは 1.1 mm 以上の隆起性病変で 1.5 mm 超のものを性状評価する。**
- 要注意なプラークは低輝度プラーク，潰瘍病変のあるプラーク，可能性プラーク，fibrous cap の薄いプラーク，その他急速に進行するプラークなどである。

【評価項目】

①**最大厚，隆起部範囲**

②**表面形態**：整，不整，潰瘍（ulcer）。また，fibrous cap の厚みを観察する。

③**内部性状（エコー輝度による分類）**：石灰化病変を含む高輝度（calcified），IMC と同程度の等輝度（iso-echoic），低輝度（low-echoic，hypoechoic，echolucent）に加えて，エコー輝度が均一（homogeneous）と不均一（heterogeneous）に分類する。

④**可動性**：可動性プラーク（mobile plaque）は塞栓を起しやすいプラークとして注意喚起を要する。

3. 狭窄率

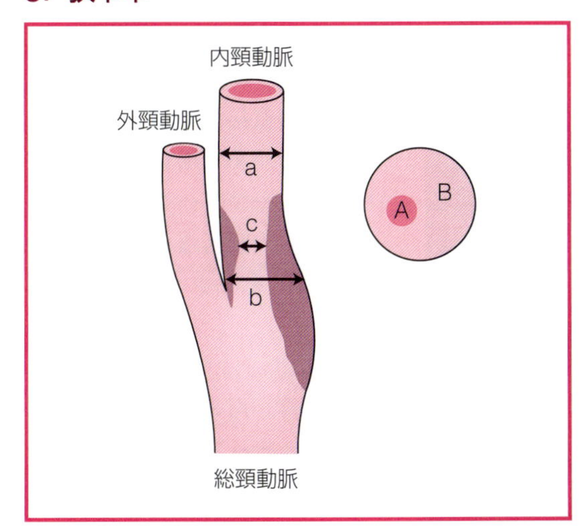

- **NASCET法**（North American Symptomatic Carotid Endarterectomy Trial）：
  (a − c)/a×100
- **ECST法**（European Carotid Surgery Trial）：
  (b − c)/b×100
- **AREA法**：
  〔(B − A)/B×100〕
- 血管造影における評価方法に則したNASCET法を参考とすることが多いが，血管径により過小評価が懸念される症例では他の算定方法も用いる。

> 算定方法で狭窄率の値が異なるため，報告書には必ず狭窄率の算定方法を記載する！

4. 血流測定項目

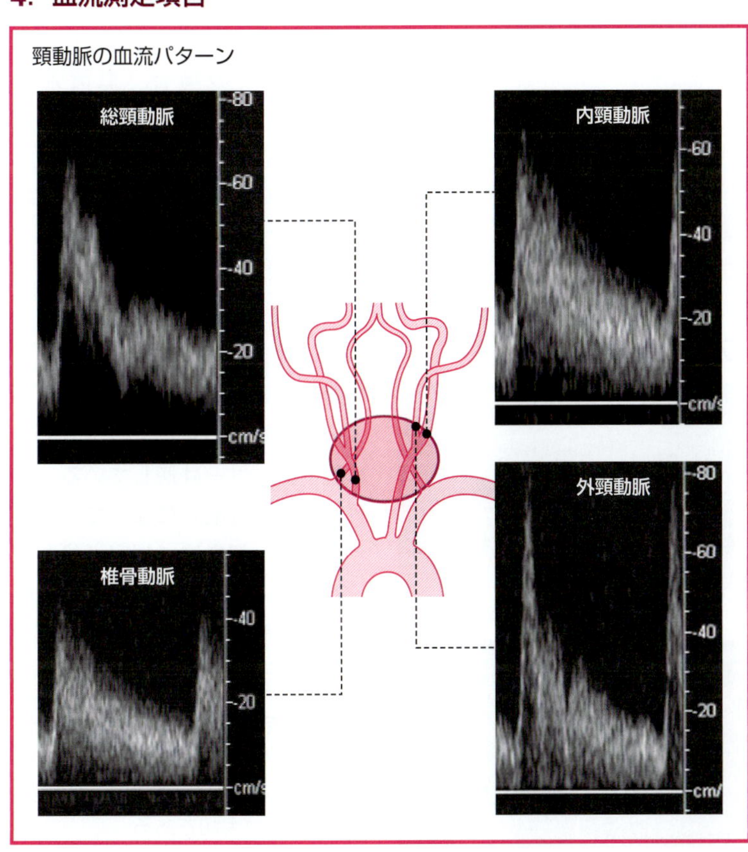

- **収縮期最高血流速度**
  (peak systolic velocity：PSV)
- **拡張末期血流速度**
  (end diastolic velocity：EDV)
- **収縮期加速時間**
  (acceleration time：AcT)
- **抵抗係数**
  (resistance index：RI値)

$$RI = \frac{Vmax - Vmin}{Vmax}$$

- **拍動係数**
  (pulsatility index：PI値)

$$PI = \frac{Vmax - Vmin}{Vmean}$$

- **ED ratio**
  左右の総頸動脈の同一部位でEDVを計測し，流速の速い側の値を流速の遅い側の値で除して求める。そのため，総頸動脈のED ratioは1以上の値を示す。

【内頸動脈と外頸動脈の鑑別法】

- 外頸動脈は，①分枝を出している，②顔の正中方向に走る，③流速波形で拡張期成分が乏しい。

D 頸動脈症例

1. 頸動脈狭窄症（carotid stenosis）

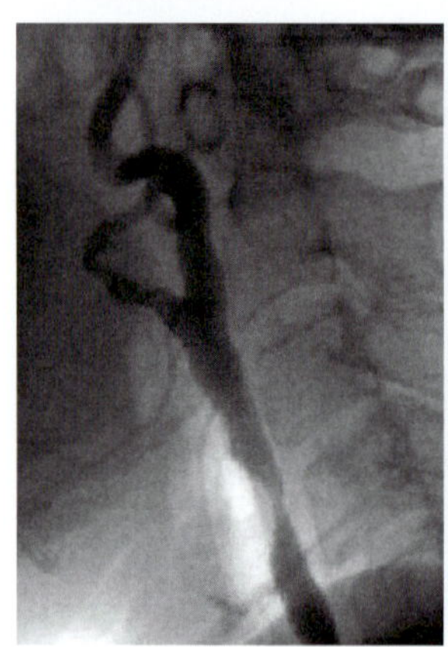

血管造影検査

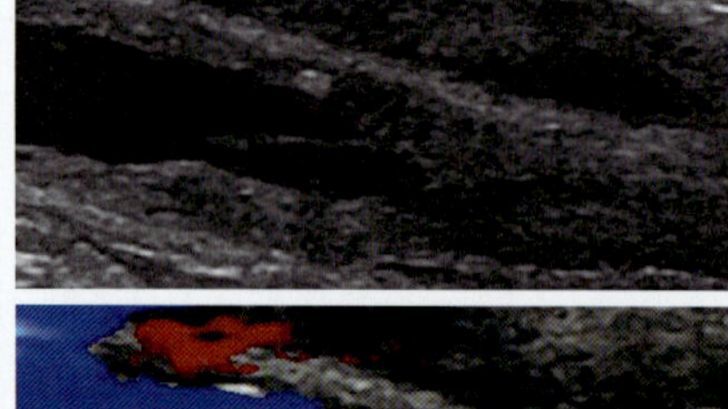

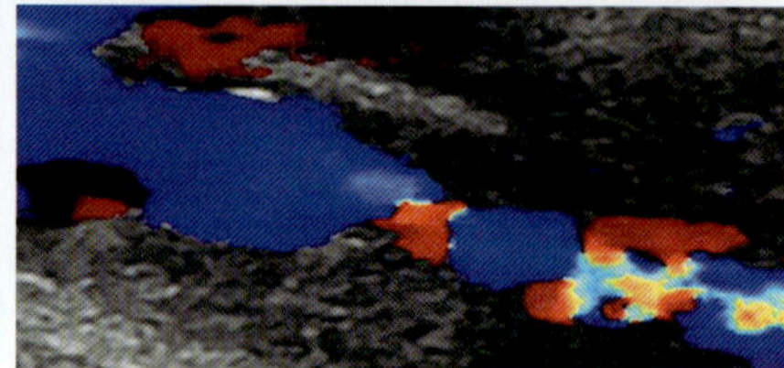

（上）Bモード像
（下）カラードプラ像

Bモードのみでは血管内の低輝度の隆起性病変を見落とす可能性があるので，カラードプラの併用が望ましい。

- 脳梗塞の直接の原因となるのは有意狭窄がある場合が多く，狭窄の程度やプラークの種類により頸動脈内膜剥離術や血管内治療の適応を考慮する必要がある。
- 手術適応にはNASCET法による狭窄率が用いられる場合が多いが，Bモードのみでは遠位の内頸動脈径が見えにくく，カラードプラを用いることが多い。しかし，bloomingにより過小評価されることに注意する。
- 描出不良の場合，血流速度が200 cm/sec以上あればNASCET法（491頁参照）で70％以上の狭窄があるという基準を用いて狭窄率の推測を行う方法を併用するとよい。

2. 術後，血管内治療のフォローアップ

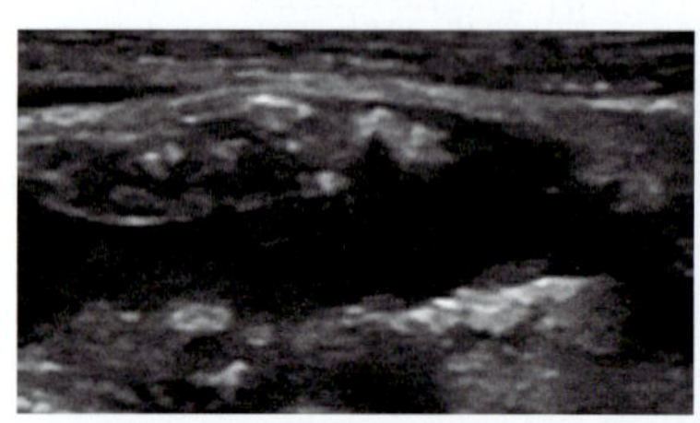

血栓内膜剥離術前

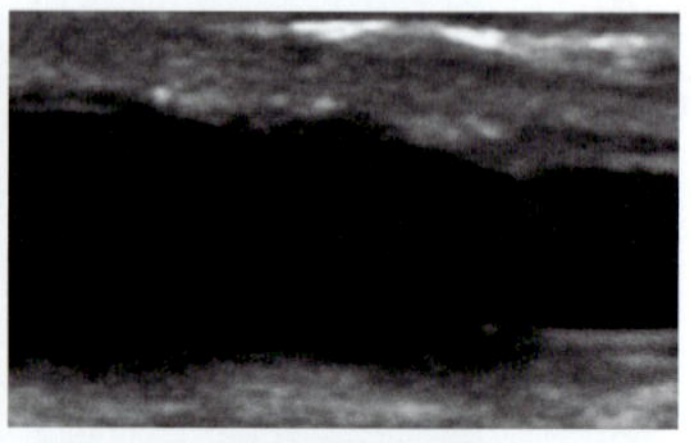

血栓内膜剥離術後

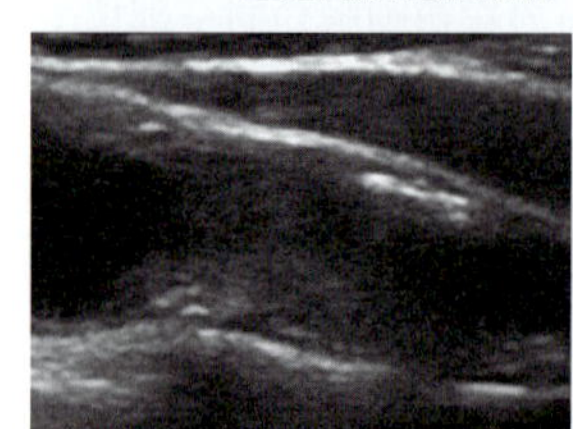

治療前

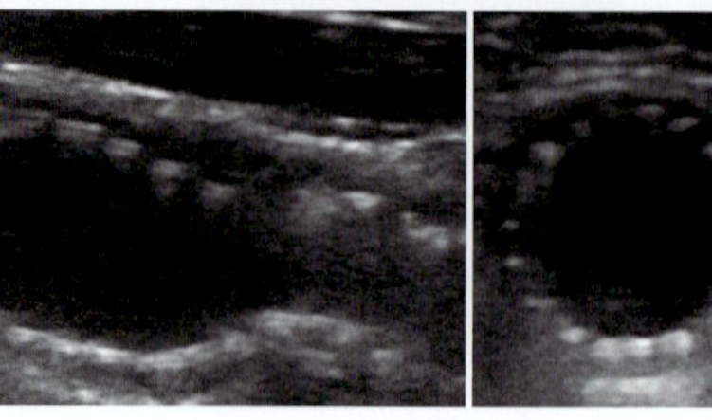

ステント挿入後

- 頸動脈内膜剥離術や血管内治療後の再狭窄の有無を調べるのに頸動脈エコーは適している。
- ステントは網状になっているため内腔も超音波で観察可能なことが多い。ステント内の内膜肥厚や変形を観察する。

ステント遠位端に狭窄が生じることがあるので，遠位端が描出できない場合は低周波のセクタやコンベックスプローブで確認することが大切である。

3. 大動脈炎症候群（aortitis syndrome），高安病

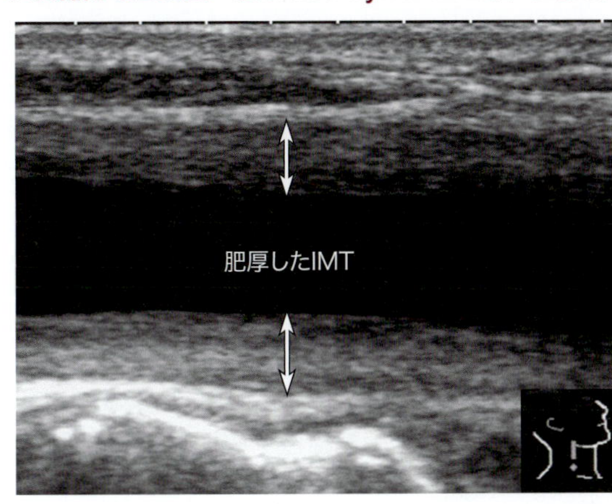

- 大動脈炎症候群では総頸動脈の近位部からIMTの肥厚がみられる。これを**マカロニサイン（マカロニ様所見）**という。
- 大動脈炎症候群の病変は大血管から内・外頸動脈分岐部までの心臓側に生じ，頭側ほど軽度であるのが特徴である。
- 発症初期では低エコーであるが，加齢などによる変化も加わり，エコー輝度は上昇し石灰化などの変化を伴う。

4. 頸動脈解離（carotid artery dissection）

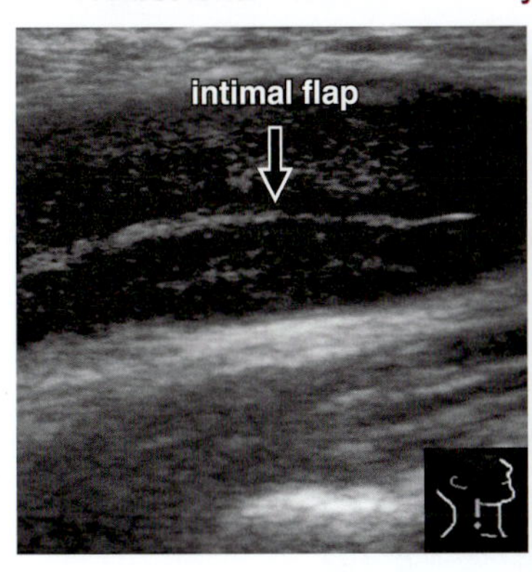

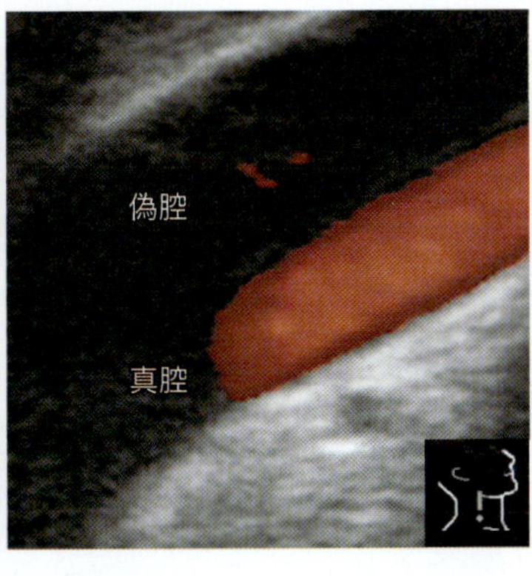

- 動脈解離とは動脈本来の真腔から動脈壁内の偽腔に血液が流れ込んで生じる病態。壁内の層は事実上分離している。
- 真腔と偽腔の鑑別はカラードプラで容易にすることができる。
- 写真は解離性動脈瘤が頸動脈にまで波及したもので，真腔と偽腔の間にはintimal flap（内膜フラップ片）も確認できる。

5. 鎖骨下動脈盗血症候群（subclavian steal syndrome）

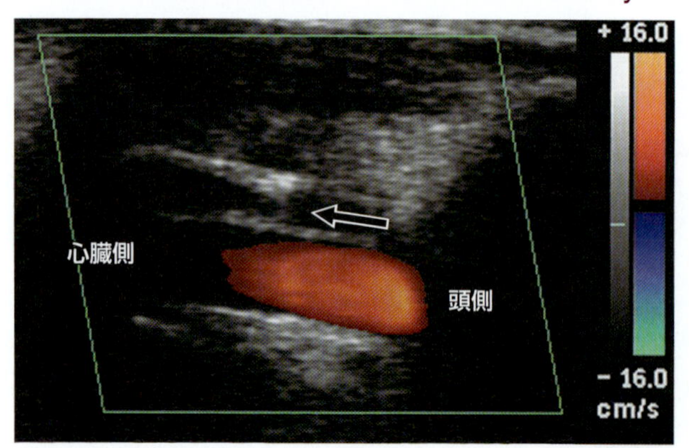

写真は椎骨動脈のカラードプラ法である。カラードプラ法では探触子に近づく血流は赤（暖色系），遠ざかる血流は青（寒色系）に表示される。
正常では心臓側から頭側に流れているので青色となるはずであるが，盗血現象により赤（反対方向）に表示されている

- 鎖骨下動脈盗血症候群とは，鎖骨下動脈が椎骨動脈を分岐する前で狭窄や閉塞することにより上腕動脈の血流不足が生じ，椎骨動脈から上腕動脈へ血流が盗血されるために生じる現象である。
- 鎖骨下動脈の狭窄の程度に応じて逆流成分（椎骨動脈→上腕動脈）が増していく。
- 患側の上腕動脈を圧迫すると逆流成分は減り，離すと逆流成分が増加するため，波形が変化することで盗血現象の確認ができる。
- 左側に多い。

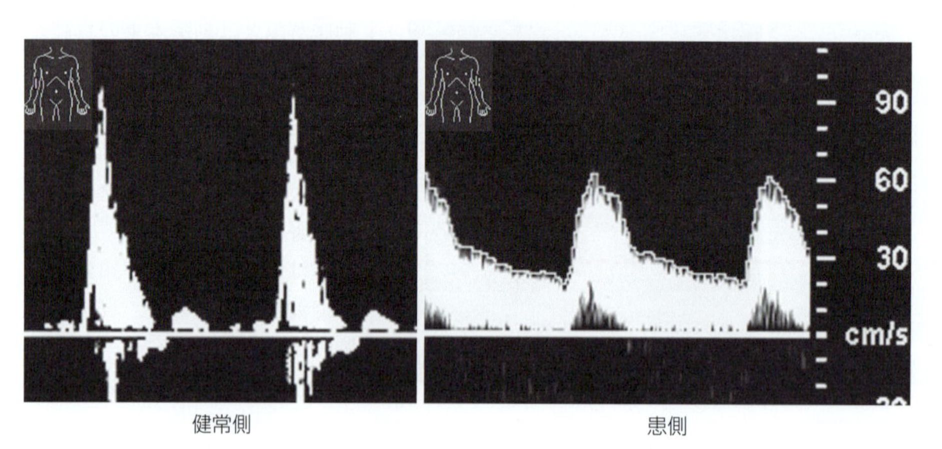

健常側　　患側

- 狭窄のある方の上腕動脈の血流速波形は，健常側と比較して立ち上がり時間が延長し，狭窄後パターンを示す。

2 下肢静脈

A 観察領域

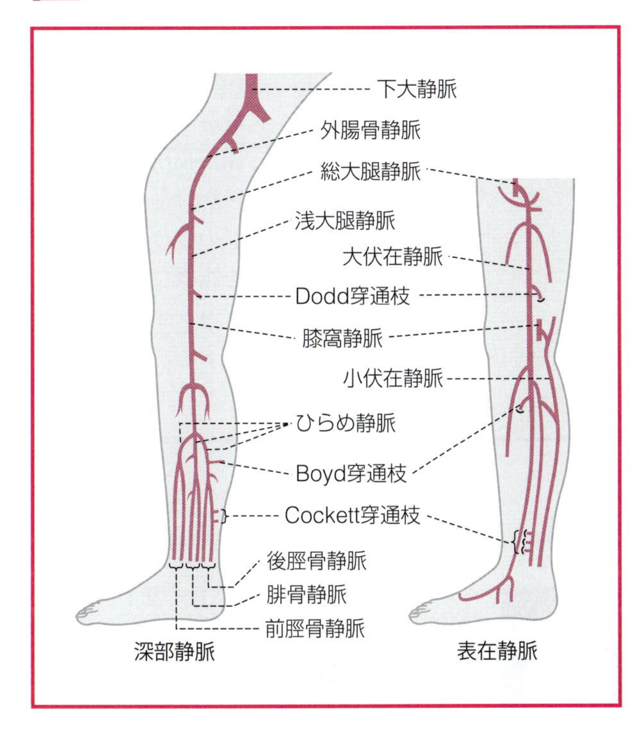

【深部静脈】

- 下大静脈（inferior vena cava：IVC）
- 腸骨静脈（iliac vein）
- 大腿静脈（femoral vein）
- 膝窩静脈（popliteal vein：PV）
- 後脛骨静脈（posterior tibial vein：PTV）
- 腓骨静脈（peroneal vein：PeV）
- ひらめ筋静脈（soleus vein）
- 前脛骨静脈（anterior tibial vein：ATV）

【表在静脈】

- 大伏在静脈（great saphenous vein：GSV）
- 小伏在静脈（small saphenous vein：SSV）
- 交通枝，穿通枝（communicating branch）

【動脈と静脈の鑑別】

- 軽く探触子で圧迫して扁平化するかで判断する。圧迫してつぶれない血管は動脈か血栓のある静脈。また，動脈は拍動している。

B 下腿断面解剖図

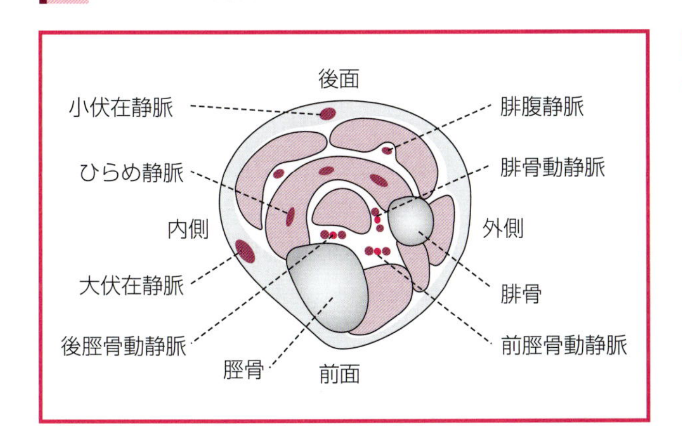

【断層像】

- 探触子は表在静脈は7.5～12 MHzリニア型を用い，必要に応じて5 MHz前後のコンベックス型を使用。
  - ▶血管短軸断面（左図）
  - ▶血管長軸断面

C 観察断面の設定

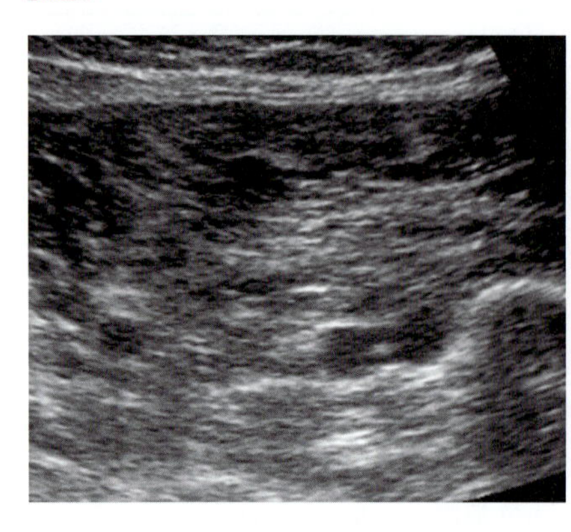

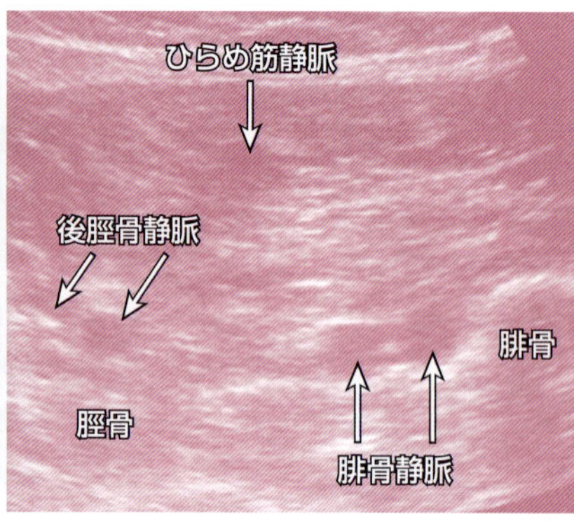

- 膝窩静脈は膝窩部を短軸になるようにスキャンする。
- 探触子に近い部分に静脈，その後方に動脈が描出される。
- 後脛骨静脈は腓骨静脈の合流部から腓骨を指標に，短軸でスキャンする。
- 後脛骨静脈は腓骨静脈の合流部から脛骨を指標に，やや内側方向に短軸でスキャンする。
- ひらめ筋静脈はひらめ筋内を走行する。

D 静脈検査に用いる特殊な検査手技

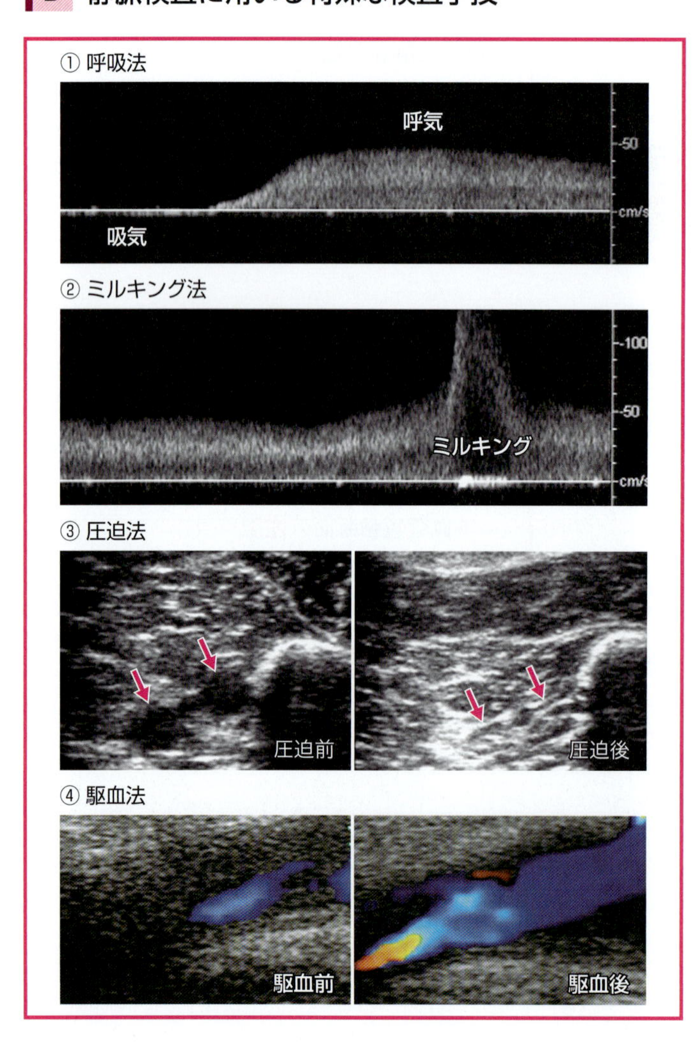

①**呼吸法**：被検者に息を吸ってもらい，深吸気で数秒息止めを行った後，呼吸を再開させる。静脈還流の変化により静脈血流が促される。主に大腿部で有効。

②**ミルキング法**：描出部位の遠位側を圧迫し，静脈血流を促す方法。弁不全があると逆流波形が得られる。

③**圧迫法**：血管をBモードの短軸断層像で描出し，画面で静脈像を観察しながら探触子でゆっくりと圧迫する。効果のある圧迫の強さは，脈管の深さや内圧により異なる。

④**駆血法**：描出部位の心臓側の静脈血流を圧迫し，駆血を解除したときの血流をカラードプラで確認する。下腿での施行に適している。

【圧迫法のこつ】

- 短軸では血管を圧迫しやすいが，長軸では血管がずれたりして力が伝わりにくい。

E 下肢静脈症例

1. 深部静脈血栓症〔deep vein（venous）thrombosis：DVT〕

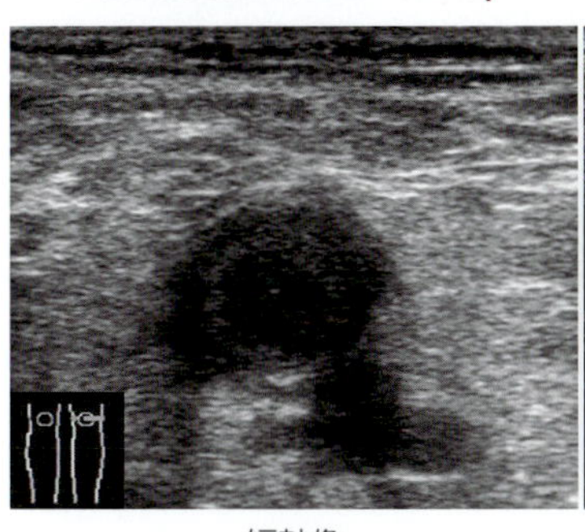

短軸像

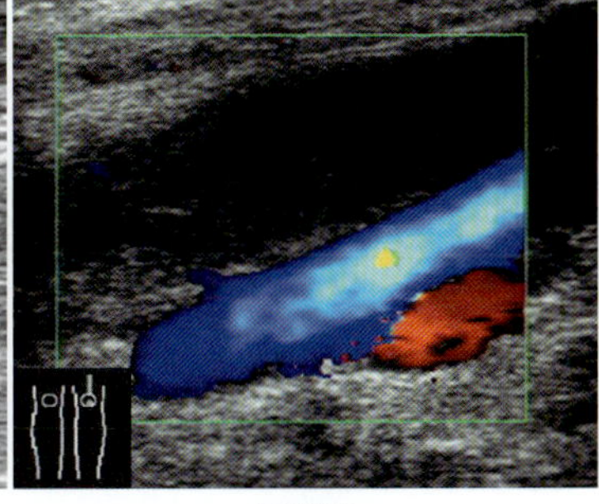

長軸像

- 血栓形成後，時間経過の短いものから，時間がたち器質化したものまで段階がある。
- 血栓形成後時間経過の短いものは柔らかく血管壁との癒着が弱いため，塞栓源となりやすいといえる。超音波上の特徴は，
  ①エコー輝度は低め（低輝度）
  ②周囲血管の血流拍動で揺れる（可動性）
  ③圧迫で変形する（軟）
- 圧迫は，いきなり強く圧迫するのではなく，Bモードでの血栓の変化を確認しながらゆっくりと行い，血栓を押し出さないように注意が必要。

2. Baker嚢胞

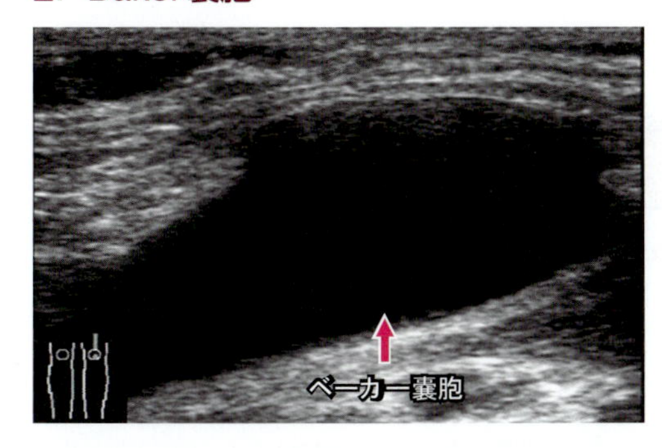

- Baker（ベーカー）嚢胞は下肢血管超音波検査施行時，膝窩部に隔壁を有する多房性腫瘤として発見される。
- 血管とまぎらわしいこともあるが，嚢胞はカラードプラ法で血流を認めず膝関節の滑液包と連続するので，血管とは鑑別が可能である。

3. 浮　腫

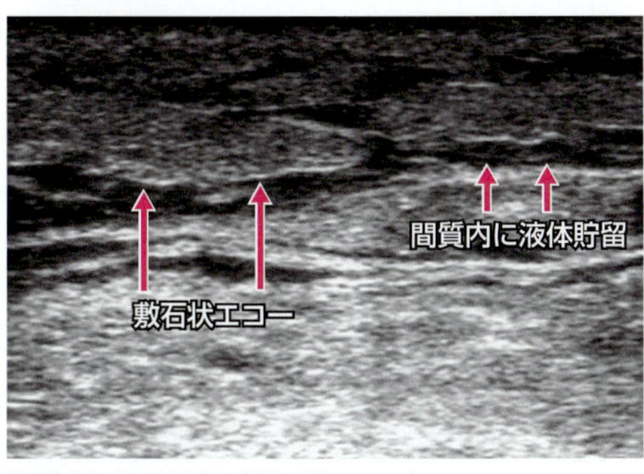

間質内に液体貯留（敷石状エコー）。
心不全，腎不全，静脈圧亢進，蜂窩織炎，血栓性静脈炎，リンパ浮腫などでみられる。

- 浮腫には身体の一部に起こる局所性浮腫と，全身にみられる全身性浮腫がある。
- **局所性浮腫**
  ①静脈の圧迫や閉塞により，圧迫部ないし閉塞部位より末梢に限局した浮腫。
  ②炎症反応によって毛細血管の透過性が亢進した局所的な浮腫（アレルギー浮腫，血管神経性浮腫）。
  ③リンパ循環の障害によって起こる限局性浮腫（フィラリア症，リンパ浮腫）。
- **全身性浮腫**：全身疾患（心不全，肝不全，腎不全，内分泌性など）に起因する。

4. 静脈瘤

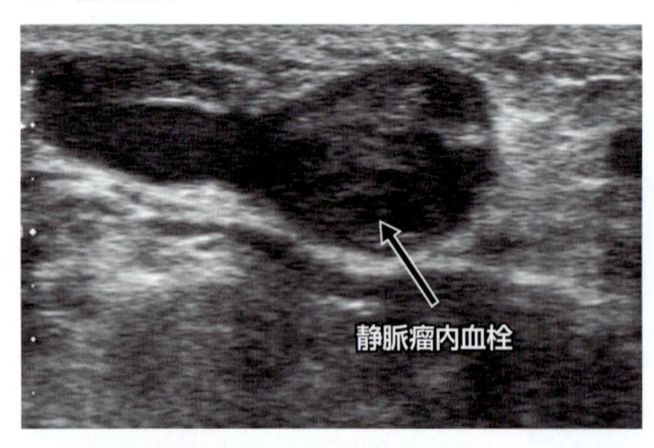

- 一次性静脈瘤は主に大伏在静脈，小伏在静脈，穿通枝，陰部静脈の弁不全により血液の逆流，うっ滞が起こり，下肢痛，倦怠感，うっ血性皮膚炎，難治性潰瘍をきたす慢性疾患である。
- うっ血した静脈瘤内に血栓を形成し血栓性静脈炎を引き起こすことがある。
- 二次性静脈瘤は深部静脈血栓症など他疾患に伴うものである。深部静脈血栓症のほか，Klippel-Trenaunay（クリッペル トレノニー）症候群などの先天性形成異常に伴う静脈瘤がある。

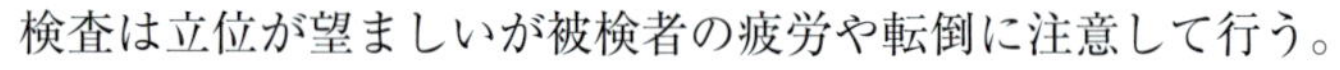

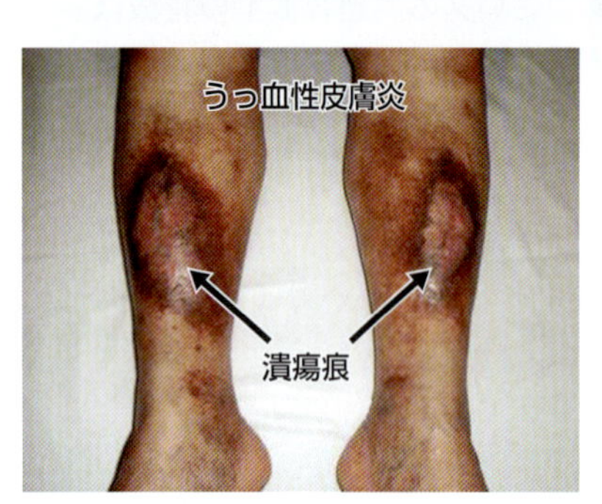

【静脈瘤検査】

検査は立位が望ましいが被検者の疲労や転倒に注意して行う。

①原因となる静脈の検索：Bモード断層法，横断像で各静脈の形態観察，径計測，連続の確認を頭側～尾側に向かって行う。

②弁不全の存在と範囲：逆流の有無と逆流時間をミルキングを行いながら計測する。

③二次性静脈瘤との鑑別として，エコーでは深部静脈血栓の有無を評価する。

3 下肢動脈

A 観察領域

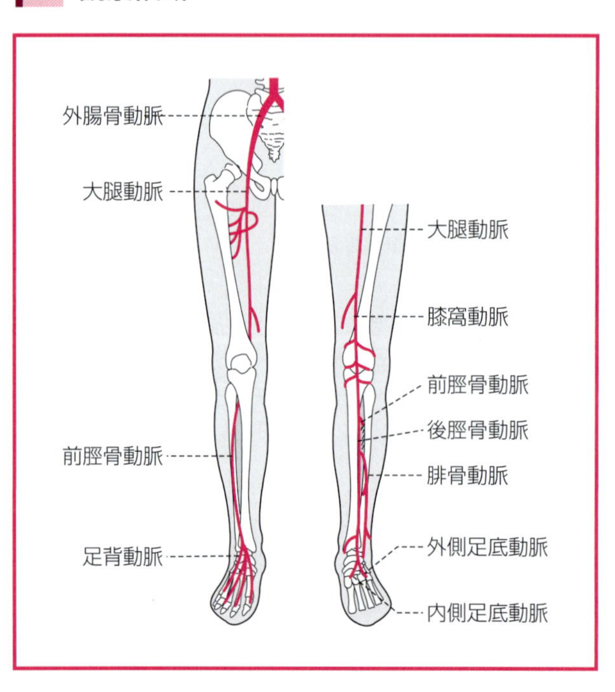

- 腹部大動脈（abdominal aorta）
- 腸骨動脈（iliac artery）
- 大腿動脈（femoral artery）
- 膝窩動脈（popliteal artery：PV）
- 後脛骨動脈（posterior tibial artery：PTV）
- 足背動脈（dorsalis pedis artery）

B 観察断面の設定

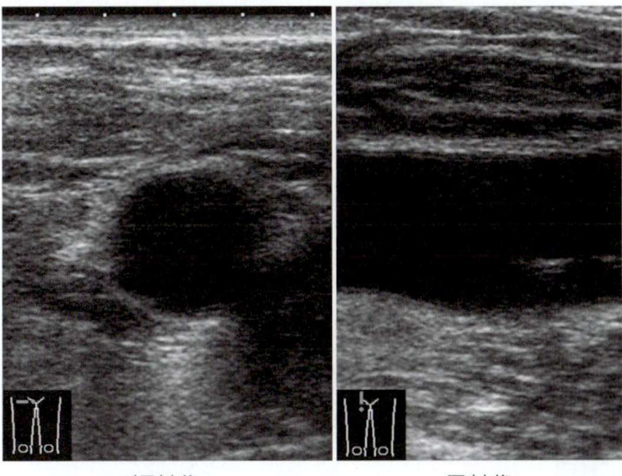
短軸像　　長軸像

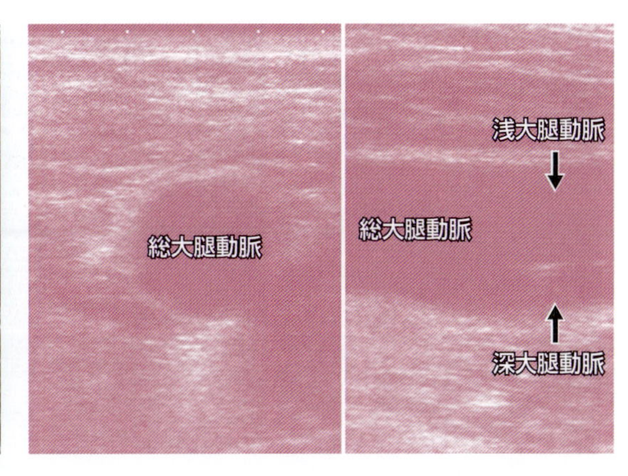

- 探触子は7.5～12 MHzリニア型を用い，必要に応じて5 MHz前後のリニア型，コンベックス型を使用する。
  - ▶血管短軸断面
  - ▶血管長軸断面
- 全長にわたり観察するのは非効率的であるので，観察しやすいポイントで血流速波形の解析を行い，続く検査手順を考えていくとよい。

C 動脈血流波形

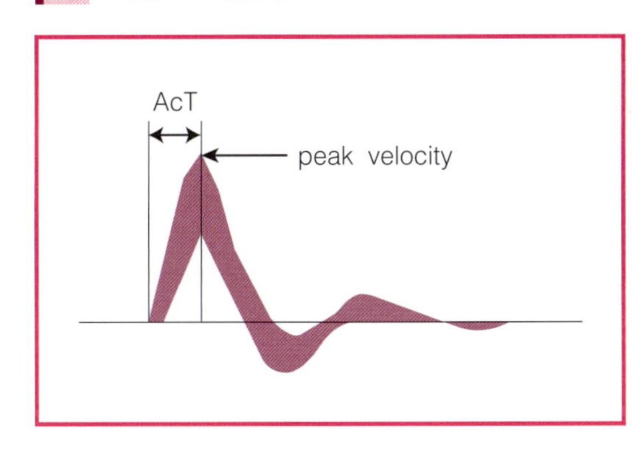

- 血流速度は心臓から約1 mの速度で駆出され，末梢に向かい徐々に流速を落とし膝窩動脈で半分程度となる。
- 途中の流速亢進はその部位での狭窄を示唆し，流速低下はその部位より中枢側での狭窄を示唆する。
- 血流速が低下し，血流開始からピークまでの立ち上がり時間（AcT：acceleration time）が120 ms以上あれば，その部位より中枢側での狭窄の存在を疑い，検査手順を進める。

D 検査手順

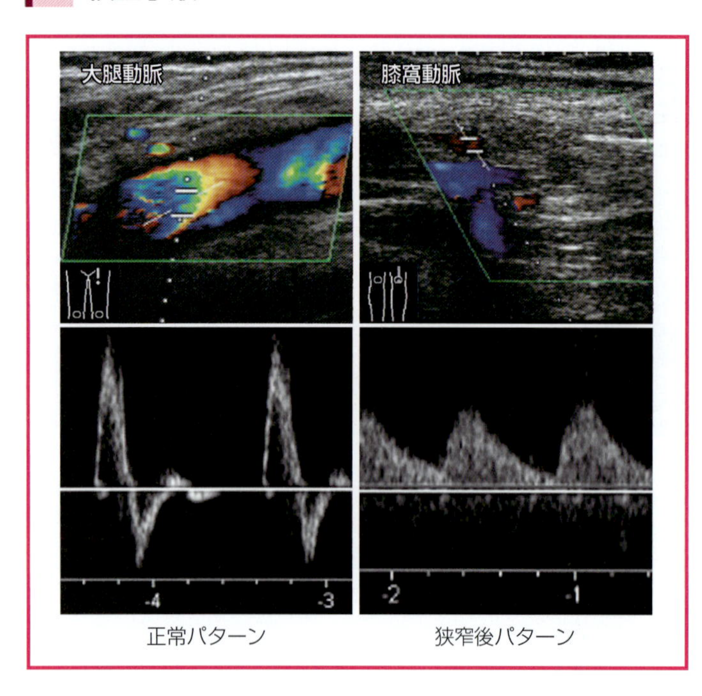

正常パターン　　狭窄後パターン

- 大腿動脈での血流速波形が正常であれば中枢側には有意狭窄がないと推測され，末梢の検索に進む。
- 大腿動脈でAcTの延長などを認めたら中枢側の狭窄，閉塞を疑い，腸骨動脈などの検査に進む。
- 大腿動脈での血流速波形が正常で，膝窩動脈でAcTの延長などを認めたら，鼠径部～膝窩動脈間の浅大腿動脈の狭窄部位の評価を行う。
- 写真は大腿動脈と膝窩動脈のカラードプラと血流速波形を示す。大腿動脈では正常パターンで膝窩動脈AcT（立ち上がり時間）の延長を認め，鼠径部～膝窩動脈間の浅大腿動脈の有意狭窄や閉塞が疑われる。

E 下肢動脈症例

1. 閉塞性動脈硬化症（atherosclerotic obliterans：ASO，peripheral arterial disease：PAD）

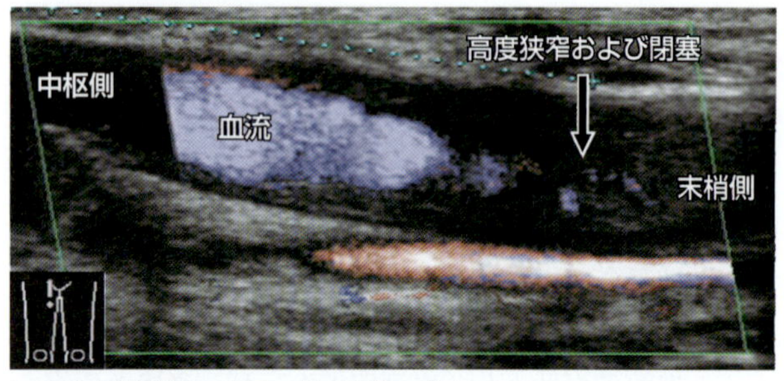

写真は大腿動脈のカラードプラ像である。
中枢側は血流を認めるが末梢側は色が乏しく，高度狭窄もしくは閉塞を示唆する。

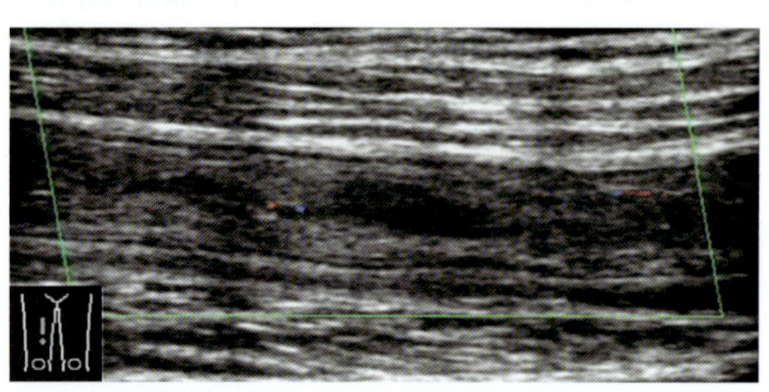
写真は浅大腿動脈のカラードプラ像である。ほとんど血流は検出されず完全閉塞を示す。

- 食生活の欧米化によって動脈硬化性疾患が増加しており，ASOは急増している。下肢のしびれや冷感，間欠性跛行の原因は下肢の血管疾患，神経疾患，膠原病など様々であるが，リスクのある症例ではASOを疑うことが必要である。
- ASOのスクリーニングにはABI（ankle brachial pressure index）が有効である。下肢血圧/上肢血圧比で求められ，通常は下肢血圧の方が高値であり1.0以上を示すが，ASOがあると0.9未満になる。
- ASOにおける検査では，有意狭窄の部位，範囲，狭窄率，および石灰化の有無が治療の選択に必要となる。また，狭窄や閉塞はカラードプラ法やパルスドプラ法により評価する。

血流速波形は大動脈弁狭窄症や大動脈弁逆流症の影響を受けるので評価には注意する。

4 上肢動脈，上肢静脈

A 観察領域

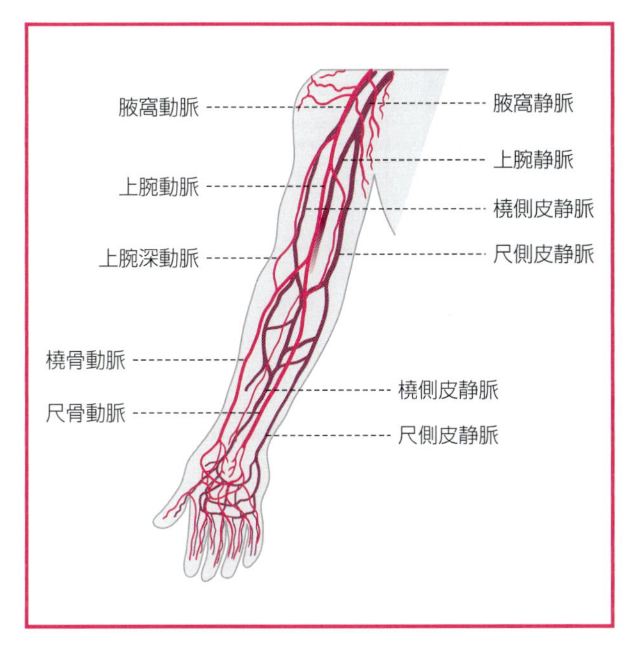

【動脈】
- 鎖骨下動脈（subclavian artery：SCA）
- 上腕動脈（brachial artery）
- 橈骨動脈（radial artery）
- 尺骨動脈（ulnar artery）

【静脈】
- 鎖骨下静脈（subclavian vein：SCV）
- 上腕静脈（brachial veins）
- 橈側皮静脈
- 尺側皮静脈

B 観察断面の設定

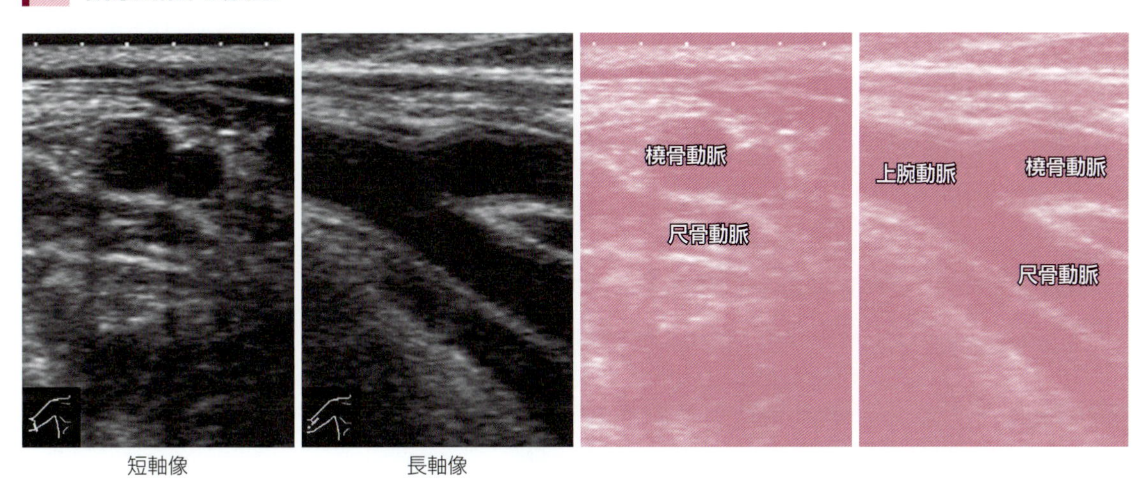

短軸像　長軸像

- 探触子は7.5～12 MHzリニア型を用い，必要に応じて5 MHz前後のリニア型やコンベックス型を使用する。
  - ▶血管短軸断面
  - ▶血管長軸断面

上肢の血管エコーは，透析用シャント血管の評価，上肢静脈血栓症の診断に用いられる。

C 上肢動脈症例

1. 透析用シャント

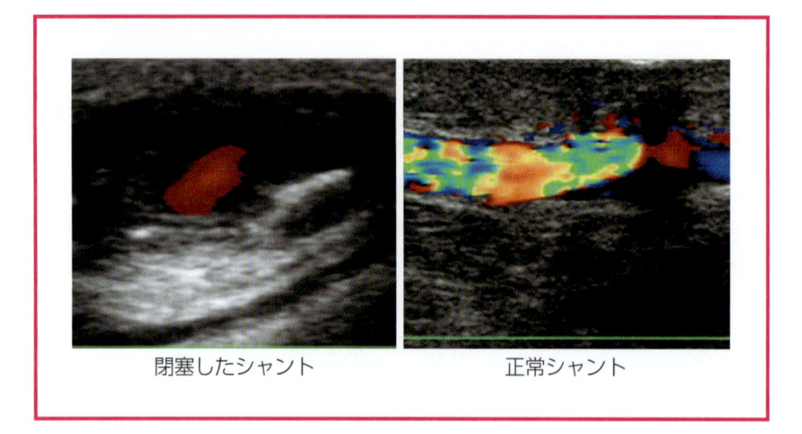

閉塞したシャント　　正常シャント

- 透析用シャントでは，シャント静脈および血管吻合部での流速，血管径，血管壁の厚さ，血流量の測定などを行い，狭窄の有無や血流量の評価を行う。

シャント血管への強い圧迫は，シャント閉塞をきたす可能性があるので避ける。

■参考文献　1）遠田栄一，佐藤　博編：超音波エキスパート 1 頸動脈・下肢動静脈超音波検査の進め方と評価法，Medical Technology 別冊，医歯薬出版，2004.

12章 超音波装置の安全性

1 装置の安全性

A 電気的安全性

▲ 漏れ電流

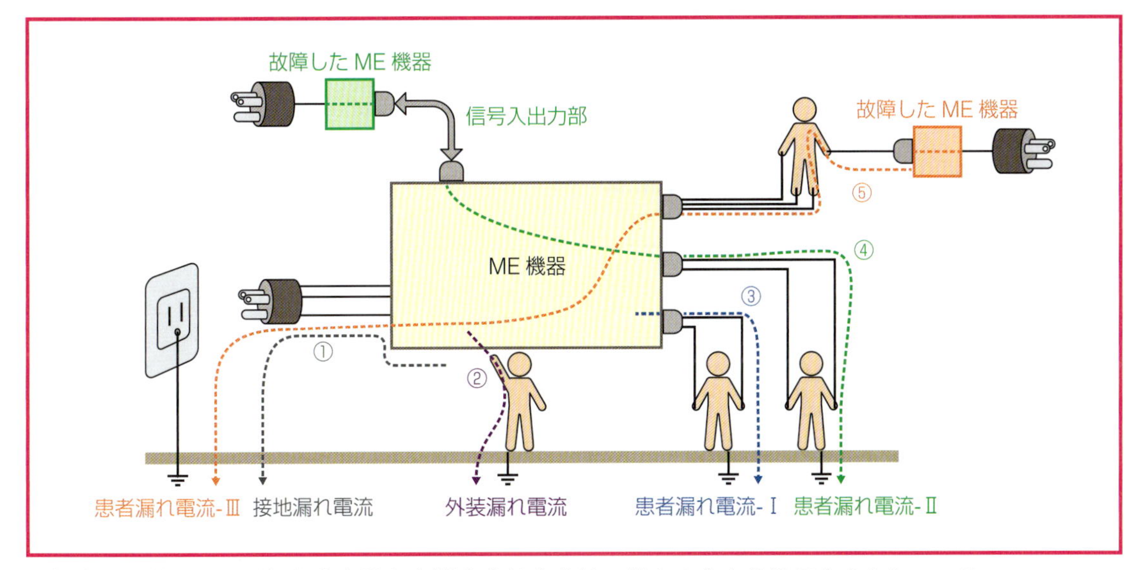

- 超音波装置には，電気的安全性と音響強度的安全性に関する安全基準が定められている。
- ME（medical engineering）機器の電源部は，絶縁していたとしても微量の漏れ電流が生じる。
- 漏れ電流は，「保護接地線（アース線）を流れるもの」「ME 機器の外装に触れた記録者や患者などを介して大地に流れるもの」「ME 機器から電極装着部を介して患者を通り大地に流れるもの」に大別される。
- アース（earth）とは「地球（大地）」を意味し，保護接地とは「電圧が0Vとなる電気的基準点（大地）と接続すること」を指す。
- 保護接地は「漏電による感電・火災の防止と ME 機器内部におけるノイズ（雑音）発生の防止」を目的に行われる。

▲ 漏れ電流の種類

項　目	流　れ
①接地漏れ電流	アース線を流れる電流
②外装漏れ電流	機器外装から大地に（操作者などを介して）流れる電流
③患者漏れ電流 - Ⅰ	患者との装着部（プローブ，電極等）から患者を介して大地に流れる電流
④患者漏れ電流 - Ⅱ	機器に接続した外部機器が故障した際に，装着部から患者を介して大地に流れる電流
⑤患者漏れ電流 - Ⅲ	患者に接続された他の ME 機器が故障した際に，他の ME 機器から患者を介して装着部に電流が流れ込み，大地に流れる電流

▲ 装着部の種類

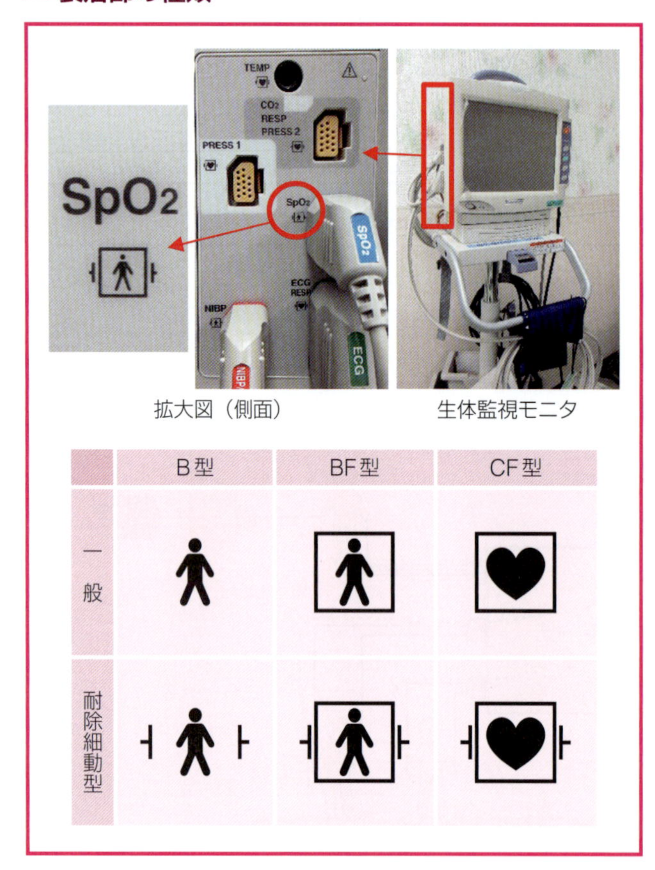

- 患者と機器を接続する装着部においては，漏れ電流の大きさと電源入力部のフローティングの有無により型式が分類されている。（左図は，例として生体監視モニタと患者を接続する装着部を示している）
- フローティング（Floating）は，電源回路を絶縁トランスで隔離した絶縁設計である。
- JIS規格では，医療用電気機器を以下の3つの型に分類している。
  - B型　：皮膚の表面に電極を取り付けて使用する装置（Body）。
  - BF型：B型の電源入力部をフローティングにしたもの（Floating）。
  - CF型：心臓に直接電極を近づけて使用する装置（Cardial）。BF型に比べ，より安全性を考慮した設計である。
- 耐除細動型以外の装着部をつけて除細動を行うと，電流が装着部を流れ患者が火傷などを起こす恐れがある。

▲ 漏れ電流の許容値

漏れ電流		B型		BF型		CF型	
		正常状態	単一故障	正常状態	単一故障	正常状態	単一故障
接地漏れ電流		0.5 mA	1 mA	0.5 mA	1 mA	0.5 mA	1 mA
外装漏れ電流		0.1 mA	0.5 mA	0.1 mA	0.5 mA	0.1 mA	0.5 mA
患者漏れ電流－Ⅰ	直流	0.01 mA	0.05 mA	0.01 mA	0.05 mA	0.01 mA	0.05 mA
	交流	0.1 mA	0.5 mA	0.1 mA	0.5 mA	0.01 mA	0.05 mA
患者漏れ電流－Ⅱ		—	5 mA	—	—	—	—
患者漏れ電流－Ⅲ		—	—	—	5 mA	—	0.05 mA

- 漏れ電流が人体に流れ込むと，その電流の量に応じた影響を生じるため，JIS規格で漏れ電流の許容値が定められている。
- 単一故障状態とは，ME機器に備えた危害に対する保護手段の1つが故障するか，または外部機器に1つの故障が存在する状態をいう。保護接地線の断線，ME機器の電源導線の1本の断線，ガス漏れ，液体漏れや信号入出力部に外部の電圧が現れる等が挙げられる。
- 単一故障状態の場合，外装漏れ電流と患者漏れ電流の許容値は5倍となる。

▲ マクロショックとミクロショック

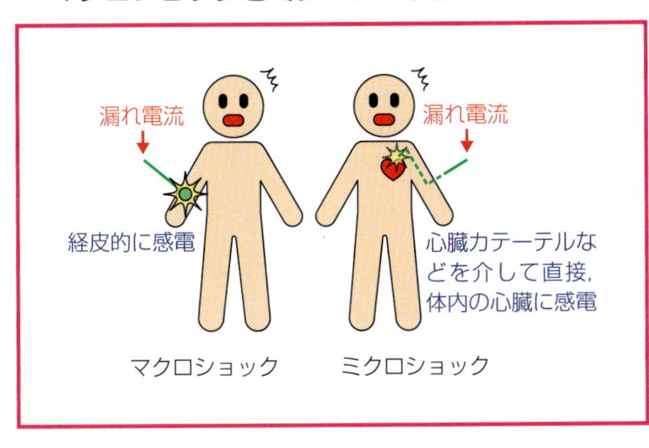

- 人体の電撃反応には，「マクロショック」と「ミクロショック」という表現がある。
- マクロショックは，皮膚を介して感電した場合で，これは日常的にも経験する可能性がある。
- ミクロショックは，体の中に留置した心臓カテーテルなどから直接心臓に電流が流れた場合であり，特定の環境化でのみ起こりうる可能性がある。
- マクロショック，ミクロショックともに心臓への電撃反応が問題となる。

▲ 人体の電撃反応（商用交流［50/60 Hz］，1秒間通電）

電撃の種類	電流値［mA］	人体の反応
ミクロショック	0.1	直接心臓に流れると心室細動を起こす
マクロショック	1	ビリビリ感じる（最小感知電流）
	10～20	行動の自由を失う（離脱限界電流）
	100	体表から心臓へ流れると心室細動を起こす

- 人体に流れた電流が微小であれば，感知することはできないが，この電流値を徐々に増加していくと，電流を感知できるようになる。
- 過去の動物実験や人体実験から，感知できる最小の電流（感知電流）は，60 Hz 交流電流で平均 1.09 mA，直流では平均 5.2 mA と報告されている。
- ME 機器の漏れ電流の許容値は，マクロショックとミクロショックを考慮して設定されている。

▲ 人体の電撃反応の周波数特性

電流の周波数［kHz］	感電閾値（低周波基準）	人体の反応
直流～1（低周波）	1倍	1 kHz 以下の周波数では，ほぼ同じ
10	10倍	低周波電流の10倍感じにくい
100	100倍	低周波電流の100倍感じにくい
1000	1,000倍	低周波電流の1,000倍感じにくい

- 人体は，高周波になるほど電撃を感じにくくなる周波数特性が存在する。
- 1 kHz を越える電流では，周波数に比例して感電閾値（ビリビリと感じ始める最小電流値）が上昇する。
- これは，細胞膜にあるイオンチャネルの応答特性に関係すると考えられている。
- 最も電撃反応を起こしやすいのは，50～60 Hz 付近（商用交流）である。
- 電気メスで高い電流を流しても電気ショックを感じず，心室細動も生じないのは，電気メスが高周波の電流を使用しているためである。

B 音響的安全性

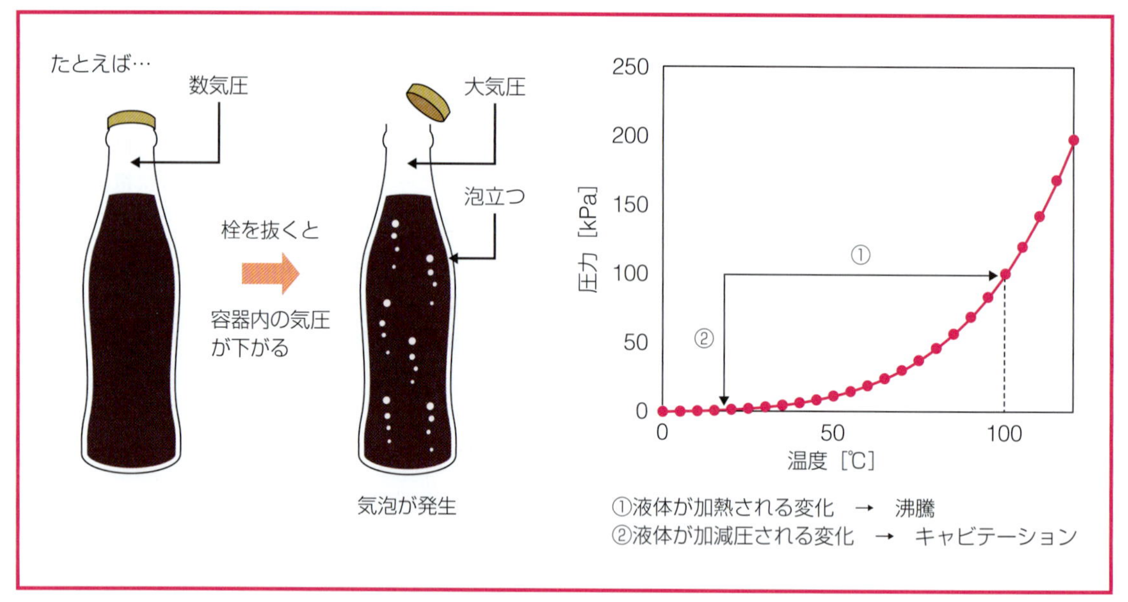

- 超音波が生体に与える影響は，発熱を伴う熱作用と発熱を伴わない機械的作用（非熱作用）の2つに分類される。
- 熱作用とは，音響エネルギーを生体組織が吸収し，発熱することである。
- 機械的作用とは，放射圧や振動による機械的な作用であり，キャビテーション，マイクロストリーミング，フリーラジカルの発生などが挙げられる。
- キャビテーションには，液体中に溶存していた気体が気泡として発生する現象と，液体の気化による気泡の発生現象とがある。
- 炭酸飲料のビンに見られる発泡もキャビテーションの一種で，栓を抜くことによって，容器内の気圧が下がるため発生する。（上図②）
- 生体内でキャビテーションが発生した場合，気泡が圧壊するときに衝撃波が発生し，生体組織や細胞が障害を受ける可能性がある。

▲ キャビテーションの発生原理

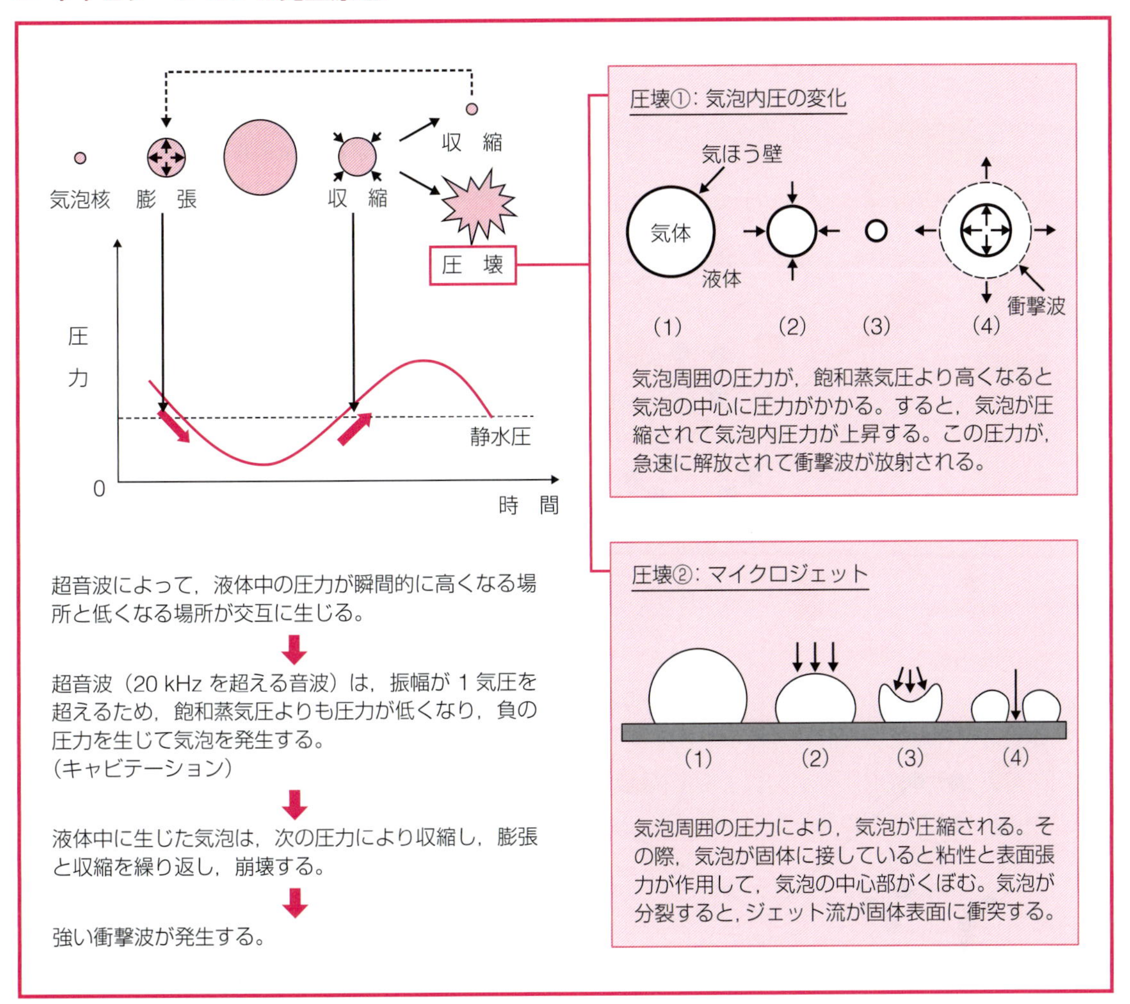

▲ マイクロストリーミング

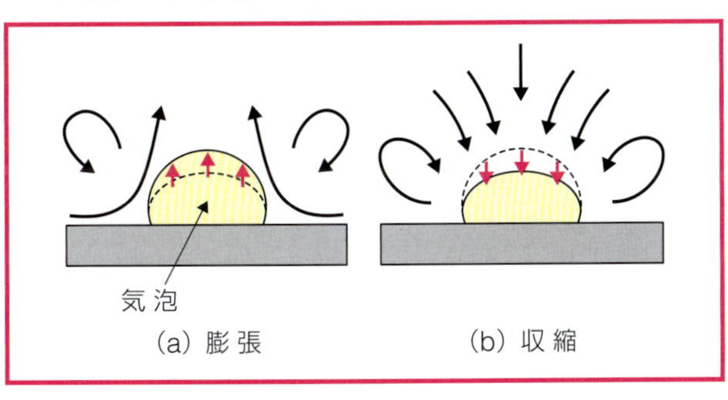

- マイクロストリーミングとは，超音波が液体中の微小気泡を拡張・収縮させることにより気泡が振動して，気泡周囲に局所的な流れを発生することである。
- 通常の超音波診断装置の音響強度では，問題になることはない。

▲ フリーラジカル

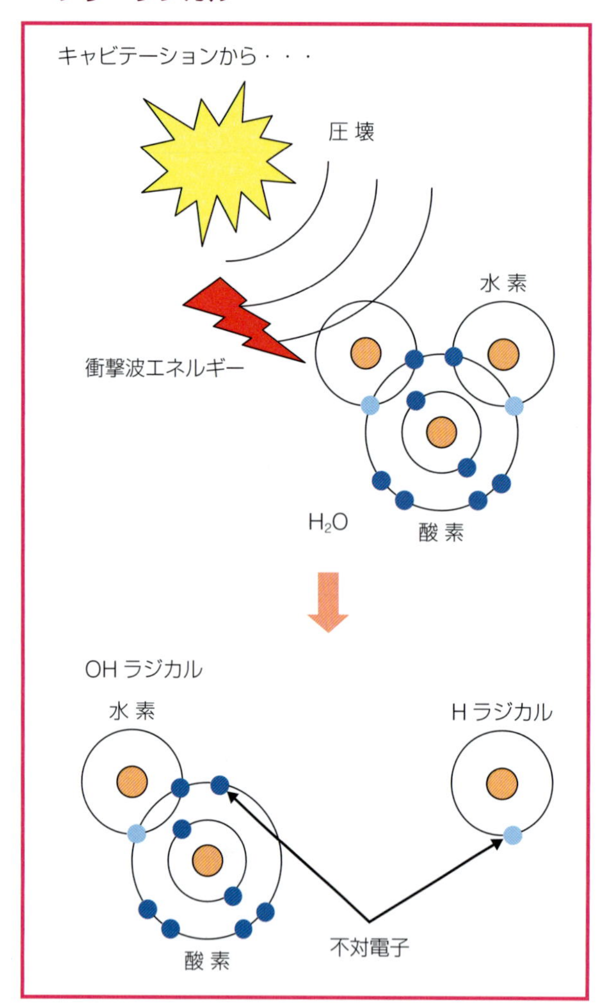

- 水中に高エネルギーの超音波を照射すると，キャビテーションにより発生した気泡が圧壊して衝撃波が発生する。
- 発生した衝撃波のエネルギーが，水分子に直接作用してフリーラジカルを生成する。
- この現象（H_2O→・OH＋・H）は，超音波分解（sonolysis）と呼ばれる。
- 発生する・OHすなわちヒドロキシルラジカルは種々の活性酸素種の中でも障害性の高い分子種である。

2 安全性の指標

▲ TI（thermal index）

超音波照射が生体に及ぼす熱作用の指標

$$TI = \frac{W_\alpha}{W_{deg}}$$

W_α：生体組織内での超音波出力［mW］
水中計測値を基に減衰を考慮

W_{deg}：生体組織の温度を1℃上げるのに必要な超音波出力［mW］
平均的な生体組織のモデルで計算

- 超音波装置においては，生体への悪影響を防止するため，安全性の指標を定めている。
- TIは，使用者に対し超音波による熱作用の危険性の情報を瞬時に与えるよう意図された指標である。
- TIは，温度上昇が最大となる点での生体内の超音波出力（W_a）を，組織の温度を1℃上げるのに必要な超音波出力（W_{deg}）で除したものである。
- TIは，瞬時の出力状態を反映するため，総検査時間の蓄積効果を考慮していない。
- TI = 2は，TI = 1よりも温度上昇が大きいことを表すが，必ずしも生体温度が2℃上昇することを表すわけではない。

▲ 組織モデルと温度上昇最大点

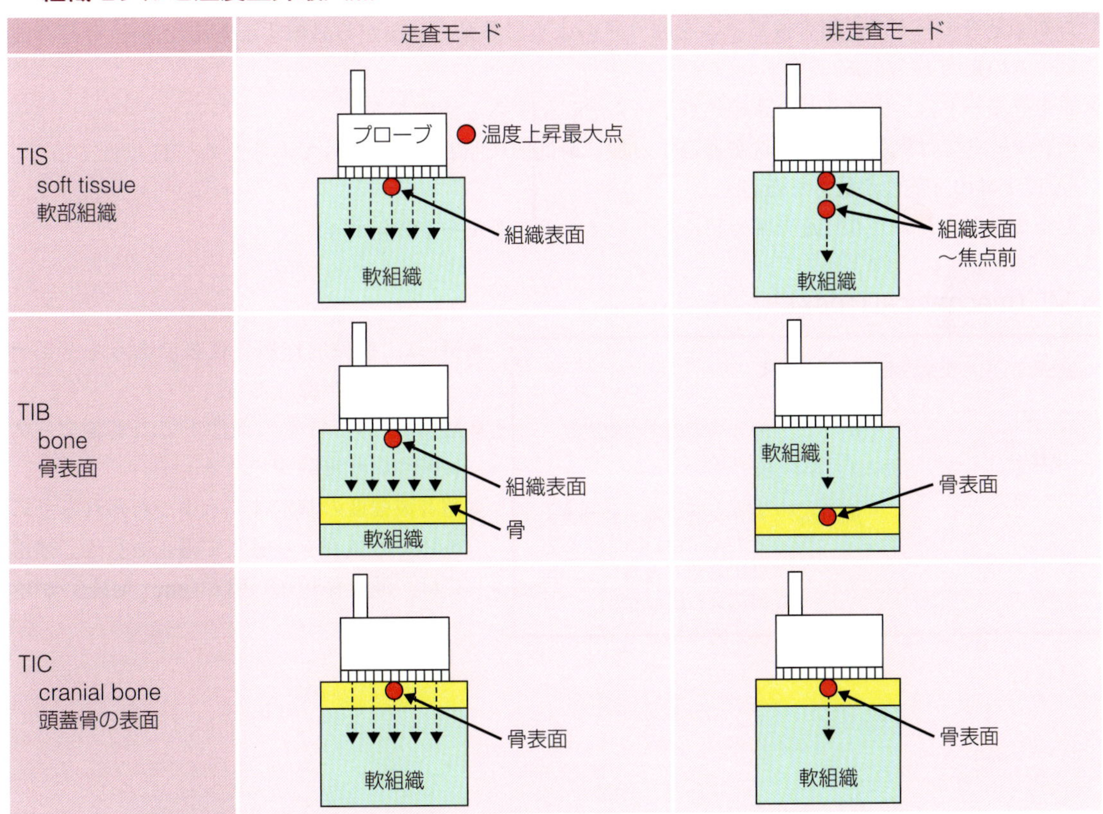

（「日本超音波医学会 編纂・電子技術産業協会超音波専門委員会 編：超音波診断の安全性に関する資料，2014」を引用改変）

- TIの表示方法は，想定される組織により3種類存在する。
- 生体では，42℃を超えるとタンパク変性が起こる可能性が高い。
- JIS規格では，超音波診断装置のプローブ先端の温度は43℃を超えないように定められている。

▲ 超音波の走査と温度上昇

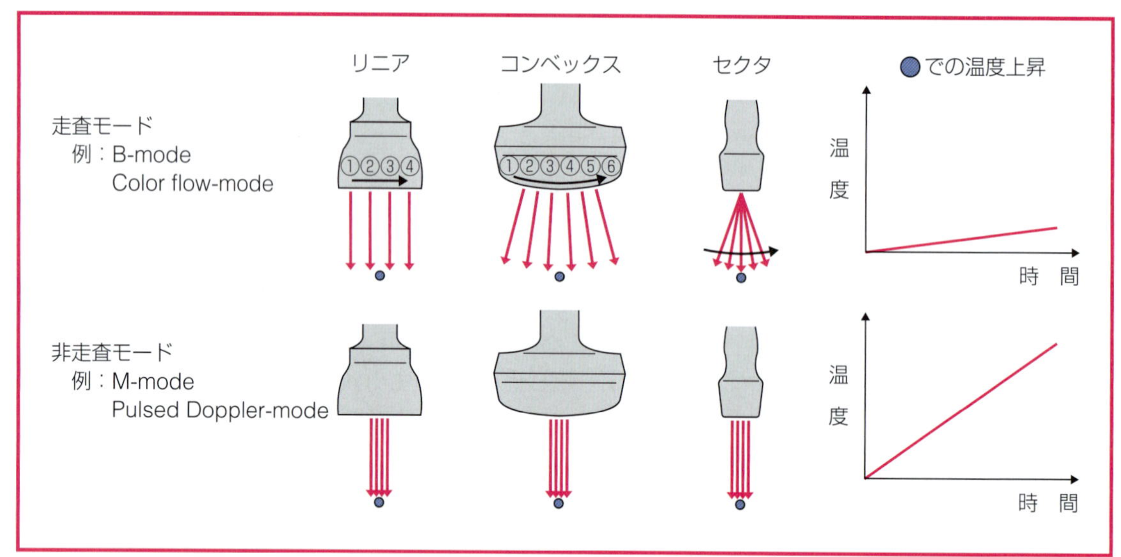

（「日本超音波医学会 編纂・電子技術産業協会超音波専門委員会 編：超音波診断の安全性に関する資料，2014」を引用改変）

- リニアとコンベックスの走査モードは，多数配列された振動子から順次ビームを送信する方法で，セクタの走査モードは，超音波ビームを振り子のように移動させながら送信する方法である（「超音波ビームの走査方式」362頁参照）。
- 非走査モードは，固定された狭幅焦点ビームを送信する方法である。
- 走査モードでは，超音波ビームが通過する度に瞬間的に照射されるだけであるため，TIは低くなる。（温度上昇の可能性が低くなる。）
- 走査モードにおいても，走査幅を狭くしていくと非走査モードに近づく。

▲ MI（mechanical index）

機械的作用の安全性を評価する指標

$$\mathrm{MI} = \frac{p_{r,\alpha}(z_{sp})}{\sqrt{f_c}}$$

f_c：　パルス波の中心周波数[MHz]

$p_{r,\alpha}(z_{sp})$：パルス強度積分値が最大となる点z_{sp}における生体の減衰を考慮した超音波の負音圧[Mpa]

- MIは，機械的作用の代表であるキャビテーションの指標である。
- MIは，ある特定の条件下での実験データに基づいた実験式である。
- 超音波強度の測定は，水中で行われるため生体での減衰を考慮して補正を行う。補正には，減衰係数0.3 dB/（cm・MHz）が用いられる。

▲ TIとMIに影響を与える因子

TI	MI
送信出力（送信電圧）	送信出力（送信電圧）
パルス繰り返し周波数（PRF）	送信波の周波数
同一部位への照射時間（検査時間）	—
スキャン方式	—
熱伝導・血流による拡散 （照射部位の放熱効果）	—

- TIに注意が必要な検査としては，妊娠初期の軟部組織走査，妊娠中後期の骨部走査，眼，肋骨，骨の走査，胎児の頭蓋および脊髄，発熱している患者，ほとんど灌流がない組織などが挙げられる。
- MIに注意が必要な検査としては，超音波造影剤を用いた検査，肺を照射する可能性のある心臓走査，腸管ガスに照射する可能性のある腹部走査などが挙げられる。

▲ 音響出力と音響強度

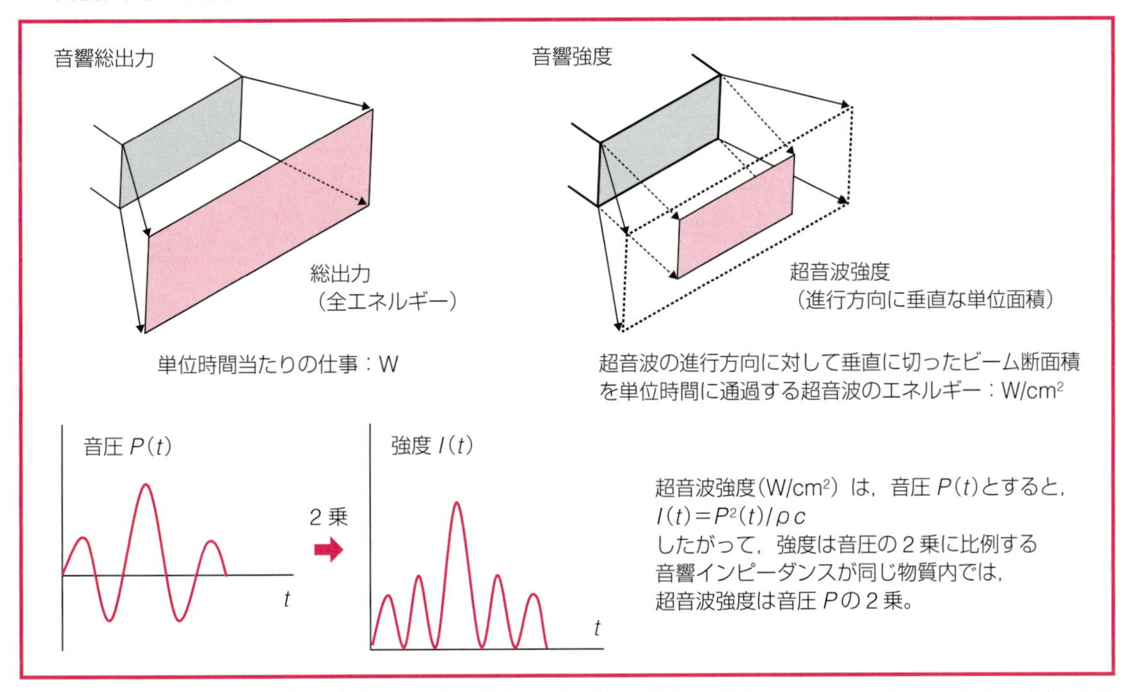

- 超音波強度は，音波の進行方向に垂直な単位面積を単位時間に通過するエネルギーであり，音響総出力は超音波強度を全放射面において積分した値である。
- 超音波出力の強度は，「空間と時間」に関する指標がある。

▲ 音響強度の表示

略 語	英語表記	意 味
SP	spatial peak	超音波ビームの空間的な広がりの中で，音圧が最大になる点における超音波強度
SA	spatial average	超音波ビームの断面積にわたって平均した超音波強度
TP	temporal peak	パルス繰り返し周期（PRT）内での超音波強度の最大値
TA	temporal average	PRT 内での超音波強度の平均値
PA	pulse average	パルスあたりの超音波強度の平均値

記 号	定 義	単 位
I_{SATA}	超音波ビームの断面積にわたって平均した音響強度の PRT 内の平均値	mW/cm^2
I_{SPTA}	音圧最大点における音響強度の PRT 内の平均値	mW/cm^2
I_{SATP}	超音波ビームの断面積にわたって平均した音響強度の PRT 内の最大値	W/cm^2
I_{SPTP}	音圧最大点における音響強度の PRT 内の最大値	W/cm^2
I_{SPPA}	音圧最大点における 1 パルスあたりの音響強度の平均値	W/cm^2
I_m	音圧最大点における最大強度を含む 1/2 波の時間平均値	W/cm^2

- TI と同様に，熱作用の基準として用いられる。
- 最も使用されているのは，I_{SPTA}（空間ピーク時間平均の強さ）である。
- 生体作用を生じない最小強さの値は，SPTA で 240 mW/cm^2 程度とされている（1984 年，日本超音波医学会）。

▲ 空間平均と空間ピーク

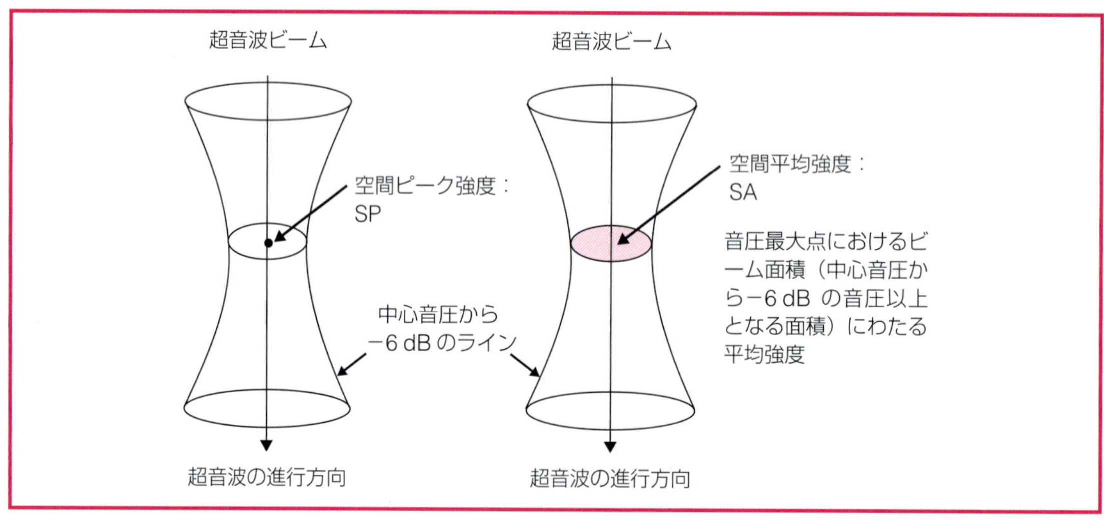

- 空間ピーク強度は，音場中で音圧が最大値となる点，もしくは指定した領域で極大値となる点である。
- 空間平均強度は，超音波ビームの空間ピーク点における中心音圧から −6 dB で囲まれる範囲の平均値である。

▲ 各音響強度の概要

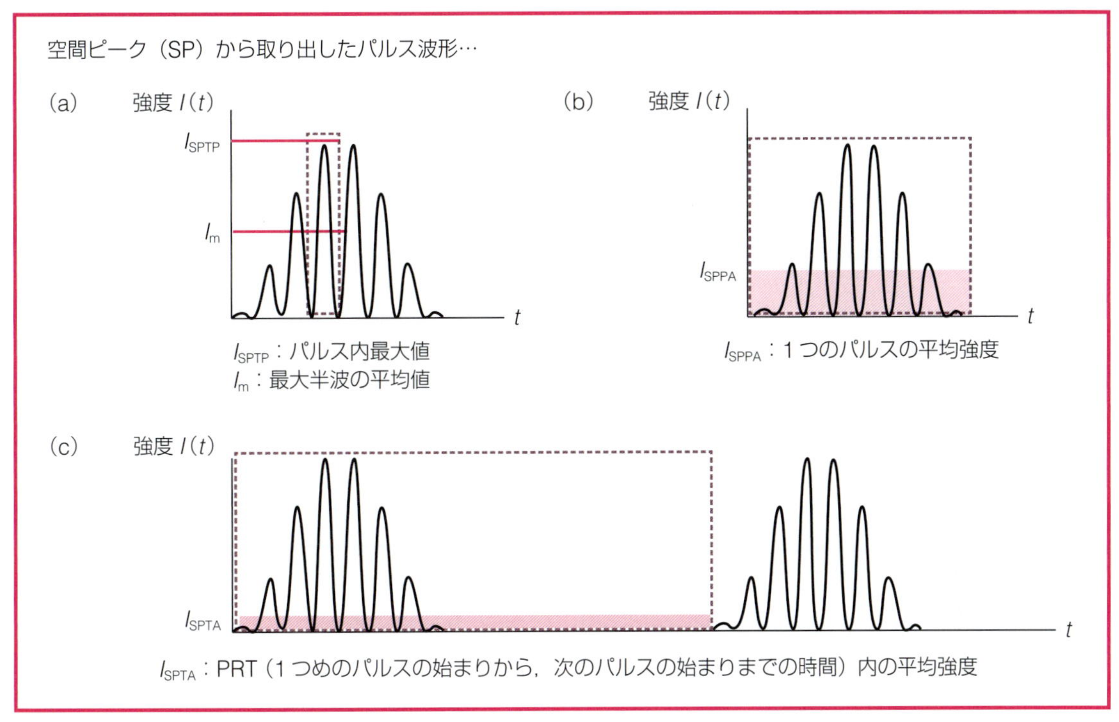

- I_{SPTP}は，空間ピークにおいて時間軸でもピークとなる値であり，I_mは最大半波の平均値である。
- I_{SPPA}は，1つの送信パルス幅での平均強度である。
- I_{SPTA}は，パルスの始まりから次のパルスの始まりまでの時間での平均強度である。
- I_{SATP}，I_{SATA}では，空間における強度が平均をとっているだけで，時間成分は同じことである。（I_{SATP}はI_{SPTP}（上図（a）），I_{SATA}はI_{SPTA}（上図（c））に対応）

3 音響強度の測定

▲ 音響強度の測定法

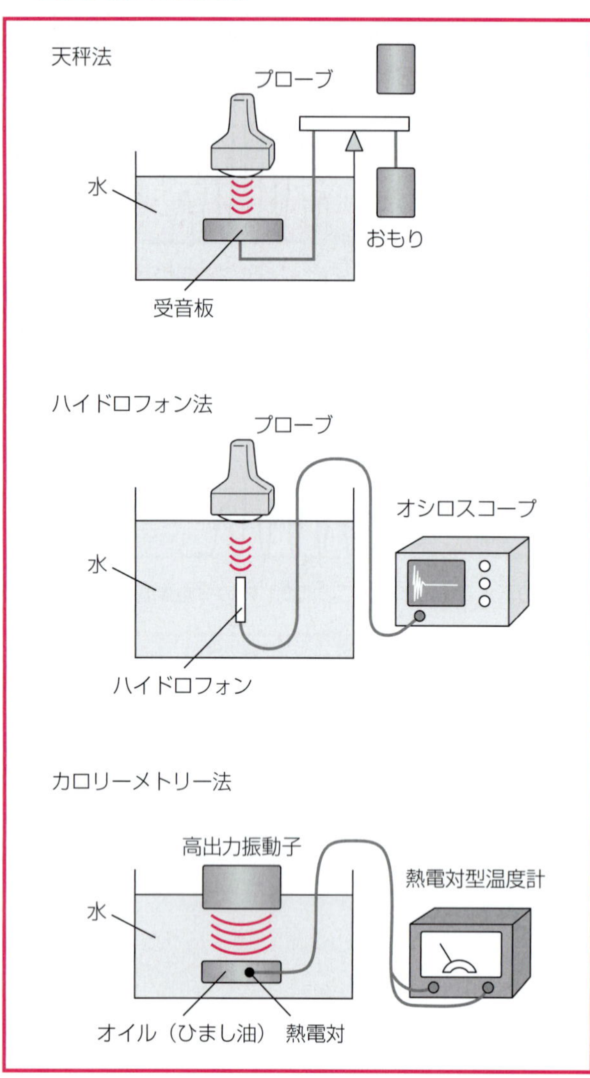

（出典：長井裕：絵でみる超音波改訂第3版，南江堂：2012）

- 音響強度の測定法には，天秤法，ハイドロフォン法，カロリーメトリー法がある。
- 天秤法は，水中で受圧板に超音波を照射し，電子天秤で放射圧の変化を読み取る方法である。
- 天秤法は，超音波強度の絶対計測が可能なため，世界各国の超音波標準で用いられている。
- ハイドロフォン法は，水中で小さな受信用振動子（ハイドロフォン）に超音波を照射して測定する方法である。
- ハイドロフォンは，3次元的に移動することが可能なため，空間的な音場分布の測定も可能である。
- カロリーメトリー法は，水に超音波を照射し，上昇する水温をサーモセンサーなどで読み取り，その結果から超音波出力を計算する方法である。
- カロリーメトリー法は，大出力装置向けであり，超音波診断装置では用いられない。

▲ ALARA（as low as reasonably achievable）

TI，MIを低減する超音波照射条件

TI	MI
送信出力（送信電圧）を下げる	送信出力（送信電圧）を下げる
受信ゲインを上げる	受信ゲインを上げる
PRFを下げる	周波数を上げる
照射時間を短くする	

- ALARAとは，可能な限り低い超音波エネルギーを用いて，短時間で必要な診療情報を得ることをいう。
- 診断目的以外の不必要な検査は避けるべきである。

4 超音波装置の保守管理

▲ ファントム

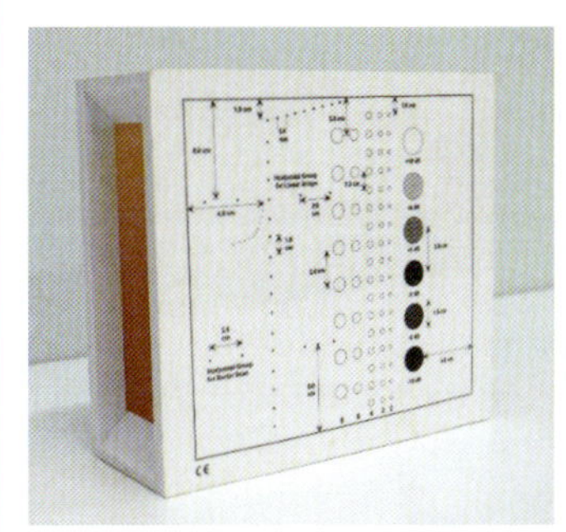
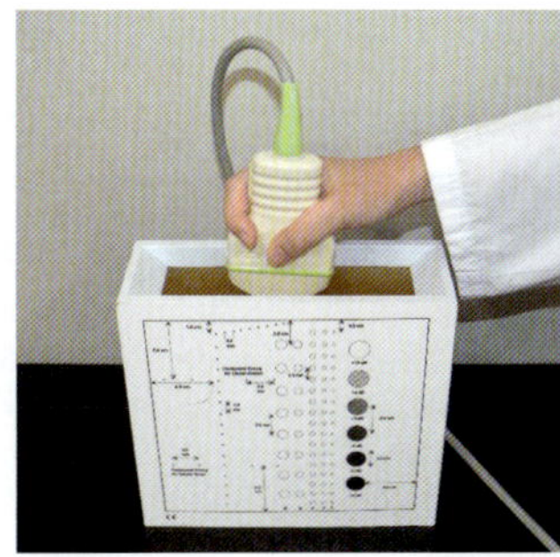
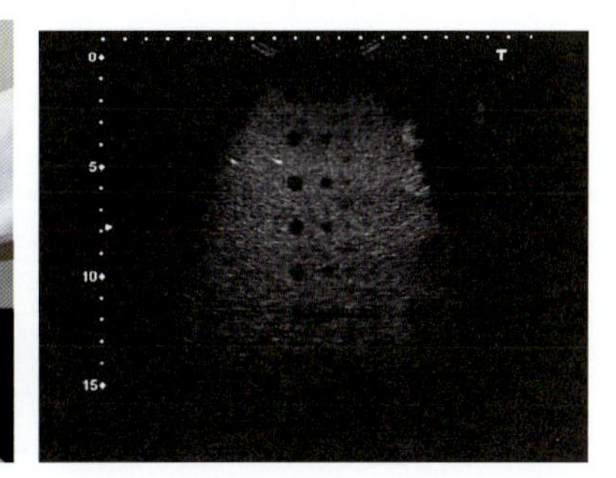

(a) 超音波診断装置評価用ファントム

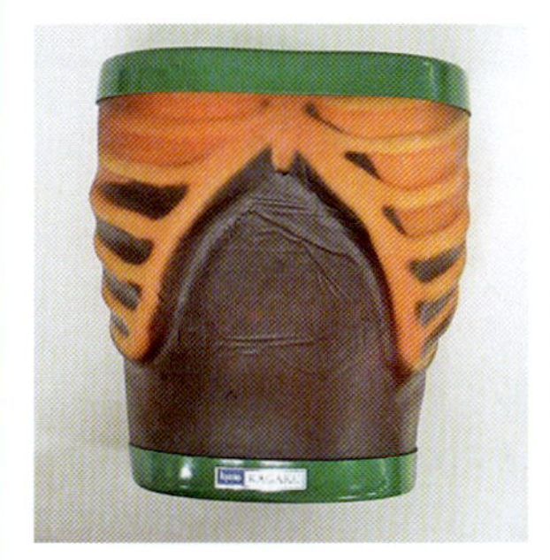
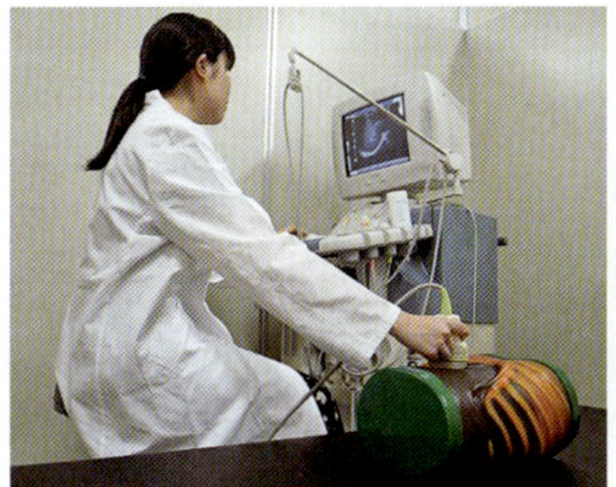
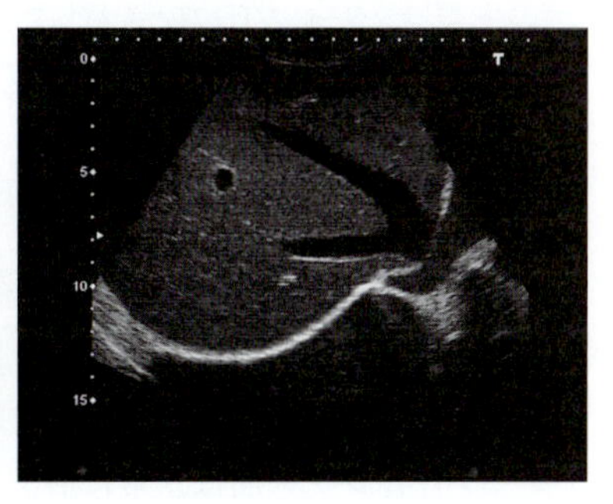

(b) トレーニング用ファントム

- 超音波検査に関するファントムには，画質の評価を目的としたものと検査トレーニングを目的としたものが市販されている。
- (a) 超音波診断装置評価用ファントムは，画質を濃度分解能，距離分解能，方位分解能，至近距離分解能，シストターゲットによる評価など多角的に検証し，最良の画質を得るための設定・調整をするためのものである。
- (b) トレーニング用ファントムは，腹部に限らず頭部，乳房，骨盤などが用意されており，医師，技師，学生などにとって効果的な学習ツールである。

▲ 定期点検

頻　度	点検項目	頻　度	点検項目
毎　日	**電源投入前の点検** • 目視による確認 （使用環境，キャスタの固定，電源コード，プローブ，プローブ音響レンズ面，ECG誘導コード，LANケーブルなど） • モニタ画面の清拭 • 記録紙・フィルム・ゼリーなどの消耗品補充と予備の準備 • 記録媒体の記録開始位置と残容量の確認 **電源投入後の点検** • 装置，周辺機器は正常起動したか • 装置の表示日時，各種設定の確認 • スイッチ，操作パネルなどの動作確認 • 音響レンズ面の異常加熱の確認 • 画像に欠けやノイズが無いか • プリンター，VTRなど記録した画像に異常がないか • モニタの設定確認 **装置使用後の点検** • プローブ，操作パネルなどに付着したゼリーの拭き取り • 画像の保存やバックアップの確認	毎　週 毎　月 半　年 毎　年	• 装置本体とプローブホルダの清掃 • モニタの清掃 • モニタ・搭載台のゆるみがないか 周辺機器の固定状況 • 装置の前後の排気口（エアーフィルター）のホコリの点検，清掃 • 装置本体の清掃 • プリンターとビデオレコーダーのヘッドクリーニング • 装置の安全性試験（設置インピーダンス，漏れ電流試験） • 装置の性能試験 • 経食道プローブの漏れ電流試験

- 日常点検として，始業時，使用中，終業時点検に基本性能や安全性の確認を行う。
- 装置の異音や異常な発熱を感知した場合には，即座に検査を中止し，装置の使用を中止する。
- プローブ音響レンズ面は，常に清潔に保ち，感染源とならないように心がける。
- プローブ音響レンズ面の洗浄，消毒，滅菌の手順に関しては，メーカーの取り扱い説明書を参照する。

■参考文献　1）日本超音波検査学会 学術委員会標準化部門：機器のメンテナンス．2007
http://www.jss.org/committee/standard/doc/04_mainte.pdf

Part 3

眼底写真撮影

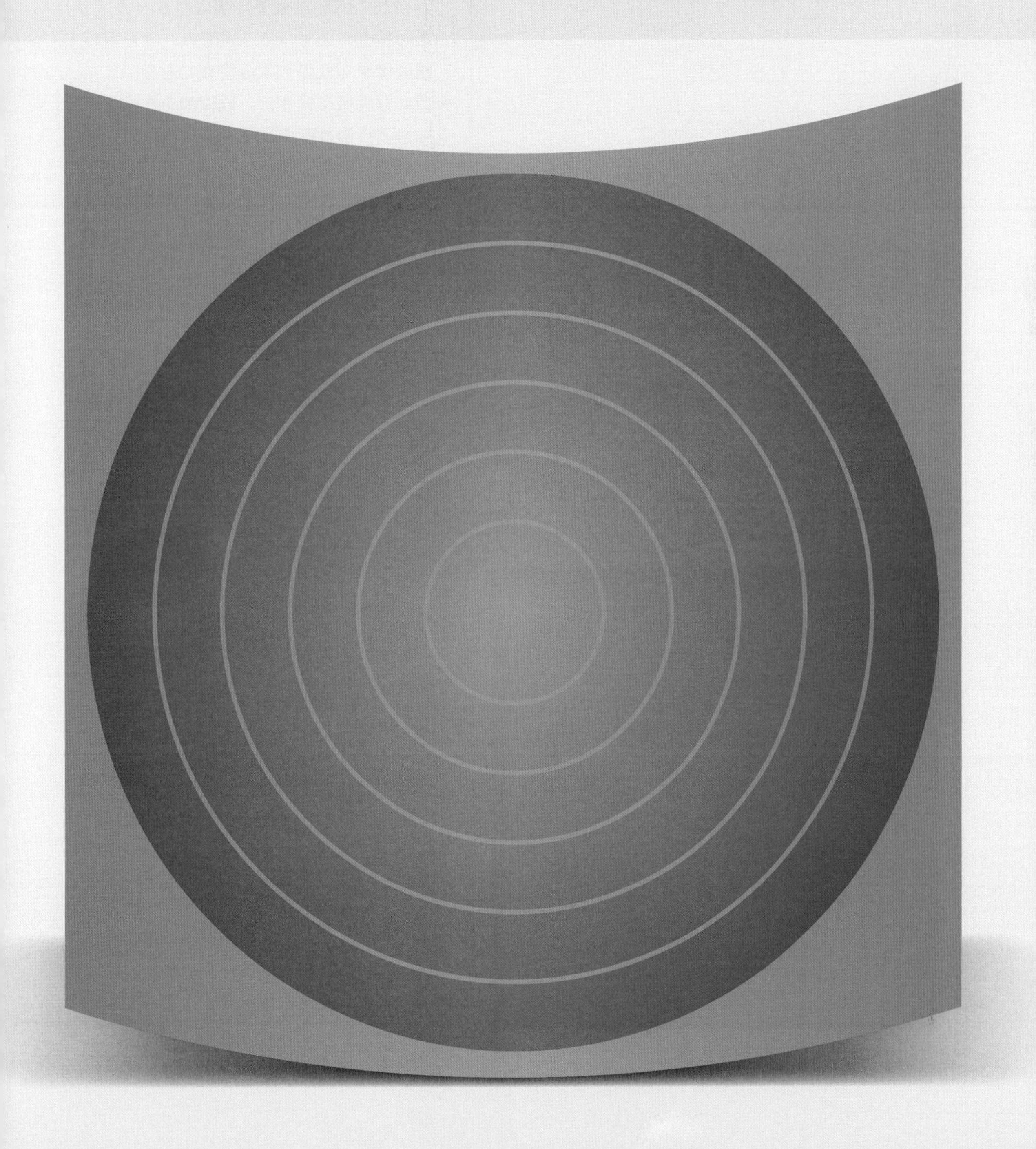

眼底写真撮影検査の基礎

1 眼底写真撮影検査とは

- **眼底写真撮影検査**とは，眼底検査法〔直像鏡検査，倒像鏡検査，眼底写真（カメラ）撮影検査〕の1つで，**眼底カメラ**を用いて眼底像を「取得」する検査である。
- 眼底写真撮影検査は，散瞳剤を使用する**散瞳型**と自然散瞳を利用する**無散瞳型**に分けられる（521頁参照）。
- 通常，瞳孔を覗くと真っ黒で何も見えないが，瞳孔に外部から照明を与えると内部にある**網膜の状態**が明瞭に観察できる。これをカメラで撮影し，診断に利用するのが眼底写真撮影検査である。

2 眼底写真で何がわかるのか

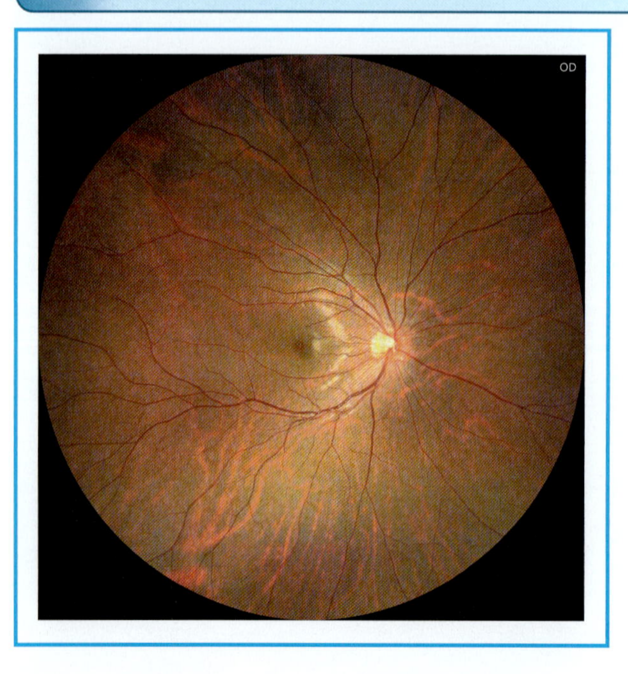

- 眼底写真では眼底にある網膜の血管を観察できる。すなわち，眼底は生体の中で唯一**非侵襲的に直接血管を観察**することのできる組織である。
- 網膜動脈は，内頸動脈の一分枝であるため，脳血管の病変を反映する。また，眼底には，**高血圧**，**動脈硬化**，**糖尿病**，**全身性エリテマトーデス**（systemic lupus erythematosus：**SLE**）などの疾患における合併症が現れる。合併症は，眼底写真での所見としてとらえることができる。

3 眼底写真撮影に必要な解剖生理学

A 眼球の構成と構造

- 眼球の構成と構造を下図に示す。

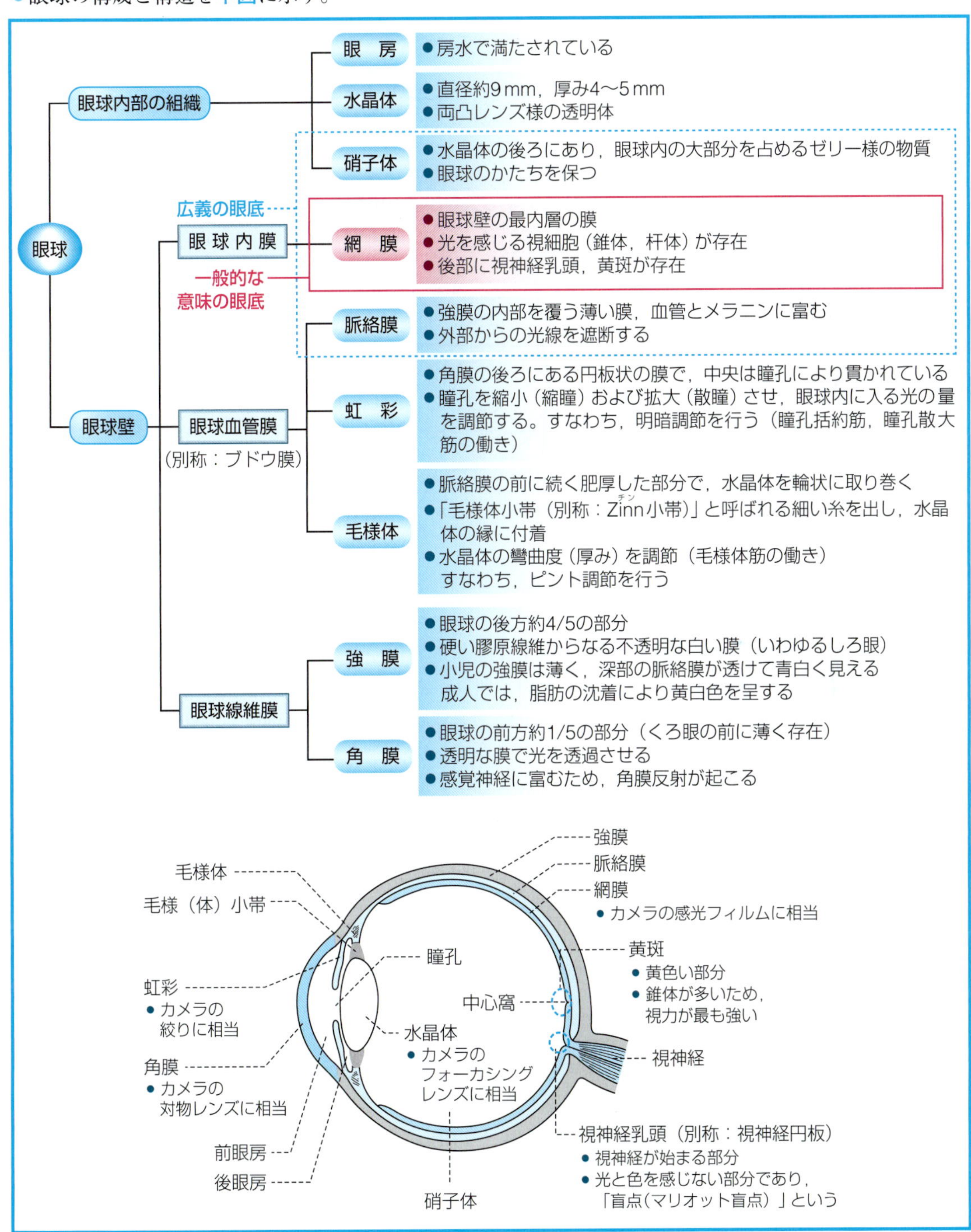

B 眼底の定義と構造

1. 眼底とは

- 眼底とは，広義の意味では，後眼部すなわち水晶体後方の組織（硝子体，網膜，視神経，脈絡膜）を指すが，一般には網膜を指すことが多い。

2. 眼底の構造

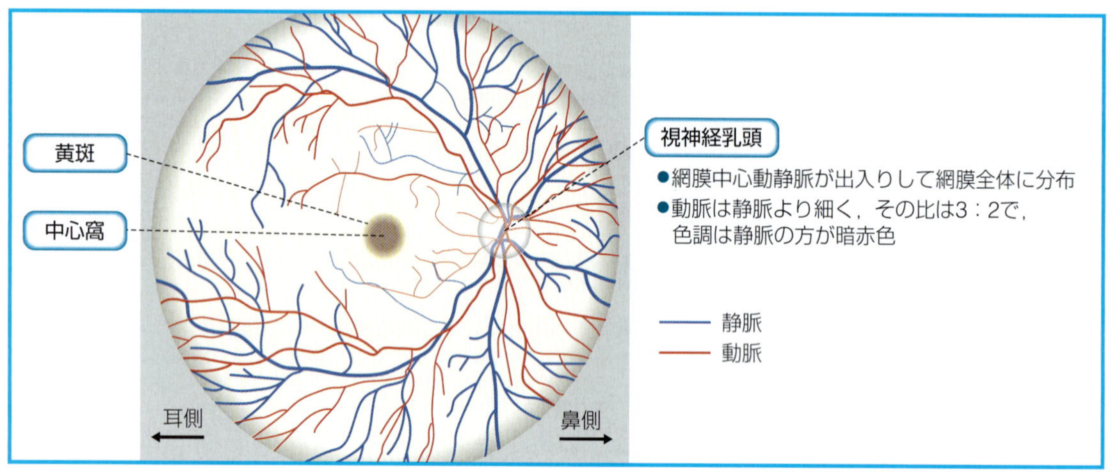

左右の眼は線対称の構造をしているため，眼球の各部位を示すには，左・右ではなく，鼻側・耳側（まれに内側・外側）という述語が用いられる。

- 視神経乳頭（別称：視神経円板）
  - 網膜後面にある視神経進入部
  - 中央には乳頭陥凹（別称：円板陥凹）という凹みがあり，ここから動静脈（上鼻側動脈，上鼻側静脈，下鼻側動脈，下鼻側静脈，上耳側動脈，上耳側静脈，下耳側動脈，下耳側静脈）が出入りする
  - 楕円形で，色素上皮層を欠くために白っぽく見える（淡黄～乳白色）
  - 神経細胞を欠くため，視野上では盲点を形成する
- 黄斑
  - 視神経乳頭の耳側に存在
  - 眼底の中心部
  - 横長のやや暗い卵円形の褐色域として認められる
  - 中心には中心窩をもつ
  - 最も明瞭に像を結ぶ部分
- 網膜の血管
  - 視神経乳頭を起点として2分枝を繰り返しながら広がり毛細血管となる
  - （太さ）動脈：約100 μm，静脈：約200 μm（乳頭上での太さ）
  - （色調）網膜動脈：明るく，鮮紅色でやや黄色味を帯びる。網膜静脈：暗く，暗紅色。
  - 動脈と静脈は交叉するが，動脈どうし，静脈どうしは交叉しない
  - 視神経より耳側の血管は黄斑部を取り囲むように分布するため，vascular arcade と呼ばれている
  - 黄斑に血管はないが，その周囲に多くの血管が集まり，黄斑血管輪を形成する

2章 眼底写真撮影の手法

眼底写真撮影は，眼底カメラと呼ばれる専用の撮影装置を使用して眼底を記録するもので，眼底カメラの操作には慣れとコツが必要とされる。

1 眼底写真撮影の分類と特徴

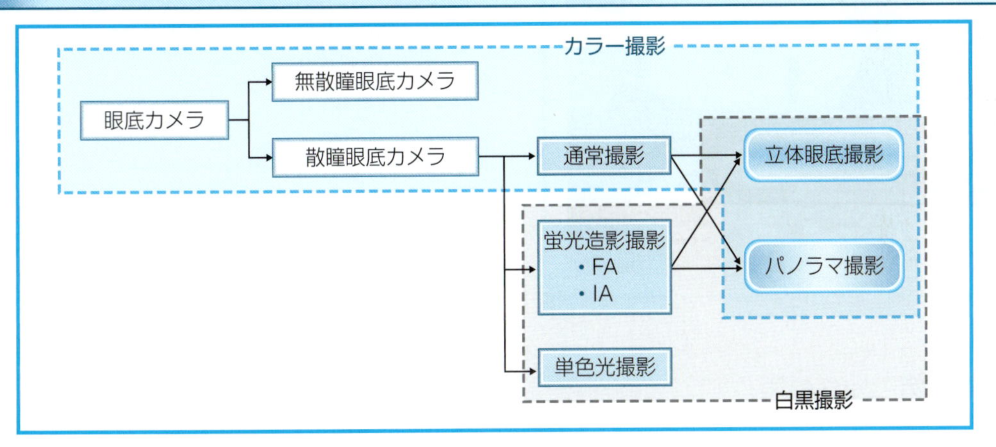

- 眼底写真撮影は，瞳孔を通して眼底を照明しながら撮影するために，瞳孔を散大（散瞳）させる必要がある。
- 例えば，鍵穴から真っ暗な部屋の中を覗き込むようなものである。この鍵穴が大きいほど，部屋の中を照らす明かりを入れやすくなり，部屋の様子が見やすくなる。これと同様に，瞳孔の大きさは，画像の良し悪しに影響する。
- 被検者は，光に敏感な感覚器である眼を照明されるため，強烈な眩しさを感じて本能的に目を閉じようとする。被検者にとって決して楽な検査でないことを意識して，少しでも眩しさを軽減できるように，眼底カメラの操作に慣れ，目的部位を素早く，的確に撮影できるようにすることが大切である。
- 眼底写真を取得するためにはいくつかの方法がある。上図にその方法をまとめた。

A　カラー眼底撮影

1. 散瞳法

- 散瞳剤を用いて瞳孔を開かせ，眼底周辺部までの観察を行う方法。
- 散瞳剤は撮影の20～30分前に点眼する。
- 本法は視能訓練士や医師が行う。臨床検査技師や診療放射線技師は行うことはできない。臨床検査技師や診療放射線技師が行うことができるのは無散瞳法である。
- 散瞳剤については，次頁コラムを参照。

2. 無散瞳法

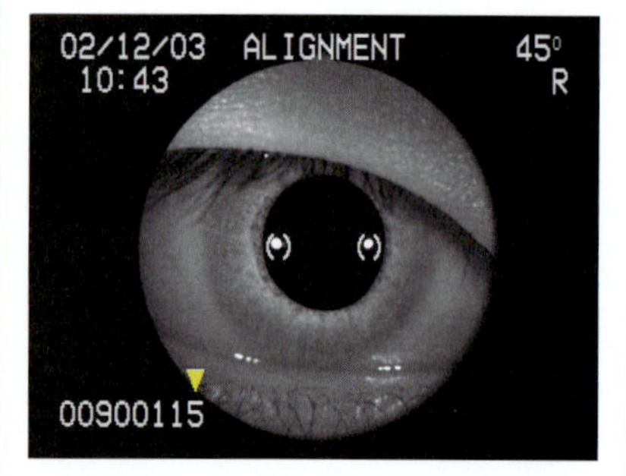

- 無散瞳眼底カメラを使用して，主に検診などのスクリーニングとして利用されている。
- 無散瞳といっても散瞳を必要としないということではなく，暗順応により瞳孔が散大する自然散瞳を利用して眼底を撮影する。散瞳剤を必要としないという意味で無散瞳という言葉が使われる。
- 無散瞳眼底カメラの観察光には赤外線が使用されており，内蔵された赤外線ビデオカメラによってモニタに映し出された眼底像を見ながら，ピント合わせなどのカメラ操作を行う。
- 赤外線は人眼で見ることができない光のため，被検者が眩しさを感じて瞳孔が縮小すること（対光反応）はない。
- 撮影操作は，モニタに映し出される画像を見ながら指標を合わせるだけなので，比較的容易である。しかし，医師は撮られた写真を見て疾患の有無を判断するため，正確に撮影された写真が要求される。

B 蛍光眼底造影撮影

フルオレセイン蛍光眼底造影

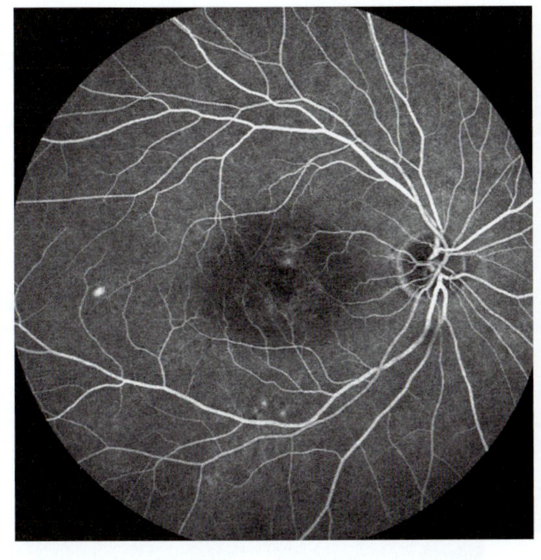

インドシアニングリーン蛍光眼底造影

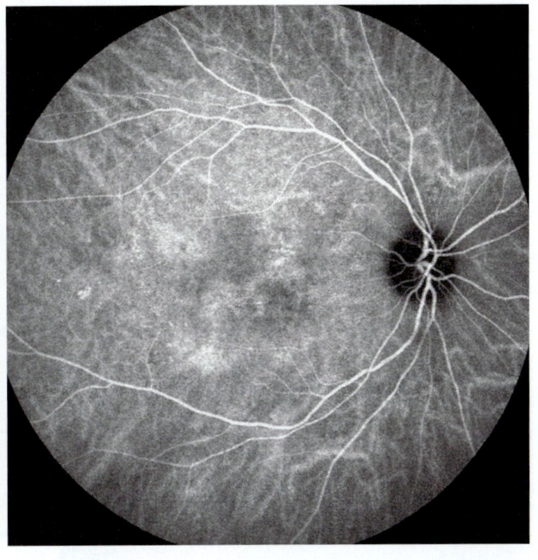

- **蛍光眼底造影撮影**は，肘静脈から造影剤を注射し，**眼底の血管造影**を行う。記録を目的とした撮影とは違い，診断，病態の把握，治療方針の決定，治療効果の判定，経過の把握などを目的とした検査である。
- 造影剤としてフルオレセインナトリウムを使った**フルオレセイン蛍光眼底造影**（fluorescein angiography：**FA**）とインドシアニングリーンを使った**インドシアニングリーン蛍光眼底造影**（indocyanine green angiography：**IA**）がある。
- **FAG は主に網膜の循環動態**を，**IA は主に脈絡膜の循環動態**を捉えるものである。

コラム 散瞳剤について

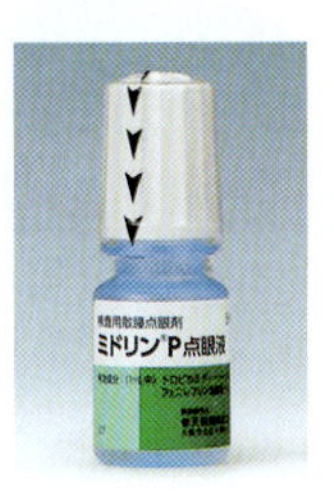

- 瞳孔を強制的に散大する薬剤
- 点眼剤
- 交感神経興奮系薬剤あるいは副交感神経遮断系薬剤が散瞳作用を有する。
- 散瞳作用とともにピント調節機能が一時的（3～5 時間程度）に低下し，時に近くの物が見えにくくなる（調節麻痺作用）。
- 検査用に最も使用されるのは，トロピカミド（副交感神経遮断）と塩酸フェニレフリン（交感神経興奮）の混合された点眼薬（一般名：ミドリンP点眼液）で，点眼後 20～30 分で散瞳し，約 3～5 時間持続する。

絶対的禁忌 緑内障

相対的禁忌 非検側の失明もしくは角膜混濁，流行性角結膜炎など

C 単色眼底撮影

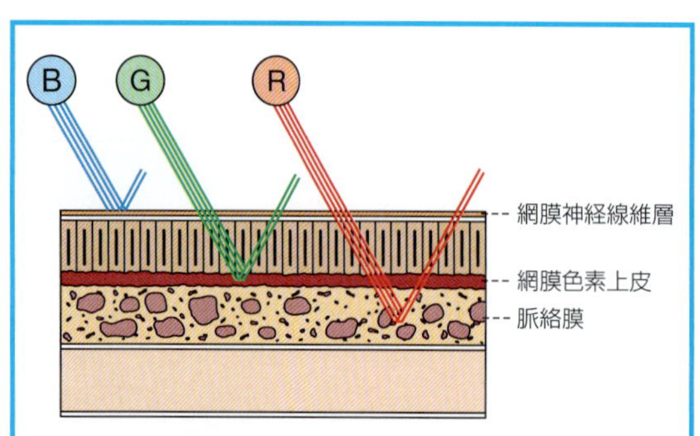

短波長の光は網膜浅層で，長波長の光は網膜深層で反射される。

- **光の波長特性を利用**して，網膜の浅層から深層を選択的に撮影する方法である。
- 青色光（B）は網膜浅層で反射される。
- 赤色光（R）は網膜深層から脈絡膜で反射される。
- 緑色光（G）は，血管や出血など赤味をおびた病変の描写に優れている。
- **緑内障のスクリーニング**として，網膜神経線維欠損の検索（青色光を使って撮影）に用いられることが多い。
- 単色光写真は，最終的に白黒画像として表現される。

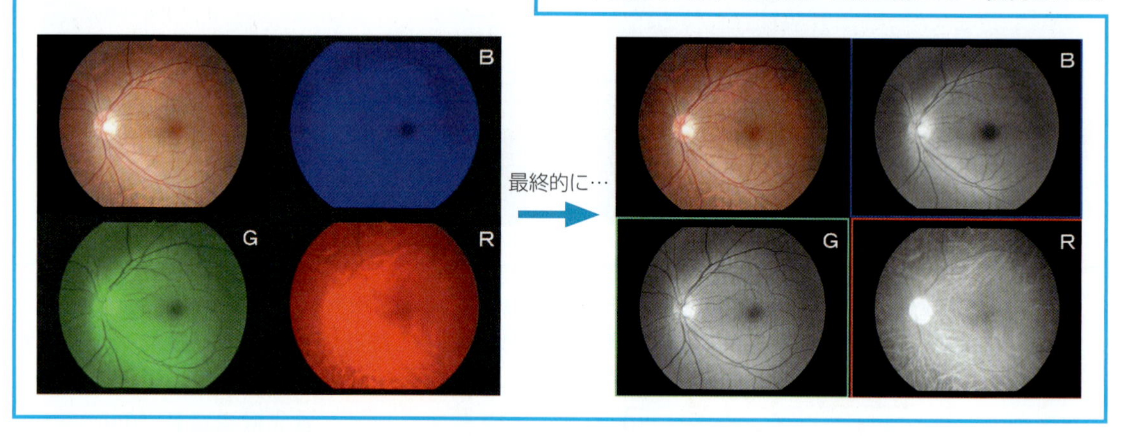

D 立体眼底撮影

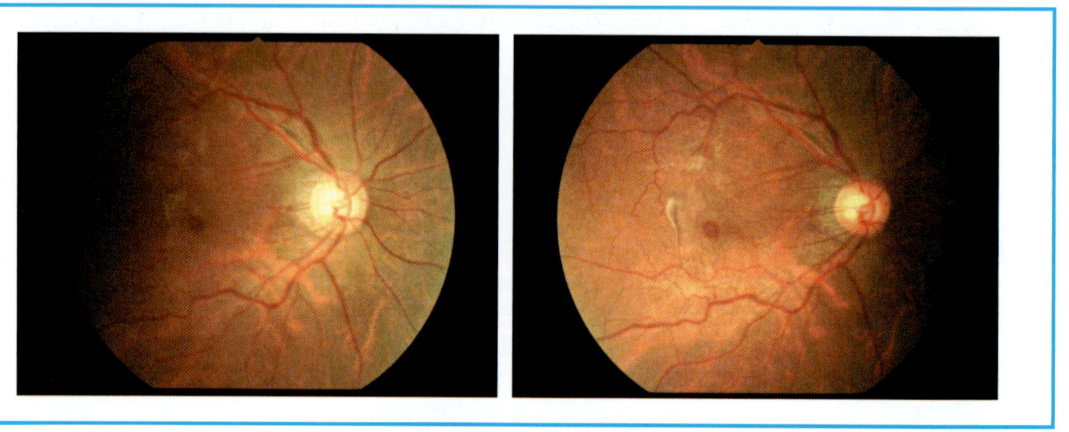

- 日常，我々は両眼視することによって，特に意識しなくても立体的に物を認識している。その基礎になっているのが瞳孔間距離による「**視差**」である。
- 「視差」をつけた2枚の写真を撮ることによって立体写真ができる。眼底の立体写真は，**カメラを1mm程度平行移動させる**ことによって視差を得ることができる。
- 眼底の立体写真は，平行移動する分，左右の周辺部が暗くなるが，観察には差し支えない。

- 本来，眼球は球面であり，腫れや窪みをきたす病変もある。眼底写真では，これらの凹凸もすべて二次元の平面像に変換されてしまうため，所見の把握には，頭の中で三次元の立体像に変換して凹凸を判断する必要があるが，**立体写真は眼底の凹凸を客観的に判断できる**ため，情報量が多い。古くから**視神経乳頭陥凹の解析**に利用されている。

2 眼底撮影の限界

1. 中間透光体の混濁，散瞳不良の影響

- 眼底カメラで撮影される**画像は散瞳状態や中間透光体の混濁に左右**される。よって，散瞳が悪い場合や白内障があると，画質が極端に悪くなることがある。

2. 撮影範囲

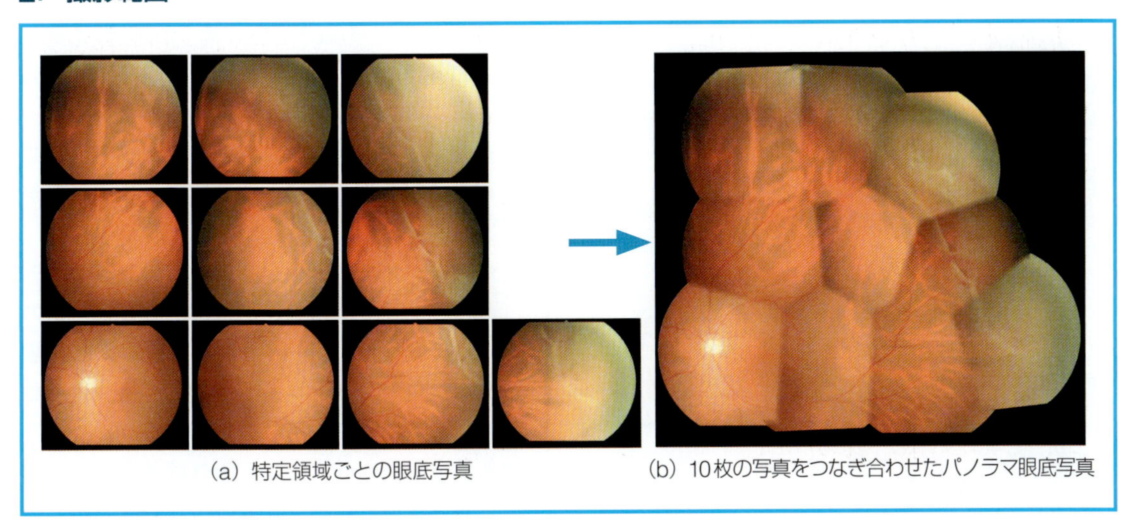

（a）特定領域ごとの眼底写真　（b）10枚の写真をつなぎ合わせたパノラマ眼底写真

- 現在市販されている眼底カメラの**画角は50°前後**（無散瞳眼カメラでは45°前後）が主流で，眼底のすべてを1枚の写真として記録することはできない。そのため，パノラマ眼底写真を撮影する。
- スクリーニングに用いられる**無散瞳眼底カメラでは後極部のみを撮影**することがほとんどで，写真に写っていない部位に病変が存在する可能性は否定できない。元来，無散瞳眼底カメラは，眼底周辺部の撮影を想定した設計をしていないことと，無散瞳下では1枚撮影するたびに縮瞳してしまうことから，時間を要するパノラマ撮影は，一般的なスクリーニングには適さない。
- （a）では眼底の後極部には病変は写っていないが，眼底の周辺部には網膜裂孔と剥離病変が認められる。このように1枚の写真で眼底のすべてを把握するには限界がある。

3 無散瞳眼底写真撮影の検査の流れ

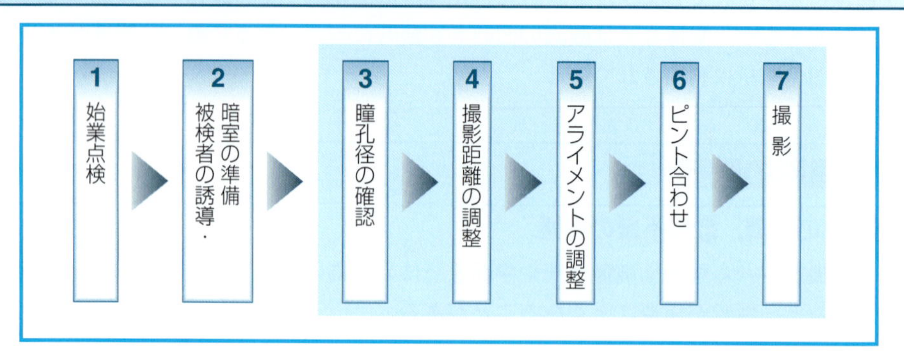

1. 眼底カメラの始業点検

点検部位	点検内容
主電源	電源が入るか？
光学台	正常に作動するか？
撮影光量	正常に発光するか？ 設定が間違っていないか？
観察光量	点灯するか？ 光量調節が正常に行えるか？
モニタ	明るさ・コントラストは問題ないか？ 指標が正しく表示されるか？
固視灯	点灯するか？ 左右眼の切り替えが正常に作動するか？
対物レンズ	汚れがないか？
シャッター	正常に作動するか？ プレビュー画像がモニタに表示されるか？
ファイリングシステム※	正常に作動するか？
プリンタ※	インク・用紙残量の確認
フィルム※※	残量，装填状態の確認

※デジタル仕様の場合，※※フィルム仕様の場合

- 各部のスイッチ類が正常に働くか，撮影光量などの各種設定が間違っていないか確認しておく。
- 対物レンズの汚れは，アーチファクトとして写真に写り込むので，特に注意を払う必要がある。
- 対物レンズの清掃は，必ず専用のレンズペーパーとクリーナーを使用する。眼鏡拭き用の布やティッシュペーパーは，対物レンズに繊維が付着したり，コーティングを傷つける原因となるため，使用は厳禁である。
- 無散瞳眼底カメラでは，赤外線透過フィルタを外さないと対物レンズの汚れの確認がし難いため，脱着の仕方を確認しておく必要がある。
- 長期間，眼底カメラを使用していると，フラッシュチューブ（眼底カメラの撮影光源）の劣化により，撮影光量が低下して写真が暗く仕上がってくる。フラッシュチューブが白濁しているようであれば，交換が必要である。

2. 被検者の誘導・暗室の準備など

撮影室（照明は調光ができると便利）

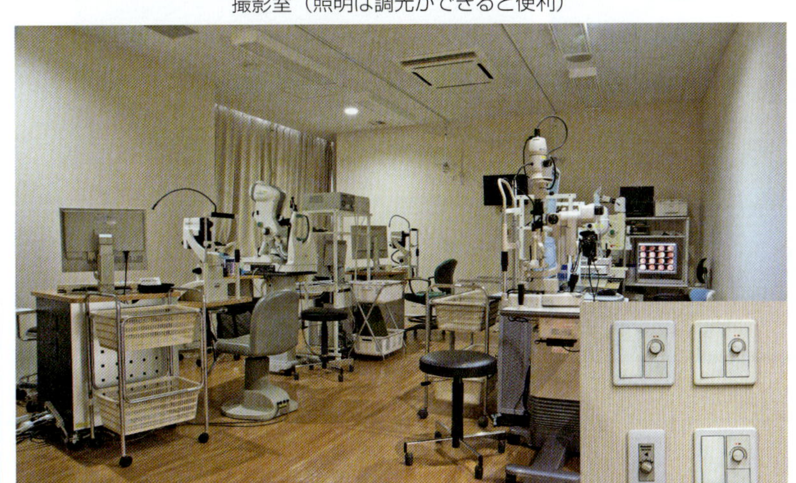

- 被検者を暗室へ誘導し，暗順応により自然散瞳するのを待つ。
- 暗室は辛うじて新聞の文字が読める程度の明るさでよく，**完全暗室にする必要はない**。
- 被検者を眼底カメラの前に着席させ，楽な姿勢で顎受けに顎が乗り，額バンドから額が離れないように，光学テーブルの高さを調整する。

- 被検者用の椅子は高さ調整が可能なものがよい。
- 転倒防止のため，被検者用の椅子はキャスターのないものがよい。

3. 瞳孔径の確認

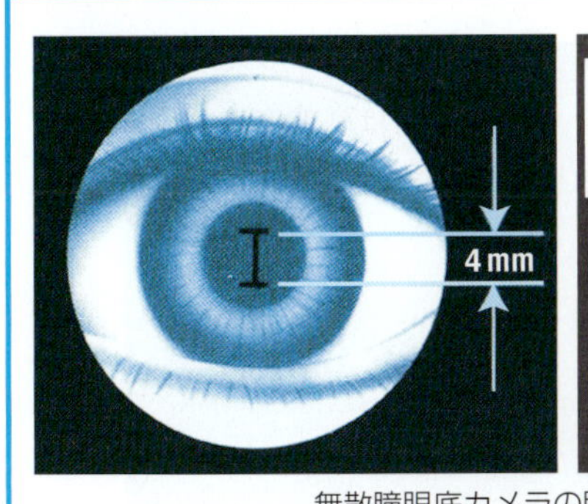

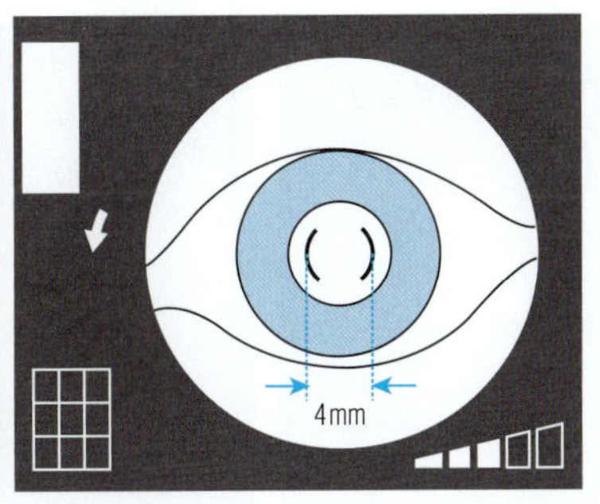

無散瞳眼底カメラの瞳孔確認スケール
（左：キヤノン社，右：トプコン社）

- 被検者に大きく目を開けて，**固視灯**（別称：**固視標**）を見るように指示する。
- 眼底カメラのモニタに映し出された被検眼の瞳孔が画面の中央に位置するように眼底カメラの位置を微調整し，内蔵のスケールを使って撮影可能な瞳孔径が得られていることを確認する。

- ほとんどの無散瞳眼底カメラは，4 mm 以上の散瞳を必要とする。
- **散瞳の確認は，眼底カメラを最も手前に引いた状態**（**被検眼から最も離した状態**）で行う。

瞳孔径確認の一例
（コーワ：nonmyd 7）

- 散瞳不足のときは室内をさらに暗くするか，暗順応の時間を長くして自然散瞳を促す。

（コーワ nonmyd 7 取扱説明書より）

瞳孔が輝点より大きい

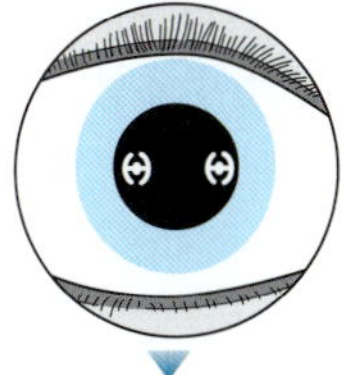

標準で撮影可能

瞳孔と輝点が重なる

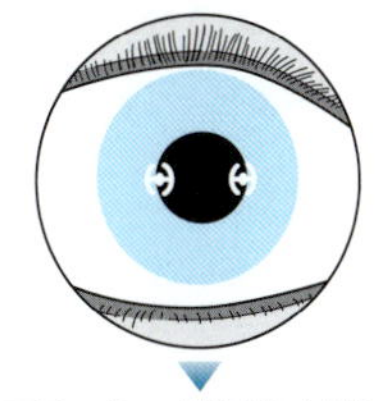

フラッシュ光量を上げるか，小瞳孔モードにする

瞳孔が輝点より小さい

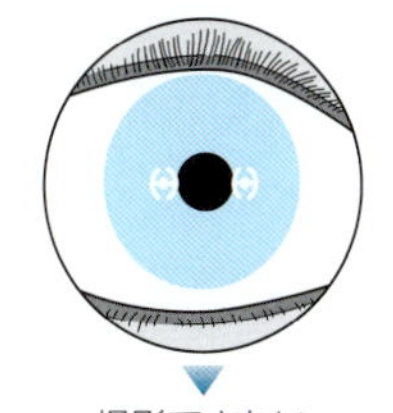

撮影できない

4. 撮影距離（ワーキングディスタンス）の調整

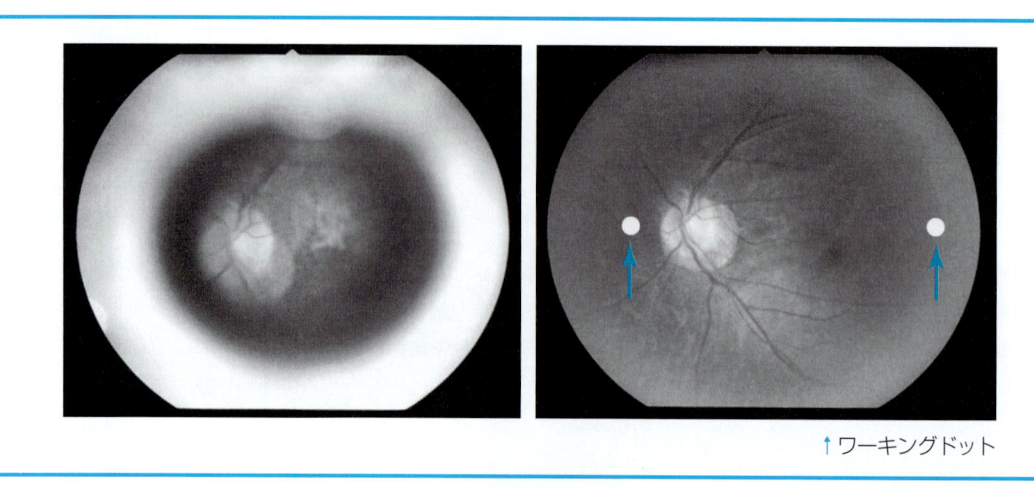

- 術者は，常にジョイスティックレバーをもった状態でモニタを見ながら眼底カメラの操作を行う。
- 眼底カメラを被検眼にゆっくり近づけていくと眼底が見えてくる（左図）。
- さらに押し進めると，ワーキングディスタンスを表す指標（ワーキングドット）が表示される（右図）。
- この指標がはっきり見える位置が，カメラと被検眼の距離が正しく取れたことになる。

5. アライメントの調整

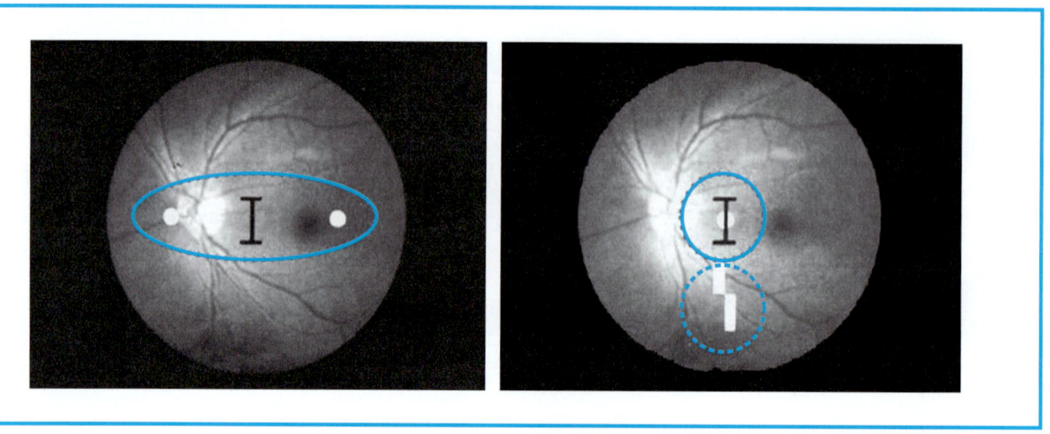

- 瞳孔を通して眼底を均一に照明するために，カメラを微動させ，アライメント（眼底カメラの光学系と眼球光学系を一線化させる）を調整する。
- アライメントは，ワーキングドットを画面の左右に表示させるもの，2つ表示されるワーキングドットを画面中央部で1つに重なるようにするもの，など機種によって違いがある。
- 上図では2つのドットが1つになった位置がワーキングディスタンス，アライメントがともに正しくとれたことを示す。◌内はピント合わせに使用するスプリット輝線（キヤノン社製無散瞳眼底カメラ）。

6. ピント合わせ

キヤノン社製無散瞳眼底カメラの
フォーカスシステム

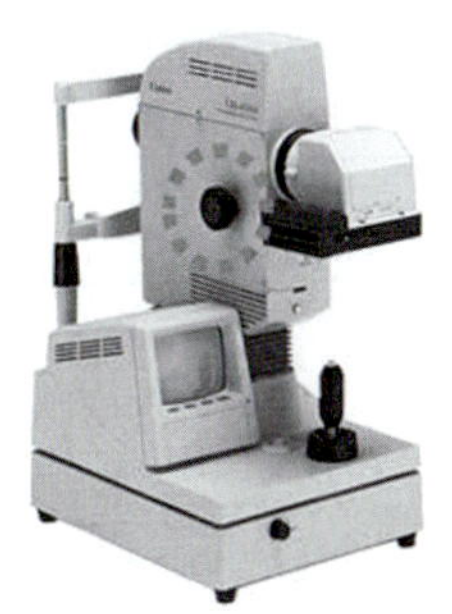

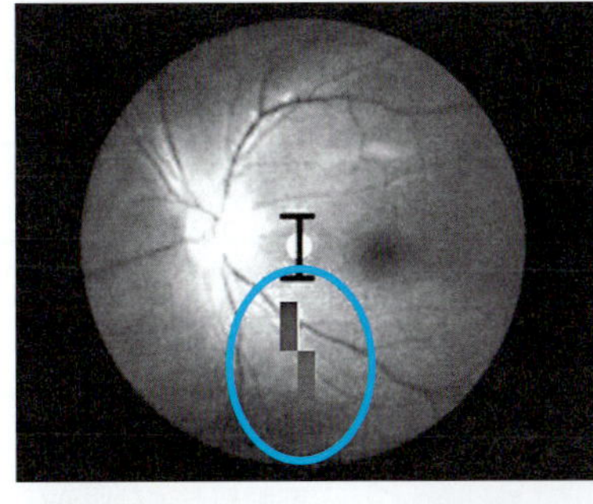

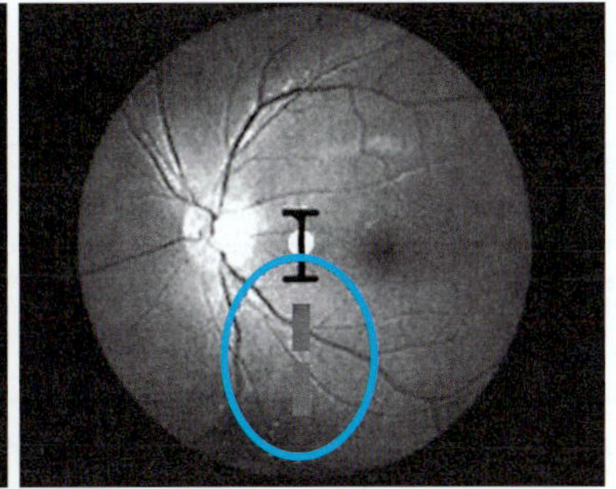

コーワ社製無散瞳眼底カメラの
フォーカスシステム

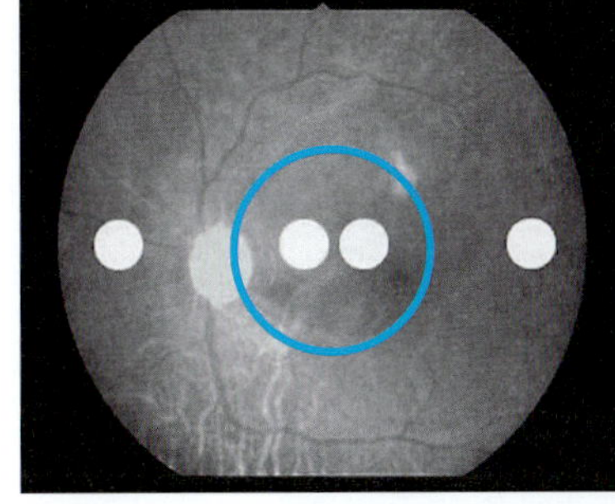

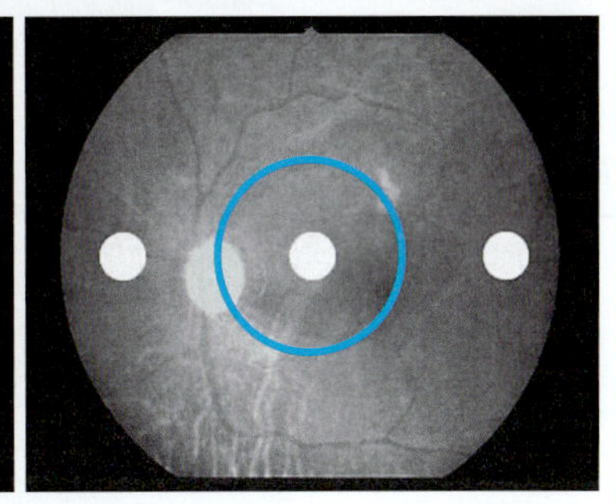

- ワーキングディスタンスとアライメントの調整がとれたら，素早くピントを合わせてシャッターを押す。
- **ピント合わせ**は，カメラ側面のピントダイヤルを回しながら，**モニタ中央部のスプリット輝線が直線に並ぶように調整**する（キヤノン社製）。
- 機種によっては2つの点が重なって1つになるよう調整する（コーワ社製）。
- 被検眼が強度近視や強度遠視でピントが合わない場合には，被検眼の**視度調整用補助レンズ**を挿入する必要がある。

7. 撮 影

- 被検者は瞬間的に**強い撮影光（フラッシュ光）**を受けて，対光反応により縮瞳してしまうため，もう片眼の撮影は，再び暗順応による散瞳を待ってから撮影する。
- 最近の眼底カメラは，フィルムに代わって**CCDなどの撮像素子**が使われているため，感度が高い分撮影光量が少なくてすむので，両眼を続けて撮影できることもある。

集団検診効率化のテクニック

集団検診で効率よく撮影するためには，被検者を小グループに分けて，最初にグループ全員の右眼だけを撮影し（撮影が終了した者はそのまま暗室で待たせておく），次に右眼と同様の順番で左眼を撮影するとよい。

3章 装　置

1 構　造

A 外部構造と機能

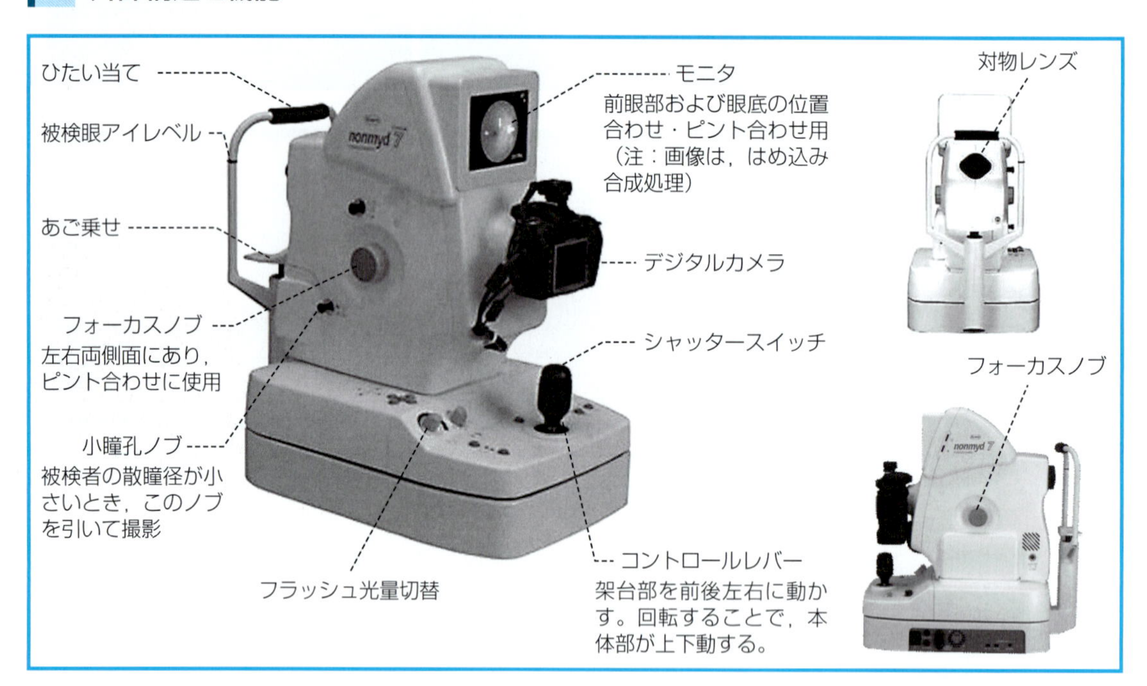

B 内部構造と機能

1. リングスリット

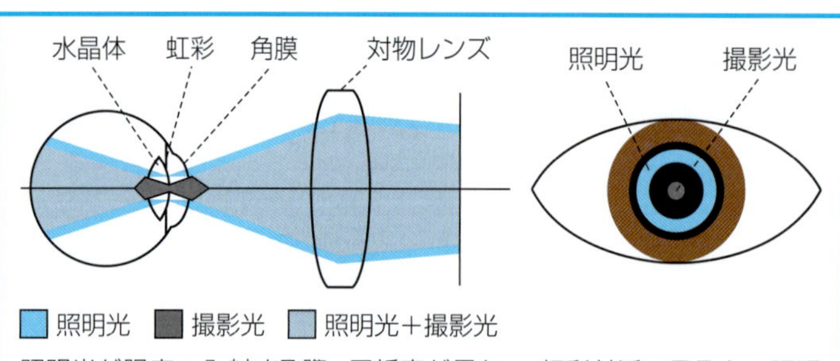

照明光が眼底へ入射する際，屈折率が異なる媒体（角膜，前房，水晶体，硝子体）を横切るとき，その光は境界面で反射光と屈折光とに分かれる。そこで角膜および水晶体の前面・後面で起こる照明光の反射光がアーチファクトとして撮影光に入らないよう，角膜前面〜水晶体後面の領域で，照明光（青）と撮影光（黒）とがオーバーラップしない領域を作っていることがポイントとなる。

虹彩付近で見ると，照明光は周辺部を通り，撮影光は中心部を通る

- 眼底カメラは，**照明光学系**と**撮影光学系**が，対物レンズと**眼球光学系**の光路を共有している構造のため，照明光学系に**リングスリット**と呼ばれるリング状の照明絞りを設置し，角膜や水晶体からのアーチファクトを除去している。

2. 照明光学系

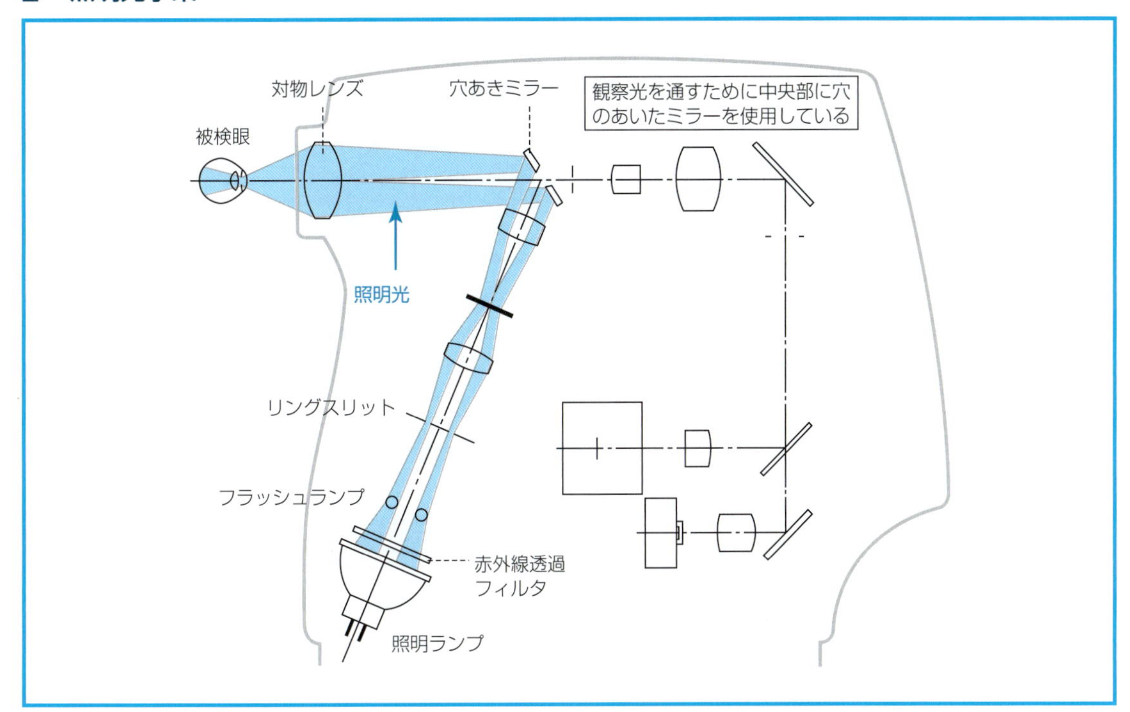

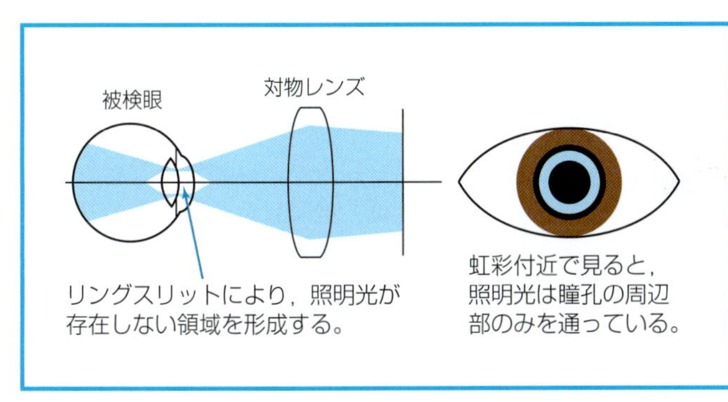

- 無散瞳眼底カメラは，暗室下で眼が自然散瞳する生理現象を利用して眼底を撮影するカメラである。したがって，撮影前の**被検眼の位置合わせは，**人の目では感じない**赤外線を利用**して行われる。
- **赤外線透過フィルタにより，**照明ランプの光から**可視光をカット**し赤外線のみにする。
- **リングスリット**で作られたリング状の赤外照明光は，**穴あきミラー**で反射して対物レンズを通り，被検眼の瞳孔付近にリングスリットの像を結び眼底を照明する。
- 位置合わせおよびピント合わせが完了後，シャッターを押してフラッシュランプを発光させる。
- **フラッシュ光**は，照明光と同一光学系を通り，眼底を照射する。

3. 観察・撮影光学系

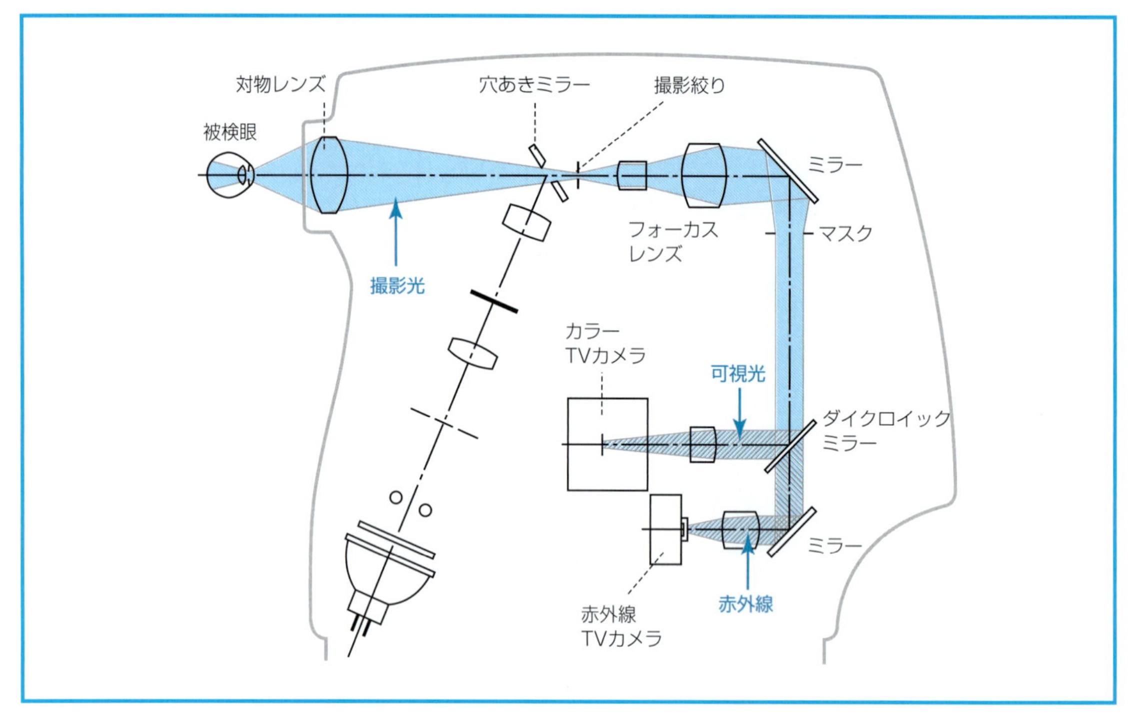

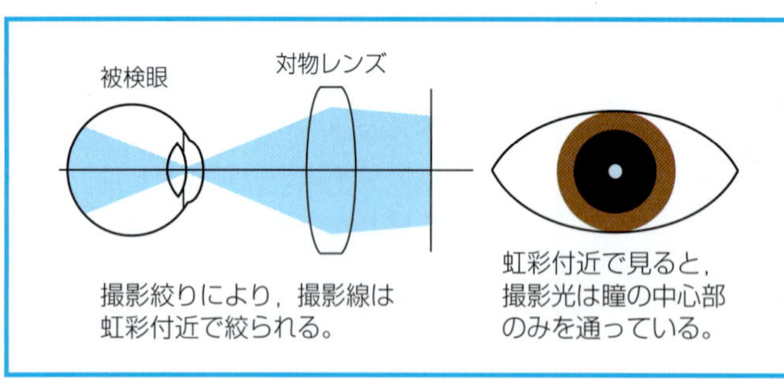

- 眼底で反射し対物レンズに入射した撮影光は，ミラーの中央部に穴のあいた形状の穴あきミラーを通る。
- 撮影絞りにより，虹彩付近で絞られた撮影光は，虹彩付近の照明光のリングスリットと重ならないように瞳孔中心部を通る。

- 位置合わせ時，赤外光はダイクロイックミラーを透過し，赤外線TVカメラで眼底画像（モノクロ）を動画で観察する。
- 位置合わせ後，シャッターボタンを押すとフラッシュランプが発光し，可視光がダイクロイックミラーで反射し，カラーTVカメラで眼底画像（カラー）が撮像される。

ダイクロイックミラー：特定の波長を反射させ，それ以外の波長を透過させる特殊ミラー。

2 アーチファクト

● 一般的なアーチファクトについて，現象からの原因と対策を以下に示す。

現象 毎回同じ場所に白い点が出る。

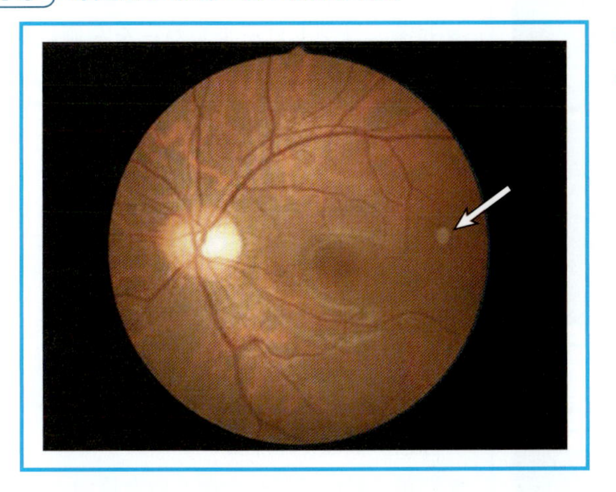

- **原因**：涙などによる対物レンズの汚れ。
- **対策**：対物レンズの清掃を行う（清掃の方法は，各社取扱説明書による）。

現象 写真全体が白っぽい。中心に白い反射が出る。

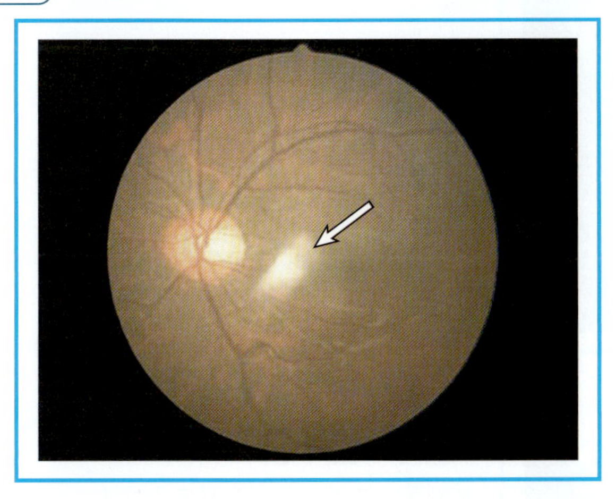

- **原因**：指紋・皮脂などによる対物レンズの汚れ。
- **対策**：対物レンズの清掃を行う（清掃の方法は，各社取扱説明書による）。

現象 周辺にフレアが入る。

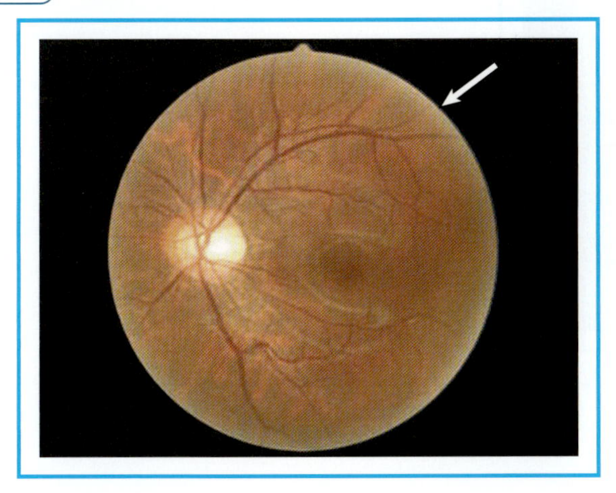

- **原因**：作動距離が近い（または遠い）。対物レンズと被検眼の距離が近い（または遠い）。コントロールレバーを押し込みすぎ（または引きすぎ）。
- **対策**：コントロールレバーを少し手前に引く（または少し押し込む）。モニタ画面で，ワーキングドットが最も小さくなるように位置合わせをする。

フレア：作動距離が適正でない場合（p530のリングスリットの図中：照明光＋撮影光が，水晶体の前面・後面に掛かったとき），画像の周辺に「もや」のように現れる。

現象 右側（または左側）が欠ける。

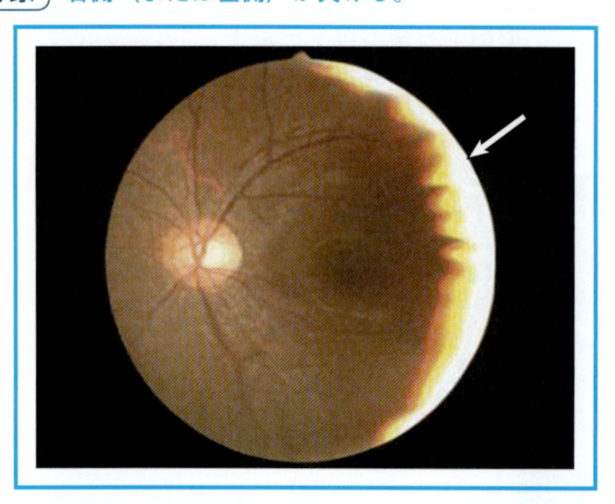

- 原因：被検眼に対して，眼底カメラの位置が右（または左）側にずれている（本現象例は，右側にずれたことによる）。
- 対策：コントロールレバーを左側に倒し，2個のワーキングドットが線に乗るよう位置合わせをする。

現象 写真の一部が暗い。

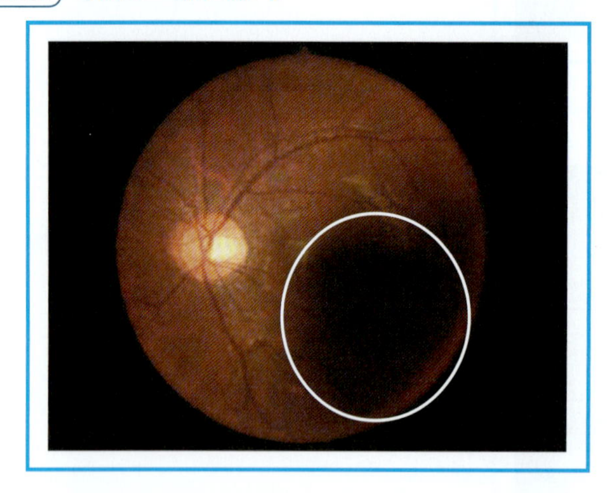

- 原因：散瞳が不十分。
- 対策：暗所で瞳孔が開くのを待つ。

現象 全体に写真が暗い。

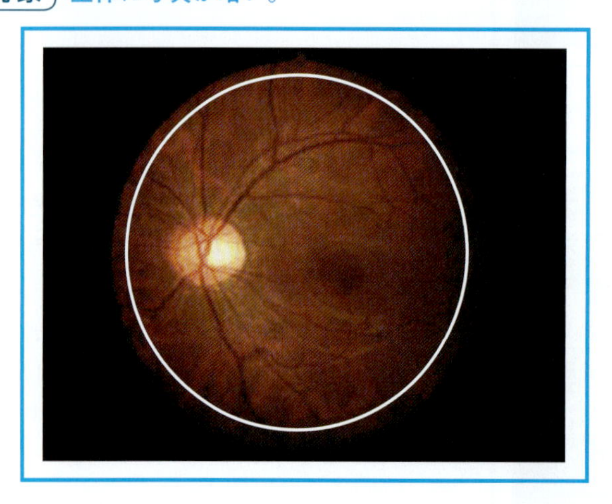

- 原因：光量不足。
- 対策：フラッシュ光量を上げる。

現象 全体的にぼける。

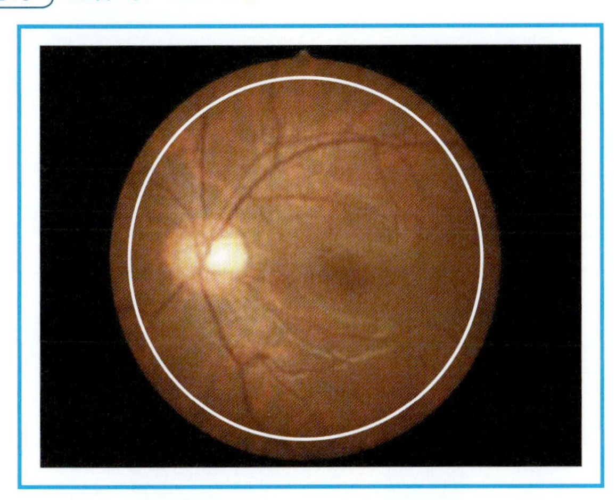

● 原因：ピントが合っていない。
● 対策：フォーカスノブを回し，スプリット輝線が一直線になったところで撮影する。

現象 上方がぼけている。

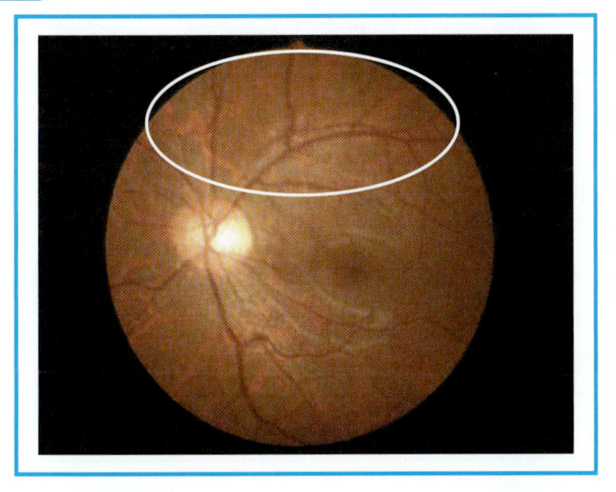

● 原因：涙が乾いて**角膜**が露出。
● 対策：角膜上に涙が乗るように瞬目（まばたき）を促す。

現象 下側に櫛状の陰が写る。

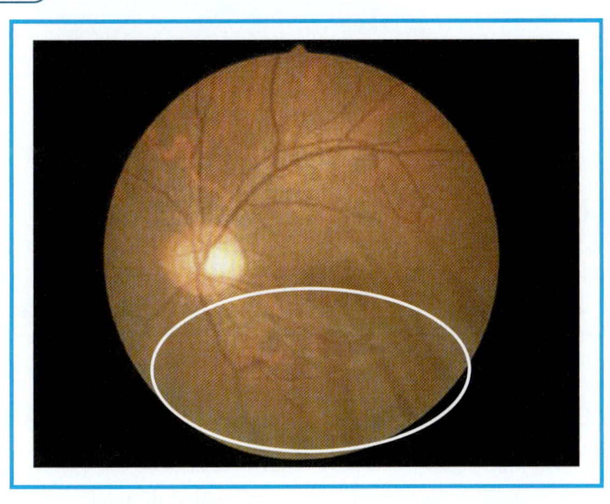

● 原因：上睫毛（まつげ）が下がりすぎている。
● 対策：被検者に眼を大きく開けてもらう。指で眼瞼（まぶた）を上げる。

4章 眼底像

1 正常眼底像

眼底写真

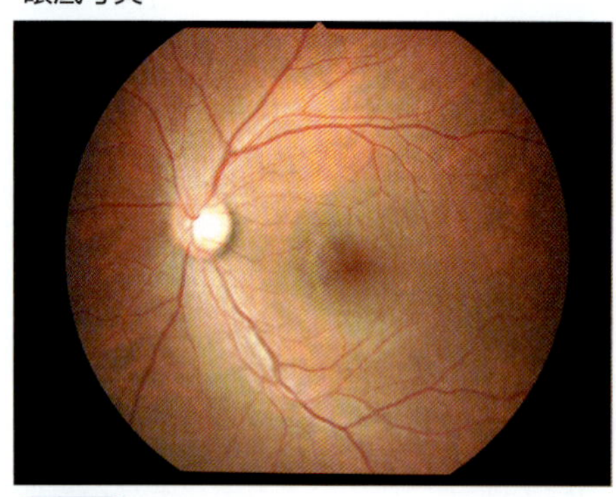

ポイント図解

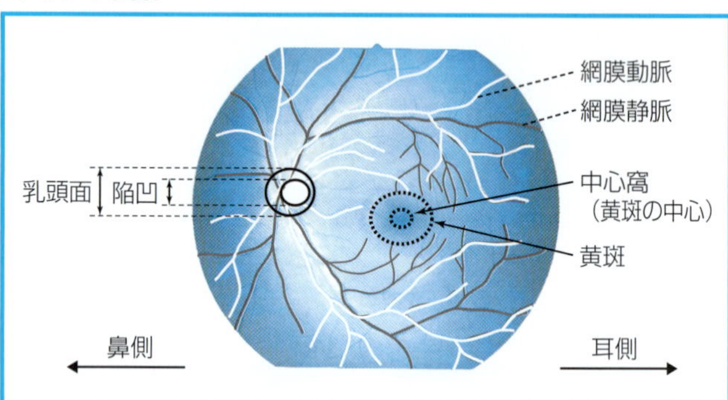

解説 眼底像のチェックポイント

- 網膜色：黄褐色または淡赤色。網膜色素上皮，脈絡膜および強膜からの反射色。
- 視神経乳頭：細長楕円形で淡紅黄白色。乳頭陥凹と乳頭面の垂直直径比（cupping disc ratio：CD 比）は通常0.4。
- 網膜血管：視神経面で4本（上耳側，上鼻側，下耳側，下鼻側）に分枝する。動脈は鮮紅色，静脈はやや太く暗紅色。動脈同士，静脈同士は吻合しない。
- 黄斑部：視神経乳頭の耳側，やや下方にやや暗く認められる。無血管帯である。

2 緑内障

眼底写真

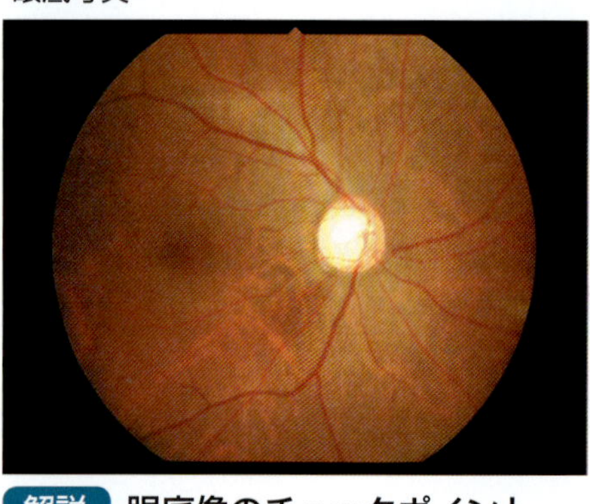

ポイント図解

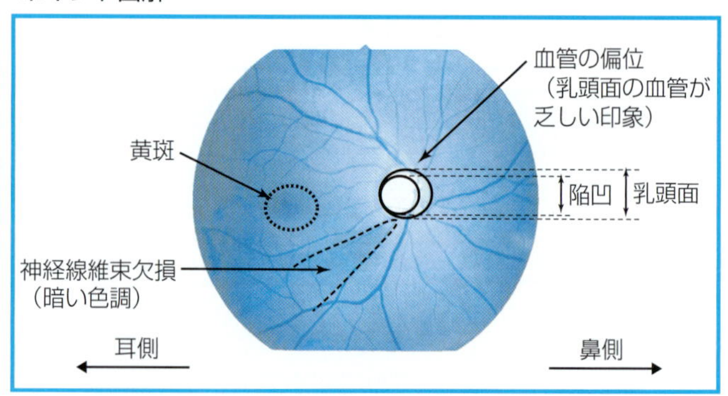

解説 眼底像のチェックポイント

- 視神経乳頭：緑内障では，乳頭陥凹と乳頭面のCD 比は0.4以上。本眼底像は0.8，下耳側辺縁部の乳頭陥凹と乳頭面幅が局所的に狭い。左右差が0.2以上の場合は注意が必要である。
- 網膜色：下耳側辺縁部から楔状に暗い色調で線維の走行が凹んで見える。神経線維束欠損による。進行すると幅広いびまん性欠損となる。
- 網膜血管：乳頭陥凹が拡大すると乳頭上の血管が偏位し，血管に乏しくなる。

3 糖尿病：単純型糖尿病網膜症

眼底写真

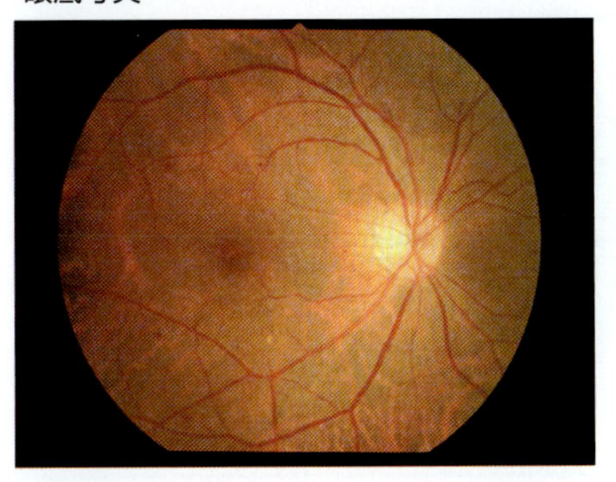

ポイント図解

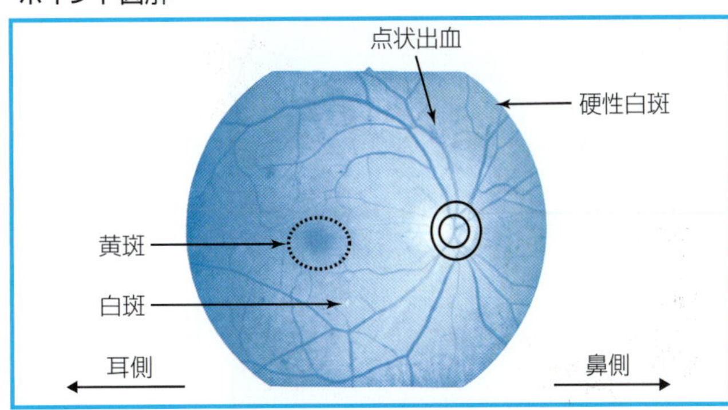

解説 眼底像のチェックポイント

- **網膜血管**：毛細血管の狭窄あるいは閉塞が起こり**毛細血管瘤**，**点状の出血**が出現。
- **網膜白斑**：白色斑として観察される。**硬性白斑**（黄白色境界鮮明で硬い感じがする白斑）がみられる。

解説 手技上のポイント

- 眼底カメラ内の塵などが白斑様に映り込むことがあるので保守管理を心がける。

4 糖尿病：増殖型糖尿病網膜症

眼底写真

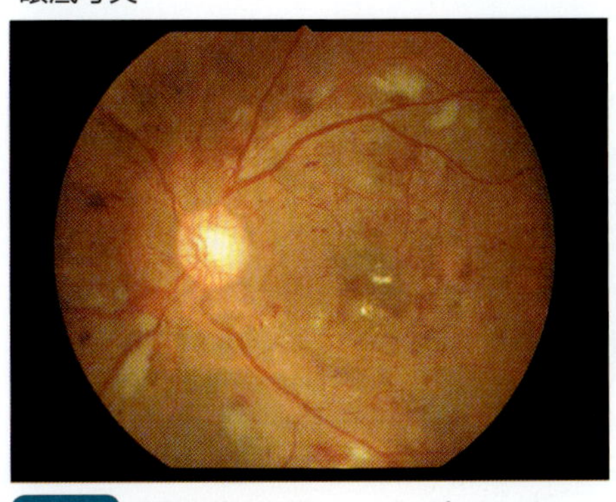

ポイント図解

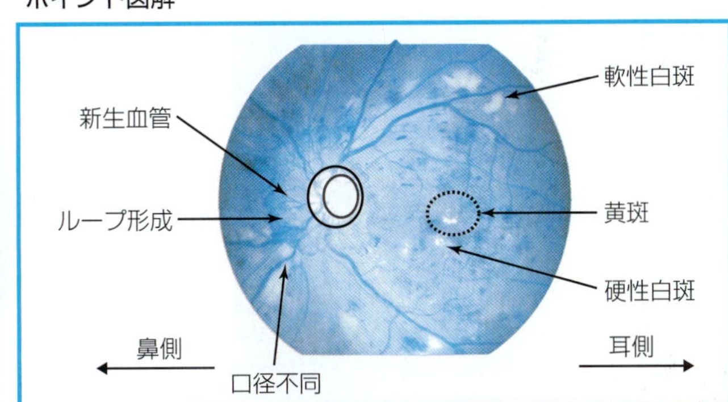

解説 眼底像のチェックポイント

単純型糖尿病網膜症が進行して発症し，新生血管が生じる。新生血管は網を形成し出血しやすい。

- **網膜血管**：網膜毛細血管の閉塞が進行。網膜静脈の異常（**網膜血管の局所的な拡張と走行異常，口径不動，ループ形成，新生血管**）がみられる。**毛細血管瘤**，**点状の出血**が多発する。
- **網膜白斑**：白色斑として観察される。**硬性白斑**（黄白色境界鮮明で硬い感じがする白斑），**軟性白斑**（柔らかい感じの境界不鮮明な白斑）がみられる。

5 高血圧性網膜症

眼底写真

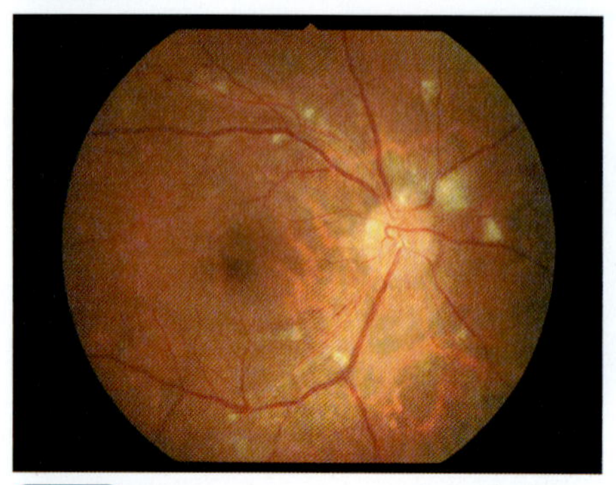

ポイント図解

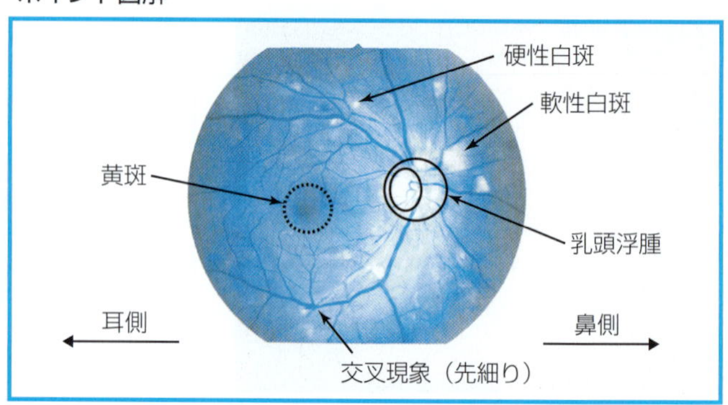

解説 眼底像のチェックポイント

網膜動脈は内頸動脈からの眼動脈の分枝であり，高血圧による眼底変化が生じる。

- **網膜血管**：網膜細動脈の**狭細化**，**口径不同**（部分的狭細），**動静脈交叉現象**（動脈変性に伴う動静脈交叉部位での静脈の走行，口径の変化）が生じる。
- **網膜白斑**：白色斑として観察される。**軟性白斑**（軟らかい感じの境界不鮮明な白斑）がみられる。
- **視神経**：**乳頭浮腫**（視神経乳頭の発赤，境界不鮮明化）がみられる。

6 網膜血管病変：網膜静脈分枝閉塞症

眼底写真

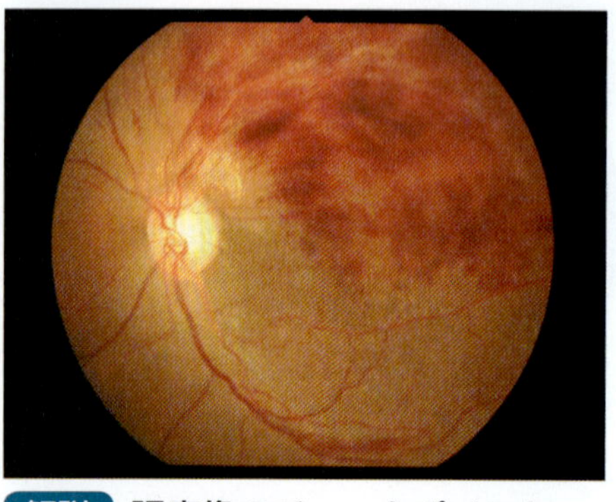

ポイント図解

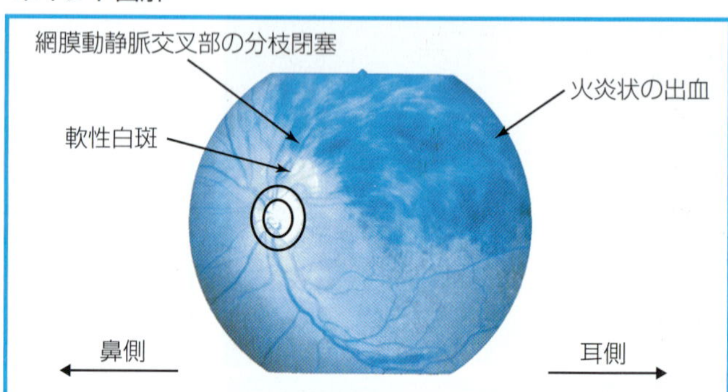

解説 眼底像のチェックポイント

眼底の網膜動静脈の交叉部に閉塞が起こることがあり，これを**網膜静脈分枝閉塞症**という。上耳側動静脈交叉部に頻発する。

- **網膜血管**：網膜動静脈の交叉部に閉塞，その支配領域の周辺にかけて**火炎状の出血**や**滲出斑**が生じる。
- **網膜白斑**：急性期には循環障害による**軟性白斑**がみられる。

7 網膜血管病変：網膜中心動脈閉塞症

眼底写真

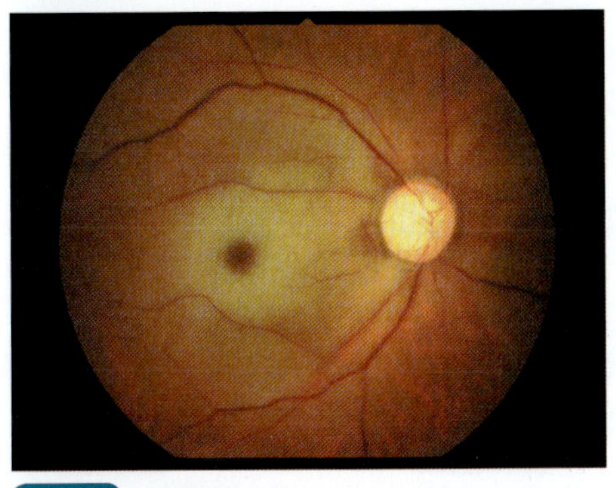

ポイント図解

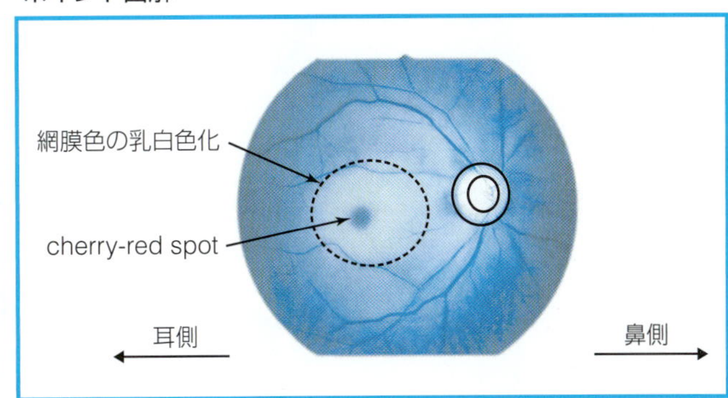

解説 眼底像のチェックポイント

網膜中心動脈の閉塞により高度の視力障害をきたす。網膜中心動脈は終末動脈であるために，一度閉塞するとその支配領域は壊死を起こす。

- 網膜血管：動脈枝の狭細化が認められる。
- 網膜色：網膜内層が急激な壊死に陥り網膜が乳白色に混濁。網膜内層のない中心窩では，脈絡膜が透けて見え，正常に近い色（cherry-red spot）を呈する。

8 網膜出血：網膜前出血

眼底写真

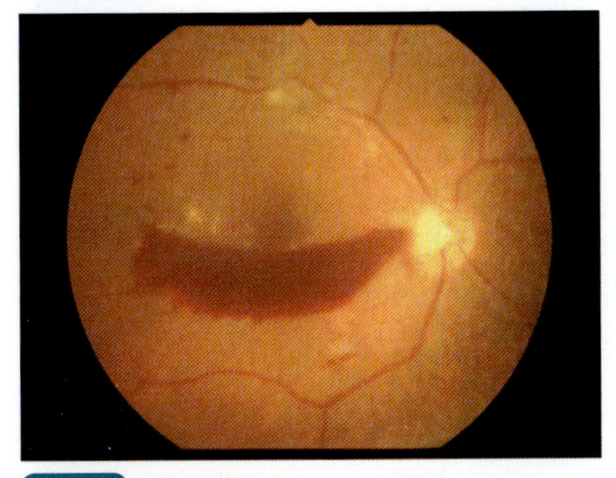

ポイント図解

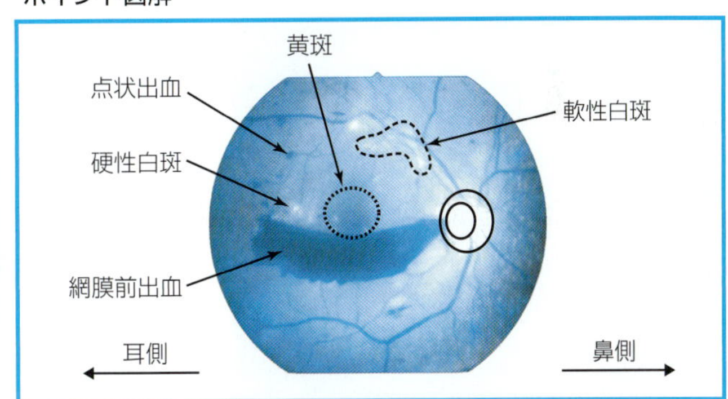

解説 眼底像のチェックポイント

網膜内境界膜と後部硝子体膜の間に貯留した出血で，時間経過とともに重力の影響で上縁が水平となり半球状になる。糖尿病網膜症などの疾患において頻度が高く，発症部位は黄斑部が多い。

- 網膜血管：出血のために網膜血管の走行が見えない。

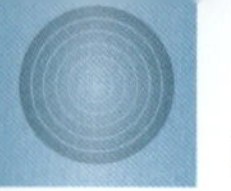

9　網膜剥離

眼底写真

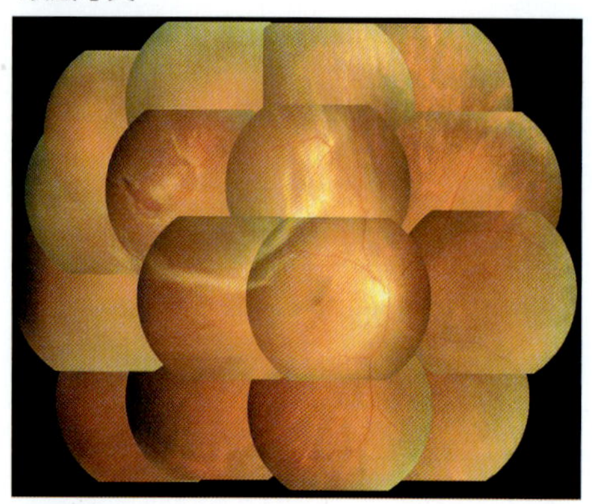

ポイント図解

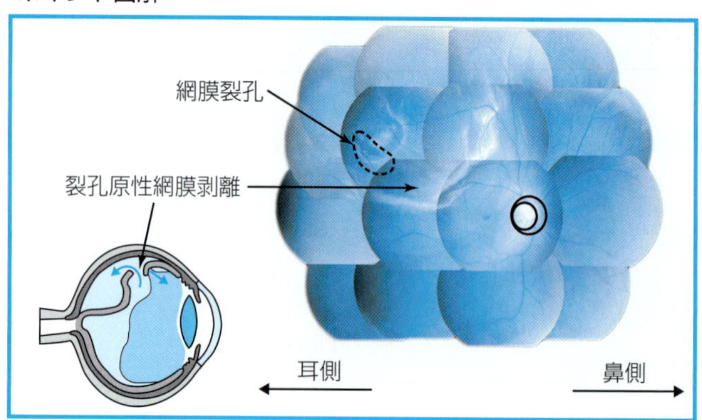

解説　眼底像のチェックポイント

- 網膜剥離は，色素上皮層と視細胞から内側の間の結合が弱いためにこの間が剥離する。
- 網膜に開いた穴（裂孔）が原因で起こる裂孔原生網膜剥離と，裂孔のみられない非裂孔原生網膜剥離（滲出性，牽引性）がある。
- 裂孔は硝子体の牽引や周辺網膜の変性に起因する。
- 剥離網膜は凸隆し，網膜内浮腫により不透明になり，波を打ったような外観である。

10　網膜色素変性症

眼底写真

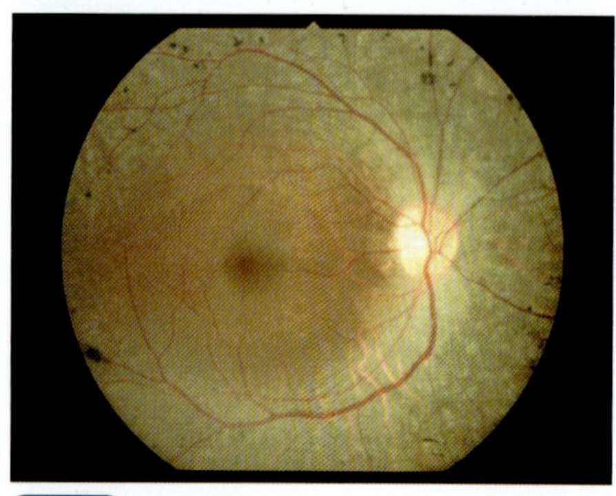

ポイント図解

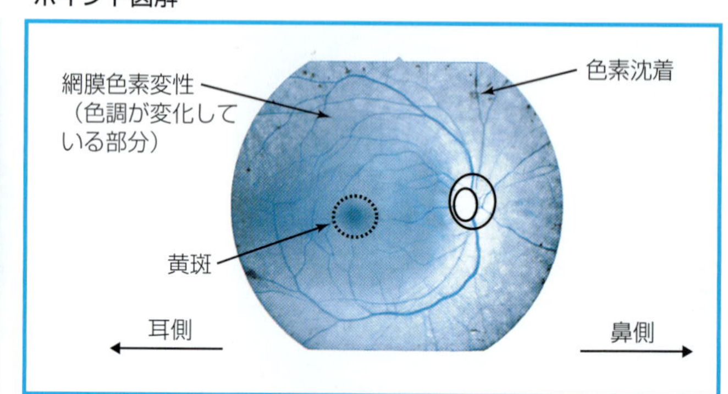

解説　眼底像のチェックポイント

網膜色素変性症は代表的な遺伝性疾患であり，遺伝子の異常に基づき組織が緩徐に破壊される病態である。

- 網膜色調：周辺部から後極部に向かって濃淡のある灰白色である。
- 網膜血管：動静脈ともに狭細化がみられる。
- 色素沈着：骨小体様の暗色色素を伴った広い範囲の変性巣が中間～周辺部に強くみられる。

5章 同時立体眼底カメラ・手持ち眼底カメラ

1 同時立体眼底カメラ

A 立体写真の原理

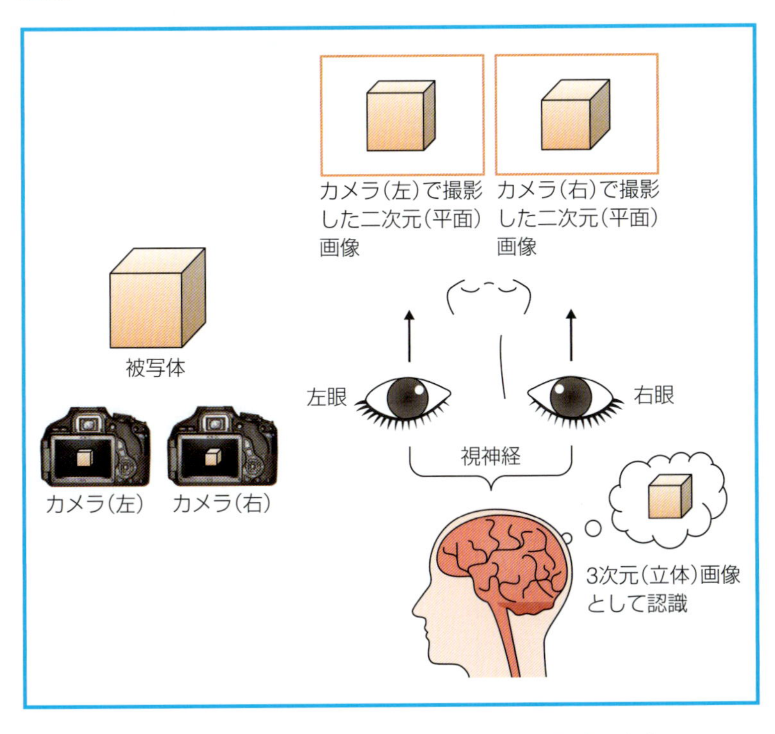

- 人間には2つの眼があり，2つの眼には約6.5 cmの間隔がある。**左右の眼が離れていることにより，左右それぞれの網膜に写る景色には微妙な違い**が生じ，これを**視差**という。この左右の見え方の違いを脳が処理することにより，物の立体感を認識している。
- 通常，写真は1枚の画像を左右の眼で見ているので，左右の眼に映る画像のずれはなく，その画像を立体的に把握することはできない。遠近法による奥行きを把握することは可能だが，現実空間で感じる立体感とは異なる。
- 立体写真の撮影には，**専用の立体カメラを使う方法と，2台のカメラを使う方法**があり，ここではわかりやすいように2台のカメラで撮影する方法を説明する。2台のカメラを人間の眼の間隔くらいに離し，同じ被写体を同時に撮影する。左右のカメラには，人間が眼で見たときと同様に，わずかに左右にずれた画像が写る。撮影はこれで終了である。
- こうして撮影した写真を見るときに，左側のカメラで撮影した写真を左眼で，右側のカメラで撮影した写真を右眼で見る。こうすることで，左眼には左側のカメラで撮影された画像が入力され，右眼には右側のカメラで撮影された画像が入力される。脳は左右の眼から入った画像のずれを処理して，現実空間で見ているような立体感を感じることができるのである。
- 眼底の立体撮影の試みは古くから行われていたが，大きく分けて2つの方法がある。1つは，前述の被検眼を固視させたままで，眼底カメラを1 mm程度平行移動させることによって視差を得る方法（1909年，Thorner）で，もう1つは，眼底カメラの前に1対のプリズムを置き，同時に視差のついた2枚の画像を撮影するものである（1930年，Nordenson）。前者は平行移動量によって視差がまちまちで，ステレオ・ベースが一定にならないため，計測には適さないという欠点があり，ステレオ・ベースが常に一定条件で撮影できる後者の方法が，現在の同時立体眼底カメラの基礎となっている。

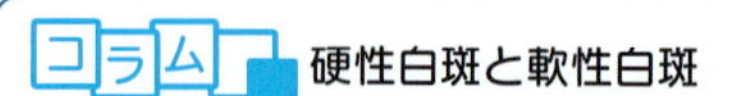

コラム 硬性白斑と軟性白斑

硬性白斑（星状斑）とは網膜浮腫による血管透過性の亢進や出血により漏れたフィブリンや脂質成分などが，視神経の髄鞘成分に沈着した境界鮮明な眼底所見。髄鞘も構成成分は脂質なので脂質同士くっつきやすい。

一方，軟性白斑（綿花様白斑）とは網膜の虚血状態を反映している。虚血によって視神経繊維の流れが妨害され，軸索流が膨化・白濁として観察されるものである。硬性白斑と異なり，境界が不明瞭。

また，軟性白斑が出現するほどに虚血が進むと新生血管がつくられ，そこからの出血も起こる。

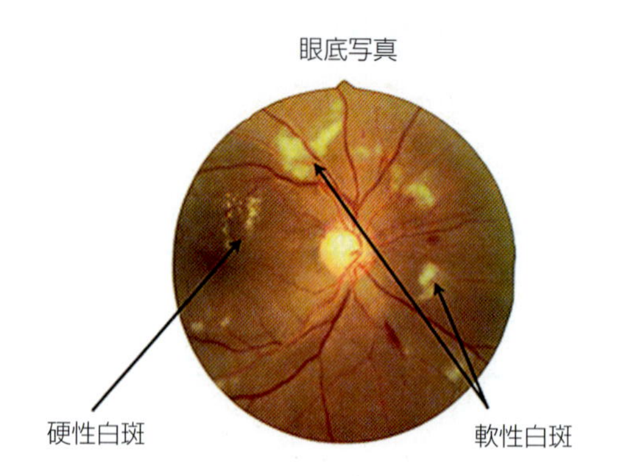

コラム 動静脈交差現象

高血圧による眼底変化として，動脈の狭細化・口径不同が最初にあげられる。これらは血圧の正常化により回復する可能性がある可逆性変化だが，高血圧が持続すると血管壁が肥厚して，網膜細動脈の狭細化は非可逆性となる。動脈の血柱反射が亢進し，動静脈の交叉部では外膜を共有するため，動脈に生じた硬化性変化は静脈に及ぶ。動脈の下を通っている静脈には圧迫が加わり，静脈がくびれる，または，途切れた様にみえる。このような所見を動静脈交叉現象と呼ぶ。

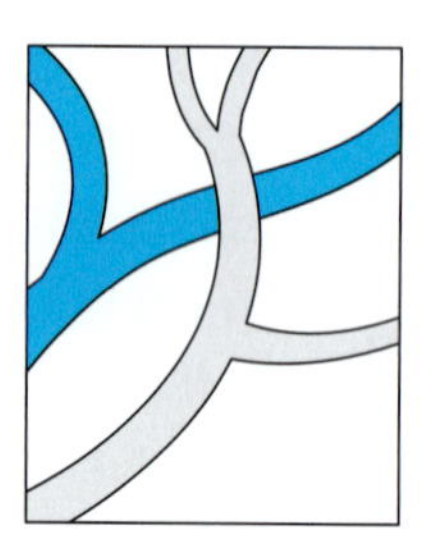
正常交叉

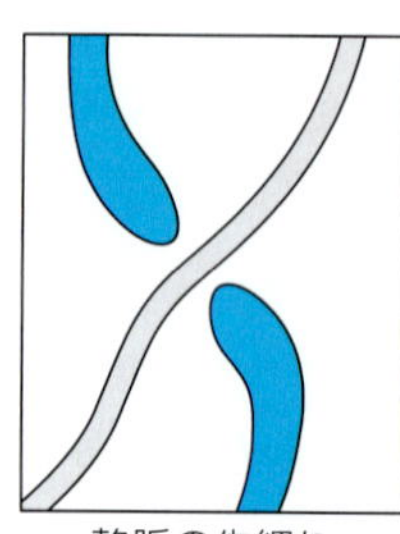
静脈の先細り

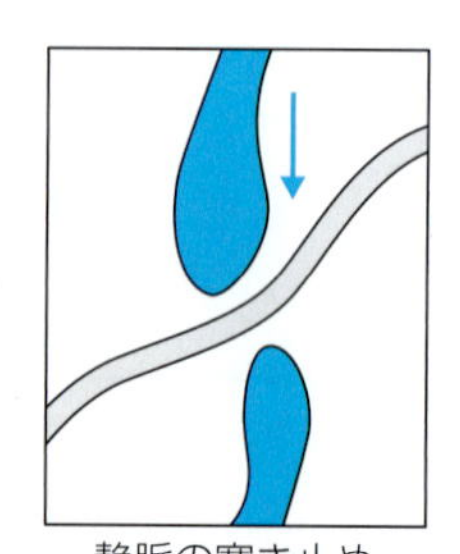
静脈の塞き止め
（ガン現象）

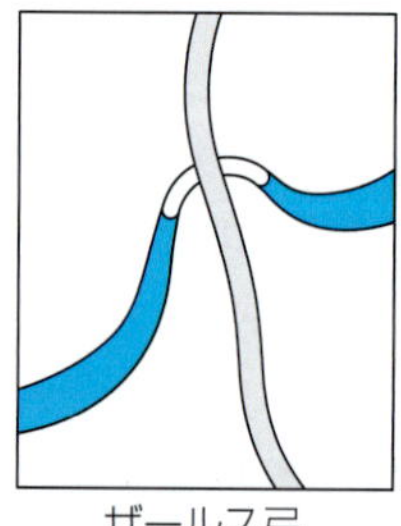
ザールス弓

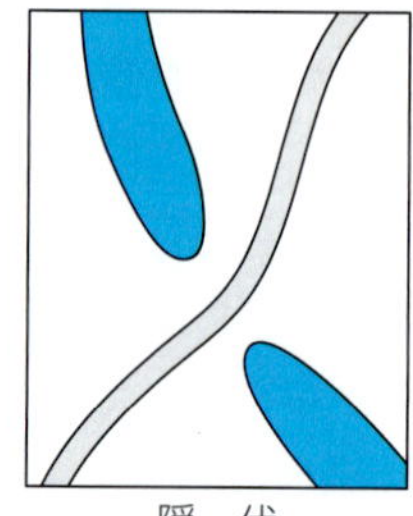
隠　伏

代表的な網膜動静脈交叉現象と血管変化（高血圧，動脈硬化例）

（現代の眼科学　改訂第12版　P178，金原出版より引用）

B 装置

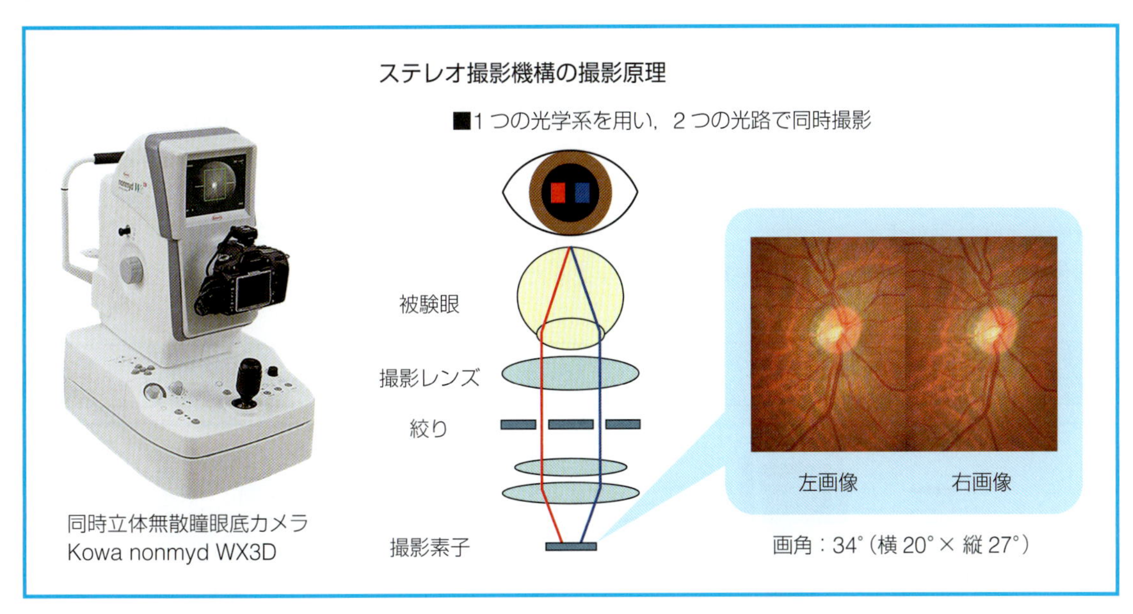

● 同時立体眼底カメラとして現在市販されているものは，興和社のnonmyd WX 3Dのみである。従来の無散瞳眼底カメラの機能はそのままにして，同時立体撮影機能を追加したもので，無散瞳下で眼底の立体撮影を可能にしたものである。このカメラでは，1対のプリズムを置く代わりに，同一光学内に視差を付ける為の2孔を有した絞りを備え，1回のシャッターで，左右視差画像を同時撮影する仕組みになっている（右図）。

Kowa nonmyd WX3Dで撮影した同時立体画像

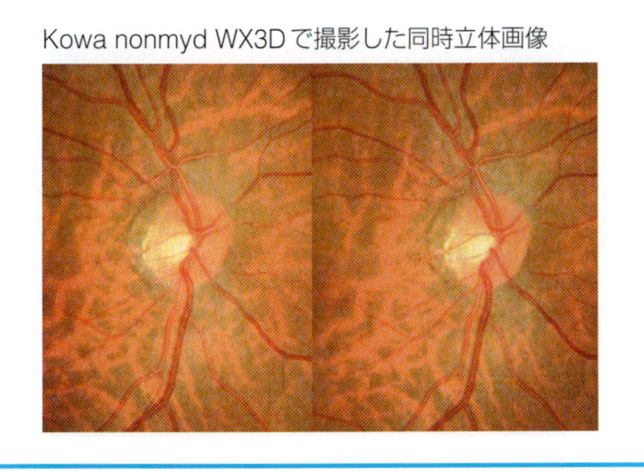

同時立体画像の解析レポート

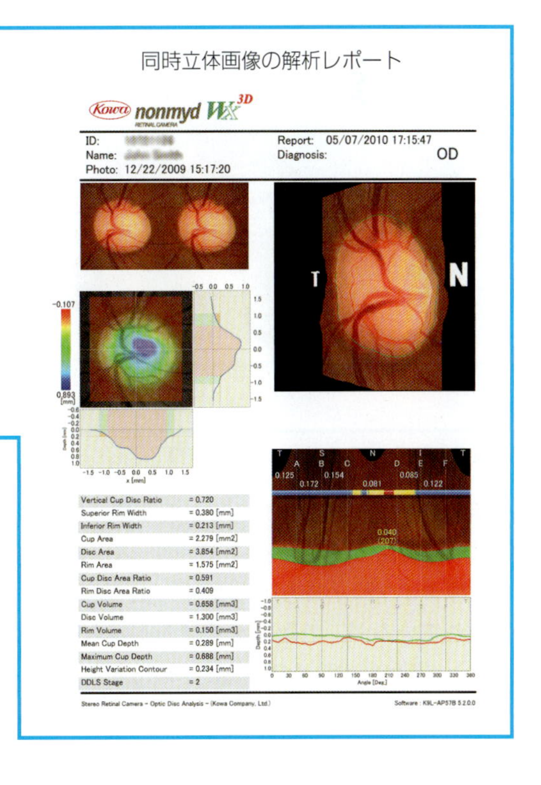

● 主として視神経乳頭が撮影の対象となる。画像解析についての詳細は割愛するが，付属の画像解析ソフトを用い，撮影された立体画像を演算処理することによって視差情報を抽出し，視差の大きさに基づいて視神経乳頭陥凹の深さ分布を算出する。また，深さ分布を利用した計測・解析結果や3次元画像を提供し，緑内障診断をサポートするのが目的である。

C 撮影方法

- 撮影方法は，前述の無散瞳眼底カメラと同様にディスプレーに表示されるワーキングドットやスプリット輝線を使ってワーキングディスタンスやアライメントの調整，ピント合わせを行う。
- 同時立体眼底カメラでは，視差をつけるために光軸が瞳孔の中央からやや外側に位置し，散瞳が不十分であると左右の画像の明るさが均一とならないので，散瞳にはより一層の注意が必要である。
- また，不適切なアライメントは，左右画像でフォーカスのずれが起きる。視神経乳頭が画面中央に位置するように調整する。
- 画像の良し悪しは，解析や計測結果に影響を与えるため，再現性のある画像が要求される。

2 手持ち眼底カメラ

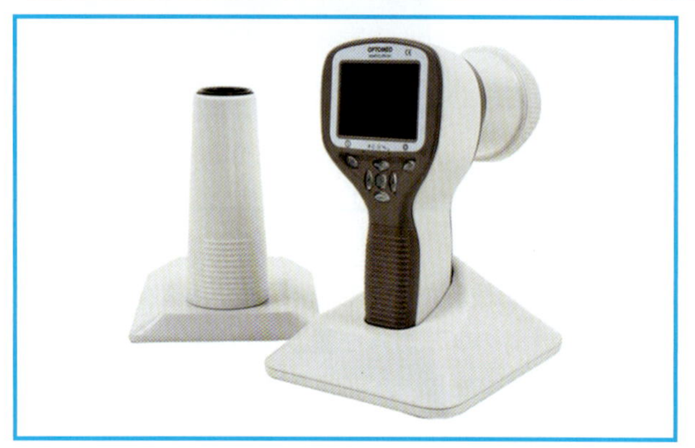

OPTOMED M5（画像提供：キヤノンライフケアソリューションズ株式会社）

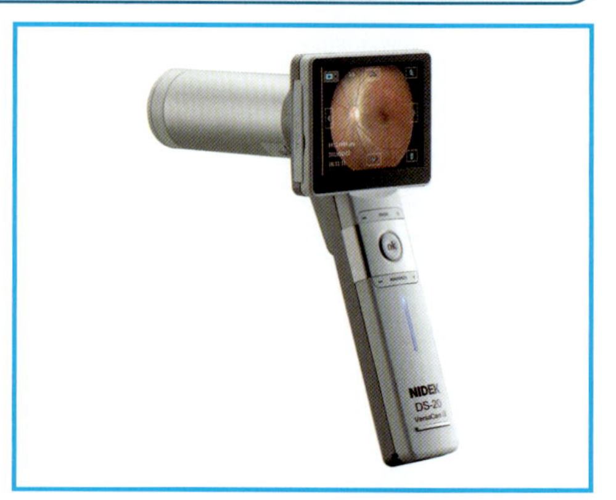

VersaCam α（画像提供：株式会社ニデック）

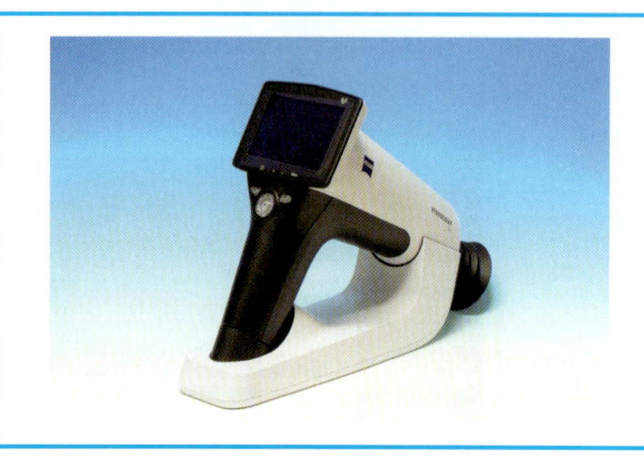

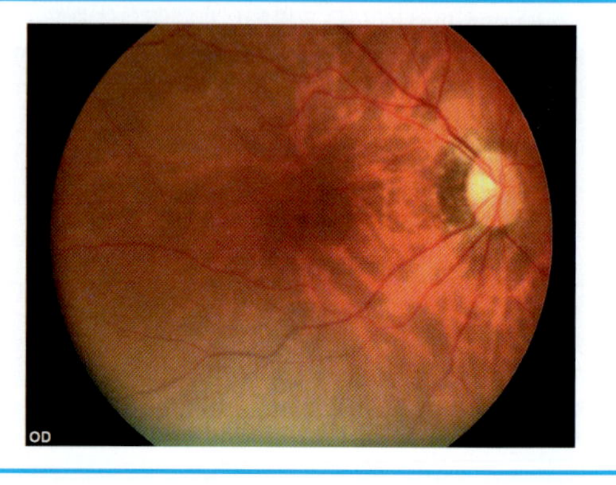

VISUSCOUT 100と撮影した眼底写真

- 手持ち眼底カメラは，場所を選ばず，起座位での撮影が困難な寝たきりの患者や，往診での眼底撮影に有用である。
- 散瞳タイプの手持ち眼底カメラは，興和社が1962年から手掛け，現在4世代目のGENESIS Dが発売されているが，無散瞳タイプの手持ち眼底カメラとして，2012年にキャノンライフケアソリューションズ社のOPTOMED M5，2013年にニデック社のVersaCam® α，2015年にカールツァイスメディテック社のVISUCOUT 100が発売されている。
- 3機種ともカメラ部と充電器を兼ねたクレードルで構成されている。

撮影風景

VISUSCOUT 100の撮影風景

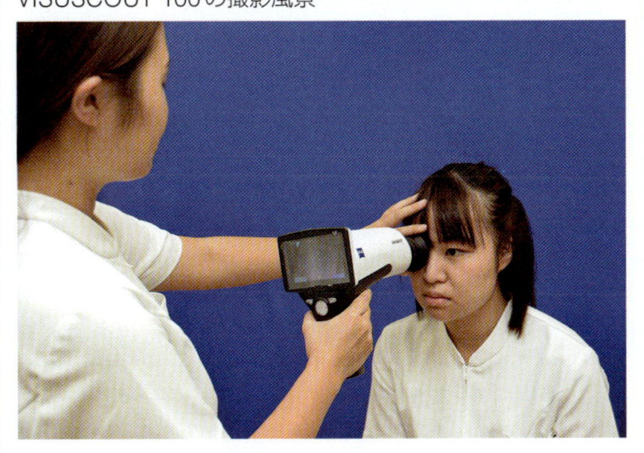

- 卓上型の無散瞳眼底カメラと同様に，暗室で被検眼を自然散瞳させ，被検者が座位なら術者も座位で，被検者が仰臥位なら術者は立位で撮影する。
- どの眼底カメラもオートフォーカスが搭載され，操作は簡単であるが，卓上型カメラのように被検者の顔が固定されていないため，ワーキングディスタンスやアライメントの微調整には慣れが必要である。

■参考文献

1) 金上貞夫：無散瞳カメラによる眼底検査法．検査と技術 23（増刊号 臨床生理検査実践マニュアル画像検査を中心として）：251-262，1995
2) 金上貞夫ほか：眼科写真撮影法．眼科診療プラクティス46（金上貞夫，丸尾敏夫編），文光堂，pp2-100，1999
3) 田邊宗子：眼底．特集・眼科写真記録と装置（良い写真を撮るための秘訣）．眼科 44：1889-1896，2002
4) 簗島謙次，中島　章：最近の眼底カメラ．光学 12：2-10，1983
5) 難波克彦：同時立体撮影法．眼科診療プラクティス46（金上貞夫，丸尾敏夫編），文光堂：pp24-25，1999
6) 佐野秀一，寺内渉：手持ち眼底カメラ撮影法．眼科診療プラクティス46（金上貞夫，丸尾敏夫編），文光堂：pp30-32，1999
7) 反保宏信：手持ち眼底カメラ．眼科写真A to Z（木下　茂，竹内忍監，日本眼科写真協会編），リブロ・サイエンス：pp73-82，2016
8) 慶應義塾大学病院：糖尿病網膜症．医療・健康情報サイトKOMPAS
http://kompas.hosp.keio.ac.jp/contents/000555.html

索 引

欧文索引

MR・超音波・眼底
基礎知識図解ノート 第2版補訂版

2012年10月20日　第1版発行
2018年 3 月30日　第2版発行
2022年10月30日　第2版補訂版第1刷発行
2024年 1 月20日　　　　　　第2刷発行

監修者　新津（にいつ）　守（まもる）
編　者　磯辺（いそべ）　智範（とものり）

発行者　福村　直樹
発行所　金原出版株式会社
〒113-0034 東京都文京区湯島2-31-14
電話　編集（03）3811-7162
　　　営業（03）3811-7184
FAX　　（03）3813-0288
振替口座　00120-4-151494
http://www.kanehara-shuppan.co.jp/

ISBN 978-4-307-07128-4　　印刷・製本／教文堂